D1172107

LE CONSEILLER MÉDICAL DE LA FAMILLE

De A à Z,
LES PROBLÈMES DE SANTÉ,
LEURS SYMPTOMES, LEURS CAUSES,
LEURS REMÈDES

LE CONSEILLER MEDICAL DE LA FAMILLE

MONTRÉAL-PARIS-BRUXELLES-ZURICH

Pour l'édition canadienne, l'éditeur tient à remercier tout particulièrement les consultants médicaux suivants

Adelson, Joel W., MD, PhD
Professeur associé en pédiatrie,
université McGill, Hôpital de Montréal pour enfants

Branchaud, Charlotte T., PhD
Professeur adjoint en pédiatrie,
université McGill, Hôpital général de Montréal

DeKoos, Edmond B., MD, FRCS (C)
Membre du corps enseignant de l'université McGill,
Hôpital général de Montréal, gynécologie et obstétrique

Engels, W. Dennis, MD, ABPsy, FRCP (C)
Professeur associé en psychiatrie,
université McGill, Hôpital royal Victoria

Gillett, Peter G., MD, MRCOG, FRCS (C)
Professeur associé en obstétrique et gynécologie,
université McGill, Hôpital général de Montréal

Kinnear, Douglas G., MD, FACP, FACP (C)
Professeur associé en médecine,
université McGill, Hôpital général de Montréal

Laplante, Jean-Paul, MDCM

Laplante, Michael P., MDCM, FRCS (C)
Professeur associé en urologie,
université McGill, Hôpital général de Montréal

Leith, Arthur B., MD, FRCS (C)
Professeur adjoint en ophtalmologie,
université McGill, Hôpital général de Montréal,
Hôpital de Montréal pour enfants

Nugent, Paul T., MD, CCFD

Presser, Baldomero, MD, FRCP (C)
Hôpital général de Montréal

Weary, Daphne
Chef ergothérapie, Hôpital Catherine-Booth

Laplante, Mary Louise, RMN

Nicolas, Marie-France, RN, BSN

Recherche rédactionnelle :

Wadad Bashour

LE CONSEILLER MÉDICAL DE LA FAMILLE

Cet ouvrage est l'adaptation française de :
FAMILY MEDICAL ADVISER
publié par The Reader's Digest Association Limited,
London © 1983

PREMIÈRE ÉDITION

ISBN 0-88850-126-9
ISBN 2-7098-0154-X (édition française)

TABLE DES MATIÈRES

REMERCIEMENTS

Sélection du Reader's Digest remercie tous ceux qui ont contribué à l'élaboration des textes, et plus particulièrement :

Docteur Sylvie Abraham

Docteur Arnaud Basdevant

Docteur Mario Bensasson, pour la rhumatologie

Docteur Lucien Bouccara, pour la gynécologie

Docteur Lise Bouccara-Aubremont, pour l'ophtalmologie

Docteur Nicolas Dantchev

Docteur Monique Donabédian

Docteur Alain Fontenelle, pour l'orthodontie

Docteur Serge Garbarg, pour la cardiologie

Docteur Bernard Huynh

Docteur Bernard Junod

Docteur Miguel Martinez-Almoyna, pour les urgences

Irène Neuhof

Docteur Jean-Pierre Ribeyre

Docteur Claire Squires

Docteur Jean-Michel Stroumza, pour la stomatologie

Nathalie Stroumza

Docteur Michel Szmajer

Docteur Jean-Manuel Tétau

Docteur Jean-Nicolas Vidart

Docteur Gabriel Wahl, pour la psychiatrie

Nous remercions également :

Geneviève Adda

Julia Ambrogio

Anne-Marie Bouvron

Monique Coutureau

Nicole Gasnier

Catherine Godard

Rosaria Isa

Michèle Joordevant

Dominique Le Bourg

Ève Mercier-Sivadjian

Ursula Millot

Anne de Peufeilhoux

Caroline Rivolier

L'édition originale de cet ouvrage a été réalisée avec la collaboration de :

Jane Armstrong

Dr Rosemarie A. Balliod

Arnold E. Bender, BSc, PhD

David A. Bender, BSc, PhD

Dr George Birdwood, MA, MB, ChB

Anthea Blake

Alice Burns

Prof. James Calnan

Margaret E. Carter

Dr Robert Catty, MB, BS

Prof. Geoffrey Chamberlain, MD

Dr John Clarke, DSc, MD, MB, ChB

Prof. Leslie Collier

Dr Aubrey Colling, MD

Sarah Collins

Dr John Cormack, MD

Dr James Cox, MD, BS

Ann Darnbrough

Dr Alan Maryon Davis, BChir, MSc

E.E. Douek

Michael Euler-Ott

Docteur Roland Freedman, MA, MB, BChir

Dr John Fry, MD

Jean Gaffin, BSc, MSc

Dr Max M. Glatt, DSc, MD

Dr Muir Gray, MD

Christina Gregory

David Griffin

Dr Mark Harries, MD, BS

Anne de J. Harvard

Christopher R. Hayne

Dr A.M. Hewlett

Keith Hodgkin, BM, BCh

Rosemary Hodgkin

Dr Frank Hull, MB, BS

Prof. Bernard Isaacs, MD

Dr Sally Jobling

Alan Jones

Elizabeth MacKenzie Keeble

Prof. J.D.E. Knox, MD

Alan Lynch

A.L. Lyness

Dr Douglas MacAdam, MA, MD, BChir, BD

Dr Colin Mackenzie, MB, ChB

Dr Harvey Marcovitch, MA, MB, BChir

Marion Mathews

D.E. Maynard, MPhil, PhD

Dr Nicola McClure, MB, BS

Dr Judith Millac, MB, BS

Dr John K. Morgan

Dr Kenneth Mourin, MA, MB, BChir

David Sutherland Muckle, MB, BS, MS, MD

Dr Stuart Murray, PhD

Dr Frank Preston, VRD, MB, ChB, DA

Dr P.F. Prior

Martin Raw, BA, MPhil

Carol Redvanly

Prof. E.O.R. Reynolds

Dr Peter Roylance, RD, MB, ChB

H.S.J. Siford

Janet Silver

Hugh Spencely, MA

John Talbot, MB, BS

Stephen Thorpe

Janet Thrush

David Ward, MD

Ian Williams, BA

COMMENT UTILISER CE LIVRE

Il y a trois façons de trouver une information dans LE CONSEILLER MÉDICAL DE LA FAMILLE :

- en vous reportant directement au dictionnaire, si vous connaissez le nom de l'affection ou de la maladie que vous recherchez;
- en vous servant du chapitre « Liste des symptômes »;
- en cherchant dans l'index, car les affections ou maladies peuvent figurer sous des noms différents.

La rédaction de cet ouvrage, qui touche au vaste domaine de la santé, a fait l'objet d'une attention toute particulière.
Cependant, ce livre, comme son nom l'indique, est un conseiller, et il ne peut en aucun cas remplacer votre médecin.

1. Emploi du dictionnaire
page 57-535

Si vous connaissez le nom de l'affection dont vous souffrez, recherchez directement le mot à son ordre alphabétique dans le dictionnaire. Vous y trouverez une description de la maladie avec :

Symptômes
Durée
Causes
Complications
Traitement à domicile
Quand consulter le médecin
Rôle du médecin
Prévention
Pronostic

2. Emploi de la Liste des symptômes *page 11-29*

Bien souvent, vous ne connaissez pas le nom exact de l'affection qui vous préoccupe et ignorez à quelle lettre la chercher. La Liste des symptômes est facile à consulter : une toux, une fièvre, un mal de gorge, de tête, une éruption, une douleur du dos, etc.
Quand vous consultez votre médecin, il vous demande d'abord de lui décrire vos symptômes.
C'est ainsi qu'il peut faire son diagnostic et prescrire le traitement adéquat.
La Liste des symptômes facilitera donc ce dialogue avec votre médecin.
Commencez par chercher le symptôme qui vous affecte.
On vous dira comment l'interpréter et quelle est, si nécessaire, la première action à entreprendre.
A côté de chaque symptôme figurent les causes éventuelles qui sont à l'origine de votre état. Vous pourrez alors vous reporter à la partie dictionnaire de cet ouvrage.

URGENCES
Page 537-548
(voir liste, page 538)

3. Emploi de l'index *page 549-559*

Parfois, la même maladie peut figurer sous des noms différents, rendant difficile la recherche dans le dictionnaire. Exemple : ictère, jaunisse.
Dans ce cas, cherchez dans l'index à la fin du livre.
Toutes les maladies décrites dans le livre y apparaissent sous leurs différentes appellations.
L'index vous indique aussi à quelle page trouver un point particulier concernant la médecine et ne faisant pas l'objet d'une rubrique distincte dans le dictionnaire. Exemples : insuline, caillot sanguin...

1re PARTIE LISTE DES SYMPTOMES

Pour reconnaître les symptômes des maladies et identifier leurs causes

ABDOMINALE (DOULEUR)

Une douleur abdominale est fréquemment le symptôme d'un trouble bénin mais peut aussi être le premier signe d'une maladie sérieuse. Elle peut provenir de troubles du SYSTÈME DIGESTIF (*page 44*), du SYSTÈME URINAIRE (*page 46*), ou, chez la femme, des ORGANES GÉNITAUX (*page 48*). En cas de douleur abdominale chez les enfants, *voir aussi* PUÉRICULTURE (*page 370*).

Traitement immédiat

- Repos, n'absorber que des liquides.

Quand consulter le médecin

Immédiatement si :

- La douleur est continue, ou devient plus aiguë, après quatre heures.
- La patiente est enceinte.
- La douleur est associée à des vomissements, à un saignement ou à des règles survenant dans une période anormale.

Le plus rapidement possible si :

- Le malade a déjà eu des troubles abdominaux, tels qu'un ULCÈRE DUODÉNAL, une suspicion d'APPENDICITE ou de CHOLÉCYSTITE.
- La douleur est sévère, gênant le sommeil ou l'aptitude au travail.
- Le patient qui souffre est âgé ou très jeune (moins de six ans). Dans de tels cas, la douleur abdominale, même légère, peut être en rapport avec une cause sous-jacente sérieuse.

Causes possibles

- Troubles digestifs.

La douleur se situe dans le haut ou le bas de l'abdomen, est associée à la prise d'aliments, à des vomissements, à des nausées ou de la diarrhée.
Causes habituelles : INDIGESTION, GASTRO-ENTÉRITE, ANGINE.
Causes moins fréquentes : APPENDICITE, ULCÈRE DUODÉNAL, ULCÈRE GASTRIQUE, DIVERTICULOSE COLIQUE, OCCLUSION INTESTINALE.

- Troubles urinaires.

La douleur est ressentie dans le bas de l'abdomen et le dos, sous les côtes, ou au niveau des organes génitaux. Les urines peuvent présenter du sang, être trop fréquentes, avec brûlures ou non.
Cause habituelle : CYSTITE.
Causes moins fréquentes : lithiase urinaire, PYÉLONÉPHRITE.

- Les troubles en rapport avec des affections des organes génitaux féminins entraînent habituellement des douleurs dans les parties basses de l'abdomen et des lombes. Des anomalies des règles, des pertes vaginales ou un saignement provenant du vagin peuvent en résulter.

Causes habituelles : SYNDROME PRÉMENSTRUEL, travail et accouchement (*voir* MATERNITÉ).
Causes moins fréquentes : fausse couche (*voir* AVORTEMENT), GROSSESSE EXTRA-UTÉRINE, SALPINGITE, ENDOMÉTRIOSE.

AINE (GONFLEMENT DE L')

Une tuméfaction molle, indolore dans l'aine est le signe d'une HERNIE. Une grosseur ou un gonflement plus durs suggèrent l'augmentation d'un ganglion consécutif à un ABCÈS, à une MONONUCLÉOSE INFECTIEUSE, ou à des affections plus graves des ganglions lymphatiques.

Traitement immédiat

- Repos couché.

Quand consulter le médecin

- Un gonflement de l'aine qui récidive ou persiste plus de deux ou trois jours doit être signalé au médecin.

AMNÉSIE

Voir LISTE DES SYMPTOMES — MENTALE (TROUBLES DE L'ACTIVITÉ)
Voir aussi page 77

AMPOULE

Ampoules et cloques sont dues au frottement, à une allergie, à des brûlures et à des maladies variées.
Voir PHLYCTÈNE, *page 356*

ANUS (PROBLÈMES AVEC L')

Les problèmes affectant l'anus comprennent des saignements, des gonflements autour de celui-ci, des démangeaisons, des douleurs au moment des selles.

Traitement immédiat

- Prendre un bain de siège, sécher soigneusement et appliquer une crème apaisante.

Quand consulter le médecin

- S'il y a un saignement venant de l'anus pendant ou après la selle.
- Si l'on note des pertes de mucus d'aspect visqueux. Celles-ci, sans être graves, peuvent être le premier signe d'une affection sérieuse.
- Si l'irritation est persistante au point de causer une gêne importante.

Causes possibles

- Saignements.

Causes habituelles : chez les nourrissons et les enfants — DIARRHÉES, CONSTIPATION; chez l'adulte — HÉMORROÏDES, FISSURE ANALE.
Causes moins fréquentes : chez les enfants — INVAGINATION INTESTINALE aiguë; chez l'adulte — DIVERTICULOSE COLIQUE, POLYPE, CANCER DE L'INTESTIN, COLITE ULCÉREUSE.

- Douleur au moment où passent les selles.

Causes habituelles : HÉMORROÏDES, FISSURE ANALE, séquelle d'un accouchement laborieux.
Causes moins fréquentes : HÉMORROÏDES internes, PROLAPSUS DU RECTUM.

- Irritation.

Voir PRURIT ANAL

APATHIE

L'apathie est caractérisée par un état d'indifférence ou de fatigue, dans lequel le patient apparaît avoir perdu tout intérêt pour le monde qui l'entoure. Certains malades peuvent avoir des malaises, être fatigués, prostrés et faibles. L'apathie est un symptôme commun à la fois de troubles bénins ou plus sérieux mais, comme on l'observe fréquemment, il est difficile de les déterminer ou d'interpréter leur origine. C'est seulement en présence d'autres symptômes, tels qu'une fièvre ou une perte de poids, qu'il sera possible de déterminer s'il s'agit d'une cause psychologique ou physique.
En l'absence de ces symptômes, l'origine de cette affection est habituellement bénigne.

Causes possibles

Causes habituelles : syndrome du lundi matin, excès d'alcool, FIÈVRE, infection, ANXIÉTÉ, DÉPRESSION, INSOMNIE.
Causes moins fréquentes : ANÉMIE, MYXŒDÈME, nombreuses infections chroniques ou affections qui évoluent lentement, troubles mentaux tels DÉPRESSION OU SCHIZOPHRÉNIE.

APPÉTIT (PERTE DE L')

La perte d'appétit, dont le nom médical est anorexie, accompagne une grande variété de maladies.
Sa cause varie avec l'âge du patient.
Au contraire, une augmentation anormale de l'appétit s'appelle BOULIMIE.

Quand consulter le médecin

- Si, chez un enfant, la perte de l'appétit persiste plus de vingt-quatre heures sans cause apparente.
- Si, chez un jeune ou un adulte, la perte de l'appétit dure plus de sept jours.
- Plus rapidement encore si elle s'accompagne d'une perte de poids, de vomissements, de diarrhée, de toux ou de douleurs abdominales.
- S'il s'agit d'une personne âgée vivant seule, la perte de l'appétit peut conduire à une malnutrition.

Causes possibles

- La perte de l'appétit est le symptôme commun de toutes les fièvres et de nombreuses affections des enfants.

Il s'agit souvent d'un phénomène sans importance, mais il peut parfois

indiquer un trouble sérieux. *Voir aussi* PUÉRICULTURE, *page 370*
- Une perte de l'appétit inférieure à une semaine est le symptôme habituel d'affections mineures ou de désordres bénins, tels que MAL DES TRANSPORTS, INDIGESTION, GASTRO-ENTÉRITE, AMYGDALITE, ANGINE, ainsi que d'autres affections. L'ensemble des autres symptômes aident habituellement à faire le diagnostic.
- Une perte de l'appétit supérieure à sept jours.

Causes habituelles : GROSSESSE, GASTRO-ENTÉRITE, ingestion d'alcool et ALCOOLISME.
Causes moins fréquentes : HÉPATITE, MONONUCLÉOSE, TUBERCULOSE, COLITE ulcéreuse, CANCER DE L'ESTOMAC ou bien d'autres CANCERS, POLYARTHRITE RHUMATOÏDE, ANOREXIE MENTALE, TOXICOMANIE, CIRRHOSE DU FOIE, DÉPRESSION.

ARTICULATIONS

L'atteinte d'une articulation peut se traduire par une douleur, une sensation de chaleur; sur une articulation rouge, un gonflement signale parfois la présence de liquide. Les mouvements peuvent être douloureux et limités. Les problèmes articulaires sont aussi traités dans cette liste des symptômes au nom de l'articulation atteinte.

Traitement immédiat
- Mettre l'articulation au repos.
- Prendre des analgésiques aux doses recommandées. *Voir* MÉDICAMENTS, n° 22.
- Mettre l'articulation au chaud avec une bouillotte ou un cataplasme.

Quand consulter le médecin
- Si les symptômes sont importants, durent plus d'une semaine ou perturbent les activités quotidiennes.

Causes possibles
Les troubles articulaires peuvent être en rapport avec un traumatisme (ENTORSE, BURSITE, LUXATION, FRACTURE); avec l'âge (ARTHROSE); avec une inflammation (POLYARTHRITE RHUMATOÏDE, GOUTTE, RHUMATISME ARTICULAIRE AIGU, PSEUDO-POLYARTHRITE RHIZOMÉLIQUE).

Habituellement, les atteintes articulaires sont liées à certaines maladies. Chez le sujet âgé, l'arthrose atteint surtout les hanches, les genoux, les articulations de la colonne vertébrale. Chez des sujets d'âge moyen, l'arthrite rhumatoïde atteint électivement les mains, les genoux et les pieds. La goutte atteint surtout le gros orteil et les articulations des jambes. La pseudo-polyarthrite rhizomélique atteint surtout les bras et les épaules des personnes âgées.

BAILLEMENTS

Il s'agit d'un symptôme bénin qui traduit un besoin de dormir et que l'on peut également noter en cas de sensation de faim ou de fatigue.
Voir LISTE DES SYMPTOMES (SOMNOLENCE)

BATTEMENTS DU CŒUR (ANOMALIES DES)

Voir LISTE DES SYMPTOMES (PALPITATIONS)

BOSSES

Après un traumatisme du cuir chevelu, et surtout chez les enfants, des bosses peuvent apparaître subitement au niveau de la tête. De couleur bleutée, elles disparaissent habituellement sans traitement en deux à dix jours. Une bosse persistante, molle au toucher, est habituellement due à un KYSTE sébacé.

BOUCHE ET LANGUE

La bouche et la langue peuvent être le siège de douleurs, d'endolorissement, d'éruption et d'ulcération.

Traitement immédiat
- Bains de bouche; sucer des pastilles. *Voir* MÉDICAMENTS, n° 42.
- Prendre des analgésiques aux doses recommandées. *Voir* MÉDICAMENTS, n° 22.
- Prendre une nourriture aussi liquide que possible.

Quand consulter le médecin
- Si l'on ne parvient pas à se nourrir de façon normale pendant plus de deux jours.
- S'il y a éruption, saignement ou ulcération dans la bouche.
- Si la langue est douloureuse et ulcérée pendant plus d'une semaine.
- S'il y a le moindre gonflement du visage, d'une joue, des gencives ou de la bouche.

Causes possibles
- Douleur et endolorissement.

Causes habituelles : CANDIDOSE, APHTES, OREILLONS, origine dentaire (*voir* DENTS), STOMATITE.
Causes moins fréquentes : ANÉMIE (par carence en fer ou pernicieuse), CANCER de la langue.
- Éruption et ulcération.

Causes habituelles : APHTES, CANDIDOSE, STOMATITE, rougeurs, cause dentaire (*voir* DENTS).
Causes moins fréquentes : CANCER de la langue, LICHEN PLAN.
Voir aussi page 271

BOUTONS ET PUSTULES

Voir LISTE DES SYMPTOMES — PEAU (LÉSIONS DE LA)

BRAS

Des ennuis ressentis dans les bras, tels que douleurs, gonflements ou engourdissements, sont habituellement en rapport avec des mouvements où les articulations ou certaines parties du bras jouent un rôle. Par exemple, la douleur pourra être plus marquée quand on bouge l'épaule, ou un tremblement sera davantage ressenti dans la main. Seront mentionnés dans cette liste des symptômes les problèmes de bras les plus courants.
Parfois, après des interventions importantes sur le sein, un gonflement et une douleur peuvent atteindre tout le bras; le médecin devra alors en être informé.

BRULURES ÉPIGASTRIQUES

Une sensation de chaleur apparaît derrière le sternum après une prise d'aliments. Ce symptôme survient aussi après la plupart des INDIGESTIONS; s'il est persistant, il est parfois en rapport avec un ULCÈRE DUODÉNAL.
Voir LISTE DES SYMPTOMES (INDIGESTION)
Voir aussi RÉGURGITATIONS

CATARRHE

Le catarrhe nasal est un symptôme bénin mais souvent difficile à traiter. Il peut se manifester pendant plusieurs jours par de nombreuses affections du nez et des sinus.

Traitement immédiat
- Bien se moucher et, pour décongestionner les muqueuses, utiliser des gouttes nasales (*voir* MÉDICAMENTS, n° 41); cependant l'usage immodéré de gouttes nasales peut à la longue favoriser l'installation d'un catarrhe si elles sont utilisées plus de dix jours.

Quand consulter le médecin
- Si l'obstruction nasale persiste au-delà de deux à quatre semaines.
- Si le mucus est taché de sang.

Causes possibles
Causes fréquentes : RHUME banal.
Autres causes : SINUSITE, POLYPE NASAL, RHINITE (chronique et allergique).

CÉCITÉ

La perte de la vue survient graduellement ou brutalement, et peut affecter un œil ou les deux de façon partielle ou complète. La cause peut en être sérieuse.

Traitement immédiat

- Si la perte de la vue est brutale, rester assis et garder les yeux fermés jusqu'à l'examen d'un médecin.

Quand consulter le médecin

- Aussi rapidement que possible.

Causes possibles

- Cécité brutale dans un œil ou les deux, complète ou partielle.

Causes habituelles : MIGRAINE (la cécité disparaît en dix à vingt minutes).

Causes moins fréquentes : TROUBLES CIRCULATOIRES OCULAIRES, DÉCOLLEMENT DE RÉTINE, GLAUCOME, ARTÉRITE temporale.

- CÉCITÉ progressive dans un œil ou les deux.

Causes habituelles : CATARACTE, AMBLYOPIE.

Causes moins fréquentes : GLAUCOME, IRITIS, DÉCOLLEMENT DE RÉTINE, TROUBLES CIRCULATOIRES OCULAIRES, DIABÈTE, affection de la rétine.

CHEVEUX

Les atteintes relatives aux cheveux et au cuir chevelu sont la CALVITIE, les PELLICULES, les POUX, le PSORIASIS, l'HIRSUTISME (poils et cheveux en excès). Pour les croûtes de lait, *voir* PUÉRICULTURE, *page 370*.

Voir aussi CHEVEUX

CHEVILLE

Douleur et gonflement sont les symptômes les plus fréquents des atteintes de la cheville. Ils apparaissent souvent ensemble, mais pas toujours. Ils surviennent habituellement après un traumatisme dû à une maladie chronique connue du patient, telle que la GOUTTE ou l'ARTHROSE.

Traitement immédiat

- Mettre au repos la cheville atteinte.
- Poser le pied en position élevée.
- Prendre des antalgiques aux doses recommandées.

Voir MÉDICAMENTS, n° 22.

Quand consulter le médecin

- Si vous ne pouvez pas appuyer de tout votre poids sur votre cheville.
- Si la cheville paraît déformée.
- S'il y a un hématome qui s'étend.
- Si la douleur en appui persiste après deux jours de repos.
- Si le gonflement, indolore, atteint les deux pieds; s'il n'y a pas de traumatisme connu, et spécialement s'il s'agit d'une personne âgée.

Causes possibles

- Douleurs.

Causes habituelles : ENTORSE.

Causes moins fréquentes : FRACTURE, TENDON D'ACHILLE (RUPTURE DU), GOUTTE, ARTHROSE, RHUMATISME ARTICULAIRE AIGU.

- Gonflement des deux chevilles.

Causes habituelles : temps chaud, station debout prolongée, GROSSESSE, OBÉSITÉ.

Causes moins fréquentes : VARICES, INSUFFISANCE CARDIAQUE, NÉPHRITE.

CLAUDICATION

CLAUDICATION CHEZ UN ENFANT

Bien que la cause de la claudication chez un enfant soit souvent banale, elle peut être le symptôme révélateur d'une infection osseuse grave.

Traitement immédiat

- Mettre au repos la jambe atteinte.

Quand consulter le médecin

- Si une claudication n'a pas de cause évidente et persiste après un à trois jours de repos.
- Si la douleur est importante.

Causes possibles

Causes habituelles : traumatisme, plaies, PHLYCTÈNES (ampoules), ENTORSE, contusion.

Causes moins fréquentes : OSTÉOCHONDRITE, et d'autres maladies osseuses rares (LUXATION CONGÉNITALE DE LA HANCHE), OSTÉOMYÉLITE.

Voir aussi PUÉRICULTURE, *page 370*.

CLAUDICATION CHEZ L'ADULTE

Traitement immédiat

- Mettre au repos la jambe atteinte.
- Prendre des analgésiques aux doses recommandées. *Voir* MÉDICAMENTS, n° 22.

Quand consulter le médecin

- Si une personne d'un certain âge a de la peine à marcher après une chute.
- Si, après quelques jours de repos, la douleur cause toujours une claudication.
- Si plusieurs articulations sont atteintes, ou si d'autres symptômes suggèrent une affection d'origine différente.

Causes possibles

Causes habituelles : traumatisme, ENTORSE, surmenage, HERNIE DISCALE.

Causes moins fréquentes : ARTHROSE, POLYARTHRITE RHUMATOÏDE, FRACTURE (col du fémur).

COLONNE VERTÉBRALE

Un certain nombre d'affections peuvent atteindre la colone vertébrale; la plupart d'entre elles provoquent des douleurs dans le DOS. Quelques-unes entraînent des déformations et anomalies osseuses sans douleur. A la longue, elles modifient les courbures de la colonne : en arrière, au niveau de la poitrine, elles entraînent une CYPHOSE; en avant, au niveau de la ceinture, elles donnent une LORDOSE; ou encore à n'importe quel niveau, c'est alors une SCOLIOSE. Ces anomalies se manifestent chez l'enfant et l'adulte jeune. Elles peuvent être indolores et, chez un enfant d'une douzaine d'années et plus, elles risquent parfois de n'être pas décelées.

Traitement immédiat

- Aucun.

Quand consulter le médecin

- Aussi rapidement que possible si l'on note l'apparition d'une modification de courbure récente de la colonne et qu'elle s'associe avec une douleur, ou si l'évolution semble rapide.

Causes possibles

Causes habituelles : certaines modifications de courbure apparaissent chez des enfants qui grandissent rapidement et ont tendance à arrondir leurs épaules. Elles nécessiteront néanmoins une surveillance.

Causes moins fréquentes : OSTÉOCHONDRITE, OSTÉOMALACIE; plus rarement, anomalies congénitales ou tuberculose osseuse.

COMPORTEMENT (ANOMALIES DU)

Un comportement inhabituel ou exagéré peut survenir chez les adultes ou les enfants (*voir* PUÉRICULTURE, *page 370*). De telles anomalies du comportement ne sont pas sans perturber ceux qui sont en contact avec le patient; il est malheureusement souvent difficile d'en identifier la cause. Le lecteur se reportera aux mots ANXIÉTÉ, obsession de type compulsionnel, DÉPRESSION, HYSTÉRIE, PARANOÏA, PHOBIE et SUICIDE, dans la partie DICTIONNAIRE de ce livre où un article leur est consacré.

Traitement immédiat

- Il est souvent nécessaire pour la famille ou les amis de signaler ces anomalies du comportement.

Quand consulter le médecin

- Si les activités habituelles sont perturbées et si le patient paraît être un danger pour lui-même et pour les autres.

Cause possibles

- Agitation.

L'intéressé est inhabituellement irritable, hyperactif, anxieux; son état subit de grandes variations.

Causes habituelles : soucis importants, intoxication alcoolique, abus de drogue.

Causes moins fréquentes : HYSTÉRIE, HYPOMANIE, DÉPRESSION, SCHIZOPHRÉNIE, traitement hypoglycémique mal équilibré, abus de stimulants (*voir* MÉDICAMENTS, n° 20).

- Comportement agressif.

Chez l'adulte, l'agressivité, les accès de colère peuvent être des réactions normales à une situation d'insécurité, de peur, ou à des soucis. Cependant, une

agressivité inhabituelle, des variations subites de l'humeur peuvent être un symptôme en rapport avec un désordre mental.
Causes habituelles : excès d'alcool, extrême angoisse, prise de stimulants (*voir* MÉDICAMENTS, n° 20), longue solitude.
Causes moins fréquentes : ÉPILEPSIE, DIABÈTE insulino-dépendant mal équilibré, traumatisme crânien avec COMMOTION (SYNDROME POST-COMMOTIONNEL), HYPOMANIE, SCHIZOPHRÉNIE, TUMEUR DU CERVEAU.
- Délire, hallucination.

Le patient croit à des événements invraisemblables; il fait état de voix ou de visions inexplicables. A son stade primaire, la schizophrénie est une cause fréquente de délire.
- Culpabilité.

Un sentiment extrême de culpabilité n'est pas habituel chez l'individu normal.
Causes habituelles : deuil récent, état dépressif de type mélancolique.
- Irritabilité.

Il peut s'agir d'une réaction normale à un certain degré de tension et de soucis.
Causes habituelles : ANXIÉTÉ, SYNDROME PRÉMENSTRUEL, INSOMNIES.
- Comportement bizarre.

Un comportement inhabituel peut apparaître sous certaines conditions.
Causes habituelles : excès d'alcool, prise de sédatifs ou de stimulants (*voir* MÉDICAMENTS, n°s 17, 20).
Causes moins fréquentes : ÉPILEPSIE, COMMOTION, surdosage en insuline (DIABÈTE), HYPOMANIE.
- Paranoïa ou complexe de persécution.

Sensation anormale, impression d'être persécuté.
Causes habituelles : solitude, spécialement chez le sujet âgé.
Causes moins fréquentes : SCHIZOPHRÉNIE, DÉLIRE de type paranoïaque.

Voir LISTE DES SYMPTOMES — MENTALE (TROUBLES DE L'ACTIVITÉ)

CONCENTRATION (PERTE DE)

Voir LISTE DES SYMPTOMES — MENTALE (TROUBLES DE L'ACTIVITÉ)

CONFUSION

Voir LISTE DES SYMPTOMES — MENTALE (TROUBLES DE L'ACTIVITÉ)
Voir aussi page 148

CONSCIENCE (TROUBLES DE LA)

Évanouissements, étourdissements, syncopes, attaques, éclipses, convulsions sont des termes utilisés à la fois par les médecins et par les profanes. Leur signification est parfois différente selon l'utilisateur mais implique toujours une brève perte de conscience.

La perte temporaire de la conscience est due à deux mécanismes. Le premier est causé par une arrivée insuffisante de sang au cerveau. Tous les symptômes connus d'un malaise sont présents : extrême pâleur, sueur, pouls faible, pression artérielle basse. Le second est causé par une perte du contrôle par le cerveau, pouvant s'associer alors à d'autres symptômes : convulsions, morsure de la langue, respiration bruyante, perte des urines ou des selles. Le pouls, la couleur du visage et la pression artérielle sont normaux. Après ce type d'attaque, il peut y avoir une somnolence, un comportement inadapté, l'affaiblissement d'un membre ou de la difficulté à parler.

Traitement immédiat
- Mettre le patient la tête sur le côté pendant la perte de connaissance, afin qu'il ne puisse avaler sa langue et que les voies aériennes soient libres (position du sujet ayant perdu connaissance). Éviter qu'il ne prenne froid, établir le calme autour de lui. Ne pas lui donner de nourriture ou de boisson. Appeler un médecin ou une ambulance. *Voir* LES URGENCES.

Quand consulter le médecin
- Immédiatement après la perte de connaissance. Si le patient a repris conscience rapidement et qu'il est chez lui, il est nécessaire de demander conseil par téléphone au médecin.

Causes possibles
- Perte de connaissance due à une mauvaise irrigation du cerveau.

Causes fréquentes : GROSSESSE, perte de sang importante, station debout prolongée, sujet âgé.
Autres causes : INSUFFISANCE VERTÉBRO-BASILAIRE, BLOC DE BRANCHE.
- Perte de connaissance due à une perte de contrôle du cerveau.

Causes fréquentes : traumatisme crânien.
Autres causes : convulsions hyperthermiques (*voir* PUÉRICULTURE, *page 370*), ÉPILEPSIE, traumatisme néonatal, TUMEUR DU CERVEAU, chocs, ATTAQUE, HÉMORRAGIE MÉNINGÉE, MÉNINGITE.

CONSTIPATION

La plupart des constipations sont dues à un régime déséquilibré ou à un manque d'exercice, et rarement à une maladie sérieuse. Consulter le médecin en cas de douleurs abdominales, ou si la constipation est récente et persiste plus de deux ou trois semaines.

Voir page 149
Voir aussi PUÉRICULTURE, *page 370*

CONVULSIONS

Voir LISTE DES SYMPTOMES — CONSCIENCE (TROUBLES DE LA)

COU (DOULEUR DU)

Un enraidissement douloureux du cou, débutant brutalement avec difficulté de mouvement, est un symptôme fréquent, à la fois chez adultes et enfants. Très souvent, ces symptômes sont isolés; le repos supprime la douleur en un ou deux jours; on parle alors de TORTICOLIS. La SPONDYLARTHROSE CERVICALE peut entraîner des attaques longues et fréquentes.

L'enraidissement du cou est parfois observé dans certaines infections d'origine bactérienne ou virale. Un enraidissement du cou associé à une température élevée, à l'impossibilité de mouvoir la tête en avant, d'atteindre les genoux avec le nez, ou de mettre le menton à la poitrine doit être signalé immédiatement au médecin afin d'éliminer la possibilité d'une MÉNINGITE.

COUDE

Douleurs, enraidissement, gonflements sont des symptômes habituels qui peuvent atteindre le coude. D'autres troubles liés aux articulations peuvent l'affecter. (*Voir* LISTE DES SYMPTOMES — ARTICULATIONS).

Traitement immédiat
- Mettre le coude au repos en soutenant le bras dans une écharpe ou un foulard plié en deux.

Quand consulter le médecin
- Si la douleur persiste plus de trois à dix jours.
- Si d'autres articulations sont atteintes.
- S'il y a de la fièvre.

Causes possibles
Causes fréquentes : ENTORSE, LUXATION DU COUDE, FRACTURE et traumatisme, ÉPICONDYLITE.
Causes moins fréquentes : BURSITE, ARTHRITE.

CUIR CHEVELU

Chez beaucoup d'individus, même en bonne santé, peuvent apparaître des démangeaisons, des desquamations du cuir chevelu ou des chutes des cheveux.

Ces symptômes sont habituellement causés par une sécheresse du cuir chevelu; la perte de cheveux se produit aussi d'une façon naturelle à certaines périodes de la vie chez la plupart d'entre nous. La persistance de ces symptômes peut cependant cacher une affection du cuir chevelu.

DÉMANGEAISONS
Des irritations du cuir chevelu peuvent être dues à la présence de POUX, mais également à des maladies locales ou à un dessèchement du cuir chevelu avec desquamation (PELLICULES), PSORIASIS ou ECZÉMA.

DESQUAMATION
La desquamation peut être observée en cas de PELLICULES, d'ECZÉMA et de PSORIASIS. Chez les tout-petits, elle est souvent causée par ce que l'on appelle les croûtes de lait (*voir* PUÉRICULTURE, *page 370*).

PERTE DE CHEVEUX
Voir CALVITIE

CYANOSE

La peau du visage et des mains d'une personne qui a très froid prend un aspect bleuté. Si ce phénomène apparaît chez une personne dont le visage et les mains sont chauds, cela peut être le symptôme d'une atteinte cardiaque ou pulmonaire : PNEUMONIE aiguë, ARRÊT CARDIAQUE ou CARDIOPATHIE congénitale. Chez les nouveau-nés et les jeunes enfants, la cyanose sera toujours signalée au médecin.

Traitement immédiat
- Mettre le patient dans une pièce chaude et éviter de mettre les parties refroidies en contact direct avec une source de chaleur.
- Si l'intéressé est à l'extérieur, essayer de réchauffer le corps ou, du moins, d'éviter une perte de chaleur.

DÉGLUTITION (DIFFICULTÉS DE)

Il faut distinguer entre une manifestation banale et fréquente (glaires, sensation de corps étranger dans la gorge), qui disparaît rapidement et spontanément, et une difficulté permanente à avaler ou la perception anormale de l'arrêt de la nourriture derrière le sternum. Ce symptôme doit être signalé rapidement au médecin s'il persiste, car il peut traduire l'existence d'une ŒSOPHAGITE ou d'un CANCER DE L'ŒSOPHAGE.

DENTS (MAL DE)

Une douleur dentaire est habituellement liée à une affection au niveau d'une dent ou à une gingivite; elle peut être aussi causée par une SINUSITE ou une NÉVRALGIE. Si la douleur est sévère, consulter le dentiste. *Voir* DENTS

DÉPRESSION

Cet état caractérisé par une baisse du moral peut atteindre quiconque, à tout moment de la vie; s'il persiste ou s'aggrave, il devient pathologique.
Voir page 172

DIARRHÉE

Symptôme banal et fréquent causé par des facteurs variés.

La diarrhée peut être aiguë (durant moins de sept jours), ou chronique à rechute. Une diarrhée aiguë est habituellement causée par une nourriture polluée par des bactéries ou des virus. Quand elle s'associe à des douleurs abdominales, elle traduit une colite qui est banale, mais peut aussi annoncer une maladie plus sérieuse. *Voir* LISTE DES SYMPTOMES — ABDOMINALE (DOULEUR). En général, les causes des diarrhées chroniques sont plus sérieuses que celles des diarrhées aiguës.

Chez le nourrisson et chez les sujets âgés, la diarrhée aiguë, en provoquant une déshydratation, peut être dangereuse. *Voir* PUÉRICULTURE, *page 370.*

Traitement immédiat
- Repos au lit et ingestion régulière de liquide. De nombreux cas se résoudront ainsi d'eux-mêmes.

Quand consulter le médecin
- Si le patient a moins d'un an ou s'il est âgé et en mauvais état général.
- S'il y a du sang dans les selles.
- Si les symptômes de diarrhée sont sévères et durent plus de trois jours.
- Si d'autres sujets dans l'entourage ont été simultanément atteints.
- Si vous revenez d'un pays étranger.
- Si vous vivez dans un pays où l'eau risque d'être polluée, ou si l'on a enregistré des cas de TYPHOÏDE, d'AMIBIASE, de SCHISTOSOMIASE, de SPRUE ou de CHOLÉRA.

Causes possibles
Causes fréquentes : ingestion d'aliments avariés, laxatifs (*voir* MÉDICAMENTS, n° 3), GASTRO-ENTÉRITE.
Causes moins fréquentes : APPENDICITE aiguë, COLITE, DIVERTICULOSE COLIQUE, CANCER du côlon, MALADIE CŒLIAQUE, AMIBIASE, MUCOVISCIDOSE, ILÉITE RÉGIONALE, COLON IRRITABLE.

DOS (DOULEURS DU)

Bien qu'atroces, ces douleurs surviennent habituellement après un effort pour soulever un objet, un mouvement de redressement ou de torsion, parfois à la suite d'une chute. Les causes des douleurs du dos sont rarement graves.
Voir page 176

DOULEUR

Les différentes douleurs sont traitées dans cette LISTE DES SYMPTOMES au nom de la partie du corps atteinte.
Voir aussi page 179

ENGOURDISSEMENT

Le froid ou le maintien dans une position inconfortable peuvent entraîner un engourdissement temporaire.

Un engourdissement persistant doit être signalé au médecin, surtout s'il s'associe à une certaine insensibilité à la douleur et à la chaleur, et à une diminution du sens du toucher. Cette pathologie n'est pas fréquente, mais l'association des symptômes peut dissimuler une atteinte des nerfs du membre engourdi.

Parfois, l'engourdissement d'un membre est dû à des problèmes circulatoires, tels que RAYNAUD (SYNDROME DE), THROMBO-ANGÉITE OBLITÉRANTE et THROMBOSE ARTÉRIELLE.

Traitement immédiat
- Garder le membre au chaud dans la position la plus confortable.

Quand consulter le médecin
- Si l'engourdissement persiste sans autres symptômes.
- Si l'engourdissement est associé à une douleur importante, à des modifications de couleur du membre. Si ces modifications n'ont aucun rapport avec le froid et sont survenues subitement, consulter immédiatement le médecin.

ENROUEMENT

CHEZ LES NOUVEAU-NÉS ET LES JEUNES ENFANTS
Voir LISTE DES SYMPTOMES — RESPIRATION (TROUBLES DE LA)

ADOLESCENTS ET ADULTES
Traitement immédiat
- Ne pas parler.
- Faire des inhalations de vapeur ou balsamiques.
- Prendre des antalgiques aux doses recommandées. *Voir* MÉDICAMENTS, n° 22.

Quand consulter le médecin
- Si l'enrouement persiste plusieurs jours.

Causes possibles
Causes habituelles : LARYNGITE (aiguë).
Causes moins fréquentes : LARYNGITE (chronique), TUMEUR DU LARYNX.

ÉNURÉSIE

Voir PUÉRICULTURE, *page 370*

ÉPAULE (DOULEUR DE L')

Une douleur dans l'épaule lors d'un mouvement du bras est habituellement liée à un traumatisme. Des maladies générales ou d'autres causes en sont rarement l'origine.

Traitement immédiat
- Repos.
- Mettre l'épaule au repos, au besoin en utilisant une écharpe.
- Prendre des analgésiques aux doses recommandées. *Voir* MÉDICAMENTS, n° 22.

Quand consulter le médecin
- Aussi rapidement que possible s'il s'agit d'un traumatisme, s'il y a une déformation de l'épaule et si la douleur suggère une fracture ou une luxation.
- Si la douleur persiste longtemps après un traumatisme.
- S'il n'y a pas de traumatisme et que la douleur lors des mouvements dure plus de deux ou trois semaines.

Causes possibles
Causes habituelles : traumatisme, ENTORSE, FIBROSE.
Causes moins fréquentes : FRACTURE OU LUXATION, ÉPAULE BLOQUÉE, ÉPAULE (LÉSION DE L'), COTE CERVICALE, ÉPAULE-MAIN (SYNDROME), ARTHROSE, POLYARTHRITE RHUMATOÏDE.

ÉQUILIBRE

Les problèmes d'équilibre apparaîssent souvent lors d'un changement de position ou d'une légère variation de la pression artérielle, mais ils sont parfois le symptôme d'une affection plus importante.

Traitement immédiat
- Asseoir ou étendre le patient jusqu'à ce que le trouble soit passé.
- Interrompre toute activité.

Quand consulter le médecin
- Si l'étourdissement persiste plus de trente secondes ou s'il réapparaît.
- S'il apparaît au cours de certaines activités, en particulier travail en hauteur ou sur une machine.

Causes possibles
- Étourdissement.

L'intéressé a l'impression de manque d'aplomb, qui disparaît habituellement en une minute environ.
Causes habituelles : lever brutal, abus d'alcool, prise d'hypnotiques, chaleur excessive.
Causes moins fréquentes : ATTAQUE, INSUFFISANCE VERTÉBRO-BASILAIRE.
- Vertiges.

Sensation de défilement des objets, identique à celle que l'on ressent si l'on tourne plusieurs fois sur une chaise mobile. Le patient titube vers un côté et est incapable de rester debout. *Voir* VERTIGE.
- Ataxie.

Les mouvements sont maladroits, la parole saccadée et la démarche instable.
Causes habituelles : excès d'alcool ou d'autres drogues, fatigue.
Causes moins fréquentes : ATTAQUE, SCLÉROSE EN PLAQUES, CHORÉE OU DANSE DE SAINT-GUY, TUMEUR DU CERVEAU, tabès (SYPHILIS).

ÉRUPTION

La plupart des éruptions ont tendance à modifier leur caractère et leur distribution sur le corps de jour en jour. Elles traduisent habituellement la réaction de l'organisme à une maladie, à une agression physique, ou une réaction allergique. Après une trop longue exposition au soleil, par exemple, la peau devient d'abord rouge, puis elle démange; une urticaire ou des boutons peuvent ensuite survenir. Des cloques peuvent se former si l'exposition au soleil a entraîné des brûlures. L'apparition d'une desquamation ou de croûtes est un signe de guérison.

L'aspect d'une éruption est tellement variable selon le stade de son évolution que, très souvent, sa cause sera décelée par les symptômes qui l'accompagnent (fièvre ou toux) plus que par son caractère. Il y a trois grandes sortes d'éruption.

ÉRUPTIONS QUI ATTEIGNENT TOUT LE CORPS ET SONT ASSOCIÉES AVEC DES SYMPTOMES GÉNÉRAUX TELS QUE FIÈVRE OU TOUX
Ce type d'éruption est habituellement le symptôme d'une maladie infectieuse qui atteint surtout les enfants.

Traitement immédiat
- Repos au lit.
- Prendre des liquides.
- Isoler le patient.
- Prendre des analgésiques aux doses recommandées. *Voir* MÉDICAMENTS, n° 22.

Quand consulter le médecin
- Si les symptômes généraux sont importants.
- Si l'on suppose qu'il s'agit d'une maladie contagieuse. Ainsi, une femme enceinte devra faire très attention à ne pas être en contact avec un enfant atteint de RUBÉOLE.

Causes possibles
Causes habituelles : RUBÉOLE, ROUGEOLE, VARICELLE, SCARLATINE.
Causes moins fréquentes : MONONUCLÉOSE INFECTIEUSE, TYPHOÏDE, SYPHILIS (seulement chez l'adulte).

ÉRUPTIONS QUI ATTEIGNENT TOUT LE CORPS, MAIS SANS SYMPTOMES GÉNÉRAUX ASSOCIÉS
De telles éruptions sont fréquemment d'origine allergique; la sensation de démangeaison est souvent importante. Elles atteignent habituellement les adultes. Leur aspect (boutons rouges du type urticaire) est variable et elles peuvent desquamer.

Traitement immédiat
- Cesser la prise de tout ce qui peut ou semble avoir favorisé l'apparition de l'éruption.

Quand consulter le médecin
- Si la cause de l'éruption semble être d'origine médicamenteuse ou due à une substance dont vous vous servez dans votre travail.
- Si l'éruption est importante et persiste.

Causes possibles
Causes habituelles : COUP DE SOLEIL, ÉRUPTION IATROGÉNIQUE OU MÉDICAMENTEUSE, ECZÉMA, GALE (démangeaison intense), produits irritants et chimiques.
Causes moins fréquentes : PSORIASIS, PITYRIASIS, BOURBOUILLE, ICHTYOSE (présente dès la naissance).

ÉRUPTIONS QUI ATTEIGNENT UNE SEULE PARTIE DU CORPS
C'est la partie du corps atteinte qui, habituellement, permet de trouver l'origine de l'éruption.

Traitement immédiat
- Il dépend de la cause.

Quand consulter le médecin
- Si l'éruption s'étend ou dure plus de sept jours.

Causes possibles
Causes habituelles : IMPÉTIGO, HERPÈS récurrent, ROSACÉE qui atteint le visage, CANDIDOSE sous les seins ou dans l'aine.
Causes moins fréquentes : ECZÉMA nummulaire ou variqueux atteignant les jambes, TEIGNES (à l'aine), teigne (du cuir chevelu), PIED D'ATHLÈTE, ECZÉMA de contact, ZONA (souvent très douloureux).

ESTOMAC (DOULEUR DE L')

Voir LISTE DES SYMPTOMES — ABDOMINALE (DOULEUR)

ÉTOURDISSEMENTS

Voir LISTE DES SYMPTOMES (ÉQUILIBRE)

ÉVANOUISSEMENT

Voir LISTE DES SYMPTOMES — CONSCIENCE (TROUBLES DE LA)
Voir aussi page 481

FAIBLESSES

Les faiblesses atteignant différentes parties du corps sont traitées avec chacune de celles-ci.
Voir LISTE DES SYMPTOMES (APATHIE) pour faiblesse générale.

FATIGUE

Voir LISTE DES SYMPTOMES (APATHIE)

FIÈVRE

La fièvre se traduit par une augmentation de la température, des frissons, une perception de chaleur. Il s'agit seulement d'un symptôme et non d'une maladie spécifique.

Elle est en fait le symptôme habituel d'une grande variété d'affections plus ou moins graves.

Quand un malade a de la fièvre, cela signifie que son corps tente de combattre l'affection; pour l'y aider, il faut lui procurer le repos et administrer des médicaments adéquats, généralement des anti-infectieux (*voir* MÉDICAMENTS, n° 25). Un enfant qui présente une température élevée doit rester à la maison, et il est déconseillé à un adulte d'aller travailler.

La température normale pour la plupart des individus est de 37°. Pour certains, elle varie d'un demi-degré en plus ou en moins. Une température supérieure à 40° est souvent le signe chez l'enfant d'une infection. *Voir* PUÉRICULTURE, *page 370*. Chez l'adulte, la température habituellement monte moins haut, mais peut traduire la présence de maladies plus importantes. Chez le sujet âgé, des infections peuvent être présentes alors que la température reste normale; cela traduit en quelque sorte une diminution de sa faculté à combattre l'infection.

Traitement immédiat
- Repos dans une chambre tempérée (jamais surchauffée).
- Boire abondamment.
- Prendre des analgésiques tels que l'aspirine. *Voir* MÉDICAMENTS, n° 22.
- Eponger fréquemment le patient avec de l'eau tiède si la température est supérieure à 39°.

Quand consulter le médecin
- Immédiatement si un nourrisson à une température supérieure à 40°.
- Si un enfant de moins de un an a de la température.
- Si la fièvre persiste chez un adulte plus de trois jours.
- Si d'autres symptômes font présager une maladie grave.
- Si l'on sait avoir été en contact avec des personnes atteintes de maladies infectieuses.
- Si les frissons, les tremblements et les claquements de dents qui accompagnent la fièvre sont très marqués. C'est un signe qui doit être signalé au médecin, car il peut suggérer une PNEUMONIE, une PYÉLONÉPHRITE ou un PALUDISME.

Causes possibles
C'est l'ensemble des symptômes qui permettra de les reconnaître.

FLATULENCE

Il s'agit d'un symptôme banal, bénin, très désagréable, qui est dû soit à l'ingestion trop importante d'aliments (indigestion), soit au fait que le sujet a avalé trop d'air. Associé à d'autres symptômes, il peut signaler la présence d'une maladie.
Voir LISTE DES SYMPTOMES (INDIGESTION)

FRISSON

Voir LISTE DES SYMPTOMES (FIÈVRE)

FROID (SENSATION DE)

La sensation de froid dans les membres est traitée dans cette LISTE DES SYMPTOMES au nom de la partie du corps concernée.

Une sensation de froid général accompagnée de frissons peut être liée aux conditions atmosphériques, mais aussi être le signe d'une élévation de la température du corps. *Voir* LISTE DES SYMPTOMES (FIÈVRE). Elle est parfois en relation avec un abaissement de la température dans l'organisme.

GAZ

Voir LISTE DES SYMPTOMES (INDIGESTION)
Voir aussi page 256

GENCIVES

Voir DENTS

GONFLEMENT

Ce symptôme est traité dans la LISTE DES SYMPTOMES au nom de la partie du corps atteinte.

GENOUX

Le premier symptôme d'une affection du genou est habituellement une augmentation de la douleur avec le mouvement; puis apparaît une sensation de raidissement; enfin, le genou devient chaud et gonflé.

Traitement immédiat
- Repos, prise d'analgésiques aux doses recommandées. *Voir* MÉDICAMENTS, n° 22.

Quand consulter le médecin
- Si la douleur devient difficile à supporter.
- Si les symptômes durent plus de quatre à sept jours.
- Si les activités quotidiennes sont perturbées par une marche rendue pénible.

Causes possibles
Causes habituelles : traumatisme, ENTORSE, ARTHROSE.
Causes moins fréquentes : déchirure méniscale ou ligamentaire, POLYARTHRITE RHUMATOÏDE, RHUMATISME ARTICULAIRE AIGU, GOUTTE.

GORGE (MAL DE), ANGINE

C'est un symptôme extrêmement fréquent dont la cause exacte ne peut être décelée que par d'autres symptômes.

Traitement immédiat
- Repos.
- Prendre des pastilles pour la gorge et des analgésiques aux doses recommandées. *Voir* MÉDICAMENTS, n°s 42, 22.

Quand consulter le médecin
Il est rarement nécessaire de faire appel au médecin pour une douleur dans la gorge, à moins que le sujet atteint ne soit très jeune ou très âgé, ou encore lorsque le médecin a précisé que ce symptôme pouvait présenter un risque pour le patient.

Causes possibles
Causes habituelles : RHUME, PHARYNGITE, AMYGDALITE, GRIPPE, autres maladies virales.
Causes moins fréquentes : MONONUCLÉOSE INFECTIEUSE, ANGINE infectieuse.
Voir aussi DYSPHAGIE

GRAIN DE BEAUTÉ

Voir LISTE DES SYMPTOMES (GROSSEUR)

GROSSEUR

La plupart des grosseurs, kyste, grain de beauté et tache de naissance sont présents à la naissance ou apparaissent et grossissent lentement. Leur diamètre est généralement de 5 à 100 millimètres.

Traitement immédiat

- Aucun.

Quand consulter le médecin

Aussi rapidement que possible si :

- On trouve une grosseur dans un sein.
- Si le moindre saignement apparaît.
- Si l'anomalie augmente de taille, s'étend, ou si des modifications de la peau qui la couvre sont constatées.
- Si d'autres anomalies semblables apparaissent.
- Si une fistule ou un ulcère apparaît.
- Si l'anomalie constatée est disgracieuse.

Causes possibles

L'identification est faite par la couleur.

- La zone cutanée surélevée est rouge, violacée ou bleutée.

Causes habituelles : TACHE RUBIS, TACHE MONGOLOÏDE.

Causes moins fréquentes : ANGIOME PLAN CUTANÉ (tache de vin), ANGIOME STELLAIRE.

- La zone cutanée surélevée est brune.

Causes habituelles : VERRUE séborrhéique, NÆVUS pigmenté, MÉLANOME bénin.

Causes moins fréquentes : mélanome malin (*voir* CANCER DE LA PEAU), KÉRATOSE ACTINIQUE.

- La zone cutanée surélevée est de couleur normale, ou enflammée et rouge, ou purulente.

Causes habituelles : ABCÈS, KYSTE sébacé (tumeur molle), CHÉLOÏDE (CICATRICE), MOLLUSCUM PENDULUM, ACNÉ.

Causes moins fréquentes : CANCER DE LA PEAU (dureté de la lésion, tendance à l'ulcération sur la face), MOLLUSCUM CONTAGIOSUM.

- Marques ou taches colorées sans surélévation de la peau.

Causes habituelles : TACHES DE ROUSSEUR, CHLOASMA (taches marron apparaissant pendant la grossesse), VITILIGO (tache décolorée), VERGETURES (ressemblant à des cicatrices), TACHE MONGOLOÏDE (de couleur bleutée).

Causes moins fréquentes : ANGIOME PLAN CUTANÉ.

HALEINE (MAUVAISE)

Connue médicalement sous le nom d'halitose, il s'agit d'un symptôme dont la cause est habituellement bénigne. Il résulte fréquemment d'une mauvaise hygiène des dents et des gencives. Les conseils d'un dentiste, le brossage régulier des dents, associé à des bains de bouche le feront généralement disparaître. Si la mauvaise haleine persiste, il y a lieu de rechercher une lésion méconnue de l'arrière-gorge, de l'œsophage ou de l'estomac. Les sujets prédisposés à l'halitose doivent éviter de manger de l'ail ou de l'oignon.

Voir DENTS

HALLUCINATIONS

Voir LISTE DES SYMPTOMES — COMPORTEMENT (ANOMALIES DU)

HANCHE (DOULEUR DE LA)

Voir LISTE DES SYMPTOMES (CLAUDICATION)

INCONSCIENCE

Voir LISTE DES SYMPTOMES — CONSCIENCE (TROUBLES DE LA)

INCONTINENCE

C'est l'impossibilité de contrôler l'évacuation de ses selles (oncoprésie) et de ses urines (énurésie).

INCONTINENCE DES SELLES CHEZ LES ENFANTS

L'incontinence des selles chez les enfants est habituellement en rapport avec un problème de comportement qui survient après des peurs ou une sensation d'insécurité. Consulter le médecin, tout en sachant qu'un tel symptôme est souvent difficile à traiter.

INCONTINENCE DES SELLES CHEZ LES ADULTES

Traitement immédiat

- *Voir* SOINS INFIRMIERS A DOMICILE.

Quand consulter le médecin

- Il s'agit d'un symptôme déplaisant. Consulter rapidement un médecin.

Causes possibles

Causes habituelles : prise de laxatifs huileux. *Voir* MÉDICAMENTS, n° 3.

Causes moins fréquentes : DÉMENCE, FÉCALOME.

INCONTINENCE DES URINES CHEZ LES ENFANTS ET LES ADULTES

Voir LISTE DES SYMPTOMES — URINE ET MICTION.

INDIGESTION

La moindre anomalie survenant après un repas a tendance à être désignée par le terme « indigestion ». Une sensation de plénitude de l'estomac, d'inconfort dans la partie supérieure de l'abdomen, d'éructation, de HOQUET ou de chaleur derrière le sternum (brûlure épigastrique), de régurgitation de liquide parfois acide (*voir* RÉGURGITATION et flatulence) en constituent les symptômes habituels. Toutefois, ceux-ci peuvent dissimuler une indigestion en rapport avec une maladie sérieuse telle que l'ULCÈRE DUODÉNAL. Mais le plus souvent, la cause en est tout simplement un abus de nourriture ou de boisson alcoolisée.

Traitement immédiat

- Repos assis.
- Prendre des antiacides (*voir* MÉDICAMENTS, n° 1), ou encore une demi-cuillère à café de bicarbonate de soude délayée dans un verre d'eau.
- Boire des liquides non alcoolisés en petite quantité.

Quand consulter le médecin

- Si les symptômes persistent ou s'accentuent.
- Si la persistance des symptômes s'accompagne de douleurs, de toux rebelle, de perte de l'appétit ou de perte de poids.

Causes possibles

Causes habituelles : une nourriture trop riche, un abus de boissons alcoolisées.

Causes moins fréquentes : ULCÈRE DUODÉNAL, ULCÈRE GASTRIQUE, GASTRITE, ŒSOPHAGITE, CHOLÉCYSTITE, CALCULS BILIAIRES, ALCOOLISME.

INSOMNIE

Caractérisée par une difficulté à s'endormir, des réveils fréquents ou un réveil trop matinal, l'insomnie a des causes variées, dont la plus fréquente est constituée par les soucis. Insomnie chez les enfants : *voir* PUÉRICULTURE, *page 370.*

Voir aussi page 264.

INSTABILITÉ

Voir LISTE DES SYMPTOMES (ÉQUILIBRE)

INTESTIN

Toute modification du comportement intestinal et des selles chez un individu jusque-là normal doit être signalé au médecin.

Voir LISTE DES SYMPTOMES — SANG, SELLES (MODIFICATIONS DES), DIARRHÉE, CONSTIPATION

IRRITABILITÉ

Voir LISTE DES SYMPTOMES — COMPORTEMENT (ANOMALIES DU)

JAMBES

De nombreux troubles des membres inférieurs ont leur origine dans l'atteinte d'une articulation; ils sont traités dans cette LISTE DES SYMPTOMES au nom de l'articulation. Les problèmes d'ordre plus général seront traités ici.

Traitement immédiat

• Laisser la jambe au repos dans une position confortable. Un grand nombre d'affections de la jambe nécessitent le repos qui, souvent, amènera leur disparition.

• Prendre des analgésiques aux doses recommandées, si cela est nécessaire. *Voir* MÉDICAMENTS, n° 22.

Quand consulter le médecin

• Si l'on a connaissance d'un traumatisme récent entraînant une déformation ou s'il y a un hématome qui s'étend.

• Si la douleur est importante ou n'a pas disparu après deux jours de repos.

• Si, en l'absence de traumatisme, les symptômes sont importants, vont en augmentant ou persistent après quelques jours de repos.

• Si les mêmes symptômes sont déjà survenus auparavant.

Causes possibles

• Douleur, endolorissement, gonflement.
Causes habituelles : traumatisme, courbatures, FIBROSE, HERNIE DISCALE.
Causes moins fréquentes : rupture de TENDON ou de muscle, FRACTURE, CLAUDICATION INTERMITTENTE (douleur dans le mollet), POLYARTHRITE RHUMATOÏDE, OSTÉOMYÉLITE (aiguë), THROMBOPHLÉBITE.

• Gonflement d'une jambe.
Causes habituelles : traumatisme, ABCÈS.
Causes moins fréquentes : FRACTURE, VARICES, PHLÉBITE.

• Gonflement des deux jambes.
Causes habituelles : station debout prolongée, GROSSESSE, temps chaud, OBÉSITÉ.
Causes moins fréquentes : VARICES, INSUFFISANCE CARDIAQUE, INSUFFISANCE RÉNALE.

• Faiblesse.
Causes habituelles : fatigue et surmenage.
Causes moins fréquentes : HERNIE DISCALE, traumatisme, SCLÉROSE EN PLAQUES, PARKINSON (MALADIE DE), parfois affections d'origine nerveuse.

• Engourdissement.
Causes habituelles : compression du nerf sciatique par le bord d'une chaise ou le croisement trop prolongé des jambes.
Causes moins fréquentes : HERNIE DISCALE, traumatisme, SCLÉROSE EN PLAQUES, POLYNÉVRITE.

• Rougeurs, traînées rouges.
Une rougeur ou des traînées rouges survenant après un coup, un ABCÈS ou une CELLULITE sont les signes d'une extension de l'infection. Mettre la jambe au repos complet et consulter son médecin.

• Rougeur avec gonflement localisé et douleur.
Ce symptôme fait présager une inflammation locale : ABCÈS, CELLULITE ou réaction allergique.

• Taches rouges sans gonflement ni douleur. Ce symptôme peut évoquer un PSORIASIS, un ECZÉMA ou une ÉRYTHROMÉLALGIE.
Voir LISTE DES SYMPTOMES (ÉRUPTION).

• Ulcère de la partie inférieure de la jambe.
Causes habituelles : VARICES, traumatisme.
Causes moins fréquentes : PHLÉBITE, GANGRÈNE, ARTÉRITE, DIABÈTE.
Voir LISTE DES SYMPTOMES (CLAUDICATION).

JAUNISSE

Un excès de pigment jaune dans le corps rend la peau et le blanc des yeux jaunes; il est le symptôme d'un grand nombre de maladies graves. Le médecin devra être consulté dès que la jaunisse est constatée.
Voir ICTÈRE, *page 255*

LANGAGE (TROUBLES DU)

Lorsqu'il s'agit d'une atteinte survenant chez un enfant, *voir page 501*.

Chez un adulte, une difficulté subite à parler, un bredouillement ou une difficulté à trouver certains mots, des modifications dans la signification des mots peuvent être les symptômes d'une ATTAQUE, la conséquence d'un excès de boisson ou de l'abus de certains médicaments (*voir* TOXICOMANIE, MÉDICAMENTS).

Une voix nasale évoque un trouble ou une obstruction des conduits nasaux pouvant survenir lors d'un RHUME, lors d'un développement des VÉGÉTATIONS ADÉNOÏDES ou pouvant être chronique (FENTE LABIO-PALATINE).

Les causes moins fréquentes comprennent le POLYPE NASAL, la DÉVIATION DE LA CLOISON NASALE.

LÈVRES

Si les lèvres semblent bleues, *voir* LISTE DES SYMPTOMES (CYANOSE). Les lèvres peuvent être fendues lorsqu'il fait froid (*voir* LÈVRES GERCÉES) ou bien présenter de l'HERPÈS à répétition. Ces affections sont bénignes et, bien qu'ennuyeuses, guérissent rapidement. Le moindre ulcère, ou grosseur, qui persiste plus de deux semaines devra être signalé au médecin.
Voir FENTE LABIO-PALATINE (bec-de-lièvre).

MACHOIRES

Les mâchoires raides, douloureuses et gonflées sont généralement dues à un problème dentaire. Consulter le médecin ou le dentiste.

MAIN, DOIGTS ET POIGNET

Les symptômes qui peuvent affecter la main, les doigts et le poignet comprennent des douleurs, un gonflement, une diminution de la force musculaire, un tremblement, des éruptions et des modifications de leur aspect extérieur.

Traitement immédiat

• Repos, atmosphère chaude et analgésiques aux doses recommandées sont un traitement immédiat pour un grand nombre d'affections de la main. Le port d'une écharpe peut être bénéfique.

Quand consulter le médecin

• Si les symptômes persistent plus de deux ou trois jours, s'il y a un traumatisme ou une douleur importante.

Causes possibles

• Douleurs.
Causes habituelles : blessures, PANARIS, ABCÈS, ENTORSE, ENGELURES.
Causes moins fréquentes : PSEUDOPOLYARTHRITE RHIZOMÉLIQUE, CANAL CARPIEN (SYNDROME DU), ARTHROSE, POLYARTHRITE RHUMATOÏDE, COTE CERVICALE, SPONDYLARTHROSE CERVICALE.

• Déformation et gonflement.
Causes habituelles : blessures, ENTORSE, FRACTURE (y compris la fracture de Pouteaucolles); ENGELURES, ABCÈS, POLYARTHRITE RHUMATOÏDE, DUPUYTREN (MALADIE DE).

• Diminution de la force.
Causes habituelles : aucune.
Causes moins fréquentes : CANAL CARPIEN (SYNDROME DU), COTE CERVICALE, traumatisme, MALADIE DU NEURONE MOTEUR, SCLÉROSE EN PLAQUES, POLYNÉVRITE.

• Fourmillements, sensation de piqûres d'épingle, engourdissement.
Causes habituelles : temps froid, ENGELURES.

Causes moins fréquentes : CANAL CARPIEN (SYNDROME DU), COTE CERVICALE, POLYNÉVRITE.
- Tremblement.
Causes habituelles : intoxication alcoolique.
Causes moins fréquentes : PARKINSON (MALADIE DE), THYRÉOTOXICOSE.
- Froideur et blancheur.
Causes fréquentes : RAYNAUD (SYNDROME DE), ENGELURES.
Causes moins fréquentes : ARTÉRITE distale.
- Main bleue.
Voir CYANOSE.
- Éruption (uniquement sur les mains).
Causes fréquentes : ENGELURES, GALE (démangeaisons importantes), certains traumatismes.
Causes moins fréquentes : ÉRYTHROMÉLALGIE, ECZÉMA (de contact).
Voir LISTE DES SYMPTOMES (ÉRUPTION)

MAUX DE TÊTE

ENFANTS
Voir PUÉRICULTURE, *page 370.*

ADULTES
La cause la plus fréquente des maux de tête est en rapport avec une tension des muscles du cuir chevelu et du front après des périodes de concentration, de conduite, ou d'ANXIÉTÉ. La douleur se situe soit au niveau du front, soit sur le haut du crâne ou en arrière. Ces symptômes, plus fréquents chez certains individus, augmentent en fin de journée ou avec la fatigue psychique; ils durent rarement plus d'une heure et n'entraînent pas d'insomnies. Il n'est pas nécessaire de consulter un médecin. *Voir* CÉPHALÉES.

Cependant, il faut savoir qu'un mal de tête est parfois en rapport avec une mauvaise vascularisation du cerveau.

Traitement immédiat
- Repos dans une chambre obscure.
- Prendre des analgésiques aux doses recommandées (*voir* MÉDICAMENTS, n° 22).

Quand consulter le médecin
Immédiatement si :
- Un mal de tête et une somnolence apparaissent après un coup sur le crâne.
- Une douleur violente à l'intérieur du crâne débute brusquement.

Aussi rapidement que possible si :
- D'autres symptômes y sont associés, tels que vomissements ou perturbations de la vue.
- Le mal de tête est associé avec un enraidissement du cou ou du dos.
- Le mal de tête est aggravé par la toux, par les mouvements de la tête, en particulier vers le bas, et persiste plus de trois jours.
- On ne trouve pas d'explication à un mal de tête continu ou s'aggravant depuis trois jours.

Causes possibles
Causes fréquentes : modifications climatiques, MIGRAINE, ANXIÉTÉ.
Causes moins fréquentes : SINUSITE, HYPERTENSION, SYNDROME POST-COMMOTIONNEL, CÉPHALÉES vasculaires, TUMEUR DU CERVEAU, ABCÈS DU CERVEAU, MÉNINGITE, HÉMATOME SOUS-DURAL, HÉMORRAGIE MÉNINGÉE.
Voir LISTE DES SYMPTOMES (CUIR CHEVELU).

MÉMOIRE (PERTE DE LA)

Voir LISTE DES SYMPTOMES — MENTALE (TROUBLES DE L'ACTIVITÉ)

MENSTRUATION (ANOMALIE DE LA)

Voir LISTE DES SYMPTOMES — RÈGLES (TROUBLES DES)
Voir aussi page 504

MENTALE (TROUBLES DE L'ACTIVITÉ)

Une légère diminution des facultés mentales est habituelle après la cinquantaine. Elle est souvent minime, et même méconnue. Cependant des troubles plus importants peuvent traduire des désordres sous-jacents et, dans la DÉMENCE, atteindre leur maximum, avec défauts de concentration, pertes de mémoire, confusion.

DÉFAUT DE CONCENTRATION
Un défaut de concentration à un moment quelconque est un symptôme fréquent, en particulier chez celui qui travaille sur des schémas ou qui lit beaucoup. Le symptôme peut être exagéré par le sujet qui en souffre pour cacher d'autres déficiences. Soucis, tension intellectuelle et ANXIÉTÉ en sont une cause fréquente.

CONFUSION
La confusion, caractérisée par une désorientation dans le temps et l'espace sur une période courte, est très fréquente. Elle peut apparaître après une ingestion d'alcool, un réveil brutal, une fatigue psychique, un manque de sommeil ou l'abus de sédatifs. Une confusion temporaire peut suivre un traumatisme crânien, une commotion cérébrale (*voir* SYNDROME POST-COMMOTIONNEL); elle doit toujours être signalée au médecin. Un état confusionnel qui dure est habituellement lié à une cause sérieuse et devra toujours être signalé au médecin par l'entourage à défaut du malade.

PERTE DE LA MÉMOIRE
L'amnésie est le terme médical par lequel on désigne la perte de la mémoire : oubli d'événements, de dates et de noms récents. Ces troubles apparaissent et vont en augmentant chez de nombreuses personnes à partir de la cinquantaine. Bien qu'ennuyeux, ce symptôme pose rarement un problème dans la vie courante. On le pallie en écrivant ce que l'on désire ne pas oublier. *Voir* AMNÉSIE.

Traitement immédiat
- Aucun traitement vraiment efficace.

Quand consulter le médecin
- Si les pertes de mémoire sont si importantes qu'elles gênent la vie quotidienne.

Causes possibles
Causes habituelles : soucis, prise d'alcool, prise de sédatifs ou de tranquillisants (*voir* MÉDICAMENTS, n° 17), ANXIÉTÉ, VIEILLISSEMENT.
Causes moins fréquentes : HYSTÉRIE, COMMOTION (SYNDROME POST-COMMOTIONNEL), ALCOOLISME, ÉPILEPSIE, ATHÉROME, DÉMENCE, très rarement TUMEUR DU CERVEAU.

MUSCLES

Les problèmes d'origine musculaire sont traités dans cette LISTE DES SYMPTOMES au nom de la partie atteinte.

NAUSÉE

Il s'agit d'un symptôme très banal, associé à de nombreuses infections. Ce n'est qu'en présence d'autres symptômes que l'on pourra en diagnostiquer l'origine.

Traitement immédiat
- Repos.
- Antiacides (*voir* MÉDICAMENTS, n° 1), antiémétiques (*voir* MÉDICAMENTS, n° 21), peuvent soulager.
- Boire quelques gorgées d'eau.

Quand consulter le médecin
- Si les nausées sont importantes et suivies de vomissement.
- Si l'on suspecte une grossesse ou si l'on ressent des douleurs abdominales.

Causes possibles
Causes habituelles : abus d'aliments ou de boisson, certaines postures prises brutalement, GROSSESSE, MAL DES TRANSPORTS, MIGRAINE, la plupart des FIÈVRES, GASTRITE, GASTRO-ENTÉRITE.
Causes moins fréquentes : nombreuses affections du tube digestif et maladies chroniques.

NEZ

Le nez est le siège de différents troubles : saignements, déformation, obstruction d'une ou des deux narines, modifications de couleur.

Causes possibles

- Saignement de nez.

Voir ÉPISTAXIS.

- Déformation ou gonflement.

La cause habituelle d'une déformation ou d'un gonflement est un accident ou un coup de poing (FRACTURE du nez), ou un RHINOPHYMA (*voir* ROSACÉE).

- Obstruction nasale.

Voir RHUME.

- Obstruction nasale persistante.

Causes habituelles : RHUME, VÉGÉTATIONS (chez les enfants), RHINITE (allergique).
Causes moins fréquentes : DÉVIATION DE LA CLOISON NASALE, POLYPES, RHINITE (chronique), SINUSITE.

- Nez bleu.

Voir LISTE DES SYMPTOMES (CYANOSE).

- Nez rouge.

Causes habituelles : mouchage fréquent, RHUME, ABCÈS.
Causes moins fréquentes : alcoolisme, ROSACÉE.

ONGLES (ANOMALIES DES)

Une douleur aiguë avec du pus sous l'ongle est un symptôme de PÉRIONYXIS ou de PANARIS. Un PÉRIONYXIS chronique peut entraîner des déformations des ongles; celles-ci peuvent être observées aussi lors de PSORIASIS, de traumatisme du lit de l'ongle ou chez le sujet âgé. Des ongles fragiles et cassants sont souvent le fait d'une trop longue immersion des mains dans l'eau ou d'une mauvaise santé.

Un bombement des ongles peut être observé lors de défaillance respiratoire ou cardiaque chronique. Des déformations des ongles des orteils, sans danger, sont fréquentes chez les sujets âgés; consulter un pédicure.
Voir ONGLE INCARNÉ

OREILLES

Les problèmes affectant l'oreille comprennent des douleurs, des écoulements, des bruits dans l'oreille (*voir* ACOUPHÈNE), des éruptions (*voir* OTITE EXTERNE) et des traumatismes.
Voir aussi LISTE DES SYMPTOMES (SURDITÉ) et *page 104.*

DOULEUR ET ÉCOULEMENT
Une douleur dans l'oreille est un symptôme fréquent chez l'enfant de moins de dix ans. Elle indique habituellement la présence d'une infection derrière le tympan, dans l'oreille moyenne. La douleur est causée par la pression du pus sur le tympan et cesse si le pus perfore ce dernier, il s'écoule alors par le conduit auditif externe.

Chez l'enfant, l'otite cède rapidement avec un traitement. Chez l'adulte, elle est moins fréquente mais doit être prise très au sérieux, car il y a risque de complications.

Traitement immédiat

- Repos dans une chambre tempérée.
- Prise d'analgésiques aux doses recommandées. *Voir* MÉDICAMENTS, n° 22.
- Sauf prescription médicale, ne pas mettre de goutte, dans une oreille qui coule.

Quand consulter le médecin

- Si votre enfant a mal. Un très jeune enfant ne sait pas toujours indiquer l'endroit qui le fait souffrir (*voir* PUÉRICULTURE, *page 370*).
- Si la douleur dans l'oreille persiste après quatre à huit heures de repos.
- S'il y a un écoulement.
- Aussitôt que possible si une douleur apparaît dans une oreille qui présentait déjà un écoulement.
- Si des problèmes d'oreilles apparaissent après un vol, un plongeon ou une infection respiratoire.

Causes possibles

Causes habituelles : OTITE MOYENNE (de tous types), obstruction de la TROMPE D'EUSTACHE, ABCÈS, CORPS ÉTRANGER.
Causes moins fréquentes : OTITE MOYENNE chronique.

PALEUR

Voir LISTE DES SYMPTOMES (VISAGE)

PALPITATIONS

Chez le sujet sain, les battements du cœur ne sont habituellement pas perçus, sauf après l'effort, la peur ou l'ANXIÉTÉ. A l'opposé, la sensation de battement cardiaque (palpitations) peut quelquefois être le signe d'une atteinte du cœur.

Traitement immédiat

- Aucun.

Quand consulter le médecin

- Si les palpitations durent plus de quelques heures.
- Si d'autres symptômes s'associent à ces palpitations.

Causes possibles

Causes habituelles : effort, peur, certains médicaments, ANXIÉTÉ.
Causes moins fréquentes : EXTRASYSTOLES, TACHYCARDIE PAROXYSTIQUE, troubles plus sérieux du rythme cardiaque tels que FIBRILLATION AURICULAIRE et FLUTTER AURICULAIRE, THYROTOXICOSE.

PARALYSIE

Le terme de paralysie désigne une faiblesse musculaire d'importance et d'extension variables, mais il ne s'agit pas d'une impossibilité complète à se mouvoir.

Cette diminution de la force musculaire est traitée dans cette LISTE DES SYMPTOMES au nom de la partie du corps atteinte.
Voir aussi page 347

PEAU (LÉSIONS DE LA)

Il y a deux grands groupes de lésions de la peau : celles qui comprennent les grosseurs ou tumeurs, les kystes, les grains de beauté, les taches de naissance et autres anomalies qui évoluent lentement (*voir* LISTE DES SYMPTOMES — GROSSEUR), et celles qui se manifestent par des éruptions dont les caractéristiques et l'importance se modifient de jour en jour (*voir* LISTE DES SYMPTOMES — ÉRUPTION).

Les autres anomalies de la peau se traduisent par des modifications de son aspect, de sa coloration et par d'éventuelles démangeaisons.

PHLYCTÈNE
Voir page 356.

GERÇURES
Des gerçures apparaissent sur la peau au cours de nombreuses affections : LÈVRES GERCÉES, ECZÉMA.

CROUTES
La guérison d'une infection au niveau de la peau, IMPÉTIGO ou ECZÉMA par exemple, se traduit souvent par l'apparition d'une croûte.

PEAU SÈCHE
Voir PEAU.

PEAU GRASSE, POINTS NOIRS OU COMÉDONS
Voir ACNÉ, SÉBORRHÉE, PEAU (SOINS DE LA).

DÉMANGEAISON SÉVÈRE

Traitement immédiat

- Éviter si possible de se gratter.

L'usage d'une lotion à la calamine ou d'analgésiques aux doses recommandées (*voir* MÉDICAMENTS, n° 22) peut amener une certaine amélioration.

Quand consulter le médecin

- Si la démangeaison est sévère.

Causes possibles

Causes habituelles : GALE, ECZÉMA.

Causes moins fréquentes : LICHEN PLAN. *Voir aussi page 424.*

GROSSEUR
Voir LISTE DES SYMPTOMES (GROSSEUR).

ÉRUPTION
Voir LISTE DES SYMPTOMES (ÉRUPTION).

PEAU RUGUEUSE OU ÉPAISSE
Au moment de la guérison d'un eczéma ou d'une autre infection de la peau, on peut noter un épaississement ou un aspect rugueux. Celui-ci peut aussi survenir après des lésions ayant entraîné des démangeaisons.
Voir ICTYOSE, PRURIT (démangeaison).

ULCÉRATION
Toute plaie ou ulcération qui ne guérit pas spontanément en deux ou trois semaines doit être signalée au médecin.

PEAU JAUNE
Voir ICTÈRE.

PEAU BLEUE
Voir CYANOSE.

PEAU PALE
Voir ANÉMIE.

PÉNIS, PRÉPUCE ET URÈTRE

Les affections pouvant affecter le pénis comportent douleurs, écoulement, éruption et prurit, ulcération et nodosité, et gonflement.

DOULEUR
Habituellement ressentie à l'extrémité du pénis lorsque l'on urine, la douleur peut traduire une affection du pénis, mais aussi d'une autre partie de l'organisme.
Traitement immédiat
- Prendre des analgésiques aux doses recommandées. *Voir* MÉDICAMENTS, n° 22.
- Éviter les rapports sexuels.

Quand consulter le médecin
- Si l'on perçoit des douleurs dans le pénis.
- Aussi rapidement que possible s'il y a un écoulement ou que l'on soupçonne une MALADIE VÉNÉRIENNE.

Causes possibles
Causes habituelles : CYSTITE, URÉTRITE, BLENNORRAGIE.
Causes moins fréquentes : BALANITE, FIESSINGER-LEROY-REITER (SYNDROME DE).
Voir LISTE DES SYMPTOMES — URINE ET MICTION (TROUBLES).

ÉCOULEMENT
Traitement immédiat
- Aucun. Éviter les rapports sexuels.

Quand consulter le médecin
- Aussi rapidement que possible, dès que l'on note un écoulement, et particulièrement si l'on suspecte une maladie vénérienne.

Causes possibles
Causes habituelles : URÉTRITE, BLENNORRAGIE.
Causes moins fréquentes : BALANITE, FIESSINGER-LEROY-REITER (SYNDROME DE).

ÉRUPTION ET PRURIT
Traitement immédiat
- Aucun. Éviter les rapports sexuels.

Quand consulter le médecin
- Si l'apparition du symptôme coïncide avec la possibilité d'une maladie vénérienne.

Causes possibles
Causes habituelles : GALE, CANDIDOSE, MALADIE VÉNÉRIENNE, HERPÈS.
Causes moins fréquentes : éruption généralisée atteignant tout le corps. *Voir* LISTE DES SYMPTOMES (ÉRUPTION).

ULCÉRATION ET NODOSITÉ
Chez les adultes la moindre nodosité ou ulcération doit être considérée comme due à une maladie vénérienne ou à une autre maladie importante, sauf avis contraire du médecin.
Traitement immédiat
- Aucun. Éviter les rapports sexuels.

Quand consulter le médecin
- Aussitôt que l'on note la moindre ulcération ou nodosité sur le pénis.

Causes possibles
Causes habituelles : VERRUES (crêtes de coq ano-génitales) qui sont généralement transmises sexuellement.
Causes moins fréquentes : MALADIE VÉNÉRIENNE.

Chez les bébés, de bénignes ulcérations peuvent apparaître sur le pénis, entraînant des douleurs; elles sont causées par l'humidité due au port de couches (*voir* PUÉRICULTURE, *page 370*).

GONFLEMENT
Une infection du prépuce (BALANITE) ou la rétraction d'un prépuce trop étroit, particulièrement chez les enfants, peut entraîner un gonflement brutal de l'extrémité du pénis (PHIMOSIS). Un traitement immédiat, nécessaire, réglera ce problème.

PEUR

Voir ANXIÉTÉ, PHOBIE

PHOBIE

Cet état se traduit par une anxiété extrême et une peur anormale devant des situations ou des objets spécifiques, qui sont aussi multiples que les grands espaces ou au contraire les espaces confinés, le vide, les animaux comme les araignées ou les serpents.
Voir page 357

PIEDS

Un traumatisme, le port d'un poids trop important, l'âge, les troubles de la circulation affectent à la longue les pieds et les orteils, entraînant inconfort et déformation.
Traitement immédiat
- Mettre le pied au repos et éviter de porter des chaussures inconfortables.

Quand consulter le médecin
- Si la douleur, une sensation de faiblesse, un gonflement ou d'autres symptômes durent plus d'une semaine ou si les activités journalières sont diminuées.

Causes possibles
- Éruption ou ampoules.

Causes habituelles : traumatisme, frottement.
Causes moins fréquentes : ECZÉMA (de contact).
Voir LISTE DES SYMPTOMES — PEAU (LÉSIONS DE LA).
- Douleurs.

Causes habituelles : entorses, blessures, OIGNONS, PIEDS PLATS, MÉTATARSALGIE, ONGLES INCARNÉS.
Causes moins fréquentes : FRACTURE, GANGRÈNE, GOUTTE, ARTHROSE, PIED (DOULEUR PLANTAIRE DU).
- Faiblesse, paralysie.

Causes habituelles : aucune.
Causes moins fréquentes : HERNIE DISCALE, traumatisme, SCLÉROSE EN PLAQUES.
- Prurit.

Voir aussi page 424.
- Sensation de froid, aspect blanc.

Causes habituelles : temps froid.
Causes moins fréquentes : RAYNAUD (SYNDROME DE), ARTÉRITE, MYXŒDÈME.
- Gonflement (des deux pieds).

Causes habituelles : OBÉSITÉ, temps chaud, station debout prolongée.
Causes moins fréquentes : INSUFFISANCE CARDIAQUE, NÉPHRITE, VARICES.
- Gonflement (d'un pied).

Causes habituelles : ENTORSE, traumatisme.
Causes moins fréquentes : FRACTURE, ARTHROSE, POLYARTHRITE RHUMATOÏDE, GOUTTE.

POIDS (PERTE DE)

Une perte de poids qui n'est pas le résultat d'un régime amaigrissant doit toujours être prise au sérieux, en particulier si d'autres symptômes suggèrent la possibilité d'une maladie grave.

Traitement immédiat
- Prendre des boissons lactées et manger une nourriture plus riche.

Quand consulter le médecin
- Si la perte de poids s'accentue pendant plus de quatre semaines.
- Si elle est associée à d'autres symptômes : toux, vomissements, diarrhée, disparition des règles.

Causes possibles
Causes habituelles : régime, état fébrile, suite d'une opération, ALCOOLISME chronique, âge avancé, isolement.
Causes moins fréquentes : GASTRITE chronique, DÉPRESSION, ANOREXIE MENTALE, CANCER DE L'ESTOMAC, infections chroniques telles que TUBERCULOSE et COLITE.

POITRINE

Il y a deux types de douleurs dans la poitrine : les douleurs en rapport avec des problèmes respiratoires (*voir* LISTE DES SYMPTOMES — RESPIRATION [TROUBLES DE LA]) et des douleurs d'origine autre que respiratoire. Ces dernières ont des causes variées et peuvent être en relation avec un effort ou l'ingestion d'aliments. La douleur dans la poitrine produite par un effort évoque habituellement une sensation de « broiement »; elle peut irradier le cou, les épaules, les bras et disparaître avec la cessation de l'effort. Elle est généralement due à une maladie cardio-vasculaire, l'angine de poitrine.

Traitement immédiat
- Repos.
- Analgésiques aux doses recommandées. *Voir* MÉDICAMENTS, n° 22.

Quand consulter le médecin
Immédiatement si :
- La douleur est importante.
- Pâleur et sueur signalent un choc.
- Un trouble cardiaque est suspecté si le sujet a déjà subi une attaque cardiaque; si la douleur ressemble à celle de l'angine de poitrine décrite ci-dessus.
- La douleur n'a pas disparu après une heure de repos.

Consulter le médecin dans la plupart des autres cas, car une douleur dans la poitrine, même si elle apparaît légère, peut avoir une cause grave.

Causes possibles
- Douleurs de type cardiaque.

Causes fréquentes : ANGINE DE POITRINE.
Autres causes : THROMBOSE CORONAIRE, ATTAQUE, MYOCARDITE, ANÉMIE grave, THYROTOXICOSE.
- Douleurs dans la poitrine liées à la prise d'aliments ou à la déglution.

Causes fréquentes : INDIGESTION.
Autres causes : ŒSOPHAGITE, ULCÈRE DUODÉNAL.

POULS (ACCÉLÉRATION DU)

La prise exacte du pouls, qui traduit la fréquence cardiaque, nécessite une certaine habitude. Un pouls rapide ou faible peut être observé chez un sujet qui a peur, qui est fébrile, choqué, qui a perdu du sang ou qui a fait un simple effort. A l'opposé, un pouls parfois irrégulier, noté au repos, peut être le symptôme d'une affection cardiaque sérieuse. Il faut consulter le médecin.

Chez la plupart des individus, la fréquence du pouls au repos est d'environ 70 par minute. Au repos, un pouls battant à 90 ou à 100 est considéré comme anormal.
Voir LISTE DES SYMPTOMES (PALPITATIONS)

PRURIT

Une démangeaison — ou prurit — est souvent liée à une éruption.
Voir LISTE DES SYMPTOMES — PEAU (LÉSIONS DE LA)
Voir aussi page 424

RAIDEUR

Les raideurs dans différentes parties du corps sont traitées dans cette LISTE DES SYMPTOMES au nom de la partie atteinte.

RÈGLES (TROUBLES DES)

Les troubles cités ici se limitent à l'irrégularité des règles, aux modifications d'origine émotionnelle, aux sensations de gonflement et à la migraine. Les autres troubles (douleur, absence de règles, augmentation du flux, modification des cycles, saignements après la ménopause) sont traités page 504.

IRRÉGULARITÉ DES RÈGLES
Chez un grand nombre de femmes, on peut observer des irrégularités du cycle et du flux menstruels. Ces irrégularités peuvent poser un problème mais ne sont pas un signe de stérilité.

Il y a lieu de consulter le médecin si une grossesse désirée se fait attendre, si l'on a subi une fausse couche, ou si l'on est à l'âge de la ménopause.

DÉPRESSION, CRISES DE LARMES, IRRITABILITÉ, TENSION
Voir SYNDROME PRÉMENSTRUEL.

GONFLEMENT DE LA FACE ET DES MAINS, MIGRAINE
Des modifications à l'intérieur de l'organisme pendant les cycles menstruels peuvent entraîner des gonflements du visage et des mains et des migraines, problèmes ennuyeux mais bénins.
Voir SYNDROME PRÉMENSTRUEL.

SAIGNEMENT ANORMAL DU VAGIN
Voir LISTE DES SYMPTOMES (SAIGNEMENT).

RESPIRATION (TROUBLES DE LA)

On distingue trois principaux types de troubles respiratoires : respiration bruyante, respiration douloureuse, respiration courte, encore appelée essoufflement.

LA RESPIRATION BRUYANTE
La respiration bruyante peut être de deux types : soit sifflante, et elle se fait entendre à l'expiration seulement, soit rauque et difficile, à l'inspiration comme à l'expiration. Il est souvent malaisé de distinguer ces deux types, et pourtant leur point d'origine au niveau de l'appareil respiratoire est différent.

Traitement immédiat
- Mise au repos dans une pièce aérée et tempérée.
- Inhalations en cas de difficulté à l'inspiration.

Quand consulter le médecin
Aussi rapidement que possible si :
- C'est un enfant qui a moins de six mois.
- C'est un bébé ou un jeune enfant qui s'agite ou paraît cyanosé.
- Il y a des difficultés évidentes ou des signes de détresse à l'inspiration; dans ce cas, la respiration peut paraître très rapide et les côtes creusées à chaque inspiration.
- Il y a une défaillance cardiaque, de quelque nature qu'elle soit.
- Il y a présomption de la présence d'un CORPS ÉTRANGER dans le nez, la gorge et les voies respiratoires (causes très fréquentes chez le jeune enfant).

Causes possibles
- Respiration bruyante à l'expiration.

Causes fréquentes : RHUME, INFECTION RESPIRATOIRE aiguë. Les très jeunes enfants sont particulièrement atteints par ce type d'affection.
Causes moins fréquentes : ASTHME, BRONCHIOLITE, certaines infections virales de l'appareil respiratoire.
- Respiration bruyante à l'inspiration.

Causes habituelles : LARYNGITE aiguë (très fréquente chez l'enfant de moins de deux ans), CROUP, INFECTION RESPIRATOIRE.
Causes moins fréquentes : ÉPIGLOTTITE, certaines infections virales.

RESPIRATION DOULOUREUSE
La respiration douloureuse a été appelée aussi respiration pleurale. C'est un symptôme sérieux qui suggère une

atteinte pleurale, pulmonaire, mais aussi costale, musculaire. La douleur oblige le patient à retenir chaque respiration; celle-ci, courte et rapide, est fréquemment associée à une toux.
Traitement immédiat
- Repos.
- Analgésiques aux doses recommandées.
Voir MÉDICAMENTS, n° 22.
- Pas de traitement local.
Quand consulter le médecin
Aussi rapidement que possible si :
- La douleur est importante.
- Fièvre ou crachats striés de sang.
Causes possibles
Causes fréquentes : traumatisme thoraco-pulmonaire, FRACTURE costale.
Causes moins fréquentes : PLEURÉSIE, PNEUMONIE, PNEUMOTHORAX, EMBOLIE PULMONAIRE.

RESPIRATION SUPERFICIELLE (ESSOUFFLEMENT)
Il existe deux types d'essoufflements : le premier est marqué par un besoin d'air; le sujet ressent qu'il en manque et prend de profondes et visibles respirations, tandis que le rythme respiratoire est inchangé ou même ralenti. Ce symptôme, bien connu de tout adulte, est une réaction habituelle chez celui qui se sent oppressé physiquement (pièce surpeuplée ou trop chauffée) ou psychiquement (ANXIÉTÉ). Cette réaction est presque normale et, au mieux, ignorée. Le deuxième se traduit par un essoufflement ressenti comme une impossibilité de respirer, comme si le sujet venait de courir en montant des escaliers, et le rythme respiratoire est augmenté. Si ce type d'essoufflement apparaît au repos ou après un effort peu important, il traduit un désordre du SYSTÈME RESPIRATOIRE (*page 42*) ou CIRCULATOIRE (*page 40*).

L'essoufflement associé à une pâleur du visage est un symptôme d'ANÉMIE; il faudra y penser, s'il y a eu une perte de sang importante, telle qu'un saignement de nez ou des règles abondantes.

Traitement immédiat
- Asseoir le patient dans la position qui lui est la plus confortable.
Quand consulter le médecin
Immédiatement si :
- Le début de l'essoufflement est brutal, sévère, et est associé soit à une douleur respiratoire, soit à des crachats sanglants.
Aussitôt que possible si :
- L'essoufflement apparaît au repos.
- Il y a d'autres symptômes, tels que toux, fièvre, ou que l'on s'aperçoit d'une importante perte de sang.
- On présume une maladie importante.
Causes possibles
- Système respiratoire.
Causes fréquentes : BRONCHITE, EMPHYSÈME, CANCER DU POUMON, PNEUMONIE, DILATATION DES BRONCHES, TUBERCULOSE, EMBOLIE PULMONAIRE, ASTHME.
Autres causes : OBÉSITÉ, TABAC.
- Système circulatoire.
L'essoufflement apparaît de nuit, brutalement, lorsque le sujet est couché.
Causes : défaillance cardiaque sous toutes ses formes, INFARCTUS DU MYOCARDE.

SAIGNEMENTS

Si le saignement est en rapport avec une plaie, *voir* LES URGENCES. Le saignement peut également provenir d'orifices naturels, tels que le nez (*voir* SAIGNEMENTS DE NEZ) ou le vagin. Il peut encore se traduire par un hématome sous la peau.

TENDANCE AUX SAIGNEMENTS
Quelques individus saignent et ont des hématomes plus facilement que d'autres et plus longtemps. Cette caractéristique est sans gravité, sauf si un saignement de nez ou un saignement après extraction dentaire ne peut être arrêté. Il y a lieu, alors, de demander l'avis d'un médecin. Si le saignement a tendance à se répéter, il faut également consulter le médecin.

SAIGNEMENTS ANORMAUX DU VAGIN
Si les règles s'arrêtent (aménorrhée), sont douloureuses (dysménorrhée), importantes (ménorragie) ou irrégulières, *voir* RÈGLES (troubles des). Un saignement inattendu (entre les règles, pendant la grossesse, après l'accouchement, pendant ou après un rapport sexuel, ou après la ménopause) doit toujours être pris au sérieux. Il peut être bénin, dans le cas, par exemple, de ce que l'on appelle le *spotting* chez les femmes qui prennent une pilule contraceptive. En général, des pertes importantes nécessitent des soins immédiats.
Traitement immédiat
- Repos au lit.
Quand consulter le médecin
Immédiatement si :
- Vous êtes ou vous pourriez être enceinte.
- Vous venez juste d'avoir un enfant.
- Le saignement est associé à des douleurs dans le bas du dos.
Aussi rapidement que possible si :
- La douleur est importante ou a débuté brutalement.
- Le saignement apparaît après la ménopause.
- On a des doutes sur l'origine du saignement.
Causes possibles
Causes habituelles : AVORTEMENT spontané, début d'accouchement (*voir* GROSSESSE), saignements en rapport avec la prise de pilule.
Causes moins fréquentes : hémorragies avant l'ACCOUCHEMENT, après la GROSSESSE, hémorragies survenant après l'ACCOUCHEMENT, CANCER DE L'UTÉRUS, CANCER DU COL DE L'UTÉRUS, GROSSESSE EXTRA-UTÉRINE, FIBROME intra-utérin, dysfonctionnement menstruel (*voir* RÈGLES [troubles des]).

Voir aussi LISTE DES SYMPTOMES (SANG)

SANG

On peut déceler du sang dans les selles, les crachats, etc., ou le voir apparaître sous forme de caillots. Cet incident doit être signalé rapidement au médecin.

SANG DANS LES SELLES
Si le sang provient du gros intestin ou de l'anus, il est rouge vif; il peut être pur ou mélangé avec les selles. Si le sang vient de plus haut dans le conduit digestif, par exemple d'un ulcère gastrique ou duodénal, il peut être noir, car il est mélangé aux différents acides de l'estomac.
Traitement immédiat
- Repos au lit.
Quand consulter le médecin
- Immédiatement si les selles sont noires ou s'il y a eu du sang pur.
Causes possibles
Causes fréquentes : ÉPISTAXIS (saignement de nez), absorption de fer (selles noires), HÉMORROÏDES (selles rouges).
Causes moins fréquentes : ULCÈRE DUODÉNAL OU GASTRIQUE, CIRRHOSE DU FOIE, CANCER DE L'ESTOMAC OU DES INTESTINS, COLITES ulcéreuses, POLYPES OU DIVERTICULOSE COLIQUE, SCHISTOSOMIASE dans certains pays.

Voir LISTE DES SYMPTOMES — SELLES (MODIFICATIONS DES)

SANG DANS LE SPERME
Si du sang apparaît dans le sperme, consulter le médecin.

SANG DANS LES CRACHATS
Si un crachat contient du sang, est strié de rouge ou d'aspect rouillé, si du sang apparaît au cours de quintes de toux (hémoptysie), une affection des poumons doit être suspectée. Le sang vomi vient plus probablement du système digestif.
Traitement immédiat
- Repos complet au lit jusqu'au diagnostic.

Quand consulter le médecin
- Aussi rapidement que possible.

Causes possibles
- Des investigations complètes ne révèlent pas toujours l'origine du saignement.

Causes fréquentes : SINUSITE aiguë, ÉPISTAXIS (saignement de nez).
Causes moins fréquentes : PNEUMONIE, EMBOLIE PULMONAIRE, TUBERCULOSE pulmonaire, CANCER DU POUMON.

SANG DANS L'URINE
Du sang pur dans les urines, ou des urines simplement teintées de sang (hématurie), indique un saignement dans le système urinaire. Ne pas confondre avec des urines rougies par l'ingestion d'un colorant. Parfois, même des investigations complètes pratiquées en milieu hospitalier ne révèlent pas de causes évidentes.

Quand consulter le médecin
- A la moindre coloration rouge, même légère, des urines qui ne peut être attribuée à l'ingestion d'aliments ou de substances colorantes.

Causes possibles
Causes fréquentes : ingestion de betteraves ou d'aliments colorés en rouge, CYSTITE.
Causes moins fréquentes : NÉPHRITE (aiguë), CALCULS URINAIRES, traumatisme, CANCER du rein et de la vessie, SCHISTOSOMIASE dans certains pays.

SANG VOMI
Un vomissement de sang (hématémèse) indique habituellement un saignement d'origine digestive. En revanche, le sang émis au cours de quintes de toux vient souvent des poumons.

Si le sang vient de la bouche ou du nez, il est rouge vif. Si le sang vient de l'œsophage, de l'estomac ou du duodénum, il peut également être rouge vif; il est alors émis au cours de vomissements ou apparaît seulement dans la bouche.

Si le sang est resté dans l'estomac pendant une heure ou plus avant d'être rejeté, il peut être marron foncé. Parfois, un saignement de nez, passé inaperçu, entraîne du sang dans la gorge qui peut être avalé et vomi une heure après.

Traitement immédiat
- Repos au lit; n'absorber ni nourriture ni boisson.
- Rincer la bouche avec de l'eau qui sera recrachée.

Quand consulter le médecin
- Immédiatement, quelle que soit la quantité de sang, à moins que le saignement soit dû à une cause évidente et banale telle qu'un saignement de nez.

Causes possibles
Causes fréquentes : saignement des gencives, de la bouche, ÉPISTAXIS (saignement de nez).
Causes moins fréquentes : ULCÈRE GASTRIQUE OU DUODÉNAL, ŒSOPHAGITE, CIRRHOSE DU FOIE, CANCER DE L'ESTOMAC et DE L'ŒSOPHAGE.
Voir aussi LISTE DES SYMPTOMES (SAIGNEMENTS)

SEINS

Les seins diffèrent en forme, en taille et en couleur. Toute modification de leur structure doit être signalée au médecin. Chez une femme normale, le mamelon de l'un ou des deux seins peut présenter une anomalie : être tourné en dedans ou même être absent. La correction de ce défaut est facile et permettra l'allaitement.

Un médecin doit toujours être consulté avant d'entreprendre un traitement esthétique. *Voir* CHIRURGIE ESTHÉTIQUE.

Quand consulter le médecin
- Aussi rapidement que possible si l'on constate une grosseur.
- Rapidement si l'on ressent une douleur alors que l'on est en train d'allaiter, car il y a un risque d'abcès.
- Si les mamelons sont fissurés, douloureux et enflammés pendant l'allaitement. *Voir page 156.*
- Si la peau a tendance à se plisser ou s'il y a un écoulement par le mamelon.

Causes possibles
- Grosseurs.

Causes habituelles : ADÉNOME DU SEIN, allaitement, ENGORGEMENT MAMMAIRE.
Causes moins fréquentes : CANCER DU SEIN, MASTOPATHIE BÉNIGNE, ABCÈS DU SEIN.

SELLES (MODIFICATIONS DES)

Les modifications des selles (encore appelées fèces) se traduisent par un changement dans leur couleur, dans leur forme ou dans leur consistance.

SANG DANS LES SELLES
Voir LISTE DES SYMPTOMES (SANG).

SELLES NOIRES, GOUDRONNEUSES
Sauf absorption connue de fer, des selles noires, goudronneuses, sont le symptôme d'un saignement dans le système digestif. *Voir* LISTE DES SYMPTOMES (SANG).

SELLES BLANCHATRES, DÉCOLORÉES
Associées avec des urines foncées, des selles décolorées, blanchâtres, peuvent être le symptôme d'un ICTÈRE. Chez les jeunes enfants, les modifications des selles sont fréquentes, mais rarement pathologiques.

SELLES DÉCOLORÉES, ABONDANTES ET ODORANTES
Des selles décolorées, abondantes, diarrhéiques et malodorantes peuvent être le symptôme d'une GIARDIASE ou, moins fréquemment, d'une MALADIE CŒLIAQUE, d'une MUCOVISCIDOSE ou d'une SPRUE.

SELLES IMPÉRIEUSES
Voir LISTE DES SYMPTOMES (DIARRHÉE).

SELLES VISQUEUSES, ÉMISSION DE MUCUS
La persistance de selles visqueuses ou l'émission de mucus doivent être signalées au médecin; elles peuvent être liées à une COLITE ou un CANCER du côlon.

VERS
Les OXYURES ressemblent à des petits filaments blancs dont la taille est inférieure à 10 millimètres; ils sont mobiles. Les ASCARIS sont ronds et ils ont la taille et la forme d'un ver de terre. Le VER SOLITAIRE ou encore appelé tænia est un ver plat; il émet des segments, ou anneaux, de 1 à 2 centimètres de long, qui se détachent de temps en temps et passent dans les selles.

SELLES DOULOUREUSES
Chez le tout-petit et l'enfant, des selles douloureuses évoquent habituellement une FISSURE ANALE.

Chez l'adulte, la fissure anale en est aussi souvent la cause, mais des selles douloureuses peuvent être aussi le symptôme d'HÉMORROÏDES internes. Une poussée importante de diarrhée entraîne parfois un spasme du canal anal et rend ainsi le passage des selles douloureux : sensation de tension, de brûlure, envie continuelle d'aller à la selle (tenesme).

SIFFLEMENTS RESPIRATOIRES

Voir LISTE DES SYMPTOMES — RESPIRATION (TROUBLES DE LA)

SOIF

La persistance d'une soif excessive qui dure au-delà de quarante-huit heures doit être signalée au médecin, surtout s'il s'agit d'un enfant. Une montée fébrile en est souvent la cause, mais il peut aussi s'agir de DIABÈTE, il faut alors établir le diagnostic.

SOMNOLENCE

La somnolence a rarement une cause grave. Elle est habituellement la conséquence de fatigue, d'excès d'alcool ou de prise de médicaments tels que tranquillisants, sédatifs et hypnotiques, analgésiques et narcotiques, antihistaminiques (*voir* MÉDICAMENTS, n°s 17, 22, 14).

La somnolence est moins souvent un symptôme de NARCOLEPSIE, d'hyperthermie, d'ENCÉPHALITE ou d'autres maladies du cerveau.

SPERME (SANG DANS LE)

Voir LISTE DES SYMPTOMES (SANG)

SURDITÉ

Une surdité peut se développer à tout âge dans une ou dans les deux oreilles. Il y a deux types de surdités; la surdité de transmission atteint l'oreille moyenne; la surdité de perception affecte l'oreille interne et traduit une atteinte du nerf.

Traitement immédiat

- Aucun. Les surdités en rapport avec une cause grave n'apparaissent habituellement pas brutalement.

Quand consulter le médecin

- Si on suspecte la moindre surdité, quel que soit l'âge, même chez les nourrissons.
- Si des bourdonnements sont perçus dans l'oreille (ACOUPHÈNES).
- S'il y a écoulements ou douleurs dans l'oreille.
- Si un enfant présente le moindre signe de surdité après une OTITE.
- Chez les enfants, une surdité due à une OTITE MOYENNE chronique peut se développer après une banale infection de l'oreille. Ne pas hésiter à ramener l'enfant chez le médecin.

Causes possibles

Causes habituelles : obstruction de la TROMPE D'EUSTACHE (en avion ou après un plongeon), diminution progressive de l'AUDITION chez le sujet âgé, OTITE MOYENNE.

Causes moins fréquentes : OREILLE (LÉSIONS DE), TYMPAN (PERFORATION DU), OTOSCLÉROSE, SURDITÉ congénitale, SURDITÉ de l'âge avancé, VERTIGE DE MÉNIÈRE.

SYNCOPE

Le terme de syncope est souvent utilisé à tort, et la signification est différente selon qu'il est employé par un médecin, pour qui il signifie une perte de la conscience, ou par un profane.

Voir LISTE DES SYMPTOMES — CONSCIENCE (TROUBLES DE LA)

TACHES

Voir LISTE DES SYMPTOMES — PEAU (LÉSIONS DE LA)

TALON (DOULEUR DU)

Si la douleur n'est pas due à un traumatisme, *voir* PIED (DOULEUR PLANTAIRE DU)

TEMPÉRATURE (AUGMENTATION DE LA)

Voir LISTE DES SYMPTOMES (FIÈVRE)

TENSION NERVEUSE

Voir CÉPHALÉE, ANXIÉTÉ, SYNDROME PRÉMENSTRUEL

TESTICULES ET SCROTUM

On inclut dans les affections du testicule et du scrotum l'absence d'un ou des deux testicules, des douleurs, un gonflement ou une déformation.

ABSENCE DES TESTICULES

A la naissance, le médecin contrôle la présence des testicules. Si l'un ou les deux sont absents, l'enfant devra être traité vers l'âge de cinq ans. *Voir* ECTOPIE TESTICULAIRE.

DOULEUR, GONFLEMENT, DÉFORMATION DU TESTICULE OU DU SCROTUM

Traitement immédiat

- Repos au lit.
- Mettre un suspensoir.
- Prendre des analgésiques aux doses recommandées. *Voir* MÉDICAMENTS, n° 22.

Quand consulter le médecin

- Aussi rapidement que possible si la douleur est aiguë ou associée à un gonflement.
- Si l'on constate un gonflement sans douleur.

Causes possibles

Causes habituelles : HERNIE.

Causes moins fréquentes : ORCHITE, HYDROCÈLE, TORSION DU TESTICULE, TUMEUR DE L'APPAREIL GÉNITAL MASCULIN.

TOUX

La toux est un réflexe de protection qui aide le corps à éliminer des voies aériennes les sécrétions anormales ou les substances étrangères inhalées. La toux a des causes très variées.

Traitement immédiat

- Rester au repos dans une pièce tempérée.
- Ne prendre des médicaments antitussifs que si la toux entraîne l'insomnie ou devient fatigante. *Voir* MÉDICAMENTS, n° 16.

Quand consulter le médecin

- Si l'on trouve du sang dans les crachats.
- S'il y a une douleur dans la poitrine, une respiration difficile ou une fièvre persistante.
- Si la toux devient de plus en plus importante ou persiste après deux ou trois semaines.
- Si l'on soupçonne la présence d'un corps étranger.

Causes possibles

Une toux enrouée ou difficile est habituellement un symptôme de CROUP, de LARYNGITE ou de trachéite. Dans la coqueluche, le sifflement est entendu à la reprise inspiratoire après une quinte. L'origine de la toux sera souvent identifiée par sa durée ou sa persistance.

- Toux persistant moins de dix jours.

Causes habituelles : GRIPPE, INFECTION RESPIRATOIRE, PHARYNGITE, nombreuses affections respiratoires virales.

Causes moins fréquentes : ROUGEOLE, COQUELUCHE, PHARYNGITE, LARYNGITE, BRONCHIOLITE, PNEUMONIE.

- Toux durant plus de dix jours.

Causes habituelles : TABAC (RISQUES LIÉS AU), ALLERGIE.

Causes moins fréquentes: BRONCHITE (chronique), DILATATION DES BRONCHES, ASTHME allergique, TUBERCULOSE pulmonaire, CANCER DU POUMON.

Voir aussi PUÉRICULTURE, *page 370*

TRANSPIRATION

Le corps humain se refroidit par la transpiration. Chez les individus en bonne santé, la quantité de transpiration est très variable. Des exercices musculaires importants, une chaleur excessive, une peur, une douleur importante ou une fièvre peuvent entraîner une sudation abondante et subite. Chez le diabétique, l'apparition d'une sudation (*voir* DIABÈTE) peut traduire une hypoglycémie due à une dose trop importante d'insuline. Les diabétiques et leur famille doivent connaître ce symptôme.

Une sudation excessive est parfois due à la MÉNOPAUSE ou à une THYROTOXICOSE.

TREMBLEMENT

Bien qu'un tremblement puisse affecter la tête et les jambes, il est généralement plus net aux mains et aux doigts.
Voir LISTE DES SYMPTOMES (MAIN, DOIGTS ET POIGNET)

TUMEUR

Voir LISTE DES SYMPTOMES — PEAU (LÉSIONS DE LA) pour les tumeurs de la peau. Tumeur est un mot utilisé à tort dans le langage courant pour désigner un CANCER, par déformation du terme médical adéquat : formation d'une tumeur nouvelle, ou néoplasme.

URINE ET MICTION

Les différents troubles urinaires se traduisent par plusieurs symptômes : la douleur, des mictions fréquentes, une perte de contrôle des urines, la difficulté ou l'impossibilité d'uriner, la modification des urines.

DOULEUR A LA MICTION

Les douleurs à la miction peuvent aller d'une petite sensation d'inconfort à une sévère brûlure.

Traitement immédiat

- Prendre de nombreuses boissons non alcoolisées.
- Mise au repos si la douleur est importante.
- Prendre des analgésiques aux doses recommandées. *Voir* MÉDICAMENTS, n° 22.

Quand consulter le médecin

- Si la douleur est pénible, qu'elle n'a pas une cause évidente; s'il s'agit d'une femme enceinte, ou si l'on suspecte une MALADIE VÉNÉRIENNE.

Causes possibles

Causes habituelles : CYSTITE, rapport sexuel.
Causes moins fréquentes : MALADIES VÉNÉRIENNES, PYÉLONÉPHRITE, CALCULS URINAIRES, PROSTATITE, hypertrophie bénigne de la prostate (TUMEUR DE L'APPAREIL GÉNITAL MASCULIN).

MICTION FRÉQUENTE

La cause en est souvent banale, mais parfois plus sérieuse.

Traitement immédiat.

- Aucun.

Quand consulter le médecin

- Si l'augmentation de la fréquence des mictions s'associe à une douleur ou à l'apparition de sang dans l'urine.
- Si l'on craint une MALADIE VÉNÉRIENNE.
- Si l'on doit uriner plusieurs fois durant la nuit. Chez les hommes d'un certain âge, ce symptôme évoque un ADÉNOME DE LA PROSTATE.

Causes possibles

Causes habituelles : période des règles, prise excessive de boissons liquides, GROSSESSE, diurétiques (*voir* MÉDICAMENTS, n° 6), CYSTITE.
Causes moins fréquentes : MALADIE VÉNÉRIENNE, DIABÈTE, PYÉLONÉPHRITE, ADÉNOME PROSTATIQUE.

INCONTINENCE CHEZ LES ENFANTS

Chez les bébés et les enfants, l'incontinence, due à un manque de contrôle des sphincters, est normale jusqu'à l'âge de cinq ans environ. *Voir* PUÉRICULTURE, *page 370*.

INCONTINENCE CHEZ L'ADULTE

Chez l'adulte, il est fréquent de noter des petites incontinences. Chez les femmes qui ont eu plusieurs enfants, on peut noter parfois des pertes d'urine après toux ou fou rire; ce symptôme est bénin mais peut aller en s'aggravant. Chez les hommes d'un certain âge dont la prostate a augmenté de volume, il peut y avoir un égouttement après la miction.

Traitement immédiat

- Il dépend de la cause.

Quand consulter le médecin

- Si l'incontinence devient importante et gêne la vie quotidienne.

Causes possibles

Causes habituelles : GROSSESSE, accouchement, PROLAPSUS UTÉRIN, ADÉNOME PROSTATIQUE.
Causes moins fréquentes : SCLÉROSE EN PLAQUES, atteinte médullaire et autres maladies nerveuses.

IMPOSSIBILITÉ D'URINER

Consulter immédiatement le médecin si ce symptôme se prolonge au-delà de quelques heures.

ANOMALIES DES URINES

Des urines rouges peuvent être dues à l'ingestion de certaines nourritures ou à un saignement. *Voir* LISTE DES SYMPTOMES (SANG DANS L'URINE).

- Des urines foncées sont le symptôme d'un ictère (*voir* ICTÈRE).
- Des urines bleues ou verdâtres sont habituellement dues à la prise de certains médicaments. Une mauvaise odeur des urines est parfois liée à une infection; si elles sont troubles, les garder pour les montrer au médecin; un aspect trouble peut apparaître sur des urines émises depuis quelques heures.

VAGIN ET VULVE

Les affections du vagin et de la vulve se traduisent par des pertes, des démangeaisons, des gonflements, un endolorissement et des douleurs pendant les rapports.

PERTES

Les pertes vaginales ne sont pas toujours anormales. Habituellement, les pertes blanches ne sont pas liées à une infection. A l'opposé, des pertes jaunes mélangées de sang, douloureuses, sentant mauvais, traduisent l'infection.

Traitement immédiat

- Hygiène normale.

Quand consulter le médecin

- Si les pertes sont malodorantes, jaunes ou plus foncées, ou s'il y a du sang.
- Si les pertes vaginales s'associent avec des mictions fréquentes ou douloureuses.
- Si les rapports sexuels sont douloureux.
- Si l'on soupçonne une MALADIE VÉNÉRIENNE.

Causes possibles

Causes habituelles : pertes blanches normales, produit chimique irritant tel que désinfectant ou déodorant, corps étranger ou tampon hygiénique gardé trop longtemps (*voir* CHOC TOXIQUE), VAGINITE (à candida et à trichomonas).
Causes moins fréquentes : MALADIE VÉNÉRIENNE, VAGINITE atrophique, CANCER VULVAIRE, CANCER DE L'UTÉRUS ou du vagin.

PRURIT ET RAPPORTS DOULOUREUX

Des démangeaisons dans le vagin, des rapports douloureux sont souvent les symptômes d'une infection. Les causes en sont les mêmes que celles des pertes. Des rapports douloureux peuvent aussi être le fait d'une mauvaise lubrification du vagin (*voir* SEXOLOGIE). Pour les démangeaisons de la vulve, voir PRURIT.

GONFLEMENTS, DOULEURS

Après un accouchement, on peut observer des gonflements dans le vagin; selon leur localisation, ils sont appelés cystocèles ou rectocèles. Mais d'autres gonflements ou douleurs peuvent avoir des causes inconnues.

Traitement immédiat

- Hygiène normale.

Quand consulter le médecin

- Aussi rapidement que possible, dès que l'on note un gonflement ou une douleur dans le vagin et la vulve.

Causes possibles

Causes habituelles : cystocèle et rectocèle, PROLAPSUS UTÉRIN.
Causes moins fréquentes : BARTHOLINITE, CANCER VULVAIRE ou du vagin, SYPHILIS.

VERS

Voir LISTE DES SYMPTOMES — SELLES (MODIFICATIONS DES)

VISAGE

Des modifications du visage peuvent souvent refléter un trouble venant de n'importe quelle partie du corps. Même si cette modification n'est pas signe d'une maladie grave, elle présente un désagrément pour celui qui en souffre; il y a donc lieu de consulter son médecin.

Traitement immédiat

- Il est fonction de la cause sous-jacente.

Quand consulter le médecin

Aussi rapidement que possible si :

- Il y a une douleur importante.
- La douleur, un affaissement ou un gonflement débutent brutalement.
- Un gonflement, une rougeur ou une infection s'associent avec de la fièvre.

Causes possibles

- Douleur.

Causes habituelles : mal de dents (*voir* DENTS), ABCÈS, ORGELET.
Causes moins fréquentes : SINUSITE, NÉVRALGIE du trijumeau, ZONA.

- Affaissement d'un côté, paralysie, larmoiement.

Causes habituelles : PARALYSIE faciale.
Causes moins fréquentes : ATTAQUE (hémiplégie), désordres cérébraux, MYASTHÉNIE grave, MYOPATHIE.

- Manque d'expression.

Causes habituelles : DÉPRESSION.
Causes moins fréquentes : PARKINSON (MALADIE DE), MYXŒDÈME.

- Gonflement.

Causes habituelles : OBÉSITÉ, inflammation locale venant d'une dent, ABCÈS, ORGELET, OREILLONS, ALLERGIE.
Causes moins fréquentes : SINUSITE, état fébrile avec ganglions, traitement corticoïde (*voir* MÉDICAMENTS, n°s 32, 37).

- Grosseurs.

Causes habituelles : KYSTE cébacé, ABCÈS.
Causes moins fréquentes : CANCER DE LA PEAU.

- Aspect bleuté.

Voir LISTE DES SYMPTOMES (CYANOSE).

- Aspect rouge ou enflammé.

Causes habituelles : timidité, chaleur, COUP DE SOLEIL, FIÈVRE, ABCÈS, ORGELET.
Causes moins fréquentes : CELLULITE, ÉRYSIPÈLE, ROSACÉE, SCARLATINE et autres éruptions.

- Pâleur.

Causes habituelles : SYNCOPE, choc, ANÉMIE, HÉMORRAGIE, ATTAQUE.
Causes moins fréquentes : ANÉMIE pernicieuse, maladies chroniques. *Voir* LISTE DES SYMPTOMES — CONSCIENCE (TROUBLES DE LA).

- Jaune.

Voir ICTÈRE.

VOIX

Voir LISTE DES SYMPTOMES — ENROUEMENT, GORGE (MAL DE)

VOMISSEMENTS

Il s'agit d'un symptôme fréquent dont les causes sont multiples.

CHEZ LES ENFANTS
Voir PUÉRICULTURE, *page 370.*

CHEZ LES ADULTES

Traitement immédiat

- Repos au lit ou dans un fauteuil.
- Prendre quelques gorgées d'eau. Pas d'autres boissons.

Quand consulter le médecin

- S'il y a douleur abdominale, ou si l'on note du sang ou des taches ressemblant à des grains de café dans les vomissements.
- Si les vomissements contiennent la nourriture absorbée quatre heures auparavant.
- Si les vomissements durent au-delà de quatre heures.
- S'ils s'accompagnent d'une diarrhée sévère ou de crampes importantes.

Causes possibles

Causes habituelles : abus de nourriture ou de boissons alcoolisées, MAL DES TRANSPORTS, GASTRITE, GASTRO-ENTÉRITE, GROSSESSE, FIÈVRE.
Causes moins fréquentes : STÉNOSE DU PYLORE, ULCÈRE GASTRIQUE, ULCÈRE DUODÉNAL, CANCER DE L'ESTOMAC.

YEUX

Tout symptôme anormal affectant les yeux doit être pris au sérieux et rapidement signalé au médecin. L'œil est un organe petit, compliqué, vital, pour lequel il est souvent difficile, même pour les médecins, de différencier ce qu'il y a de bénin et de sérieux.

Traitement immédiat

- Les corps chimiques peuvent causer de graves lésions de l'œil; celui-ci doit être immédiatement lavé à l'eau pure. Relever la paupière en s'aidant du doigt si nécessaire, et laver l'œil sous l'eau courante ou avec de l'eau fraîche contenue dans une récipient. *Voir* LES URGENCES.
- Pour tout autre symptôme, fermer l'œil et observer un repos complet.

Quand consulter le médecin

- Immédiatement après le traitement d'urgence, en cas de traumatisme ou de projection de caustique.
- Immédiatement si une cécité brutale, partielle ou complète, est apparue dans l'un ou les deux yeux.

Aussitôt que possible si :

- Une zone d'ombre obscurcit la vue de l'un ou des deux yeux.
- Il y a une douleur importante dans le globe oculaire.
- La pupille de l'un des deux yeux est différente en taille (certains collyres peuvent entraîner ce trouble).
- Une perception d'une double image.
- Une rougeur apparaît dans le blanc des yeux en dehors de l'iris.
- Une douleur brutale apparaît et s'il y a eu introduction d'un corps étranger comme un éclat de soudure au chalumeau.

Quel que soit le symptôme (progressif ou persistant plus de trois à cinq jours), il faut consulter le médecin.

SYMPTOMES OCULAIRES QUI PEUVENT AVOIR UNE CAUSE GRAVE

Causes possibles

- Douleur et irritation de l'œil.

Causes fréquentes : CONJONCTIVITE, CORPS ÉTRANGER, traumatisme.

- *Causes moins fréquentes* : ULCÈRE DE LA CORNÉE, IRITIS, GLAUCOME aigu.
- Rougeur de l'œil.

Causes habituelles : CONJONCTIVITE, HÉMORRAGIE SOUS-CONJONCTIVALE, CORPS ÉTRANGER DANS L'ŒIL, traumatisme.
Causes moins fréquentes : ULCÈRE DE LA CORNÉE, IRITIS, GLAUCOME aigu.

- Spasmes de la paupière, difficulté à supporter la lumière, impossibilité d'ouvrir l'œil.

Causes habituelles : CORPS ÉTRANGER DANS L'ŒIL, CONJONCTIVITE, traumatisme.
Causes moins fréquentes : IRITIS, ULCÈRE DE LA CORNÉE.

- Symptômes oculaires durant plus de trois à cinq jours.

Causes habituelles : TROUBLES DE LA VISION, MOUCHES VOLANTES, STRABISME, MIGRAINE.
Causes moins fréquentes : CATARACTE, GLAUCOME chronique, IRITIS, DIABÈTE, HYPERTENSION.

SYMPTOMES OCULAIRES QUI ONT RAREMENT UNE CAUSE GRAVE

Causes possibles

- Yeux collés.

CONJONCTIVITE, BLÉPHARITE.

- Yeux larmoyants.

Obstruction du conduit lacrymal, ECTROPION.

- Gonflement des globes oculaires.

ORGELET, ECTROPION, ALLERGIE.

- Douleurs, rougeurs des yeux.

BLÉPHARITE.

YEUX ET/OU PEAU JAUNES
Voir LISTE DES SYMPTOMES (JAUNISSE).
Voir aussi ICTÈRE, *page 255.*

2e PARTIE LE CORPS HUMAIN

Pour comprendre ses différents systèmes et leurs fonctions

MALADIES INFECTIEUSES

L'infection survient lorsque des organismes nuisibles — appelés pathogènes — envahissent le corps. Ces organismes comprennent les virus, les bactéries, les protozoaires, les rickettsies, certains champignons et parasites. Ils peuvent tous être transmis d'une personne à une autre par des chemins variés : lors d'un contact direct — un baiser ou un rapport sexuel — ou à travers les gouttelettes expectorées dans une quinte de toux ou un éternuement. Les animaux sont des intermédiaires pour certains de ces organismes : ainsi, le plasmodium, protozoaire du paludisme, est transmis par un moustique. On trouve des organismes pathogènes dans la nourriture et les boissons contaminées, ainsi que dans le sol; ils pénètrent dans l'organisme humain par la bouche ou par une plaie ouverte. Ils peuvent aussi passer de la mère contaminée à l'enfant pendant la grossesse ou à la naissance.

LA PÉRIODE D'INCUBATION

Dès que les organismes pathogènes sont entrés dans le corps, ils commencent à se reproduire; mais un certain temps s'écoule avant qu'ils ne soient assez nombreux pour provoquer des symptômes. La période comprise entre la contamination du corps et l'apparition des premiers symptômes s'appelle l'incubation. Celle-ci peut durer de quelques heures, comme dans le choléra, à 5 mois, comme dans certaines formes d'hépatites, et jusqu'à des années (SIDA).

Quand une personne est atteinte d'une maladie infectieuse, son organisme développe des anticorps pour combattre l'infection. Ces anticorps persistent après la guérison de l'infection, conférant une immunité naturelle contre une nouvelle contamination par le même organisme.

Une immunité artificielle contre certaines maladies infectieuses peut être apportée par les vaccins, qui stimulent la fabrication des anticorps par le système immunitaire de l'organisme.

TRAITEMENT

Le succès du traitement d'une maladie infectieuse dépend de l'organisme pathogène qui en est la cause. Ainsi, les antibiotiques, comme la pénicilline, permettent de supprimer un grand nombre de bactéries. Les infections bactériennes comprennent la diphtérie, la blennorragie, certaines formes de pneumonies, la scarlatine, la syphilis, la tuberculose et la typhoïde.

Les maladies infectieuses causées par des protozoaires (le paludisme, par exemple) et des champignons (pied d'athlète, candidose) sont également sensibles à certains médicaments. A l'opposé, les maladies infectieuses d'origine virale résistent à presque tous les médicaments, y compris aux antibiotiques. Ces maladies comprennent la varicelle, l'hépatite, la grippe, la rougeole, les oreillons, l'herpès récurrent, la rage, la poliomyélite, la coqueluche et le rhume.

SUJETS A RISQUE

- Les personnes séjournant dans des pays où les maladies infectieuses sont répandues.
- Les bébés de moins de trois mois.
- Les familles dont l'un des membres est atteint d'une maladie infectieuse.
- Les adultes atteints d'une maladie infantile, telle que la varicelle, qui peuvent être sévèrement touchés.
- Les femmes enceintes non immunisées, qui doivent éviter tout contact avec les personnes atteintes de rubéole.
- Les sujets âgés et les malades peuvent perdre leur immunité contre certaines maladies infectieuses.

PRINCIPAUX SYMPTOMES DES MALADIES INFECTIEUSES

Les symptômes suivants sont tous traités dans la LISTE DES SYMPTOMES.

- Diarrhée.
- Fièvre.
- Mal de tête.
- Éruption.

URGENCES

- Diphtérie, méningite, morsure par un animal enragé, etc.

PRÉVENTION

- Assurez-vous que votre enfant a subi toutes les vaccinations recommandées.
- Avant d'aller à l'étranger, renseignez-vous sur les maladies infectieuses répandues dans le pays.
- Évitez l'eau non stérilisée, les glaces et la nourriture crue dans les pays où les maladies infectieuses sont fréquentes.

Maladies infectieuses

Toutes les affections citées dans ce tableau donnent lieu à une entrée du livre. Leurs symptômes et les mesures à prendre y sont décrits en détail.

AMIBIASE
ASCARIS
BLENNORRAGIE
BRUCELLOSE
CANDIDOSE
CHLAMYDIA (INFECTION A)
CHOC TOXIQUE
CHOLÉRA
COQUELUCHE
CYTOMÉGALOVIRUS (INFECTION A)
DENGUE
DIPHTÉRIE
ÉRYSIPÈLE
FIÈVRE BILIEUSE HÉMOGLOBINURIQUE
FIÈVRE JAUNE
FIÈVRE A PHLÉBOTOME
FIÈVRE POURPRÉE DES MONTAGNES ROCHEUSES
FIÈVRE Q
FIÈVRE TYPHOÏDE
GRIPPE
HÉPATITE VIRALE
HERPÈS
HISTOPLASMOSE
KYSTE HYDATIQUE
LEISHMANIOSE
LEPTOSPIROSE
MALADIE DE LA GRIFFE DU CHAT
MALADIE DU LÉGIONNAIRE
MALADIE DU SOMMEIL
MÉNINGITE
MONONUCLÉOSE INFECTIEUSE
MYALGIE ÉPIDÉMIQUE
OREILLONS
OXYURES
PALUDISME
PARATYPHOÏDE
PIAN
PIED D'ATHLÈTE
PNEUMONIE
POLIOMYÉLITE
PSITTACOSE
RAGE
RHUME
ROUGEOLE
RUBÉOLE
SCARLATINE
SCHISTOSOMIASE
SYPHILIS
TÉTANOS
TOXOCAROSE
TOXOPLASMOSE
TRICOCÉPHALOSE
TUBERCULOSE
TULARÉMIE
TYPHUS
VARICELLE
VARIOLE
ZONA

MALADIES MENTALES

L'appareil psychique contrôle la personnalité, le comportement et les sentiments d'un être humain bien plus que les grands appareils physiques, digestif ou circulatoire par exemple. Cela ne signifie pas, cependant, que des causes physiques ne peuvent entraîner certaines maladies mentales.

Sans être pour autant un malade mental, chacun de nous peut avoir présenté au moins une fois des symptômes psychiques considérés comme anormaux. Le médecin fait son diagnostic sur l'ensemble des symptômes présentés et sur leur gravité.

Des altérations du comportement constituent habituellement le premier signe d'une maladie mentale. Pendant notre enfance, un modèle de comportement nous a été proposé, avec un large éventail de conduites, physiques et mentales. Mais lorsque ce modèle est brutalement altéré, on peut éprouver des difficultés à s'insérer dans la société : une aide médicale peut alors être nécessaire.

Les malades mentaux sont bien trop souvent rejetés, parce que nous ne comprenons pas la maladie mentale, et qu'elle nous fait peur. Pourtant, le malade a besoin d'aide, de sympathie et de compréhension : un sentiment de rejet ne peut qu'aggraver sa maladie.

TROUBLES MENTAUX

Il y a trois grands groupes de maladies mentales : les névroses, les psychoses et les déficiences mentales.

Dans une névrose, les pensées et les sentiments du patient sont tellement exacerbés qu'ils perturbent sa vie quotidienne. La gravité du mal varie beaucoup d'un patient à un autre. Ces névroses, toujours conscientes, représentent les deux tiers des maladies mentales, et l'angoisse en est la forme la plus commune. En font également partie l'anxiété chronique, l'hystérie, les phobies et les obsessions.

La psychose est une maladie mentale majeure à laquelle le terme populaire de folie peut correspondre. Un patient atteint de psychose est en dehors de la réalité et ne peut vivre dans la société. Sa maladie est évidente pour tous ceux qui l'entourent, mais le psychotique lui-même en est inconscient, et il est incapable de demander un traitement. Parfois, pour certains psychotiques, on sera obligé de recourir à un internement d'office. Les psychoses comprennent la psychose maniaco-dépressive, les syndromes délirants et toutes les formes de schizophrénie. Il est vraisemblable qu'elles ont pour origine des troubles chimiques du cerveau.

Les termes de déficience intellectuelle, débilité ou retard mental désignent les cas où le malade est handicapé sur le plan intellectuel. Il existe de nombreuses causes à ce handicap : chez l'enfant, il peut s'agir d'une encéphalite survenue pendant la grossesse, de dommages cérébraux au moment de l'accouchement ou de maladies génétiques, telles que la trisomie 21. La déficience mentale est habituellement diagnostiquée pendant l'enfance et, à la différence des névroses et même des psychoses, elle dure toute la vie.

SUJETS A RISQUE

Certaines personnes sont particulièrement exposées à la maladie mentale, du fait de leur hérédité, de leurs antécédents ou de leur environnement. Le chômage, les difficultés financières, l'absence d'ami ou de confident, la séparation, les maladies physiques chroniques et l'alcoolisme sont autant de facteurs qui peuvent jouer un rôle dans l'apparition d'une maladie mentale. Un grand stress, des modifications importantes de la vie sur les plans professionnel et affectif favorisent aussi l'apparition de troubles mentaux.

PRINCIPAUX SYMPTOMES DES TROUBLES MENTAUX

Des modes de comportement anormaux, tels que l'apathie ou l'irritabilité, qui s'avèrent être parfois des symptômes de maladie mentale, sont traités dans la LISTE DES SYMPTOMES. L'anxiété et la dépression ont également leur entrée dans la partie dictionnaire de ce livre.

URGENCES

L'urgence psychiatrique est rare. C'est seulement lorsqu'une vie paraît en danger qu'il y a lieu de prendre des dispositions. Par exemple, quand un patient déprimé a essayé ou menace de se suicider, ou lorsqu'un psychotique menace de se blesser ou de blesser les autres. Dans ces cas, le médecin traitant, parfois la police ou les services d'assistance psychiatrique, hospitaliseront d'urgence le patient.

PRÉVENTION DES TROUBLES MENTAUX

- Menez une vie saine. Mangez et buvez avec modération, faites du sport régulièrement et dormez suffisamment.
- Recherchez des pôles d'intérêt extérieurs pour combattre l'ennui et l'isolement.
- Essayez d'éviter les stress. Tentez de résoudre vos problèmes par le dialogue avec vos proches. Prenez des vacances régulières, sachez utiliser vos week-ends.
- Ne prenez aucun médicament qui n'ait été prescrit par votre médecin.

Troubles mentaux

Tous les troubles cités dans ce tableau donnent lieu à une entrée du livre. Leurs symptômes et les mesures à prendre y sont décrits en détail.

ANOREXIE MENTALE	NÉVROSE
ANXIÉTÉ	PHOBIE
AUTISME	PSYCHOSE MANIACO-DÉPRESSIVE
DÉPRESSION	SCHIZOPHRÉNIE
HYPOMANIE	
HYSTÉRIE	

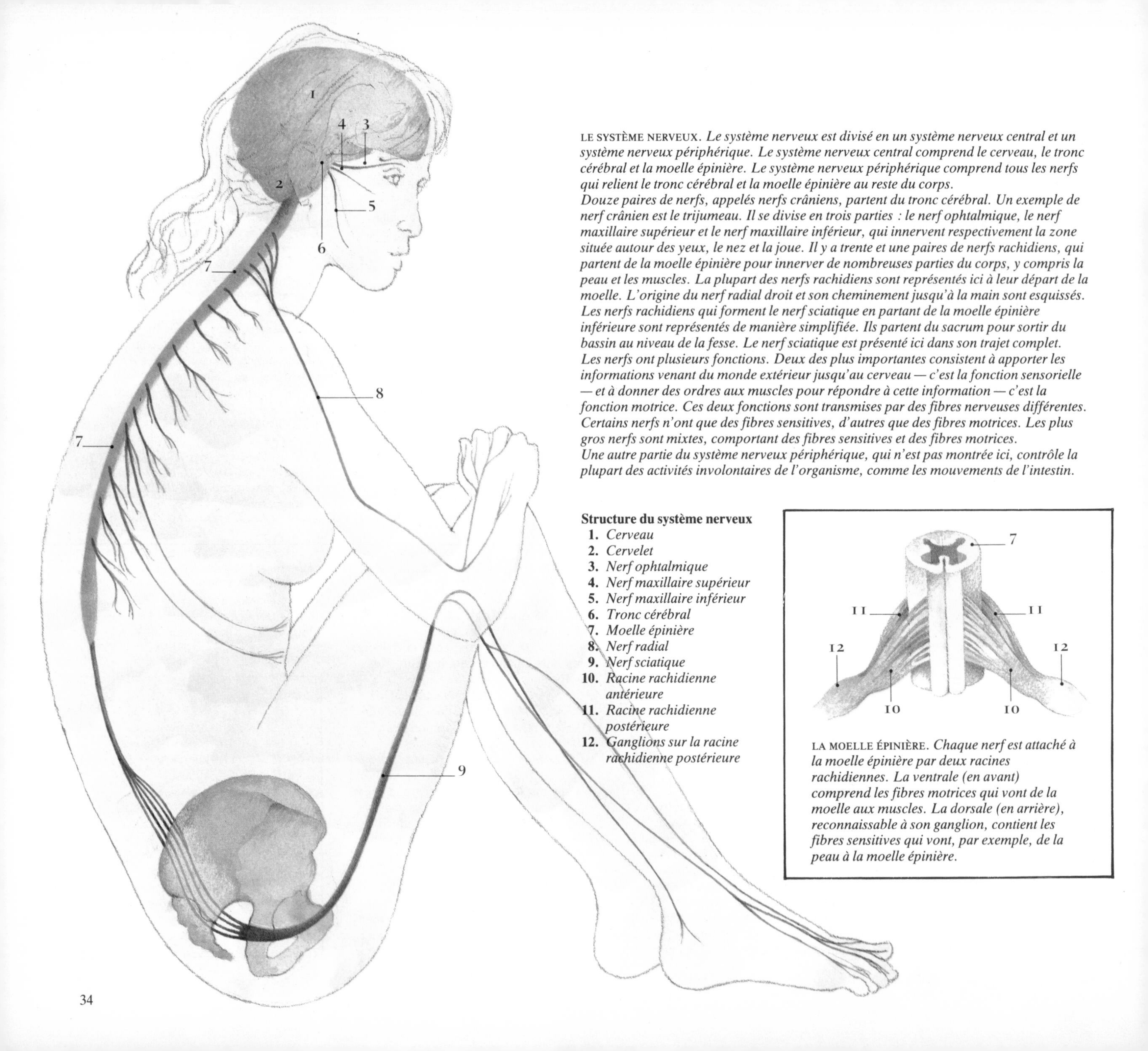

LE SYSTÈME NERVEUX. *Le système nerveux est divisé en un système nerveux central et un système nerveux périphérique. Le système nerveux central comprend le cerveau, le tronc cérébral et la moelle épinière. Le système nerveux périphérique comprend tous les nerfs qui relient le tronc cérébral et la moelle épinière au reste du corps.*
Douze paires de nerfs, appelés nerfs crâniens, partent du tronc cérébral. Un exemple de nerf crânien est le trijumeau. Il se divise en trois parties : le nerf ophtalmique, le nerf maxillaire supérieur et le nerf maxillaire inférieur, qui innervent respectivement la zone située autour des yeux, le nez et la joue. Il y a trente et une paires de nerfs rachidiens, qui partent de la moelle épinière pour innerver de nombreuses parties du corps, y compris la peau et les muscles. La plupart des nerfs rachidiens sont représentés ici à leur départ de la moelle. L'origine du nerf radial droit et son cheminement jusqu'à la main sont esquissés.
Les nerfs rachidiens qui forment le nerf sciatique en partant de la moelle épinière inférieure sont représentés de manière simplifiée. Ils partent du sacrum pour sortir du bassin au niveau de la fesse. Le nerf sciatique est présenté ici dans son trajet complet.
Les nerfs ont plusieurs fonctions. Deux des plus importantes consistent à apporter les informations venant du monde extérieur jusqu'au cerveau — c'est la fonction sensorielle — et à donner des ordres aux muscles pour répondre à cette information — c'est la fonction motrice. Ces deux fonctions sont transmises par des fibres nerveuses différentes. Certains nerfs n'ont que des fibres sensitives, d'autres que des fibres motrices. Les plus gros nerfs sont mixtes, comportant des fibres sensitives et des fibres motrices.
Une autre partie du système nerveux périphérique, qui n'est pas montrée ici, contrôle la plupart des activités involontaires de l'organisme, comme les mouvements de l'intestin.

Structure du système nerveux

1. *Cerveau*
2. *Cervelet*
3. *Nerf ophtalmique*
4. *Nerf maxillaire supérieur*
5. *Nerf maxillaire inférieur*
6. *Tronc cérébral*
7. *Moelle épinière*
8. *Nerf radial*
9. *Nerf sciatique*
10. *Racine rachidienne antérieure*
11. *Racine rachidienne postérieure*
12. *Ganglions sur la racine rachidienne postérieure*

LA MOELLE ÉPINIÈRE. *Chaque nerf est attaché à la moelle épinière par deux racines rachidiennes. La ventrale (en avant) comprend les fibres motrices qui vont de la moelle aux muscles. La dorsale (en arrière), reconnaissable à son ganglion, contient les fibres sensitives qui vont, par exemple, de la peau à la moelle épinière.*

LE SYSTÈME NERVEUX

Le système nerveux comprend le cerveau, le cervelet, la moelle épinière et les nerfs, qui transmettent les informations venant de tout le corps. A l'exception des nerfs crâniens, tous les nerfs sont reliés au cerveau par des fibres motrices et sensitives qui se trouvent à l'intérieur de la moelle épinière. On distingue deux grands groupes de nerfs — le système nerveux sympathique et le système nerveux parasympathique —, qui contrôlent de multiples fonctions du corps, tels la respiration, les battements cardiaques, l'activité de l'estomac, l'érection, l'éjaculation, la transpiration, la pression artérielle et la circulation du sang dans les membres. Le système sympathique s'oppose au système parasympathique; c'est leur équilibre qui permet à toutes ces fonctions de s'accomplir. Ainsi, le système sympathique accélère les battements du cœur et le système parasympathique les ralentit; le système sympathique provoque une dilatation de la pupille de l'œil, alors que le parasympathique la contracte, etc.

Chaque nerf est fait de fibres qui sont le prolongement d'une cellule nerveuse, appelée neurone, située dans le cerveau. Si ce neurone est atteint, toute la fibre qui en part va s'atrophier. Les fibres nerveuses sont protégées par une gaine de myéline; cependant, elles peuvent être lésées, de même que les neurones, par certaines maladies comme la sclérose en plaques. Les fibres transmettent les messages du corps au cerveau à la vitesse de 100 mètres à la seconde. Les nerfs sensitifs envoient des messages de douleur, de bruit, de chaleur, de froid, etc., les nerfs moteurs donnent alors des instructions au corps pour réagir de manière appropriée : par exemple, en transpirant quand il fait chaud, en frissonnant quand il fait froid...

En général, la partie gauche du cerveau contrôle la partie droite du corps, et la partie droite du cerveau contrôle la partie gauche du corps.

TROUBLES DU SYSTÈME NERVEUX

Des modifications au niveau des nerfs moteurs, qui contrôlent les muscles, peuvent entraîner de nombreuses maladies.

L'augmentation de l'activité motrice, liée à l'épilepsie, à un traumatisme crânien ou à une méningite, peut provoquer des convulsions. A l'inverse, la diminution de l'activité motrice peut conduire au coma.

La gravité de ces maladies est en rapport avec leur cause et avec l'état général et mental du patient.

Deux affections très fréquentes sont la syncope, généralement due à une diminution brutale du flux sanguin vers le cerveau, et le mal de tête (céphalées).

Une autre affection souvent rencontrée est la névralgie, caractérisée par une violente douleur — généralement à la face — pouvant s'étendre à tout le territoire du nerf.

Mais il existe bien d'autres affections : la sclérose en plaques, maladie chronique atteignant différentes parties du cerveau et de la moelle épinière; la maladie de Parkinson; le spina-bifida (malformation congénitale de la moelle)...

SUJETS A RISQUE

- Toutes les personnes travaillant en contact avec des toxiques du système nerveux (plomb, mercure, trichloréthylène, etc.).
- Ceux qui ont déjà souffert d'affections du système nerveux devront signaler à leur médecin tout symptôme laissant suspecter une rechute.
- L'épilepsie, les myopathies, la chorée et certaines formes d'ataxie sont plus fréquentes dans certaines familles.

PRINCIPAUX SYMPTOMES DES TROUBLES DU SYSTÈME NERVEUX

Les symptômes suivants sont tous traités dans la LISTE DES SYMPTOMES.

- Syncope.
- Convulsions.
- Mal de tête.
- Tremblements.
- Conscience (troubles de la).
- Équilibre (problèmes d').

URGENCES

- Une crise d'épilepsie survenant chez un individu âgé de trente ans ou plus qui n'était pas connu jusque-là comme épileptique peut être le signe d'une tumeur du cerveau.
- Un mal de tête important, une raideur douloureuse du cou ou du dos, des vomissements et une température élevée peuvent être les signes d'une méningite.
- Des étourdissements, des vertiges, une perte de conscience quand on incline le cou peuvent être le signe d'une attaque cérébrale liée à une insuffisance vertébro-basilaire. Cela peut s'accompagner d'une vision double et d'une diminution de la force musculaire dans un membre.

Affections du système nerveux

Toutes les affections citées dans ce tableau donnent lieu à une entrée du livre. Leurs symptômes et les mesures à prendre y sont décrits en détail.

ABCÈS DU CERVEAU
ALGIE VASCULAIRE DE LA FACE
APOPLEXIE
ATTAQUE
CÉPHALÉE
CHUTES
CONFUSION MENTALE
COTE CERVICALE
DANSE DE SAINT-GUY
DELIRIUM TREMENS
DÉMENCE
ENCÉPHALITE
ÉPILEPSIE
GUILLAIN ET BARRÉ (SYNDROME DE)
HÉMATOME EXTRADURAL
HÉMATOME SOUS-DURAL
HÉMORRAGIE MÉNINGÉE
HYDROCÉPHALIE
INSUFFISANCE VERTÉBRO-BASILAIRE
MIGRAINE
MYASTHÉNIE
MYOCLONIES NOCTURNES
MYOPATHIE
NARCOLEPSIE
NEUROFIBROMATOSE
NEURONE MOTEUR (MALADIE DU)
NÉVRALGIE
NÉVRALGIE FACIALE
PARALYSIE DU NERF FACIAL
PARKINSON (MALADIE DE)
POLYNÉVRITE
SCLÉROSE EN PLAQUES
SPINA-BIFIDA
TIC
TUMEUR DU CERVEAU
VERTIGE

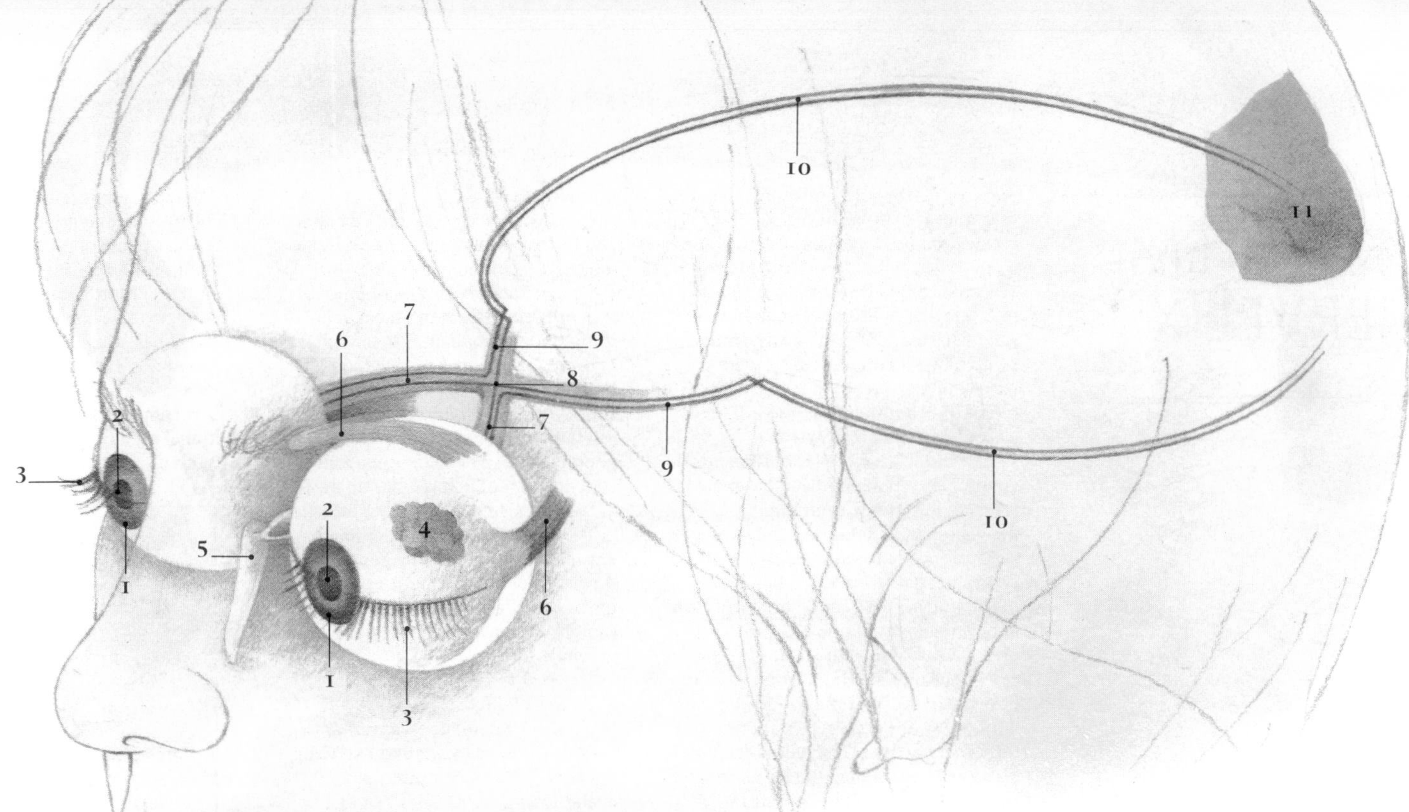

Structure de l'œil

1. *Iris*
2. *Pupille*
3. *Cils*
4. *Glande lacrymale*
5. *Canal lacrymo-nasal*
6. *Muscles moteurs de l'œil*
7. *Nerf optique*
8. *Chiasma optique*
9. *Bandelettes optiques*
10. *Radiations optiques*
11. *Cortex visuel droit*
12. *Conjonctive*
13. *Cornée*
14. *Humeur aqueuse*
15. *Cristallin*
16. *Corps ciliaire*
17. *Corps vitré*
18. *Sclérotique*
19. *Choroïde*
20. *Rétine*
21. *Macula*
22. *Tache aveugle*

L'ŒIL. *Avant d'atteindre le cristallin, la lumière passe à travers la cornée transparente qui se trouve à l'avant de l'œil. Entre la cornée et le cristallin se trouve un espace rempli par un liquide, appelé humeur aqueuse.*
L'orifice d'entrée, ou pupille, situé à l'intérieur de l'iris (la partie colorée de l'œil) s'élargit quand il y a peu de lumière et se rétrécit quand il y en a beaucoup.
L'intérieur de l'œil est rempli par le corps vitré, liquide visqueux et transparent.
La rétine contient des cellules réceptrices qui convertissent les ondes lumineuses en impulsions nerveuses. Ces impulsions passent dans d'autres cellules rétiniennes avant de voyager le long du nerf optique jusqu'au chiasma optique. Chaque côté du cerveau a une partie spécialisée (cortex visuel) qui interprète les informations venant des yeux. Celles-ci sont réparties au niveau du chiasma optique : une partie des informations venant de l'œil gauche continue vers le côté gauche du cerveau en suivant la bandelette optique gauche et les radiations optiques, une autre partie traverse le chiasma pour rejoindre le côté droit. Le même processus a lieu avec l'œil droit.
Le globe oculaire est mû par de petits muscles. La glande lacrymale produit les larmes, qui maintiennent la cornée constamment humide; elles sont drainées par le canal lacrymo-nasal vers les narines.

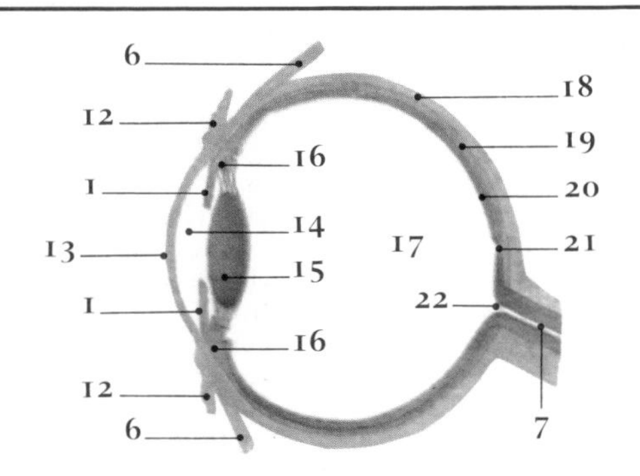

SECTION DE L'ŒIL. *La face intérieure des paupières et le blanc de l'œil sont tapissés par une membrane transparente, la conjonctive. La couche externe du globe oculaire est formée à l'arrière par la sclérotique (ou blanc de l'œil), et à l'avant par la cornée. La couche médiane comprend la choroïde, l'iris et les corps ciliaires, qui permettent l'accommodation en modifiant la forme du cristallin. La couche interne est formée par la rétine. Le nerf optique part de l'œil à l'endroit de la tache aveugle. La macula est le point de vision le plus net.*

L'ŒIL

Les différentes parties de l'œil sont les paupières, la conjonctive, la cornée, la sclérotique, la pupille, l'iris, le cristallin, l'humeur aqueuse, l'humeur vitrée, la rétine, la choroïde et le nerf optique.

Le rôle des paupières est de protéger la partie visible de l'œil et de la maintenir humide en étalant le liquide lacrymal par leurs battements incessants. Elles sont doublées par la conjonctive, fine membrane très vascularisée. La sclérotique (blanc de l'œil) est une membrane résistante qui entoure presque tout le globe oculaire et se prolonge à l'avant par la cornée.

La quantité de lumière pénétrant dans l'œil est contrôlée par la pupille, située au centre de l'iris. La lumière est ensuite focalisée par le cristallin, lentille biconvexe transparente, élastique et de consistance ferme. L'espace compris entre la cornée et le cristallin est rempli par l'humeur aqueuse. La lumière traverse ensuite le corps vitré avant d'arriver sur la rétine, membrane nerveuse photosensible qui tapisse le fond de l'œil. Entre la rétine et la sclérotique se trouve la choroïde, dont les vaisseaux irriguent la rétine. Derrière la rétine, le nerf optique transmet des signaux jusqu'au cerveau, qui les interprète et nous permet de voir.

AFFECTIONS DE L'ŒIL

L'affection la plus fréquente est la présence d'un corps étranger dans l'œil. Il s'agit habituellement de poussières, de cils ou de petits insectes. Ces corps étrangers provoquent des douleurs, et quelquefois un gonflement de l'œil.

La seconde affection par la fréquence est la conjonctivite, dans laquelle la conjonctive devient rouge, gonflée et larmoyante.

En troisième lieu viennent les troubles de la réfraction, qui empêchent la focalisation des rayons lumineux sur la rétine. Ces troubles peuvent avoir pour cause des anomalies du système réfractif, astigmatisme (avec distorsion de l'image), presbytie, ou encore myopie.

Des orgelets remplis de pus à la base des cils sont également très fréquents.

D'autres affections plus rares sont : la blépharite, inflammation des paupières; la cataracte, opacité du cristallin qui entraîne une vision trouble; le strabisme, dans lequel les yeux ne sont plus parallèles; les hémorragies sous-conjonctivales, caractérisées par une tache rouge sur le blanc de l'œil; les corps flottants, petites taches noirâtres bougeant dans le champ de la vision, qui peuvent être dus à une hémorragie à l'intérieur de l'œil.

SUJETS A RISQUE

- Les enfants qui louchent. Si le strabisme continue après six mois, il faut consulter un ophtalmologiste. Sans traitement, l'œil atteint peut devenir aveugle.
- Les ouvriers métallurgistes qui travaillent sur des tours très rapides ou qui utilisent des chalumeaux oxyacétyléniques. Sans lunettes protectrices, ils risquent des accidents oculaires.
- Les personnes ayant un parent proche atteint de glaucome risquent d'en développer eux aussi; il faut dépister toute augmentation de la pression intra-oculaire pour la traiter.
- Les diabétiques. Un diabète mal contrôlé et mal surveillé risque d'altérer la vision.

PRINCIPAUX SYMPTOMES DES AFFECTIONS DE L'ŒIL

Les symptômes suivants sont traités dans la LISTE DES SYMPTOMES, à la rubrique YEUX.

- Cécité et difficultés de vision.
- Paupières (affections des).
- Douleurs dans l'œil.
- Rougeurs de l'œil.

URGENCES

- Tout corps étranger n'ayant pu être retiré de l'œil.
- Des brûlures oculaires causées par des corps chimiques alcalins ou acides. Elles doivent être nettoyées immédiatement en mettant l'œil sous un robinet ou en l'aspergeant d'eau.
- Le « coup d'arc », très douloureuse lésion provoquée par l'exposition aux rayons ultraviolets d'un chalumeau oxyacétylénique.
- Douleur brutale dans l'œil.

PRÉVENTION

- Portez des lunettes si elles vous ont été prescrites. On ne peut corriger les défauts de la vision qu'en portant des lunettes ou des lentilles de contact.
- Ne pas recouvrir un œil douloureux ou rouge avec un tampon ou un pansement avant d'avoir pris l'avis de votre médecin. Une infection pourrait survenir.
- Ne pas utiliser de collyre ou de pommade ophtalmique sans prescription médicale. Ceci peut être dangereux.
- Portez des lunettes de protection lorsque vous utilisez une perceuse, un tour ou un chalumeau. Cela s'applique aux bricoleurs comme aux professionnels.
- Ne lisez pas, ne faites pas de travaux de précision avec un éclairage insuffisant, surtout si vous êtes âgé.

Affections de l'œil

Toutes les affections citées dans ce tableau donnent lieu à une entrée du livre. Leurs symptômes et les mesures à prendre y sont décrits en détail.

BLÉPHARITE
CATARACTE
CONJONCTIVITE
CORPS ÉTRANGER DANS L'ŒIL
DÉCOLLEMENT DE RÉTINE
DÉGÉNÉRESCENCE MACULAIRE
ECTROPION ET ENTROPION
ÉPISCLÉRITE
GLAUCOME
HÉMÉRALOPIE
HÉMORRAGIE SOUS-CONJONCTIVALE
IRITIS
MOUCHES VOLANTES
NÉVRITE OPTIQUE
OBSTRUCTION DU CANAL LACRYMAL
ORGELET
STRABISME
TROUBLES CIRCULATOIRES OCULAIRES
TROUBLES DE LA VISION
ULCÈRE DE LA CORNÉE
VISION DES COULEURS (TROUBLES DE LA)

L'OREILLE. *Les sons pénètrent par l'oreille externe, qui comprend le pavillon et le conduit auditif externe. A 25 millimètres environ de profondeur, ils rencontrent la membrane du tympan. De l'autre côté du tympan se trouve l'oreille moyenne, qui est une cavité remplie d'air, creusée par un os profondément encastré dans la boîte crânienne. La trompe d'Eustache relie cette cavité au rhino-pharynx, permettant de régulariser la pression de l'oreille moyenne. Lorsque les sons arrivent sur le tympan, celui-ci vibre, entraînant une chaîne de trois osselets, appelés marteau, enclume et étrier, qui, à leur tour, transmettent les sons vers l'oreille interne. Celle-ci est formée par le labyrinthe, qui comprend des cavités osseuses constituées par le limaçon, ou cochlée, et par le vestibule. C'est au fond du vestibule que s'insèrent trois canaux semi-circulaires, situés chacun dans un plan différent, et dont le rôle est de maintenir l'équilibre. Le limaçon reçoit les sons de l'oreille moyenne et les convertit en énergie bioélectrique qui est transmise jusqu'au cerveau.*

Structure de l'oreille

1. *Pavillon*
2. *Conduit auditif externe*
3. *Oreille moyenne*
4. *Oreille interne*
5. *Trompe d'Eustache*
6. *Membrane tympanique (tympan)*
7. *Marteau*
8. *Enclume*
9. *Étrier*
10. *Vestibule*
11. *Cochlée*
12. *Canaux semi-circulaires*
13. *Nerf auditif*

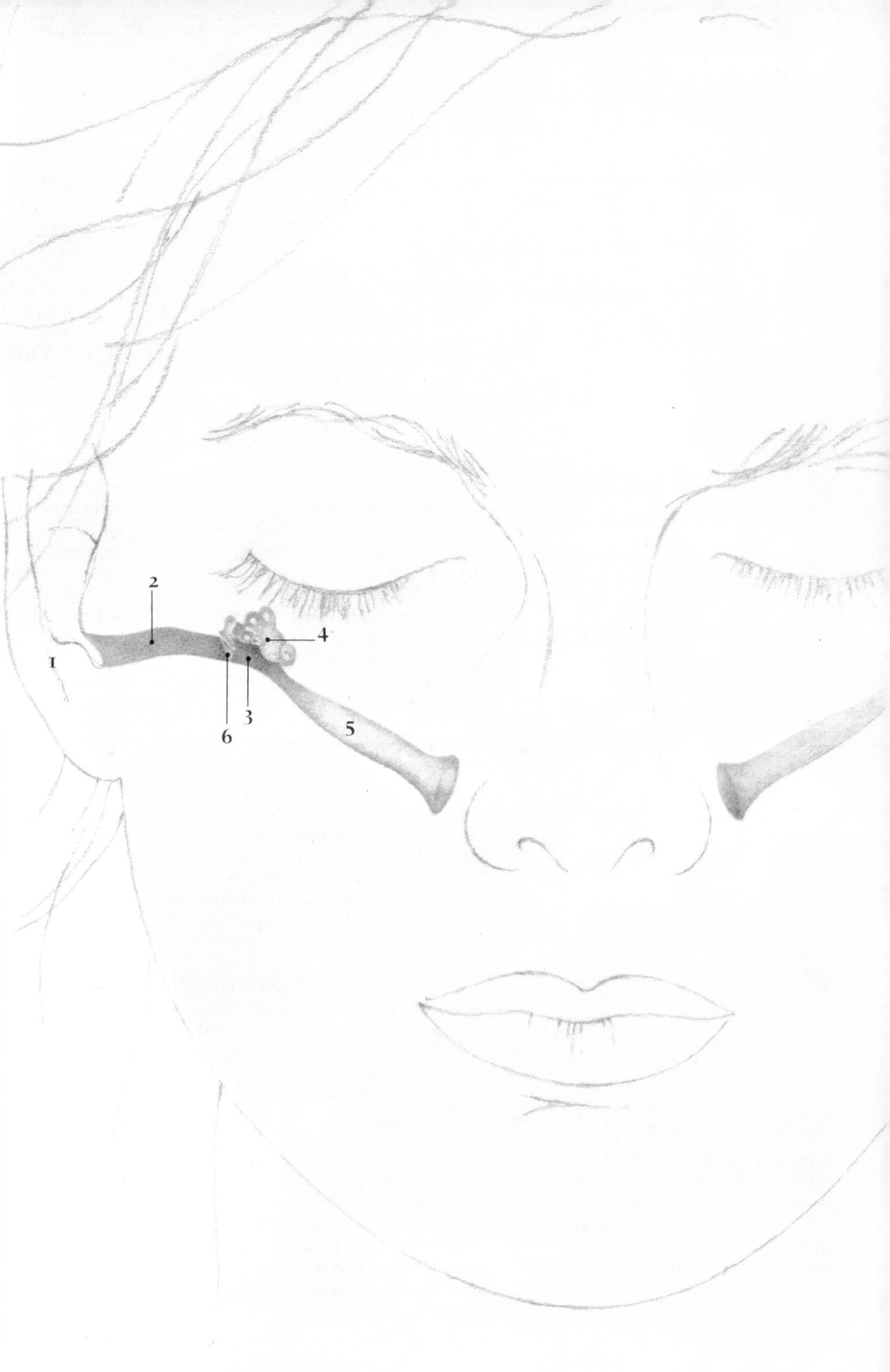

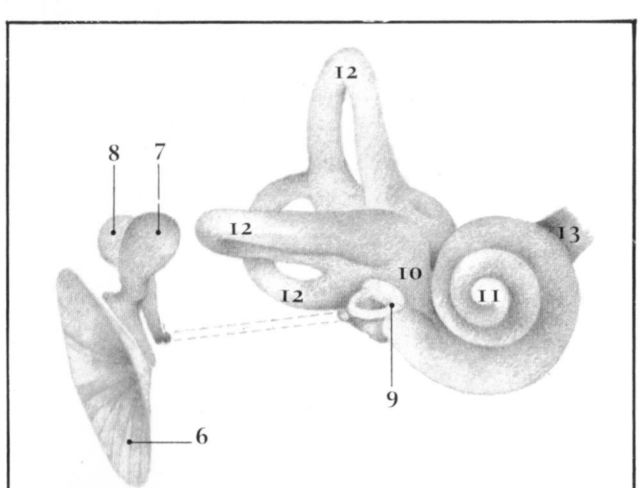

CHEMINEMENT DES SONS. *Les sons, qui sont des ondes vibratoires, font vibrer le tympan. En vibrant, celui-ci entraîne le manche du marteau qui lui est attaché, et toute la chaîne des osselets se met à vibrer et à amplifier les vibrations. L'étrier, en s'enfonçant dans un orifice du vestibule, provoque des ondes liquidiennes dans la cochlée. Celles-ci stimulent des cellules spécialisées qui envoient un influx nerveux jusqu'au cerveau.*

L'OREILLE

L'oreille est constituée de trois parties : l'oreille externe, l'oreille moyenne et l'oreille interne. L'oreille externe comprend le pavillon et le conduit auditif externe. L'oreille moyenne comprend le tympan, la chaîne des osselets et la trompe d'Eustache. L'oreille interne comprend la cochlée et le vestibule, qui est le centre de l'équilibre.

Le pavillon capte les sons et les dirige à travers le conduit auditif externe, vers le tympan. Pour que le tympan vibre correctement avec les sons (ondes vibratoires aériennes), la pression doit être la même à l'intérieur et à l'extérieur de l'oreille moyenne. C'est la trompe d'Eustache qui égalise ces pressions en mettant en contact l'oreille moyenne et l'arrière-gorge. Quelquefois, le passage de l'air ne peut se faire correctement, par exemple en altitude, en avion ou en plongée. La sensation d'oreille bouchée qui est perçue alors traduit l'impossibilité d'égaliser les deux pressions.

L'oreille est protégée des infections par le cérumen que sécrètent en permanence de petites glandes situées dans le conduit auditif externe. Des cils très fins conduisent le cérumen vers l'extérieur, formant des petits amas qui ne doivent être ni repoussés ni enlevés.

Outre sa fonction auditive, l'oreille joue un rôle dans l'équilibre. Le mécanisme se trouve dans l'oreille interne et consiste en trois canaux semi-circulaires, réunis au vestibule, qui contiennent un liquide appelé endolymphe. Quand la tête bouge dans l'espace, les mouvements des fluides agissent sur des récepteurs qui envoient les signaux au cerveau.

AFFECTIONS DE L'OREILLE

En vieillissant, la plupart d'entre nous perdons un peu de notre acuité auditive. Une exposition au bruit (travail en atelier, par exemple) peut aggraver cette perte. La surdité partielle ou complète peut être congénitale ou provoquée par une maladie. Elle peut être due à un défaut du mécanisme conducteur des sons (simple bouchon de cérumen ou atteinte de la chaîne des osselets) : on parle alors de surdité de transmission. Elle peut aussi provenir d'une anomalie de transmission des ondes sonores au cerveau : on parle alors de surdité de perception.

L'oreille est souvent le siège d'infections douloureuses. Quand l'infection se développe dans l'oreille externe, on l'appelle otite externe. Une infection de l'oreille moyenne est appelée otite moyenne. Dans certains cas graves, l'infection de l'oreille moyenne peut s'étendre à la mastoïde (l'os où elle est logée), causant une mastoïdite; le pus collecté dans l'oreille moyenne peut perforer le tympan s'il n'est pas ponctionné au cours d'une paracentèse. Un tympan peut être également perforé à la suite d'un traumatisme (barotraumatisme ou bruit intense).

Certaines personnes perçoivent des bruits anormaux dans l'oreille (acouphènes), qui peuvent être le signe d'un grand nombre de maladies, mais aussi ne pas avoir de cause pathologique.

Les affections des canaux semi-circulaires, parce qu'ils jouent un rôle dans l'équilibre, peuvent provoquer des vertiges. La principale de ces affections est le vertige de Ménière.

SUJETS A RISQUE

- Les enfants. Environ un enfant sur 10 000 naît sourd. La surdité connue comme congénitale peut être partielle, n'atteindre qu'une oreille, ou être totale. Dans la plupart des cas, son origine est inconnue, mais la rubéole survenant pendant les treize premières semaines de la grossesse, quelques autres maladies, certains médicaments pris lorsque la femme est enceinte peuvent être responsables. Les enfants sont plus sujets que les autres aux otites moyennes et aux mastoïdites.
- Les nageurs et les plongeurs. L'eau dans l'oreille peut provoquer une otite externe.
- Les sujets âgés de plus de cinquante ans.
- Ceux qui travaillent dans des fonderies ou dans d'autres endroits très bruyants.

PRINCIPAUX SYMPTOMES DES AFFECTIONS DE L'OREILLE

Les symptômes suivants sont tous traités dans la LISTE DES SYMPTOMES.

- Surdité.
- Équilibre (problèmes d').
- Oreille (problèmes de l').

URGENCES

- Écoulement ou saignement provenant de l'oreille.
- Corps étranger dans l'oreille.
- Otalgies (douleurs dans l'oreille) persistantes.
- Surdité brutale.

PRÉVENTION DES AFFECTIONS DE L'OREILLE

- Consultez un médecin si une surdité persiste plus de deux semaines.
- Portez des protecteurs d'oreilles si vous travaillez dans le bruit.
- Ne portez pas d'appareil auditif sans l'avis de votre médecin.
- N'essayez pas d'enlever un bouchon de cérumen, vous pourriez blesser le tympan.
- Ne laissez pas un enfant jouer avec des objets qui peuvent entrer dans son oreille.
- N'essayez pas d'enlever vous-même des corps étrangers de votre oreille.

Affections de l'oreille

Toutes les affections citées dans ce tableau donnent lieu à une entrée du livre. Leurs symptômes et les mesures à prendre y sont décrits en détail.

ACOUPHÈNE
AUDITION (TROUBLES DE L')
CÉRUMEN
CORPS ÉTRANGER DANS L'OREILLE
LABYRINTHITE
MAL DES TRANSPORTS
MASTOÏDITE
OREILLE (LÉSIONS DE L')
OTITE EXTERNE
OTITE MOYENNE
OTOSCLÉROSE
TYMPAN (PERFORATION DU)
TROMPE D'EUSTACHE BOUCHÉE
VERTIGE DE MÉNIÈRE

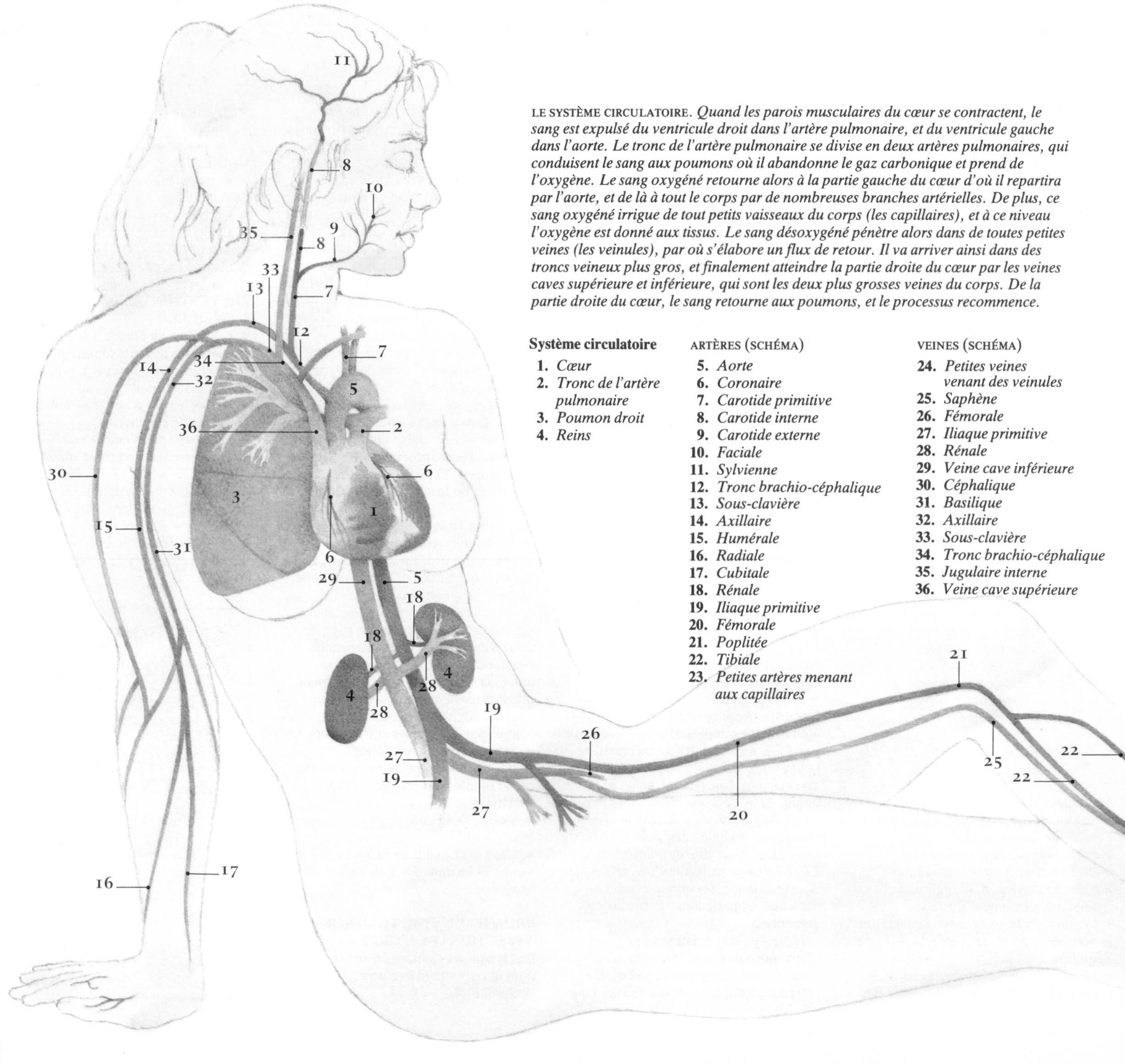

LE SYSTÈME CIRCULATOIRE. *Quand les parois musculaires du cœur se contractent, le sang est expulsé du ventricule droit dans l'artère pulmonaire, et du ventricule gauche dans l'aorte. Le tronc de l'artère pulmonaire se divise en deux artères pulmonaires, qui conduisent le sang aux poumons où il abandonne le gaz carbonique et prend de l'oxygène. Le sang oxygéné retourne alors à la partie gauche du cœur d'où il repartira par l'aorte, et de là à tout le corps par de nombreuses branches artérielles. De plus, ce sang oxygéné irrigue de tout petits vaisseaux du corps (les capillaires), et à ce niveau l'oxygène est donné aux tissus. Le sang désoxygéné pénètre alors dans de toutes petites veines (les veinules), par où s'élabore un flux de retour. Il va arriver ainsi dans des troncs veineux plus gros, et finalement atteindre la partie droite du cœur par les veines caves supérieure et inférieure, qui sont les deux plus grosses veines du corps. De la partie droite du cœur, le sang retourne aux poumons, et le processus recommence.*

Système circulatoire

1. *Cœur*
2. *Tronc de l'artère pulmonaire*
3. *Poumon droit*
4. *Reins*

ARTÈRES (SCHÉMA)

5. *Aorte*
6. *Coronaire*
7. *Carotide primitive*
8. *Carotide interne*
9. *Carotide externe*
10. *Faciale*
11. *Sylvienne*
12. *Tronc brachio-céphalique*
13. *Sous-clavière*
14. *Axillaire*
15. *Humérale*
16. *Radiale*
17. *Cubitale*
18. *Rénale*
19. *Iliaque primitive*
20. *Fémorale*
21. *Poplitée*
22. *Tibiale*
23. *Petites artères menant aux capillaires*

VEINES (SCHÉMA)

24. *Petites veines venant des veinules*
25. *Saphène*
26. *Fémorale*
27. *Iliaque primitive*
28. *Rénale*
29. *Veine cave inférieure*
30. *Céphalique*
31. *Basilique*
32. *Axillaire*
33. *Sous-clavière*
34. *Tronc brachio-céphalique*
35. *Jugulaire interne*
36. *Veine cave supérieure*

LE SYSTÈME CIRCULATOIRE

Le système circulatoire comprend le cœur, les artères et les veines. Dans le système artériel, la pression est élevée; sous l'action de la pompe cardiaque, le sang part des grandes artères qui vont se ramifier en plus petites (artérioles) pour se terminer en un fin réseau de capillaires. A ce stade, des échanges gazeux et chimiques surviennent entre le sang et les tissus à travers les capillaires. L'oxygène et d'autres éléments nutritifs sont fournis, le gaz carbonique et les déchets reviennent dans la circulation. Le sang capillaire arrive alors dans des petites veines (veinules) et retourne au cœur par le système veineux, qui est à pression basse.

Pour maintenir un débit suffisant de sang vers les organes vitaux tels que le cerveau et le rein, il est nécessaire d'obtenir une pression suffisante. La régulation est effectuée par des récepteurs situés dans les artères, les uns sensibles à la pression du sang, les autres à sa composition, qui, par des circuits nerveux, vont moduler le débit cardiaque et la contraction des artères.

TROUBLES DU SYSTÈME CIRCULATOIRE

L'athérome est responsable de nombreuses maladies touchant le cœur et les vaisseaux. Il provoque en effet des modifications des parois des artères, qui se durcissent et s'épaississent, diminuant ainsi le débit sanguin. Si l'athérome survient au niveau du cœur ou du cerveau, il peut provoquer des attaques cérébrales ou cardiaques en cas de blocage complet de la circulation, ou une angine de poitrine, des vertiges, des troubles de la vision, un infarctus, une insuffisance vertébro-basilaire, si le blocage est partiel.

Un athérome sévère dans les artères des jambes peut réduire la circulation sanguine (claudication intermittente), causant parfois une gangrène.

Les valves du cœur peuvent être infectées : c'est l'endocardite.

Parfois, ce sont les mécanismes contrôlant le rythme cardiaque qui peuvent être atteints, et le cœur peut alors battre très rapidement ou irrégulièrement, ou très lentement. Ce sont des anomalies congénitales, ou, chez l'adulte, une détérioration des nerfs contrôlant les battements, ou encore un trouble de l'apport sanguin.

La fréquence et le rythme cardiaques sont aussi très sensibles aux variations chimiques du sang, telles que sa teneur en oxygène, gaz carbonique, calcium, sodium et potassium.

Des maladies générales et des infections peuvent atteindre le muscle cardiaque. Le cœur et le système circulatoire ont aussi des réponses qui montrent leur sensibilité à des facteurs émotionnels tels que l'anxiété et la peur.

24 23

SUJETS A RISQUE

- Les bébés. Un certain nombre de médicaments pris par les mères pendant la grossesse, certaines maladies survenues pendant celle-ci, et en particulier la rubéole, peuvent être à l'origine de malformations congénitales du cœur.
- Les fumeurs. Fumer a un effet nocif sur les artères tant dans le cœur que dans la circulation générale.
- L'âge moyen de la vie et les sujets âgés. Le cœur peut être atteint par des maladies survenant n'importe où dans l'organisme. Les maladies sérieuses des poumons, telles qu'une bronchite chronique ou des lésions obstructives des bronches, fatiguent le cœur.

PRINCIPAUX SYMPTOMES DES TROUBLES DU SYSTÈME CIRCULATOIRE

Les symptômes suivants sont tous traités dans la LISTE DES SYMPTOMES.

- Respiration (troubles de la), en particulier respiration superficielle.
- Poitrine (douleurs de).
- Froid (sensation de membre ou de corps).
- Évanouissement.
- Cyanose (peau bleue).
- Fatigue.
- Battements du cœur (anomalies des).
- Gonflement des chevilles.

URGENCES

Dans le cas de l'urgence des maladies du cœur et de la circulation sanguine, le pronostic vital dépend habituellement de soins médicaux; néanmoins, une certaine aide peut être donnée avant que les secours arrivent.

- Asseoir les gens qui ont une respiration courte ou qui souffrent.
- Étendre sur le côté les malades inconscients qui ont un problème respiratoire.
- Pratiquer immédiatement un massage cardiaque et une respiration artificielle à ceux qui sont inconscients et qui ne respirent plus. *Voir* LES URGENCES.

PRÉVENTION DES PROBLÈMES CIRCULATOIRES

- Gardez votre poids idéal (*voir* POIDS, *page 365*).
- Faites des exercices.
- Mangez modérément. *Voir* ALIMENTATION SAINE.
- Ne fumez pas. Le tabac est nocif pour les artères, et particulièrement pour le fœtus si la mère fume durant sa grossesse.

Troubles du système circulatoire

Tous les troubles cités dans ce tableau donnent lieu à une entrée du livre. Leurs symptômes et les mesures à prendre y sont décrits en détail.

ACROCYANOSE
ANÉVRISME
ANGINE DE POITRINE
ARRÊT CARDIAQUE
ARTÉRITE
ATHÉROME
BLOC DE BRANCHE
CARDIOPATHIE
CLAUDICATION INTERMITTENTE
COARCTATION DE L'AORTE
CŒUR PULMONAIRE
EMBOLIE PULMONAIRE
ENDOCARDITE
ÉRYTHROMÉLALGIE
EXTRASYSTOLES
FIBRILLATION AURICULAIRE
FIBRILLATION VENTRICULAIRE
FLUTTER AURICULAIRE
GANGRÈNE
HYPERTENSION
INSUFFISANCE AORTIQUE
INSUFFISANCE CARDIAQUE
INSUFFISANCE CORONAIRE
INSUFFISANCE MITRALE
LYMPHŒDÈME
MYOCARDIOPATHIE
MYOCARDITE
PÉRICARDITE
RAYNAUD (SYNDROME DE)
RÉTRÉCISSEMENT AORTIQUE
RÉTRÉCISSEMENT MITRAL
RHUMATISME ARTICULAIRE AIGU
TACHYCARDIE PAROXYSTIQUE
THROMBO-ANGÉITE OBLITÉRANTE
THROMBOPHLÉBITE
THROMBOSE ARTÉRIELLE
THROMBOSE CORONAIRE
ULCÈRE DE JAMBE
VARICES

LE SYSTÈME RESPIRATOIRE. *L'air pénètre par le nez, où il est humidifié et réchauffé. Des corps étrangers, tels que la poussière et les bactéries, qui se trouvent dans l'air vont s'attacher au mucus des parois des deux cavités nasales; il est ainsi purifié. Les sinus sont réunis à chaque cavité nasale par des petits canaux. Si le nez est bouché, l'air va passer par la bouche. Au fond de la bouche se trouvent les amygdales et, derrière les cavités nasales, les végétations. Les amygdales et les végétations font partie du système immunitaire. Leur rôle est la production d'anticorps contre les infections. Derrière les cavités nasales se trouvent aussi les orifices des trompes d'Eustache, qui font communiquer l'oreille moyenne avec la gorge.*
L'air purifié passe dans le pharynx (gorge) et descend dans le larynx; ce faisant, il passe derrière l'épiglotte. Les cordes vocales sont situées dans le larynx; c'est le passage de l'air à travers celles-ci qui permet de produire des sons. Puis l'air descend dans la trachée, qui se divise en bronches pour aller dans les poumons. Chaque bronche se divise plusieurs fois, et les plus petites sont appelées bronchioles. Après les bronchioles, les canaux où passe l'air deviennent de plus en plus fins, et celui-ci pénètre finalement dans des petits sacs, appelés alvéoles, aux parois très fines. C'est dans ces alvéoles que se font les échanges gazeux (oxygène et gaz carbonique) entre l'air et le sang.
Les poumons sont entourés par les deux feuillets d'une membrane humidifiée, la plèvre, qui permet de faciliter leur mouvement. Pendant la respiration, le diaphragme — muscle situé en dessous des poumons — se contracte. Cela augmente l'espace dans le thorax et permet aux poumons une meilleure expansion.

Structure du système respiratoire

1. *Nez*
2. *Bouche*
3. *Sinus frontal*
4. *Sinus sphénoïdal*
5. *Cavité nasale*
6. *Orifice du sinus maxillaire*
7. *Orifice de la trompe d'Eustache*
8. *Voûte du palais*
9. *Voile du palais*
10. *Langue*
11. *Amygdales*
12. *Végétations*
13. *Rhinopharynx*
14. *Oropharynx*
15. *Laryngopharynx*
16. *Épiglotte*
17. *Larynx*
18. *Cordes vocales*
19. *Œsophage*
20. *Trachée*
21. *Bronche gauche*
22. *Bronche droite*
23. *Bronchioles*
24. *Poumon droit*
25. *Poumon gauche*
26. *Plèvre*
27. *Limite supérieure du diaphragme*

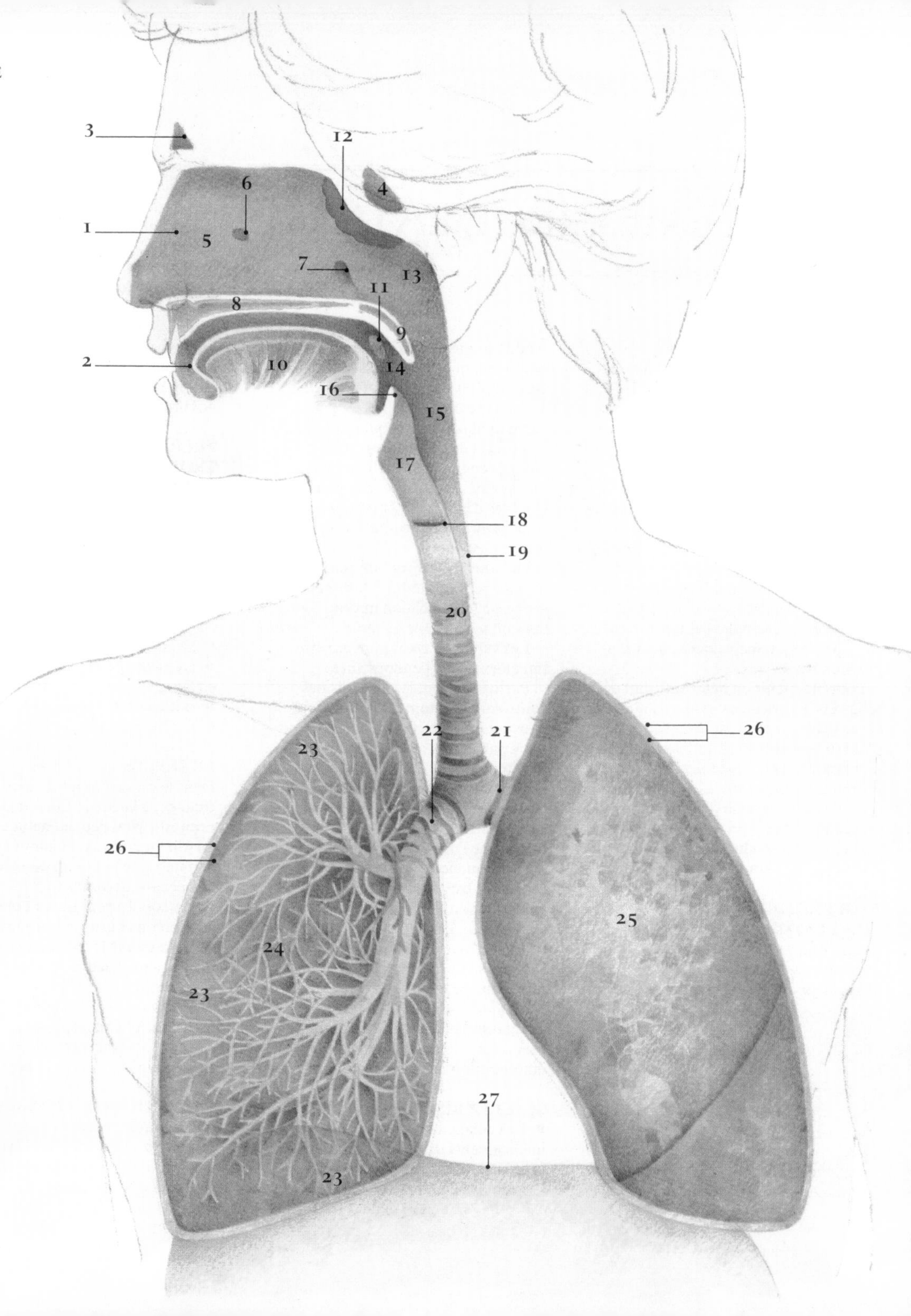

LE SYSTÈME RESPIRATOIRE

Le système respiratoire comprend tous les organes du corps qui contribuent à la respiration : le nez, la bouche, la partie haute de la gorge, le larynx, la trachée et les bronches. L'air arrive dans les alvéoles pulmonaires. Là, l'oxygène passe dans le sang, et le gaz carbonique repasse du sang à l'air.

Ces conduits servent également à filtrer l'air. Cela explique que les rhumes, rhinites et maux de gorge soient si fréquents : les microbes sont retenus avant d'arriver aux poumons, évitant ainsi les infections graves, comme la pneumonie.

TROUBLES DU SYSTÈME RESPIRATOIRE

Ils constituent plus de 25 pour 100 des consultations médicales. Le système respiratoire peut être infecté par des centaines d'organismes, virus ou bactéries, dont l'identification est très difficile, voire impossible. Du fait de cette difficulté, on tend à désigner les troubles du système respiratoire par le nom de l'organe atteint suivi du suffixe « ite » : amygdalite pour une inflammation des amygdales, bronchite pour une inflammation des bronches, etc. La majorité des infections régressent avec un traitement simple en quelques jours. Cependant, si l'état du malade ne s'améliore pas après cinq jours, la maladie peut être plus grave.

Le système respiratoire est particulièrement sensible à l'allergie; cela vient du fait qu'il est très souvent en contact avec les allergènes. Si une réaction allergique bouche le nez, la respiration se fera par la bouche, et l'effet filtrant du nez disparaîtra. Les substances allergisantes passent alors directement dans la trachée et les poumons, provoquant de l'asthme ou d'autres maladies.

Les tumeurs bénignes ou malignes de la bouche, de la gorge ou des cordes vocales sont rares. Le cancer du poumon est beaucoup plus fréquent; il représente environ 6 pour 100 des décès. Il est quinze fois plus fréquent chez les fumeurs que chez les non-fumeurs.

SUJETS A RISQUE

- Les bébés au-dessous de six mois.
- Les enfants au-dessous de trois ans, particulièrement s'ils ont d'autres symptômes, tels que de la fièvre, un état d'anorexie ou une autre maladie.
- Les personnes fragiles et âgées sont particulièrement vulnérables aux bronchites aiguës et aux pneumonies.
- Celles qui ont des antécédents de maladies pulmonaires, telles que bronchite chronique ou asthme.
- Toutes celles qui ont une maladie chronique, quelle qu'elle soit.
- Les fumeurs.

PRINCIPAUX SYMPTOMES DES TROUBLES DU SYSTÈME RESPIRATOIRE

Les symptômes suivants sont tous traités dans la LISTE DES SYMPTOMES.

- Sang (dans les crachats).
- Respiration (troubles de la).
- Catarrhe.
- Poitrine (douleurs de).
- Toux.
- Enrouement.
- Gorge (mal de).

URGENCES

- Étouffement. Ne cherchez pas à enlever vous-même un corps étranger de la gorge, à moins que le sujet soit en train d'étouffer. Consultez un médecin immédiatement. Ne mettez pas vos doigts dans la gorge ou n'essayez pas de faire vomir le patient.
- Un jeune enfant présentant un état fébrile et ayant des difficultés respiratoires non améliorées par l'inhalation de vapeur (épiglottite).
- Saignement de nez important (épistaxis).

PRÉVENTION DES PROBLÈMES RESPIRATOIRES

- Ne fumez pas.
- Gardez les gens âgés au chaud pendant l'hiver et faites-les vacciner contre la grippe tous les ans.
- Évitez les atmosphères surchauffées pour un malade respiratoire, et particulièrement s'il s'agit d'un enfant. Gardez la pièce à une température moyenne (15 à 18 degrés), ne lui mettez pas de vêtements trop chauds ni trop de couvertures; faites-le boire, donnez-lui du paracétamol ou de l'aspirine aux doses recommandées. *Voir* MÉDICAMENTS, n° 22.
- Interdisez aux enfants ou aux adultes de pratiquer des sports ou des travaux durs trop rapidement après une maladie respiratoire. Ils pourraient présenter des complications pulmonaires.
- N'utilisez pas de gouttes ou de nébulisations si vous avez le nez bouché, sauf si votre médecin vous l'a prescrit.
- Ne donnez pas aux jeunes enfants de cacahuètes, de perles ou d'autres petits objets à manger ou pour jouer : ils pourraient s'étouffer avec.

Troubles du système respiratoire

Tous les troubles cités dans ce tableau donnent lieu à une entrée du livre. Leurs symptômes et les mesures à prendre y sont décrits en détail.

AMYGDALITE
ANGINE
ASTHME
BRONCHIOLITE
BRONCHITE
CANCER DU POUMON
CORPS ÉTRANGERS DANS LES OREILLES, LE NEZ OU LA GORGE
CROUP
DÉVIATION DE LA CLOISON NASALE
DILATATION DES BRONCHES
DYSPHAGIE
EMPHYSÈME
ÉPIGLOTTITE
ÉPISTAXIS
FENTE LABIO-PALATINE
INFECTION RESPIRATOIRE
LARYNGITE
MONONUCLÉOSE INFECTIEUSE
PHARYNGITE
PLEURÉSIE
PNEUMONIE
PNEUMOTHORAX
POLYPE NASAL
RHINITE
RHUME
SINUSITE
TUMEUR DU LARYNX
VÉGÉTATIONS ADÉNOÏDES (HYPERTROPHIE DES)

LE SYSTÈME DIGESTIF. *Le moyen le plus simple de le comprendre est de suivre le trajet pris par la nourriture. Chaque bouchée avalée est appelée un bol; il peut être sec, liquide, ou formé d'un mélange liquide et sec. La nourriture est mâchée par les dents, et le bol, particulièrement s'il est sec, subit l'action de la salive qui contribue à le fluidifier, et dont les enzymes forment le premier stade de la digestion. La salive est sécrétée par des glandes : les sublinguales (sous la langue), les parotides (de chaque côté du visage), et les sous-maxillaires (sous la mandibule). De nombreuses petites glandes salivaires accessoires sont situées le long des joues. De la bouche, la nourriture, qui a été peu ou pas modifiée, passe à travers le pharynx (la gorge) et l'œsophage, pour arriver dans l'estomac où elle subit l'action de l'acide chlorhydrique et de nombreuses enzymes. L'ensemble se transforme en une masse semi-fluide, le chyme, qui, par ouverture du pylore, va descendre dans la première partie de l'intestin, le duodénum, où la nourriture sera en contact avec les enzymes pancréatiques et la bile (fabriquée par le foie). La vésicule se comporte comme un petit réservoir de bile : celle-ci s'écoule dans le duodénum par le canal cholédoque, qui est situé en arrière du pancréas. Le bol alimentaire va ensuite passer dans la partie suivante de l'intestin grêle, le jéjunum, puis dans l'iléon. C'est dans ces deux parties de l'intestin que la plupart des éléments nutritifs passent dans le sang, qui les conduit jusqu'au foie pour une digestion plus approfondie. Les résidus alimentaires, débarrassés de tous leurs éléments nutritifs, se dirigent alors vers le côlon, qui comprend le cæcum, le côlon ascendant, le côlon transverse, le côlon descendant et le sigmoïde. Pendant ce trajet a lieu une déshydratation avant l'expulsion par le rectum et l'anus des matières fécales.*

Structure du système digestif

1. *Dents*
2. *Bouche*
3. *Glande sublinguale*
4. *Glande parotide*
5. *Glande sous-maxillaire*
6. *Pharynx*
7. *Œsophage*
8. *Estomac*
9. *Rate*
10. *Foie*
11. *Canal cholédoque*
12. *Vésicule*
13. *Pancréas*
14. *Duodénum*
15. *Jéjunum*
16. *Iléon*
17. *Valvule iléo-cæcale*
18. *Cæcum*
19. *Appendice*
20. *Côlon ascendant*
21. *Côlon transverse*
22. *Côlon descendant*
23. *Côlon sigmoïde*
24. *Rectum*
25. *Anus*

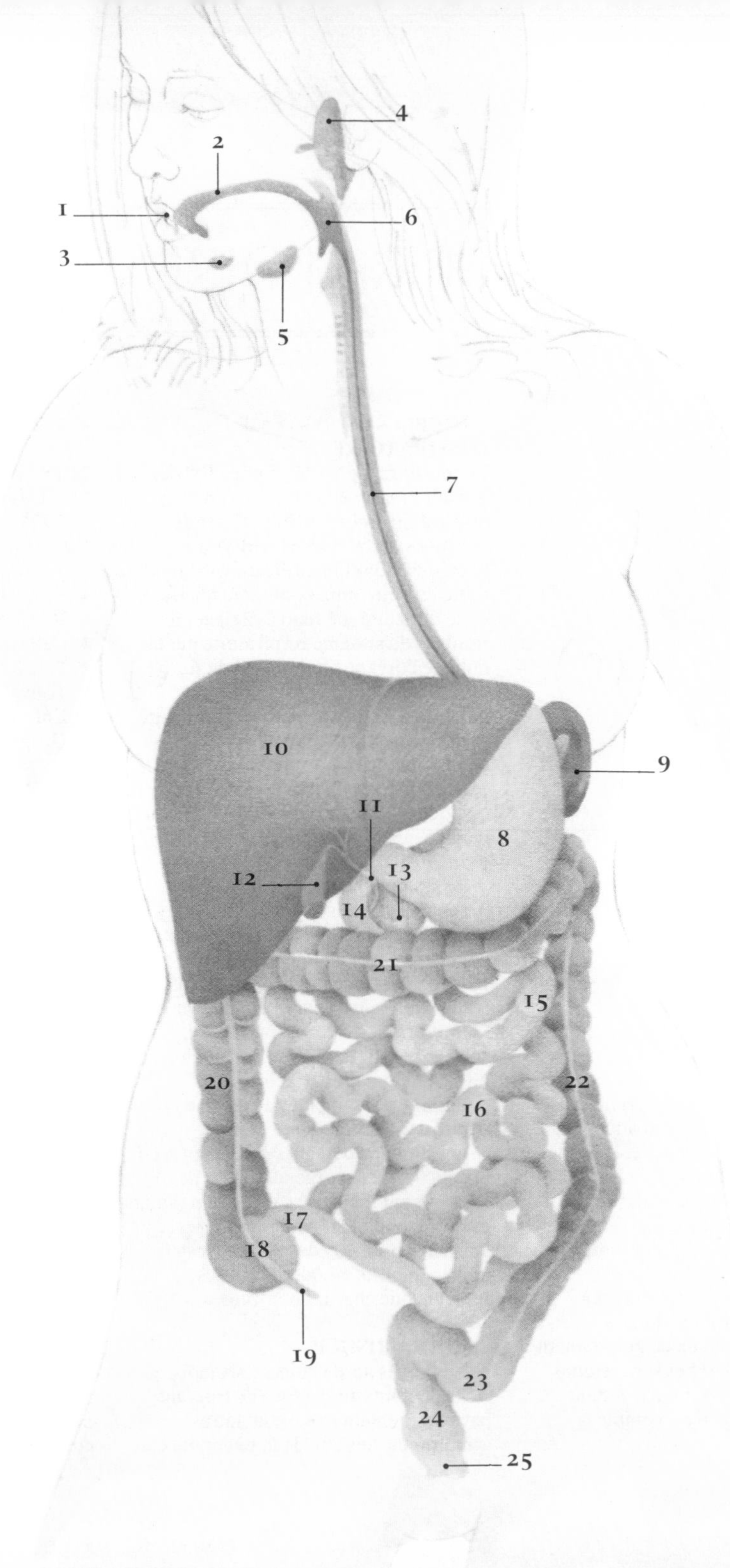

LE SYSTÈME DIGESTIF

Le système digestif comprend le tractus digestif (canal alimentaire formant un trajet continu de la bouche à l'anus), le pancréas, le foie et la vésicule.

Dans le tractus digestif, les sucres, les graisses, les protéines, les minéraux, les vitamines et l'eau sont extraits de la nourriture.

Les selles sont formées de déchets, éléments inutilisables de la nourriture (surtout la cellulose), et de bactéries. Les fibres cellulosiques jouent un rôle important dans l'évacuation, ainsi que dans la prévention de certaines maladies (diverticulite, diverticulose colique) et de certains cancers du côlon et du rectum.

TROUBLES DU SYSTÈME DIGESTIF

Le tractus digestif est extrêmement tolérant à la grande diversité des substances qui vont le traverser, mais il réagit avec violence contre les nourritures infectées, les poisons et les irritants, par des douleurs, des vomissements et des diarrhées.

Des affections bénignes, comme les indigestions, les gastrites, les intoxications alimentaires et certaines coliques hépatiques, peuvent apparaître après l'ingestion d'une mauvaise nourriture. Des maladies plus graves sont dues au fait que le processus digestif empêche la guérison de petits traumatismes ou d'infections. L'ulcère duodénal, œsophagien ou gastrique, la pancréatite en sont des exemples.

Plusieurs facteurs sont souvent en cause : l'hérédité, le régime, l'infection, les processus immunitaires et mécaniques.

SUJETS A RISQUE

- Les jeunes enfants et les gens âgés risquent la déshydratation en cas de gastro-entérite.
- Les ulcères duodénaux et la polypose colique sont souvent héréditaires.
- Les femmes obèses ont souvent des calculs dans la vésicule biliaire.
- Les adultes stressés sont prédisposés aux ulcères et à la colite.

PRINCIPAUX SYMPTOMES DES TROUBLES DU SYSTÈME DIGESTIF

Les symptômes suivants sont tous traités dans la LISTE DES SYMPTOMES.

- Abdominale (douleur).
- Appétit (perte de l').
- Sang (sang dans les selles et sang vomi).
- Constipation.
- Diarrhée.
- Indigestion.
- Vomissements ou nausée.
- Poids (perte de).
- Yeux ou peau jaunes.

URGENCES

- Vomissements en grande quantité de sang, ou sang dans les selles.
- Vomissements prolongés et sévères, surtout s'ils sont accompagnés de douleurs abdominales et de diarrhées.
- Diarrhée prolongée et sévère, surtout avec vomissement ou saignement.
- Douleurs abdominales importantes avec altération de l'état général.
- Douleur et gonflement d'une hernie qui ne peut être réduite.
- Altération rapide de l'état général chez un jeune enfant ou un vieillard avec des diarrhées ou des vomissements.

PRÉVENTION DES PROBLÈMES DIGESTIFS

- Mangez une nourriture saine, telle que légumes et fruits frais, viande, aliments complets, pain et son par exemple.
- Mangez régulièrement, prenez des repas fréquents. Ne mangez pas bouillant.
- Prévenez vos enfants des dangers qu'ils courent avec certaines plantes vénéneuses, ou s'ils boivent le contenu de bouteilles leur paraissant bizarres.
- Évitez une nourriture trop riche en crème, des produits congelés (viande ou poisson) qui ont été laissés plus de huit heures à la température de la pièce.
- Ne réchauffez pas la viande une fois qu'elle a été refroidie. Mangez-la froide, ou alors faites-la cuire complètement.
- Ne prenez pas trop de laxatifs et essayez d'habituer vos enfants à aller à la selle pendant leur toilette matinale.
- Évitez l'excès de poids.

Troubles du système digestif

Tous les troubles cités dans ce tableau donnent lieu à une entrée du livre. Leurs symptômes et les mesures à prendre y sont décrits en détail.

ACHALASIE DU CARDIA
ADÉNITE MÉSENTÉRIQUE
ANITE
APPENDICITE AIGUË
CALCULS BILIAIRES
CANCER DE L'ESTOMAC
CANCER DE L'INTESTIN
CANCER DE L'ŒSOPHAGE
CIRRHOSE DU FOIE
COLITE ULCÉREUSE
COLON IRRITABLE (SYNDROME DU)
CONSTIPATION
DIVERTICULOSE COLIQUE
DYSENTERIE
FÉCALOME
FISSURE ANALE
FISTULE ANALE
GASTRITE
GASTRO-ENTÉRITE
GIARDIASE
GLANDES SALIVAIRES (INFECTIONS, CALCULS ET TUMEURS DES)
HÉMORROÏDES
HERNIE
HOQUET
ICTÈRE
ILÉITE RÉGIONALE
LANGUE (LÉSIONS DE LA)
MALADIE CŒLIAQUE
MÉGACOLON CONGÉNITAL
MUCOVISCIDOSE
OBÉSITÉ
ŒSOPHAGITE
OXYUROSE
PANCRÉATITE
PÉRITONITE
POINT DE CÔTÉ
POLYPOSE COLIQUE
PROLAPSUS DU RECTUM
PRURIT ANAL
RÉGURGITATIONS
STÉATORRHÉE
STÉNOSE DE L'ŒSOPHAGE
STÉNOSE DU PYLORE
ULCÈRE DUODÉNAL
ULCÈRE GASTRIQUE
VER SOLITAIRE

LE SYSTÈME URINAIRE. *L'urine est produite par les deux reins. Chaque rein contient environ un million de glomérules — petits amas de vaisseaux minuscules (capillaires) qui filtrent le sang. Le filtrat (solution qui a été filtrée du sang) passe alors dans les tubules qui se trouvent dans les reins. La fonction de ces tubules est d'absorber une grande partie de l'eau du filtrat et de modifier ainsi sa composition, afin d'établir un équilibre chimique correct pour le corps. Quand ce filtrat modifié quitte le rein pour pénétrer dans la partie supérieure de l'uretère, dans la cavité abdominale, il a été concentré, et cette solution modifiée contient les produits d'élimination que présente l'urine. Les uretères descendent de chaque rein dans le pelvis; ils sont rattachés à la vessie. La vessie se trouve derrière la symphyse pubienne et en avant de l'utérus chez la femme, et entre la symphyse pubienne et le rectum chez l'homme. L'urine est provisoirement stockée dans la vessie, qui est un réservoir. Lorsque celui-ci est plein, elle est éliminée par l'urètre au cours de la miction. Chez la femme, l'urètre est court et se trouve juste au-dessus du vagin. Chez l'homme, l'urètre est beaucoup plus long. Dans sa première partie, il est entouré par la prostate avant de pénétrer dans le pénis, et il a une double fonction : il sert au passage de l'urine et du sperme.*

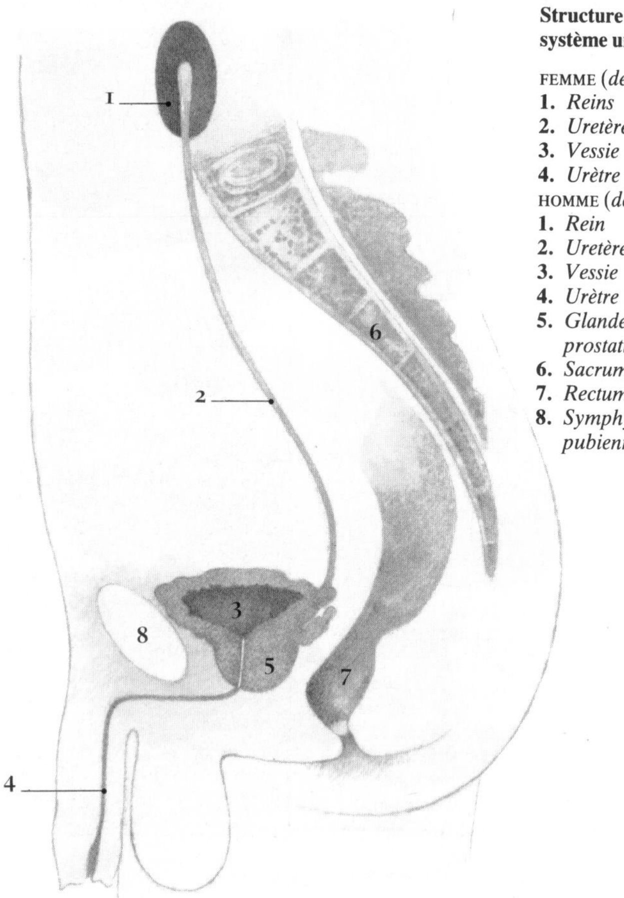

Structure du système urinaire

FEMME (*de face*)
1. *Reins*
2. *Uretères*
3. *Vessie*
4. *Urètre*

HOMME (*de profil*)
1. *Rein*
2. *Uretère*
3. *Vessie*
4. *Urètre*
5. *Glande prostatique*
6. *Sacrum*
7. *Rectum*
8. *Symphyse pubienne*

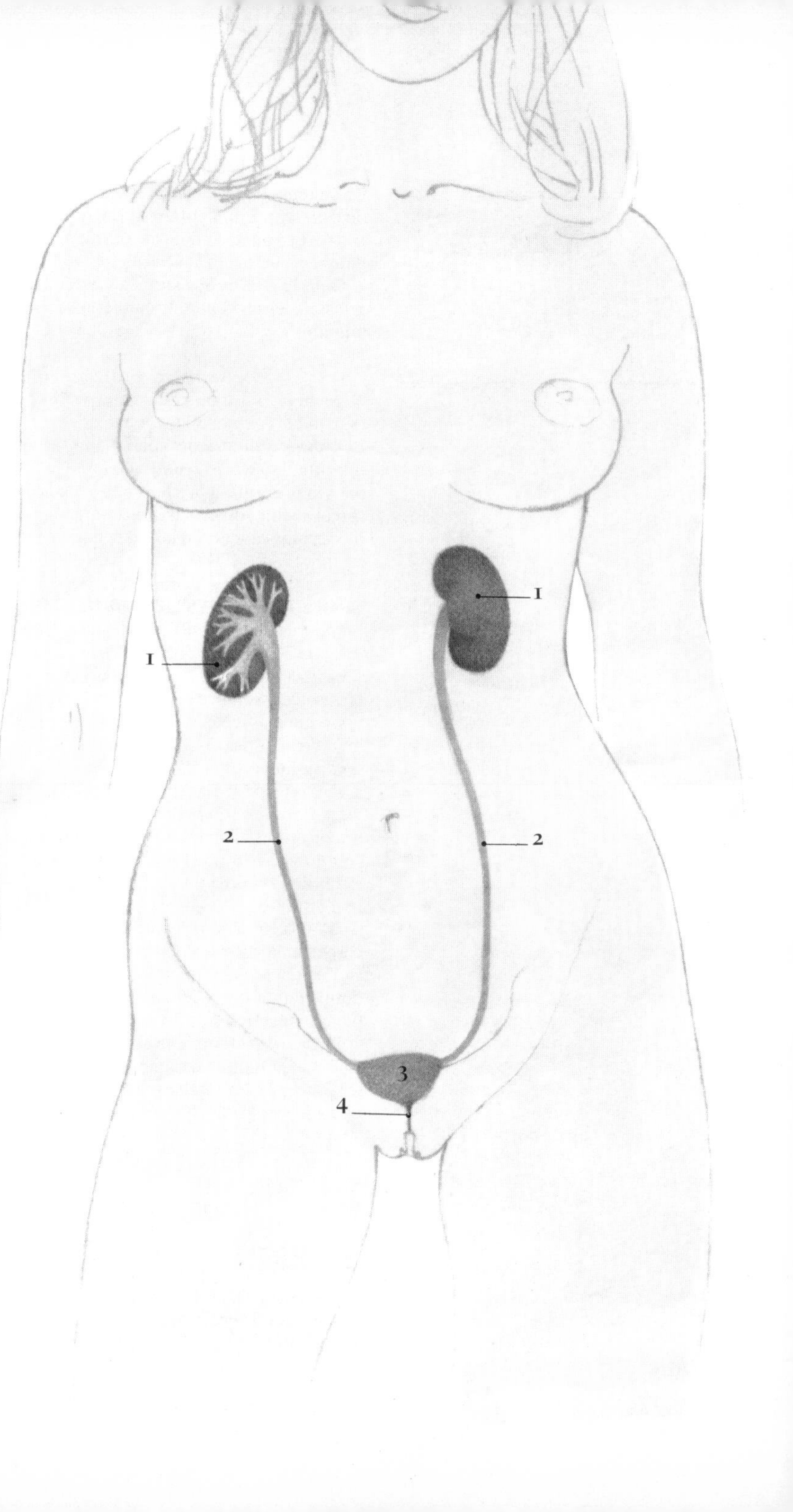

LE SYSTÈME URINAIRE

Le système urinaire comprend les reins, les uretères, la vessie et l'urètre. La fonction des reins est d'épurer le sang en filtrant les corps toxiques et en gardant la quantité suffisante d'eau, de sel et d'acide nécessaire à l'équilibre du milieu intérieur. Tout le sang du corps passe par les reins un grand nombre de fois chaque jour; il est ainsi constamment purifié. Les reins sont capables de beaucoup plus de travail que ce qu'ils font; et s'il n'en reste qu'un, celui-ci est parfaitement capable de remplir le rôle qui était dévolu aux deux. Le liquide contenant les déchets, qui est l'urine, est éliminé des reins par les uretères, conduit dans la vessie, et rejeté par l'urètre. Environ 1,4 litre d'urine est éliminé par vingt-quatre heures.

TROUBLES DU SYSTÈME URINAIRE

Six pour cent environ des patients consultent un médecin pour des troubles du système urinaire. Dans la plupart des cas, il s'agit d'infections de l'urètre ou de la vessie, dont un grand nombre sont dues à un bacille appelé *Escherichia coli*, ou colibacille. Ce bacille vit habituellement dans les intestins, mais il peut facilement pénétrer dans la vessie par l'urètre. Cet urètre, qui est particulièrement court chez la femme, fait que le bacille parcourt un très petit trajet pour atteindre la vessie : cela est peut-être une des raisons pour lesquelles les femmes sont beaucoup plus sujettes que les hommes aux cystites (inflammations de la vessie).

Si l'écoulement naturel de la vessie est diminué par le fait que l'urètre est rétréci (cela peut arriver lorsque la prostate est augmentée de volume), l'urine peut stagner dans la vessie. Si une infection est alors présente, les germes vont se multiplier rapidement dans cette urine stagnante, pouvant rendre l'infection chronique, ou à l'opposé évoluant par poussées.

La plupart des infections de la vessie ne sont pas sévères, et certaines guérissent même spontanément. Parfois, l'infection peut atteindre les reins et causer alors une pyélonéphrite, qui est une infection d'une partie des reins. Pour ce type de maladie, un traitement antibiotique est nécessaire. L'inflammation du glomérule rénal, ou néphrite, n'est pas due à l'infection mais à un processus dit auto-immun : le corps produit des anticorps qui attaquent ses propres tissus.

Il existe un groupe important de maladies rénales, appelées néphrose et syndrome néphrotique, dans lesquelles on note un œdème avec gonflement important du corps.

Les maladies des reins ne constituent qu'une partie des maladies du système urinaire, mais elles sont importantes car elles peuvent conduire à la perte des reins, et ceux qui en seront atteints pourront avoir besoin de dialyse ou de transplantation rénale.

Les tumeurs du système urinaire sont beaucoup plus fréquentes au niveau de la vessie. Des calculs — pierres formées de sels minéraux — peuvent se former dans les reins ou la vessie. L'infection peut en favoriser l'apparition, ainsi que des anomalies sanguines telles que l'augmentation de l'acide urique, qui entraîne la goutte.

La vessie est sous contrôle du système nerveux. Les nerfs qui la contrôlent peuvent être atteints lors de dommages du cerveau, de la moelle épinière, ou dans leurs trajets qui conduisent à la vessie.

SUJETS A RISQUE

- Les nourrissons et les jeunes enfants. L'infection urinaire peut ne présenter que très peu de symptômes — une simple pâleur, une difficulté à prendre du poids, une énurésie (perte d'urine) la nuit ou le jour alors que l'enfant était propre —, mais les reins en plein développement sont particulièrement sensibles et risquent de se détériorer. Prévenez le médecin dès que vous suspectez une infection urinaire.
- Les jeunes mariés, les femmes enceintes. Les infections ne sont habituellement pas graves, mais un médecin devra être consulté si l'on remarque une douleur dans le dos ou une augmentation de la température.
- Les personnes qui travaillent dans certaines industries (chimie, teinture, caoutchouc). Un pourcentage particulièrement élevé de cancers de la vessie y a été noté.
- Celles qui ont une tension artérielle élevée ou un diabète.
- Chez les émigrés, on a pu noter un pourcentage plus élevé de tuberculose urinaire.
- Chez les sujets âgés, l'incontinence (l'impossibilité de retenir son urine) est l'un des problèmes les plus fréquents.
- L'augmentation de taille de la prostate est habituelle chez l'homme âgé. Elle entraîne souvent des problèmes urinaires : rétention et parfois incontinence.

PRINCIPAUX SYMPTOMES DES TROUBLES DU SYSTÈME URINAIRE

Les symptômes suivants sont tous traités dans la LISTE DES SYMPTOMES.

- Dos (douleurs du).
- Gonflement.
- Urine et miction (troubles).

URGENCES

- Impossibilité d'uriner.
- Sang dans l'urine.
- Douleur importante dans le bas du dos, en dessous des côtes.

PRÉVENTION DES PROBLÈMES URINAIRES

- Faites des toilettes génitales fréquentes. Les femmes devront particulièrement faire attention après la selle de s'essuyer d'avant en arrière, pour éviter les infections urinaires avec l'*Escherichia coli*.
- Buvez abondamment, particulièrement quand il fait chaud.
- Ne prenez pas trop d'analgésiques : ils peuvent endommager les reins.

Troubles du système urinaire

Tous les troubles cités dans ce tableau donnent lieu à une entrée du livre. Leurs symptômes et les mesures à prendre y sont décrits en détail.

CALCULS URINAIRES	NÉPHRITE
CYSTITE	NÉPHROSE
INSUFFISANCE RÉNALE	PYÉLONÉPHRITE
	URÉTRITE

LES ORGANES GÉNITAUX FÉMININS. *La fonction des organes génitaux féminins est de produire des œufs (ovules), de recevoir le sperme, puis de permettre la maturation de l'embryon en cas de fécondation.*
Chaque mois, un ovule est pondu chez la femme, dès la puberté, par l'un ou l'autre des deux ovaires. L'ovule est transporté de l'ovaire à l'utérus dans un conduit appelé trompe de Fallope. Le sperme pénètre dans le vagin pendant le rapport sexuel. Autour de l'orifice du vagin se trouvent deux paires de replis cutanés allongés appelés lèvres : grandes lèvres à l'extérieur et petites lèvres en dedans. En avant, entre les lèvres, se trouve le clitoris. Pendant le premier rapport sexuel, la petite membrane fermant l'entrée du vagin — l'hymen — est déchirée. Le sperme chemine dans le vagin et, à travers le col de l'utérus, pénètre dans celui-ci, et de là dans la trompe de Fallope. C'est dans le tiers externe de la trompe que se fait la fertilisation. L'ovule fécondé (œuf) descend alors de la trompe dans l'utérus, où il s'implante dans l'une de ses parois. Si l'ovule n'est pas fécondé, il sera éliminé avec les règles.
Chez la femme non enceinte et adulte, l'utérus se trouve dans le pelvis, en arrière et en partie au-dessous de la vessie. Pendant la grossesse, l'utérus augmente peu à peu de volume jusqu'à atteindre le niveau du diaphragme. Les seins augmentent aussi de volume chez la femme enceinte. Après la naissance, le lait produit par les glandes mammaires est conduit aux mamelons par les canaux galactophores.

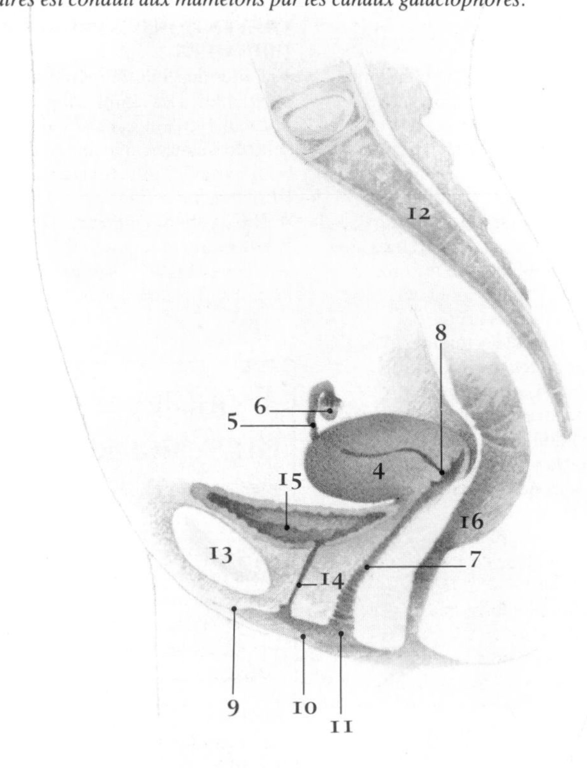

Structure des organes génitaux féminins

1. *Seins*
2. *Mamelons*
3. *Canaux galactophores*
4. *Utérus*
5. *Trompes de Fallope*
6. *Ovaires*
7. *Vagin*
8. *Col*
9. *Clitoris*
10. *Lèvres*
11. *Position de l'hymen*
12. *Sacrum*
13. *Symphyse pubienne*
14. *Urètre*
15. *Vessie*
16. *Rectum*

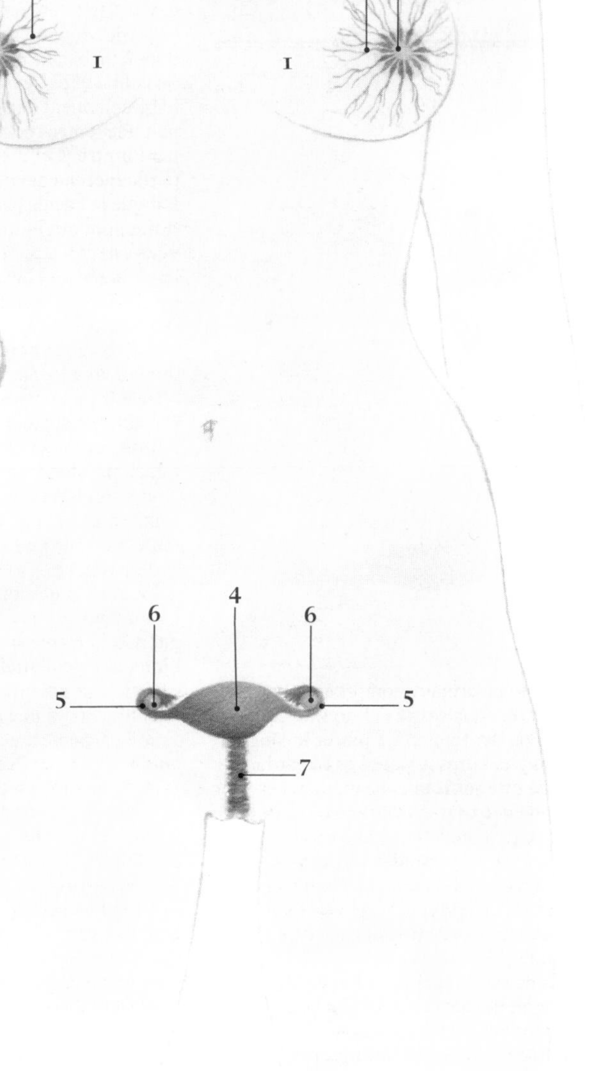

LES ORGANES GÉNITAUX FÉMININS

Le rôle des organes génitaux féminins est de permettre la reproduction; ils comprennent les ovaires, les trompes de Fallope, l'utérus, le vagin, la vulve, les seins et les mamelons.

Ce sont les hormones œstrogènes qui sont essentiellement responsables du développement, à la puberté, des seins, de l'utérus et du vagin. Les organes génitaux augmentent de taille, une distribution particulière de la graisse dessine la silhouette féminine, et des poils apparaissent sous les aisselles et dans la région pubienne.

AFFECTIONS DES ORGANES GÉNITAUX FÉMININS

Des irrégularités des règles, un saignement plus important, des douleurs sont des troubles très fréquents chez la femme. Certaines ont des cycles courts, d'autres plus longs; les écoulements sont plus ou moins abondants. Il faudra néanmoins consulter son médecin si une modification du cycle habituel survient.

Certaines infections peuvent survenir du fait de la présence naturelle de germes dans le vagin. De nombreuses infections peuvent disparaître spontanément, sans nécessiter un traitement.

Après la ménopause, les parois du vagin et de la vulve se rétrécissent et deviennent sèches. Cela peut entraîner des douleurs, et quelquefois même une infection. La vulve change de couleur et devient plus pâle.

Les trompes de Fallope peuvent être aussi le siège d'infections, venant de l'utérus ou du vagin. L'infection des trompes est appelée salpingite; elle peut s'étendre au pelvis, créant alors ce que l'on appelle une pelvipéritonite.

Au niveau des ovaires, on peut observer des kystes après la formation du follicule. Remplis de liquide, ceux-ci peuvent augmenter de volume. Ils sont découverts à l'occasion d'une opération ou d'examens complémentaires, tels qu'une échographie. Parfois ils grossissent beaucoup et sont douloureux. Ces kystes sont rarement cancéreux.

Un grand nombre de femmes ont les seins gonflés et douloureux avant leurs règles. Une grosseur isolée, molle et douloureuse peut apparaître quelquefois. Le cancer du sein débutant sous la forme d'une petite grosseur, elle devra être signalée au médecin immédiatement.

SUJETS A RISQUE

- Les femmes ayant atteint la quarantaine risquent davantage de développer des cancers du sein.
- Après la cinquantaine, ce sont plutôt les cancers du corps de l'utérus.
- Les femmes ayant une activité sexuelle importante sont prédisposées aux cancers du col de l'utérus.
- Les femmes obèses sont menacées par les prolapsus.

PRINCIPAUX SYMPTOMES DES AFFECTIONS DES ORGANES GÉNITAUX FÉMININS

Les symptômes suivants sont tous traités dans la LISTE DES SYMPTOMES.

- Abdominale (douleur).
- Vagin et vulve.
- Règles (troubles des). *Voir aussi page 504.*

URGENCES

- Une douleur importante dans le bas-ventre, avec malaise et chute de la tension artérielle au début de la grossesse.
- Saignements dans la seconde partie de la grossesse.
- Saignements sévères après un accouchement.

PRÉVENTION DES AFFECTIONS GÉNITALES DE LA FEMME

- Examinez vos seins chaque mois. Signalez tout changement que vous pourriez remarquer dans l'apparence, ou si vous constatez une tumeur. *Voir* CANCER DU SEIN.
- Faites pratiquer régulièrement des frottis vaginaux et du col de l'utérus, au moins tous les trois ans.
- Ne portez pas de culottes ou de pantalons trop serrés et n'utilisez pas de déodorants vaginaux si vous êtes sujette à des candidoses (champignons). La pilule peut aussi en favoriser l'apparition.
- Essuyez-vous d'avant en arrière après avoir été à la selle.
- N'oubliez pas d'enlever votre dernier tampon après la fin de vos règles.
- Si vous allaitez, traitez vos mamelons avec des produits gras pour qu'ils restent souples.
- Ne laissez pas le bébé sucer la pointe du mamelon; assurez-vous qu'il aspire toute l'aréole.

Affections des organes génitaux féminins

Toutes les affections citées dans ce tableau donnent lieu à une entrée du livre. Leurs symptômes et les mesures à prendre y sont décrits en détail.

ABCÈS DU SEIN
ADÉNOME DU SEIN
BARTHOLINITE
BLENNORRAGIE
CANCER DU COL DE L'UTÉRUS
CANCER DE L'UTÉRUS
CANCER VULVAIRE
CREVASSES DU MAMELON
ENDOMÉTRIOSE
ENGORGEMENT MAMMAIRE
GROSSESSE (HÉMORRAGIES DURANT LA)
GROSSESSE EXTRA-UTÉRINE
KYSTE DE L'OVAIRE
LEUCOPLASIES CERVICALES
MASTOPATHIE BÉNIGNE
MÉNOPAUSE
MYOME UTÉRIN
PROLAPSUS UTÉRIN
RÉTROVERSION DE L'UTÉRUS
SALPINGITE
SYNDROME PRÉMENSTRUEL
SYPHILIS
VAGINITE ET VULVITE

LES ORGANES GÉNITAUX MASCULINS. *Les spermatozoïdes sont produits par les deux testicules, qui se trouvent à l'intérieur du scrotum. Dans chaque testicule, ils cheminent dans une série de petits canaux, confluant vers l'épididyme, canal sinueux situé sur le testicule, puis dans le canal déférent, qui est cylindrique et dur et que l'on perçoit à la partie supérieure du scrotum. Les canaux déférents droit et gauche vont pénétrer dans l'abdomen par le canal inguinal; ils passent ensuite derrière la vessie, et chacun d'eux va se jeter dans un petit réservoir appelé vésicule séminale (de part et d'autre de la prostate). De chaque côté, à la jonction entre la vésicule séminale et le canal déférent, partent les canaux éjaculateurs; ces deux conduits arrivent dans l'urètre dans sa portion intraprostatique, juste en dessous de la vessie.*
A chaque éjaculation, le sperme est émis et sort par l'urètre au niveau du pénis. Le volume de l'éjaculat est augmenté par du liquide venant des vésicules séminales et de la glande prostatique. Le sperme est formé par les spermatozoïdes baignant dans le liquide séminal (produit de sécrétion de la prostate et des vésicules séminales).

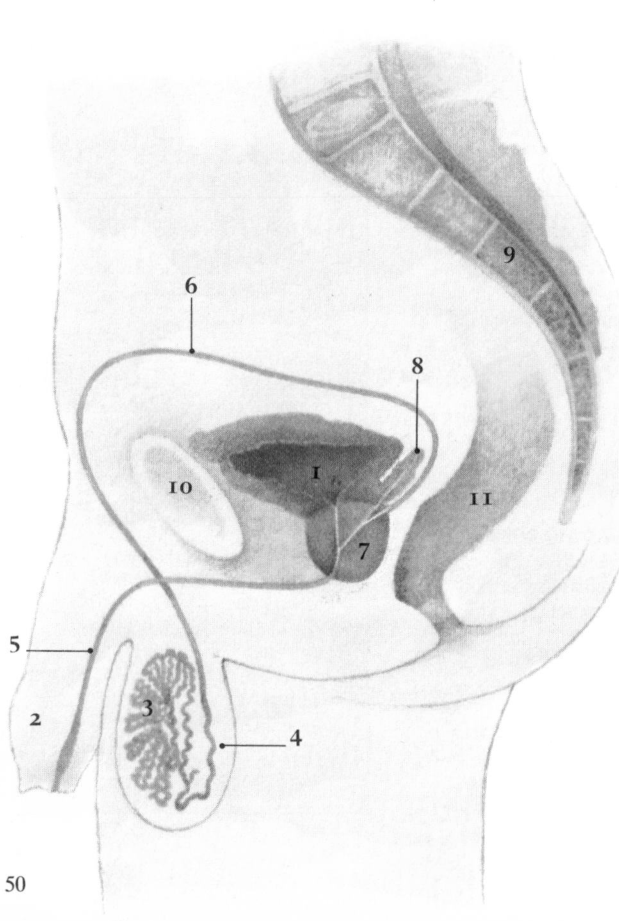

Structure des organes génitaux masculins

1. *Vessie*
2. *Pénis*
3. *Testicules*
4. *Scrotum*
5. *Urètre*
6. *Canal déférent*
7. *Prostate*
8. *Vésicules séminales*
9. *Sacrum*
10. *Symphyse pubienne*
11. *Rectum*

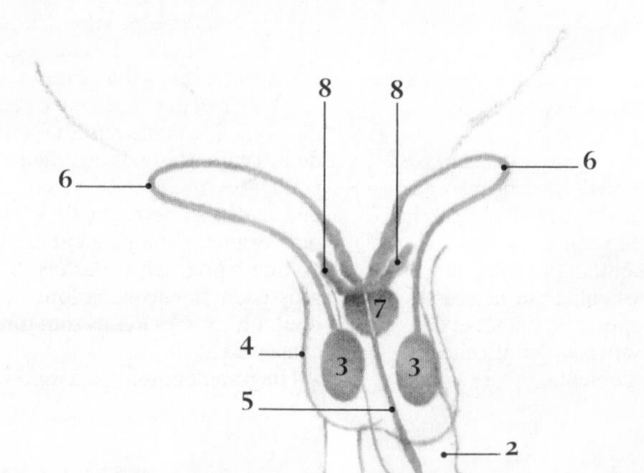

LES ORGANES GÉNITAUX MASCULINS

Les organes génitaux comprennent l'urètre, la prostate, les testicules, le scrotum, les canaux déférents, les vésicules séminales et le pénis.

Les spermatozoïdes, ou semence, sont produits dans les testicules, qui sont deux glandes de forme ovale comprises dans une bourse de peau, appelée scrotum, située derrière le pénis. Ils sont entourés d'une membrane fibreuse solide qui les protège.

De chaque côté, un canal appelé déférent transporte les spermatozoïdes du testicule à la vésicule séminale, qui est un réservoir, mais aussi une glande produisant un liquide qui va diluer la semence pour former le sperme.

La prostate se trouve à la base de la vessie et entoure la partie supérieure de l'urètre. Pendant l'éjaculation, elle sécrète un liquide qui prend part à la constitution du sperme.

L'urètre est un canal d'environ 16 centimètres de longueur, allant de la vessie à l'extrémité du pénis. Les spermatozoïdes, venant des testicules, et l'urine, venant de la vessie, y passent et sortent à son extrémité.

Le pénis, ou verge, est l'organe à travers lequel passe la majeure partie de l'urètre. Il est formé d'un corps spongieux et est habituellement à l'état flasque. Quand le corps spongieux est gorgé de sang, le pénis est distendu et en érection. Son renflement terminal s'appelle le gland. Il est recouvert par le prépuce, sauf s'il a été enlevé par une circoncision.

AFFECTIONS DES ORGANES GÉNITAUX MASCULINS

La plupart des affections des organes génitaux atteignent leurs parties externes et sont différentes selon l'âge. Toutes relèvent de soins médicaux. Les petits garçons peuvent avoir un prépuce trop étroit (phimosis) ou une infection peut survenir entre le prépuce et le gland.

Chez l'homme, des écoulements du pénis sont habituellement dus à des maladies vénériennes, particulièrement la blennorragie. Les morpions dans les poils du pubis sont souvent transmis à l'occasion des rapports sexuels. La présence de sang dans le sperme peut être due à une hyperactivité sexuelle, mais aussi à une maladie grave comme la tuberculose. Un gonflement, douloureux ou non, des testicules peut être dû à un bacille ou à un virus; il s'agit alors d'une orchite. Parfois, l'augmentation de taille d'un testicule peut être due à un cancer.

Des démangeaisons du pénis peuvent être la conséquence d'un herpès, d'une candidose, ou d'une allergie à un contraceptif ou à certains tissus.

Après soixante ans, la glande prostatique tend à augmenter de volume (adénome), constituant un obstacle sur l'urètre et provoquant des difficultés à uriner pouvant aller jusqu'à la rétention d'urines.

Des infections du gland sont fréquentes chez les hommes âgés, mais douleurs et démangeaisons doivent aussi faire rechercher un diabète.

Des douleurs au pénis peuvent être en rapport avec une maladie vénérienne. Elles doivent être signalées au médecin.

Des éruptions peuvent survenir à n'importe quel âge sur les parties génitales, dues aux couches, à de l'eczéma, à de l'intertrigo, à des morpions ou à des mycoses.

SUJETS A RISQUE

- Les gens vivant en groupe. La promiscuité et la fréquence des rapports sexuels avec des partenaires différents peuvent augmenter la fréquence des maladies vénériennes. Celles-ci pourraient être réduites par l'usage de préservatifs. Cependant certaines affections, telles que l'herpès et les morpions, peuvent être transmises par le contact avec une personne infectée ou le fait de dormir dans un lit contaminé.

PRINCIPAUX SYMPTOMES DES AFFECTIONS DES ORGANES GÉNITAUX MASCULINS

Les symptômes suivants sont tous traités dans la LISTE DES SYMPTOMES.

- Pénis, prépuce et urètre.
- Urine et miction (troubles).

URGENCES

- Torsion du testicule. Elle est plus fréquente chez l'adolescent et l'adulte jeune, mais elle peut survenir chez les enfants.
- Phimosis que l'on ne peut remettre en place, dans lequel le prépuce rétracté ne peut plus revenir en position normale pour recouvrir le gland et l'étrangle.

PRÉVENTION DES AFFECTIONS GÉNITALES DE L'HOMME

- Nettoyez bien la face interne du prépuce. Les hommes ayant une activité sexuelle devront chaque jour nettoyer la face interne du prépuce et du gland avec du savon et de l'eau tiède.
- Utilisez un préservatif si vous avez des partenaires multiples. Vous réduirez ainsi le risque de contracter une maladie vénérienne.
- N'hésitez pas à demander un avis médical si vous craignez d'avoir contracté une maladie vénérienne. Des examens très simples permettent de faire le diagnostic de blennorragie ou de syphilis.
- Sachez examiner le contenu de vos testicules dans votre scrotum (tous les six mois, après un bain ou une douche), afin de rechercher un cancer, qui est indolore. La technique en est simple et votre médecin vous en informera.
- Ne rétractez pas avec force le prépuce d'un petit garçon pour lui nettoyer le gland. Si vous voyez des petits résidus blanchâtres au bord du prépuce et du gland, ne vous inquiétez pas, ils partiront spontanément.

Affections des organes génitaux masculins

Toutes les affections citées dans ce tableau donnent lieu à une entrée du livre. Leurs symptômes et les mesures à prendre y sont décrits en détail.

ADÉNOME PROSTATIQUE
BALANITE
BLENNORRAGIE
ECTOPIE TESTICULAIRE
HYDROCÈLE
INTERTRIGO
MORPIONS
ORCHITE
PHIMOSIS
PROSTATITE
SYPHILIS
TORSION DU TESTICULE
TUMEUR DE L'APPAREIL GÉNITAL MASCULIN
VARICOCÈLE

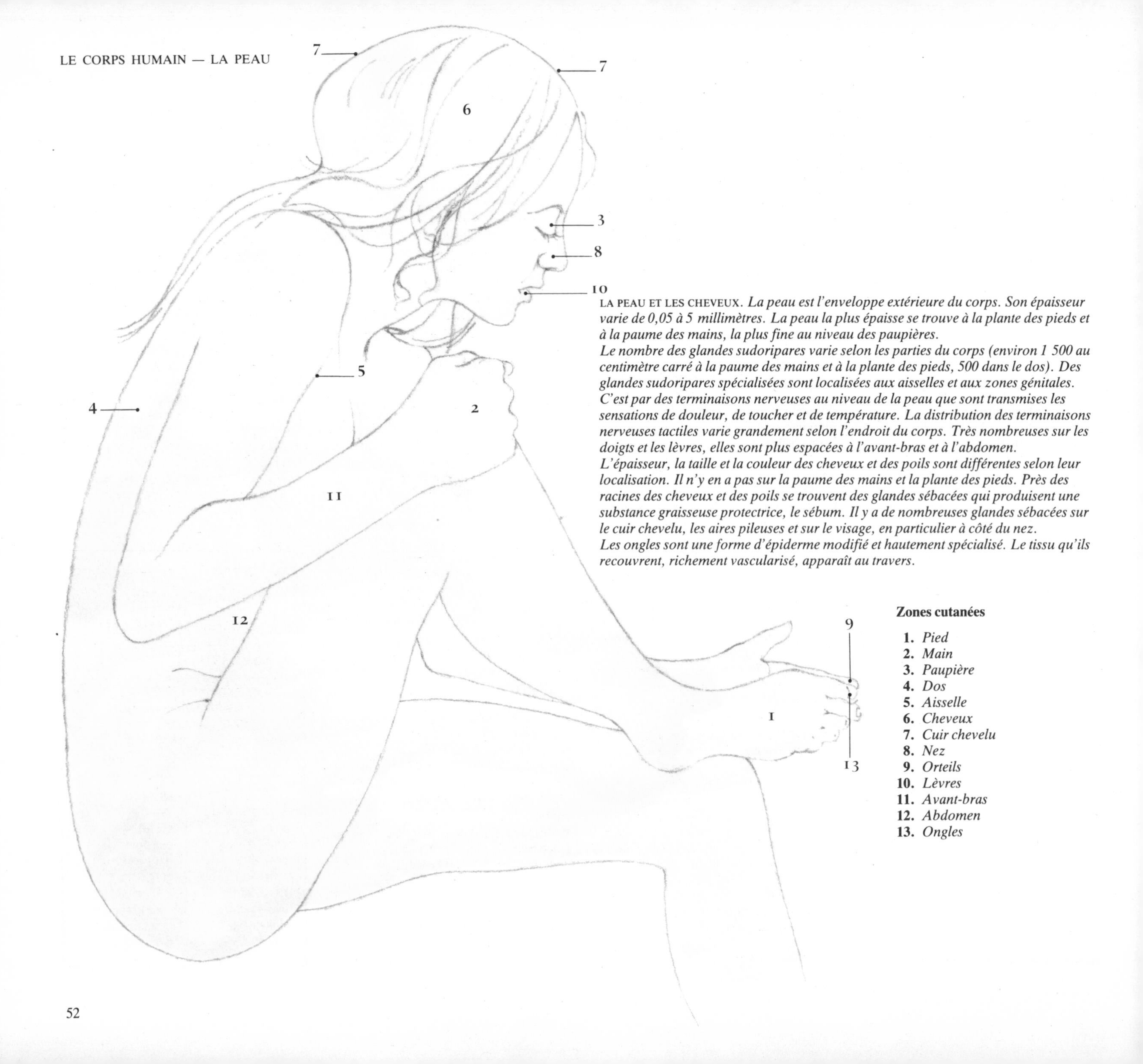

LA PEAU ET LES CHEVEUX. *La peau est l'enveloppe extérieure du corps. Son épaisseur varie de 0,05 à 5 millimètres. La peau la plus épaisse se trouve à la plante des pieds et à la paume des mains, la plus fine au niveau des paupières.*
Le nombre des glandes sudoripares varie selon les parties du corps (environ 1 500 au centimètre carré à la paume des mains et à la plante des pieds, 500 dans le dos). Des glandes sudoripares spécialisées sont localisées aux aisselles et aux zones génitales.
C'est par des terminaisons nerveuses au niveau de la peau que sont transmises les sensations de douleur, de toucher et de température. La distribution des terminaisons nerveuses tactiles varie grandement selon l'endroit du corps. Très nombreuses sur les doigts et les lèvres, elles sont plus espacées à l'avant-bras et à l'abdomen.
L'épaisseur, la taille et la couleur des cheveux et des poils sont différentes selon leur localisation. Il n'y en a pas sur la paume des mains et la plante des pieds. Près des racines des cheveux et des poils se trouvent des glandes sébacées qui produisent une substance graisseuse protectrice, le sébum. Il y a de nombreuses glandes sébacées sur le cuir chevelu, les aires pileuses et sur le visage, en particulier à côté du nez.
Les ongles sont une forme d'épiderme modifié et hautement spécialisé. Le tissu qu'ils recouvrent, richement vascularisé, apparaît au travers.

Zones cutanées

1. *Pied*
2. *Main*
3. *Paupière*
4. *Dos*
5. *Aisselle*
6. *Cheveux*
7. *Cuir chevelu*
8. *Nez*
9. *Orteils*
10. *Lèvres*
11. *Avant-bras*
12. *Abdomen*
13. *Ongles*

LA PEAU

La peau est une enveloppe élastique et solide qui couvre tout le corps et le protège contre les traumatismes et les infections. Un homme moyen est recouvert par environ 1,7 m^2 de peau qui pèse à peu près 4,1 kg. La peau est faite d'une couche externe de cellules (épiderme), d'une couche interne contenant des vaisseaux sanguins (derme), et d'une couche plus profonde appelée hypoderme.

C'est dans la partie la plus profonde du derme que se trouvent les follicules pileux, d'où sont issus les poils.

AFFECTIONS DE LA PEAU

Une des caractéristiques de la peau est de remplir des fonctions vitales importantes et de jouer un rôle tout aussi important dans l'aspect général de l'individu. Comme les grands systèmes du corps, elle peut être sujette à de graves maladies. A l'inverse, des maladies telles que l'acné, les pellicules ou le psoriasis peuvent entraîner de grands désagréments, mais sans conséquences importantes.

Certaines maladies cutanées, telles que le psoriasis, l'ichtyose et quelques formes d'eczéma, semblent avoir un caractère héréditaire.

Le contact avec certaines substances peut entraîner une réaction cutanée (eczéma de contact). Les démangeaisons ou les éruptions peuvent être des symptômes de maladies allergiques.

La peau est un site privilégié d'infections. Les infections virales les plus fréquentes sont l'herpès récurrent et les verrues. L'impétigo est une autre infection fréquente, mais d'origine bactérienne. Les infections fongiques les plus communes sont les candidoses et le pied d'athlète.

Les petites tumeurs cutanées, habituellement bénignes, peuvent être parfois cancéreuses. Toute nouvelle tumeur ou modification d'un nævus ou de la peau qui l'entoure doit être signalée au médecin. Les cancers cutanés traités rapidement sont curables.

La forme la plus fréquente de calvitie (alopécie) est la calvitie masculine, à contexte souvent héréditaire. On ne peut pas la traiter efficacement. Parfois, les femmes peuvent perdre elles aussi leurs cheveux, mais cette perte est souvent temporaire. L'augmentation de la pousse des poils (hirsutisme), gros problème pour les femmes, est parfois due à des anomalies hormonales, mais le plus souvent les causes de cette maladie sont inconnues.

SUJETS A RISQUE

- Il semblerait exister un contexte héréditaire à certaines maladies cutanées allergiques.
- Les personnes à peau blanche et à cheveux clairs, particulièrement les roux, présentent une forte sensibilité au soleil.
- Les personnes qui sont exposées aux produits chimiques. Les ménagères qui utilisent des détergents, les ouvriers qui se servent d'huiles minérales, de teintures et de produits chimiques. *Voir* RISQUES PROFESSIONNELS.

PRINCIPAUX SYMPTOMES DES AFFECTIONS DE LA PEAU

Les symptômes suivants sont tous traités dans la LISTE DES SYMPTOMES.

- Tumeurs.
- Éruptions.
- Peau (lésions de la).
- Prurit. *Voir aussi* page 424.

URGENCES

- L'urticaire aiguë. S'il y a gonflement de la langue et de la gorge, consultez immédiatement un médecin.
- Brûlures. Sujets ébouillantés. Si l'atteinte de la peau est profonde ou la brûlure très étendue, ne cherchez pas à enlever les vêtements ni à appliquer des recettes populaires. Couvrez avec un drap sec et propre, et demandez un avis médical.

PRÉVENTION DES AFFECTIONS DE LA PEAU

- Portez des gants quand vous vous servez de détergents ou quand vous manipulez de l'essence ou des produits chimiques, et lavez-vous minutieusement ensuite.
- Ne vous servez pas de serviettes ou de gants de toilette qui ont déjà servi à d'autres.
- Protégez les peaux pâles du soleil en portant un chapeau à large bord et des chemises à manches longues.
- Ne restez pas plusieurs heures au soleil au cours du premier jour de vos vacances.

Affections de la peau

Toutes les affections citées dans ce tableau donnent lieu à une entrée du livre. Leurs symptômes et les mesures à prendre y sont décrits en détail.

ABCÈS
ACNÉ
ANGIOMES
BOURBOUILLE
CALVITIE
CANCER DE LA PEAU
CANDIDOSE
CELLULITE
CHÉLOÏDE (CICATRICE)
CHLOASMA
COUP DE SOLEIL
DURILLON
ECCHYMOSE
ECZÉMA
ÉRUPTION MÉDICAMENTEUSE OU IATROGÉNIQUE
GALE
GRAIN DE BEAUTÉ
HERPÈS GÉNITAL
HERPÈS RÉCURRENT
HIRSUTISME
ICHTYOSE
IMPÉTIGO
INSECTES (MORSURES ET PIQURES D')
KÉRATOSE ACTINIQUE
KYSTE SÉBACÉ
LÈPRE
LÈVRES GERCÉES
LICHEN PLAN
MÉLANOME
MILIAIRE SÉBACÉE
MOLLUSCUM CONTAGIOSUM
MOLLUSCUM PENDULUM
MYCOSE
MYXŒDÈME
NÆVUS
PANARIS
PELLICULES
PEMPHIGOÏDE BULLEUSE
PEMPHIGUS
PHLYCTÈNE
PHOTO-SENSIBILISATION
PITYRIASIS ROSÉ DE GILBERT
POUX
PRURIT
PSORIASIS
ROSACÉE
SÉBORRHÉE
SYCOSIS
TACHE MONGOLOÏDE
TACHES RUBIS
TEIGNES
TOURNIOLE
TRANSPIRATION
URTICAIRE
VERGETURES
VERRUES
VITILIGO
ZONA

LE SQUELETTE. *Il est composé chez l'homme de 206 os distincts. Les os d'une personne vivante possèdent une structure élastique, due à leur consistance faite de protéines et renforcée par des sels minéraux. Cela leur confère des propriétés particulières de résistance à la compression, à la tension et à la torsion. Les os évoluent en forme et en taille pendant la période de croissance, et ce sont eux qui détermineront la taille d'une personne adulte. Sur ce dessin, on voit la plupart des os du squelette. Ils sont réunis par les articulations, dont la forme et la mobilité varient selon leur fonction. Les os du crâne sont soudés les uns aux autres pour former une boîte solide qui protège le cerveau. Au niveau des membres, où une grande mobilité est nécessaire, les os sont séparés par les cavités articulaires. Les articulations mobiles sont réunies par des ligaments et actionnées par des muscles. La colonne vertébrale entoure et protège la moelle épinière. Les nerfs spinaux émergent de chaque côté de cette colonne par des orifices. Entre chaque vertèbre se trouve un disque intervertébral. Les disques les plus larges se situent au niveau de la région lombaire.*

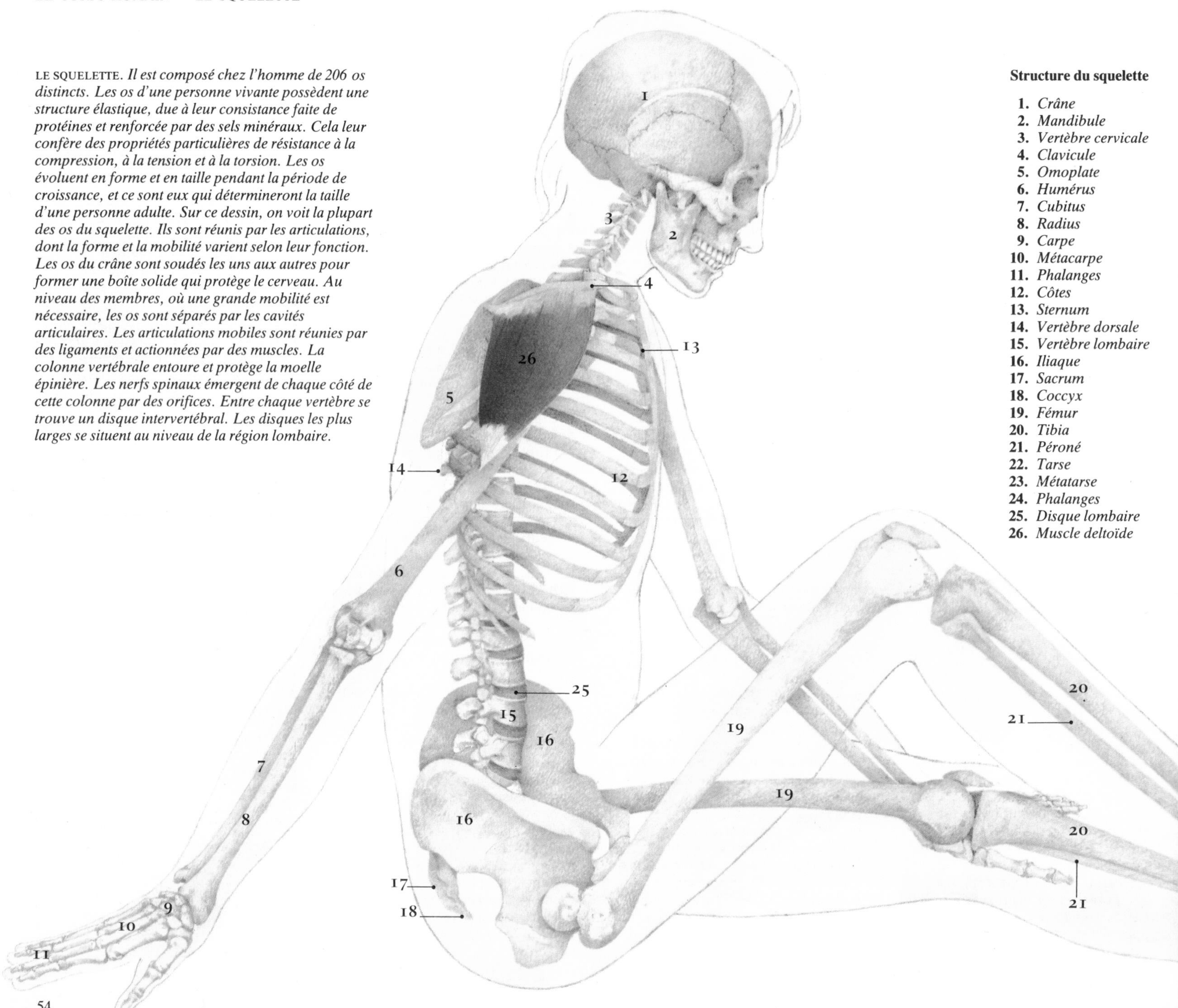

Structure du squelette

1. *Crâne*
2. *Mandibule*
3. *Vertèbre cervicale*
4. *Clavicule*
5. *Omoplate*
6. *Humérus*
7. *Cubitus*
8. *Radius*
9. *Carpe*
10. *Métacarpe*
11. *Phalanges*
12. *Côtes*
13. *Sternum*
14. *Vertèbre dorsale*
15. *Vertèbre lombaire*
16. *Iliaque*
17. *Sacrum*
18. *Coccyx*
19. *Fémur*
20. *Tibia*
21. *Péroné*
22. *Tarse*
23. *Métatarse*
24. *Phalanges*
25. *Disque lombaire*
26. *Muscle deltoïde*

LE SQUELETTE

Les os du squelette humain supportent tout le reste du corps et lui donnent sa forme. Ils protègent aussi les organes vitaux et permettent les mouvements. Moins évidemment, ils participent à la formation du sang, stockent et produisent les minéraux essentiels dont nous avons besoin — le calcium en particulier. Classés selon leur forme, on distingue trois types d'os : longs, courts et plats, auxquels on ajoute les os irréguliers.

Les os longs sont formés d'une tige (diaphyse) et de deux extrémités (épiphyses). La tige est creuse, remplie de moelle jaune; les parois sont épaisses, faites de tissu osseux, dur, tandis que les extrémités sont faites de tissu spongieux, recouvert d'une fine couche osseuse dure et compacte. Les jambes, les bras sont formés d'os longs.

Les os courts ont grossièrement la forme d'une boîte, faite de tissu spongieux entouré d'une mince couche de tissu osseux compact. On les trouve au niveau de la cheville ou du poignet.

Les os plats ont une structure semblable à celle des os courts. Ce sont par exemple les os du crâne, l'omoplate, les côtes.

Tous les os qui ne rentrent pas dans ces trois catégories sont appelés os irréguliers; ils comprennent les os de la face et de la colonne vertébrale.

L'os spongieux contient de la moelle rouge, qui produit les cellules sanguines. Chez les enfants, la diaphyse des os longs contient aussi ce type de moelle; mais chez l'adulte elle est remplacée par de la moelle jaune, qui ne produira les cellules sanguines que lorsque le corps en manquera.

Les os sont réunis par les articulations, qui se divisent en trois catégories : immobiles, semi-mobiles et mobiles. Les articulations immobiles réunissent par un tissu fibreux serré deux os l'un contre l'autre; c'est l'exemple du crâne. Les articulations semi-mobiles réunissent les os par un disque de cartilage (la colonne vertébrale). Les articulations mobiles réunissent les os par une capsule fibreuse contenant un liquide lubrifiant, la synovie (coudes et genoux).

AFFECTIONS DU SQUELETTE

Endolorissement, douleurs, raideur des articulations et des os sont des symptômes relativement fréquents chez l'adulte. Des millions de personnes souffrent chaque année de leur squelette et de leurs articulations, ce qui entraîne des millions d'heures de travail perdues. Parmi les adultes, l'arthrose est des plus fréquentes; elle est due à l'atteinte du cartilage entre deux os. Les douleurs du dos sont aussi un symptôme très fréquent, suivies du rhumatisme, terme populaire pour désigner les douleurs des muscles et des articulations.

SUJETS A RISQUE

- Les personnes qui portent des charges lourdes : ouvriers du bâtiment, infirmières, etc. Il faut savoir porter les objets et les malades correctement. *Voir* DOULEURS DU DOS et SOINS INFIRMIERS A DOMICILE.
- On note des affections rhumatismales chez environ 40 pour 100 des hommes et des femmes âgés de soixante-cinq ans. Non traitées, ces atteintes peuvent entraîner des infirmités.
- Les mineurs, les travailleurs du bâtiment, et dans l'ensemble tous ceux qui sont astreints à des efforts sont sujets aux affections rhumatismales.

PRINCIPAUX SYMPTOMES DES AFFECTIONS DU SQUELETTE

Les symptômes suivants sont tous traités dans la LISTE DES SYMPTOMES, selon la partie du corps qui est atteinte.

- Douleur.
- Raideur.
- Gonflement.

URGENCES

Si l'un des symptômes suivants survient, il faut consulter un médecin sans délai.

- Hématome, gonflement ou déformation d'un os après un traumatisme, autant de signes qui peuvent indiquer qu'il y a une fracture. *Voir* LES URGENCES.
- Douleur dans une articulation.
- Douleurs dans le bas du dos, irradiant dans la fesse, la cuisse et la jambe et pouvant être un signe de sciatique — qui à son tour peut indiquer une affection du dos plus sérieuse.
- Douleurs dans le cou et l'épaule.
- Douleurs aiguës dans un membre ou une articulation chez un enfant en période de croissance, pouvant indiquer une infection telle qu'une ostéomyélite.

PRÉVENTION DES PROBLÈMES DU SQUELETTE

- Quand vous soulevez ou portez une charge lourde, suivez les conseils donnés *page 178*.
- Portez une ceinture de sécurité en voiture, un casque en moto, un casque léger quand vous êtes à bicyclette.
- Portez des chaussures à talons bas et à votre taille.

Affections du squelette

Toutes les affections citées dans ce tableau donnent lieu à une entrée du livre. Leurs symptômes et les mesures à prendre y sont décrits en détail.

ARTHRITE
ARTHROSE
BURSITE
CANAL CARPIEN (SYNDROME DU)
COR
CRAMPE
DÉCHIRURE LIGAMENTAIRE
DUPUYTREN (MALADIE DE)
ENTORSE
ÉPAULE (LÉSIONS DE L')
ÉPAULE GELÉE
ÉPICONDYLITE
FIBROSE
FRACTURES
GANGLION
HANCHE (LUXATION CONGÉNITALE DE LA)
HERNIE DISCALE
LEGG, PERTHES ET CALVÉ (MALADIE DE)
MÉNISQUE (RUPTURE DE)
MÉTATARSALGIE ET MALADIE DE MORTON
OIGNON
ONGLE INCARNÉ
OSTÉOCHONDRITE
OSTÉOMALACIE
OSTÉOMYÉLITE
OSTÉOPOROSE
PAGET (MALADIE DE)
PIED (DOULEURS PLANTAIRES DU)
PIED PLAT
POLYARTHRITE RHUMATOÏDE
PSEUDO-POLYARTHRITE RHIZOMÉLIQUE
SPONDYLARTHRITE ANKYLOSANTE
SYNOVITE
TENDON D'ACHILLE (RUPTURE DU)
TÉNOSYNOVITE

3e PARTIE DICTIONNAIRE DES PROBLÈMES DE SANTÉ

Pour faire face à vos ennuis de santé

ABCÈS

Poche locale d'infection contenant du pus et formée aux dépens des tissus environnants. Le pus est un fluide résultant de l'inflammation. Il est constitué d'un liquide séreux, de débris de cellules, de bactéries et de polynucléaires (globules blancs). Quand le pus s'accumule dans une cavité préexistantte de l'organisme, on parle d'épanchement purulent (par exemple dans la plèvre).

L'abcès peut être superficiel (dentaire ou cutané : furoncle, anthrax ou panaris), ou profond (du cerveau, du foie, du poumon, du sein...).

Symptômes

- D'abord une réaction inflammatoire avec rougeur, chaleur et douleur dans la région intéressée; l'importance de la douleur dépend de la localisation.
- Puis l'abcès mûrit, il y a formation de pus (correspondant à la destruction des microbes par les globules blancs) : c'est la suppuration. Ce stade s'accompagne parfois de fièvre et d'asthénie (fatigue).

Évolution

- Il est rare qu'il y ait résorption spontanée du pus : celui-ci doit s'éliminer soit directement (à travers la peau), soit par intervention chirurgicale (abcès profond). Les abcès qui ne sont pas drainés à temps peuvent s'entourer d'une coque fibreuse, s'enkyster, rendant ainsi la pénétration des antibiotiques et le traitement très difficiles.

Durée

- Très variable selon la localisation, l'état général du malade et la présence ou l'absence de traitement.

Complications

- Un abcès non traité peut être le point de départ d'une septicémie, avec passage de germes dans le sang, température élevée, altération de l'état général et risque de formation d'abcès à distance du foyer initial. Ce risque est plus élevé si le malade est déjà en mauvais état général. Les personnes fragiles ou ayant une diminution des résistances physiques (diabètes, malnutrition, fatigue excessive, trouble hématologique ou toute affection affaiblissant les défenses immunitaires) sont plus vulnérables aux abcès et aux complications qu'ils entraînent.

Traitement à domicile

- Ne pas toucher à la zone infectée et la tenir immobile le plus possible, ce qui permet aux défenses naturelles d'agir et diminue le risque de diffusion.
- L'application de compresses chaudes alcoolisées permettra à un abcès superficiel de mûrir.

ABCÈS DU CERVEAU

Poche d'infection intracérébrale, entourée d'une capsule. Les abcès du cerveau sont rares.

Symptômes

- Maux de tête aggravés par la position allongée du patient et prédominant le matin.
- Vomissements.
- Confusion, dépression ou irritabilité.
- Augmentation de la température.
- Possibilité de signes neurologiques (faiblesse musculaire, troubles de l'équilibre ou de la vision, cécité partielle...) qui dépendent du siège de l'abcès.
- Pertes de conscience transitoires.
- Les symptômes sont identiques à ceux d'une tumeur cérébrale, mais s'en distinguent habituellement par une évolution plus rapide (une à six semaines) et par la présence de signes d'infection à distance ou d'un foyer initial (otite, sinusite, thrombophlébite infectée).

Durée

- Variable, elle dépend de l'efficacité du traitement.

Causes

- Cinquante pour cent des cas sont consécutifs à une OTITE MOYENNE AIGUË (infection de l'oreille), ou surviennent chez des patients souffrant de sinusite ou d'otite moyenne chronique. L'infection diffuse vers le cerveau.
- Certaines maladies de cœur congénitales sont un facteur de risque.
- L'infection peut gagner le cerveau par voie sanguine, à partir d'un foyer infectieux à distance (DILATATION DES BRONCHES ou THROMBOPHLÉBITE).

Complications

- Possibilité de lésions cérébrales irrécupérables.

Traitement à domicile

- Déconseillé. Demander un avis médical si l'on soupçonne cette maladie.

Quand consulter le médecin

- En cas d'apparition des symptômes décrits.

Rôle du médecin

- Faire un examen neurologique complet pour rechercher des signes de déficit.
- Faire un fond d'œil qui peut mettre en évidence des signes d'hypertension intracrânienne pouvant témoigner de la présence d'un abcès du cerveau.
- Faire pratiquer des examens à l'hôpital : radiographie du crâne, scanner, ponction lombaire pour étudier le liquide céphalo-rachidien.
- Si le diagnostic est confirmé, commencer d'urgence le traitement par injections d'antibiotiques. *Voir* MÉDICAMENTS, n° 25.
- Adresser le patient au chirurgien s'il est nécessaire de ponctionner ou d'opérer l'abcès.

Pronostic

- Fort heureusement rare, l'abcès du cerveau reste néanmoins une affection grave. Malgré les traitements modernes, la guérison complète n'est pas assurée et 30 pour 100 des survivants gardent des séquelles définitives, (faiblesse musculaire, troubles de l'équilibre et de la parole, anomalies de la vision).

ABCÈS CUTANÉS (FURONCLES ET ANTHRAX)

Le furoncle est un abcès superficiel dont le point de départ se situe à la base d'un poil, au niveau d'un follicule pilo-sébacé. Les furoncles siègent plus volontiers dans les zones pileuses ou de frottement, en particulier les narines, la nuque, les aisselles, l'aine et les fesses.

L'anthrax est un groupe de furoncles siégeant habituellement dans la nuque ou le dos. Il se développe quand plusieurs follicules pileux sont infectés. Les causes, complications et traitement sont les mêmes que pour le furoncle.

Symptômes

- Tuméfaction douloureuse dans la région infectée, qui est initialement sensible, enflammée et gonflée.
- Puis apparaît le furoncle proprement dit, avec un centre jaune entouré d'un bourrelet inflammatoire rouge. Après quelques jours d'évolution, le furoncle crève, le contenu, appelé bourbillon, s'élimine, en laissant un cratère et une petite cicatrice.

Durée

- L'évolution se fait généralement en une semaine pour la majorité des furoncles, mais si l'infection est très profonde, le pus peut n'apparaître à la surface de la peau qu'après deux semaines d'évolution.

Causes

- Le plus souvent, les furoncles comme les anthrax sont dus à des infections bactériennes (surtout le staphylocoque doré) et ils touchent plus volontiers les personnes ayant un affaiblissement des défenses naturelles.

Complications

- Celles de tous les abcès, c'est-à-dire la diffusion de l'infection dans le sang et formation d'abcès à distance.

Traitement à domicile

- Immobiliser la région infectée et ne pas y toucher.
- Application de compresses chaudes alcoolisées.
- Quand le furoncle crève, il faut changer souvent de vêtements pour ne porter que du linge propre et sec.
- Prendre du paracetamol ou de l'aspirine pour soulager la douleur.
- Application d'antiseptiques et d'antibiotiques.
- Utiliser un désinfectant dans le bain et avoir une hygiène très stricte.

• La contamination des autres membres d'une famille est possible; le malade doit donc utiliser son propre linge et faire bouillir les mouchoirs et sous-vêtements quand le pus s'est écoulé.

Quand consulter le médecin

• Quand le furoncle est très douloureux.
• Si l'inflammation s'étend autour du furoncle sans que celui-ci mûrisse.
• Si le furoncle ne crève pas après avoir mûri.
• Quand le furoncle est accompagné de fièvre ou d'une altération importante de l'état général, ou s'il est localisé au visage.
• Si de nombreux furoncles apparaissent en même temps chez le malade, ou une série d'infections.

Rôle du médecin

• Inciser l'abcès pour relâcher la pression et soulager la douleur.
• Faire des prélèvements au niveau du nez, de la peau, et de l'abcès, pour identifier le germe.
• Donner des antibiotiques par voie générale (orale ou injectable) pour limiter l'infection.
• Rechercher le sucre dans les urines pour éliminer l'éventualité d'un diabète.
• Analyser le sang pour rechercher la possibilité d'affections déprimant le système immunitaire.
• Prescrire des pommades aux antibiotiques ou des solutions antiseptiques pour désinfecter le nez, l'aine, les organes sexuels, le périnée, l'anus, les oreilles et les cicatrices de furoncles.

Prévention

• Surveiller le régime alimentaire, se reposer et se relaxer pour ménager les défenses du corps contre l'infection.
• Une hygiène stricte durant la phase d'écoulement du pus limite les risques d'extension de l'infection.
• Recherche et traitement d'un diabète ou de toute autre affection rendant le patient plus vulnérable aux abcès.
• Traiter les autres membres de la famille.

Pronostic

• Guérison totale si le sujet est en bonne santé.
• Si l'abcès ne guérit pas, il faut rechercher une autre cause qu'un furoncle.

ABCÈS DENTAIRE

Amas de pus lié à une infection de la pulpe (paquet vasculo-nerveux) d'une dent.

Symptômes

• L'infection évolue à partir du canal de la racine dentaire dont le contenu (nerfs, vaisseaux) est infecté et va détruire le tissu osseux tout autour de l'apex (sommet) de la racine.
• Cet abcès peut être très douloureux ou totalement indolore et découvert à l'occasion d'un examen radiologique (on voit une ombre noire entourant l'apex).

Durée

• Très variable.

Causes

• Généralement, l'infection est secondaire à une carie dentaire profonde ou à un traumatisme.

Complications

• Risque d'évolution vers un phlegmon (infection non circonscrite et étendue des tissus cellulaires sous-cutanés) de la gorge, de l'amygdale ou du plancher de la bouche.

Traitement à domicile

• Inefficace s'il n'est pas associé au traitement de la dent infectée.
• Prendre de l'aspirine, des analgésiques et faire des bains de bouche très fréquents avec une solution antiseptique.

Quand consulter le médecin

• Dans tous les cas, il faut consulter un dentiste, car, même si les signes s'atténuent spontanément, une nouvelle poussée surviendra tôt ou tard.

Rôle du dentiste

• Prescrire des antibiotiques par voie générale et des bains de bouche antiseptiques localement.
• Soigner la dent responsable soit par voie interne en traitant le canal — c'est l'endodontie —, soit par voie externe chirurgicale — c'est la résection apicale : il faut inciser la gencive et cureter l'os, mettre la racine à nu, nettoyer les tissus infectés autour de la racine et suturer la gencive. Ce traitement permet souvent de sauver une dent condamnée à l'extraction.
• Si le traitement dentaire est impossible (dent trop abîmée ou infection trop grave), il faut extraire la dent.

Prévention

• Avoir une bonne hygiène bucco-dentaire.
• Prévenir et soigner les caries dentaires à temps.

Pronostic

• Le traitement dentaire donne généralement de bons résultats.

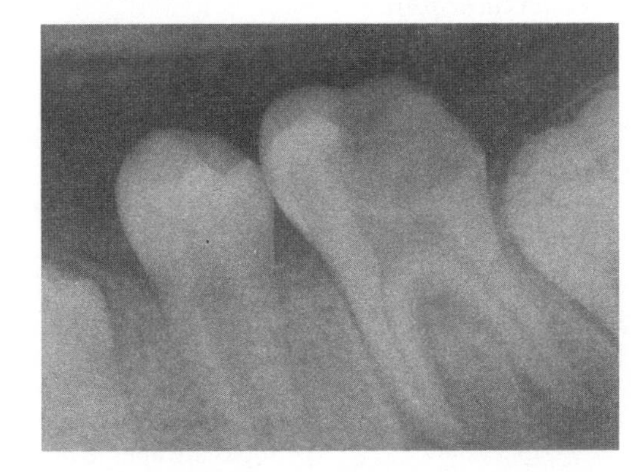

ABCÈS DENTAIRE. *Sur cette radiographie de molaire, les abcès se traduisent par une zone sombre en forme de croissant, entourant les apex (extrémités des racines).*

ABCÈS DU SEIN

Infection locale dont le point de départ est une crevasse du mamelon, généralement provoquée par l'allaitement. Si cet abcès n'est pas traité, il s'étend et devient plus douloureux. Affection peu fréquente.

Symptômes

• Douleur du sein, dont l'intensité augmente progressivement et peut devenir très importante.
• La région atteinte devient sensible et dure à la palpation.
• La peau recouvrant l'abcès peut être rouge.
• Fièvre.

Durée

• Elle varie habituellement de deux à dix jours avec le traitement.

Causes

• Les germes pénètrent dans le sein par une crevasse du mamelon.

Traitement à domicile

• S'assurer que le sein est bien maintenu.
• Prendre des analgésiques. *Voir* MÉDICAMENTS, n° 22.

Quand consulter le médecin

• Si le sein est sensible ou douloureux.

Rôle du médecin

• Conseiller la femme qui allaite sur la poursuite de l'allaitement et la façon de tirer le lait.
• Prescrire des antibiotiques. *Voir* MÉDICAMENTS, n° 25.
• Si, comme c'est fréquent, les antibiotiques sont inefficaces, une petite intervention chirurgicale sera nécessaire. Sous anesthésie générale, une incision (laissant une cicatrice à peine visible) permet le drainage du pus. L'allaitement est alors interrompu.

Prévention

• Traiter les CREVASSES DU MAMELON.
• Avoir une bonne hygiène des seins, avec des nettoyages fréquents.

Pronostic

• En général, le traitement amène la guérison, mais les récidives sont possibles.

Les accidents domestiques

DÉPISTAGE PIÈCE PAR PIÈCE DES SOURCES DE DANGER ET D'ACCIDENTS DANS LA MAISON

Chaque année, des milliers de gens vont à l'hôpital à la suite d'accidents domestiques, et, parmi ces accidentés, la quantité de décès correspond à peu près au nombre de victimes d'accidents de la route. Pour les rescapés, ces accidents peuvent signifier des mois d'hospitalisation, des cicatrices définitives, ou encore l'invalidité. Même les accidents les moins graves causent parfois de longues souffrances. Les causes sont très nombreuses et ne font pas toutes courir le même risque. Plusieurs facteurs sont en cause : l'âge du sujet, la disposition de la maison ou de l'appartement, le niveau (rez-de-chaussée ou étage élevé), la présence d'un jardin, d'un plan d'eau, d'animaux domestiques, etc.

L'âge : le maximum de fréquence se situe chez les enfants entre zéro et six ans; les intoxications, médicamenteuses ou avec des produits domestiques, viennent en tête de liste, puis les traumatismes crâniens (chute du berceau ou de la table à langer) et blessures diverses, les électrocutions, les morsures de chien, et très rarement la défenestration.

BÉBÉS ET PETITS ENFANTS EN AGE DE MARCHER

Les petits enfants courent surtout le risque de s'étouffer en avalant un objet. Ne les laissez donc jamais manger seuls et tenez hors de portée tous les petits objets tels que boutons, cacahuètes, épingles, etc.

Empêchez-les de jouer avec des allumettes ou des couteaux, de renverser sur eux les meubles instables, de tirer une nappe, ou de s'empoisonner, accident le plus fréquent à cet âge. Rangez dans des armoires inaccessibles et fermées à clé tous les médicaments et produits de ménage.

CACHE-PRISE. *Posez des cache-prise pour empêcher les enfants de s'électrocuter.*

PROTÉGEZ LES FENÊTRES. *Faites poser des chaînes de sécurité et assurez-vous de leur efficacité. Elles empêchent la fenêtre de s'ouvrir, et une petite cale en bois l'empêchera de se refermer sur les doigts.*

Attention aux brûlures : ne transportez jamais de liquides ou plats brûlants au-dessus de la tête d'un enfant. Une simple tasse de thé chaud peut lui laisser une cicatrice à vie. Assurez-vous que l'enfant ne peut pas attraper le fil d'une bouilloire ou cafetière électriques; placez les tasses loin du bord de la table. Rangez hors de portée d'un enfant les appareils électriques tels que perceuse, mixeur, sèche-cheveux, car, manipulés sans précaution, ils peuvent non seulement blesser, mais électrocuter.

L'équilibre des très petits est instable, et en tombant ils peuvent pousser ou entraîner avec eux n'importe quel objet posé assez bas comme un pot de café ou un vase lourd.

L'AGE SCOLAIRE

Dès l'âge de cinq ans, les enfants ont tendance à courir partout et risquent de se cogner contre les portes vitrées, qui sont dangereuses à n'importe quel âge, car elles se brisent en morceaux coupants. Donc, si possible, remplacez le verre ordinaire par du verre de sécurité (feuilleté ou renforcé), ou faites-le recouvrir d'un film plastifié qui empêchera le verre de voler en éclats. Fermées, ces portes sont difficiles à voir; mettez alors du ruban adhésif coloré, des autocollants ou des décalcomanies. Ne laissez jamais un enfant courir avec des ciseaux, couteaux, crayons, à la main ou dans la bouche, ni porter des bouteilles ou tout objet en verre. Enveloppez le verre cassé dans du papier et jetez-le immédiatement.

L'AGE ADULTE

A cet âge, la plupart des gens ont leur propre habitation et ont l'occasion d'effectuer divers travaux d'électricité.

Or, si les appareils électriques facilitent la tâche, il faut cependant les utiliser avec prudence, car ils représentent un risque. Les appareils fonctionnant avec la haute tension sont particulièrement dangereux, sources de blessures et de chocs électriques.

Achetez de préférence les appareils déjà équipés de prises, afin de diminuer les risques dus aux branchements incorrects.

Pensez toujours à débrancher un appareil électrique avant de le nettoyer ou d'effectuer une réparation. Certains appareils ne doivent pas être branchés sur une prise d'éclairage, car il y a risque de surtension et d'incendie. Quand vous rallongez ou remplacez un fil usagé, utilisez un raccord correct. Avant de changer un fusible, fermez l'interrupteur général d'électricité et utilisez le fil de calibre (puissance) recommandé pour le circuit.

Toutes les installations ou réparations du circuit de gaz doivent être effectuées par des employés de la compagnie de gaz.

Enfin, beaucoup de produits utilisés pour le bricolage ou les maquettes sont dangereux : essence de térébenthine, alcool à brûler, white spirit, soude caustique et colles aux cyanoacrylates, par exemple. S'il y a des enfants, tenez ces produits sous clé.

POIGNÉES DE PORTE. *Faites-les placer hors d'atteinte des petits, mais, par précaution, faites poser un verrou de sécurité, car ils peuvent utiliser une chaise ou un escabeau pour atteindre la poignée de la porte.*

ESCABEAU. *Si vous devez changer une ampoule, travailler en hauteur ou dans le jardin, ne montez pas sur un tabouret ou une chaise, mais utilisez un escabeau stable et en bon état.*

LE TROISIÈME AGE

Les personnes âgées perçoivent mal les odeurs et risquent de ne pas détecter un incendie ou une fuite de gaz; leur vue baissant également, les escaliers deviennent souvent dangereux. Comme elles ont souvent des troubles de mémoire, elles risquent de laisser traîner des objets, chaussures, vêtements, susceptibles par la suite de les faire glisser et tomber — ou, plus grave encore, ouvrir le gaz en oubliant de mettre une allumette. Beaucoup de problèmes sont aggravés par les rhumatismes qui les handicapent ou par la prise de médicaments. N'importe qui peut faire une chute — c'est la seconde cause d'accidents domestiques —, mais les personnes âgées sont particulièrement vulnérables. Installez donc suffisamment de sources lumineuses pour éviter les longs fils qui traînent, et assurez-vous que l'éclairage est adapté et suffisant.

Les moquettes et tapis doivent être fixés au sol par des barres de seuil, à leurs extrémités, à la jonction de deux pièces, au niveau des portes. Même chose pour les linos. Assurez-vous que les revêtements de sol sont bien collés. Les gens âgés vivant seuls peuvent avoir un besoin urgent d'aide en cas d'accident. Même une blessure bénigne peut avoir de sérieuses conséquences si elle n'est pas traitée. Ils doivent donc recevoir des visites régulières de parents, amis ou voisins. S'ils n'ont pas de famille, il faut se renseigner sur la possibilité d'obtenir des visites à domicile (souvent assurées par des personnes bénévoles). Il faut également leur faire installer un téléphone facilement accessible, ou un système d'alarme ou d'interphone relié à la maison d'un voisin.

RAMPES D'ESCALIER. *Les gens âgés devraient avoir deux rampes continues pour descendre les escaliers, une seule rampe étant le minimum indispensable à tout âge.*

OU ARRIVENT LES ACCIDENTS

Les lieux les plus dangereux d'une habitation sont le salon, la salle à manger, la cuisine et le jardin. C'est là que surviennent près de la moitié des accidents.

TÉLÉVISEUR. *Le soir, avant de vous coucher, n'oubliez pas d'éteindre et de débrancher votre poste de télévision, pour éviter qu'il prenne feu.*

LE SALON, LA SALLE A MANGER

Attention aux nappes qui pendent et sont tentantes pour les petits enfants qui risquent de tirer et de faire tomber sur eux liquides chauds ou objets lourds.

Évitez de poser un miroir au-dessus d'une cheminée, car quand le feu est allumé une personne en se regardant risquerait d'enflammer ses vêtements.

Achetez de préférence du mobilier garni de crin et de ressorts, car les meubles modernes sont remplis de mousses polyuréthannes dont la combustion, en cas d'incendie, dégage des vapeurs très toxiques, pouvant tuer en deux à trois minutes. C'est pourquoi, actuellement, le mobilier doit avoir été testé pour prouver qu'il résiste à une brûlure de cigarette, ou bien il doit porter une étiquette : « produit inflammable », « attention au feu », « ne pas approcher d'une source de chaleur ».

LA CUISINE

Faire la cuisine est l'activité la plus dangereuse de la maison, car elle est source de brûlures et attire beaucoup les enfants.

Certaines plaques électriques restent noires, même quand elles sont brûlantes; il faut en avertir les enfants. Quand le four est allumé, même l'extérieur de la cuisinière peut brûler une peau fine de bébé.

Ne placez jamais d'étagères ou de placards au-dessus d'une cuisinière, vous risqueriez d'enflammer vos vêtements en voulant prendre quelque chose pendant que vous faites la cuisine. Ne faites jamais sécher de linge au-dessus d'une cuisinière allumée : il pourrait s'enflammer.

Les friteuses sont responsables de la majorité des incendies de cuisine. Ne mettez jamais plus du tiers de matière grasse dans une friteuse, et éteignez toujours le feu quand vous avez fini de faire la cuisine.

Évitez de placer la cuisinière près d'une fenêtre; sinon assurez-vous que les rideaux ne sont pas inflammables.

Ne placez pas non plus une cuisinière à gaz près d'une porte, car un courant d'air pourrait éteindre un brûleur. Faites en sorte que votre plan de travail soit aussi près que possible de votre cuisinière. En réduisant ainsi la distance sur laquelle les liquides brûlants sont transportés, vous diminuez le risque de les renverser.

PARC A JEUX D'ENFANTS. *Quand vous cuisinez, les petits y sont en sécurité, sous votre surveillance. Quand ils sont trop grands pour rester dans le parc, occupez-les avec des casseroles, des moules ou de la pâte.*

GRILLE DE PROTECTION. *Une rampe amovible de sécurité peut être fixée tout autour de la cuisinière, empêchant les casseroles de tomber. Les manches seront tournés vers l'intérieur.*

La plupart des appareils électriques sont plus utilisés dans la cuisine que partout ailleurs. Assurez-vous que le fil de la bouilloire électrique est hors de portée d'un enfant. Ne laissez jamais le fer à repasser allumé si vous sortez de la pièce. Quand le repassage est terminé, débranchez le fer et laissez-le refroidir hors d'atteinte d'un enfant.

Ne touchez jamais aux prises électriques avec les mains mouillées, car l'eau est un très bon conducteur de courant. Placez les prises électriques loin des arrivées d'eau (évier, lavabo) et des endroits humides. Ne placez pas non plus de prise près d'une cuisinière, car en branchant un appareil le fil pourrait s'enflammer.

Ne laissez jamais un petit enfant jouer avec un sac en plastique, il risquerait de s'étouffer en l'enfilant sur sa tête.

Ne posez jamais le couffin de bébé sur une table, car il risquerait de tomber en se balançant.

Beaucoup d'accidents sont dus

aux produits ménagers; ne laissez jamais sous l'évier de produits dangereux : soude caustique, essence de térébenthine, alcool à brûler, eau de Javel, décapant pour four ou w.-c.; la plupart de ces produits sont des poisons, certains créent des lésions oculaires ou cutanées, et d'autres sont extrêmement inflammables. Ils doivent donc être rangés dans un endroit fermant à clé et hors de portée des enfants.

N'entreposez jamais de produits de ménage avec de la nourriture ou dans des récipients en ayant contenu, comme des pots à confiture ou des gourdes. Les enfants pourraient penser qu'ils en contiennent encore et avaler le contenu.

UNE CASSEROLE PREND FEU. *Ne la déplacez pas. Éteignez le gaz et recouvrez-la d'un tissu mouillé.*

BARRIÈRES DE SÉCURITÉ. *Pour empêcher les très petits enfants de tomber dans les escaliers, placez-en en haut et en bas des escaliers.*

Quand vous utilisez une bombe aérosol, vaporisez toujours dans la direction indiquée (les gens dont la vue baisse doivent être spécialement prudents), et ne jetez jamais d'aérosol vide au feu, il pourrait exploser.

Ne mélangez jamais d'eau de Javel à un autre produit ménager, car il pourrait se dégager un gaz très toxique.

LES ESCALIERS

Apprenez aux tout-petits à descendre les escaliers sans danger, à reculons et à quatre pattes.

Vérifiez que les escaliers sont assez éclairés. Les ombres et les zones sombres peuvent induire en erreur une personne âgée et provoquer une mauvaise chute. Débarrassez les escaliers des jouets et autres objets. Faites attention aux tapis usés ou mal fixés pour éviter de glisser. Ne mettez jamais de porte vitrée en bas d'un escalier, car celui qui tombe dans l'escalier risque de s'écraser dessus et de se couper, en plus des autres blessures.

Si vous avez de jeunes enfants, évitez les rampes et balustrades, faites de barres horizontales. Elles incitent les enfants à y grimper comme sur une échelle; ils peuvent également se coincer la tête entre deux barreaux, et les bébés peuvent ramper sous la plus basse et tomber.

Les escaliers aux marches ouvertes, de type échelle, sont également dangereux : les jeunes enfants peuvent glisser et tomber entre les marches, et les gens âgés, se sentant en insécurité, perdre l'équilibre et tomber.

LA SALLE DE BAINS ET LES TOILETTES

Si vous avez un chauffe-eau à gaz moderne, il doit avoir un système d'aération prévu vers l'extérieur, mais les vieux modèles utilisent l'air de la pièce; il faut donc toujours ouvrir une porte ou une fenêtre en faisant couler l'eau chaude, sinon vous risquez une intoxication à l'oxyde de carbone. Dans les deux cas (chauffe-eau ancien ou récent), il faut faire vérifier régulièrement l'installation par un employé de la compagnie de gaz.

Si vous disposez d'un système d'aération ou de ventilation à travers un mur ou une fenêtre, assurez-vous régulièrement qu'il n'est pas sale ni obstrué.

Ne vous servez jamais, dans une salle de bains, d'un appareil électrique portatif comme un radiateur électrique ou un sèche-cheveux, car l'humidité est un excellent conducteur d'électricité et le corps mouillé est particulièrement vulnérable à l'électrocution. Une exception pour les rasoirs électriques, qui sont conçus avec une isolation spéciale de la prise.

L'EAU DU BAIN. *Il faut toujours faire couler l'eau froide d'abord, au cas où l'enfant tomberait accidentellement ou grimperait pendant que vous ne le voyez pas, car il risquerait d'être ébouillanté par le bain brûlant.*

Un radiateur électrique de salle de bains devrait être muni d'une grille de protection et d'un cordon que l'on tire pour la mise en marche, afin d'éviter tout contact direct entre la main et la prise.

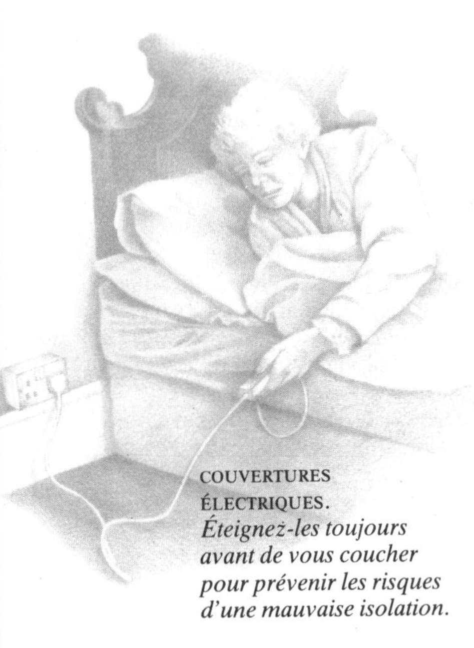

COUVERTURES ÉLECTRIQUES. *Éteignez-les toujours avant de vous coucher pour prévenir les risques d'une mauvaise isolation.*

Si vous avez des petits enfants, tous les médicaments doivent être tenus sous clé en permanence. Beaucoup de médicaments sont conditionnés dans des emballages avec fermeture de sécurité, ne pouvant être ouverts par un enfant; ne les transvasez pas dans une boîte d'ouverture plus facile. Jetez les médicaments périmés, surtout s'ils ont perdu leur étiquette et ne sont plus identifiables. Jetez-les dans les toilettes ou rendez-les au pharmacien.

Un enfant peut se noyer dans très peu d'eau. Ne laissez donc jamais un bébé ou un très petit enfant seul dans la salle de bains. Si l'on frappe à la porte ou si le téléphone sonne, enveloppez-le dans une serviette et prenez-le avec vous.

Pour empêcher les enfants et les personnes âgées de glisser dans la baignoire, posez des tapis antidérapants au fond et une barre d'appui au mur. Des organismes spécialisés peuvent conseiller les handicapés sur les aménagements possibles.

Placez les verrous des toilettes et salles de bains hors de portée des enfants, et enlevez les clés pour éviter qu'ils s'enferment à l'intérieur.

LA CHAMBRE

Ne mettez jamais un bébé au lit avec quelque chose pouvant s'enrouler autour de son cou, comme un ruban sur un gilet ou une tétine attachée par un cordon. Pas de mouchoirs en papier.

Pour éviter les brûlures, ne laissez jamais une bouillotte dans le lit d'un enfant ou d'une personne âgée.

Suivez toujours le mode d'emploi quand vous utilisez une couverture électrique. Pliez-la sans la serrer et ne posez rien dessus pour ne pas endommager le système d'isolation. Faites vérifier les couvertures électriques tous les deux ans par le fabricant et n'en achetez jamais d'occasion.

Un radiateur électrique dans la chambre d'un enfant ou d'une personne âgée doit toujours être fixé au mur. Si vous avez un radiateur électrique dans la pièce, évitez les vêtements de nuit trop amples et légers; préférez les pyjamas aux chemises de nuit et choisissez des tissus ininflammables.

Il est dangereux de fumer au lit, surtout s'il s'agit d'une personne âgée ou de quelqu'un ayant absorbé de l'alcool ou des somnifères avant de se coucher.

A L'EXTÉRIEUR DE LA MAISON

Pour les tout petits enfants, l'eau est aussi dangereuse dans le jardin que dans la salle de bains. Si vous avez un bassin, transformez-le en bac à sable ou recouvrez-le d'un solide filet pour éviter que les enfants se noient en y tombant.

COMMENT ÉVITER L'ASPHYXIE DANS LE BERCEAU. *Les petits bébés risquent de s'étouffer dans leur lit, car ils ne peuvent pas se retourner facilement. Ne donnez jamais d'oreiller à un enfant de moins de douze mois; pour les enfants un peu plus âgés, les magasins vendent des oreillers spécialement conçus.*

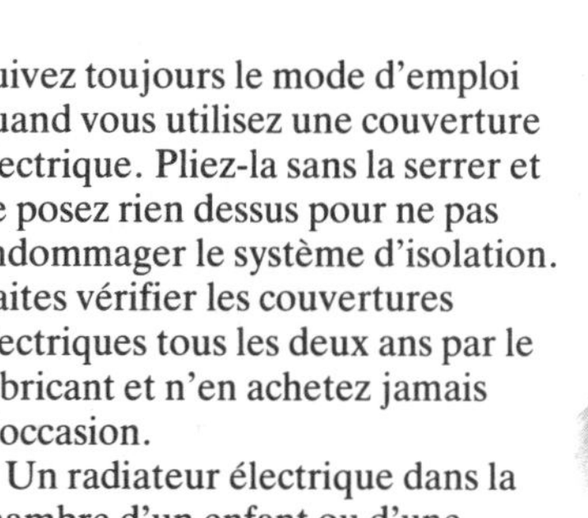

FILET DE PROTECTION. *Recouvrez d'une mousseline le landau ou le berceau dans le jardin, pour éviter que les insectes ne piquent le bébé. De plus, assurez-vous régulièrement qu'un chat ne rôde pas autour du landau : il pourrait se coucher sur la tête du bébé et l'étouffer.*

Tous les outils de jardin coupants sont dangereux, surtout pour les enfants; quand vous les avez utilisés, rangez-les donc dans une remise fermée à clé.

L'accident le plus fréquent, avec les tondeuses à gazon, survient quand l'utilisateur oublie que les lames continuent à tourner quelques minutes après l'arrêt.

Les outils électriques sont souvent utilisés dans l'humidité; il faut donc les manipuler avec encore plus de précautions que les appareils électriques dans la maison. Il faut toujours débrancher un appareil électrique avant d'effectuer une réparation.

CONDUITE A TENIR DEVANT UNE BLESSURE

Voir chapitre LES URGENCES.

CONDUITE A TENIR EN CAS D'INTOXICATION
N'attendez pas l'apparition de troubles pour consulter. Appelez immédiatement votre médecin traitant ou un service d'urgence de l'hôpital le plus proche.
Attendez un avis médical avant tout traitement. Faire vomir par exemple n'est pas toujours souhaitable : l'eau de Javel, dans ce cas, créerait des brûlures supplémentaires.
En attendant, calmez et allongez le patient. Ne le laissez ni manger ni boire.

ÉTAGÈRES EN HAUTEUR. *La remise du jardin peut contenir des produits toxiques comme l'essence de térébenthine, les décapants, l'essence, les herbicides et les insecticides, la mort-aux-rats, etc. Rangez-les donc sur une étagère haute, et dans leur emballage d'origine, pour ne pas les confondre avec des produits inoffensifs.*

Comment éviter un incendie à la maison

☐ Rangez toujours les allumettes hors de portée des enfants, de préférence dans un placard fermé à clé, car un enfant décidé prendra une chaise pour atteindre le placard.

☐ Jetez toujours les cigarettes dans un cendrier, et non pas dans une corbeille à papiers pouvant contenir des matériaux inflammables.

☐ Souvenez-vous qu'il est dangereux de fumer au lit, surtout après avoir absorbé alcool ou somnifères.

☐ Entretenez régulièrement vos appareils et installations électriques. Faites rénover les installations vétustes.

☐ Ne surchargez pas vos prises avec des prises multiples; vous pouvez mettre le feu à l'installation. Faites plutôt poser des prises plus nombreuses.

☐ Si vous achetez d'occasion un four à gaz ou électrique, faites-le réviser par un technicien avant de l'installer.

☐ Ne laissez jamais un enfant seul dans une pièce avec un feu.

☐ Ne séchez jamais vos vêtements sur un radiateur à convection, à accumulation, ou devant une cheminée.

☐ Ne rangez pas les chiffons ou les vieux journaux près d'un feu ou d'un radiateur.

☐ Tenez à distance des feux et des radiateurs les meubles, les rideaux et la literie.

☐ Éloignez des portes les radiateurs à pétrole; ils risqueraient d'être renversés.

☐ Ne déplacez jamais les appareils de chauffage au pétrole quand ils sont allumés, et éteignez-les avant de les remplir.

☐ Rangez le pétrole hors de la maison.

☐ Faites réviser régulièrement vos appareils à gaz par les services compétents, car il y a risque d'intoxication par l'oxyde de carbone quand les conduits d'aération sont obstrués.

☐ Si vous utilisez du combustible solide, faites ramoner votre cheminée tous les ans.

☐ Ne mettez pas trop haut les chauffages à combustible solide (poêle à bois ou à charbon), pour éviter les projections de suie enflammée ou de braises incandescentes.

☐ Fermez les portes intérieures pendant la nuit, au cas où le feu prendrait.

PARE-FEU. *Installez des pare-feu autour de tous les foyers ouverts, cheminées par exemple. Il doit protéger toute la structure et pas seulement le feu; être solidement fixé au mur pour ne pas être arraché par un enfant et à une distance suffisante du foyer pour qu'il ne puisse pas introduire et enflammer un morceau de papier.*

ACCOUCHEMENT

Expulsion hors des voies génitales maternelles du fœtus et du placenta, à partir du sixième mois de grossesse (avant le terme de six mois, on parle d'avortement, car le fœtus n'est pas viable).

Voir MATERNITÉ

ACHALASIE

Trouble du fonctionnement d'un sphincter (muscle en forme d'anneau), qui ne se relâche pas lors de l'arrivée des ondes de contraction de l'organe qui le précède. La conséquence est une dilatation de l'organe situé en amont de cet obstacle fonctionnel (par exemple, mégacôlon, mégaœsophage).
Voir aussi MÉGACOLON CONGÉNITAL

ACHALASIE DU CARDIA

Normalement, l'arrivée des aliments dans l'œsophage déclenche une onde de contraction musculaire qui progresse de haut en bas, poussant ainsi les aliments vers l'estomac. Le cardia, qui est le sphincter situé entre la partie inférieure de l'œsophage et l'estomac, est fermé en position normale; il doit alors se relâcher pour laisser passer les aliments. Dans l'achalasie, le sphincter et les muscles œsophagiens se dilatent mal ou pas du tout à l'arrivée des aliments, qui stagnent dans l'œsophage. La conséquence en est une dilatation de l'œsophage : c'est le mégaœsophage.

Symptômes
- Difficulté à avaler les liquides et les solides, d'abord intermittente et partielle, puis permanente et accompagnée de régurgitations. Les aliments sont ressentis comme une gêne derrière le sternum, avec parfois des douleurs thoraciques plus ou moins fortes.
- Régurgitation de salive et d'aliments non digérés.
- Enfin, le passage d'aliments dans les poumons peut être la source d'infections pulmonaires (abcès, bronchite, pneumopathies), surtout quand le malade est couché.

Causes
- Inconnues.

Complications
- PNEUMONIE, DILATATION DES BRONCHES.
- Dénutrition et risques plus grands de CANCER DE L'ŒSOPHAGE.

Traitement à domicile
- Faire des repas fréquents en restant debout.
- Boire souvent, en petites quantités.

Quand consulter le médecin
- Si l'un des symptômes décrits persiste plus d'une semaine.

Rôle du médecin
- Éliminer une cause plus grave (par exemple, un cancer de l'œsophage) grâce à la fibroscopie.
- La radiologie montrera l'anomalie de motricité du sphincter et une dilatation œsophagienne parfois monstrueuse en amont.
- Le traitement chirurgical (section d'une partie du muscle) ou mécanique (dilatation progressive du sphincter) donne de bons résultats.

Prévention
- Il n'en existe aucune.

ACIDE DÉSOXYRIBO-NUCLÉIQUE (A.D.N.)

Composant essentiel du noyau de la cellule vivante, l'A.D.N. contient l'information génétique transmettant les caractères des parents aux enfants. Il est formé de deux spirales identiques portant les gènes qui détermineront les caractères génétiques. Lors de la division cellulaire, la cellule mère est scindée en deux, les deux spirales se séparent, et chacune servira de modèle pour reconstituer une cellule fille identique.

ACNÉ

C'est la plus fréquente des affections cutanées. Elle est surtout observée à la période pubertaire, mais également chez l'adulte, et entraîne un malaise sur le plan esthétique souvent mal supporté à un âge où l'apparence physique tient beaucoup de place. Elle atteint surtout le visage, mais aussi les épaules, le dos et la poitrine. Elle résulte d'une obstruction du follicule pilo-sébacé, avec rétention de sébum et possibilité de surinfection de la glande sébacée.

Symptômes
- Microkystes (points blancs). Comédons (points noirs).
- Papules inflammatoires et pustules.
- Kystes et nodules inflammatoires dans les cas sévères, laissant souvent des cicatrices inesthétiques et persistantes, après la guérison des poussées.

Durée
- Le nombre des lésions peut varier d'une semaine à l'autre, avec souvent des poussées prémenstruelles chez la femme.
- La guérison survient souvent vers l'âge de vingt ans,

Conseils si vous avez de l'acné

☐ Laver le visage avec un savon médical ou une lotion détergente, plus efficaces qu'un savon ordinaire.

☐ Utiliser les lotions spécialisées et les crèmes asséchantes, qui sont souvent utiles.

☐ S'assurer que le chocolat, les sucreries ou les graisses n'aggravent pas les boutons. Suivre un régime équilibré, avec beaucoup de légumes et de fruits frais.

☐ Consulter son médecin. Il existe beaucoup de traitements différents efficaces.

☐ Noter que les boutons paraissent toujours plus importants à soi-même qu'aux autres.

☐ Ne pas porter de frange, car le contact des cheveux avec la peau est nocif pour l'acné. Se laver régulièrement les cheveux.

☐ Ne pas utiliser de produits gras pour cacher ses boutons, et éviter les cosmétiques trop riches. Le pharmacien saura conseiller les crèmes les mieux adaptées.

☐ Ne pas presser les boutons, car on risque de les enflammer et d'entraîner des cicatrices. Un gros point noir peut être ôté avec un tire-comédon sur un visage bien nettoyé.

☐ Ne pas être impatient si le traitement n'est pas immédiatement efficace, car il peut demander des semaines ou des mois pour agir.

toutefois la persistance chez l'adulte n'est pas rare.
Causes
• Il n'y a pas de cause unique connue. L'hérédité, les hormones sexuelles, l'hygiène et le régime jouent chacun un rôle.
Complications
• Cicatrices.
• Préjudice esthétique avec également retentissement psychologique.
Traitement à domicile
• Lavages réguliers avec un savon dermatologique ou une lotion détergente et rinçage à l'eau chaude. Cette action antiseptique et antiséborrhéique évite le blocage des pores par le sébum.
• Les lotions antiacnéiques à base de vitamine A et les crèmes dégraissantes sont souvent utiles. *Voir* MÉDICAMENTS, n° 43.
• Le soleil est bénéfique dans les grosses acnés du dos, mais il est à déconseiller pour les acnés du visage, car, après une amélioration passagère, il provoque une recrudescence des symptômes.
Quand consulter le médecin
• S'il n'y a pas d'amélioration malgré les traitements précédents.
• Si les lotions spécifiques sont mal tolérées.
• S'il existe des nodules ou des kystes, car non traités ils peuvent laisser des cicatrices.
Rôle du médecin
• Prescrire une lotion différente.
• Prescrire des antibiotiques dans les cas sévères, généralement pendant au moins trois mois.
• Donner des conseils de régime.
• Donner des traitements locaux antiacnéiques.
Prévention
• Le traitement est seulement suspensif et ne guérit pas définitivement. Les cicatrices peuvent être évitées par un traitement précoce.
Pronostic
• Quel que soit l'âge de l'apparition de l'acné, l'évolution se fera vers l'amélioration à plus ou moins long terme.

Voir LA PEAU, *page 52*

ACOUPHÈNES

Terme médical pour désigner les bourdonnements d'oreille, c'est-à-dire des bruits perçus par le malade (sifflements, tintements, bourdonnements), mais n'ayant aucune source extérieure.

Les causes sont très nombreuses : bouchon de CÉRUMEN, OTITE MOYENNE, VERTIGE DE MÉNIÈRE, SURDITÉ, OTOSCLÉROSE, HYPERTENSION ARTÉRIELLE, ou abus de certains médicaments tels que l'aspirine ou la quinine; enfin, rarement, un NEURINOME du nerf acoustique. Les acouphènes sont parfois amplifiés par des facteurs psychologiques comme l'ANXIÉTÉ ou la DÉPRESSION; ils peuvent également être un signe avant-coureur d'une crise d'ÉPILEPSIE ou d'une SYNCOPE. Chez les personnes âgées, il s'agit souvent d'une surdité due au vieillissement, sans traitement efficace.

Il n'y a pas grand-chose à faire en général, sauf pour une cause banale comme le cérumen. Mais même si l'on pense que ces symptômes sont provoqués par l'anxiété, ils doivent toujours être signalés au médecin le plus tôt possible. En effet, ils peuvent, d'une part, être le signe d'une maladie grave et non d'un phénomène d'anxiété et, d'autre part, le médecin rassurera le malade sur la cause réelle de ses symptômes, rompant ainsi le cercle vicieux de l'anxiété chronique. Le médecin expliquera que les acouphènes ont toujours une cause physique et il aidera son patient à les supporter.

Dans certains cas, comme par exemple le vertige de Ménière, l'intensité des sifflements peut être diminuée par la prise de certains médicaments.

ACROCYANOSE

Déficiences circulatoires des extrémités du corps (mains, doigts, pieds et orteils) des femmes jeunes. Trouble bénin mais plus accentué par temps froid.
Symptômes
• Ce n'est pas douloureux, mais les doigts et les mains sont bleus et froids, avec de petits picotements.
Durée
• Elle est longue, mais les symptômes s'atténuent avec le temps.
Causes
• Les petits vaisseaux des mains et des pieds sont anormalement sensibles au froid et se contractent. Le mécanisme est inconnu.
Traitement à domicile
• Garder les mains et les pieds au chaud.
Quand consulter le médecin
• Si les symptômes persistent et deviennent gênants.
Rôle du médecin
• S'assurer que ce symptôme ne cache pas un trouble plus grave.
Prévention
• Protéger les mains et les pieds du froid.
Pronostic
• Bon, mais cette affection peut durer des années.

ACROMÉGALIE

Maladie due à une hypersécrétion, par un adénome de l'hypophyse, petite glande située dans le cerveau, d'hormone somatotrope (hormone de croissance). Elle entraîne un épaississement de la peau et des extrémités (mains et pieds), des troubles endocriniens (diabète), une hypertension artérielle. Le traitement consiste à détruire la tumeur par radiothérapie ou ablation chirurgicale. Cette affection survient après l'arrêt de la croissance normale. Chez l'enfant, la même cause provoque le gigantisme.

ACROPARESTHÉSIE

Intense picotement ou sensation de fourmillement dans les extrémités (doigts ou orteils). Cette sensation peut être provoquée par la compression d'un nerf lors d'une mauvaise position pendant le sommeil. Plus rarement, elle sera le signe d'une compression nerveuse, comme dans le syndrome du CANAL CARPIEN, d'une affection du système nerveux ou d'un trouble du système circulatoire, comme le syndrome de RAYNAUD. L'acroparesthésie est plus fréquente chez les femmes, et l'on pense qu'elle est en relation avec les sécrétions hormonales féminines.

Voir CANAL CARPIEN (SYNDROME DU)

ACUPUNCTURE

Méthode utilisée pour l'anesthésie, l'analgésie ou le traitement de certaines maladies, grâce à l'introduction d'aiguilles métalliques (alliage d'argent, acier inoxydable) introduites, puis remuées sur place de temps en temps dans certains points précis du corps. Cette technique a été décrite pour la première fois il y a 4 500 ans, par les scribes chinois. Elle est aujourd'hui pratiquée par un million environ de thérapeutes chinois, et son utilisation, en association avec la médecine traditionnelle, va sans cesse croissant en Amérique du Nord, Europe occidentale, Japon, U.R.S.S. et ailleurs.

Les acupuncteurs pensent que cette méthode peut guérir ou soulager de nombreux troubles physiques et mentaux; en particulier : migraine, ulcères et autres troubles digestifs, lumbago, arthrose, douleurs articulaires, entorses, névralgies, sciatique, rhumatismes, dermatoses, eczéma, asthme, bronchite, dépression, anxiété. Mais ils reconnaissent que l'acupuncture ne peut rien contre les affections incurables par la médecine traditionnelle (certains cancers) ou les fractures osseuses. Ils pensent aussi que l'acupuncture devrait être associée à d'autres thérapeutiques, tels les massages, l'hydrothérapie, un régime alimentaire et l'exercice physique. Enfin, il faut reconnaître que sur certaines personnes (une sur cinq), l'acupuncture n'a aucun effet.

LES CHINOIS S'INTERROGENT

En Occident, un nombre croissant de praticiens de médecine traditionnelle ajoutent l'acupuncture à leurs compétences. Plusieurs chirurgiens et médecins éminents ont approuvé publiquement cette technique, et des délégations d'Occidentaux sont allées en Chine pour assister à d'importantes interventions chirurgicales avec l'acupuncture comme seul anesthésique. Quoi qu'il en soit, les Chinois eux-mêmes ont à présent certains doutes sur l'authenticité de ces démonstrations. En dépit de la caution médicale donnée par des experts qualifiés et des succès obtenus par cette technique, les scientifiques restent généralement sceptiques. La conception classique repose sur une forme d'hypnose ou de suggestion. Elle est confirmée par le fait qu'elle semble plus efficace sur les Chinois et autres Orientaux, dont elle fait partie intégrante de la culture, que sur les Occidentaux. Mais à l'inverse, des expérimentateurs l'ont utilisée avec succès pour traiter des animaux qui ne sont pas sensibles à ce facteur.

La conception chinoise traditionnelle part du principe que des forces vitales négatives et positives, appelées le yin et le yang, sont en équilibre dans le corps de tout organisme bien portant physiquement et moralement. En cas de maladie, l'équilibre des forces de vie est rompu. La guérison survient dès que l'équilibre est rétabli.

MÉRIDIENS

Les Chinois pensent que les forces de vie circulent dans le corps en empruntant des trajets bien déterminés : les méridiens. Ils sont au nombre de vingt-six, chacun correspondant à un organe précis ou une fonction différente. Le méridien du foie, par exemple, va du gros orteil gauche au sein gauche, en passant par le genou et l'aine. Un professeur coréen prétend avoir obtenu les preuves anatomiques et photographiques de l'existence des méridiens, qui forment, dit-il, un réseau voisin mais bien distinct des systèmes circulatoire et nerveux.

Le long de chaque méridien, il y a plusieurs points que l'on peut stimuler (aiguilles ou électricité) pour traiter l'organe ou la fonction correspondant à ce méridien. D'après la théorie classique, l'aiguille freine l'excès de force vitale du méridien et rétablit ainsi l'équilibre.

Une variante de l'acupuncture : la digipuncture ou *shiatsu*, développée au Japon, utilise le massage ou la pression des doigts sur les points d'acupuncture, à la place des aiguilles.

Les thérapeutes ont identifié environ huit cents points dans le corps, mais certains pensent qu'il y en a près de mille. Le choix de l'emplacement des aiguilles, qui en principe sont indolores, leur taille et leur nombre sont guidés par la prise de plusieurs pouls, principalement au niveau du poignet. L'acupuncteur analyse les pouls, et un praticien entraîné prétend être capable de détecter des modifications dans le flux d'énergie corporelle du patient avant même qu'une maladie soit déclarée. Dans ce cas, il serait possible de prévenir certaines maladies.

RÉPONSE CULTURELLE

En Occident, le principal intérêt médical de l'acupuncture a d'abord été son utilisation pour soulager la douleur. Les analgésiques chimiques comportent en effet certains risques pour les patients; c'est pourquoi les recherches donnent la priorité à toute solution non médicamenteuse. Mais en réalité, les plus sérieuses études chinoises sont arrivées à la conclusion qu'en Occident l'acupuncture n'aura jamais d'autre utilisation que marginale. Une réponse qui confirme l'opinion selon laquelle le Chinois est d'autant plus réceptif à l'acupuncture que sa culture lui suggère qu'il doit l'être.

L'efficacité de l'acupuncture dans le traitement des différentes formes de toxicomanie a été testée en Occident. Les premiers résultats indiquent que l'application d'énergie électrique, ou l'implantation, dans un point précis du lobe de l'oreille, d'une pièce métallique laissée en place pendant des jours et même des semaines peuvent réduire significativement la douleur et l'anxiété causées par la privation de certaines drogues comme l'héroïne. Ce traitement est actuellement utilisé dans la désintoxication des fumeurs et des alcooliques.

Voir ALCOOLISME, TABAC (RISQUES LIÉS AU)

ADDISON (MALADIE D')

Affection très rare où l'organisme ne peut plus faire face aux contraintes vitales par insuffisance de sécrétion des hormones surrénales : en effet, celles-ci règlent le métabolisme des sucres, des protéines, des graisses, et aussi de l'eau et du sel. Des hormones sexuelles sont également sécrétées par ces glandes.

Symptômes

- Ils sont d'apparition très lente et donc de diagnostic difficile au début.
- Asthénie physique et sexuelle croissante, pouvant aller jusqu'à l'épuisement.
- Perte de l'appétit, nausées et douleurs abdominales.
- Hypotension artérielle avec vertiges en position debout.
- Hyperpigmentation de la peau (maladie bronzée).
- Taches pigmentaires de la muqueuse buccale.
- Collapsus (brutale chute de tension) après une petite agression physique (infection, blessure).

Durée

- Elle est permanente, justifiant un traitement médicamenteux continuel.

Causes

- Destruction de la couche externe (cortex) des glandes surrénales par un processus d'auto-immunisation, c'est-à-dire une attaque de l'organisme contre ses propres constituants.
- Beaucoup plus rarement, il peut s'agir d'une infection tuberculeuse.

Complications

- INSUFFISANCE CARDIAQUE par hypotension artérielle.
- Infection sévère, telle une PNEUMONIE.

Traitement à domicile

- Aucun avant la confirmation du diagnostic. Ensuite, une collaboration étroite entre le patient et son médecin sera nécessaire, car le patient devra apprendre à moduler ses prises médicamenteuses en fonction de ses besoins.

Quand consulter le médecin

- Dès l'apparition d'un des symptômes ci-dessus.
- S'il apparaît un signe inhabituel ou un problème en cours de traitement.

Rôle du médecin

- Confirmer le diagnostic par les dosages hormonaux et adresser le patient à un spécialiste hospitalier.
- Si la maladie d'Addison est confirmée, un traitement substitutif hormonal sera prescrit pour remplacer les hormones naturelles surrénales déficientes. *Voir* MÉDICAMENTS, n° 32.

Pronostic
- Bon si le traitement est suffisamment précoce, sinon un éventuel collapsus cardio-vasculaire peut être mortel dans certains cas.

ADÉNITE

Inflammation d'un ganglion, généralement lymphatique, dans un contexte infectieux, et le plus souvent cervical, axillaire ou inguinal.

ADÉNITE MÉSENTÉRIQUE

Affection atteignant surtout les enfants. C'est une inflammation aiguë des ganglions lymphatiques proches de l'intestin, pouvant simuler une APPENDICITE aiguë, alors que l'appendice est intact. Elle est très souvent associée à une infection rhino-pharyngée.

Symptômes
- Abdomen sensible et douloureux.
- Fièvre et parfois vomissements accompagnant un rhume, une rhino-pharyngite ou une angine.

Durée
- De trois à dix jours.

Causes
- Vraisemblablement une infection virale.

Traitement à domicile
- Repos, mais pas obligatoirement au lit.
- Boire beaucoup et ne pas donner d'analgésiques.

Quand consulter le médecin
- Si les douleurs durent plus de quatre heures.
- Si, lors des douleurs, l'enfant semble anormalement malade ou vomit excessivement.

Rôle du médecin
- Examiner l'enfant si l'on craint l'appendicite.
- Prélever un échantillon d'urine pour rechercher une infection urinaire.
- Conseiller le repos et les boissons abondantes.

Prévention
- Il n'y en a pas.

Pronostic
- Excellent. Cette affection guérit totalement, sans traitement ni séquelles, mais la survenue d'autres accès semblables peut traduire une appendicite.

Voir SYSTÈME DIGESTIF, *page 44*

ADÉNOME

Tumeur bénigne (non cancéreuse) glandulaire qui peut se développer aux dépens de n'importe quelle glande de l'organisme. Elle peut être douloureuse si elle comprime les tissus environnants. Parfois, elle peut devenir maligne.

Voir CANCER

ADÉNOME PROSTATIQUE

La prostate est une glande située sous la vessie, traversée par l'urètre, et qui participe à la sécrétion du sperme. Chez l'homme ayant atteint la cinquantaine, des tumeurs bénignes peuvent se développer dans les glandes périurétrales proches de la prostate, formant l'adénome prostatique qu'on appelle à tort hypertrophie prostatique.

Symptômes
- Troubles de la miction (émission d'urine).
- Mictions fréquentes (pollakiurie), surtout la nuit, et peu abondantes.
- Impression que la vessie n'est pas totalement vide après chaque miction.
- Difficulté à uriner (pousser) et retard à l'apparition du jet, diminution de force du jet (qui souille les pieds).
- Érections spontanées, prolongées et douloureuses.
- Parfois, blocage urinaire total.

Durée
- Cet état peut se prolonger des années, avec seulement quelques symptômes légers, jusqu'à l'apparition de complications.

Causes
- Prolifération tumorale bénigne des glandes périurétrales.

Complications
- La gêne à l'évacuation de l'urine peut provoquer une rétention d'urine, des infections urinaires et une incontinence urinaire.
- Parfois, transformation de l'adénome en tumeur maligne. *Voir* CANCER DE LA PROSTATE.

Traitement à domicile
- En urgence, si la rétention d'urine est importante et gênante, se mettre dans un bain chaud pour uriner.

Quand consulter le médecin
- Quand les symptômes décrits deviennent gênants.
- Dans les vingt-quatre heures en cas d'incontinence.
- Immédiatement en cas de blocage urinaire total (rétention urinaire aiguë).

Rôle du médecin
- Examiner le malade (faire un toucher rectal).
- Demander un examen du sang et des urines.
- Adresser le patient à l'hôpital pour examens complémentaires et éventuellement envisager une intervention.

Prévention
- Éviter l'abus d'alcool.

Pronostic
- Bon en général, en l'absence de complications et avec traitement chirurgical, mais certains cas peuvent évoluer longtemps sans symptômes et sans traitement.

Voir ORGANES GÉNITAUX MASCULINS, *page 50*

ADÉNOME DU SEIN

Une tuméfaction plutôt molle disparaissant pour réapparaître quelques semaines plus tard est habituellement évocatrice d'un processus non cancéreux. Elle est dénommée par certains « la souris du sein » parce qu'elle file sous les doigts à la palpation.

Symptômes
- Une tuméfaction sensible et mouvante dans un sein.
- La tuméfaction augmente en volume et en sensibilité avant les règles pour disparaître après.
- Ces phénomènes peuvent être perçus dans les deux seins.

Durée
- Indéfinie jusqu'à la ménopause.
- Envisager une intervention chirurgicale pour s'assurer qu'il ne s'agit pas d'un cancer.

Causes
- Lié à des troubles de la sécrétion hormonale cyclique.
- Se rencontre surtout chez les femmes entre vingt et quarante ans, davantage chez celles qui n'ont pas nourri leur enfant ou encore qui n'en ont pas eu.

Traitement à domicile
- Port d'un soutien-gorge adéquat.

Quand consulter le médecin
- Dès qu'une tuméfaction est constatée dans un sein.

Rôle du médecin
- Il examine les deux seins et les deux creux de l'aisselle à la recherche d'un éventuel ganglion. Il peut proposer un examen après les prochaines règles.
- Il organise une consultation auprès du spécialiste.

• Il est quelquefois nécessaire de retirer la tumeur pour être certain qu'il ne s'agit pas d'un cancer.

Prévention

• Régularisation du cycle menstruel à l'aide de médicaments.

• Auto-examen des seins.

Pronostic

• Bon.

Voir ORGANES GÉNITAUX FÉMININS, *page 48*

ADHÉRENCE

Deux surfaces habituellement distinctes dans l'organisme sont collées entre elles. Peut être secondaire à une intervention chirurgicale (césarienne, appendicectomie), la cicatrisation anormale d'une blessure, un ulcère, une inflammation ou infection locales (salpingite, péritonite).

ADRÉNALINE

Hormone sécrétée par les surrénales. Sa sécrétion est déclenchée par la peur, le danger, la colère, un choc, ou toute émotion forte; elle passe alors rapidement dans la circulation, va accélérer les rythmes cardiaque et respiratoire, permettant aux muscles de travailler plus vite et plus longtemps, et préparant le corps à l'effort. On peut utiliser l'adrénaline naturelle ou synthétique, en injections, pour traiter l'asthme bronchique, les allergies sévères et certains autres cas.

AGE MENTAL

Il se mesure en comparant les performances intellectuelles d'un individu avec l'âge d'une personne moyenne ayant les mêmes capacités. Par exemple, un enfant de huit ans pouvant effectuer les mêmes performances qu'un sujet moyen de dix ans aura un âge mental de dix ans. Les mesures sont faites à l'aide de tests d'intelligence spécifiques.

Le Q.I. (quotient intellectuel) d'un enfant se calcule en multipliant son âge mental par cent, puis en divisant par son âge réel. Exemple : un enfant de dix ans ayant un âge mental de douze ans aura un Q.I. de 120.

Mais de nombreux aspects de l'intelligence sont impossibles à mesurer, et certaines personnes auront, par exemple, un Q.I. bas, mais un très bon sens pratique.

Voir MALADIES MENTALES, *page 33*

AGRANULOCYTOSE

Diminution importante du nombre de globules blancs sanguins, ou granulocytes, qui jouent un rôle primordial dans la lutte contre les infections. Les symptômes communs se manifestent par des ulcérations douloureuses de la bouche et de la gorge, et de la fièvre.

La cause habituelle en est une intoxication médicamenteuse, qui agit par sa toxicité sur la moelle osseuse productrice des globules blancs. Il faut arrêter le médicament responsable et traiter le patient avec de hautes doses d'antibiotiques. Parfois, une transfusion de globules sera nécessaire.

ALBINOS

Sujet incapable de synthétiser la mélanine, pigment noir colorant la peau, les cheveux et l'iris. Cette anomalie se traduit par une peau rosée, des poils et cheveux blancs et un iris rose. L'albinisme est une anomalie héréditaire rare. La coloration rose est due aux petits vaisseaux superficiels de la peau qui deviennent visibles en l'absence de mélanine.

ALCOOLISME

Les gens pensent volontiers qu'ils supportent l'alcool : une bouteille de bière, ou une bouteille de vin pendant les repas et un digestif après, et à l'occasion un petit verre avec les collègues ou les amis. En restant dans ces limites, l'alcool ne posera aucun problème sérieux à la majorité des gens. Il les détend et les rend plus sociables. Mais après quelque temps, certaines personnes ne peuvent plus s'arrêter. Elles boivent de plus en plus, pour obtenir un soulagement psychologique, le sentiment temporaire d'un bien-être physique, ou parce que, sans alcool, elles se sentent déprimées.

Les grands buveurs, qu'ils boivent régulièrement ou en prenant des « cuites » entrecoupées par des périodes d'abstinence, risquent de rencontrer des problèmes sociaux et de santé; éventuellement de devenir de véritables alcooliques. La limite dangereuse est atteinte quand l'individu ne peut pas ou ne veut pas dire « non » à lui-même ou à ceux avec lesquels il boit.

Plus tard, il boira en cachette, dissimulera ses bouteilles à la maison et refusera de parler de ce problème à qui que ce soit. A ce stade, il est probablement un véritable alcoolique. Quelle que soit l'attitude adoptée par l'alcoolique, il est physiquement ou psychologiquement dépendant de sa boisson. Sans elle, il est incapable d'affronter la vie, ses problèmes et ses défis. La dépendance physique s'observe lorsque l'apport d'alcool est brutalement interrompu ou diminué. Elle se traduit par divers symptômes d'abstinence, dont des crises proches des crises d'épilepsie, des hallucinations (souvent à thème d'animaux), les délires et tremblements du DELIRIUM TREMENS.

La dépendance psychologique se révèle quand une personne intelligente et raisonnable s'obstine à boire de façon excessive, tout en sachant parfaitement que l'alcool est une drogue qui lui fait un tort important et probablement durable.

DIFFÉRENTS TYPES D'ALCOOLISME

Les statistiques portant sur toutes les données concernant l'alcool (consommation d'alcool, condamnation pour ivresse, admission dans un hôpital pour alcoolisme, conduite en état d'ivresse, source d'infractions ou d'accidents de la route, décès dû à une maladie liée à l'alcoolisme, comme la cirrhose du foie) montrent que l'alcoolisme est un fléau dont les conséquences (accidents, maladie, hospitalisation) pèsent lourd sur le budget de la santé, et qui a nettement augmenté depuis le début du siècle. Un ensemble de facteurs déterminent cette augmentation de l'alcoolisme : une plus large tolérance sociale pour les grands buveurs, un niveau de vie plus élevé, particulièrement parmi les femmes et les jeunes, la vente d'alcool plus généralisée dans les supermarchés et les magasins d'alimentation, autant que chez les marchands de vins, alcools et spiritueux.

De ce fait, l'on rencontre des alcooliques des deux sexes, de toute catégorie sociale et de tout âge.

Il y a différentes formes d'alcoolisme, et un professeur américain, Jellinek, pionnier de l'approche scientifique de ce problème, décrit cinq types d'alcoolisme. L'on peut en trouver deux ou plus chez la même personne, et il n'existe pas d'alcoolique type.

Type 1 (alcoolisme alpha) : le buveur a un problème psychologique important, comme une dépression ou de l'anxiété, et il boit exagérément pour essayer de le surmonter.

Type 2 (alcoolisme bêta) : le buveur n'est pas nécessairement dépendant de l'alcool, mais sa consommation permanente et régulière le conduit vers une dégradation physique et mentale, induisant par exemple une CIRRHOSE DU FOIE, une POLYNÉVRITE ou une DÉMENCE.
Type 3 (alcoolisme gamma) : il se caractérise par le fait que le buveur peut s'abstenir d'alcool durant de longues périodes, mais dès qu'il commence à boire, il lui est très difficile, voire impossible, de s'arrêter, et les un ou deux verres qu'il s'était fixés se multiplient rapidement. De plus, les périodes d'abstinence deviennent de plus en plus courtes et rares. Ce type d'alcoolisme se rencontre plutôt en Angleterre et en Amérique du Nord, car la réprobation sociale y est plus importante que dans les pays buveurs de vin.
Type 4 (alcoolisme delta) : le buveur n'est jamais réellement ivre, mais se maintient en forme en buvant des petites quantités d'alcool toute la journée, et ne peut rompre cette habitude. Ce type se rencontre plus souvent dans les pays buveurs de vin comme la France et la Suisse, où les lois concernant les débits de boisson sont libérales.
Type 5 (alcoolisme epsilon) : appelé jadis dipsomanie, il concerne le buveur qui ne boit qu'épisodiquement. Son besoin d'alcool ne sera satisfait que quand il aura perdu le contrôle de lui-même, allant jusqu'au coma. L'alcoolique epsilon est sobre la plupart du temps, à l'inverse de l'alcoolique gamma qui est presque toujours ivre.

ALCOOLISME : UNE MALADIE

En dépit des dangers de chacun de ces cinq types, Jellinek considère que seuls les alcoolismes gamma et delta donnent lieu à une dépendance physique et mentale. Il pense que les alcoolismes gamma et delta sont des maladies à cause des modifications physiques survenant dans les métabolismes cellulaires et les processus chimiques des buveurs.

L'un des moyens les plus simples et les plus rapides pour déterminer si quelqu'un est alcoolique ou est en train de le devenir est le test suivant. Il a été introduit en 1974 par l'Association de psychiatrie américaine, et consiste en quatre questions :

1. Le buveur a-t-il toujours le sentiment qu'il devrait diminuer sa consommation d'alcool ?
2. Est-il toujours contrarié quand on met en cause sa boisson ?
3. Se sent-il parfois coupable lorsqu'il boit ?
4. Doit-il toujours prendre un verre avant de commencer sa journée, pour calmer ses nerfs ou atténuer sa « gueule de bois » ?

Si la personne répond « oui » à toutes ces questions, ou même uniquement à la quatrième, alors il y a une forte probabilité pour qu'elle soit alcoolique. Si elle ne répond « oui » qu'à une ou deux questions, elle devrait surveiller sa consommation d'alcool.

LES NOUVEAUX ALCOOLIQUES

Il y a une trentaine d'années, les alcooliques étaient des hommes, généralement de plus de quarante ans. Mais ces données ont changé et la proportion de femmes qui boivent par rapport aux hommes a doublé entre 1950 et 1980, passant de une pour quatre à une pour deux hommes en 1980. Les femmes particulièrement prédisposées sont celles qui travaillent et souffrent d'un conflit d'identité dans lequel elles se demandent si la carrière choisie leur convient ou si elles auraient eu plus de satisfactions en restant simplement épouses et mères. On rencontre également les femmes d'âge moyen, seules, dont les enfants ont grandi et quitté la maison, femmes d'intérieur qui n'ont embrassé aucune profession et dont les maris sont pris par leur carrière.

Le problème de l'alcoolisme ne se limite pas aux adultes, mariés ou non, mais touche également les jeunes, et même les écoliers. L'augmentation de l'alcoolisme chez les jeunes est, avec la drogue, l'un des phénomènes sociaux les plus préoccupants de ces dernières années. Les facteurs sont multiples, mais la publicité a certainement joué un rôle important en assimilant celui qui boit à un personnage viril ou à un intellectuel.

LES DANGERS DE L'ALCOOLISME

L'alcoolisme peut affecter la vie des gens dans quatre domaines : mental, physique, professionnel et familial.
Dépression mentale. Les maladies mentales les plus fréquentes chez les alcooliques sont : l'anxiété, la tension nerveuse et la dépression. Elles peuvent être la conséquence de la boisson elle-même, de soucis d'argent, de sentiments de culpabilité et d'insécurité ou de l'ensemble de ces facteurs. Cependant l'anxiété, la tension nerveuse et la dépression peuvent avoir été la cause de l'alcoolisme; c'est pourquoi il est souvent difficile d'identifier la véritable cause. Chez 10 pour 100 des alcooliques, des affections plus sévères peuvent survenir avec la progression de l'alcoolisme. L'alcoolique peut être sujet aux PHOBIES, avoir des visions (représentant souvent des animaux) ou entendre des voix et des bruits imaginaires (*voir* HALLUCINATIONS), montrer des signes de SCHIZOPHRÉNIE, de PARANOÏA, être l'objet d'un DÉLIRE, avoir des troubles de la mémoire et de la pensée, et une perte du contact avec la réalité.

Certains alcooliques développent le syndrome de KORSAKOFF, décrit au XIXe siècle par le neurologue russe Sergei Korsakoff, dans lequel le sujet présente d'importantes pertes de mémoire qu'il tente inconsciemment de cacher en racontant des histoires d'expériences imaginaires.

Une démence éthylique (due à l'alcool) peut survenir. C'est une détérioration intellectuelle irréversible, dans laquelle les troubles de la mémoire, de la compréhension et du jugement sont identiques à ceux de la DÉMENCE SÉNILE.

Si l'alcoolique est privé d'alcool, il présente un syndrome de manque, avec des hallucinations, des tremblements et, pire que tout, un DELIRIUM TREMENS. Celui-ci se manifeste par une agitation très importante, une désorientation dans le temps et l'espace, et des hallucinations visuelles effrayantes.
Dégradation physique. Le système nerveux central et le foie sont les parties du corps les plus sensibles aux effets de l'alcool, donc les plus souvent touchées. L'atteinte du système nerveux se traduit par une POLYNÉVRITE, avec douleurs et fourmillements dans les jambes, atrophie des muscles de la cuisse et, à un stade plus avancé, impossibilité de lever le pied vers le haut, par atrophie des muscles relevant les orteils; le malade paraît ainsi marcher sur un matelas de plume. Plus grave est l'encéphalopathie de Wernicke, du nom d'un neurologue allemand, Karl Wernicke, dans laquelle le cerveau est atteint de lésions irréversibles; le malade ne tient plus sur ses jambes, souffre de confusion mentale et présente une faiblesse des muscles oculaires.
Problèmes professionnels. Après un certain temps, de nombreux alcooliques constatent qu'ils ne font plus leur travail aussi bien qu'auparavant, ou qu'ils sont plus souvent absents pour récupérer après avoir trop bu. En conséquence, ils risquent de perdre leur emploi et de boire encore plus pour compenser.
Problèmes familiaux. L'alcoolisme d'un membre d'une famille peut toucher tous les autres. Les maris, femmes ou enfants d'alcooliques sont souvent anxieux ou dépressifs et peuvent également présenter des symptômes physiques. Bien que la plupart des alcooliques tentent d'être de bons parents et époux, ils risquent, après avoir bu, de se livrer à des violences verbales et même physiques contre les membres de leur famille. Certains alcooliques présentent une jalousie paranoïde dans laquelle le sujet est intimement persuadé de l'infidélité de son partenaire et peut devenir violent en essayant de justifier ses soupçons.

En plus des préjudices physiques et moraux, la famille peut être confrontée à des problèmes financiers parce que l'alcoolique aura perdu son travail ou dépensé son salaire en boissons. Des problèmes sexuels comme l'impuissance et la frigidité sont fréquents chez les buveurs. Un besoin d'argent permanent pour acheter des boissons peut conduire certains alcooliques au crime, et les effets dépressifs de l'alcool en poussent d'autres au suicide ou aux tentatives de suicide.

LÉSIONS CÉRÉBRALES

La scintigraphie cérébrale pratiquée chez les gros buveurs a mis en évidence certaines modifications, comme un élargissement des ventricules cérébraux et une atrophie du cortex cérébral (matière cérébrale), qui peuvent survenir à un stade précoce de l'intoxication éthylique. La signification de ces modifications n'est pas totalement expliquée. Les troubles observés dans le système nerveux (polynévrites, encéphalopathie, etc.) sont dus en grande partie à un déficit en vitamines B et peuvent être partiellement réversibles en prenant des vitamines du groupe B (B1, B6, B12), en injections et par voie orale.

LÉSIONS HÉPATIQUES

L'atteinte du foie, inversement, est due le plus souvent à l'action toxique de l'alcool lui-même. Il y a trois types de lésions hépatiques :

1. La dégénérescence adipeuse du foie. Elle survient chez la plupart des alcooliques et peut être réversible si la personne cesse totalement de boire et suit un régime particulier.

2. Hépatite alcoolique (inflammation du foie). Elle peut être réversible ou s'aggraver, évoluant vers une cirrhose.

3. Cirrhose éthylique (remplacement des cellules hépatiques par un tissu adipeux). Les lésions sont irréversibles, mais peuvent ne pas évoluer si l'abstinence est totale.

AUTRES LÉSIONS

La GASTRITE (inflammation de la paroi de l'estomac) est fréquente, et de nombreux alcooliques ont eu un ulcère gastrique et ont dû subir une GASTRECTOMIE partielle. La MYOCARDIOPATHIE (maladie du muscle cardiaque), l'ANÉMIE (diminution du nombre des globules rouges) et la PANCRÉATITE (inflammation du pancréas) peuvent également survenir. Certains CANCERS sont plus fréquents chez les alcooliques. L'une des raisons est que les gros buveurs sont également des grands fumeurs. Ce sont les cancers de la bouche, du larynx, du pharynx et de l'œsophage et également celui des bronches.

A-T-IL UN PROBLÈME D'ALCOOLISME ?

Les quatre stades dans le développement de l'alcoolisme

1er stade : la phase préalcoolique

Tout individu répondant « oui » à l'une de ces questions, et en particulier à la quatrième, devrait surveiller sa consommation d'alcool, car il s'expose à de sérieux problèmes pour l'avenir.

1. Boit-il pour se sentir plus à l'aise en société ?

2. Boit-il pour oublier ses soucis et son anxiété ?

3. Se sent-il plus efficace ou sûr de lui dans son travail quand il a bu ?

4. Doit-il augmenter sa dose d'alcool pour obtenir le même effet ?

2e stade : la phase d'avertissement

Une réponse positive à l'une ou plusieurs de ces questions indique que le sujet s'oriente vers la voie de l'alcoolisme. Il devrait réduire fortement sa consommation d'alcool, mais à ce stade beaucoup de gens y parviennent sans aide extérieure.

5. Après avoir bu, mais sans être objectivement ivre, a-t-il des difficultés à se rappeler ce qu'il a fait ou dit ?

6. Boit-il en cachette ?

7. S'il pense qu'il n'y aura pas assez à boire à une soirée, fait-il le « plein d'alcool » avant ?

8. Avale-t-il son verre d'un trait ?

9. Recherche-t-il les métiers lui permettant de boire facilement de l'alcool ?

10. Lui arrive-t-il de conduire occasionnellement ou souvent après avoir bu plusieurs verres d'alcool ?

3ᵉ stade : la phase cruciale

Chaque « oui » est un signal d'alarme, indiquant que le buveur doit diminuer énormément sa consommation, et même dans certains cas cesser radicalement de boire. Il peut être encouragé en cela par sa famille, ses amis, ou consulter un médecin. Il n'est pas encore complètement alcoolique, mais le deviendra s'il ne change pas ses habitudes immédiatement.

11. Continue-t-il de boire après avoir décidé de ne prendre qu'un verre ou deux ?
12. A-t-il souvent la « gueule de bois » ?
13. L'idée de « reprendre du poil de la bête » en buvant est-elle un remède pour lui contre le cafard ?
14. A-t-il des tremblements le matin ?
15. Prend-il un verre d'alcool dès son lever avant toute chose ?
16. Néglige-t-il ses repas à cause de la boisson ?
17. Se sent-il coupable de boire ?
18. Préfère-t-il boire seul ?
19. Perd-il du temps dans son travail à cause de l'alcool ?
20. Le fait de boire crée-t-il des problèmes au sein de sa famille ?
21. A-t-il besoin de boire chaque jour à des moments précis ?
22. Éprouve-t-il le besoin de se remonter avec un « verre » au bout de quelques heures ?
23. Emporte-t-il de l'alcool avec lui, par exemple dans sa voiture ou sa serviette ?
24. La boisson le rend-il irritable et agressif ?
25. Est-il devenu jaloux de sa femme depuis qu'il a commencé à boire démesurément ?
26. La boisson provoque-t-elle des ennuis physiques, des douleurs d'estomac par exemple ?
27. L'alcool le calme-t-il ou l'empêche-t-il de dormir ?
28. A-t-il besoin de boire pour pouvoir s'endormir ?
29. Perd-il gravement le contrôle de lui-même quand il a bu ?
30. Montre-t-il moins d'initiative, d'ambition, de capacité de concentration ou d'efficacité qu'avant ?
31. Son désir sexuel a-t-il diminué ?
32. Est-il devenu particulièrement morose ?
33. Est-il devenu plus solitaire et a-t-il perdu ses amis ?
34. Sa femme et ses enfants ont-ils dû changer leur mode de vie, par exemple en ne sortant pas ou en n'invitant plus personne, parce qu'il boit ?
35. La boisson le rend-il plus hargneux et méchant avec les autres ou a-t-elle changé sa personnalité ?
36. A-t-il tendance à choisir pour boire des lieux où il ne rencontrera ni amis, ni personnes de connaisance ? Préfère-t-il côtoyer des gens de niveau social différent du sien ?
37. La boisson affecte-t-elle sa tranquillité d'esprit ?
38. En veut-il excessivement aux gens qui lui manquent de respect (qui ne sont pas corrects avec lui) ?
39. L'alcool met-il en jeu son emploi ou nuit-il à sa réputation ?

4ᵉ stade : la phase chronique

Une réponse positive aux trois premières questions signifie qu'il y a de fortes chances pour que le buveur soit alcoolique, et aux cinq questions suivantes qu'il est incontestablement alcoolique. Il a besoin d'être aidé pour arrêter s'il ne veut pas se créer d'irréversibles lésions physiques et mentales.

40. A-t-il déjà sérieusement envisagé de se suicider quand il boit ?
41. Se sent-il incapable de s'en sortir dans la vie, qu'il ait bu ou non ?
42. Présente-t-il l'un des symptômes suivants, qui sont tous (en l'absence d'autre cause) des complications de l'abus d'alcool ? Vomissements de sang, présence de sang dans les selles, violentes douleurs abdominales, instabilité de la démarche lorsqu'il n'a pas bu, douleurs dans les jambes, crises d'épilepsie, hallucinations (delirium tremens), importants tremblements ou sueurs nocturnes.
43. Lui arrive-t-il de passer plusieurs jours de suite sans dessoûler ?
44. Boit-il objectivement plus que dans le passé ?
45. Est-il incapable d'entreprendre la moindre chose sans avoir pris un verre avant ?
46. Se sent-il incapable d'arrêter de boire, même en sachant que l'alcool va le tuer ?
47. Recommence-t-il sans cesse à boire de façon excessive et incontrôlée, même après avoir tenté d'arrêter ?

Les alcooliques ont une tendance hémorragique; ils saignent facilement, le nombre des plaquettes sanguines est diminué, et le sang ne coagule pas aussi vite que la normale. La cirrhose rend le foie dur et fibreux, et empêche le sang de traverser le foie; il y a donc une surpression dans les veines voisines du foie, qui servent de voie de dérivation au sang, et dilatation de ces veines, conduisant à des varices multiples : hémorroïdes, varices œsophagiennes (sources de vomissements de sang). Tous ces troubles créent des risques supplémentaires quand un alcoolique doit subir une intervention chirurgicale, souvent après un accident. Quand une opération est réussie, le rétablissement peut être compliqué et retardé par un syndrome de manque.

COMMENT RÉDUIRE LES RISQUES DUS A L'ALCOOL

Il n'y a pas de dose limite à la quantité d'alcool pouvant être absorbée par personne et par jour, car la tolérance individuelle à l'alcool varie beaucoup selon les gens. Ce qui est nocif pour l'un sera inoffensif pour un autre. Les femmes sont généralement plus sensibles aux effets de l'alcool que les hommes et développent plus rapidement une cirrhose du foie à consommation égale. Les jeunes sont également plus vulnérables que les adultes.

LES JEUNES ET L'ALCOOL

Actuellement, les opinions concernant l'attitude à adopter avec les enfants au sujet de l'alcool varient. Certains pensent qu'il vaut mieux donner aux enfants des petites quantités de vin coupé d'eau pendant les repas que les voir commencer à boire à l'insu des parents. Cependant, cette attitude ne permet pas toujours d'éviter un abus de boisson ultérieur. A l'inverse, les parents qui réprimandent, punissent ou sermonnent leurs enfants en invoquant les « démons » de l'alcool courent le risque de les pousser à boire par réaction. Le bon exemple donné par des parents qui boivent modérément est plus efficace que toute mise en garde verbale.

Les professeurs, parents, et toute personne ayant en charge l'éducation des enfants, doivent connaître tous les dangers de l'alcool et être capables d'en parler avec les jeunes, à bon escient et en toute objectivité. La richesse ou la pauvreté excessives ne conduisent pas obligatoirement à l'alcoolisme, mais l'enfant qui a grandi dans une atmosphère familiale et affective sereine et harmonieuse risque moins de devenir alcoolique que celui qui est élevé dans une ambiance de disputes et de tensions.

Quelques interdictions de boire

Il y a quelques situations dans lesquelles le bon sens vous conseille de vous abstenir de boire. Par exemple :

□ Ne pas boire du tout avant de conduire un véhicule.

□ Ne pas boire dans un but thérapeutique, comme pour lutter contre un stress, une dépression ou de l'anxiété.

□ Ne pas boire seul.

□ Ne pas commencer à boire tôt le matin.

□ Ne pas boire à jeun.

□ Ne pas prendre l'habitude de boire pour arriver à s'endormir. Cette habitude peut facilement devenir une dépendance.

□ Ne pas mélanger l'alcool avec des médicaments.

□ Ne pas avaler l'alcool d'un trait, mais le siroter lentement.

□ Ne pas boire pour soulager sa solitude, quelle qu'elle soit.

OU PEUT-ON TROUVER UNE AIDE ?

De nombreuses organisations permettent à l'alcoolique et à sa famille de se sentir aidés dans leurs efforts. La plus répandue est l'association des Alcooliques anonymes, très connue sous le sigle A.A. Cette association organise des réunions fermées pour les alcooliques — appelés uniquement par leurs prénoms afin de conserver l'anonymat — et des réunions ouvertes pour leurs familles et proches amis.

Des renseignements sur la formation de ces groupes peuvent être obtenus au Canada et aux États-Unis en composant le 1 - 212-686-1100. Ce numéro est aussi celui de AL-ANON, une organisation qui aide les familles des buveurs.

Le médecin de famille. Son aide et ses conseils seront précieux pour le malade et sa famille, d'autant qu'il connaît les antécédents personnels et familiaux. Il pourra travailler en liaison avec une assistante sociale, et prendra toutes les mesures thérapeutiques nécessaires si l'état physique de l'alcoolique le nécessite (traitements, hospitalisation).
L'Église. L'alcoolique se sent parfois incapable de discuter de son état avec un médecin. Un prêtre ou un pasteur pourra parvenir à le persuader de suivre les conseils médicaux.

LES DIFFÉRENTS TRAITEMENTS

Il n'y a ni médicament miracle, ni cure miraculeuse pour guérir l'alcoolisme. Le traitement est habituellement constitué de plusieurs volets dont les trois principaux sont :
1. Traitement psychologique. C'est un examen et une discussion de son problème avec le buveur, soit individuellement, soit en thérapie de groupe. La thérapie de comportement est également utilisée pour tenter de modifier le comportement du buveur par rapport à la boisson.
2. Réinsertion sociale. Son but est d'aider l'alcoolique à se réinsérer dans la société et y retrouver un rôle utile.

On l'aide à reprendre une vie familiale normale et l'on s'occupe, entre autres, d'aplanir les difficultés de logement. Un grand rôle est joué par des groupes d'entraide, comme l'association des Alcooliques anonymes (formée de volontaires bénévoles, anciens alcooliques guéris).
3. Traitement médicamenteux. Il est parfois utilisé avec les deux autres traitements, en particulier durant le premier stade de désintoxication. On peut donner des tranquillisants, des vitamines et des anticonvulsivants (contre les crises d'épilepsie).

Les autres médicaments utilisés dans les cures de désintoxication sont ceux qui, en cas d'absorption d'alcool, produisent des effets très désagréables, comme des CÉPHALÉES, des vomissements, des difficultés respiratoires, et ont ainsi un effet dissuasif. Ces réactions sont appelées l'effet *antabuse*, et sont provoquées par certains médicaments comme le disulfiram qui ne sont délivrés que sur ordonnance et ont remplacé les vomitifs utilisés autrefois dans les traitements contre l'alcoolisme.

CONCLUSION

Le but du traitement est de redonner au buveur et à sa famille une vie saine, heureuse et satisfaisante. Un grand nombre de médecins pensent que ce résultat ne peut être obtenu qu'au prix d'une abstinence totale, et qu'un alcoolique n'est jamais complètement guéri, mais qu'il résiste en permanence à la tentation de boire.

C'est également l'avis des Alcooliques anonymes, mais il y a une minorité de praticiens qui pensent que certains alcooliques peuvent apprendre par la thérapie de comportement à devenir des buveurs qui se contrôlent.

Le pronostic pour la majorité des alcooliques est beaucoup plus optimiste que ne le pensent la plupart des gens, y compris les médecins.

Les buveurs qui désirent réellement se désintoxiquer peuvent le faire, à condition qu'ils recherchent et acceptent une aide qualifiée. Toutes les organisations spécialisées accordent une écoute attentive et compréhensive à tous ceux qui les consultent et fournissent assistance et traitement à ceux qui les sollicitent.

L'alcoolisme n'est plus considéré comme un crime ou une tare. C'est une maladie qui peut souvent être guérie et, dans la plupart des cas, contrôlée. Il n'y a plus aucune raison ni aucune excuse pour que des gens ayant un problème de cet ordre souffrent dans la honte et le silence.

ALGIE VASCULAIRE DE LA FACE

Douleur cranio-faciale intense tendant à récidiver toutes les nuits, durant des semaines, voire des mois, pour disparaître ensuite pendant des années. Elle est quatre fois plus fréquente chez les hommes que chez les femmes.

Cette affection débute généralement deux ou trois heures après l'endormissement par une violente douleur derrière un œil, qui réveille le patient. Elle est accompagnée de modifications du tonus vasculaire d'un côté : larmoiement oculaire et sensation d'obscurité, puis écoulement nasal du côté atteint. Les symptômes peuvent durer une à deux heures.

A la différence de la MIGRAINE, les nausées et vomissements sont rares. Les crises peuvent être déclenchées par un stress ou l'alcool. Elles seraient dues à un léger trouble circulatoire temporaire, comme en témoigne le caractère pulsatile de la douleur.

Le médecin pourra prescrire un analgésique contenant un dérivé de l'ergot de seigle, qui aidera à rétablir une circulation cérébrale normale (*voir* MÉDICAMENTS, n° 22). Une prise régulière, le soir avant le coucher, permet d'éviter les récidives.

ALIMENTATION SAINE
Voir page 78

ALLERGIE

On estime que cinq à vingt pour cent de la population souffre d'une affection allergique quelconque. Des maladies apparemment sans rapport entre elles, comme l'asthme, le rhume des foins, l'eczéma, certaines urticaires, sont en fait dues à des phénomènes allergiques. La survenue d'une allergie nécessite une prédisposition héréditaire et des facteurs favorisants acquis au cours de la vie, et qui tiennent en grande partie à l'environnement.

Un organisme allergique va réagir anormalement à des substances animales, végétales ou synthétiques qui l'entourent quotidiennement. Ces substances, qui sont à l'origine des réactions allergiques, sont appelées antigènes. Il en existe de très nombreux, dont les principaux sont les pollens, les poils et plumes d'animaux, la poussière de maison, et des aliments comme le lait, les œufs, les poissons et les crustacés.

COMMENT PÉNÈTRE L'ENNEMI

Les antigènes n'agissent qu'après s'être introduits dans l'organisme. La peau représente une barrière efficace à leur pénétration. Toutefois, certains produits appliqués sur la peau vont être absorbés et peuvent devenir antigéniques en se liant avec une protéine cutanée. D'autre part, toutes les lésions et irritations de la peau favorisent la pénétration des antigènes.

Les poumons représentent la principale voie d'accès pour les antigènes, car l'air respiré contient de grandes quantités de particules étrangères. L'intestin est une autre voie d'entrée, principalement chez le nourrisson.

LES DÉFENSES DE L'ORGANISME

L'organisme est armé de défenses qui lui permettent de combattre les envahisseurs étrangers tels que les bactéries ou les virus. La première ligne de défense est la production d'anticorps, protéines particulières ou immunoglobulines.

Les chercheurs ont identifié cinq classes d'immunoglobulines (Ig). Celles qui réagissent avec les antigènes pour provoquer la réaction allergique appartiennent à la classe des IgE. Normalement, la réaction de l'anticorps avec l'antigène a pour but la neutralisation et la destruction de ce dernier. Il s'agit d'une réaction immunitaire de défense. Parfois, cette réaction devient exagérée, inadaptée, dirigée contre des substances habituellement inoffensives; c'est la réaction allergique, dite encore réaction d'hypersensibilité.

La prédisposition aux allergies est le plus souvent héréditaire. Elle pourra rester latente, ou bien se manifester par un asthme, une rhinite allergique ou un eczéma constitutionnel.

Les enfants qui présentent un taux élevé d'IgE sont prédisposés aux eczémas. Plus ce taux est important, plus grande est la probabilité de voir apparaître un eczéma.

QUE SE PASSE-T-IL AU COURS D'UNE RÉACTION ALLERGIQUE ?

Un rôle essentiel est joué par les mastocytes. Ce sont des cellules très répandues dans les divers tissus conjonctifs de l'organisme, en particulier de la peau, des bronches et du tube digestif. On les trouve également au niveau des oreilles, du nez, de la bouche, des yeux, etc. Elles produisent et emmagasinent de grandes quantités de substances toxiques de l'allergie, la principale connue étant l'histamine.

La membrane des mastocytes possède des récepteurs à IgE. Ainsi, les IgE qui ont été formés en réponse à une première stimulation antigénique restent présents dans l'organisme, fixés au niveau des mastocytes où ils n'attendent qu'une nouvelle introduction de l'antigène pour agir. La fixation de l'antigène sur l'IgE entraîne une stimulation du mastocyte, qui évacue alors ses stocks d'histamine. En définitive, c'est la libération brutale de l'histamine dans les tissus qui est directement responsable des phénomènes allergiques.

QUELS SONT LES SYMPTOMES ?

Les symptômes exacts de l'allergie dépendent du lieu de pénétration de l'antigène, du nombre de mastocytes stimulés et de la quantité d'histamine libérée.

Au niveau de la peau. La libération d'histamine est responsable d'une sensation d'irritation et de prurit. Très rapidement, l'histamine distend les petits vaisseaux superficiels de la peau, donnant une rougeur. Les vaisseaux les plus saturés en histamine deviennent perméables et laissent sourdre le plasma — liquide dans lequel baignent les globules sanguins — qui s'accumule ainsi dans la peau, donnant une petite papule œdématiée qui ressemble à une piqûre d'ortie ou de moustique. C'est l'urticaire.

Bien que l'eczéma soit également d'origine allergique, son mécanisme en est complexe et moins bien connu.

Au niveau des yeux. Les délicates membranes des yeux

et des paupières sont parsemées de mastocytes. Leur activation par des allergènes est responsable d'une conjonctivite, c'est-à-dire de rougeur, démangeaisons, irritation et larmoiement. Les paupières peuvent être très gonflées.

Au niveau du nez. Les mastocytes tapissent la totalité de la cavité nasale. La libération locale d'histamine provoque une irritation immédiate avec éternuements prolongés. L'irritation des cellules muqueuses entraîne une hypersécrétion de mucus; c'est la rhinite. Comme le nez est obstrué, le sujet respire par la bouche, ce qui permet aux allergènes (antigènes) d'atteindre facilement les poumons, car le filtre nasal est court-circuité.

La brusque atteinte simultanée des muqueuses nasale et oculaire provoque le rhume des foins.

Au niveau des poumons. Les bronches, qui conduisent l'air aux poumons, sont tapissées de mastocytes. Elles sont également entourées d'une paroi musculaire. La décharge d'histamine est responsable d'une crise d'asthme.

Les fibres musculaires bronchiques se contractent, provoquant un spasme qui réduit la quantité d'air passant à travers les bronches. Normalement, les bronches se dilatent légèrement lors de l'inspiration et se rétrécissent un peu à l'expiration. L'histamine modifie ce schéma. Le diamètre des grosses bronches ne change pas beaucoup, car elles possèdent une paroi cartilagineuse qui les rend rigides. Mais les bronchioles (petites bronches) sont très atteintes, et la respiration devient difficile, bruyante, émettant un sifflement caractéristique.

Dans les cas graves, la partie terminale des bronchioles est complètement obstruée, le sujet se sent étouffer, il halète, et la concentration d'oxygène dans le sang diminue.

Comme pour le nez, l'histamine irrite les cellules muqueuses qui bordent les parois bronchiques. Ces cellules réagissent par une augmentation de leur sécrétion de mucus. Le film de mucus qui tapisse la paroi des bronches devient épais et collant, contribuant à gêner la respiration. Le troisième élément qui concourt à l'obstruction des bronches est leur gonflement par un œdème; en effet, l'histamine augmente, comme dans la peau, la perméabilité des petits vaisseaux bronchiques, d'où la fuite de plasma dans le tissu bronchique, provoquant un œdème.

L'expiration se fait plus difficilement que l'inspiration. Par conséquent, une partie de l'air inspiré reste bloquée dans les poumons, et le thorax se gonfle en prenant une forme d'entonnoir.

Au niveau de l'intestin. L'histamine libérée au cours d'une allergie alimentaire provoque un spasme musculaire, entraînant des douleurs d'estomac et une diarrhée abondante. Fréquemment, il se produit en même temps une éruption cutanée vraisemblablement due à une diffusion sanguine des allergènes qui atteignent la peau.

Choc anaphylactique. C'est un accident redoutable provoqué par une décharge brutale et généralisée d'histamine. L'antigène introduit par voie sanguine, par exemple après une piqûre de guêpe ou une injection de pénicilline, diffuse dans tout l'organisme où il active simultanément de nombreux mastocytes qui libèrent alors d'énormes quantités d'histamine.

Le patient pâlit, transpire, ressent un malaise, des vertiges, des palpitations, un serrement de gorge et une gêne à la respiration. En une minute ou deux apparaît une urticaire généralisée. Le visage, les lèvres et les paupières se gonflent facilement, car leur tissu sous-cutané est lâche. Le décès peut survenir par œdème de la gorge ou par collapsus circulatoire (chute brutale de tension). Un traitement d'urgence s'impose.

Que faire devant une allergie ?

☐ Pendant la grossesse, les femmes enceintes averties du risque allergique de leur enfant (rôle de l'hérédité) devraient s'abstenir de trop grandes quantités de certains aliments réputés allergisants : lait, chocolat, poissons...

☐ Après la naissance, il est préférable de nourrir l'enfant exclusivement au lait maternel, pendant trois à six mois.

☐ Il faut épargner à l'enfant les polluants tels que le tabac, et veiller à bien aérer et dépoussiérer les appartements, et éviter certains nids à poussière comme les moquettes.

☐ Éloigner l'animal familier de la maison.

☐ En milieu agricole, il faudra éviter les contacts avec le bétail et ses aliments.

☐ Certains métiers sont déconseillés aux allergiques; il faudra prendre conseil auprès du médecin du travail.

☐ Prévenez le médecin de vos problèmes allergiques avant une injection.

☐ Une éruption cutanée survenant au cours d'un traitement par une pénicilline n'est pas toujours d'origine allergique. Consultez votre médecin. Il pourra vous rassurer ou au contraire vous avertir de ne plus utiliser de pénicilline si vous avez réellement un rash allergique.

TRAITEMENT DES ALLERGIES

Que peut-on faire ? Le traitement idéal est l'éviction de l'allergène en cause, quand il est connu. Par exemple, une allergie provoquée par des poils de chat s'améliorera en six à huit semaines après l'éloignement de l'animal et le nettoyage complet de l'appartement.

Mais parfois, la suppression de l'allergène est impossible. C'est ce qui se passe par exemple avec la poussière de maison. L'allergie à la poussière domestique est principalement due à des acariens qui sont des insectes microscopiques. Ils parasitent la literie, les tentures, les fauteuils et tous les endroits où la poussière s'accumule facilement. Ils se nourrissent de squames cutanées, éliminées en permanence par tous les individus. Cette desquamation est facilitée par le contact de la peau avec le lit.

Si l'on ajoute à cela la prédilection de ces acariens pour les climats chauds et humides, on comprend que le lit représente un environnement idéal où ils vivent et se multiplient aisément.

Pour diminuer leur densité, on évitera duvets et crins et on utilisera des oreillers et édredons en fibres synthétiques qui retiennent moins les squames. De même, on protégera le matelas par une housse en plastique.

Un dépoussiérage quotidien à l'aspirateur complétera efficacement l'élimination des parasites.

Rôle du médecin. Le rôle du praticien est d'identifier l'allergène responsable par un interrogatoire minutieux et des tests cutanés, puis d'aider à la suppression de la cause quand c'est possible. Parfois, il sera amené à conseiller un changement de travail. Il peut prescrire des cures de désensibilisation, qui consistent à injecter l'antigène responsable à de petites doses progressivement croissantes. La fréquence des injections varie selon les méthodes utilisées et selon les réponses du sujet. Il s'agit toujours d'un traitement long et astreignant (au moins deux ans), non dénué de risques, et souvent très décevant. Les meilleurs résultats sont obtenus quand il s'agit de rhume des foins.

Le médecin peut prescrire des traitements antiallergiques, qui pourront prévenir ou soigner les symptômes.

Les antihistaminiques sont des substances qui prennent la place de l'histamine au niveau des cellules cibles où se produit son action. Elles sont souvent efficaces dans le rhume des foins, dans certaines éruptions cutanées, dont l'urticaire, et dans certains prurits. Elles sont inefficaces en cas d'asthme. Elles entraînent souvent une somnolence potentialisée par la prise d'alcool, et peuvent être contre-indiquées dans les métiers où la vigilance est indispensable, particulièrement chez les conducteurs de poids lourds.

MÉDICAMENT RÉVOLUTIONNAIRE

Une révolution s'est accomplie dans le traitement des allergies par l'introduction du cromoglycate de sodium. Ce produit inhibe la libération d'histamine par les mastocytes. Il est commercialisé sous plusieurs formes : poudre à inhaler ou solution pour nébulisations utilisées en cas d'asthme; collyre pour les yeux, efficace dans le rhume des foins; solution à usage nasal; enfin comprimés utilisables dans les allergies alimentaires. Le cromoglycate de sodium est efficace pour prévenir les symptômes allergiques mais ne guérit pas les signes déjà installés lors d'une crise. La cortisone, puissante hormone antiallergique, existe en vaporisateur. Son action est préventive et curative, mais son emploi à long terme peut être dangereux et doit donc toujours rester très modéré.

L'isoprénaline est contenue dans diverses solutions nasales. Elle a un effet de constriction des vaisseaux sanguins et dilate les bronches. Elle soulage la crise d'asthme, mais son action est de courte durée. A long terme, elle entraîne une accoutumance et doit donc être évitée.

D'autres médicaments agissent en dilatant les bronches. Ils sont appelés bronchodilatateurs. Il existe deux types de bronchodilatateurs. Les sympathicomimétiques sont utilisés en inhalation nasale ou buccale. Ils n'entraînent pas d'accoutumance et apportent un soulagement immédiat à l'asthmatique. Leur utilisation représente un énorme progrès dans le traitement de l'asthme. L'aminophylline (théophylline) est un autre bronchodilatateur. Elle est utilisée en comprimés ou en injections intraveineuses ou intramusculaires. Elle est très efficace mais à des doses qui sont souvent proches des doses toxiques, d'où des effets secondaires possibles, comme, par exemple, les tremblements ou l'insomnie.

ALOPÉCIE

Terme médical désignant la CALVITIE ou la chute des cheveux. Le plus souvent, elle atteint le cuir chevelu, mais parfois d'autres régions. Cette affection est généralement héréditaire, mais peut être secondaire à une maladie.

AMBLYOPIE

Diminution d'acuité visuelle, quelle que soit la cause. Le plus souvent, elle est héréditaire ou provoquée par un STRABISME non corrigé dans l'enfance. Mais elle peut aussi être due à une lésion du nerf optique, causée par l'abus d'alcool, de tabac, de certains médicaments (streptomycine, par exemple), ou même un régime pauvre en vitamines. Le traitement de la cause rétablit parfois une vision normale.

AMIANTE

Silicate double de calcium et de magnésium, extrait d'un minerai, dont les fibres sont utilisées dans l'industrie pour leur grande résistance au feu et aux acides. L'inhalation de fibres dans les poumons est à l'origine d'une maladie grave, l'ASBESTOSE, et de nombreux cancers (plèvre, péritoine, poumons).

AMIBIASE

Maladie parasitaire présente partout dans le monde, mais plus fréquente dans les pays tropicaux. La contamination se fait par des aliments ou de l'eau contaminés ou souillés par les excréments humains. Dans les pays tropicaux, surtout dans les régions où les dysenteries amibiennes sont fréquentes, les voyageurs doivent éviter l'eau, sauf si elle a été stérilisée, et les fruits et légumes crus, qui risquent d'avoir été arrosés ou lavés avec de l'eau contaminée. Les amibes sont détruites par des pastilles qui libèrent de l'iode dans l'eau; la simple ébullition ou l'ajout de chlore sont insuffisants.

Symptômes

- Diarrhée. Elle peut être profuse, sanglante, avec des mucosités (dysenterie amibienne), ou moins sévère et intermittente.
- Crampes abdominales.
- Si les parasites gagnent le foie, c'est l'abcès amibien, avec de la fièvre, des sueurs abondantes et un amaigrissement important.
- Parfois, il n'y a aucun des symptômes décrits, et le malade est dit « porteur sain » et rejette des parasites dans ses selles.

Durée

- En l'absence de traitement, elle dure indéfiniment.

Causes

- Un parasite, appelé *Entamoeba histolytica*, touchant les intestins.

Traitement à domicile

- Dans les cas graves, avec diarrhées abondantes, garder le lit et boire à profusion pour remplacer les pertes liquidiennes.

Quand consulter le médecin

- En cas de crise de DYSENTERIE sévère ou prolongée, particulièrement si le sujet se trouve dans une région où sévit cette maladie.

Rôle du médecin

- Rechercher dans les selles les amibes ou les kystes.
- Prescrire des antiamibiens. *Voir* MÉDICAMENTS, n° 28.

Voir MALADIES INFECTIEUSES, *page 32*

AMNÉSIE

Perte de mémoire, totale ou partielle, suffisamment importante pour gêner le malade.

Les causes sont très nombreuses : un traumatisme crânien, il y a alors une commotion cérébrale; un trouble de l'affectivité du sujet, comme dans l'HYSTÉRIE; et un grand nombre de maladies comme l'ALCOOLISME, la MÉNINGITE, la SYPHILIS, une TUMEUR cérébrale ou l'ÉPILEPSIE. On distingue l'amnésie rétrograde, dans laquelle la perte de mémoire concerne les événements précédant une blessure ou un choc émotionnel, et l'amnésie antérograde, où le déficit porte sur les faits survenant après l'événement traumatisant (choc, accident...).

Dans de nombreux cas, la mémoire redevient normale après un certain temps. Mais si la cause est un trouble affectif ou émotionnel, cela signifie que le subconscient préfère cacher le souvenir d'un événement trop pénible ou traumatisant, et il faut alors recourir à une aide psychiatrique : PSYCHANALYSE ou PSYCHOTHÉRAPIE.

L'alimentation saine

COMMENT CHOISIR AU MIEUX LES ALIMENTS D'UNE DIÉTÉTIQUE ÉQUILIBRÉE ET D'UNE VIE MEILLEURE POUR VOUS ET VOTRE FAMILLE

Nos organismes ont besoin d'aliments pour trois raisons principales. D'abord, en tant que carburants pour maintenir notre température et pour fournir de l'énergie nécessaire à notre survie, à nos déplacements, à notre travail; ensuite, pour assurer notre croissance et le renouvellement des tissus endommagés; enfin, nous avons besoin de vitamines, de minéraux et d'autres substances nécessaires aux processus chimiques qui interviennent dans nos organismes.

On mesure l'énergie fournie par les aliments en calories. Les deux tiers de cette énergie servent à maintenir la température de notre corps à un niveau normal (37 degrés), le tonus normal de nos muscles, et à permettre un fonctionnement satisfaisant de notre cœur et des autres organes. Ainsi, même si nous restions au lit à ne rien faire toute la journée, nous aurions encore besoin des deux tiers des aliments que nous ingérons chaque jour pour maintenir ce que l'on appelle en termes médicaux notre « métabolisme de base », c'est-à-dire l'énergie indispensable au fonctionnement minimal de notre corps.

Pour disposer de cette énergie de base, un adulte de corpulence moyenne (65 kg) a besoin d'environ 1 600 calories par jour. Le reste des activités quotidiennes (habillement, alimentation, marche, travail, jeu) nécessite environ 800 calories.

Plus nous peinons sur notre travail, plus nous nous déplaçons, plus nous avons besoin de calories. Par exemple, un travailleur du bâtiment peut consommer 3 000 calories, un mineur, un docker 4 000 calories et plus. A l'opposé, une mère de famille restant à la maison n'utilisera pas plus de 2 200 calories. Quelle que soit notre dépense calorique, elle ne peut être comblée que par l'alimentation. Si nous consommons plus de calories que nous en perdons, nous prenons du poids. Une alimentation normale doit permettre d'établir un équilibre entre la dépense d'énergie et la consommation.

LES CINQ GROUPES DE BASE DES NUTRIMENTS

L'essentiel de notre alimentation ne peut se résumer à un seul aliment. Les différents nutriments dont l'organisme a besoin proviennent de sources très diverses. Par exemple, la vitamine C est fournie en quantités variables par les légumes verts, les pommes de terre, les oranges, les citrons ou d'autres fruits. Ce qui importe pour la santé, c'est de varier les aliments que nous absorbons.

Il y a cinq groupes de base de nutriments : les hydrates de carbone, les protéines, les graisses, les vitamines et les sels minéraux. Le seul aliment qui fournit tous les nutriments en proportions idéales pour la santé est le lait maternel. Mais celui-ci ne convient qu'aux bébés. Toute autre personne a besoin d'une nourriture mixte. Plus l'alimentation est variée, plus elle est susceptible de contenir l'ensemble des nutriments nécessaires.

DES PROTÉINES POUR LA CROISSANCE ET LE RENOUVELLEMENT DE NOTRE CORPS

Tout au long de la vie, les tissus de notre corps subissent en permanence une destruction partielle. Cette perte doit être compensée, en particulier par les protéines. Ainsi, un individu adulte a besoin d'environ 40 grammes de protéines par jour pour renouveler ce qu'il a perdu. La viande contient environ 60 pour 100 d'eau, 20 pour 100 de graisses et 20 pour 100 de protéines. Pour compenser ses pertes en protéines, un individu sain devrait manger 200 grammes de viande, s'il ne tirait ses protéines que de ce type d'aliment. Mais les protéines sont présentes dans d'autres aliments que la viande : le pain, par exemple, contient 10 pour 100 de protéines (400 g de pain fournissent 40 g de protéines).

Si un individu manque dans son alimentation de la quantité de protéines nécessaire pour assurer le renouvellement de ses tissus, il est obligé de puiser dans les réserves de son organisme. Ainsi, il prendra dans les muscles les protéines nécessaires à l'approvisionnement d'organes vitaux comme le cœur ou les reins. A vrai dire, dans le monde occidental, les problèmes de carence alimentaire en protéines sont devenus assez rares.

Il faut cependant savoir que la plupart des maladies entraînent une perte de protéines par l'organisme. Les infections, les brûlures, les fractures, les interventions chirurgicales sont autant de situations où les pertes en protéines augmentent et où, par conséquent, les besoins alimentaires vont s'accroître. Une semaine au lit à cause d'une infection, comme une grippe, va conduire à une perte notable de protéines au niveau des muscles, en particulier de ceux des jambes. Si le patient garde un bon appétit lorsqu'il guérit, il va compenser la perte de protéines en augmentant ses apports alimentaires en deux ou trois semaines. Si l'appétit ne revient pas assez tôt au moment de la guérison, la convalescence sera plus longue.

DES HYDRATES DE CARBONE POUR FOURNIR L'ÉNERGIE

Les hydrates de carbone représentent environ 50 à 60 pour 100 de la ration alimentaire. Ils fournissent, avec les matières grasses, l'essentiel de l'énergie utilisée par l'organisme. Les hydrates de carbone sont les sucres simples (sucreries) et les sucres complexes (féculents, pain, etc.).

Le principal sucre de l'alimentation usuelle est le sucrose, qui est tiré de la canne à sucre ou de la betterave. Le sucrose est présent dans les confitures, pâtisseries, confiseries, etc. Les fruits en contiennent aussi.

Les féculents sont faits d'une association complexe de sucres purs sous forme de longue chaîne. La farine, les pommes de terre, le riz, les pâtes en sont riches. Ce qui caractérise ces sucres complexes, c'est qu'ils n'ont pas de saveur sucrée : qui croirait qu'une baguette de pain de 250 grammes contient 125 grammes de sucre ? C'est parce qu'ils sont sous forme de longues chaînes dont chaque anneau serait un sucre pur que les féculents perdent le goût du sucre. Lors de la digestion, ces longues chaînes vont être coupées par des enzymes dans le tube digestif, et les sucres (les anneaux de la chaîne) vont être absorbés séparément, sous forme de glucose (sucre pur).

Une place à part doit être faite à la cellulose, qui n'est pas digérée par les êtres humains. La cellulose, qui se présente elle aussi sous forme de longues fibres, est importante pour la digestion, car elle sert à former les selles et aide les mouvements de l'intestin.

DES GRAISSES POUR L'ÉNERGIE ET LE GOUT

Les graisses (que l'on appelle aussi lipides) sont présentes dans les aliments ou sont rajoutées lors de la préparation. Les lipides sont retrouvés dans le lait, la crème, le fromage, les viandes. Dans la viande, les graisses peuvent être apparentes (gras de jambon) ou dissimulées entre les fibres de protéines (dans le rouge de la viande). Les lipides se trouvent en quantité dans les œufs et les poissons gras comme le hareng et le maquereau. Les graisses que l'on ajoute dans la cuisine sont le beurre, les huiles, le lard, etc.

L'intérêt alimentaire des graisses est multiple. Elles ont une grande valeur nutritionnelle; elles jouent un rôle important en rendant les aliments plus agréables. De plus, certaines vitamines (A, D, E, K) sont présentes dans les aliments riches en graisses et ne peuvent être absorbées qu'avec les graisses. Des régimes supprimant totalement les matières grasses peuvent ainsi être responsables de carences vitaminiques.

Les graisses sont aussi importantes parce qu'elles représentent une source d'énergie très concentrée. Pour un même poids, un aliment riche en graisse fournira deux fois plus d'énergie qu'un aliment constitué de sucres ou de protéines purs.

LES VITAMINES : INGRÉDIENTS DE PETITE TAILLE MAIS ESSENTIELS

L'organisme a un besoin vital en vitamines. Celles-ci sont nécessaires en très petites quantités. Le rôle des vitamines n'est pas de fournir de

Le vrai et le faux

☐ **Une pomme chaque jour, la santé toujours** — *Faux.*
Une pomme de taille moyenne fournit seulement 10 milligrammes de vitamine C, tandis qu'une orange en fournit 50 milligrammes.

☐ **De fortes doses de vitamine C préviennent la grippe** — *Sans doute faux.*
30 milligrammes de vitamine C par jour sont nécessaires à l'organisme. Une dose plus forte ne le protège pas mieux.

☐ **Le pain noir est meilleur que le blanc** — *Vrai.*
Le pain noir, pain complet fait à partir d'une farine complète, contient beaucoup plus de fer, de vitamine B_2 et d'autres vitamines, ainsi que plus de fibres que le pain blanc.

l'énergie. Elles sont essentielles pour le bon fonctionnement des différentes cellules.

Beaucoup de gens font l'erreur de penser que plus ils consommeront de vitamines, plus ils seront en forme physique. Ce n'est pas vrai. Une vitamine produit ses effets à faibles doses. De plus, certains excès vitaminiques peuvent être toxiques.

La seule circonstance qui justifie une augmentation d'apports en vitamines est l'existence de certaines maladies qui provoquent une carence vitaminique. Il faut alors une prescription médicale.

Les vitamines de synthèse n'ont pas d'avantage par rapport aux vitamines naturelles. Elles ont la même structure chimique.

Le vrai et le faux

☐ **Les légumes les plus verts sont les meilleurs** — *Vrai*. Plus un légume est de couleur vert foncé, plus il contient de carotène (forme de vitamine A).

☐ **La margarine ne nourrit pas comme le beurre** — *Faux*. La margarine contient autant de vitamine A que le beurre et contient plus de vitamine D. Certaines margarines riches en graisses dites insaturées ont un effet favorable sur le taux du cholestérol et la prévention des maladies cardio-vasculaires.

DES MINÉRAUX DANS LE SANG ET LES OS

Au moins vingt minéraux sont nécessaires au bon fonctionnement de notre organisme. Certains sont requis en quantités importantes, par exemple le calcium, présent dans les laitages, qui entre dans la constitution de nos dents et de nos os. Il en est de même du fer, présent dans la viande, qui est un élément de l'hémoglobine du sang servant au transport de l'oxygène dans tout l'organisme.

D'autres minéraux sont nécessaires en plus faible quantité : le magnésium, le manganèse, le sélénium, l'iode, le cuivre, le zinc, le chrome. Ces minéraux participent au fonctionnement des enzymes (substances qui accélèrent les réactions chimiques de l'organisme) et des hormones (substances contrôlant l'activité de nombreux organes). Le sodium et le potassium sont indispensables pour l'équilibre des liquides et des cellules de l'ensemble de notre corps.

Un déficit en fer est responsable d'anémie (c'est-à-dire d'un manque de globules rouges), avec pour conséquence une insuffisance de transport d'oxygène du poumon vers les autres organes du corps.

Le fer provenant de la viande est mieux absorbé que celui d'origine végétale : toute personne présentant une anémie par carence en fer devrait augmenter sa consommation de viande, en particulier de foie.

La vitamine C aide l'absorption du fer. Un verre de jus d'orange au cours du repas aide l'absorption du fer présent dans les autres aliments.

L'iode est nécessaire à la formation des hormones thyroïdiennes qui contrôlent les rendements énergétiques de l'organisme.

SUJETS EXPOSÉS A LA MALNUTRITION

Dans les pays occidentaux, rares sont les gens ne disposant pas d'une alimentation suffisante. Cependant, certains groupes de sujets peuvent être exposés à la malnutrition. Il s'agit en particulier des femmes enceintes, des femmes qui allaitent, des nourrissons, des enfants en période de croissance, des adolescents, des sujets âgés, et principalement des personnes souffrant de mauvaises conditions socio-économiques.

FEMMES ENCEINTES OU ALLAITANT

Pendant la grossesse, le corps de la mère utilise les aliments de façon plus efficace, avec un meilleur rendement que d'habitude. De ce fait, les besoins énergétiques supplémentaires imposés par la croissance du fœtus sont pris en compte sans que la mère ait besoin d'augmenter sa consommation d'aliments. Cependant, le régime doit être de qualité suffisante pour fournir une quantité correcte de protéines, de vitamines et de minéraux, faute de quoi la croissance du bébé s'effectuerait aux dépens des tissus de la mère.

NOURRISSONS

Le lait maternel contient tous les nutriments essentiels pour le bébé, ainsi que des substances qui protègent l'enfant des infections. *Voir* PUÉRICULTURE.

Le risque pour le bébé apparaît lors du sevrage. Vers trois ou quatre mois, ou lorsqu'il atteint un poids de 6,5 kg, le bébé ne peut plus se contenter du lait maternel; des suppléments alimentaires doivent lui être fournis, qui remplaceront progressivement le lait. Si le sevrage est trop tardif ou le régime déficient en protéines ou vitamines, sa croissance et sa santé risquent d'en souffrir.

ENFANTS

Du fait de leur croissance, les enfants ont besoin de plus de protéines que les adultes. Il faut donc s'assurer que l'alimentation des enfants fournit suffisamment de substances réellement nutritives. Le lait, le fromage, les yaourts riches en calcium sont nécessaires pour la croissance des os et des dents. Les fruits et les légumes fournissent les vitamines et les minéraux. La vitamine D peut être produite par la peau de l'enfant sous l'influence du soleil.

ADOLESCENTS

La période de l'adolescence est une période de croissance fondamentale qui nécessite une augmentation des apports alimentaires. C'est aussi une période où le grand enfant a tendance à se nourrir un peu n'importe comment, ce qui peut entraîner un déséquilibre.

PERSONNES AGÉES

La vieillesse conduit bien souvent à une perte d'appétit, à une diminution des apports alimentaires qui peut atteindre des niveaux dangereux. La carence en vitamine D est fréquente chez les sujets âgés qui restent confinés chez eux, ne sont pas exposés au soleil et mangent relativement peu de matières grasses. La vitamine D se trouve dans les œufs, le beurre, la margarine, les poissons gras.

QUE VALENT LES PRODUITS DIÉTÉTIQUES ?

La liste des produits dits « naturels » est longue : fruits et légumes non traités, aliments complets, herbes, pilules, miel, graines, racines, etc. On peut y ajouter les produits végétariens.

Certains ont un intérêt nutritif indiscutable : c'est le cas du pain complet. Cependant, dans leur grande majorité, ces produits n'ont pas fait la preuve de leur intérêt. De plus, la seule dénomination « produit naturel » laisse supposer à tort que les autres aliments ne le seraient pas. Il faut dans ce domaine garder un esprit critique.

VÉGÉTARIENS

Il n'y a rien de critiquable dans le fait d'être végétarien. D'ailleurs, ce que préconisent les nutritionnistes en matière d'alimentation a beaucoup de points communs avec le régime végétarien : régime pauvre en graisses, riche en fruits et légumes, riche en fibres.

De nombreux végétariens mangent des œufs et boivent du lait, donc des protéines animales. Ceux qui excluent tout produit d'origine animale de leur alimentation n'en sont pas moins en bonne santé.

Le régime macrobiotique (zen) peut présenter des inconvénients. A mesure que vous avancez dans les conseils diététiques préconisés par ses adeptes, vous arrivez à une alimentation restreinte à l'ingestion de riz brun qui est supposé être la panacée; malheureusement, des gens en sont morts.

ALIMENTS COMPLETS

Les aliments complets ont certainement des avantages par rapport aux aliments raffinés. Le pain complet est préférable au pain blanc. Par contre, la quantité de riz et d'autres types de grains que nous mangeons est si faible qu'il importe peu de les utiliser sous forme brute ou raffinée. Le sucre brun est vraiment très peu différent du sucre blanc.

ALIMENTS NATURELS

La plupart des fermiers et des cultivateurs fertilisent leurs terrains avec du sulfate d'ammonium, de la potasse, du phosphate. Ils utilisent aussi des engrais et du terreau, dans la mesure du possible. Les défenseurs de la culture écologique avancent que l'utilisation de produits chimiques est artificielle et que les aliments cultivés dans un terrain fertile naturel (organique) ont une meilleure valeur nutritive. En fait, il n'y a pas de différence majeure. Les cultures dites naturelles évitent généralement tout produit chimique, en particulier les pesticides et les désherbants.

Les quelques études contrôlées effectuées à ce sujet ont montré qu'il n'y avait pas de différence entre les aliments issus de ces deux types de culture.

Il en est de même pour les œufs provenant de poules élevées en liberté ou de manière industrielle. En terme de valeur nutritive, ils ont les mêmes qualités.

SEL DE MER

En général, le sel de table (chlorure de sodium) est tiré de mines de sel souterraines et subit plusieurs purifications. Il contient du carbonate de magnésium (sel minéral inoffensif), qui est ajouté pour améliorer la fluidité. Le sel de mer provient de l'évaporation de l'eau de mer et contient un certain nombre d'impuretés. Les défenseurs des produits naturels affirment que les autres substances présentes dans le sel de mer ont un intérêt pour la santé. Cela paraît peu probable quand on connaît la très faible teneur de ces constituants dans le sel de mer. Par ailleurs, le sel de mer coûte plus cher que le sel tiré de la terre.

MIEL

Le miel est un aliment traditionnel et agréable. Cela explique sa renommée. En fait, le miel est tout simplement constitué de sucre et d'eau associés à des vitamines.

La valeur nutritive d'une cuillère à café de miel est exactement celle de trois quarts d'une cuillerée de sucre de table. Il faudrait consommer une bonne livre de miel chaque jour pour en tirer des bénéfices en terme de vitamines.

VINAIGRE DE CIDRE, VARECH, YAOURT NATUREL

Le vinaigre de cidre est du vinaigre tiré de la fermentation du cidre, de la même manière que le vinaigre de vin. Il est constitué d'acide acétique et d'eau, et n'a pas d'autre intérêt que de fournir peu de calories.

Le varech est une plante marine. Il fournit de l'iode (un nutriment essentiel) et quelques sels minéraux de moindre importance. Il n'a pas de valeur nutritive spéciale.

Le yaourt naturel contient des bactéries qui ont permis de faire tourner le lait, alors que les yaourts du commerce ont été stérilisés (débarrassés des bactéries) par pasteurisation. L'intérêt d'utiliser des yaourts contenant encore des bactéries n'est pas évident. Bien entendu, si un yaourt est fabriqué à partir d'un lait riche en crème plutôt que d'un lait écrémé, il aura un meilleur goût et une meilleure valeur nutritive. Cela tient à la qualité du lait, non à la présence de bactéries.

VITAMINES NATURELLES

On trouve dans toutes les pharmacies et les maisons de produits diététiques des préparations de vitamines, extraites de blé, de levure, de foies d'animaux. Ces vitamines, dites naturelles, n'ont de naturel que l'origine et ne présentent aucun avantage par rapport aux vitamines synthétiques fabriquées dans une usine. Ce qui importe, ce n'est pas l'origine d'une vitamine mais sa dose et son indication.

HERBORISTERIE

Nos ancêtres utilisaient les plantes pour se soigner. Beaucoup d'entre elles n'ont aucun effet thérapeutique. Certaines sont des poisons connus (la pervenche contient un alcaloïde dangereux). D'autres contiennent des produits dotés d'une activité modeste (fenouil, clou de girofle). Un

Le vrai et le faux

☐ **La viande donne force et énergie** — *Faux*.
De nombreux végétariens sont sains et forts alors qu'ils ne mangent aucun aliment d'origine animale.

☐ **Le miel est bon pour la santé** — *Faux*.
Le miel est fait de fructose (sucre des fruits), de glucose et d'eau, avec des vitamines en si faible quantité qu'elles ne contribuent pas à une meilleure santé.

☐ **Le sucre brun est préférable au sucre blanc** — *Faux*.
Le sucre blanc contient 99,9 pour 100 de sucrose pur; le sucre brun contient 98 pour 100 de sucrose pur et 1 pour 100 d'eau, ce qui ne laisse la place qu'à des traces de sels minéraux et de protéines. Ces différences minimes ne peuvent être bénéfiques.

☐ **La confiture préparée dans des casseroles en cuivre est meilleure que la confiture préparée dans un récipient non métallique** — *Faux*.
Le cuivre détruit complètement la vitamine C du fruit. Donc il en résulte forcément un appauvrissement pour l'organisme.

certain nombre de médicaments majeurs ont été extraits de plantes (c'est le cas de la digitaline, de la quinine, de la morphine, entre autres). Ce n'est pas une raison suffisante pour conseiller aux gens bien portants de consommer ces plantes régulièrement. De plus, l'extraction et la mise sous forme de médicament permet une adaptation parfaite du dosage du produit en cas de maladie.

Les boissons que l'on peut tirer des plantes sont agréables, mais il faut savoir qu'elles ne constituent pas un remède pour traiter de vraies maladies.

LES DANGERS DE L'ALIMENTATION OCCIDENTALE

Durant ce dernier demi-siècle, un certain nombre de maladies sont devenues plus fréquentes et plus graves dans les pays industrialisés, tandis qu'elles restaient exceptionnelles dans les pays pauvres. On parle à leur sujet de « maladies modernes », de « maladies de l'abondance ». Il s'agit des maladies cardio-vasculaires, du diabète, de la carie dentaire, de certaines formes de cancers, en particulier le cancer de l'intestin.

L'alimentation paraît avoir un rôle dans la recrudescence de ces maladies. Celles-ci sont devenues plus fréquentes en Occident en même temps que l'alimentation y devenait plus riche.

Il existe des arguments, sans qu'ils soient catégoriques, pour penser que les habitants des pays riches consomment trop de matières grasses d'origine animale, trop de sucre et de sel, et pas assez de fibres végétales.

LES GRAISSES FAVORISENT-ELLES LES MALADIES CARDIAQUES ?

Les sujets décédés de maladies cardiaques présentaient habituellement des dépôts graisseux au niveau des parois de leurs artères. Ces dépôts rétrécissent l'intérieur des artères, limitant le débit de sang en aval. Si sur ce rétrécissement se forme un caillot de sang, les tissus normalement irrigués par l'artère vont manquer d'oxygène. De tels événements au niveau des artères coronaires (irriguant le muscle cardiaque) conduisent à la « crise cardiaque ».

Les dépôts graisseux des parois artérielles sont constitués essentiellement de cholestérol et de calcium. Une alimentation riche en graisses élève le niveau du cholestérol sanguin et, par ce biais, pourrait favoriser les dépôts graisseux sur les parois artérielles. On pense généralement que le cholestérol apporté par les aliments (les œufs, les viandes contiennent du cholestérol) est le facteur qui détermine l'élévation du cholestérol sanguin. Il n'en est rien. Le cholestérol présent dans les aliments a relativement peu d'effet sur le cholestérol sanguin, car l'organisme qui reçoit du cholestérol alimentaire en excès s'en accommode en fabriquant lui-même moins de cholestérol. Plus que le cholestérol alimentaire, ce sont généralement les graisses, et particulièrement les graisses saturées, qui déterminent le taux du cholestérol sanguin.

On distingue deux types de graisses : saturées et insaturées. Les graisses saturées proviennent des aliments d'origine animale : viande, crème, œuf, fromage, margarine. L'huile de noix de coco, utilisée pour la fabrication de certaines graisses, est riche en graisses saturées. Les graisses insaturées sont présentes dans les végétaux (surtout dans l'huile de tournesol et de maïs) et dans certains poissons.

On sait qu'une alimentation riche en graisses saturées (d'origine animale) favorise un excès de cholestérol sanguin. A l'inverse, plus un régime est enrichi en graisses insaturées, plus il a de chance de réduire le taux du cholestérol.

C'est pourquoi on recommande de consommer des graisses d'origine végétale plutôt que des graisses animales, tout en réduisant globalement les apports en graisses. Il faut limiter la consommation de viandes grasses, de beurre, de crème et de préparations culinaires riches en matières grasses saturées (gâteaux, biscuits).

On conseille aussi d'utiliser certaines margarines riches en graisses insaturées, comme la margarine de tournesol, bien qu'une certaine controverse persiste à ce sujet.

FIBRES DIÉTÉTIQUES : PRÉVENTION DES MALADIES DE L'INTESTIN ?

Durant le XXe siècle, l'alimentation occidentale s'est progressivement appauvrie en fibres (en cellulose particulièrement) non digestibles qui forment les selles. Les gens mangent moins de pain, et le plus souvent il s'agit de pain blanc. Le pain blanc est préparé avec de la farine débarrassée du son, une source importante de fibres. Les gens d'aujourd'hui consomment moins de fruits et de légumes, qui contiennent des fibres, et plus de matières grasses et de sucreries, qui en sont dépourvues.

L'appauvrissement du régime en fibres a pour conséquence une fréquence accrue de la constipation, des hémorroïdes, des maladies intestinales. Ces maladies sont rares dans les populations qui ont une alimentation riche en fibres. Les régimes riches en fibres ont aussi la réputation de réduire le risque de cancer de l'intestin.

Les constipés chroniques sont bien souvent soulagés de leurs troubles par l'ingestion de pain complet ou de céréales riches en son, ou par l'adjonction à leur alimentation normale de son. De manière moins spectaculaire, le pain noir, les légumes, les fruits, peuvent avoir des effets comparables.

Le vrai et le faux

☐ **Les gros enfants font de gros adultes** — *Éventuellement vrai.*
Moins de 10 pour 100 des enfants d'âge scolaire présentent un surpoids, au moins 25 pour 100 des adultes sont obèses. Un gros enfant peut devenir un adulte gros, mais ce n'est pas obligatoire. Il est probable qu'il existe des dispositions favorables à la prise de poids. Si l'on hérite de telles dispositions, on a plus de risques d'être gros dès l'enfance et de le rester à l'âge adulte si l'on ne fait pas attention à équilibrer ses apports alimentaires avec ses dépenses d'énergie. Surveiller son alimentation.

☐ **Les œufs bruns sont meilleurs que les blancs** — *Faux.*
La coloration de la coquille de l'œuf dépend de la façon dont est alimentée la poule mais n'a rien à voir avec sa valeur nutritive.

☐ **La margarine fait moins grossir que le beurre** — *Faux.*
La margarine est constituée de matière grasse en quantité comparable à celle du beurre. Elle a donc le même pouvoir calorique. Par contre, elle peut se distinguer du beurre par sa teneur en graisses saturées et insaturées.

LE SEL ET L'HYPERTENSION

Il est essentiel pour la santé de consommer du sodium, mais celui-ci est ajouté en grande quantité à la nourriture sous forme de sel de table (chlorure de sodium) et de glutamate de sodium, largement utilisé dans les conserves et les potages pour donner du goût.

Il existe des arguments suggérant que l'hypertension artérielle, les maladies cardiaques coronariennes, les accidents vasculaires cérébraux, sont plus fréquents dans les populations dont la consommation en sel est élevée et celle en potassium pauvre. On ne peut pas accuser précisément le sel, mais il faut retenir que dans leur majorité, les gens mangent plus de sel qu'ils n'en ont besoin. On peut sans danger réduire sa consommation de sel et augmenter celle de potassium en mangeant plus de fruits et de végétaux.

L'excès de sel est plus grave chez les bébés que chez les adultes, car ces derniers ont de meilleures capacités pour éliminer le surcroît de sel. C'est pour cette raison que les produits alimentaires pour bébé vendus dans le commerce ne devraient pas être enrichis en sel.

LE SUCRE : DESTRUCTEUR DES DENTS

La carie dentaire est causée par la croissance et la multiplication des bactéries, qui produisent au niveau de la surface des dents des acides érosifs.

Pour croître à la surface des dents, les bactéries ont besoin d'aliments. Les bactéries aiment tous les sucres, mais plus particulièrement le sucrose, c'est-à-dire le sucre de table ordinaire.

Les confiseries font le plus de dégâts, car elles adhèrent aux dents. Lorsque l'on suce un bonbon, le sucre est maintenu en permanence en contact avec la dent pendant des heures.

Le meilleur conseil que l'on puisse donner est de ne pas consommer de sucre en dehors des repas. Ce conseil est généralement peu suivi, surtout par les enfants. Il faut essayer de limiter le temps de contact entre les dents et les sucres. Une confiserie à la fin du repas ou une débauche de sucreries une fois par semaine est préférable à une consommation continue entre les repas.

Le meilleur remède reste la suppression, grâce à un brossage régulier, du film de bactéries adhérant aux dents (plaque dentaire). *Voir* DENTS (SOINS DES).

Une autre mesure salutaire est de se débarrasser des sucres demeurant dans la bouche après le repas. La salive y contribue, de même que la consommation d'un aliment consistant, comme une pomme, stimule la sécrétion de salive. Plus simplement, on peut se rincer la bouche avec un verre d'eau.

OBÉSITÉ : LE GRAND ENNEMI

L'effet le plus marquant de l'alimentation des sociétés d'abondance est l'obésité. Dans les pays occidentaux, plus du quart de la population est obèse. Les gens gros sont prédisposés à l'hypertension artérielle, au diabète, à la goutte, aux maladies cardio-vasculaires et aux calculs vésiculaires. Le surpoids imposé aux os et aux articulations favorise les maladies articulaires des genoux, des hanches et de la région lombaire, ainsi que les pieds plats. L'excès de graisses autour du thorax et sous le diaphragme peut gêner la respiration et favoriser ou aggraver les maladies bronchiques.

Les gens obèses ont statistiquement une espérance de vie réduite. Cela ne veut pas dire que tout obèse va mourir plus tôt, mais que, dans l'ensemble, les gens trop gros vivent moins longtemps que les gens de poids moyen.

Normalement, la graisse représente 15 pour 100 du poids du

Quelle est la composition de votre alimentation quotidienne ?

Sur ce tableau figurent les compositions détaillées de portions de 100 grammes d'aliment. Les chiffres indiqués se réfèrent évidemment à des valeurs moyennes.

Les valeurs citées ont été arrondies, ce qui explique que le total puisse dépasser parfois 100.

La quantité de nutriments varie selon la teneur de l'aliment en eau. Par exemple, la quantité de nutriments présents dans 100 grammes de biscuits au chocolat (qui sont secs) est plus élevée que celle contenue dans 100 grammes d'une crème comportant une grande quantité d'eau.

Seules les vitamines présentes en quantités importantes sont signalées. « Tr » signifie « trace de nutriment », c'est-à-dire une quantité minime, trop petite pour avoir un intérêt nutritionnel réel.

ALIMENTS	*Énergie (calories)*	*Protéines (g)*	*Graisses (g)*	*Hydrates de carbone (g)*	*Eau (g)*	*Fibres (g)*	*Vitamines*
Produits laitiers							
Lait	65	3,3	4	5	88	—	A B2
Beurre	740	—	82	—	15	—	A
Crème fraîche	298	3	30	4	62	—	A
Fromage : camembert	312	20	24	4	55	—	A B2
Fromage : bleu	350	23	29	—	40	—	A B2
Fromage : roquefort	315	23	35	2	40	—	A B2
Fromage blanc à 20 %	80	10	4	1	85	—	
Fromage fondu	310	22	25	—	44	—	A B2
Glace	170	4	7	25	64	—	B1 B2
Yaourt naturel	50	5	1	6	86	—	B1 B2
Yaourt aux fruits	80	5	1	14	79	—	B1 B2
Margarine	730	—	81	—	16	—	A
Viandes et poissons							
Bacon cru	451	15	40	—	55	—	B1
Bacon cuit	450	25	40	—	35	—	B1
Œufs	150	12	11	Tr	75	—	A B1 B2
Bœuf 2ᵉ catégorie	190	20	12	5	48	—	B2
Bœuf 1ʳᵉ catégorie	190	21	12,5	—	56	—	B1 B2
Corned beef	220	27	12	—	58	—	B2
Côtelettes de mouton	225	18	17	—	65	—	B1 B2
Côte de porc	336	15	30	—	55	—	B1 B2
Côte de veau	112	21	3	—	75	—	
Poulet rôti	150	25	5	—	68	—	B1 B2
Foie de veau	132	19	4	4	63	—	A B1 B2
Saucisse (bœuf)	270	13	18	15	48	—	
Saucisse (porc)	320	14	25	11	45	—	B2
Jambon	120	18	5	—	73	—	B1 B2
Poissons blancs (morue)							
Poissons blancs frits	200	20	10	8	60	—	B1
Poissons blancs bouillis	80	19	1	—	79	—	B1
Poissons gras							
Poissons gras frits	230	23	15	1,5	58	—	B2
Sardines à l'huile	220	24	14	—	58	—	B2
Fruits et légumes							
Petits pois	48	2	—	10	90	3	A
Haricots secs en boîte	330	19	1,5	60	12	7	B1 B2 PP
Choux de Bruxelles	44	3	—	8	88	4	A B1 B2 C
Choux bouillis	16	1	—	3	96	2,5	A C

ALIMENTS	Énergie (calories)	Protéines (g)	Graisses (g)	Hydrates de carbone (g)	Eau (g)	Fibres (g)	Vitamines
Carottes cuites	20	0,6	—	4	91	3	A
Choux-fleurs	30	1,5	—	5	93	2	C
Concombres crus	10	0,6	—	2	96	0,4	C
Pois bouillis	50	5	—	8	80	12	A B1 B2 C
Pommes de terre bouillies	80	1	—	20	77	1	B1
Pommes de terre grillées	160	3	5	27	64	1	B1
Pommes de terre frites	250	4	11	37	47	1	B1
Tomates	15	1	—	3	93	1,5	A C
Pommes	45	0,3	—	12	84	2	
Bananes	80	1	Tr	20	70	3	C
Cerises	50	0,6	—	12	81	2	
Raisin	60	0,6	—	15	80	1	
Oranges	35	1	—	9	86	2	C
Poires	40	Tr	—	11	83	2	
Prunes	40	0,6	—	10	84	2	A
Amandes	570	17	54	4	5	14	B1 B2
Marrons	620	2	3	37	52	7	B1 B2
Cacahuètes grillées	570	24	49	9	4	8	B1 B2
Beurre de cacahuètes	620	23	54	13	1	8	B1 B2
Boissons							
Bière	30	0,3	—	2		—	B2
Bière brune	70	0,7	—	6		—	
Vin	70	Tr	—	Tr		—	
Alcools	220	—	—	—		—	
Thé	—	—	—	—		—	
Café	—	—	—	—		—	
Sucre (1 cuill. à café)	24	—	—	—		—	
Soupe légère	20	1	0,3	4		Tr	
Soupe à la crème	55	1	3	6		Tr	
Féculents							
Pain complet	239	8	1	49	40	8,5	B1
Pain blanc	255	7	1	55	39	2,7	B1
Riz à l'eau	88	2	—	20	70	0,8	
Spaghettis à l'eau	88	2	—	20	72	inconnu	
Cornflakes	366	7	4	83		1,2	A B1 B2 D
Biscuits au chocolat	520	6	28	67	2	3,1	B2
Biscuits (petits-beurre)	440	11	13	76	5	3	B1
Gâteaux aux fruits	350	5	13	58	20	3,5	
Quatre-quarts	415	6	19	55	15	1	
Flocons d'avoine	379	14	7	66	90	0,8	

corps chez l'homme, et 20 pour 100 chez la femme. La graisse corporelle constitue une réserve d'énergie et protège du froid.

Si l'on mange plus qu'il ne faut, le surplus d'aliments va être stocké sous forme de graisses. Chez un sujet présentant une obésité sévère, la graisse peut représenter 50 pour 100 du poids du corps. On devient gras en mangeant trop, mais tous les gens ne sont pas « égaux » devant la nourriture. Pour une même dépense physique, certaines personnes pourront grossir en mangeant 2 000 calories, d'autres maigriront. Ces différences individuelles s'expliquent mal pour le moment.

COMMENT CONTROLER SON POIDS ET RESTER EN BONNE SANTÉ

L'exercice n'est pas la meilleure façon de perdre du poids. Pour maigrir, il faut manger moins.

Cela suppose de réduire le sucre et les aliments riches en sucres qui ont une forte teneur en calories. Ces aliments doivent être remplacés par des fruits, des légumes verts moins énergétiques mais nutritifs.

Une personne présentant un surpoids et qui mange normalement 2 500 calories devrait, pour maigrir sans trop de contraintes, manger 1 000 calories par jour.

Un tel régime devrait lui permettre de perdre 500 grammes à 800 grammes par semaine. L'expérience prouve que l'amaigrissement progressif est de meilleure qualité et a plus de chance de tenir qu'un amaigrissement rapide, brutal, qui fatigue. Une personne qui se contenterait d'absorber de l'eau et qui ne mangerait rien du tout pendant une semaine ne perdrait que 2,3 kg de graisse et s'exposerait à des pertes musculaires et à des déficits en vitamines pouvant avoir un retentissement néfaste sur sa santé.

Les coupe-faim sont efficaces à court terme mais ne peuvent être utilisés longtemps en raison de leurs effets secondaires (parfois graves). Les hormones thyroïdiennes sont dangereuses, les diurétiques inefficaces et souvent néfastes.

Une réduction trop draconienne de l'alimentation peut entraîner une carence importante en vitamines ou en protéines.

La meilleure façon de perdre du poids sans risque est de restreindre les aliments riches en énergie (sucre, graisses, alcool) tout en maintenant des apports suffisants en aliments de bonne valeur nutritive (poisson, viande, fruits, végétaux, certains fromages).

On a proposé des régimes dissociés, c'est-à-dire supprimant telle ou telle série d'aliments. Les régimes très pauvres en sucre peuvent être efficaces si l'on réduit les hydrates de carbone à un niveau très bas et si l'on consomme des protéines et des graisses.

Une autre modalité de régime amaigrissant est le régime pauvre en graisse, qui nécessite beaucoup d'attention car il suppose d'éliminer non seulement les graisses visibles (beurre, huile), mais aussi les graisses invisibles contenues dans la viande et le poisson.

Lorsque l'on diminue de façon très importante les graisses alimentaires, la ration calorique est très réduite, car les graisses ont un très fort pouvoir énergétique. Une faible quantité de graisse fournit beaucoup d'énergie.

En définitive, la composition du régime compte beaucoup moins que la volonté de celui qui cherche à maigrir. Ce qui importe, c'est que ce dernier soit capable d'accepter pendant une période de plusieurs semaines ou mois une réduction de ses apports alimentaires (en terme de calories). Pour cela, le régime doit être adapté à chaque personne, à ses habitudes alimentaires, à son travail, à ses goûts.

Le vrai et le faux

☐ **Les haricots provoquent la flatulence** — *Vrai.*
En moyenne, un individu produit 100 millilitres de gaz par heure sans gêne. Si la production de gaz augmente, apparaît une flatulence désagréable. Les haricots et les pois contiennent des sucres non digestibles qui restent dans l'intestin, où ils nourrissent des bactéries. Ces bactéries produisent des gaz : du méthane, de l'hydrogène, de l'oxyde de carbone.

☐ **Il faut éviter les œufs, car ils sont riches en cholestérol** — *Faux.*
Le cholestérol présent dans les aliments a peu d'effet sur le niveau du cholestérol dans le sang, car l'essentiel de celui-ci est produit par l'organisme lui-même. Lorsque l'on consomme des œufs en quantité raisonnable (un ou deux par jour), il ne faut pas s'inquiéter de leur effet sur le cholestérol.

☐ **Les boissons ne font pas grossir** — *Faux.*
Bien sûr, le thé, le café ne contiennent pas de calories et ne font donc pas grossir; mais le sucre, le lait ou la crème qui les accompagnent souvent sont riches en calories. Quant à l'alcool, il fournit beaucoup de calories.

PRÉPARATION ET CUISSON DES ALIMENTS

Certains aliments doivent être cuits avant d'être consommés. La viande crue contient souvent des bactéries, qui doivent être détruites par la cuisson pour éviter les ennuis digestifs. Certains féculents, comme les haricots rouges, sont toxiques lorsqu'ils sont consommés crus, mais sans danger après cuisson.

Il y a cependant des inconvénients à la cuisson. Quelle que soit la méthode, la cuisson entraîne une perte de nutriments dont l'importance est variable. Certaines vitamines sont détruites par une cuisson excessive. Plus un aliment est cuit longtemps, moins il contiendra de vitamine C, et à un moindre degré de vitamine B et d'autres vitamines. La cuisson altère aussi certaines protéines, avec pour conséquence une perte de leur valeur nutritive.

La perte de nutriments la plus importante se produit dans l'eau de cuisson. La vitamine C et à un moindre degré certaines autres vitamines des fruits et des légumes sont perdues lors de la cuisson à l'eau. Plus les aliments sont découpés, plus la quantité d'eau utilisée pour leur cuisson est volumineuse, plus la durée de cuisson est longue, plus la perte de nutriments est importante.

Quand on cuit des fruits dans une casserole, la perte de nutriments dans l'eau de cuisson est généralement modeste parce que le jus est habituellement conservé et servi avec le fruit. Mais quand on cuit des légumes, il est habituel de se débarrasser de l'eau de cuisson. Il est préférable de la récupérer pour en faire une soupe, un bouillon ou une sauce.

La friture ou la cuisson à la vapeur entraîne une perte de nutriments moins importante.

La cuisson en friture protège dans une certaine mesure l'aliment en grillant sa surface. La cuisine à la vapeur consomme peu d'eau, ce qui limite la perte de nutriments.

Les pommes de terre que l'on achète déjà épluchées ou précoupées contiennent moins de

Le vrai et le faux

☐ **Les haricots rouges crus sont toxiques** — *Vrai.*
Des cas d'intoxication importante à la suite de la consommation de haricots rouges crus ont été observés.

vitamine B que les pommes de terre entières, car elles sont conservées dans des produits qui détruisent en partie cette vitamine.

On attribue bien des défauts aux aliments préparés industriellement, précoupés ou précuits. En fait, bien souvent, ils ont une valeur nutritionnelle égale ou supérieure à celle des aliments préparés à la maison. Il existe en effet des normes de préparation et de contrôle très strictes qui veillent à ce que les aliments soient de bonne qualité nutritionnelle.

Encore faut-il suivre scrupuleusement les conseils de conservation et de préparation qui figurent sur les emballages.

COMMENT UNE MAUVAISE CUISSON PEUT ALTÉRER LES LÉGUMES

Une mauvaise cuisson peut réduire à néant le contenu en vitamine C d'un légume vert, d'un chou par exemple.

Cela commence dès l'achat chez le marchand de légumes. Un chou contient 100 grammes de feuilles. Lorsque les feuilles se fanent, les enzymes qu'elles contiennent détruisent la vitamine C.

Un légume qui a perdu de sa fraîcheur a perdu de la vitamine C. Si le légume est placé dans une cuisine dont la température ambiante est chaude, la détérioration va se poursuivre.

Un chou mal conservé peut perdre un tiers de sa teneur en vitamine C par jour. Avant même d'être utilisé, il ne gardera que 40 des 100 milligrammes de vitamine C qu'il contenait au départ.

Si, en plus, il a été coupé en morceaux, les enzymes qui détruisent les vitamines C exerceront leur action avec plus d'efficacité sur chaque morceau. La teneur en vitamine C sera encore réduite à 30 milligrammes.

Les légumes doivent être placés dans l'eau dès qu'ils ont été coupés, de manière à rendre les enzymes inactives. L'eau doit être fraîche et portée à ébullition progressivement. L'on arrêtera la cuisson dès que le légume sera bien imprégné d'eau, mais pas plus, car plus la cuisson dure, plus les vitamines sont perdues dans l'eau de cuisson. En fonction du temps de cuisson et de la quantité d'eau utilisée, la teneur en vitamine, dans l'exemple que nous avons pris, peut être réduite à 5 ou 10 milligrammes.

En ajoutant à l'eau de cuisson une pincée de bicarbonate, on maintient la coloration des légumes. Mais cela aggrave la perte en vitamine C; si le temps de cuisson est court, il est préférable de s'en abstenir.

En fin de compte, le peu de vitamine C qui subsiste après toutes ces étapes peut être perdu si l'aliment est consommé après un long délai. Le légume qui sera finalement servi à table aura perdu beaucoup de ses qualités. Certains légumes pourront avoir perdu toute leur vitamine C.

Nous avons pris un exemple qui pourrait s'appliquer à tous les légumes à feuilles, comme les choux de Bruxelles, les choux-fleurs, etc.

Quand on cuit des végétaux, la perte de valeur nutritive est inévitable. Mais on mange de plus grandes quantités de légumes sous forme cuite que crue, si bien que la perte est compensée.

Le vrai et le faux

☐ **Il ne faut pas mélanger les protéines, les graisses et les sucres parce qu'ils sont digérés par des enzymes différentes** — *Faux.*
L'estomac et l'intestin produisent toutes ces enzymes en même temps. Presque tous les aliments sont constitués d'un mélange de protéines, de graisses et de sucre.

☐ **Il est dangereux de cuisiner dans de l'aluminium** — *Faux.*
Quand bien même de l'aluminium serait dissous dans les aliments, la quantité serait bien inférieure à celle consommée quand on prend certains médicaments contre les maux d'estomac.

☐ **La vitamine E accroît l'activité sexuelle** — *Faux.*
Une carence en vitamine E est responsable chez l'animal de troubles divers. Chez le rat, la souris, elle est cause de stérilité.
La vitamine E n'a pas d'influence sur l'activité sexuelle de l'homme.

☐ **Le vin blanc donne des maux de tête** — *Parfois vrai.*
Le vin blanc, comme le vin rouge, peut contenir des substances chimiques dont la consommation entraîne des migraines chez certains.

☐ **Le traitement des aliments est mauvais** — *Faux.*
Le traitement des aliments entraîne une certaine perte de leur valeur nutritive.

Les aliments sont traités après la récolte, soit par le froid, soit par la chaleur. Le beurre, le pain, le lait, sont traités. Les conditions actuelles de traitement assurent une excellente conservation de la valeur nutritive de ces aliments.

Le pain est lui aussi un aliment préparé, traité, fort commode et pourtant fort ancien. La querelle entre aliments traités et non traités est périmée.

☐ **Le jus de citron, le vinaigre aident à maigrir** — *Faux.*
Ils ne rétrécissent pas l'estomac comme on a pu le faire croire.

☐ **Les œufs de ferme sont meilleurs** — *Faux.*
Ils n'ont pas d'avantages particuliers sur le plan nutritionnel.

☐ **Les engrais sont toxiques pour l'alimentation** — *Faux.*
Certains végétaux poussent plus facilement avec les engrais naturels, d'autres avec les engrais chimiques. Sur le plan nutritionnel, il n'en résulte pas de différence.

AMNIOCENTÈSE

Ponction à travers l'abdomen et la paroi utérine, et prélèvement de liquide amniotique (dans lequel baigne le fœtus). Elle permet d'étudier les chromosomes, les cellules et la composition chimique de ce liquide. On peut ainsi dépister certaines anomalies génétiques chromosomiques (par exemple, le MONGOLISME) ou enzymatiques, certaines malformations digestives, de l'œsophage, de l'anus ou du rein, déterminer le sexe du fœtus, la maturité fœtale ou le degré de souffrance fœtale en cas de maladie hémolytique du nouveau-né.

AMPUTATION

Ablation chirurgicale d'une partie d'un membre ou d'un organe du corps. Elle est pratiquée pour éviter l'extension d'une infection (la gangrène, par exemple) des tissus malades aux tissus sains, ou pour enlever une structure qui ne remplit plus ses fonctions normales et la remplacer par une prothèse.

AMYGDALE (PHLEGMON DE L')

Abcès de la membrane muqueuse entourant les amygdales.

Symptômes
- Difficulté pour avaler, parler et ouvrir la bouche.
- Douleur, surtout d'un côté de la gorge, pouvant s'étendre jusqu'à l'oreille.
- Contracture des masséters (muscles masticateurs).
- Fièvre.

Durée
- Quatre à dix jours sans traitement.
- Guérison plus rapide avec le traitement.

Causes
- Angine. Si elle est bactérienne, un abcès peut apparaître environ une semaine après, par diffusion des germes.

Complications
- Il peut récidiver.

Traitement à domicile
- Boissons très liquides.
- Prendre des analgésiques. *Voir* MÉDICAMENTS, n° 22.
- Repos au lit pendant la période aiguë.

Quand consulter le médecin
- Dans les vingt-quatre heures.

Rôle du médecin
- Prescrire des antibiotiques. *Voir* MÉDICAMENTS, n° 25.
- Inciser l'abcès pour vider le pus et atténuer les symptômes, généralement sous anesthésie locale.

Prévention
- En cas d'angines répétées, il faut les traiter dès le début par des antibiotiques.
- De nombreux médecins préconisent l'amygdalectomie, dès que l'abcès est guéri.

Pronostic
- Excellent avec le traitement.
- Les récidives sont possibles si les amygdales ne sont pas enlevées.

AMYGDALECTOMIE

Ablation des amygdales. Elle se pratique sous anesthésie locale ou générale, et les végétations adénoïdes peuvent être enlevées durant la même intervention si elles sont hypertrophiées. La pratique de cette intervention, jadis très fréquente chez les enfants, est aujourd'hui fort controversée, depuis la découverte du rôle joué par les amygdales dans la défense immunitaire de l'organisme.

Par ailleurs, de nombreux patients continuent encore à souffrir de PHARYNGITES et maux de gorge même après une amygdalectomie. La tendance actuelle est de réserver cette intervention aux sujets ayant de graves problèmes comme des ANGINES à répétition, des OTITES moyennes récidivantes, des difficultés pour respirer et avaler dues à l'hypertrophie des amygdales, ou même un retard de croissance provoqué par des infections de la gorge nombreuses et sérieuses.

Voir SYSTÈME RESPIRATOIRE, *page 42*

AMYLOSE

Maladie due au dépôt, dans différents tissus de l'organisme, d'une protéine anormale cireuse appelée substance amyloïde. Elle complique parfois une infection prolongée comme la TUBERCULOSE, une inflammation chronique comme la POLYARTHRITE RHUMATOÏDE, ou d'autres affections comme la MALADIE DE HODGKIN.

Amygdalectomie : le vrai et le faux

☐ *Vrai.* Les amygdales font partie du système immunitaire de défense contre l'infection.

☐ *Vrai.* Les amygdales peuvent être infectées par des virus ou bactéries : c'est l'angine.

☐ *Vrai.* Une angine guérit souvent sans traitement; les antibiotiques ne sont utiles qu'en cas d'angine bactérienne et inefficaces sur les virus.

☐ *Vrai.* Enlever les amygdales diminue la fréquence des affections de la gorge.

☐ *Vrai.* Les affections de la gorge deviennent moins fréquentes après l'âge de sept ans.

☐ *Vrai.* Une angine peut survenir indépendamment de toute affection de la gorge.

☐ *Vrai.* L'amygdalectomie est habituellement sans danger et sans complications, surtout chez l'enfant de plus de cinq ans.

☐ *Vrai.* Cette intervention peut nécessiter une hospitalisation pour le petit enfant, et s'accompagner de symptômes comme : énurésie, céphalées, anxiété et douleurs abdominales.

☐ *Faux.* Les amygdales, comme l'appendice, sont des organes inutiles pour le corps.

☐ *Faux.* Les affections des amygdales favorisent les rhumes, toux, allergies, asthme, mauvaise santé générale, petite taille et manque d'appétit.

☐ *Faux.* Les angines doivent toujours être traitées par des antibiotiques.

☐ *Faux.* L'amygdalectomie évite les rhumes et la toux.

☐ *Faux.* L'amygdalectomie est toujours sans danger et n'entraîne jamais de complications.

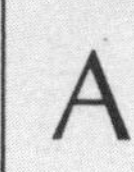

Dans d'autres cas, elle survient isolément. Les organes le plus souvent touchés sont la rate, le foie et les reins. Le traitement est celui de la maladie sous-jacente.

ANDROGÈNES

Hormones sexuelles mâles qui déterminent l'apparition des caractères sexuels masculins après la puberté, comme la barbe et la voix grave. La plus grande partie des androgènes, dont la testostérone (le plus important), sont sécrétés par le testicule, mais une petite quantité provient des glandes surrénales. Chez la femme, une petite quantité d'androgènes est sécrétée par l'ovaire et les surrénales. En cas d'hyperproduction, c'est le virilisme. En thérapeutique, les androgènes naturels ou synthétiques sont utilisés pour traiter certains retards pubertaires chez le jeune garçon, certains cancers du sein, et les aplasies de la moelle osseuse.

ANÉMIE

Diminution de la quantité d'hémoglobine (protéine contenue dans les globules rouges et transportant l'oxygène) dans le sang. C'est la maladie du sang la plus fréquente; il en existe différentes formes : A. ferriprive, A. pernicieuse ou maladie de Biermer, A. à hématies falciformes, A. mégaloblastique, A. arégénérative, A. régénérative, A. inflammatoire, A. hémolytique, A. réfractaire.

Symptômes (communs à toutes les anémies)
- Fatigue.
- Respiration courte et essoufflement.
- Vertiges.
- Troubles de la vision.
- Céphalées et insomnie.
- Palpitations.
- Pâleur de la peau et des conjonctives.
- Perte de l'appétit et indigestions.
- Œdèmes des chevilles dans les cas graves.
- Douleurs thoraciques chez les personnes âgées.

Chaque type d'anémie peut avoir un ou deux symptômes qui lui sont spécifiques.

ANÉMIE FERRIPRIVE OU SIDÉROPÉNIQUE

La plus courante. Elle est due à un manque de fer (nécessaire à la synthèse d'hémoglobine) dans l'organisme, par apport insuffisant ou pertes excessives. Cet état sera aggravé par une grossesse, des règles abondantes et toute perte de sang.

Symptômes supplémentaires
- Langue douloureuse et inflammation des commissures des lèvres.
- Ongles secs et cassants.

Durée
- Jusqu'au traitement de la cause.

Causes
- Hémorragies, règles abondantes.
- Régime carencé en fer.
- Maladies intestinales, mauvaise absorption du fer.
- De nombreuses infections chroniques qui perturbent la formation du sang (c'est l'A. inflammatoire).
- L'ULCÈRE GASTRIQUE ou DUODÉNAL, les CANCERS digestifs et les HÉMORROÏDES dans lesquels les pertes de sang sont inapparentes.
- La POLYARTHRITE RHUMATOÏDE et le MYXŒDÈME.
- Les maladies du sang avec destruction des globules rouges (c'est l'A. hémolytique dans ce cas).

Complications
- Aucune.

Traitement à domicile
- Aucun.

Quand consulter le médecin
- Dès l'apparition des symptômes décrits.

Rôle du médecin
- Examiner le malade et demander un examen de sang.
- En fonction du diagnostic, traiter la cause et prescrire un traitement apportant du fer.

Prévention
- S'assurer que l'alimentation apporte assez de fer.
- Consulter le médecin en cas de pertes sanguines importantes afin de prévenir une anémie.
- En cas de grossesse ou de règles abondantes, les femmes devraient consulter et prendre du fer.

Pronostic
- Excellent : le malade devrait guérir en six mois de traitement et, si la cause sous-jacente est diagnostiquée et traitée, les risques de récidives sont moindres.

ANÉMIE PERNICIEUSE OU MALADIE DE BIERMER

Anémie due à un manque de vitamine B12 (nécessaire à la formation des globules rouges par la moelle osseuse), par défaut d'absorption au niveau de l'estomac.

Symptômes supplémentaires
- Langue douloureuse, enflammée, et donnant aux papilles un aspect lisse et rouge.
- DIARRHÉE.
- ICTÈRE dans les cas graves.
- Troubles de la sensibilité, PARESTHÉSIES.

Durée
- Ces symptômes persistent jusqu'au traitement.

Complications
- Minimes si le traitement est engagé à temps.
- ATTAQUES CARDIAQUES, dégénérescence de la moelle épinière, CANCER DE L'ESTOMAC.

Traitement à domicile
- Aucun.

Quand consulter le médecin
- Dès la survenue des symptômes décrits.

Rôle du médecin
- Demander un examen de sang.
- Faire hospitaliser le malade pour des examens poussés comprenant une ponction de la moelle osseuse, un prélèvement de liquide gastrique pour dosage du « facteur intrinsèque » (qui permet l'absorption de la vitamine B12).

Traitement
- Si le diagnostic est confirmé, vitamine B12 en injections.

Prévention
- Aucune pour la maladie de Biermer due à un déficit congénital de sécrétion par l'estomac du facteur intrinsèque.
- Apport de vitamine B12 pour certaines causes comme une GASTRECTOMIE ou un traitement prolongé par un antiépileptique.

Pronostic
- Bon avec le traitement. Mais des injections de vitamine B12 doivent être continuées toute la vie.

ANÉMIE A HÉMATIES FALCIFORMES OU DRÉPANOCYTOSE

Anomalie congénitale de l'hémoglobine, héréditaire, touchant quasi exclusivement la race noire. Les symptômes débutent dès l'enfance, et les deux sexes sont touchés.

Symptômes particuliers supplémentaires
- Coloration jaune pâle des muqueuses et des globes oculaires.
- Fatigue après un exercice physique violent.
- Essoufflement important à l'effort.
- Formation de caillots sanguins dans le corps.

Durée
- État chronique durant toute la vie du patient.

Causes
- Présence dans le sang d'une hémoglobine anormale déformant les globules rouges (hématies) en faucilles. Ceux-ci sont alors détruits par le système immunitaire du corps, causant une anémie.

Complications
- Apparition d'ULCÈRES et infections dans les os, les reins et certains organes.

Traitement à domicile
- Aucun.

Quand consulter le médecin
- Dès l'apparition des symptômes.

Rôle du médecin
- Prescrire un examen de sang qui fera le diagnostic.

Traitement
- Transfusions régulières de sang, seul traitement de cette maladie.

Prévention
- Aucune, mais éviter les activités physiques importantes pour réduire le risque de crises graves.

Pronostic
- Des complications dues à l'anémie peuvent causer la mort à tout âge, mais beaucoup de malades survivent longtemps.

ANÉMIE MÉGALOBLASTIQUE (DÉFICIT EN ACIDE FOLIQUE)
Elle ressemble à l'anémie de Biermer et survient en cas de carence en acide folique dans l'alimentation (foie, légumes, feuilles). Les femmes enceintes et les femmes âgées sont particulièrement vulnérables. Les symptômes sont identiques à ceux de la carence en vitamie B12. Elle se traite par l'administration de comprimés d'acide folique, qui sont également prescrits à titre préventif chez les sujets à risque.

ANÉMIE HÉMOLYTIQUE
Les globules rouges sont détruits dans l'organisme, généralement par un mécanisme auto-immun. C'est le cas de la maladie hémolytique du nouveau-né. Les symptômes sont ceux de l'anémie ferriprive, car il y a perte d'hématies, avec une coloration jaune de la peau. Le traitement est l'exsanguinotransfusion dans les formes graves.

Voir aussi INCOMPATIBILITÉ FŒTO-MATERNELLE

ANENCÉPHALIE

Anomalie rare dans laquelle la majeure partie du cerveau fœtal ne s'est pas développé. Les os de la voûte du crâne sont absents ou malformés. La mort survient dès la naissance. Cette anomalie se retrouve dans certaines familles. Le diagnostic prénatal permet d'interrompre la grossesse.

ANESTHÉSIE

Perte de la sensibilité d'une partie (anesthésie locale) ou de la totalité (générale) du corps. Elle peut être temporaire et réversible : c'est le cas dans certaines maladies ou après administration de médicaments utilisés en chirurgie; mais aussi définitive : quand les nerfs sont lésés.

ANÉVRISME

Dilatation d'une artère, formant une poche. L'anévrisme peut être congénital (du cerveau) ou acquis (de l'aorte), dû à une altération et fragilisation de la paroi artérielle par certaines pathologies (ATHÉROME, HYPERTENSION ARTÉRIELLE...). La complication majeure est la rupture d'anévrisme complète, avec hémorragie interne (*voir* HÉMORRAGIE MÉNINGÉE), ou incomplète : c'est la dissection artérielle (déchirure longitudinale de la paroi de l'artère).

Symptômes
- Certains anévrismes, surtout abdominaux, sont asymptomatiques, découverts par un examen radiologique de routine.
- Les anévrismes thoraciques compriment les organes voisins et gênent la fonction cardiaque, provoquant des douleurs thoraciques et une DYSPNÉE.

Durée
- *Voir* ATHÉROME.

Causes
- Athérome, le plus souvent.
- SYPHILIS non traitée et ancienne. C'est très rare.
- Inconnues pour les anévrismes congénitaux.

Quand consulter le médecin
- Dès que cette maladie est suspectée.

Rôle du médecin
- L'anévrisme s'accompagne de symptômes : le médecin demandera un ensemble d'examens en vue d'une intervention chirurgicale.
- L'anévrisme asymptomatique : souvent, on ne le traite pas.
- Rupture d'anévrisme : c'est une urgence chirurgicale.

Prévention
- Celle de l'athérome pour les anévrismes acquis. *Voir* ATHÉROME.

Pronostic
- Les anévrismes thoraciques sont graves et peuvent être mortels en l'absence d'intervention chirurgicale.
- Les anévrismes asymptomatiques peuvent rester latents de nombreuses années sans donner aucun trouble, mais quand ils se déclarent, il faut mesurer les avantages et inconvénients de la chirurgie.

Voir SYSTÈME CIRCULATOIRE, *page 40*

ANGINE

Inflammation des amygdales, très fréquente chez l'enfant. Elle est généralement associée avec une inflammation de la gorge. *Voir* PHARYNGITE. La période d'incubation est de trois à cinq jours. Les enfants sont particulièrement vulnérables durant leur première année scolaire, car ils entrent en contact avec de nombreux virus et bactéries contre lesquels ils n'étaient pas encore immunisés.

Symptômes
- Mal de gorge. Les jeunes enfants ne sont pas capables de localiser la douleur et se plaignent de douleur à l'estomac. Les nourrissons pleurent.
- Les amygdales et le fond de la gorge sont d'aspect inflammatoire, très rouges et parfois couverts d'un exsudat ou de points blancs de pus.
- Fièvre.
- Ganglions au niveau du cou.
- Langue chargée et parfois haleine fétide.
- Il peut y avoir une petite éruption rouge sur le cou, causée par une bactérie (SCARLATINE) ou un virus, et parfois une CONJONCTIVITE.

Durée
- La phase aiguë dure quarante-huit heures.

Causes
- Virus ou bactéries bouchant le système respiratoire.
- Plus rarement : ROUGEOLE, RUBÉOLE, GRIPPE, MONONUCLÉOSE INFECTIEUSE, et très rarement BLENNORRAGIE.

Complications
- Phlegmon de l'AMYGDALE, RHUMATISME ARTICULAIRE AIGU, OU NÉPHRITE.

Traitement à domicile
- Boissons très liquides, et ne pas forcer le malade à manger.
- Prendre des analgésiques aux doses indiquées.
- Repos au lit jusqu'à l'amélioration des symptômes.

Quand consulter le médecin
- Si les symptômes et la fièvre élevée persistent.
- Si les crachats sont jaunes ou verts.
- Si l'enfant devient pâle et apathique, ou ne boit pas suffisamment pour uriner.

• Si l'éruption cutanée dure plus de vingt-quatre heures.
• Si les symptômes surviennent chez un adulte de plus de quarante ans.

Rôle du médecin
• Donner son avis sur le traitement à domicile.
• Faire un prélèvement de gorge.
• Prescrire des antibiotiques si la cause est bactérienne; mais ceux-ci sont inefficaces si l'angine est virale, et certains sont contre-indiqués en cas de mononucléose infectieuse, car ils déclenchent une éruption cutanée très importante.

Pronostic
• Guérison complète en l'absence de complications.

Voir SYSTÈME RESPIRATOIRE, *page 42*

ANGINE DE POITRINE

Douleur thoracique rétrosternale, suffocante ou constrictive, due à la brusque diminution du flux sanguin dans les artères coronaires (qui irriguent le cœur). Elle survient brutalement, généralement après l'effort, et s'atténue avec le repos. La cause la plus fréquente est l'athérome des coronaires, mais certaines affections comme l'anémie peuvent provoquer le même type de douleur.

Symptômes
• La douleur débute le plus souvent derrière le sternum, et peut irradier vers la mâchoire ou le bras gauche, et parfois le bras droit.
• Cette douleur est ressentie comme un étau, une brûlure, un écrasement, parfois des picotements ou un engourdissement; mais elle n'est jamais en coup de poignard ou lancinante.
• Les crises douloureuses durent au moins quelques minutes et peuvent être déclenchées à la suite d'un effort ou d'un repas.

Durée
• Quand cette pathologie s'est déclarée, les crises douloureuses ont tendance à récidiver de plus en plus souvent. Mais le traitement diminue l'intensité et la fréquence des crises, pouvant même les faire disparaître complètement.
• Il est rare qu'avec le traitement, les crises s'intensifient en fréquence et en violence.

Causes
• L'exercice physique, comme la marche rapide, surtout contre le vent ou en montant une côte.
• Le froid.
• Les émotions, créées par un choc affectif, une discussion, la violence.
• Les repas trop copieux, trop lourds.

Complications
• Un caillot sanguin peut venir obstruer une artère coronaire, formant une THROMBOSE CORONAIRE : c'est l'INFARCTUS DU MYOCARDE.

Traitement à domicile
• S'asseoir et se reposer. Si l'on est dans la rue, rester sur place. La douleur devrait cesser après quelques minutes de repos.
• Éviter les émotions : elles sont difficiles à calmer.
• Prendre un sédatif, si vous en avez, sinon une boisson alcoolisée (l'alcool dilate les vaisseaux).
• Arrêter immédiatement toute activité ou exercice. Continuer une activité durant une crise peut être très dangereux.

Quand consulter le médecin
• Si la douleur persiste plus de dix à quinze minutes, ou si vous n'avez jamais eu de crise auparavant.

Rôle du médecin
• Il doit trouver et éliminer la cause de cette angine de poitrine et évaluer sa gravité. Si elle est légère, elle ne nécessite aucun traitement, mais si elle est plus sévère, il prescrira un traitement. *Voir* MÉDICAMENTS, n° 8.
• Si elle ne cède pas au traitement médical, l'artère malade peut être remplacée chirurgicalement par une veine. C'est le pontage coronaire.

Prévention
• Éviter les facteurs déclenchant les crises, principalement l'effort physique dans le froid et le vent après un repas copieux. Le médecin vous prescrira des pastilles à sucer en cas de crise, ou préventivement.
• Pour la prévention à long terme, ne pas fumer, garder un poids raisonnable (*voir* POIDS), avoir une activité physique mesurée mais régulière. Mais suivez avant tout les conseils de votre médecin.

Pronostic
• Il dépend de la cause. Parfois, même avec des coronaires malades, une perte de poids et l'arrêt total du tabac peuvent faire complètement disparaître l'angine de poitrine, et améliorer l'état des artères.

Voir SYSTÈME CIRCULATOIRE, *page 40*

ANGIOME PLAN

Tache cutanée (appelée communément « tache de vin ») rose à rouge violacé, plane, présente dès la naissance, indolore, siégeant volontiers au visage ou en tout point du corps. Sa taille varie de quelques millimètres à plusieurs centimètres.

Durée
• Persiste indéfiniment sans modification de taille. Les taches roses médianes du front sont différentes, disparaissant en un à deux ans.

Causes
• Multiplication des vaisseaux capillaires du derme, non héréditaire.

Traitement à domicile
• Aucune crème ni lotion ne peut guérir ces taches.
• Un maquillage couvrant (*covermark*) permet de les atténuer.

Quand consulter le médecin
• Pour établir le diagnostic et être conseillé.

Rôle du médecin
• Décider des examens à pratiquer, et conseiller un traitement éventuel par le laser ou la dermabrasion, après la puberté.

Prévention
• Aucune.

Pronostic
• Malformation le plus souvent bénigne dont le principal problème est esthétique. Une amélioration après quinze ans sera souvent possible grâce aux nouveaux traitements.

Voir LA PEAU, *page 52*

ANGIOME STELLAIRE

Petite lésion très banale, indolore, formée d'un point rouge vif saillant d'où irradient de fins vaisseaux arborescents, réalisant l'image d'une araignée ou d'une étoile. Unique ou multiple, l'angiome stellaire siège surtout au visage, apparaît chez l'enfant ou l'adulte, et s'efface à la pression du point central. Il peut persister des semaines ou des années.

Causes
• Il s'agit d'une dilatation des vaisseaux superficiels du derme (capillaires), d'origine le plus souvent inconnue, fréquente au cours de la grossesse.
• Peut témoigner d'une affection chronique du foie.

Traitement à domicile
• Aucun.

Quand consulter le médecin
• Si l'on est inquiet.

Rôle du médecin
• Rechercher une cause hépatique (rarement).
• Traiter par électrocoagulation fine.

Prévention
- Impossible.

Pronostic
- Régresse généralement après l'accouchement.
- Récidive fréquemment après traitement.

Voir LA PEAU, *page 52*

ANGIOME TUBÉREUX

Malformation vasculaire bénigne (communément appelée « fraise »), rarement présente à la naissance, survenant au cours des premières semaines de la vie; elle est très fréquente, surtout chez les filles.

Symptômes
- Tuméfaction rouge vif, telle une fraise posée sur la peau, indolore, de taille très variable (3 millimètres à plusieurs centimètres), siégeant en n'importe quelle partie du corps, donnant rarement des complications.
- Grossit d'abord pendant quelques semaines ou mois, puis régresse lentement en quelques années pour disparaître le plus souvent complètement. Ne se cancérise jamais.

Causes
- Anomalie non héréditaire des vaisseaux sanguins, de cause inconnue.

Traitement à domicile
- Aucun, hormis une compression douce s'il survient un petit saignement après une blessure.

Quand consulter le médecin
- Pour le diagnostic et la surveillance régulière.
- S'il survient une complication : poussée autour d'un orifice naturel, nécrose ou encore une hémorragie très importante.

Rôle du médecin
- Rassurer les parents et leur expliquer l'évolution naturelle de la lésion.
- Décider le plus souvent de ne rien faire, ce qui donnera les meilleurs résultats esthétiques.
- Traiter certains angiomes géants ou de localisation dangereuse.
- Envisager un traitement chirurgical tardif s'il persiste des défauts résiduels.

Prévention
- Impossible.

Pronostic
- Habituellement, guérison spontanée avant huit ans.

Voir LA PEAU, *page 52*

ANIMAUX DE COMPAGNIE

Un certain nombre de maladies sont transmises par les animaux domestiques. Elles sont bénignes et peuvent être prévenues par des mesures d'hygiène.

RÉACTIONS ALLERGIQUES
Elles sont fréquentes et vont de la simple éruption à la crise d'asthme grave. La réaction allergique se manifeste différemment selon les individus, mais elle se reproduira toujours sous la même forme en cas de contact avec l'animal provoquant l'allergie. Certains auront de l'asthme ou un rhume des foins en présence de poils d'animaux, d'autres auront de l'urticaire ou une éruption quelques minutes après avoir été léchés par un chien ou un chat. Les personnes particulièrement allergiques aux chats pourront, dès qu'elles rentrent dans une pièce où se trouve un chat, avoir un œdème des paupières. Les lapins, cochons d'Inde, hamsters peuvent également être source d'allergies. La cause est généralement une allergie à une protéine présente dans l'urine de l'animal et qui contamine sa fourrure. Les symptômes allergiques se manifestent rapidement, dès que l'animal est caressé. La seule solution efficace est de se débarrasser de l'animal et s'accorder trois mois pour vider la maison de toute trace de poils. Un traitement par la désensibilisation peut être tenté, mais sans résultats très satisfaisants.

MALADIE DE LA GRIFFE DU CHAT
Maladie bénigne transmise par les chats et dont l'agent responsable n'a pas encore été isolé. Elle se

Prévention des maladies chez votre animal familier

Pour éviter à votre animal de contracter des maladies pouvant toucher l'homme, vous devez l'emmener chez le vétérinaire pour les traitements suivants :

CHATS

☐ Vermifuger la mère à la moitié de la grossesse.

☐ Vermifuger les chatons à cinq semaines, et ensuite encore entre huit et neuf semaines.

☐ Vacciner contre la gastro-entérite hémorragique et la grippe du chat à douze semaines, avec un rappel tous les ans ou tous les deux ans selon le vaccin utilisé.

☐ Vacciner contre la rage à partir de un an, puis rappel tous les ans.

CHIENS

☐ Vermifuger la chienne qui attend des petits.

☐ Vermifuger les chiots entre quatre et sept semaines, et recommencer entre quatorze et vingt semaines. Ensuite, les chiens seront vermifugés tous les six mois toute leur vie.

☐ Vacciner contre la maladie de Carré, l'hépatite infectieuse, la leptospirose, la gastro-entérite, chez le chiot entre huit et douze semaines, puis une seconde injection quinze à trente jours après, et un rappel un an après.

☐ Vacciner contre la rage à partir de un an.

☐ Des rappels seront faits tous les ans pour toutes les vaccinations.

AUTRES ANIMAUX

☐ Les lapins devraient être vaccinés contre la myxomatose à douze semaines.

☐ Les furets contre la maladie du jeune âge à douze semaines.

☐ Les oiseaux en cage et les rongeurs, tels souris, hamsters et cochons d'Inde, n'ont pas besoin d'être vaccinés.

manifeste par des ganglions dans la région du corps qui a été mordue, griffée ou léchée par un chat, une fièvre légère et un syndrome pseudo-grippal. La guérison est spontanée sans traitement.

PIQURES DE PUCES
Des puces sont souvent introduites dans la maison par les animaux familiers. Les puces de chien et de chat se nourrissent de leur sang, mais ne mordent pas les humains, sauf quand l'animal n'est plus là. Généralement, les puces passent une partie de leur vie sur l'animal et vivent le reste du temps dans sa couche ou dans les meubles proches de sa place favorite. Dans les pays occidentaux, les piqûres de puces ne provoquent que des démangeaisons, alors que, dans les régions tropicales, elles risquent de transmettre des maladies graves, comme la peste bubonique. Pour éliminer les puces on utilise une poudre insecticide.

ANIMAUX PORTEURS DE VERS
Les animaux domestiques, le chien en particulier, peuvent transmettre à l'homme deux maladies dues à des vers : le KYSTE HYDATIQUE et la TOXOPLASMOSE. Ces deux maladies sont causées par l'ingestion d'œufs de vers parasites trouvés dans les excréments des chiens ou des chats. La contamination se fait soit par contact direct avec l'animal, soit dans les jardins publics où des chiens ont joué. Les enfants en particulier, qui jouent dans les bacs à sable, les parcs, les squares, jardins d'enfants et cours de récréation, courent un risque important; c'est pourquoi les aires de jeu réservées aux enfants sont interdites aux chiens.

Le kyste hydatique est dû à la présence de larves qui grossissent et se multiplient dans certaines parties du corps. Après pénétration des œufs dans l'intestin, les larves éclosent, traversent la paroi intestinale et circulent dans le sang, avant d'aller se loger dans certains organes comme le foie ou les poumons. Là, les larves s'entourent d'une coque formant un kyste, se multiplient à l'intérieur, et le kyste commence à grossir lentement. Il peut mettre vingt ou trente ans pour atteindre sa taille définitive. C'est la présence de ce kyste qui cause les symptômes : douleurs abdominales, transpiration, fièvre, malaises, mais la maladie peut passer longtemps inaperçue et ne sera découverte qu'à l'occasion d'une intervention chirurgicale. Cette maladie n'existe que dans les pays d'élevage de moutons, car les vers sont transmis aux chiens par les moutons.

La toxoplasmose débute par l'éclosion d'œufs de parasites dans le sang. Puis les larves sont transportées vers le foie, les poumons et le cerveau, où le corps réagit pour se défendre en produisant plus de globules blancs. La toxoplasmose est une maladie bénigne, sauf pour la femme enceinte, car elle est grave pour le fœtus et peut laisser des lésions définitives de la rétine. Pour l'éviter, il faut manger la viande très cuite et vermifuger chiens et chats.

RAGE
Maladie très grave, due à un virus présent dans la salive des animaux infectés, et transmise à l'homme par morsure, léchage ou, exceptionnellement, inhalation de gouttelettes de salive. Les animaux susceptibles de transmettre la rage comprennent : les chiens (le plus fréquent), chats, rats, chauves-souris, renards, écureuils, chevaux et bovins. Il existe un vaccin efficace permettant de vacciner les animaux en régions endémiques et de traiter l'homme contaminé.

PSITTACOSE ET MALADIE DE L'ÉLEVEUR D'OISEAUX (ORNITHOSE)
Deux maladies causées par les oiseaux en cage et qui n'ont aucun rapport avec la consommation de volaille.

La PSITTACOSE est due à un germe qui touche les oiseaux, particulièrement les perroquets. La contamination à l'homme se fait par inhalation de germes à partir des déjections desséchées d'animaux infectés. Les symptômes varient de la grippe légère à la pneumonie grave. La radiographie pulmonaire montrera des images de pneumonie. Une cure d'antibiotiques détruira les germes en cause, mais n'immunisera pas contre une récidive.

Le « poumon de l'éleveur d'oiseau », ou ornithose, est une réaction allergique à une protéine présente dans le sang de l'oiseau et qui passe dans les déjections. Les manifestations allergiques se déclarent souvent quatre à huit heures après le nettoyage d'une cage. Elles comprennent un essoufflement et un état proche de la grippe. Chaque exposition à cette protéine déclenche une crise, et les poumons risquent des lésions définitives, sauf si le diagnostic est fait à temps. Les oiseaux en cage ne posent pas de problème si leurs déjections ne s'accumulent pas.

ANITE

Inflammation de l'anus et du canal anal.

Symptômes
- Des envies fréquentes et impérieuses d'aller à la selle, sans résultat.
- Une diarrhée pouvant contenir du sang ou du pus.
- Douleurs à la défécation, laquelle peut être suivie d'une contracture musculaire douloureuse involontaire de l'anus, avec l'envie pressante de vider le rectum.

Durée
- Elle dépend de la cause sous-jacente.

Causes
- Une anite peut venir compliquer toutes les colites ulcératives et la maladie de Crohn (ILÉITE RÉGIONALE).
- Des infections pouvant toucher le rectum, comme l'AMIBIASE ou la BLENNORRAGIE.
- Les radiations ionisantes peuvent provoquer des symptômes identiques, de même que certains médicaments ou blessures.

Complications
- Sténose (rétrécissement) du rectum, du canal anal.
- Fissures anales.
- Fistules entre le rectum et la vessie ou le vagin.
- HÉMORROÏDES.

Traitement à domicile
- Prendre des antispasmodiques et des antidiarrhéiques. *Voir* MÉDICAMENTS, n°s 1, 2.
- Prendre un laxatif doux. *Voir* MÉDICAMENTS, n° 3.

Quand consulter le médecin
- En cas de crise de diarrhée prolongée.
- Si les selles contiennent sang, pus ou mucus.

Rôle du médecin
- Rechercher et traiter la cause.
- Prescrire des anti-inflammatoires, des antispasmodiques, une désinfection intestinale. *Voir* MÉDICAMENTS, n°s 25, 32.

Prévention
- Une fois que la cause est identifiée, la traiter.

Pronostic
- Il dépend de la cause sous-jacente.

Voir SYSTÈME DIGESTIF, *page 44*

ANKYLOSTOMIASE

Maladie parasitaire très répandue dans les pays tropicaux et subtropicaux. Elle est associée avec la pauvreté, l'absence d'installations sanitaires et touche plus particulièrement les enfants et les personnes travaillant la terre. Les vers, qui mesurent environ trois millimètres de long, possèdent quatre crochets bucaux par lesquels ils se fixent solidement à la paroi de l'intestin grêle; puis ils sucent le sang et pondent un grand nombre d'œufs. Les œufs sont rejetés dans les selles et se développent dans la terre. Puis les larves pénètrent dans le corps humain, généralement à travers la peau de la plante des pieds, elles passent dans la circulation générale et les poumons, avant d'arriver jusqu'à l'intestin où le cycle recommence. Les symptômes sont essentiellement ceux d'une ANÉMIE chronique, mais ils peuvent également se manifester par une éruption cutanée aux points d'entrée des larves, une bronchite, des douleurs abdominales, une diarrhée. Le traitement médicamenteux est efficace, et le port de chaussures est conseillé.

Voir MALADIES INFECTIEUSES, *page 32.*

ANOREXIE

Diminution ou perte de l'appétit, accompagnée ou non d'un amaigrissement. Elle survient dans de nombreuses maladies (cancers, tuberculose, hépatite virale, dépression).

Voir APPÉTIT (TROUBLES DE L')

ANOREXIE MENTALE

Trouble du comportement alimentaire se manifestant par un refus de s'alimenter par peur injustifiée de grossir. Elle touche particulièrement les adolescentes, dans les pays évolués. Chez l'adulte, un anorexique sur dix est un homme. La fréquence de cette maladie tend à augmenter. C'est une situation douloureuse pour la famille du malade, car elle ne comprend pas cette attitude inconsciemment méprisante vis-à-vis du besoin de nourriture (et également d'autres besoins, tel le désir sexuel). La malade se persuade qu'étant trop grosse et n'ayant pas perdu de poids, elle n'a pas besoin de traitement ni de nourriture. Demander une assistance médicale dans l'intérêt du patient. Le traitement nécessite souvent une hospitalisation et donne généralement de bons résultats.

Symptômes

- Refus de s'alimenter durant de longues périodes.
- Perte de poids pouvant être considérable et évidente aux yeux de tous, sauf à l'anorexique.
- Vomissements. Le malade a tendance à se faire vomir en cachette.
- Aménorrhée (arrêt des règles).
- Disparition du désir sexuel, frigidité, impuissance.
- Répugnance à se déshabiller devant autrui.

Durée

- Variable. Quelques mois à plusieurs années.

Causes

- Elles ne sont pas connues avec certitude.
- Chez l'adolescente, des conflits ou problèmes affectifs, familiaux, professionnels, physiques, une déception sentimentale, sont parfois à l'origine de cette maladie. Ces problèmes naissent souvent de la difficulté de s'adapter à la vie adulte.
- Chez l'adolescent, ce symptôme est très rare et plus grave, pouvant annoncer le début d'une maladie mentale grave (PSYCHOSE).
- Chez l'enfant et le nourrisson, l'anorexie s'accompagne rarement d'amaigrissement et correspond à un conflit avec la mère, qui est généralement anxieuse et force l'enfant à manger.

Complications

- Perte de poids, en l'absence de traitement, avec malnutrition, perte des poils et cheveux, caries dentaires, anémie, allant rarement jusqu'à la mort.

Traitement à domicile

- Déconseillé sans avis médical.

Quand consulter le médecin

- Dès que l'on suspecte cette maladie.

Rôle du médecin

- Convaincre le patient d'accepter le traitement.
- Confirmer le diagnostic.
- Adresser le malade à un psychiatre, s'il accepte.
- Obtenir de l'anorexique qu'il atteigne un poids déterminé.
- S'assurer, en imposant au besoin une hospitalisation, qu'il se nourrit, qu'il ne vomit pas en cachette, et que le poids souhaité est bien atteint.

Prévention

- Il n'en existe aucune.

Pronostic

- Succès du traitement dans environ 80 pour 100 des cas, mais dans 20 pour 100 des cas les symptômes peuvent persister des années.

ANOXIE

C'est une interruption de l'apport de l'oxygène aux différents tissus et cellules, à ne pas confondre avec l'hypoxie, ou hypoxémie, qui est une simple diminution de l'oxygène circulant.

L'anoxie peut être la conséquence d'un ARRÊT CARDIAQUE, d'une intoxication par l'oxyde de carbone (ce gaz se fixe sur l'hémoglobine du sang, la rendant incapable de fixer l'oxygène), d'un problème pulmonaire grave (ŒDÈME AIGU DU POUMON, intoxication par un gaz toxique...), d'un accident d'anesthésie, ou, chez le fœtus, d'une compression du cordon pendant l'accouchement. Si elle n'est pas corrigée très rapidement, le malade risque des lésions cérébrales irréversibles, dès qu'elle dure plus de huit minutes; au-delà, d'autres organes seront atteints. Les plus sensibles à l'anoxie sont le cerveau et le rein. Le fœtus risque des lésions cérébrales définitives et une surdité. L'anoxie du myocarde (muscle cardiaque) provoque un arrêt cardiaque.

L'hypoxie est la diminution dans le sang de la quantité d'oxygène transportée. Elle se manifeste par une pâleur, une asthénie, parfois une sensation d'essoufflement, surtout à l'effort, des malaises avec étourdissement, voire des syncopes. Elle peut être aiguë ou chronique. L'hypoxie aiguë est plus grave et se rapproche de l'anoxie, car l'organisme n'a pas le temps de s'adapter, et les organes sensibles souffriront de la diminution d'apport d'oxygène. Elle se rencontre dans différentes circonstances : dépressurisation brutale dans un avion, intoxication à l'oxyde de carbone, œdème aigu du poumon, accident d'anesthésie avec arrêt cardiaque, etc. Dans l'hypoxie chronique, au contraire, l'organisme réagit en fabriquant plus de globules rouges (polyglobulie). Les causes sont nombreuses : insuffisance respiratoire, séjour en altitude, intoxication chronique par l'oxyde de carbone.

ANTHRAX

Lésion infectieuse et inflammatoire de la peau, due le plus souvent au staphylocoque doré. Il est plus fréquent chez les diabétiques et les sujets affaiblis (cachectiques, vieillards, tuberculeux, malades souffrant d'insuffisance rénale). C'est une forme d'abcès cutanés multiples.

Voir ABCÈS

ANUS

Orifice terminal du tube digestif à travers lequel les selles sont évacuées. C'est un sphincter (muscle annulaire) qui contrôle l'ouverture et la fermeture du tube digestif. Des saignements par l'anus doivent toujours être signalés au médecin. Il peut être le siège de douleurs, irritations, démangeaisons, etc.

Voir LISTE DES SYMPTOMES (ANUS)

ANXIÉTÉ

Il faut distinguer la peur et l'angoisse de l'anxiété.
La peur implique la présence d'un danger réel et la connaissance de celui-ci; il s'agit donc d'une émotion normale et utile.
L'angoisse est un trouble physique qui se traduit par une sensation de constriction ou d'étouffement.
L'anxiété est une réaction émotionnelle se traduisant par un sentiment indéfinissable d'insécurité, sans cause précise. Elle se manifeste dans l'attente d'un danger qui ne peut être défini, mais qui est susceptible d'envahir la vie affective et relationnelle du sujet.

L'anxiété est une émotion, au même titre que la joie, la tristesse ou la colère. Elle peut être considérée comme normale lorsqu'elle est passagère et associée à certaines situations perçues et vécues comme importantes ou dangereuses. Elle ne doit pas être confondue avec l'émotivité : alors que l'anxiété modérée peut devenir une stimulation, par exemple pour une préparation à un examen, et être ainsi un facteur de personnalité qui aide à surmonter les obstacles, il en va différemment pour l'hyperémotivité qui provoque une souffrance, non seulement dans l'attente, mais dans l'épreuve elle-même. L'anxiété devient pathologique lorsque la fréquence et l'intensité des manifestations anxieuses viendront perturber de façon importante et durable la vie du sujet, son adaptation au monde, son équilibre affectif et intellectuel. L'anxiété peut être associée à d'autres symptômes.

Certaines formes d'anxiété chronique peuvent être considérées comme constitutionnelles et s'associer ou non à des manifestations paroxystiques sous la forme de crises d'angoisse.

Il existe également un fond anxieux permanent dans la personnalité obsessionnelle; cette anxiété est centrée sur des pensées ou des attitudes élaborées par le sujet et dont il ne parvient pas à se libérer, par exemple la propreté : il se lave les mains très souvent.

La phobie permet à l'anxiété de se fixer sur un objet ou une situation précise, par exemple la peur des espaces clos (claustrophobie). En évitant de telles situations, l'anxiété peut disparaître.

L'anxiété accompagne fréquemment la dépression. Si elle prédomine, elle peut masquer la dépression, et seul un interrogatoire précis permet de la mettre en évidence. Le rôle de l'anxiété dans les difficultés sexuelles, comme l'impuissance ou la frigidité, est très important, comme cause et comme conséquence.

Chez l'enfant, il est parfois difficile de distinguer l'anxiété normale de l'anxiété pathologique. Ainsi, certaines peurs sont habituellement transitoires et sans conséquences : très schématiquement, peur du noir à l'âge de deux ans, peur des gros animaux vers trois ans, peur des petits animaux vers cinq ans. En revanche, certaines manifestations doivent attirer l'attention par leur persistance, par exemple les troubles du sommeil, la phobie ou le surinvestissement scolaire.

Symptômes

- Attente du danger, effroi de « ce qui peut arriver ».
- Imagination pessimiste pour l'avenir.
- Sentiment de désorganisation et d'impuissance.
- Impression permanente de « tension nerveuse ».
- Difficultés d'endormissement ou réveils nocturnes.
- Émotions non contrôlées avec irritabilité.
- Accélération du pouls et palpitations, douleurs thoraciques (qui peuvent accroître l'anxiété du sujet qui les considère comme étant d'origine cardiaque).
- Gêne respiratoire avec sensation d'oppression.
- Sensation de constriction pharyngée, la classique « boule dans la gorge ».
- Céphalées et pseudo-vertiges.
- Douleurs abdominales, diarrhées et vomissements.
- Mains moites.
- Tremblement des extrémités, sensation d'engourdissement d'un doigt, spasmes musculaires.

Durée

- La durée dépend de la cause. La crise d'angoisse peut durer quelques minutes et s'observer dans des circonstances particulières chez un sujet habituellement peu enclin à l'anxiété. Si l'anxiété est un élément de la personnalité, elle dure toute la vie.

Quand consulter le médecin

- Il est bon de consulter le médecin dès le début de la reconnaissance des symptômes anxieux. Premièrement parce que l'anxiété peut être la conséquence d'une autre affection, et il est toujours préférable d'en faire le diagnostic le plus tôt possible. Deuxièmement parce que, le plus souvent, vous serez rassuré sur la cause de ces symptômes et ne tomberez pas dans le cercle vicieux de la chronicité. Ainsi, il est plus facile d'admettre une sensation de nausées ou de constriction si nous pouvons en comprendre la relation de cause à effet avec un événement redouté.

Rôle du médecin

- Explorer votre passé médical et vous examiner pour exclure toute possibilité de maladie grave.
- Apprécier ce qui, dans votre vie professionnelle, mais également familiale et sexuelle, est source de conflits et d'échecs.
- Essayer de comprendre ce qui, dans votre vie quotidienne, atténue ou renforce vos difficultés; essayer de trouver comment modifier certaines habitudes ou attitudes dans votre vie matérielle et affective, qui sont à l'origine de l'anxiété.
- Préciser les liens qui existent entre votre personnalité et vos conceptions (par exemple sur le plan moral), et l'apparition de l'anxiété.
- Vous rappeler les règles d'hygiène de vie, car l'alcool, l'abus d'excitants, le surmenage, une alimentation déséquilibrée, sont des facteurs d'aggravation.
- Il reste la possibilité de prescrire un médicament anxiolytique, mais son usage doit être mesuré et il ne peut que très exceptionnellement être une bonne réponse à long terme.
- L'intensité ou la persistance de l'anxiété doivent vous inciter à aller consulter un psychiatre qui pourra éventuellement préciser le diagnostic, car l'anxiété est souvent associée à d'autres difficultés psychologiques qui peuvent nécessiter une prise en charge chimiothérapique et/ou psychothérapique plus spécialisée.

Prévention

- Se bien connaître.
- Donner à l'enfant une perception rassurante de la vie, et ne pas lui imposer des règles trop protectrices, qui donnent de l'existence une image d'effroi.

APGAR (COTATION D')

Méthode d'évaluation du degré d'oxygénation de l'enfant à la naissance, et de sa vitalité. On apprécie : la coloration cutanée, la respiration, le rythme cardiaque, le tonus musculaire et la réponse aux stimulations; chaque élément est coté 2, 1 ou 0 (exemple : 2 si la peau est normalement colorée, 0 si l'enfant est complètement bleu). Le score maximal étant 10, une somme inférieure à 7 est considérée comme anormale.

APHTES

Les aphtes sont de petites ulcérations de quelques millimètres de diamètre, arrondies ou de forme ovale, à fond jaunâtre ou grisâtre et à bord légèrement saillant, entourées d'une aréole rouge. Ils peuvent siéger sur la face interne des lèvres ou des joues, le sillon gingivo-labial, le voile du palais, les bords ou la face inférieure de la langue, ou le plancher de la bouche.

Symptômes

- Ce sont essentiellement les douleurs, à type de brûlures. Elles peuvent gêner la mastication et la

déglutition, entraînant dans les cas sévères un amaigrissement et une fatigue.
• Parfois haleine fétide et hypersalivation.
• Dans les cas très rares d'aphtes géants, mesurant 1 à 4 centimètres de diamètre, la douleur peut être extrêmement intense et invalidante.
Durée
• Chaque aphte guérit sans cicatrice en une à trois semaines, mais d'autres lésions peuvent apparaître, prolongeant la poussée. Les récidives sont possibles, rares ou fréquentes.
• Les aphtes géants sont plus durables, pouvant persister jusqu'à deux mois, et laissent des cicatrices.
Causes
• Elles sont encore inconnues.
• Certains pensent à un virus non identifié, mais les lésions ne sont pas contagieuses.
• Une origine allergique alimentaire, médicamenteuse ou microbienne est souvent incriminée.
• Des facteurs locaux sont parfois responsables de poussées : denture en mauvais état, traumatismes au cours de soins dentaires, brûlure ou morsure.
• Certains aphtes témoignent d'une maladie sous-jacente : MALADIE CŒLIAQUE, COLITE ulcéreuse ou maladie de Behcet (APHTOSE BUCCO-GÉNITALE).
Traitement à domicile
• Éviter certains aliments susceptibles de déclencher ou d'aggraver les aphtes, comme les fruits secs, le gruyère, les aliments acides et épicés.
• Faire des bains de bouche avec de l'aspirine soluble diluée dans un verre d'eau.
Quand consulter le médecin
• Devant des aphtes qui ne guérissent pas dans les délais habituels ou qui récidivent fréquemment.
Rôle du médecin
• Donner un traitement local contre la douleur, sous forme de gel ou de bains de bouche.
• Cautériser les aphtes. Essayer des médications générales pour empêcher les récidives.
• Parfois, faire pratiquer des examens à la recherche de désordres associés.

SYNDROME MAIN-PIED-BOUCHE
Infection virale bénigne, rare, touchant surtout les enfants de moins de dix ans, souvent à l'occasion de petites épidémies (crèches, écoles).
Symptômes
• Dans la bouche : vésicules puis érosions douloureuses provoquant un refus de nourriture.
• Sur les mains et les pieds : vésicules indolores.
• Fébricule (petite fièvre).
• Parfois érythème, c'est-à-dire rougeur du siège.
Durée
• Guérison spontanée sans cicatrice en dix jours.
Traitement à domicile
• L'exposition à l'air des vésicules favorise leur cicatrisation.
Rôle du médecin
• Prescrire si nécessaire l'application d'un gel anesthésique sur les vésicules douloureuses de la bouche.

APHTOSE BUCCO-GÉNITALE

On l'appelle également aphtose bipolaire. Elle associe des aphtes de la bouche et des organes génitaux, récidivant fréquemment.

MALADIE DE BEHCET
C'est une maladie potentiellement sévère qui touche surtout l'homme jeune et qui est définie par l'association d'une aphtose buccale, ou le plus souvent bucco-génitale, à des manifestations générales diverses dont les plus importantes sont oculaires, cutanées, articulaires, nerveuses et vasculaires.

APLASIE MÉDULLAIRE

Insuffisance de fonctionnement de la moelle osseuse, centre de fabrication des cellules du sang (globules rouges, globules blancs et plaquettes). Cette déficience peut porter sur les globules rouges : c'est l'ANÉMIE aplasique; les globules blancs : c'est la leucopénie ou AGRANULOCYTOSE; ou les plaquettes : c'est la thrombopénie. Quand les trois lignées sont atteintes, c'est l'aplasie médullaire globale.
Symptômes
• Dus à l'anémie, la leucopénie, la thrombopénie.
• ASTHÉNIE, fatigabilité et pâleur (dues à l'anémie).
• PURPURA et HÉMORRAGIES multiples : ÉPISTAXIS, gingivorragies (dues à la thrombopénie).
• ULCÉRATIONS indolores autour du nez, dans la bouche, le pharynx, le rectum et le vagin.
• Infections de toutes sortes (dues à la leucopénie).
• La fièvre accompagne souvent une infection.
Durée
• Variable selon la cause et les complications.
Causes
• Parfois, aucune cause n'est retrouvée : c'est l'aplasie idiopathique.
• Radiations ionisantes.
• Certains produits chimiques comme le benzène, l'arsenic, les insecticides (D.D.T., chlordane).
• Certains médicaments, comme le chloramphénicol, la phénylbutazone, le Phenytoin, le Diamox, la phénothiazine donnant une agranulocytose...
Complications
• Une infection grave (septicémie), une hémorragie (HÉMORRAGIE MÉNINGÉE) peuvent être mortelles.
Quand consulter le médecin
• Si l'un ou plusieurs des symptômes décrits persistent un certain temps sans amélioration.
Rôle du médecin
• Prescrire des examens pour établir le diagnostic, en particulier une numération formule sanguine, une biopsie de moelle osseuse, un bilan de la coagulation sanguine.
• Faire hospitaliser le malade.
• Le traitement peut comporter des corticoïdes, des androgènes, et parfois une greffe de moelle.
Prévention
• Éviter l'exposition aux substances toxiques.
Pronostic
• La guérison spontanée est rare, mais peut exister si la cause toxique est supprimée.
• L'évolution est souvent mortelle par infection (septicémie) ou hémorragie grave.

APOPLEXIE

Accident sévère et subit, consécutif à une lésion cérébrale. Il peut être dû à un caillot sanguin ou à une hémorragie des artères du cerveau. Il se traduit par une chute brutale, avec perte de connaissance transitoire. A différencier de la cataplexie, dont la cause n'est pas une lésion cérébrale, mais une émotion.

CATAPLEXIE
Écroulement soudain lié à une forte surexcitation.
Symptômes
• La tête tombe en avant, la mâchoire s'affaisse et les genoux fléchissent. Le patient peut tomber à terre, mais demeure conscient.
Durée
• Les crises peuvent durer jusqu'à deux minutes.
Causes
• Une attaque peut être provoquée par une forte émotion, telle que gaieté, tristesse ou colère. Une perturbation atteint la région du cerveau qui gouverne les muscles. Le phénomène est plus fréquent chez les personnes qui souffrent de NARCOLEPSIE.

Complications
- Aucune, sauf accident consécutif à la chute.

Traitement à domicile
- Déconseillé.

Quand consulter le médecin
- Si l'accès survient.

Rôle du médecin
- Organiser des examens pour vérifier le diagnostic.
- Prescrire des médicaments pour réduire la fréquence des attaques.

Pronostic
- La cataplexie est une affection mineure. Le patient subit en règle générale ses premiers accès pendant l'adolescence; ils risquent de persister la vie durant.

Voir LISTE DES SYMPTOMES — CONSCIENCE (TROUBLES DE LA)

APPENDICITE

Inflammation de l'appendice vermiculaire (long tube fermé à une extrémité et de l'autre se prolongeant par le cæcum). La crise d'appendicite peut être aiguë ou chronique. L'appendicite aiguë nécessite l'hospitalisation immédiate et l'intervention chirurgicale pour enlever l'appendice infecté, alors que l'appendicite chronique peut durer pendant des mois avant qu'une intervention soit nécessaire.

APPENDICITE AIGUË

Symptômes
- Ils se déclarent entre quatre et quarante-huit heures.
- Le premier signe est généralement une douleur intermittente, située autour du nombril, puis localisée dans la partie inférieure droite de l'abdomen (fosse iliaque droite).
- Après quelques heures, une douleur intense et permanente s'installe dans la fosse iliaque droite qui devient sensible à la palpation. La douleur est aggravée par les mouvements.
- Le sujet se sent malade et peut vomir. La constipation est fréquente, mais le transit intestinal peut être normal ou accéléré.
- Le malade refuse souvent de manger et de boire.
- Il peut être douloureux de marcher ou d'uriner.
- Parfois, il y a déjà eu une crise douloureuse.
- L'haleine peut être fétide.
- La température est inférieure à 38°, mais elle peut être plus élevée chez l'enfant.

Durée
- Habituellement, l'intervention chirurgicale (appendicectomie) doit être pratiquée le plus rapidement possible. Le malade reste hospitalisé durant une à deux semaines et peut reprendre son travail trois semaines après.
- Quelquefois la douleur cesse en quelques heures, mais il ne faut jamais renoncer au recours médical si l'on suspecte une crise d'appendicite.

Causes
- L'orifice entre le côlon et l'appendice se bouche et celui-ci se remplit de débris alimentaires ou de matières fécales, les bactéries pullulent et une infection se développe, créant un abcès.

Complications
- L'appendice peut se fissurer : l'abcès crève et l'infection s'étend à toute la cavité abdominale. C'est la PÉRITONITE. Le ventre est dur comme du bois et la température est supérieure à 39°.
- Parfois l'abcès crève, mais l'infection reste localisée autour de l'appendice : c'est l'abcès appendiculaire.

Traitement à domicile
- Repos au lit en plaçant sur le ventre une poche de glace.
- Ne donner ni aliments ni boissons (au cas où il faudrait opérer); on peut se rincer la bouche à l'eau.
- Ne donner aucun médicament.

Quand consulter le médecin
- Si la température est au-dessus de 38°.
- Si la douleur dure plus de quatre heures ou si le ventre est très dur. Mais l'appeler immédiatement si la douleur est très forte, devient continue, ou maintient le malade debout.

Le diagnostic d'une appendicite aiguë est parfois difficile, car les symptômes sont très variables; il est donc important d'avoir un avis médical rapide, surtout chez les enfants et les personnes âgées. (Chez les enfants, l'adénite mésentérique est parfois confondue avec une appendicite.)

Rôle du médecin
- Faire admettre immédiatement le patient à l'hôpital, en observation ou pour l'opérer.
- Exceptionnellement, si le diagnostic est incertain, le médecin peut décider de garder le malade en observation à domicile.

Prévention
- Il n'y en a pas.

Pronostic
- Excellent si l'examen médical, le diagnostic et le traitement sont effectués à temps.
- Si l'appendice n'est pas enlevé, les crises d'appendicite peuvent récidiver.

APPENDICITE CHRONIQUE

Le patient se plaint de vagues douleurs dans la partie inférieure droite de l'abdomen, souvent des mois durant, mais cette forme d'appendicite évolue rarement de façon aiguë. L'intervention chirurgicale est pratiquée en général pour rechercher la raison réelle de ces douleurs, mais il est rare que l'on trouve une autre cause. L'appendice est alors enlevé, et généralement les symptômes disparaissent.

Voir SYSTÈME DIGESTIF, *page 44*

APPÉTIT (TROUBLES DE L')

Une augmentation anormale de l'appétit, c'est-à-dire non justifiée par des conditions physiques particulières (effort important, exposition au froid...), s'appelle la BOULIMIE. Au contraire, une perte ou une diminution de l'appétit est appelée ANOREXIE.

Voir PUÉRICULTURE

AROMATHÉRAPIE

Thérapeutique utilisant les huiles essentielles de plantes aromatiques, en massages, pour guérir certaines affections ou maladies comme l'acné, les indigestions, les rhumatismes. Cette activité n'est pas reconnue légalement dans beaucoup de pays, et doit toujours être pratiquée sous le contrôle de personnes qualifiées. Elle est souvent utilisée en association avec d'autres formes de traitements.

Voir MÉDECINES DOUCES, PHYTOTHÉRAPIE, OSTÉOPATHIE

ARRÊT CARDIAQUE

Encore appelé « arrêt cardio-circulatoire » ou « perte totale de la vigilance et des réflexes », c'est l'interruption des battements cardiaques, avec arrêt de la respiration et mydriase bilatérale (dilatation des deux pupilles). L'« arrêt cardiaque » a les mêmes symptômes que la « syncope », qui est brève, et que la « mort subite » qui, elle, est définitive. Il est souvent précédé par des troubles du rythme et de la contraction

cardiaques, qu'il faut traiter préventivement. Les principales causes sont l'infarctus du myocarde, les troubles graves de la conduction électrique entre les oreillettes et les ventricules, les INTOXICATIONS par certains médicaments (digitaliques, cardiotropes), le manque d'oxygène.

Symptômes

• Pâleur extrême.

• Le malade est inconscient, immobile, et ne réagit à aucune stimulation.

• Disparition totale du pouls et des mouvements respiratoires.

• Mydriase bilatérale qui survient dès que le cerveau souffre du manque d'oxygène (quelques minutes).

Durée

• Persiste tant qu'il n'est pas traité.

Causes

• INFARCTUS DU MYOCARDE, dans les cas sérieux.

• Des médicaments (suicide, accident d'anesthésie).

• Troubles graves de la conduction, en particulier les BLOCS DE BRANCHE graves avec BRADYCARDIE.

• Des troubles du rythme cardiaque, comme la FIBRILLATION VENTRICULAIRE, la TACHYCARDIE ventriculaire.

• EMBOLIE PULMONAIRE grave.

Complications

• S'il n'est pas traité d'urgence, l'arrêt cardiaque risque de laisser des séquelles cérébrales définitives.

Traitement à domicile

• Appeler d'urgence un médecin ou, mieux, un service mobile de réanimation, mais en l'attendant il faut pratiquer une réanimation cardiaque complète et une respiration artificielle. *Voir* LES URGENCES.

Quand consulter le médecin

• Immédiatement.

Rôle du médecin

• Diagnostiquer la cause et adresser d'urgence le malade en service de réanimation, dans une ambulance de réanimation spécialisée, après avoir exécuté les gestes d'urgence : massage cardiaque et respiration artificielle. Le traitement dépendra de la cause; en particulier s'il s'agit d'une fibrillation ventriculaire, ce sera le choc électrique en milieu hospitalier spécialisé avec un défibrillateur, ou la stimulation électrique par STIMULATEUR CARDIAQUE s'il existe une bradycardie importante.

Prévention

• Traiter les causes quand elles existent (infarctus, troubles du rythme et de la conduction cardiaques).

Pronostic

• Il dépend de la rapidité du traitement et de la cause.

Voir SYSTÈME CIRCULATOIRE, *page 40*
EXTRASYSTOLES, SYNCOPE

ARTÉRITE

Étymologiquement, altération de la paroi artérielle d'origine inflammatoire, mais ce terme est employé pour toute altération de la paroi artérielle, quelle qu'en soit l'origine (ATHÉROME, traumatisme, EMBOLIE, etc.). L'artérite est donc un symptôme commun à de nombreuses maladies.

Symptômes

• Douleur dans la région de l'artère atteinte.

• Au toucher, l'artère peut être indurée.

Durée

• Habituellement, les signes régressent rapidement avec le traitement, mais si celui-ci n'est pas poursuivi durant des mois, ils peuvent réapparaître.

Causes

• Elles sont très variées, parfois inconnues.

• Une artérite peut accompagner de nombreuses maladies, comme la POLYARTHRITE RHUMATOÏDE.

Complications

• En l'absence de traitement, l'artère peut se boucher.

Quand consulter le médecin

• En cas de douleur avec sensibilité d'une région du corps, durant plus de douze heures.

Rôle du médecin

• Rechercher la cause réelle et la traiter.

Pronostic

• Il est généralement bon avec le traitement, mais dépend de l'origine de cette artérite.

ARTHRITE

Terme général désignant l'inflammation d'une articulation. L'arthrite aiguë est rare et peut succéder à un traumatisme ou à une infection bactérienne (arthrite septique). L'arthrite chronique est habituellement une POLYARTHRITE RHUMATOÏDE. Le vieillissement et l'usure articulaire sont de l'ARTHROSE, jamais de l'arthrite.

ARTHROSE

Maladie dégénérative du cartilage articulaire, frappant principalement la hanche, le genou, la colonne vertébrale et les doigts, surtout chez le sujet âgé et plus souvent chez la femme que chez l'homme.

Symptômes

• Douleur, gonflement et déformation apparaissant

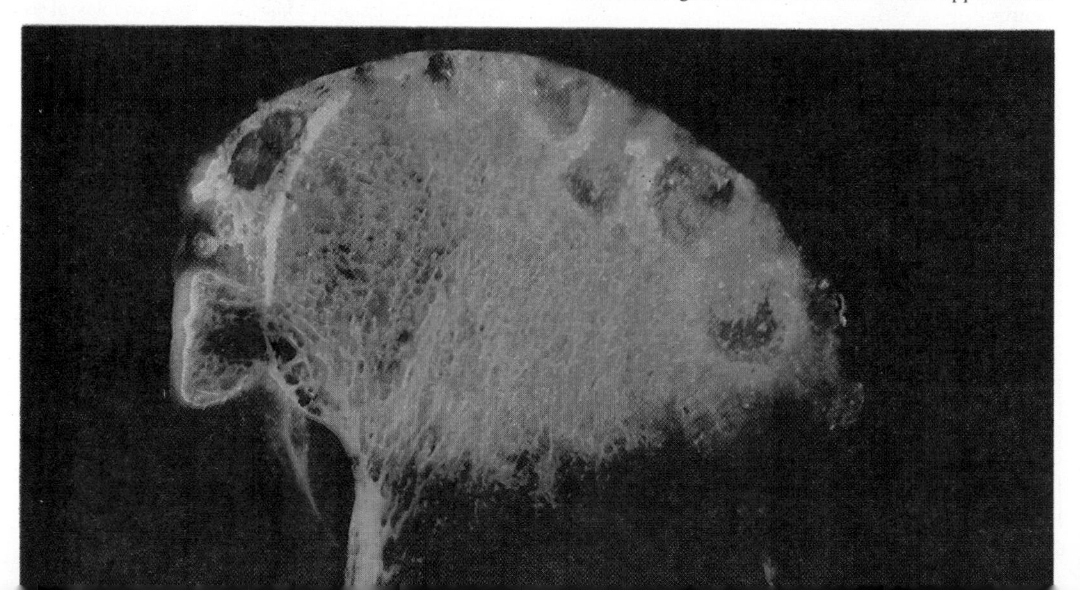

ARTICULATION ARTHROSÉE. *Creusée et incrustée par l'arthrose, cette tête de fémur est tellement déformée que tout mouvement de la hanche est devenu douloureux. La ligne courbe blanche (à gauche) marque la limite primitive de l'os. Les taches sombres et rondes sont des géodes ou cavités, les zones jaunes sont le siège d'une cavité osseuse anormale. Prothèse totale de la hanche nécessaire pour remédier à l'invalidité.*

ARTICULATIONS RÉNOVÉES POUR PERSONNES AGÉES, GRACE A LA TECHNOLOGIE MODERNE

Effacement de la douleur, amélioration de la mobilité

Ceux qui étaient naguère condamnés à la chaise roulante ou même grabataires par les effets invalidants de l'arthrose obtiennent aujourd'hui une mobilité nouvelle grâce aux techniques modernes de prothèses articulaires. Les articulations artificielles sont fabriquées à partir d'alliages d'aciers spéciaux et de matériaux plastiques particuliers qui ne provoquent pas de rejet par le système immunitaire. Plusieurs des principales articulations peuvent être aujourd'hui remplacées, notamment les épaules, les coudes, et surtout les hanches et les genoux. En outre, un nouveau domaine chirurgical s'est développé récemment pour le remplacement des petites articulations des doigts, avec un effet parfois si remarquable que des gens naguère infirmes peuvent de nouveau enfiler des aiguilles.

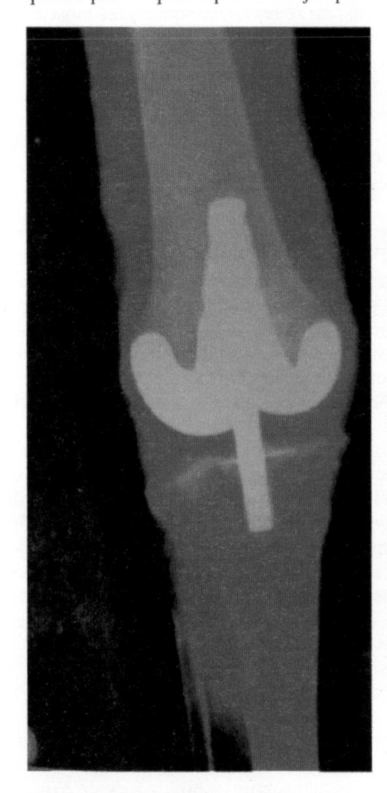

GENOU. *Les parties métalliques qui remplacent l'os s'articulent sur une cupule en matière plastique invisible aux rayons X.*

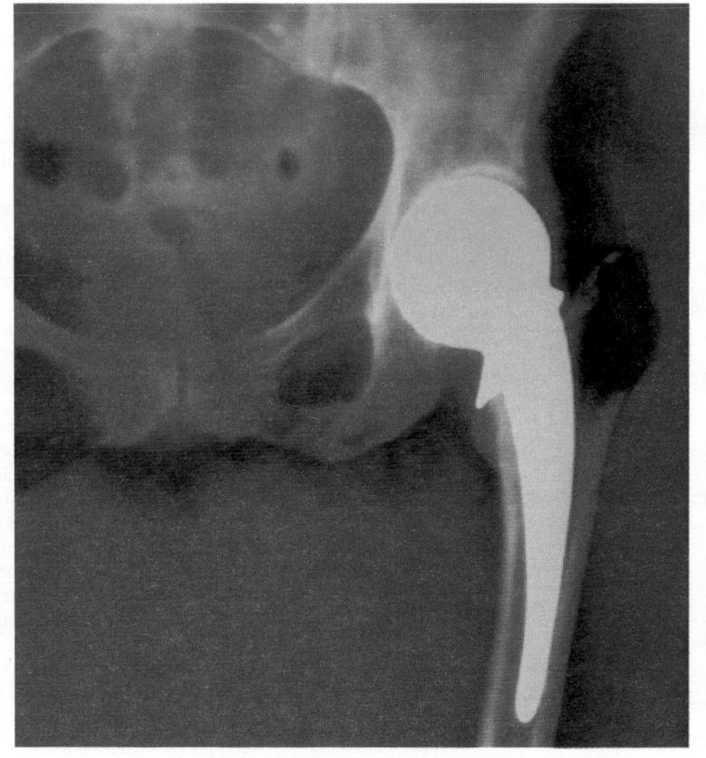

HANCHE. *La tête du fémur est remplacée par une boule métallique en alliage spécial qui glisse avec aisance dans la cavité articulaire. Elle est montée sur une tige également métallique enfoncée dans l'axe vertical du fémur.*

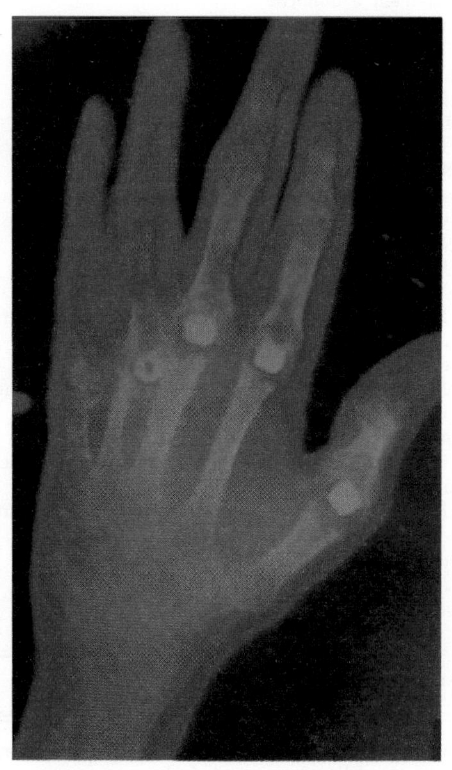

DOIGTS. *Sur les trois premiers doigts, articulations artificielles métalliques visibles aux rayons X. Celle du petit doigt est en plastique, donc invisible.*

progressivement dans une ou plusieurs articulations. Après une période initiale de douleurs, il peut survenir un répit de plusieurs années.
• Les articulations se déforment (doigts, genoux), et, dans les cas sérieux, il peut y avoir une atrophie des muscles proches.

Durée
• Évolution progressive, mais pas forcément invalidité croissante.

Causes
• L'âge, surtout si l'articulation présente une anomalie de sa structure.
• Un traumatisme, parfois très ancien.
• L'excès de poids aggrave l'arthrose de la hanche et du genou.

Traitement à domicile
• Éviter le surmenage articulaire.
• User modérément de médicaments contre la douleur. *Voir* MÉDICAMENTS, n° 22.
• Maigrir si l'on est trop gros.

Quand consulter le médecin
• Dès que les symptômes deviennent gênants.

Rôle du médecin
• Demander des examens de sang et des radiographies pour s'assurer qu'il n'y a pas une autre cause.
• Donner des médicaments contre la douleur.
• Faire maigrir les patients trop gros.
• Prescrire de la rééducation.
• Dans certains cas, le médecin enverra le patient à l'hôpital pour une intervention chirurgicale.

Prévention
• Maigrir ou rester mince, éviter le surmenage articulaire et l'inactivité.

Pronostic
• Le plus souvent favorable : traitement médical efficace, évolution lente.
• Dans les cas sérieux, où l'opération est nécessaire, l'intervention s'avère habituellement efficace contre la douleur et l'impotence.

Voir LE SQUELETTE, *page 54*

ASBESTOSE

Maladie pulmonaire due à l'inhalation de fibres d'AMIANTE. Elle n'atteint généralement que les gens travaillant dans l'industrie de l'amiante.

Voir AMIANTE, MALADIES PROFESSIONNELLES et RISQUES PROFESSIONNELS LIÉS A L'ENVIRONNEMENT

ASCARIS

Ver rond et long (10 à 30 cm), blanc rosé, parasite de l'intestin chez l'homme. Il touche plus souvent les enfants, particulièrement dans les pays à faible niveau d'hygiène. La contamination s'effectue par absorption d'eau ou d'aliments contaminés par des œufs d'ascaris ou en manipulant de la terre souillée par des excréments, puis en suçant ses doigts. Dans l'intestin, les œufs se développent et deviennent des vers qui, à leur tour, pondent des œufs qui sont excrétés dans les selles. Si les conditions d'hygiène sont mauvaises, l'eau et les aliments sont infestés d'œufs et le cycle recommence. Dans les régions pauvres, même traités, les enfants peuvent héberger des vers longtemps.

Symptômes
• Ralentissement de la croissance.
• Malnutrition.
• Présence de vers dans les selles.

Causes
• Alimentation contaminée par des œufs d'ascaris.

Traitement
• La piperazine est efficace. Les vers sont paralysés, puis expulsés avec les selles, si besoin à l'aide d'un laxatif. Dès que les enfants sont débarrassés de ces vers, ils reprennent du poids, une croissance normale.

Voir MALADIES INFECTIEUSES, *page 32*

ASCITE

Quantité anormale de liquide dans la cavité abdominale. L'abdomen grossit, devient distendu, et le malade est gêné. C'est une complication fréquente de la CIRRHOSE DU FOIE et de certaines maladies cardiaques, hépatiques, rénales ou pulmonaires.

Voir SYSTÈME DIGESTIF, *page 44*

ASTHÉNIE

Fatigue anormale, survenant en l'absence de tout effort physique important. C'est un symptôme commun à de nombreuses maladies, psychiatriques (PSYCHOSE, DÉPRESSION) ou organiques (CANCERS, infections graves...).

ASTHME

Le mot asthme évoque souvent le tableau effrayant d'une personne luttant désespérément pour respirer; c'est pourquoi beaucoup de parents s'inquiètent quand ils entendent leur enfant respirer bruyamment. Mais une respiration sifflante n'est pas anormale chez le jeune enfant et ne signifie pas qu'il sera asthmatique plus tard.

L'asthme se déclenche quand les petits conduits bronchiques amenant l'air dans les poumons se rétrécissent (leur paroi gonfle) à cause de l'inflammation, deviennent partiellement bouchés par des sécrétions de mucus, ou se resserrent quand les muscles qui les entourent se contractent (bronchospasme). L'air passe alors difficilement dans les bronches en faisant un bruit sifflant caractéristique.

Certains bébés ont durant la première année une respiration sonore, parfois sifflante, qui n'est pas anormale. Quand ils grandissent, leurs petits conduits bronchiques s'élargissent, et cette respiration sifflante disparaît.

L'asthme est une des formes de l'ALLERGIE, comme l'ECZÉMA, l'URTICAIRE ou la RHINITE ALLERGIQUE. Il est plus fréquent dans certaines familles. L'asthme peut apparaître pour la première fois durant l'enfance ou l'adolescence, souvent à la suite d'un rhume des foins. Il peut aussi se déclarer plus tard dans la vie; il est alors généralement plus invalidant que les autres formes et souvent associé avec des infections respiratoires récidivantes.

L'asthme vrai est un trouble respiratoire, mais les symptômes peuvent être confondus avec ceux d'une DYSPNÉE asthmatiforme (appelée à tort asthme cardiaque), pouvant survenir la nuit chez les gens âgés atteints d'une maladie cardiaque grave (INSUFFISANCE CARDIAQUE). Une BRONCHITE asthmatiforme, appelée bronchopneumopathie chronique obstructive, peut apparaître après des crises répétées de bronchite.

Symptômes
• Toux, sifflement et difficulté à respirer. C'est surtout l'expiration (plutôt que l'inspiration) qui est difficile et provoque le sifflement.
• Cyanose dans certains cas : le teint devient bleuté.
• Pouls rapide : 90 battements par minute et plus.
• Les dernières côtes sont aspirées lors de l'inspiration. C'est particulièrement net chez les bébés.

Causes
• Une infection respiratoire peut provoquer une inflammation des bronches.

Vivre avec son asthme

Avec un traitement médical bien adapté et en suivant quelques conseils simples, la plupart des asthmatiques pourront mener une vie normale.

□ Sachez avant tout connaître et accepter vos limites et dire non quand une chose défendue (comme fumer une cigarette) vous fait envie.

□ Tenez un calendrier de votre maladie. Notez toutes les crises et les médicaments qui les ont calmées; cela aidera beaucoup votre médecin à savoir quels sont les traitements efficaces.

□ Ayez des horaires réguliers et dormez suffisamment. Évitez les stress physiques et émotionnels.

□ Faites autant d'exercice que le permettent vos possibilités. La natation est particulièrement bénéfique, car elle apprend le contrôle de la respiration et l'atmosphère des piscines ne contient généralement ni poussières ni pollens.

□ Ayez toujours vos médicaments avec vous; cela vous rassurera, et vous vivrez moins dans l'angoisse d'avoir une crise si vous avez sur vous des comprimés ou un inhalateur.

□ Évitez les irritants respiratoires. N'ayez ni tapis, ni rideaux épais, ni literie risquant de garder la poussière dans les lits. Évitez les couvertures en laine, duvets ou édredons en plumes, et recouvrez le matelas. Passez l'aspirateur tous les jours dans la chambre.

□ Si vous avez un enfant asthmatique, ne soyez pas trop protecteur. En l'empêchant de faire des choses qu'il aime, vous risquez de voir son état empirer. Toutefois n'ignorez pas sa maladie, c'est une affection sévère et qui peut s'aggraver.

□ N'achetez pas d'animaux à poils ou à plumes si vous avez un enfant asthmatique. Mais si vous avez déjà un animal, il vaut mieux ne pas vous en débarrasser, car le choc psychologique risquerait d'accroître l'asthme de l'enfant.

- L'ALLERGIE à certaines substances disséminées dans la maison, comme la poussière, les poils d'animaux.
- Les crises nocturnes chez les enfants sont souvent dues aux poussières de maison, plumes d'oreillers, ou animaux dormant dans la chambre de l'enfant.
- L'ANXIÉTÉ ou l'excitation semblent favoriser l'apparition des crises chez certains asthmatiques.

Traitement à domicile

- L'enfant asthmatique et sa famille doivent apprendre ensemble à surmonter les problèmes créés à long terme par un asthme chronique et récidivant.
- Il faut encourager l'enfant à mener une vie aussi remplie et normale que possible, avec l'aide et l'assistance des parents et des médecins, qui savent comment les médicaments doivent être utilisés.

Quand consulter le médecin

- Dès l'apparition d'une respiration légèrement et temporairement sifflante chez un enfant.
- Si le sifflement est accompagné de douleur.
- En cas de cyanose (coloration bleutée de la peau).
- Si les côtes sont aspirées durant l'inspiration.
- Si le pouls est rapide (plus de 90 battements par minute).
- Si le sifflement dure plusieurs jours.
- Chez un adulte, il faut consulter un médecin si l'un des symptômes décrits est accompagné de douleurs ou d'anxiété.

Rôle du médecin

- Prescrire des médicaments qui raccourcissent, préviennent ou modifient les crises brutales et traitent celles qui durent trop longtemps.
- Traiter toute infection respiratoire par des antibiotiques si la cause est bactérienne.
- Si le médecin pense qu'il existe une allergie, il doit tenter d'identifier la substance en cause. Il est possible chez les adultes de diminuer la sensibilité aux substances responsables en pratiquant une cure de désensibilisation (série de piqûres).
- Les enfants peuvent développer une allergie à plusieurs substances en même temps, et il est alors nécessaire d'éviter un contact avec les facteurs qui déclenchent une crise.

Prévention

- N'existe pas pour l'asthme, mais la fréquence des crises peut être réduite en prenant des précautions.
- Ne pas fumer.
- Éviter les atmosphères enfumées et empoussiérées.
- Faire attention aux rhumes, aux refroidissements et à la toux.

Voir SYSTÈME RESPIRATOIRE, *page 42*
ALLERGIE

ATAXIE

Symptôme commun à de nombreuses maladies du cerveau et de la moelle épinière, se manifestant par un trouble de la coordination des mouvements, et souvent de l'équilibre, partiellement corrigés par la vue, rendant la marche difficile.

Voir SYSTÈME NERVEUX, *page 34*

ATHÉROME

L'athérome est une lésion dégénérative de la paroi artérielle. On parle aussi à son sujet d'athérosclérose, d'artériosclérose. Des dépôts de graisse se développent dans la paroi des artères qui, peu à peu, se durcit, se sclérose. Les dépôts forment des plaques qui s'asso-

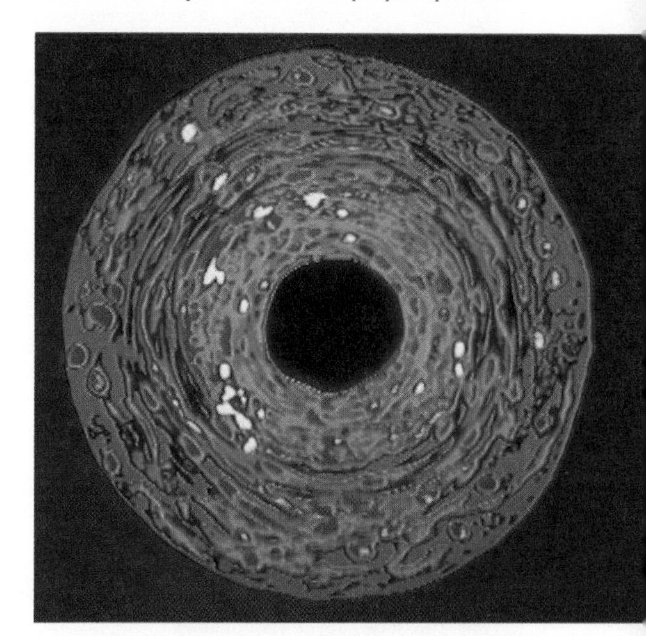

ARTÈRE ATHÉROSCLÉREUSE. *La partie brun-rouge de l'image représente l'épaisseur normale de la paroi artérielle. Le cercle violet piqueté de blanc représente les dépôts de graisses qui ont réduit la lumière artérielle (partie noire centrale) dans laquelle circule le sang.*

cient à la sclérose pour réduire progressivement ce que l'on appelle la lumière de l'artère.

Une THROMBOSE ARTÉRIELLE (formation d'un caillot de sang) peut se produire n'importe où s'il y a une plaque d'athérome.

L'athérome commence au tout début de l'adolescence et s'aggrave au fil des ans. Il frappe tous les sujets des pays riches à des degrés divers. L'athérome et sa complication majeure, la thrombose, est la cause principale des maladies cardiaques et des accidents vasculaires cérébraux (hémiplégie).

L'athérome n'entraîne aucun symptôme pendant de longues années, tant qu'il ne s'est pas suffisamment développé pour réduire la lumière des artères et gêner la circulation sanguine.

Symptômes liés au rétrécissement de la lumière des artères

Si l'athérome touche les artères qui irriguent le cœur (artères coronaires), il se manifeste par :

- Des douleurs thoraciques en étau, survenant à l'effort, disparaissant au repos. *Voir* ANGINE DE POITRINE.

Si l'athérome touche les artères du cerveau, il entraîne :

- Des troubles transitoires de l'équilibre, de la vision, de la parole, de la force des bras ou des jambes. *Voir* ATTAQUE (accidents ischémiques transitoires).

Si l'athérome touche les jambes, il est responsable de :

- Douleurs des mollets à la marche, cédant au repos. *Voir* CLAUDICATION INTERMITTENTE.

Symptômes liés à l'obstruction des artères

Au niveau des artères coronaires (du cœur) :

- Apparition brutale de douleurs thoraciques pénibles. *Voir* THROMBOSE CORONAIRE.

Au niveau des artères du cerveau :

- Fatigabilité voire perte de fonction des membres supérieurs ou des membres inférieurs.
- Difficultés à parler.
- Parfois, troubles de la conscience. *Voir* ATTAQUE (accident vasculaire cérébral).

Au niveau des jambes :

- Apparition soudaine d'une violente douleur au niveau de la jambe malade, qui est concomitamment froide et décolorée.

Voir THROMBOSE ARTÉRIELLE.

- Risque de gangrène.

Causes

- La cause de l'athérosclérose n'est pas parfaitement connue.
- L'alimentation paraît jouer un rôle important. Le tabagisme, le diabète, l'excès de cholestérol, l'hypertension artérielle sont des facteurs favorisants.

Quand consulter le médecin

- Si l'un des symptômes précédents apparaît.
- Si l'on veut s'assurer que son état artériel autorise une activité physique normale ou sportive.

Rôle du médecin

- Il vous examinera pour juger de l'état de vos artères (palpation des pouls, recherche d'un souffle, auscultation du cœur, prise de tension artérielle).
- Il demandera des examens de sang (glycémie, cholestérol, triglycérides) pour comprendre l'origine de l'athérome, et d'autres examens (électrocardiogramme, Doppler) pour juger de son importance.
- Si une artère est complètement obstruée, une intervention chirurgicale peut être nécessaire. Elle consiste à remplacer la partie obstruée par une greffe d'origine veineuse prélevée à un autre endroit de l'organisme.
- Des artères peuvent être atteintes d'athérome sans entraîner de symptômes. Pour éviter que leur état s'aggrave, le médecin vous indiquera des mesures de prévention.

Prévention

- Arrêt du tabac. C'est certainement la mesure préventive essentielle.
- Pratiquer un exercice physique adapté à votre état, au moins deux fois par semaine. Il convient d'être prudent, chez les sujets qui sont restés inactifs pendant des années, lors de la reprise d'une activité physique.
- Manger de façon équilibrée. L'athérome est favorisé par l'excès alimentaire, la consommation de certaines graisses.

Pronostic

- Le pronostic de l'athérome dépend essentiellement de sa localisation.

Voir SYSTÈME CIRCULATOIRE, *page 40*

Que faire si l'on est atteint d'athérome ?

SUJETS PRÉSENTANT UN EXCÈS DE POIDS

☐ Ne fumez plus.

☐ Surveillez strictement votre alimentation et vos boissons (seule l'eau ne fait pas grossir).

☐ Introduisez dans votre alimentation du pain complet (sans excès), des légumes verts cuits sans matière grasse.

☐ Ne faites pas d'excès alimentaires.

☐ Ne mangez pas de sucre, sucreries, pâtisseries, confiseries, glaces.

☐ Évitez la cuisine grasse.

☐ Limitez votre ingestion d'alcool.

☐ Si vous êtes obligés de manger une confiserie ou une pâtisserie, soyez raisonnables.

La plupart des sujets perdront ainsi du poids; mais consultez votre médecin sur le régime à suivre.

SUJETS MINCES

☐ Ne fumez plus.

☐ Restez minces (ce qui peut être difficile si vous arrêtez de fumer).

☐ Introduisez dans votre alimentation des produits ayant des effets favorables sur le sang : poissons, foie, margarine riche en graisses insaturées, huiles végétales (sauf olive).

☐ N'utilisez pas dans votre cuisine de corps gras d'origine animale (beurre, crème, etc.), qui sont d'autant plus mauvais pour votre santé qu'ils sont cuits à haute température.

☐ Évitez les excès de sucreries, mais n'hésitez pas à manger des féculents (tant que votre poids n'augmente pas).

ATHÉTOSE

Mouvements involontaires et lents, de torsion, se manifestant surtout au niveau des doigts, des orteils et de la langue. Ils sont impossibles à contrôler. Ils accompagnent certaines maladies encéphaliques ou s'avèrent être des séquelles de lésions cérébrales néonatales. La neurochirurgie peut parfois apporter une amélioration.

Voir SYSTÈME NERVEUX, *page 34*

ATOPIE

L'atopie est une prédisposition héréditaire à certaines formes d'allergies, comme l'eczéma constitutionnel (appelé aussi eczéma atopique), l'asthme allergique, le rhume des foins ou l'urticaire.

ATROPHIE DU NERF OPTIQUE

Dégénérescence du nerf optique reliant la rétine de l'œil au cerveau. La vision est touchée de façon irréversible, provoquant une cécité dans les cas graves. Les causes sont nombreuses : certaines maladies des yeux, l'AMBLYOPIE, la NÉVRITE OPTIQUE, certains toxiques, certains troubles du système nerveux.

ATTAQUE

Disparition brutale de fonction d'une partie du corps liée à l'interruption du flux sanguin irriguant une région du cerveau. Les attaques, également connues sous le nom d'hémiplégies, sont rares avant cinquante ans; ultérieurement, leur fréquence augmente avec l'âge.

Il en existe deux types principaux :

L'hémiplégie complète.
Elle entraîne une paralysie sévère et ne régresse que lentement et partiellement.

L'attaque transitoire ischémique.
Il en résulte un déficit fonctionnel modéré qui disparaît en quelques minutes mais peut se reproduire.

Symptômes
Ils varient selon la région cérébrale atteinte :
- Paralysie ou déficit du côté droit du visage et du bras, ainsi que de la jambe droite. La paralysie est souvent accompagnée d'une impossibilité de parler (aphasie), écrire, lire ou même comprendre une conversation.
- Paralysie ou déficit du côté gauche du visage, du bras et de la jambe gauche, avec souvent perte de la perception spatiale du côté gauche, incluant la perte de sensibilité de son propre corps de ce côté.
- Difficulté à avaler, parler, et léger déficit des membres.
- Chacun de ces trois cas peut s'accompagner au début de CONFUSION MENTALE, somnolence, troubles psychiques et incontinence d'urines; le patient perd parfois connaissance en cas d'hémiplégie sévère.

Durée
- Certains cas d'hémiplégie évoluent favorablement en quelques jours ou semaines; mais parfois, les séquelles persistent de nombreux mois.

Causes
- Un caillot sanguin ou une hémorragie cérébrale, dans la plupart des cas due à une hypertension artérielle, à une athérosclérose des artères cérébrales, ou à une affection cardiaque.

Complications
- Des récidives sont possibles.
- Des déficits séquellaires permanents, à des degrés divers.

Traitement à domicile
- Ne pas essayer de déplacer le patient, à moins de disposer d'au moins deux aides.
- Si le patient est inconscient, l'allonger sur un lit. Les patients conscients n'ont pas besoin de s'allonger. En cas de déglutition normale, on pourra alimenter raisonnablement le malade.
- Placer le bras paralysé sur des oreillers, en le gardant allongé le long du corps, la main étant largement ouverte.
- Quand on soulève un patient dont un bras est paralysé, il convient de placer la main sous l'aisselle du côté paralysé.
- Ne jamais tirer un bras paralysé.

Quand consulter le médecin
- Aussitôt que les symptômes décrits ci-dessus se présentent.

Rôle du médecin
- Les cas graves nécessitent une hospitalisation pour les examens, les soins et la rééducation. Dans certains cas particuliers, une opération peut s'avérer nécessaire

Comment vivre après une attaque

☐ Les victimes d'attaques peuvent surmonter leurs handicaps par l'effort, le courage, et avec l'aide de leur famille et amis.

☐ Au début, à domicile, l'entourage et les aides doivent apprendre comment rééduquer les membres atteints, afin d'éviter l'enraidissement des muscles et des articulations.

☐ Au fur et à mesure de la convalescence, le patient peut effectuer lui-même les exercices.

☐ Il faut être patient, la guérison ne peut être rapide.

☐ Des aides envoyés par des organismes variés sont disponibles. Des facilités techniques sont également accessibles : lits spéciaux, dispositifs de levage, cannes d'appui. Votre médecin traitant et les membres des services sociaux peuvent vous conseiller.

☐ Pour diminuer le risque de récidives ultérieures, le patient doit cesser de fumer, surveiller son poids et suivre le traitement prescrit contre l'hypertension artérielle.

☐ Si l'élocution est atteinte, il faut essayer d'utiliser les gestes, d'écrire ou de dessiner. On peut taper à la machine si l'écriture est devenue illisible ou si la maladie a touché la main avec laquelle le patient écrivait.

☐ Les parents et les amis peuvent aider en parlant lentement et en répétant les phrases qui ne semblent pas être comprises.

☐ Ils doivent écouter avec une particulière attention si le vocabulaire du malade s'est appauvri. Ne pas couper tout dialogue avec lui, regarder ensemble des images ou des photographies, et évoquer les sujets qui l'intéressaient dans le passé.

Prévention

• De nombreuses attaques hémiplégiques seraient évitées si toutes les personnes ayant une HYPERTENSION ARTÉRIELLE se faisaient traiter.

Pronostic

• Les perspectives à long terme, pour les victimes d'une hémiplégie totale, dépendent de l'extension de l'atteinte cérébrale initiale, mais aussi de l'état physique et mental du sujet avant l'attaque. La guérison peut être totale, avec un faible risque de récidive; mais plus fréquemment, chez les patients plus âgés, le bras et, à un degré moindre, la jambe restent déficitaires.

• Il faut redonner confiance et, en dernier ressort, tenter de restaurer les activités du bras.

• Une hémiplégie massive, notamment chez les personnes âgées, est grave. Cependant, après un mois de survie, le pronostic vital est favorable, et le malade peut retrouver une activité surprenante.

AUDITION (TROUBLES DE L')

Ils touchent une partie importante de la population; la surdité peut être congénitale, ou acquise : à la suite d'un accident entraînant une rupture des tympans, lors

MESURE DE L'AUDITION : L'AUDIOMÉTRIE

Premiers pas efficaces dans la lutte contre les troubles de l'audition

Plus le diagnostic d'un trouble auditif sera précoce, plus le sujet aura de chances de guérir, ou d'apprendre, par la rééducation, à mener une vie aussi normale que possible.

Dès que le médecin traitant suspecte une anomalie, il adresse le patient à un spécialiste (oto-rhino-laryngologiste) pour des examens approfondis. La mesure de l'audition, ou audiométrie, peut être faite de différentes façons. Les courbes obtenues sont appelées audiogrammes. L'audiométrie sera subjective ou objective.

Audiométrie subjective : le résultat dépend de la réponse du sujet; on lui fait entendre des mots (audiométrie vocale) ou des sons purs (audiométrie tonale) et il doit dire s'il entend. Elle est utilisée pour les adultes et les enfants suffisamment âgés.

Audiométrie objective : le résultat ne dépend pas de la réponse du sujet. Par exemple : l'impédancemétrie, employée pour les enfants plus jeunes ou retardés qui ne sont pas capables de coopérer, ou la méthode des potentiels évoqués (ou audiométrie électroencéphalographique), idéale pour les bébés. Ces deux dernières méthodes peuvent être utilisées à tout âge, pour avoir une idée plus claire sur le cas.

AUDIOMÉTRIE VOCALE. *On fait entendre une liste de mots, en faisant varier l'intensité, et on note le pourcentage de mots perçus pour une intensité donnée.*

AUDIOMÉTRIE TONALE, OU A SON PUR. *Des écouteurs amènent le son au niveau du conduit auditif ou de l'apophyse mastoïde derrière l'oreille. Le technicien règle l'intensité et la fréquence de sons purs qui arrivent par des écouteurs. On teste chaque oreille séparément. Pour différentes fréquences, on mesure, en augmentant peu à peu l'intensité, le son le plus faible entendu par le patient — le seuil auditif —, puis les résultats sont notés sur un graphique.*

d'une infection chronique de l'oreille moyenne et interne, après une exposition au bruit, enfin par le vieillissement (presbyacousie) ou la prise de certains médicaments toxiques pour le nerf auditif (streptomycine par exemple).

SURDITÉ CONGÉNITALE
Elle touche une personne sur dix mille et peut être partielle ou totale. Le plus souvent, les oreilles externes et moyennes sont normales, mais le nerf auditif ne fonctionne pas correctement. Cette surdité aura des retentissements sur le développement du langage essentiellement.

Symptômes
- Développement du langage lent ou nul. Le développement d'un enfant normal varie considérablement d'un sujet à l'autre. *Voir* PUÉRICULTURE.
- Retard global de développement.
- L'enfant ne répond que s'il voit sa mère.
- L'enfant ne réagit pas aux bruits et aux sons.

Causes
- Inconnues le plus souvent, mais elles peuvent être plus fréquentes dans certaines familles.
- Rubéole chez la mère durant les treize premières semaines de la grossesse.
- Certains médicaments pris durant la grossesse.
- Syphilis chez la mère.

IMPÉDANCEMÉTRIE. *L'intensité du son (seuil auditif) envoyé dans l'oreille est comparée à celle qui provoque une réaction du tympan (seuil du réflexe stapédien). Le rapport entre les deux s'appelle l'impédance. Une oreille normale a une impédance très faible. Une petite pompe à air augmente et diminue doucement la pression dans le canal auditif. Selon la façon dont se déplace le tympan, le manipulateur peut trouver ce qui ne va pas dans l'oreille moyenne.*

MÉTHODE DES POTENTIELS ÉVOQUÉS. *On place deux électrodes derrière les oreilles du bébé, deux accrochées sur les lobes comme des boucles d'oreilles, et une posée sur son poignet. Grâce à ces électrodes, l'audiomètre enregistre les variations électriques qui se produisent dans un muscle situé derrière l'oreille quand un son est perçu. Une boîte produit des déclics d'intensité variable et, grâce à une calculatrice, il est possible de mesurer le seuil d'audition du bébé.*

• Lésions cérébrales durant l'accouchement.
Traitement à domicile
• Aucun. Si vous suspectez une surdité, consultez votre médecin.
Rôle du médecin
• Tester l'audition de l'enfant, et l'adresser à un spécialiste s'il suspecte une surdité.
• Une prothèse auditive peut être adaptée, et la mère et l'enfant prendront des cours de langage et parole (langage des sourds-muets) avec un professeur spécialiste de la surdité.
Prévention
• Éviter les médicaments durant la grossesse et ne rien prendre sans l'avis du médecin. *Voir* GROSSESSE, MATERNITÉ.
Pronostic
• Beaucoup d'enfants tentent de suivre l'école publique; d'autres, surtout si la surdité est totale, sont obligés de suivre des cours spéciaux, et bien que l'apprentissage soit long et difficile, beaucoup d'enfants sourds réussissent très bien dans leur carrière.

Que faire devant une surdité

☐ Consultez votre médecin si vous pensez que vous ou votre enfant risquez de devenir sourds.

☐ Assurez-vous que votre prothèse auditive est bien adaptée à votre cas.

☐ Si vous souhaitez un autre appareil que celui s'adaptant à votre oreille, consultez.

☐ N'achetez jamais de prothèse auditive sans demander l'avis de votre médecin.

☐ N'attendez pas systématiquement des gens qu'ils comprennent votre situation, mais apprenez-leur à vous aider en vous parlant clairement, lentement, et sans crier.

☐ Rendez-vous au centre d'aide aux malentendants le plus proche de chez vous, car il dispose de nombreux moyens de vous aider.

SURDITÉ DUE AU VIEILLISSEMENT
Les premiers symptômes peuvent apparaître dès cinquante ans, et plus tôt en cas d'exposition au bruit.
Symptômes
• Diminution régulière de l'audition des deux côtés dès l'âge de cinquante ans, prédominant au début sur les sons aigus.
• La surdité est plus évidente s'il y a un bruit de fond, comme la télévision, ou une autre conversation dans la pièce.
• Bourdonnements d'oreille.
Durée
• Cet état s'installe progressivement durant des années, sera définitif et ne guérira jamais.
Causes
• Trouble progressif du fonctionnement de l'oreille interne.
Traitement à domicile
• Ne jamais essayer de retirer soi-même le cérumen des oreilles (*voir* CÉRUMEN).
• Quelques bains tièdes, des gouttes ou de l'huile d'olive dans les oreilles pourront ramollir le cérumen.
• Ne pas acheter d'appareil auditif (prothèse auditive) sans avis du médecin.
• De nombreux appareils s'adaptant sur le téléphone permettent d'amplifier les sons.
Quand consulter le médecin
• Dès que vous êtes gêné dans la vie quotidienne.
Rôle du médecin
• Examiner les oreilles et retirer tout bouchon de cérumen.
• Conseiller une prothèse auditive qui doit être posée sur l'oreille la moins atteinte.
Prévention
• Éviter l'exposition aux bruits.
Pronostic
• Aucune amélioration n'est à espérer, mais cependant l'aggravation est très lente et progressive.

Voir L'OREILLE, *page 38*
SYSTÈME NERVEUX, *page 34*
SYSTÈME RESPIRATOIRE, *page 42*

AUTISME

Comportement anormal avec détachement de la réalité, attitude de repli sur soi, disparition des échanges affectifs et de la communication avec l'extérieur. Ce comportement, appelé autisme, est l'un des symptômes de la SCHIZOPHRÉNIE.

AUTISME INFANTILE (OU MALADIE DE KANNER)
Psychose infantile de cause inconnue, plus fréquente chez les garçons, dont les premiers symptômes se manifestent avant deux ans. Dès l'âge de quelques mois, l'enfant autistique n'entre pas en relation avec l'entourage et préfère s'enfermer dans son monde, provoquant un grand désarroi chez les parents. Ses jeux sont simples et répétitifs, le moindre changement de son environnement déclenche des accès de colère brutale, et il y a absence ou retard d'acquisition du langage. Il n'y a aucun handicap ou anomalie physiques, mais du fait du retard mental, peu mènent une vie normale. Le diagnostic, difficile, nécessite la collaboration des parents, du pédiatre et du pédopsychiatre. Quand le diagnostic est établi, les parents peuvent s'adresser à la Société canadienne de l'autisme : C.P. 472, Station « A », Scarborough, Ontario, M 1 K 5C3; tél. (416) 444-8528.

AVORTEMENT

C'est l'interruption de la grossesse avant le sixième mois, date à laquelle le fœtus est viable (on parle alors d'accouchement). L'avortement peut être spontané (fausse couche), ou provoqué, pour des raisons thérapeutiques (anomalies fœtales, risques pour la mère) ou personnelles. Il existe des différences entre l'évolution d'un avortement provoqué et celle d'un avortement spontané. La majorité des avortements sont des avortements spontanés.

AVORTEMENT SPONTANÉ
On pense que dans les toutes premières semaines qui suivent la conception, 15 à 20 pour 100 des grossesses aboutissent spontanément à un avortement. La plupart du temps, la femme n'aura jamais su qu'elle était enceinte parce que l'avortement aura été si précoce qu'elle le confondra avec ses règles.
Symptômes
• Au tout début d'un avortement spontané, le symptôme le plus fréquent est la perte de sang par les voies naturelles. Ce sang peut être de couleur rouge ou brune. Tant qu'il y a simple émission de sang et que l'embryon n'a pas été éliminé, la grossesse a encore des chances de se poursuivre. Mais si les saignements s'aggravent, si des douleurs apparaissent, qui s'accentuent d'heure en heure et interviennent à intervalles de plus en plus réguliers, un avortement est en cours. Celui-ci sera confirmé par l'expulsion de l'embryon.

Causes
- Élimination d'un embryon anormal.
- Insuffisance hormonale chez la mère.
- Béance du col de l'utérus.
- Effort physique très important.

Traitement à domicile
- Toute femme en début de grossesse qui constate le moindre saignement, rouge ou brun, ou des douleurs comme lors des règles doit rester au lit.

Quand consulter le médecin
- Aussitôt qu'apparaissent ces saignements ou ces douleurs qui sont considérés comme des anomalies.

Rôle du médecin
- Dans un premier temps, il peut décider d'attendre afin de vérifier si, sous l'effet du repos au lit en particulier, les douleurs s'estompent, et si les saignements ont tendance à se tarir.
- S'il juge que l'avortement est inévitable, il adressera la patiente à la maternité.
- Après avortement, la patiente sera généralement endormie afin de pratiquer un curetage.

Prévention
- Dès qu'une femme pense être enceinte, qu'elle évite de se fatiguer et renonce à certains sports.
- Certains conseillent d'éviter toute activité sexuelle en tout début de grossesse, de même à la date anniversaire des règles.

AVORTEMENT INCOMPLET
Quelques femmes perdent un peu de sang durant les trois premiers mois de la grossesse, ce qui ne doit pas nécessairement être considéré comme une anomalie. Ces saignements surviennent souvent à la date des règles; ils doivent être pris en considération, car ils peuvent aussi annoncer un avortement.

AVORTEMENT EN DEUX TEMPS
Si l'embryon est expulsé mais que le placenta et les membranes demeurent à l'intérieur de l'utérus, les saignements risquent de se poursuivre un certain temps. Même si les saignements s'arrêtent au bout de quelques jours, la crainte d'une rétention placentaire impose un curetage, ne serait-ce que pour donner toutes les chances à la prochaine grossesse de débuter dans les meilleures conditions.

AVORTEMENT SEPTIQUE
Il peut arriver qu'après un avortement incomplet, ce qui est resté dans l'utérus s'infecte. Cela est très préoccupant, non seulement pour la santé de la mère, mais aussi pour les chances de grossesse future. En effet, l'infection peut s'étendre de l'utérus aux trompes et risquer de les obturer, entravant ainsi la probabilité de rencontre entre l'ovule et le spermatozoïde.

Symptômes
- Nausées.
- Maux de tête.
- Douleurs dans le bas du ventre.
- Leucorrhées fétides.

Quand consulter le médecin
- Immédiatement si la température s'élève, surtout s'il s'y associe des pertes blanches purulentes et fétides.

Rôle du médecin
- Examiner la femme et l'adresser au service de gynécologie s'il craint un avortement septique.
- Pour le service de gynécologie, le traitement comportera des antibiotiques, et probablement une évacuation du contenu utérin sous anesthésie générale.

AVORTEMENT HABITUEL
On parle d'avortement habituel ou de maladie abortique quand l'avortement spontané se répète trois fois de suite. Il est alors prudent de consulter un gynécologue pour rechercher la cause exacte et déterminer un traitement approprié. Actuellement, certains pensent que ce bilan peut être réalisé sans attendre le terme de trois fausses couches spontanées.

Causes
- La cause la plus fréquente est l'anomalie chromosomique de l'œuf lui-même.
- Certains déficits hormonaux.
- Une malformation utérine habituellement congénitale, décelée à l'aide de rayons X.
- Une anomalie du col de l'utérus, dont la capacité de fermeture est déficiente : c'est la béance du col. Elle peut être une séquelle d'avortements provoqués répétés, et nécessitera un cerclage du col.

Rôle du médecin
- Organiser une consultation en gynécologie afin de rechercher par un bilan complet les différentes causes citées plus haut et, ainsi, prendre les mesures qui s'imposent avant le début de la prochaine grossesse.

AVORTEMENT THÉRAPEUTIQUE
Dans de nombreux pays, il fait l'objet d'une législation particulière, fréquemment révisée et modifiée. Au Canada, les conditions légales de l'avortement thérapeutique se trouvent dans le Code criminel, article 251. Il stipule qu'un conseil médical, composé de trois personnes, médecins ou thérapeutes, d'un hôpital accrédité, peuvent décider l'interruption d'une grossesse si celle-ci est susceptible de nuire à la santé de la mère. Un certificat du conseil doit être présenté au médecin qui procédera à l'avortement thérapeutique et au ministre de la Santé provincial.

La méthode utilisée pour pratiquer un avortement thérapeutique dépendra essentiellement du degré d'avancement de la grossesse dans le temps. Habituellement, dans les douze premières semaines de la grossesse, l'utérus peut être évacué sous anesthésie générale par les voies naturelles, après ouverture du col et passage d'une petite curette évacuatrice. Pratiquée avec minutie, cette intervention ne laisse théoriquement pas de séquelles; elle n'est pas considérée comme majeure. La femme reste vingt-quatre ou quarante-huit heures à l'hôpital ou à la clinique; elle perd du sang quelques jours, puis tout rentre dans l'ordre comme après une fin de règles. Il sera prudent d'envisager d'emblée une méthode contraceptive pour être sûr que la femme ne redevienne pas enceinte dans les semaines qui viennent (*voir* CONTRACEPTION).

Si la grossesse a dépassé le stade des douze semaines, on envisage une césarienne prématurée pour extraire l'embryon après ouverture de l'utérus. L'hospitalisation est plus longue, et l'utérus de la femme est porteur d'une cicatrice, ce qui devra être pris en considération au cours de la prochaine grossesse.

Mais aujourd'hui, l'administration d'hormones appelées prostaglandines permet de donner des contractions à un muscle utérin, de faire s'ouvrir le col et de réaliser un accouchement en miniature, ce qui évite toute césarienne. Ces hormones, bien connues maintenant, sont normalement produites en fin de grossesse et favorisent le déclenchement du travail.

Si l'embryon n'est pas expulsé par ces injections, on peut terminer l'intervention par un curetage, praticable facilement car le col est alors largement ouvert, l'objectif étant d'obtenir un utérus vide, apte à une prochaine grossesse.

Si l'avortement spontané est, comme son nom l'indique, indépendant de la volonté de la personne qui le subit et, de ce fait, étranger au Code criminel, l'avortement thérapeutique est, seul, autorisé au Canada, contrairement à d'autres pays du monde comme, en Europe, la France et l'Angleterre par exemple. Dans ces pays en effet, l'interruption volontaire de grossesse est permise, sous certaines conditions, pour motif strictement personnel. Un tel acte, aux termes du Code criminel canadien est un crime, puni comme tel. Selon l'article 251 de ce code :

(1) Est coupable d'un acte criminel et passible de l'emprisonnement à perpétuité, quiconque, avec l'intention de procurer l'avortement d'une personne du sexe féminin, qu'elle soit enceinte ou non, emploie quelque moyen pour réaliser son intention.

(2) Est coupable d'un acte criminel et passible d'un emprisonnement de deux ans, toute personne du sexe féminin qui, étant enceinte, avec l'intention d'obtenir son propre avortement, emploie, ou permet que soit employé quelque moyen pour réaliser son intention.

(3) Au présent article, l'expression « moyen » comprend :

a) l'administration d'une drogue ou autre substance délétère,

b) l'emploi d'un instrument, et

c) toute manipulation.

Les dispositions de l'article 252 complètent ainsi les précédentes :

Est coupable d'un acte criminel et passible d'un emprisonnement de deux ans, quiconque illégalement fournit ou procure une drogue ou autre substance délétère, ou un instrument ou une chose, sachant qu'elle est destinée à être employée ou utilisée pour obtenir l'avortement d'une personne du sexe féminin, que celle-ci soit enceinte ou non. 1953-54, c. 51, art. 238.

Les effets secondaires après une interruption de grossesse

La plupart des avortements se passent sans complications, et les grossesses futures ne sont pas hypothéquées. Le seul risque encouru est celui d'une infection ou d'une perte de sang un peu plus abondante que les règles normales, qui devra alors être prise en considération par le médecin traitant. Certes, si la femme était heureuse de sa grossesse, la déception causée par l'avortement peut être très gravement ressentie. Il peut en résulter un état dépressif, voire un sentiment de culpabilité pour n'avoir pas été capable de mener vers la naissance l'enfant qu'elle souhaitait. Ce sont ces femmes qu'il faut savoir dépister, car elles ne l'avouent pas toujours et risquent de sombrer dans un certain isolement.

AZOOSPERMIE

C'est l'absence de spermatozoïdes dans le liquide spermatique. A différencier de l'aspermie, qui est l'absence de sperme due à un défaut de sécrétion ou à une impossibilité d'éjaculer. L'azoospermie est une des causes de stérilité masculine et elle est souvent due à une déficience des tubes séminifères où sont fabriqués les spermatozoïdes, comme c'est souvent le cas à la suite d'une orchite, ou d'un blocage des canaux qui excrètent le sperme (après une infection génitale, par exemple).

BALANITES

Ce sont des inflammations aiguës ou chroniques du gland de la verge, ayant des causes diverses, le plus souvent infectieuses.

Symptômes

- Ils sont variables selon la cause et le caractère plus ou moins aigu de l'affection.
- Rougeurs, irritation, érosions, suintement.
- Douleurs ou brûlures au passage de l'urine.
- Le prépuce peut être gonflé, du pus s'écoulant de sa face interne.

Durée

- Variable selon la cause et le traitement.

Causes

- Une infection locale, bactérienne, virale (herpès) ou parasitaire (candidose), qui peut être de transmission sexuelle. Le diabète en est parfois une cause favorisante. Si le prépuce est difficilement décalottable, ou si l'hygiène est sommaire, il s'ensuit une accumulation de poussières et de sécrétions, ce qui favorise l'irritation et l'infection.
- Parfois, il s'agit d'une réaction allergique ou caustique (crème, caoutchouc, détersifs, etc.).

Traitement à domicile

- Bains locaux à l'eau tiède et au savon doux.
- Abstinence sexuelle.

Rôle du médecin

- Diagnostiquer la cause, par exemple vénérienne, médicamenteuse ou dermatologique.
- Prescrire les soins locaux adaptés.
- Éventuellement, prescrire des antibiotiques. *Voir* MÉDICAMENTS, n° 25.

Prévention

- Une bonne hygiène locale, à l'exclusion de tout produit agressif, suffit dans beaucoup de cas.
- Parfois une circoncision est nécessaire pour éviter les récidives.

Pronostic

- Il est habituellement favorable sous traitement.

Voir ORGANES GÉNITAUX MASCULINS, *page 50*

BARTHOLINITE

Les glandes de Bartholin sont situées dans la partie postérieure de la vulve. Leurs sécrétions lubrifient l'appareil génital féminin. Il arrive qu'elles se dilatent pour former des kystes, pouvant à leur tour s'infecter et être le point de départ d'abcès très douloureux.

Symptômes

- Gonflement de la vulve, généralement unilatéral.
- Cette tuméfaction devient douloureuse et sensible si le kyste est infecté.
- Le kyste peut grossir et gêner les rapports sexuels.

Durée

- Les kystes et abcès durent tant qu'ils ne sont pas traités.

Causes

- Le kyste est dû au blocage du canal excréteur d'une glande de Bartholin dont la sécrétion ne peut plus s'écouler. L'infection du kyste forme un abcès.

Traitement à domicile

- Si le gonflement est indolore et ne gêne pas les rapports sexuels, un traitement immédiat n'est pas indispensable; par contre, pour soulager la douleur, on peut prendre des antalgiques.

Quand consulter le médecin

- Immédiatement, en cas de douleur. Si le kyste est indolore, prendre un rendez-vous avec le médecin.

Rôle du médecin

- Donner des antibiotiques. *Voir* MÉDICAMENTS, n° 25.
- Adresser la malade à un gynécologue, qui enlèvera ou ponctionnera le kyste et drainera l'abcès.

Prévention

- Il n'y en a pas.

Pronostic

- Cette affection disparaît généralement avec le traitement.

Voir ORGANES GÉNITAUX FÉMININS, *page 48*

BEC-DE-LIÈVRE

Terme courant pour désigner les FENTES LABIO-PALATINES. C'est une malformation de la lèvre supérieure, dont les deux parties ne sont pas soudées. Elle est parfois associée à une fente palatine (non-soudure des deux parties du palais); le palais communique alors avec les fosses nasales. Chaque fois que l'enfant boit, il y a passage de liquide dans le nez et les poumons, et le bébé se met à tousser. Le traitement est chirurgical et donne de bons résultats. Il existe différentes formes de gravité, depuis la petite fente de la lèvre supérieure jusqu'à la grande malformation faciale avec fente totale de la lèvre, du palais et du voile du palais.

Voir FENTE LABIO-PALATINE

BÉGAIEMENT

Anomalie du langage dans laquelle le flux normal de la parole est interrompu, et il y a répétition des premières lettres ou syllabes des mots.

Plus fréquent chez les garçons que chez les filles, ce trouble commence à se manifester entre trois et sept ans. Il est augmenté par les émotions, les stress, l'anxiété, et quand l'enfant y fait attention; en revanche, il disparaît ou diminue dans les jeux ou le chant. Le traitement est la rééducation du langage avant l'âge de sept ans. Mais dans certains cas, le bégaiement persiste à l'âge adulte.

Voir TROUBLES DU LANGAGE

BÉRYLLIOSE

Affection pulmonaire due à l'inhalation de poussières ou particules de béryllium, métal rare utilisé dans de nombreuses industries (comme l'électronique, la céramique, la fabrication de tubes fluorescents). Les formes aiguës se manifestent par un essoufflement et une toux au repos. Elles ne durent pas et guérissent spontanément, mais les formes chroniques (si l'exposition au béryllium dure) provoquent une PNEUMOCONIOSE, dont le symptôme principal est un essoufflement à l'effort. Elle cède généralement au traitement par les stéroïdes, mais l'évolution peut être fatale.

BILHARZIOSE

Maladie tropicale très répandue dans le monde, due à un parasite (schistosomia) vivant dans les vaisseaux sanguins de la vessie ou des intestins, chez l'homme ou les animaux.

Voir SCHISTOSOMIASE

BIOPSIE

Processus par lequel on prélève un petit fragment de tissu au niveau d'un organe ou d'une partie du corps, pour l'examiner au microscope afin de détecter la présence de cellules anormales ou malades. L'échantillon de tissu est prélevé au moyen d'une grosse aiguille introduite dans l'organe après anesthésie locale. Une biopsie peut confirmer ou aider au diagnostic de nombreuses maladies, mais elle est particulièrement importante dans la détection précoce du cancer.

BIORYTHMES

Le comportement humain est sous la dépendance de nombreux rythmes biologiques cycliques différents qui modifient l'humeur et l'énergie des gens. Leur période varie de quelques heures à quelques mois. Le sommeil, les variations de température du corps et du rythme cardiaque, et certaines sécrétions hormonales ont un rythme de vingt-quatre heures (cycle circadien). *Voir* VACANCES ET VOYAGES. Le cycle menstruel a une période plus longue (environ vingt-huit jours, proche du cycle lunaire). Les différentes ondes émises par le cerveau ont des rythmes beaucoup plus courts. L'étude de ces phénomènes, véritables « horloges biologiques » du corps humain, nous permettra peut-être de prévoir les variations du comportement humain, des sécrétions hormonales et des réponses du corps. Ces données pourront être utilisées dans les prescriptions de traitements médicaux. Elles indiqueront le meilleur moment de la journée pour administrer tel ou tel médicament. Il a en effet été constaté que l'efficacité d'une même dose de médicament peut varier dans des proportions importantes selon l'heure de la journée à laquelle elle est administrée.

BLENNORRAGIE

Maladie vénérienne (sexuellement transmissible) due à une bactérie (gonocoque) transmise durant les rapports sexuels. Elle atteint les organes génitaux masculins et féminins. Elle peut contaminer les yeux des bébés nés de mères infectées, laissant une cicatrice sur la cornée de l'œil. Une complication rare est l'arthrite gonococcique.

Chez la femme, la gonococcie peut se localiser aux trompes de Fallope, provoquant une SALPINGITE grave ou une PÉRITONITE.

Chez l'homme comme chez la femme, elle est responsable d'INFERTILITÉ. Contrairement à une croyance populaire très répandue, cette maladie ne se transmet pas par les sièges des toilettes.

BLENNORRAGIE CHEZ L'HOMME

Symptômes

• Trois à dix jours après un rapport sexuel, brûlures intenses dans le pénis, suivies d'un écoulement de pus abondant et jaunâtre.

• Sans traitement, les symptômes disparaissent et le sujet peut penser à tort que tout est terminé.

• Dans certains cas, il n'y a aucun symptôme (ce sont les affections les plus dangereuses, car la personne peut contaminer).

Durée

• En l'absence de traitement, les symptômes disparaissent en six mois. Mais les sujets sont toujours contagieux s'ils n'ont pas été soignés, même si les symptômes ont disparu. Ils sont responsables de nombreux cas nouveaux.

Causes

• Transmission du gonocoque, par rapport sexuel.

Traitement à domicile

• Aucun. Il faut toujours consulter un médecin.

Quand consulter le médecin

• Aussitôt que possible, si l'on craint d'avoir eu un rapport avec un sujet infecté, ou dès l'apparition des symptômes. Si l'on préfère garder l'anonymat, certains centres sont spécialisés dans les maladies sexuellement transmissibles (M.S.T.).

Rôle du médecin

• Demander des analyses bactériologiques de pus et de sang en laboratoire, pour rechercher le gonocoque et éventuellement une SYPHILIS (ayant été contractée en même temps).

• Prescrire des antibiotiques, que le malade doit continuer à prendre (même si les symptômes ont disparu) jusqu'à guérison complète, prouvée par des prélèvements négatifs.

Prévention

• Éviter de diversifier les partenaires sexuels. Plus vous avez de partenaires différents, plus le risque de blennorragie augmente.

• Les préservatifs masculins assurent une protection, mais n'évitent pas toujours la contamination.

Pronostic

• Très bon si le traitement est précoce et si le patient suit exactement les prescriptions du médecin.

• Un homme non traité ou mal traité risque une INFERTILITÉ, une arthrite ou un rétrécissement de l'urètre (conduit par lequel s'écoule l'urine).

BLENNORRAGIE CHEZ LA FEMME

Symptômes

• Ils sont souvent absents chez la femme, qui peut être atteinte sans le savoir et contaminer un ou plusieurs

partenaires involontairement. Quand ils existent, les symptômes sont :
- Brûlures en urinant.
- Envies d'uriner plus fréquentes que d'habitude.
- Écoulement de pus par l'urètre.
- Ces symptômes se manifestent généralement trois à dix jours après la contamination.

Durée
- Comme les blennorragies des hommes.

Causes
- Comme les blennorragies des hommes.

Quand consulter le médecin
- S'il y a la moindre suspicion d'infection.

Rôle du médecin
- Examiner la malade pour savoir s'il y a ou non blennorragie, et dans l'affirmative prescrire des antibiotiques, que l'on doit prendre jusqu'à guérison confirmée par des prélèvements de laboratoire.
- Demander des examens pour s'assurer qu'il n'y a pas d'autre maladie sexuellement transmissible.

Prévention
- Éviter les partenaires multiples. Plus le nombre de partenaires est faible, plus le risque de contracter une blennorragie est réduit.

Pronostic
- Identique à celui de l'homme.
- Les femmes non traitées risquent une SALPINGITE, avec comme conséquence une INFERTILITÉ.

Attention. Chez l'homme comme chez la femme, dans certains cas les symptômes sont discrets ou nuls. Ces personnes restent infectées, donc contagieuses à moins d'être traitées. C'est pourquoi le moindre soupçon ou crainte d'infection doit être signalé au médecin.

Voir ORGANES GÉNITAUX FÉMININS, *page 48*
ORGANES GÉNITAUX MASCULINS, *page 50*

BLÉPHARITE

Infection et inflammation du bord des paupières qui atteint habituellement les deux yeux.

Symptômes
- Le bord des paupières devient rouge, et de petites « croûtes » se développent.

Durée
- Malgré le traitement, la maladie peut durer des semaines, voire des mois.

Causes
- Elles ne sont pas connues précisément. Elles sont parfois microbiennes ou allergiques.

Traitement à domicile
- Il faut laver les paupières avec un coton imprégné d'eau tiède et essayer de retirer les « croûtes ».
- Si le patient est sujet aux pellicules, il faut utiliser des shampooings susceptibles de les éliminer et se laver les cheveux une ou deux fois par semaine.

Quand consulter le médecin
- Si la rougeur et l'irritation des paupières persistent au-delà de quelques jours.

Rôle du médecin
- Examen des paupières au microscope.
- Si le diagnostic d'une blépharite se confirme, il prescrira une pommade ophtalmique, avec laquelle il faut masser le bord des paupières, et conseillera un éventuel traitement du cuir chevelu. Le traitement local doit être prolongé, même en cas d'amélioration.

Prévention
- Il n'y a pas de prévention des blépharites.

Pronostic
- Bien que la blépharite ait parfois une évolution prolongée, elle est sans gravité et n'aura jamais de conséquences sur la vision.

Voir L'ŒIL, *page 36*

BLOC DE BRANCHE

Le muscle cardiaque (myocarde) se contracte grâce à une onde électrique qui se propage des oreillettes vers les ventricules, en suivant un trajet déterminé dans le myocarde. Ce trajet s'appelle le faisceau de His, et en arrivant dans les ventricules, il se sépare en deux voies : les branches droite et gauche du faisceau de His. Lorsque la conduction électrique est interrompue au niveau d'une ou des deux branches, on parle de bloc de branche droit, gauche, total ou partiel. Les battements des oreillettes et des ventricules ne sont plus synchronisés, et cela se traduit par des troubles du rythme cardiaque.

Symptômes
- Les blocs partiels peuvent ne pas modifier le rythme cardiaque. Dans ce cas, l'anomalie n'est décelée qu'à l'occasion d'un électrocardiogramme.
- Quand certaines contractions ventriculaires manquent, le patient peut se rendre compte de l'anomalie.
- Les blocs plus importants sont responsables d'une diminution de la circulation cérébrale, pouvant causer des étourdissements, des troubles du comportement, et parfois une syncope ou une petite attaque.
- Tous les types de blocs réduisent les performances normales du cœur et provoquent parfois des douleurs thoraciques (ANGINE DE POITRINE), d'essoufflement (DYSPNÉE), et d'œdème des chevilles (INSUFFISANCE CARDIAQUE).

Durée
- Elle dépend de la cause sous-jacente. Les blocs partiels ou complets peuvent durer seulement quelques secondes ou quelques minutes. Après la survenue d'une THROMBOSE CORONAIRE ou d'une MYOCARDITE (inflammation du muscle cardiaque), les blocs sont souvent permanents.

Causes
- Thrombose coronaire et myocardite.
- Maladie cardiaque congénitale.
- Dégénérescence, altération des nerfs qui stimulent les contractions cardiaques.
- Certains médicaments.

Quand consulter le médecin
- Si le patient présente des irrégularités des battements cardiaques.

Rôle du médecin
- Faire pratiquer un électrocardiogramme.
- Dans les blocs sévères, mise en place d'un stimulateur cardiaque (pacemaker).

Prévention
- C'est celle de la cause sous-jacente.

Pronostic
- Il dépend toujours de la cause. Dans certains cas, les symptômes peuvent être totalement supprimés en plaçant un stimulateur cardiaque.

BORRÉLIOSES

Maladies infectieuses bactériennes transmises par les poux et tiques, se manifestant par une alternance de périodes de forte fièvre et de température normale. Les poussées de fièvre, qui durent plus de dix jours, sont accompagnées de douleurs articulaires et musculaires, de CÉPHALÉES, de TACHYCARDIE, de vomissements, et parfois d'une ÉRUPTION généralisée. Traitement aux antibiotiques.

BOTULISME

Intoxication alimentaire grave, souvent mortelle, due à la toxine sécrétée par une bactérie. Les principaux symptômes sont une DIPLOPIE, une DYSPHAGIE, une extrême faiblesse et des paralysies progressives; parfois, des vomissements ou une diarrhée (un cas sur trois). L'évolution peut être fatale en vingt-quatre heures. Cette toxi-infection alimentaire rare survient après absorption de conserves alimentaires mal stérilisées (fabrication artisanale, à la maison, ou mauvaises mises en boîte). Il ne faut jamais consommer d'aliments venant de boîtes dont le fond est bombé.

BOULIMIE

Dérèglement de l'appétit traduit par une sensation de faim quasi permanente, non calmée par l'absorption d'aliments. Ce trouble se rencontre dans certaines névroses et démences séniles.

BOURBOUILLE

La bourbouille, ou miliaire rouge, est une éruption cutanée d'origine sudorale, intensément irritante, prurigineuse, due à la chaleur et à l'humidité. Elle atteint surtout les nourrissons et les obèses.

Symptômes
- Petites papules rouges de 1 à 2 millimètres de diamètre, atteignant les zones de frottement des vêtements, les plis (aine, aisselle), le thorax et l'abdomen.
- Il existe parfois des pustules (folliculites).

Durée
- Peut persister aussi longtemps que demeurera l'exposition à la chaleur et à l'humidité.

Causes
- Les cellules cornées de la peau, gonflées par la sueur, obstruent les pores sudoraux.
- La sueur ne peut plus s'éliminer et forme des petites poches dans la peau, responsables des lésions.

Traitement à domicile
- Il n'existe pas de remède rapidement efficace.
- Il faut éviter la sudation en demeurant dans un environnement frais et sec, et ne porter que des vêtements légers et amples.
- La peau sera nettoyée souvent.

Quand consulter le médecin
- Si l'irritation est intense et mal tolérée.
- S'il existe une grande fatigue, voire une léthargie.

Rôle du médecin
- Hospitaliser le patient dans les cas sévères.

Prévention
- Éviter les vêtements serrés en pays chaud.
- Les sujets fragiles auront intérêt à vivre dans un environnement frais (air conditionné).

Pronostic
- Il est rapidement favorable, dès le retour à des conditions climatiques modérées.

Voir LA PEAU, *page 52*

BOUTON

Petite élevure cutanée. Elle peut être due à une inflammation ou à l'infiltration du tissu cutané. Elle est parfois remplie de pus (pustule). Les boutons et les points noirs d'acné sont fréquents durant l'adolescence.

BRADYCARDIE

Diminution de la fréquence des battements cardiaques, qui devient chez un adulte inférieure à cinquante par minute. La normale est comprise entre cinquante et quatre-vingt-dix. La bradycardie est naturelle chez certaines personnes (sportifs, certains sujets sains et vigoureux), et peut survenir au cours d'un ICTÈRE ou de la convalescence après une maladie infectieuse comme une GRIPPE ou une PNEUMONIE. Mais elle risque de correspondre à un trouble du fonctionnement cardiaque, comme un BLOC DE BRANCHE. A cette exception près, la fréquence redevient normale dès la guérison.

BRONCHIOLITE

C'est l'inflammation des bronchioles (petits conduits respiratoires). C'est une maladie touchant les enfants de moins de dix-huit mois, et principalement en hiver. Les bronchioles s'encombrent de mucus et de pus.

Symptômes
- La maladie débute par une toux ou un rhume; puis l'infection s'étend aux petites bronchioles.
- Un souffle court avec une respiration rapide, et parfois un sifflement.
- La respiration du bébé devient plus rapide et plus laborieuse; les côtes inférieures et l'abdomen supérieur se creusent à chaque inspiration.
- Inquiétude et irritabilité.
- Manque d'appétit. Le bébé refuse même de boire.
- Le bébé est pâle ou bleuté.

Durée
- Une à deux semaines.

Causes
- De nombreux virus sont à l'origine de cette infection grave. La plupart de ces affections se traduisent par un simple rhume, mais dans quelques cas le virus sera responsable d'une bronchiolite.

Traitement à domicile
- Garder la température de la chambre constante.
- Donner fréquemment de petits repas, au moins liquides, si le bébé refuse la nourriture solide.

Quand consulter le médecin
- Dès l'apparition de l'un de ces différents symptômes chez un enfant de moins de douze mois.
- Chez un bébé plus âgé, si la respiration devient bruyante ou que les côtes se creusent.

Rôle du médecin
- Il faut généralement hospitaliser l'enfant.

Pronostic
- Bon si les soins sont rapidement donnés.

Voir SYSTÈME RESPIRATOIRE, *page 42*

BRONCHITE

Inflammation des grandes bronches. Il existe deux catégories de bronchites : aiguë et chronique.

BRONCHITE AIGUË

Symptômes
- Respiration sifflante et toux persistante.
- Crachats pouvant contenir du pus.
- Perte de l'appétit, mal de tête, fièvre.

Durée
- Habituellement sept à vingt et un jours.

Causes
- De nombreux germes différents envahissent le revêtement des bronches et provoquent l'inflammation. Le revêtement enfle, rétrécissant les tubes, et la situation est aggravée par l'excès de mucus et d'autres sécrétions. L'irritation provoque la toux, et les toxines sont responsables de la détérioration de l'état général.
- Les bronchites aiguës apparaissent souvent lors de certaines ROUGEOLES.

Complications
- La bronchite est plus grave chez les bébés et les personnes âgées, à cause du risque de PNEUMONIE.

Traitement à domicile
- Rester au lit deux ou trois jours au chaud.
- Prendre beaucoup de boissons chaudes.

Quand consulter le médecin
• Si la maladie est sévère, ou si la respiration devient difficile avec une douleur dans la poitrine.
• Si le patient est âgé ou s'il s'agit d'un bébé.
Rôle du médecin
• Conseiller de limiter l'activité physique. Cela diminue le risque d'extension de l'infection aux poumons, ce qui provoquerait une pneumonie.
• Prescrire des antibiotiques s'il existe un risque de pneumonie.
• Donner des antitussifs. *Voir* MÉDICAMENTS, n°s 16, 25.
Prévention
• Éviter de fumer ou de rester dans une atmosphère enfumée.
• Il existe un risque particulier pour les personnes âgées et les nourrissons, qui ne doivent pas dormir dans une chambre à coucher froide ni être en contact avec des personnes enrhumées ou porteuses d'infections pulmonaires.
Pronostic
• Les bronchites aiguës ne laissent généralement pas de séquelles.

BRONCHITE CHRONIQUE
Elle est caractérisée par une anomalie du revêtement des bronches. Le mécanisme physiologique qui garde les bronches propres et libres de toute obstruction est détruit. Les bronches commencent à s'obstruer. La maladie est habituellement progressive, conduisant à la destruction des alvéoles pulmonaires. Plusieurs alvéoles se distendent (EMPHYSÈME) pour remplir les espaces détruits. Cela gêne le fonctionnement des poumons et l'oxygénation du sang. Ces transformations empêchent le sang de s'écouler à travers les poumons et peuvent conduire à une INSUFFISANCE CARDIAQUE. Cette maladie est responsable de longues souffrances et de nombreux décès chaque année. Elle se déclare généralement après quarante ans, touchant plus souvent les hommes que les femmes, particulièrement ceux qui travaillent en atmosphère empoussiérée et les grands fumeurs (des deux sexes).
Symptômes
• Toux chronique avec crachats habituellement blancs et mousseux.
• Respiration sifflante.
• Augmentation de l'essoufflement au moindre effort, même faible, et devenant de plus en plus marqué, jusqu'à persister même au repos.
• Une série de poussées de bronchite aiguë.
• Un sentiment général d'inconfort et de souffrance pulmonaire mal définie.
Causes
• La pollution atmosphérique, particulièrement par l'anhydride sulfureux, présent dans les rejets de gaz produits par l'industrie.
• Le fait de fumer.
Complications
• EMPHYSÈME, INSUFFISANCE CARDIAQUE, PNEUMONIE.
Traitement à domicile
• Repos dans une chambre bien chauffée.
• Éviter de passer d'une atmosphère chaude à un endroit froid.
Quand consulter le médecin
• Si la toux persiste plus de deux à trois semaines.
• En cas de toux hivernale récidivante.
Rôle du médecin
• Prescrire des antitussifs, des inhalations et des antibiotiques. *Voir* MÉDICAMENTS, n°s 16, 25.
Prévention
• Éviter les atmosphères enfumées et empoussiérées.
• Ne pas fumer.
Pronostic
• Une fois que le processus a démarré, on ne peut pas le stopper totalement; mais on peut ralentir de façon importante l'évolution en évitant de fumer.

Voir SYSTÈME RESPIRATOIRE, *page 42*

BRUCELLOSE

C'est une maladie touchant essentiellement le bétail et qui peut être transmise à l'homme. Cette maladie est plus fréquente dans les régions d'élevage de moutons et de chèvres (sud de la France, Corse, Bassin méditerranéen). Elle est causée par une bactérie appelée *Brucella melitensis* pour les moutons et chèvres (c'est elle qui contamine l'homme le plus souvent), *Brucella abortus bovis* pour les vaches et *Brucella abortus suis* pour les porcs. On l'appelle aussi fièvre ondulante sudoro-algique, car elle se manifeste par une fièvre irrégulière, survenant par poussées avec des douleurs et des sueurs.

La brucellose peut être transmise aux personnes qui sont en contact avec des animaux infectés : les fermiers, les vétérinaires (à l'occasion des accouchements ou des fausses couches), les gens travaillant dans les abattoirs. La contamination peut également se faire en buvant du lait cru, et provenant d'un animal infecté, n'ayant pas été pasteurisé ni stérilisé, ou du fromage frais (de chèvre ou de brebis); en effet, les bactéries sont détruites par la fermentation.
Symptômes
• Fièvre oscillante, par accès périodiques.
• Maux de tête.
• Transpiration abondante.
• Fatigue, faiblesse et lassitude.
• Douleurs articulaires, musculaires et osseuses.
Période d'incubation
• Sept à vingt et un jours.
Durée
• Habituellement, six semaines ou plus sans traitement.
Causes
• *Brucella melitensis*, le plus souvent, chez l'homme.
Complications
• Parfois aucune.
• ARTHRITE de la hanche, ostéite du rachis.
• Atteintes neuro-méningées, ORCHITE.
• Localisations rénale, cardiaque ou pulmonaire très rares.
Traitement à domicile
• Aucun.
Quand consulter le médecin
• Si l'un des symptômes apparaît chez une personne ayant été en contact avec du bétail, ou ayant consommé du lait cru non stérilisé ou encore des fromages frais.
Rôle du médecin
• Faire une prise de sang pour confirmer le diagnostic.
• Commencer immédiatement un traitement d'attaque court avec des piqûres d'antibiotiques.
• Prescrire un traitement antibiotique de longue durée en comprimés.
Prévention
• Les animaux seront vaccinés contre la brucellose, mais ce n'est pas nécessaire pour l'homme.
• Les éleveurs doivent prendre certaines mesures obligatoires :
— abattre le bétail contaminé, désinfecter les étables, déclarer la maladie;
— isoler les personnes malades et désinfecter le linge.
• Ne pas boire de lait non stérilisé ou non pasteurisé, et ne pas consommer de fromages crus, surtout de chèvre ou de brebis, achetés directement à un fermier. Généralement les contrôles sanitaires sont stricts, et les produits mis en vente ne sont pas infectés.
Pronostic
• Avec le traitement, la guérison devrait être totale en quelques semaines.
• En l'absence de traitement, l'infection peut récidiver et devenir chronique.

Voir MALADIES INFECTIEUSES, *page 32*

BRULURES THORACIQUES

Douleurs situées dans la poitrine et dont les causes peuvent être multiples : ANGINE DE POITRINE, EMBOLIE PULMONAIRE, INFARCTUS DU MYOCARDE, RÉGURGITATIONS (brûlures œsophagiennes). Si les brûlures sont situées à la partie inférieure du thorax, elles peuvent être d'origine gastrique (GASTRITE ou ULCÈRE DE L'ESTOMAC).

BURSITE

Une bourse est un sac (ou une séreuse) contenant une petite quantité de liquide ayant pour fonction de faciliter les mouvements de l'articulation (où la peau, le muscle et le tendon glissent sur l'os). En cas de bursite, la bourse devient inflammatoire, le liquide est fabriqué en quantité excessive et interfère alors dans le phénomène de lubrification. L'affection touche essentiellement le genou et le coude.

Symptômes

- Tuméfaction de l'articulation affectée; elle peut être tendue et chaude.
- Articulation gênée mais mobile.

Durée

- Quelques jours à plusieurs mois.

Causes

- La bursite du genou de la femme de ménage ou de l'ouvrier carreleur est due à une station agenouillée excessive.
- Celle du coude de l'étudiant est provoquée par le maintien prolongé d'une posture. Plus tard dans la vie, elle peut survenir en même temps que la goutte.

Traitement à domicile

- Immobiliser autant que possible l'articulation malade. Dans quelques cas, la bursite disparaîtra spontanément.

Quand consulter le médecin

- Si les symptômes persistent plus de deux semaines, ou si l'affection s'aggrave.
- Si la bourse devient douloureuse, chaude, ou si l'inflammation gêne l'activité.

Rôle du médecin

- Anesthésier la région douloureuse et ponctionner l'articulation afin de retirer le liquide en excès (à l'aide d'une aiguille fine).
- Injecter de l'hydrocortisone dans l'articulation afin de réduire le risque de récidive.
- Prescrire des antibiotiques en cas d'infection.
- Transférer le patient à l'hôpital pour retirer la bourse malade. Il s'agit d'une intervention mineure ne nécessitant qu'une anesthésie locale.

Prévention

- Si possible, éviter les activités entraînant un appui prolongé sur les genoux et les coudes.

Pronostic

- Généralement bon.

Voir LE SQUELETTE, *page 54*

CALCULS BILIAIRES

Éléments solides, comme des cailloux, de taille et de forme variables, qui se trouvent dans la vésicule biliaire et le canal cholédoque (canal qui amène la bile du foie à l'intestin). Les calculs biliaires se forment dans la vésicule biliaire, et leur présence crée une inflammation de celle-ci : c'est la CHOLÉCYSTITE. Les causes, symptômes, pronostic et traitement des calculs biliaires et de la cholécystite sont similaires.

Symptômes

- Ils sont souvent absents, et les calculs ne sont découverts qu'à l'occasion d'une radiographie demandée pour autre chose. Quand il y a des symptômes, ils débutent souvent après un repas trop copieux et riche en graisses.
- Légère gêne dans la partie supérieure de l'abdomen.
- Gaz intestinaux.
- Sensation de ballonnement abdominal.
- Crises abdominales douloureuses, situées dans la partie supérieure, droite et médiane de l'abdomen, irradiant jusqu'à l'épaule droite. Ces crises sont accompagnées de nausées et de vomissements.

Causes

- Des calculs dans le canal cholédoque provoquent des douleurs accompagnées de vomissements.
- Alimentation trop riche en graisses.
- La vésicule biliaire est généralement le siège d'une infection chronique (cholécystite).

Complications

- ICTÈRE et PANCRÉATITE peuvent survenir si l'écoulement de la bile est bloqué par un calcul.

Traitement à domicile

- Boire des petites gorgées d'eau.
- Prendre des analgésiques pour soulager les crises. *Voir* MÉDICAMENTS, n° 22.
- Une bouillotte d'eau chaude sur la zone douloureuse soulagera la douleur.

Quand consulter le médecin

- Si vous avez une douleur abdominale qui ne s'est pas calmée après quatre heures.

Rôle du médecin

- Vous envoyer subir des radiographies. Une simple radio d'abdomen sans préparation peut déjà montrer les calculs, mais il est parfois nécessaire de faire une cholécystographie qui mettra en évidence les contours du canal cholédoque et des canaux biliaires.
- Faire dépister les calculs par échographie.
- Proposer un régime alimentaire approprié.
- Prescrire un médicament pour dissoudre les calculs.
- Une intervention chirurgicale sera parfois nécessaire pour enlever le ou les calculs.

Voir SYSTÈME DIGESTIF, *page 44*

CALCULS URINAIRES

Il est très fréquent que des cailloux se forment dans les voies urinaires, habituellement dans les reins (dans la population des pays riches) et dans la vessie (dans les pays en voie de développement).

La formation de ces cailloux, que l'on appelle calculs en médecine, résulte d'un excès de sels minéraux dans le sang qui viennent former des cristaux dans les urines. Les calculs sont favorisés par les infections urinaires qui modifient les urines.

Les calculs du rein et de la vessie peuvent atteindre des tailles importantes et ne pas entraîner de gêne lorsqu'ils restent en place. Mais, si l'un de ces calculs quitte le rein pour migrer dans l'arbre urinaire (uretère) vers la vessie, il peut être très douloureux.

Symptômes

- Une douleur extrêmement pénible part du bas du dos, au niveau des reins, et irradie vers le bas de l'abdomen et les organes génitaux.
- La douleur atteint son paroxysme, dure une minute, se calme et recommence quelques minutes plus tard.
- Douleur lors du passage des urines.
- Présence de sang dans les urines.
- Absence possible de symptômes.

Durée

- Les gros calculs peuvent se constituer sur plusieurs années. D'autres se forment en quinze jours.

Causes

- Excès de sels minéraux dans le sang, lié à la goutte ou à des troubles hormonaux.
- Infections urinaires.
- Absorption insuffisante de boissons.

- Alitement prolongé.
- Eau de consommation trop riche en minéraux.

Complications
- Maladie rénale.

Traitement à domicile
- Boire de l'eau abondamment.
- Si la douleur est pénible, s'allonger, les pieds surélevés.

Quand consulter le médecin
- Immédiatement, dès que la douleur devient pénible.

Rôle du médecin
- Analyser les urines.
- Soulager la douleur, éventuellement par une piqûre.
- Faire faire une radiographie des reins.
- Adresser le patient au spécialiste.
- Traiter l'anomalie, en l'occurrence l'excès de minéraux, en recherchant les facteurs responsables : la GOUTTE ou une infection urinaire.
- Traiter les infections urinaires.

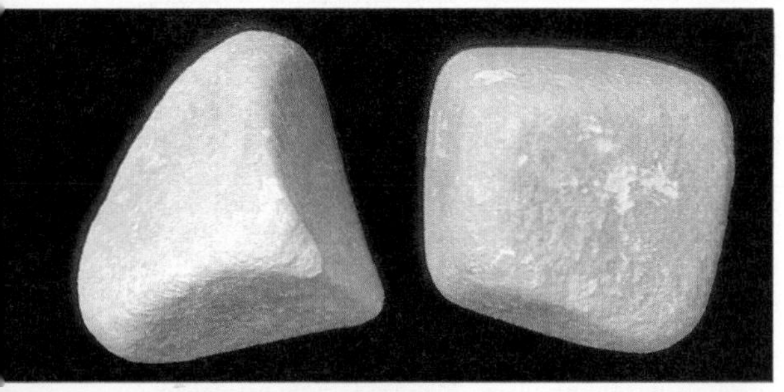
CALCULS DE LA VESSIE

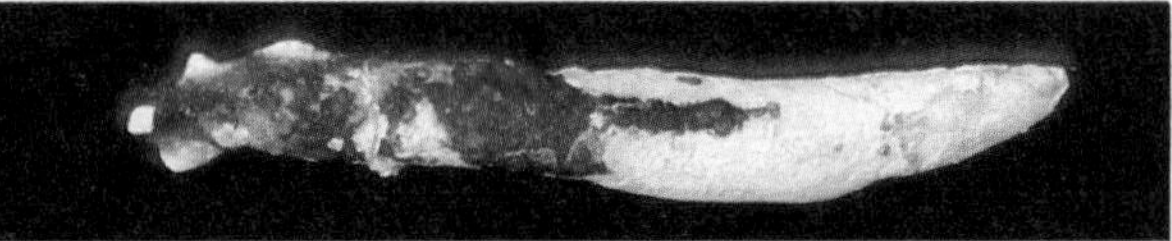
CALCUL DE L'URETÈRE

CALCULS RÉNAUX

Prévention
- Boire abondamment, surtout le soir, pour éliminer les minéraux.
- Selon la nature du calcul, modifier son alimentation.

Pronostic
- Il dépend de la taille et de la nature du calcul. Nombre d'entre eux pourront être éliminés spontanément avec les urines sous forme de sable.
- Les gros calculs peuvent relever de la chirurgie. Exceptionnellement, le rein est atteint et doit être enlevé.

Voir SYSTÈME URINAIRE, *page 46*

CALVITIE

Perte de cheveux dont le terme médical est « alopécie ». L'alopécie séborrhéique masculine (dite androgénétique car dépendant des hormones mâles) en est la forme la plus fréquente. Elle existe également chez la femme, mais son évolution est alors moins sévère. Elle débute souvent avant l'âge de vingt ans, touchant en premier la région des golfes temporaux. Dans les cas sévères, tout le cuir chevelu sera chauve, à l'exception d'une couronne périphérique basse.

La pelade donne une alopécie en plaques et atteint surtout les sujets de dix à quarante ans.

Divers facteurs de déséquilibre peuvent donner lieu à une chute de cheveux diffuse, intervenant deux à quatre mois plus tard, et qui régressera spontanément en quelques mois : accouchement, intervention chirurgicale, maladie infectieuse fébrile, choc psychique, médicaments (surtout anticancéreux).

Le PSORIASIS n'entraîne pas d'alopécie, contrairement au LICHEN PLAN et au ZONA (dans leur localisation au cuir chevelu). Les teignes du cuir chevelu peuvent faire tomber les cheveux, le plus souvent transitoirement, de même que la syphilis.

Toute chute de cheveux n'est pas anormale : chaque cheveu arrivé à la fin de son cycle de développement tombe et sera remplacé par un nouveau cheveu.

Symptômes
- Perte de cheveux diffuse ou en plaques.

Durée
- L'alopécie masculine progresse avec l'âge, jusqu'à environ trente ans, où la chute devient moins sévère. Aucun traitement n'a d'efficacité spectaculaire.
- La pelade guérit habituellement en deux à douze mois.
- Les chutes de cheveux qui surviennent sur une peau cicatricielle ne guériront jamais.

Causes
- Elles restent inconnues.

Traitement à domicile
- Il est impossible de faire repousser une alopécie androgénétique. Il reste la solution de la perruque.

Quand consulter le médecin
- Devant toute chute de plus de 80 cheveux par jour.
- Devant une chute de cheveux si elle est accompagnée d'autres signes (fièvre, fatigue, etc.).
- S'il apparaît sur le crâne une ou plusieurs plaques glabres.

Rôle du médecin
- Confirmer la réalité de la chute de cheveux et en rechercher la cause.
- Faire pratiquer les examens complémentaires utiles et, le cas échéant, envoyer le patient à un spécialiste.
- Donner un traitement ou conseiller éventuellement une transplantation chirurgicale.

Prévention
- Éviter les stress et la fatigue, ainsi que toute agression du cuir chevelu (shampooings trop détergents, démêlage des cheveux trop violent, etc.).

Pronostic
- Il dépend de la cause.

Voir LA PEAU, *page 52*
CHEVEUX (SOINS DES)

CANAL ARTÉRIEL

Anomalie congénitale relativement rare du cœur. Chez le fœtus, une grande partie du sang quittant le cœur par l'artère pulmonaire est dérivé à travers une courte artère (appelée canal artériel) directement dans l'aorte, court-circuitant ainsi les poumons.

CALCULS. *Les sels présents dans le corps peuvent s'agréger sous forme de calculs dans différentes parties du système urinaire. Ils peuvent former des stalactites avec une grande rapidité. Ceux qui se forment dans le rein (en bas) ont une taille allant d'une minuscule particule, qui passe sans faire parler d'elle dans les urines, à une formation ramifiée volumineuse d'un demi-centimètre et plus. Dans la vessie (en haut), les calculs se forment du fait de l'obstruction ou de l'infection, ou proviennent du rein. Des calculs de la vessie peuvent atteindre des proportions énormes (0,5 kg). Les calculs de l'uretère viennent du rein.*

Normalement, à la naissance, à la première inspiration du bébé, les poumons se gonflent d'air, le canal artériel se ferme et le sang circule à travers les poumons. Mais si le canal reste ouvert, du fait de la pression élevée dans l'aorte, le sang déjà oxygéné repart de l'aorte vers l'artère pulmonaire et repasse inutilement dans les poumons.

Un bébé porteur de cette anomalie n'est pas bleu (cyanosé) parce que le sang est suroxygéné; mais le cœur doit fournir un travail supplémentaire, et l'essoufflement doit conduire à consulter un médecin.

Symptômes
- Souffle cardiaque continu à l'auscultation.

Quand consulter le médecin
- Devant tout essoufflement anormal.

Rôle du médecin
- Ausculter et demander des examens complémentaires.
- Le traitement chirurgical donne de bons résultats.

Voir SYSTÈME CIRCULATOIRE, *page 40*

CANAL CARPIEN (SYNDROME DU)

Un des nerfs se dirigeant du poignet vers la main est comprimé alors qu'il passe à travers le canal carpien, espace également traversé par les tendons fléchisseurs des doigts.

La compression entraîne douleur et maladresse de la main. Les cas sévères peuvent entraîner une faiblesse des petits muscles de la base du pouce. Les femmes d'un certain âge ou âgées sont électivement atteintes, mais également certaines jeunes femmes au cours de la grossesse.

Symptômes
- Douleur, picotements, engourdissements au niveau du pouce, de l'index et du médius. La douleur est souvent plus forte en fin de nuit, entraînant l'insomnie.
- La douleur peut irradier dans toute la main, l'avant-bras, et jusqu'à l'épaule.
- Maladresse des doigts pour les travaux de précision, comme la couture.

Durée
- Les signes peuvent persister ou s'aggraver pendant des semaines et des mois, mais le traitement (médical ou chirurgical) assure la guérison.

Causes
- Le nerf se trouve comprimé en raison d'un épaississement des tendons qui traversent le canal carpien.
- La diminution de l'espace libre dans le canal peut être due à des maladies précises telles que : arthrose du poignet après FRACTURE, POLYARTHRITE RHUMATOÏDE, MYXŒDÈME.

Traitement à domicile
- Pendant la nuit : secouer la main, la tenir pendante hors du lit.

Quand consulter le médecin
- Aussitôt.

Rôle du médecin
- Prescrire des médicaments contre la douleur. *Voir* MÉDICAMENTS, n° 22.
- Injecter un produit cortisonique dans le poignet. *Voir* MÉDICAMENTS, n° 32.
- En cas d'échec répété des infiltrations locales ou de récidives trop fréquentes, ou encore d'atteinte visible des muscles du pouce, la chirurgie est nécessaire : intervention très simple, qui décomprime le nerf.

Prévention
- Aucune.

Pronostic
- Bon. Les rares cas qui ne sont pas guéris par les infiltrations le sont par la chirurgie.

Voir LE SQUELETTE, *page 54*

CANCER

Le cancer n'est pas une maladie unique et bien définie, mais un processus de dérèglement du système immunitaire et de la reproduction des cellules pouvant affecter n'importe quel organe du corps. A chacun correspond des symptômes, des manifestations et des éléments de diagnostic différents.

Le cancer semble provenir d'une anomalie de la croissance de certaines cellules. Le corps humain est fait de milliards de cellules minuscules, qui possèdent des fonctions différentes selon leur tissu d'origine. Dans le tissu sain, ces cellules sont spécialisées; elles se divisent régulièrement et de façon contrôlée. Au contraire, lors d'un cancer, les cellules échappent aux mécanismes de contrôle : elles se multiplient sans avoir le temps d'achever leur spécialisation et deviennent anormales. Elles forment alors une tumeur maligne.

Les cellules normales appartiennent à un organe bien défini, où elles demeurent jusqu'à leur mort. Par contre, les cellules cancéreuses peuvent quitter leur tissu d'origine et pénétrer dans d'autres organes voisins, jusqu'à les détruire.

Liste des signes précurseurs

Les signes suivants peuvent révéler la présence d'un cancer à un stade précoce. Si vous remarquez l'apparition de l'un de ces symptômes, consultez votre médecin sans attendre, car un diagnostic rapide augmente les chances de succès du traitement.

☐ Une toux avec du sang.

☐ Une toux persistante.

☐ Du sang dans les urines.

☐ Du sang dans les selles.

☐ Des troubles intestinaux persistants : une constipation ou une diarrhée.

☐ Des hémorragies vaginales.

☐ Des pertes de sang entre les règles, après des rapports sexuels ou après la ménopause.

☐ Une boule dans un sein.

☐ Des ganglions dans le cou.

☐ Des plaies qui ne cicatrisent pas (ulcères), surtout sur le visage et les mains qui sont plus exposés au soleil.

☐ Une fatigue inexpliquée et persistante.

☐ Une perte de poids inexpliquée.

☐ Des troubles digestifs inexpliqués.

Mais cette effraction ne se limite pas aux tissus voisins puisque des cellules peuvent se détacher de la masse tumorale primitive, passer dans les vaisseaux sanguins et lymphatiques et aller essaimer à distance, dans d'autres organes y formant d'autres tumeurs qui ressemblent à la tumeur primitive, les métastases.

Si la cancérisation progresse, l'état général de la personne se dégrade, jusqu'à l'épuisement des forces vitales et jusqu'à la mort. Mais grâce aux progrès thérapeutiques, plus de 30 pour 100 des cancers peuvent être guéris aujourd'hui.

CERTAINES PERSONNES SONT-ELLES PARTICULIÈREMENT VULNÉRABLES ?

Bien que les cancers puissent survenir à n'importe quel âge, les personnes, à partir de 40 ans, deviennent plus vulnérables. L'incidence de la maladie, c'est-à-dire le nombre de cas nouveaux découverts chaque année, est de 3 pour 1 000 personnes à 40 ans, de 9 pour 1 000 personnes à 60 ans et de 18 pour 1 000 personnes à 80 ans.

La relation entre l'apparition du cancer et le vieillissement des cellules n'est pas claire.

Les recherches portent notamment sur l'isolement de substances supposées cancérigènes, comme la fumée du tabac, les agents chimiques utilisés dans l'industrie (hydrocarbures, goudrons, colorants, insecticides, amiante) ou dans l'alimentation, les agents physiques (soleil). Ces différentes substances jouent peut-être un rôle dans l'apparition du cancer, mais ne peuvent suffire à l'expliquer.

Si les cancers affectent généralement des personnes d'un certain âge, les leucémies (cancers des cellules sanguines) et certaines tumeurs du cerveau ou des os peuvent parfois se développer chez des enfants.

Autant d'hommes que de femmes sont touchés par les cancers, mais il existe des localisations tumorales différentes selon les sexes. Les cancers des seins sont plus fréquents chez les femmes, tandis que les hommes sont plus exposés aux cancers des poumons, car ces derniers commencent à fumer plus tôt.

Dans les pays occidentaux, un décès sur quatre est attribué au cancer, alors que les maladies cardiovasculaires et les infarctus provoquent la moitié des décès.

Bien que la cause des cancers reste encore inconnue, certains facteurs favorisants ont été découverts.

L'hérédité. Le cancer n'est pas une maladie héréditaire; mais dans certaines familles, il apparaît plus souvent. Il existerait une sorte de prédisposition à certains cancers qui se transmettrait de génération en génération, sans que la maladie survienne à chaque fois. Par exemple, des formes familiales de polypes intestinaux, rares, qui peuvent se cancériser et dont il faut se débarrasser le plus vite possible par une opération chirurgicale. Le cancer du poumon peut également survenir dans les familles où l'on fume beaucoup.

Les métiers exposés. Certains métiers — notamment ceux des industries chimique et minière — exposent les travailleurs aux cancers de la peau, de la vessie et des poumons. *Voir* RISQUES PROFESSIONNELS ET LIÉS A L'ENVIRONNEMENT.

Les substances chimiques. Il est probable que des corps chimiques contenus dans l'alimentation, dans l'eau potable ou dans l'air puissent favoriser l'apparition de certains cancers.

S'il est aujourd'hui reconnu que les hydrocarbures sont responsables de cancers professionnels, leur nocivité est difficile à établir en ce qui concerne les gaz d'échappement, les fumées industrielles, le goudron, le tabac, les insecticides. Le rôle cancérigène des colorants alimentaires n'est pas non plus prouvé.

Le tabagisme. Les médecins sont certains que le tabagisme favorise l'apparition du cancer des poumons. Les substances contenues dans la fumée des cigarettes irritent les cellules bronchiques et les rendent plus vulnérables au cancer. *Voir* TABAC.

Les infections. Des infections sont responsables de cancers chez l'animal, mais il est plus difficile de le démontrer chez l'homme. Des virus entraînent un type de cancer de la mâchoire chez les enfants d'Afrique centrale et sont peut-être à l'origine de LEUCÉMIES, de cancers du col de l'utérus (virus de l'herpès), mais le cancer n'est pas transmissible.

Les grains de beauté et les verrues. Ils sont inoffensifs pour la plupart, mais un petit nombre d'entre eux peuvent changer d'aspect et se cancériser.

LES TERMES MÉDICAUX

Comme il n'y a pas un cancer mais plusieurs types de cancers, différents termes peuvent les décrire. Un *néoplasme* désigne un tissu d'apparition récente dans l'organisme, notamment un tissu cancéreux. Une *tumeur* est une masse aux contours irréguliers, de taille suffisante pour être vue ou palpée. La *malignité* se rapporte à une croissance cellulaire anarchique, envahissant les tissus voisins jusqu'à les détruire, et qui peut s'étendre à distance par des métastases. Les *tumeurs* ou les *néoplasmes* peuvent être malins (cancéreux) ou bénins (non cancéreux). Toutefois, une tumeur d'aspect bénin peut devenir maligne, c'est pourquoi elle doit généralement être enlevée.

Les cancers sont souvent désignés par le type de cellule qui s'est cancérisée. Ainsi, les cancers qui se développent à partir des cellules d'organes creux, comme les intestins, les bronches et les glandes, sont des *carcinomes*. Les cancers des tissus fibreux des muscles, des ligaments et des os sont des *sarcomes*.

LES CANCERS LES PLUS FRÉQUENTS

Les cancers du tube digestif (intestin-estomac) sont les plus fréquents (24 %). Ensuite viennent les cancers des poumons (16 %), des seins (16 %), de la vessie, des reins et de la prostate (13 %), des organes génitaux féminins : les ovaires, le col et le corps utérin (10 %) et de la peau (2 %). Les autres représentent 9 %.

Aujourd'hui, certains cancers sont plus fréquents : les cancers des poumons, de l'intestin, de la prostate, du pancréas, des seins, des ovaires et de la vessie.

Par contre, d'autres cancers deviennent plus rares, comme ceux de l'estomac, de la bouche, des lèvres, de la langue et du col de l'utérus. Leur dépistage plus précoce ne suffit pas à l'expliquer.

LES SYMPTOMES

Les symptômes des cancers dépendent du lieu d'apparition de la tumeur primitive, de l'invasion des tissus voisins et de l'extension à distance.

Un cancer commence à se manifester à partir du moment où la tumeur est suffisamment volumineuse pour perturber le fonctionnement normal d'un organe. Ces symptômes sont très variés : une toux gênante et rebelle aux médicaments, une mauvaise digestion d'apparition récente, une constipation ou une diarrhée inexpliquées, une douleur abdominale ou des troubles urinaires. La présence de sang ou de mucus dans les selles ou les urines peut révéler un cancer intestinal ou vésical ulcéré. Parfois, lorsqu'un cancer est extériorisé à la peau ou se loge en surface, comme dans le sein, une tumeur visible peut apparaître.

Les femmes devraient régulièrement palper leurs seins du bout des doigts et se faire examiner par leur médecin. *Voir* CANCER DU SEIN.

Au début, le cancer n'a pas de répercussion sur l'état général, mais plus tard des symptômes peuvent apparaître : perte d'appétit, amaigrissement, fatigue.

D'autres signes sont suspects : une douleur (rarement d'apparition précoce), une jaunisse, des troubles mentaux, une dépression et des crises épileptiques.

COMMENT DÉTECTER UN CANCER

Malheureusement, une visite chez le médecin ou des analyses de laboratoire ne peuvent suffire à détecter tous les cancers à un stade précoce. Toutefois, des examens spécialisés aideront au diagnostic. Une radiographie des seins (mammographie) donne des indices de sa malignité. Une analyse microscopique des selles détecte la présence de sang. Les prélèvements d'urines ou de crachats fournissent également des éléments. Les frottis du col de l'utérus aident à dépister le cancer s'ils sont pratiqués au moins une fois l'an.

Lorsqu'on suspecte un cancer, il faut le localiser. Un échantillon de tissu sera prélevé (biopsie) sur la tumeur, et son examen déterminera la présence de cellules cancéreuses. Des analyses radiologiques, parfois après injection de produits colorés ou radioactifs, aideront à préciser les contours de la tumeur.

LES TRAITEMENTS

Le but des traitements est d'enlever ou de détruire la tumeur primitive avant qu'elle ne s'étende à d'autres organes et n'essaime en métastases.

Comme on ne connaît pas la cause exacte des cancers, on ne dispose pas d'une arme spécifique pour les guérir (contrairement aux antibiotiques, qui tuent les germes responsables des infections). Les traitements des cancers sont donc nombreux mais pas toujours efficaces; de plus, ils sont souvent agressifs.

La chirurgie. Elle consiste à extraire la tumeur primitive, les tissus adjacents et les ganglions satellites où des cellules cancéreuses ont pu se loger. La chirurgie peut se pratiquer pour les cancers du sein, des intestins, des poumons, des reins, des testicules, de l'utérus, des ovaires, des os et de la peau. Lorsqu'une tumeur apparaît dans le cerveau, l'opération est délicate, car elle risque de créer des lésions.

Le chirurgien aura une idée de l'extension de la tumeur au cours de l'opération, mais il ne pourra savoir jusqu'à quel point les cellules cancéreuses n'ont pas déjà effectué une migration dans d'autres tissus ou organes, formant des métastases débutantes et invisibles. Il est donc souvent obligé d'extraire du tissu qui paraît sain, en plus de la tumeur primitive, pour éviter de laisser en place des cellules cancéreuses.

Radiothérapie. Les rayons X, et aujourd'hui d'autres types de radiations plus puissants, ont la propriété de détruire les tissus cancéreux sans trop léser les tissus sains. En effet, un tissu en prolifération comme le tissu cancéreux est extrêmement sensible à l'action destructrice des rayons, contrairement au tissu normal.

La radiothérapie est généralement associée à la chirurgie et/ou à la chimiothérapie, mais lorsqu'un cancer est découvert à un stade avancé, elle est parfois utilisée seule, en dernier recours. Les effets des rayonnements sont contrôlés, grâce aux ordinateurs qui calculent la répartition et l'intensité des doses.

Chimiothérapie. Certains médicaments, dits cytotoxiques, tuent les cellules cancéreuses en bloquant leur division. Ces drogues doivent être administrées sous surveillance médicale.

La chimiothérapie a des résultats spectaculaires dans la maladie de Hodgkin (une maladie du sang qui atteint les ganglions lymphatiques et la rate), dans certaines leucémies et dans de rares cancers des organes génitaux.

Les traitements des cancers sont nombreux et différents selon la personne à qui ils s'adressent, la localisation de la tumeur et sa nature. Lorsqu'ils ne guérissent pas, ils peuvent néanmoins soulager les douleurs et les manifestations pénibles des cancers.

Médecines parallèles. N'ayant pas encore élucidé les causes du mal, la médecine peut paraître parfois impuissante à guérir certains cancers. C'est pourquoi des malades ayant perdu tout espoir ont recours à des médecines « parallèles », comme l'homéopathie, la diététique, l'exercice physique ou d'autres méthodes « miracles ». En dépit des espoirs qu'ils suscitent, ces remèdes n'ont révélé aucune preuve scientifique de leur efficacité. Il n'en demeure pas moins que des cancers disparaissent sans que l'on puisse se l'expliquer.

Des consultations médicales régulières, au cours desquelles le médecin examine les différents organes où le cancer peut apparaître, devraient permettre de dépister un cancer à un stade précoce.

LES PROGRÈS THÉRAPEUTIQUES

Les méthodes de traitement actuelles, si les cancers sont traités correctement et surtout à temps, permettent de guérir un grand nombre de malades. En effet, on estime aujourd'hui qu'une personne sur trois survit cinq ans et plus après un cancer traité.

Les meilleurs succès thérapeutiques ont été obtenus pour les cancers de la peau (70 % de guérison), les cancers de l'utérus (88 %), les cancers de la vessie (un peu moins de 75 %), les cancers des seins (74 %), les cancers du sang : leucémies (32 %) et maladie de Hodgkin (70 %); les cancers de la prostate (68 %) et de la vessie (73 %). Aujourd'hui, les nouvelles chimiothérapies anticancéreuses permettent de guérir près de 75 % des enfants leucémiques. Malheureusement, les cancers des poumons, du cerveau, des os, de l'estomac, de la vésicule biliaire et des reins n'ont pas un pronostic aussi favorable.

LA PRISE EN CHARGE DES MALADES INCURABLES

Lorsqu'un cancer est généralisé et qu'on a peu d'espoir de guérir un malade, les médecins prescrivent des médicaments contre la douleur, les vomissements, l'incontinence, les insomnies et la dépression.

Aujourd'hui, une prise en charge des malades à domicile est possible grâce à des équipes spécialisées (médecin, infirmiers, aides-soignants). En plus des soins médicaux, ces équipes soutiennent psychologiquement la famille. Il serait souhaitable que la personne malade poursuive dans la mesure du possible une vie normale. Mais lorsque les soins médicaux ne peuvent plus être donnés à domicile, il faut parfois recourir à l'hospitalisation.

LA PRÉVENTION

Il est difficile de dire que l'on peut prévenir les cancers dans la mesure où l'on n'en connaît pas les causes. Les substances supposées cancérigènes font l'objet de certaines réglementations. La prévention du cancer est donc collective, mais également individuelle. Le tabagisme expose au cancer des poumons et un régime riche en fibres diminue le risque de cancer de l'intestin.

En fait, il ne faudrait pas hésiter à consulter un médecin dès qu'un signe anormal se manifeste, sans bien sûr devenir hypochondriaque, et se soumettre de temps en temps à un « check-up ».

CANCER DU COL DE L'UTÉRUS

C'est une tumeur maligne, relativement rare, qui se développe aux dépens du col de la matrice. Habituellement, un médecin de famille n'en découvre qu'un cas par an. Alors qu'autrefois il atteignait surtout les femmes après trente-cinq ans, il semblerait un peu plus fréquent et pourrait également atteindre des femmes beaucoup plus jeunes. Quoi qu'il en soit, les nombreuses études réalisées ont permis de prouver que la contraception à base de pilule n'élevait pas le risque de cancer de l'utérus.

Symptômes

- Perte de sang entre les règles.
- Perte de sang après un rapport sexuel.
- Perte de sang après la ménopause.
- Toute perte inhabituelle qui pourrait être, en particulier, brune ou d'odeur fétide.

Durée

- Tant que le traitement n'aura pas été mis en route.

Causes

- Le risque de cancer du col semble aujourd'hui accentué du fait que les préservatifs sont moins utilisés qu'autrefois et que les rapports sexuels avec différents partenaires sont davantage passés dans les mœurs.
- Le début des rapports avant l'âge de dix-huit ans serait également un facteur de risque.

Complications

- Le cancer peut s'étendre du col aux organes voisins.

Traitement à domicile
• Il n'y en a pas.
Quand consulter le médecin
• Immédiatement, dès la découverte de ces saignements ou de toute perte anormale d'origine vaginale.
Rôle du médecin
• Il pratique un examen gynécologique.
• Il pratique des frottis de dépistage.
• Il organise une consultation avec un gynécologue.
• Le traitement peut faire intervenir aussi bien la chirurgie que la radiothérapie.
Prévention
• Par la pratique des frottis au moins tous les trois ans.
Pronostic
• Avant que ne se développe le cancer sur le col et au-delà, les cellules sont à un état précancéreux et peuvent ainsi le demeurer une dizaine d'années. Ces cellules doivent être dépistées grâce au frottis de cytodétection. Et si le traitement est envisagé à ce stade, le pronostic est excellent. Pour un cancer développé au point de donner de nombreux symptômes, les chances de guérison sont réduites de 50 pour 100.

Voir ORGANES GÉNITAUX FÉMININS, *page 48*

CANCER DE L'ESTOMAC

C'est une maladie maligne qui frappe habituellement les gens de plus de quarante ans. Elle est plus fréquente chez l'homme et trouve dans certaines familles un terrain privilégié. La fréquence générale du cancer de l'estomac a diminué dans de nombreux pays.
Symptômes
• Douleur de la partie supérieure de l'abdomen.
• Perte de poids et d'appétit.
• Nausées et vomissements.
• Saignements de l'estomac, vomissements de sang.
• Anémie.
Durée
• Les premiers symptômes sont souvent peu perceptibles, et cela explique que ce cancer soit reconnu avec retard, trop tard pour qu'un traitement ait toutes ses chances et que le pronostic soit bon. La durée dans ces conditions varie de un à quatre ans.
Causes
• Inconnues. Toutefois le tabagisme, l'ANÉMIE pernicieuse, la GASTRITE chronique, la polypose de l'estomac augmentent le risque.
• On ne sait pas si l'alimentation et l'hérédité jouent un rôle.
Complications
• Ulcération et saignement de l'estomac.
• Difficulté pour avaler et pour vider l'estomac.
• Extension à d'autres organes, le foie surtout.
Traitement à domicile
• Exclu. Consulter le médecin.
Quand consulter le médecin
• Devant l'un des symptômes cités.
Rôle du médecin
• Faire pratiquer une radiographie et une fibroscopie (examen à l'aide d'un long tube) de l'estomac.
• Une opération chirurgicale est souvent nécessaire.
Prévention
• Aucune, si ce n'est de ne pas fumer.
Pronostic
• Mauvais, sauf si le diagnostic a été précoce. Même bien traité, le taux de survie au-delà de cinq ans est minime.

Voir SYSTÈME DIGESTIF, *page 44*

CANCER DU FOIE

L'hépatome, tumeur cancéreuse primitive du foie, est rare. S'il est constitué d'une seule tumeur, il peut être opéré. La plupart des cancers du foie sont secondaires (métastases) à un cancer situé ailleurs. Le pronostic de ces tumeurs cancéreuses du foie n'est pas bon, sauf si le diagnostic de cancer primitif a été établi très tôt, ce qui est rare.

Voir SYSTÈME DIGESTIF, *page 44*

CANCER DU PANCRÉAS

Les tumeurs du pancréas ne sont pas fréquentes. Les symptômes dépendent du siège de la tumeur; 70 pour 100 des tumeurs siègent dans la « tête » de cet organe et bloquent ses canaux excréteurs et ceux de la vésicule biliaire, provoquant des nausées, une perte de l'appétit, un amaigrissement et un ICTÈRE.

Le cancer du « corps » du pancréas cause une douleur du type « coup de poignard », qui peut irradier vers le dos.

Voir SYSTÈME DIGESTIF, *page 44*

CANCER DE L'ŒSOPHAGE

Tumeurs malignes à l'intérieur de l'œsophage. Ce cancer est habituellement localisé dans la partie basse de l'œsophage. Il est plus fréquent chez l'homme que chez la femme et survient surtout après cinquante ans.
Symptômes
• Gêne progressive à la déglutition. La viande a du mal à passer au début, puis, à un stade avancé, les autres aliments, solides et mous.
• Le patient peut indiquer avec précision l'endroit où les aliments sont bloqués.
• La perte de poids peut survenir assez tôt.
Causes
• L'alcoolisme et le tabagisme jouent un rôle.
• Une MALADIE CŒLIAQUE non traitée chez l'adulte.
• L'ACHALASIE DU CARDIA.
Quand consulter le médecin
• Si une gêne à la déglutition persiste.
Rôle du médecin
• Il demandera de pratiquer une radio de l'œsophage (après absorption d'un liquide opaque aux rayons X) et une œsophagoscopie (*voir* ŒSOPHAGITE).
• Si la tumeur est située bas dans l'œsophage, elle pourra être enlevée par une opération chirurgicale.
• La radiothérapie aide à soulager le mal.
Prévention
• Éviter de fumer et de boire avec excès.
Pronostic
• La maladie évolue rapidement jusqu'à l'obstruction de l'œsophage, avec une perte de poids.
• Dans quelques cas, la chirurgie ou la radiothérapie donnent des résultats incontestables, mais ils sont difficiles à prévoir.

Voir SYSTÈME DIGESTIF, *page 44*

CANCER DES INTESTINS

Cancer du côlon et du rectum. Les cancers des intestins sont généralement situés bas dans le rectum ou le côlon pelvien. Ils peuvent aussi se localiser dans le côlon transverse et descendant, c'est-à-dire dans la partie supérieure de l'abdomen et du côté gauche (20 pour 100 des cas), ou encore du côté droit, dans le cæcum ou le côlon ascendant (15 pour 100 des cas). La tumeur peut être à l'origine d'occlusions intestinales.
Symptômes
• Évacuation de selles noires (coloration due à la présence de sang digéré), contenant parfois du mucus ou des glaires.
• Constipation ou diarrhée inhabituelles. Besoin impérieux d'aller à la selle. Incontinence fécale également, avec parfois spasmes douloureux de l'anus.
• Pesanteur ou douleur abdominale, parfois localisée en bas et à gauche. Ballonnement abdominal. Une douleur vive et intermittente peut exister si la tumeur crée une constriction intestinale.
• Anémie inexpliquée, amaigrissement, perte d'appétit, malaise généralisé.
Causes
• Un cancer peut apparaître sur un polype. *Voir* POLYPOSE COLIQUE.

• Le régime alimentaire (pauvre en fibres végétales et riche en graisses animales) aurait un rôle favorisant dans l'apparition des cancers du côlon.

Complications

• OCCLUSION INTESTINALE.
• Perforation et PÉRITONITE.
• Extension à l'estomac, au foie et à la vessie.

Traitement à domicile

• Déconseillé. Consulter un médecin.

Quand consulter le médecin

• Si l'on constate la moindre anomalie des fonctions intestinales — une constipation, une diarrhée, la présence de sang, de mucus ou de glaires dans les selles — durant plus de quinze jours, surtout s'il s'agit de personnes de plus de trente-cinq ans.
• Dans la majorité des cas, ces signes sont dus à une affection bénigne (les HÉMORROÏDES, par exemple).

Rôle du médecin

• Il pratiquera un examen du rectum (rectoscopie), à l'aide d'un petit tube pour examiner la paroi de la portion basse de l'intestin.
• Il demandera des examens radiographiques spécialisés (un lavement baryté, des radios de l'estomac, transit du grêle).
• Si un cancer est diagnostiqué, le traitement est généralement chirurgical.

Prévention

• Suivre un régime riche en fibres végétales.

Pronostic

• Généralement bon si le traitement est entrepris rapidement.

Voir SYSTÈME DIGESTIF, *page 44*

CANCER DE LA PEAU

Il en existe trois types : l'ÉPITHÉLIOMA BASO-CELLULAIRE, qui est le plus fréquent et ne devient grave que s'il est traité tardivement; l'ÉPITHÉLIOMA SPINO-CELLULAIRE, qui peut survenir sur des lésions rugueuses et particulièrement sur des zones exposées au soleil : tête, oreilles, dos des mains, lèvres et cou (on rencontre ce dernier généralement chez les gens âgés); le MÉLANOME MALIN, rare, pouvant survenir sur n'importe quelle région de la peau ou des muqueuses.

ÉPITHÉLIOMA SPINO-CELLULAIRE

Ce cancer de la peau, appelé parfois carcinome spino-cellulaire, se développe habituellement sur une lésion précancéreuse rose et rugueuse appelée kératose actinique.

Symptômes

• Après plusieurs mois ou années, la kératose s'épaissit, devient croûteuse et hémorragique, et parfois ulcérée.
• La lésion n'est habituellement pas douloureuse.

Causes

• C'est avant tout l'exposition prolongée au soleil. Cela explique la prédominance chez les sujets âgés de plus de soixante ans, à peau claire. Les rayons X, les goudrons, l'arsenic ont également un rôle favorisant.

Traitement à domicile

• Aucun.

Quand consulter le médecin

• Devant une lésion rugueuse, verruqueuse ou cornée persistante. Si la lésion grossit, saigne ou s'ulcère, il faut consulter immédiatement.

Rôle du médecin

• Adresser le patient à un spécialiste qui analysera et enlèvera la tumeur chirurgicalement.

Prévention

• Éviter les expositions solaires prolongées, surtout pour les sujets à peau claire qui habitent (même transitoirement) dans un pays à fort ensoleillement, comme l'Australie ou l'Afrique par exemple.

Pronostic

• Très bon si le traitement est précoce; souvent moins bon lorsque la lésion est localisée à l'oreille.

MÉLANOME MALIN

C'est un cancer rare des cellules pigmentaires de la peau, les mélanocytes. Il peut survenir sur des taches ou des nodules pigmentés préexistants.

Symptômes

• Changement de taille, de couleur ou de forme d'une lésion pigmentée préexistante. Le grain de beauté peut saigner, donner une sensation de picotement. La peau en bordure peut devenir rouge ou brune.
• Le plus souvent, c'est l'apparition d'une tache pigmentée nouvelle. Elle est d'autant plus suspecte que ses contours sont irréguliers et que sa couleur n'est pas uniforme, associant du rose, du marron, du noir.
• Parfois, le début se déclare avec un nodule brun, noir, ou même clair.

Durée

• Le cancer croît pendant quelques mois ou quelques années, puis se diffuse dans l'organisme.

Causes

• Elles sont mal connues, mais les sujets à peau claire et surtout rousse vivant dans les pays à faible latitude sont plus fréquemment atteints.

Traitement à domicile

• Aucun.

Quand consulter le médecin

• Devant un des symptômes décrits ci-dessus.

Rôle du médecin

• Envoyer le patient dans un centre spécialisé qui fera l'ablation chirurgicale et l'analyse de la lésion.

Prévention

• La plus efficace est de se protéger du soleil.

Pronostic

• Peut être bon si la tumeur est enlevée assez tôt.
• La tumeur peut se propager rapidement aux ganglions lymphatiques; le pronostic est alors mauvais.

ÉPITHÉLIOMA BASO-CELLULAIRE

C'est une tumeur cutanée fréquente, appelée parfois carcinome baso-cellulaire. Son évolution est lente et purement locale. Elle atteint surtout les régions exposées au soleil : la face avant tout (nez, joues, tempes), puis le cuir chevelu et le cou.

Symptômes

• Au début, c'est un petit nodule perlé translucide, ou une petite érosion, ou une croûte qui n'a aucune tendance à guérir et qui grandit progressivement pendant des mois ou des années et aboutit à des aspects variables. La présence d'un chapelet de petits nodules brillants en bordure de la lésion est caractéristique.
• Il n'y a ni gêne ni douleur.

Durée

• La lésion grandit progressivement et doit être enlevée sans tarder.

Causes

• Le soleil joue un rôle important.
• Les Noirs ne sont pratiquement jamais atteints.

Traitement à domicile

• Il n'y en a pas.

Quand consulter le médecin

• Devant toute lésion suspectée d'être un épithélioma baso-cellulaire.
• Devant toute lésion, même d'apparence anodine, mais qui persiste au-delà des délais habituels.

Rôle du médecin

• Adresser le patient à un spécialiste. Parfois, un prélèvement de peau sera nécessaire pour confirmer le diagnostic. Les modalités de l'ablation de la tumeur dépendent de son siège et de son importance.

Prévention

• Se protéger efficacement du soleil.

Pronostic

• Une guérison totale est habituellement obtenue après le traitement. Certaines localisations ou certaines formes très rares, particulièrement creusantes, peuvent poser un problème.

Voir LA PEAU, *page 52*

CANCER DU POUMON

Tumeur maligne des voies respiratoires. En fait, le terme de cancer des bronches serait plus approprié, car la tumeur apparaît habituellement dans la partie supérieure des voies respiratoires (dans les bronches situées entre la trachée et les deux poumons). Le terme médical courant de ce cancer est le carcinome bronchique. Le néoplasme pulmonaire ou le cancer broncho-alvéolaire sont d'autres termes parfois employés.

Le cancer du poumon est responsable de près de 10 200 décès par an au Canada. Moins fréquent que les maladies cardio-vasculaires, il est néanmoins plus meurtrier. Troisième cause de mortalité après les maladies cardio-vasculaires, les accidents vasculaires cérébraux et les maladies pulmonaires chroniques, il représente 5,8 pour 100 de tous les décès. Le cancer du poumon est le plus fréquent des cancers chez l'homme, et il est devenu également fréquent chez les femmes depuis qu'elles ont pris l'habitude de fumer. En effet, la responsabilité du tabac dans de nombreux cancers du poumon n'est plus à prouver, puisqu'il est environ quinze fois plus fréquent chez les fumeurs que chez les non-fumeurs. La maladie survient généralement chez les personnes de cinquante ans et plus.

Symptômes

Ils sont souvent minimes :

- Une toux sèche, qui ressemble à la toux du fumeur, et parfois des glaires jaunâtres au cours d'un effort de toux.
- Du sang dans les crachats (hémoptysie). Du sang pur peut être expectoré, mais il s'agit surtout de filets de sang rouge ou brun mêlés à des glaires.
- Une respiration difficile, une perte de poids, une douleur sourde dans la poitrine ou dans les épaules.
- Parfois, une infection respiratoire brutale (comme une pneumonie) marque le début de la maladie.

Durée

- Le cancer du poumon est l'un des plus insidieux, car plusieurs mois peuvent s'écouler avant l'apparition des premiers symptômes. En effet, même les examens radiologiques pulmonaires et les examens de crachats peuvent passer à côté d'un cancer débutant.
- En l'absence de traitement, le cancer évolue rapidement.

Causes

- Le tabagisme, notamment la consommation de cigarettes. S'arrêter de fumer diminue les risques de développer un cancer.
- La pollution atmosphérique, dans les villes. Si elle peut favoriser le cancer du poumon, elle ne peut suffire à l'expliquer. Les poussières industrielles augmentent les risques de la maladie (par exemple l'amiante), surtout chez les fumeurs.

Complications

- Le cancer du poumon peut entraîner des métastases.

Quand consulter le médecin

- Si le moindre signe suspect apparaît.
- Si le patient ou son entourage remarquent une altération de l'état général.

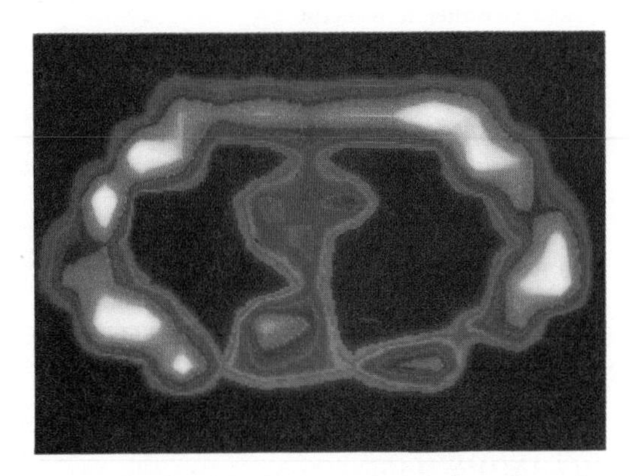

POUMONS SAINS. *Les deux taches noires représentent les poumons, et les lignes bleues leurs parois. Cette photo recomposée par ordinateur est le reflet des signaux émis par des cellules de densités différentes.*

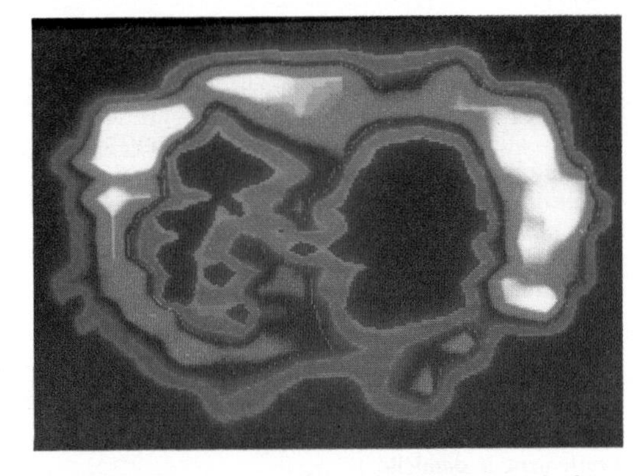

POUMONS MALADES. *La paroi représentée par la ligne bleue est plus épaisse, ce qui peut signifier la présence d'un cancer.*

- Quiconque après trente-cinq ans tousse durant plus d'un mois devrait prendre un avis médical et faire une radiographie pulmonaire. Cette règle s'applique plus encore aux fumeurs et aux personnes qui viennent d'avoir une infection respiratoire.

Rôle du médecin

- Après un examen général du patient, le médecin va probablement demander une radiographie pulmonaire. Ensuite, il ordonnera d'autres examens pratiqués en milieu hospitalier : un examen des crachats ainsi qu'une biopsie, s'il y a lieu (un échantillon de tissu bronchique est prélevé puis examiné, à la recherche de cellules cancéreuses).

Prévention

- Cesser de fumer, en particulier des cigarettes. La pipe et les cigares seraient moins dangereux que les cigarettes, à condition de ne pas inhaler la fumée.
- Les fumeurs et les personnes exposées devraient se faire régulièrement examiner.
- Observer les règlements de sécurité en milieu industriel, où les poussières peuvent être dangereuses (amiante).

Pronostic

- Si la tumeur est décelée à temps, le cancer peut être parfois guéri par un traitement chirurgical.
- Le pronostic, en dépit de la chirurgie ou des chimiothérapies, n'est pas bon. C'est pourquoi il vaut mieux arrêter de fumer plutôt que de courir le risque d'avoir un cancer.

Voir SYSTÈME RESPIRATOIRE, *page 42*
TABAC (RISQUES LIÉS AU)

CANCER DE LA PROSTATE

Tumeur maligne de la glande prostatique. Le cancer de la prostate, qui atteint les hommes de plus de cinquante ans, est moins fréquent que la tumeur bénigne. Les symptômes et le dépistage sont les mêmes que pour l'ADÉNOME PROSTATIQUE, sauf quand le cancer est révélé par son extension. Le pronostic est généralement bon grâce aux médicaments (hormones prescrites à vie) et à la chirurgie, qui n'est réalisable que dans les stades précoces.

Voir ADÉNOME PROSTATIQUE

CANCER DU SEIN

C'est une tumeur maligne qui peut s'étendre du sein aux ganglions lymphatiques de l'aisselle et, de là, essaimer à travers tout le corps. C'est le plus souvent après la ménopause que le risque est grand, mais le cancer du sein n'est pas exceptionnel chez la femme au-dessous de trente-cinq ans. Les grossesses favorisent-elles le cancer du sein ? C'est encore discuté. Le cancer du sein est responsable d'un cinquième des morts par cancer chez les femmes.

Symptômes

- Habituellement, se développe d'un seul côté du sein une tuméfaction indolore.
- La peau autour de la tumeur se plisse, et la forme du sein peut légèrement se modifier.
- En l'absence de traitement, la tumeur grandit progressivement et peut même atteindre la surface de la peau, la rompre, et provoquer un ulcère.

Durée

- Non traité, le cancer du sein entraîne la mort au bout de deux ans.

Causes

- Les causes ne sont pas entièrement connues.

Traitement à domicile

- Il n'y en a pas.

Quand consulter le médecin

- Dès qu'une tuméfaction est repérée.

Rôle du médecin

- Il adresse la patiente à un spécialiste en vue du traitement. Ce dernier peut aussi bien être chirurgical que radiothérapique, ou les deux à la fois. L'étendue du traitement dépendra du type de tumeur et du stade auquel elle aura été dépistée.

Prévention

- A ce jour, il n'est pas possible de prévenir une tumeur du sein; en revanche, le dépistage précoce d'une telle tumeur peut être exécuté par la femme elle-même si elle examine régulièrement ses seins.

Pronostic

- Grâce au traitement précoce, le pronostic est bon et la patiente peut ensuite mener une vie normale. En ce qui concerne la grossesse, elle ne pourra être envisagée qu'après un avis commun donné par le médecin de famille et le spécialiste.
- L'ablation complète du sein est quelquefois indispensable (elle peut entraîner quelquefois un œdème du bras du côté atteint). La patiente ne doit pas sombrer dans le désespoir, mais au contraire savoir qu'il existe aujourd'hui des seins artificiels d'excellente qualité.
- Comme dans tous les cas dépistés, ce cancer une fois traité doit être suivi régulièrement durant de nombreuses années.

Voir ORGANES GÉNITAUX FÉMININS, *page 48*

CANCER DE L'UTÉRUS

A la différence du cancer du col, le cancer du corps de l'utérus est beaucoup plus fréquent après la méno-

AUTO-EXAMEN DES SEINS

Moyens de détection précoce des signes avertisseurs

Pour dépister les signes possibles d'un cancer, vous devez examiner vos seins régulièrement, à la même période chaque mois, de préférence après les règles ou, si vous êtes ménopausée, le premier jour de chaque mois par exemple. Votre auto-examen peut révéler une irrégularité, comme une différence de taille ou de forme d'un sein par rapport à l'autre, ou encore l'exagération de la circulation veineuse superficielle. De telles anomalies ne sont pas la preuve absolue de l'existence d'un cancer, mais elles imposent que vous consultiez rapidement le médecin.

INSPECTION

1. *Dévêtue jusqu'à la taille, se tenir en face d'un miroir, noter la taille et la forme de chaque sein, et éventuellement une anomalie. Au cours des examens ultérieurs, vérifier qu'il n'y a pas de modifications : un léger œdème ou une modification de la coloration en un point.*

2. *Placer les mains sur la tête : examiner le mamelon et rechercher un éventuel déplacement vers le haut ou vers l'extérieur, voire une rétraction de ce dernier. Vérifier qu'il n'y a pas de saignement du mamelon ni aucun autre écoulement.*

3. *Étendre les bras au-dessus de la tête. Vérifier qu'il n'y a pas une éruption, sur la peau comme sur le mamelon, ni une accentuation du système veineux par rapport à l'autre sein.*

4. *Placer les mains sur les hanches et rentrer le ventre : cela accentue toute modification de la localisation du mamelon. Vérifier qu'il n'y a pas d'anomalie au-dessous du sein, dans le sillon sous-mammaire, et qu'il n'apparaît pas de plis en soulevant le sein.*

PALPATION
Afin de rechercher dans les meilleures conditions une tuméfaction ou des nodules dans un sein, il est préférable de s'étendre sur un plan dur, la tête sur un oreiller. On place une serviette pliée sous l'épaule, du côté à examiner, de façon à la surélever légèrement. La palpation s'effectuera avec la pulpe des trois doigts du milieu de la main, les doigts étant bien tendus. A chaque temps de la palpation, presser le tissu mammaire lentement mais fermement contre les côtes.

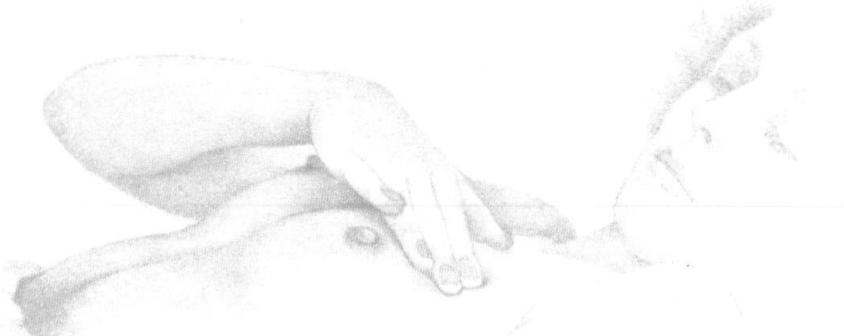

1. *Commencer par palper autour du mamelon avec la main opposée au côté palpé.*

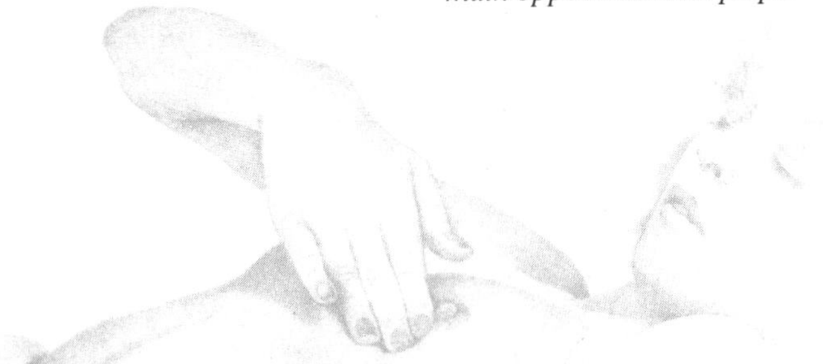

2. *Déplacer les doigts par un mouvement de spirale.*

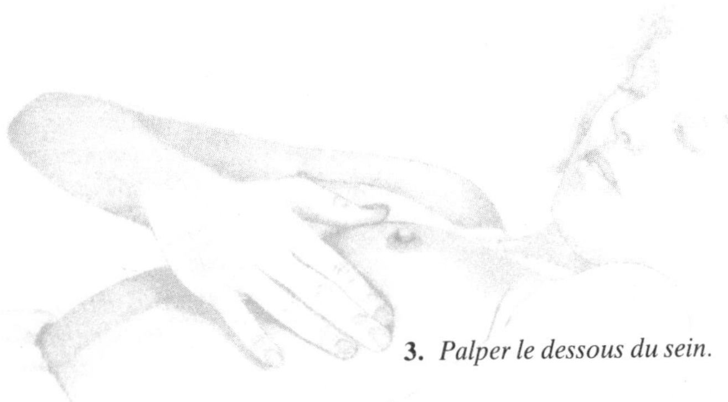

3. *Palper le dessous du sein.*

4. *Palper la partie externe du sein.*

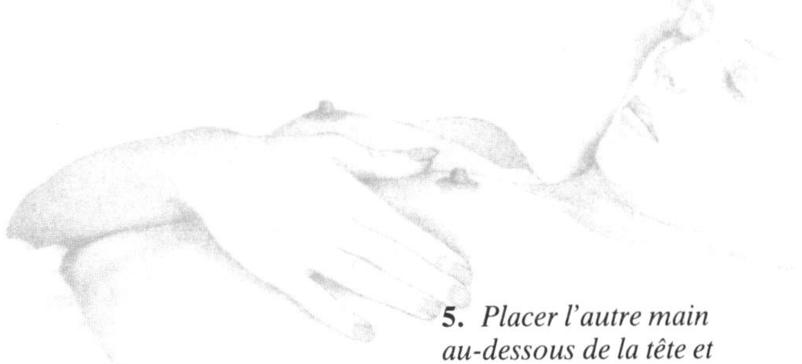

5. *Placer l'autre main au-dessous de la tête et recommencer l'examen du sein dans son ensemble.*

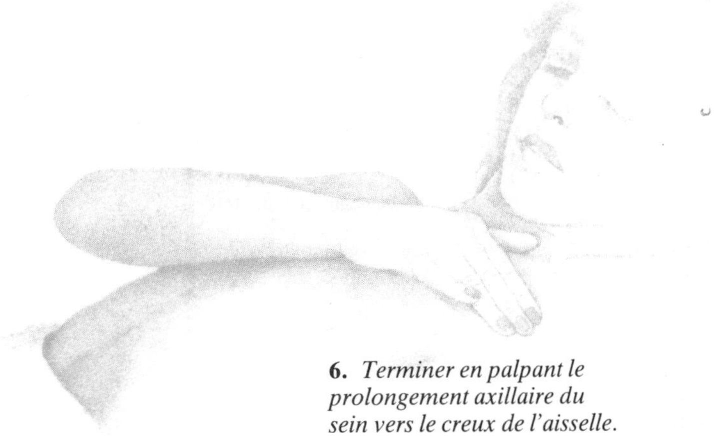

6. *Terminer en palpant le prolongement axillaire du sein vers le creux de l'aisselle.*

pause. La plupart des cas surviennent après la cinquantaine, la ménopause une fois installée. Les femmes à haut risque seraient celles qui n'auraient pas eu d'enfant, celles chez qui la ménopause surviendrait tardivement, celles dont les cycles menstruels auraient été irréguliers, celles enfin atteintes de DIABÈTE ou d'HYPERTENSION.

Symptômes

- Tout saignement inexpliqué, toute perte vaginale brunâtre, particulièrement si elle est d'odeur fétide, doivent être prises en considération aussi bien avant qu'après la ménopause.

Durée

- Le cancer peut demeurer dans l'utérus durant de nombreux mois avant de s'étendre.

Causes

- Les causes de ce cancer ne sont pas parfaitement connues.

Traitement à domicile

- Il n'y en a pas.

Quand consulter le médecin

- Immédiatement, si apparaissent des pertes inexpliquées d'origine vaginale, en particulier si elles sont sanglantes.

Rôle du médecin

- Demander une hystérographie (radio de la matrice).
- Effectuer des prélèvements de la muqueuse utérine, seul moyen de faire le diagnostic ferme de cancer de l'utérus.
- Si le cancer de l'utérus est confirmé, le traitement, qu'il soit chirurgical ou radiothérapique, sera mis en route immédiatement.

Prévention

- Il n'y a pas de moyen de prévention de ce cancer. Les frottis de cytodétection habituels ne détectent pas généralement ce cancer. Seuls des frottis pratiqués à partir de prélèvements à l'intérieur de la matrice (frottis endométriaux) permettent d'établir le diagnostic. C'est dire combien il est important de signaler à son médecin de famille toute perte vaginale ou tout saignement inexpliqué, quel que soit l'âge.

Pronostic

- Si le cancer est traité tôt, le pronostic est bon.

Voir ORGANES GÉNITAUX FÉMININS, *page 48*

CANCER DE LA VULVE

C'est une tumeur maligne extrêmement rare qui se développe sur le système génital externe chez les femmes âgées.

Symptômes

- Une ulcération indolore sur les lèvres de la vulve. Cette ulcération peut saigner.

Causes

- Si la cause exacte de ce cancer n'est pas connue, on sait néanmoins qu'il existe des lésions superficielles précancéreuses qui, quand elles sont dépistées à temps, permettent de prévenir le cancer.

Traitement à domicile

- Il n'y en a pas.

Quand consulter le médecin

- En cas d'apparition d'une ulcération indolore qui saigne, et surtout qui ne cicatrise pas.
- Il arrive que les femmes particulièrement pudiques hésitent à consulter.

Rôle du médecin

- Il pratique un examen gynécologique complet.
- Il adresse la patiente à un gynécologue ou à un chirurgien pour une chirurgie ou une radiothérapie.

Prévention

- Il n'y en a pas de connue.

Pronostic

- Il est raisonnablement bon si le traitement a été mis en route assez tôt, afin que le cancer ne s'étende pas trop rapidement.

Voir ORGANES GÉNITAUX FÉMININS, *page 48*

CANDIDOSE

Affection due à un champignon et connue également sous le nom de muguet ou de moniliase. Ce micro-organisme vit dans les cavités naturelles de l'organisme (bouche, tube digestif, vagin), et ce n'est que sa prolifération exagérée qui donnera une inflammation de la peau, de la bouche ou du vagin (*voir* VAGINITE). Certains sujets sont prédisposés aux candidoses : les obèses, car le champignon aime la sueur et l'humidité présentes au niveau des gros plis cutanés, les bébés, les porteurs de dentiers, les diabétiques, les sujets dont la résistance générale est diminuée, et ceux qui prennent de la cortisone ou certains antibiotiques.

Symptômes

- Un intertrigo, c'est-à-dire une inflammation d'un pli cutané qui devient rouge, brillant et humide. Ses limites sont irrégulières mais nettes. Il siège dans les plis sous-mammaires, l'aine, les aisselles, le nombril, le pli interfessier, et au niveau des organes génitaux. Il s'accompagne d'une sensation d'irritation et aussi de brûlure.
- Une atteinte chronique d'un ou plusieurs ongles des mains, ou un intertrigo interdigital peut survenir chez les sujets dont les mains sont souvent en contact avec l'humidité (plongeurs, ménagères). Il existe aussi une inflammation du pourtour de l'ongle (*voir* TOURNIOLE).
- L'érythème fessier du nourrisson peut être dû à une candidose.
- Une lésion inflammatoire et fissurée de la commissure des lèvres. *Voir* ULCÈRE DE LA BOUCHE.
- Un muguet buccal, c'est-à-dire une rougeur et des taches blanches, une sensibilité de la bouche.

Durée

- Elle dépend du traitement.

Causes

- Un champignon appelé *Candida albicans*, qui ne devient pathogène que lorsqu'il peut se multiplier de façon anormale, par exemple dans un milieu humide et sucré, ou quand les autres micro-organismes ont été détruits (par des antibiotiques).

Complications

- Candidoses généralisées chez les sujets héroïnomanes ayant un déficit immunitaire ou atteints du S.I.D.A.

Traitement à domicile

- Garder les plis du corps et les mains parfaitement propres et secs, et éviter les vêtements trop chauds ou trop étriqués.

Quand consulter le médecin

- Devant l'un des symptômes décrits.

Rôle du médecin

- Confirmer le diagnostic par un prélèvement mycologique de la région enflammée et son analyse au microscope.
- Prescrire des crèmes ou lotions, et parfois un médicament à prendre par la bouche contre l'infection intestinale. *Voir* MÉDICAMENTS, n°s 26, 43.
- Rechercher un diabète dans certains cas.

Prévention

- Soigner le diabète.
- Laver régulièrement la bouche si l'on porte un dentier ou si l'on est très malade. *Voir* SOINS INFIRMIERS A DOMICILE.
- Maigrir si l'on a tendance à l'obésité.
- Dans les candidoses vaginales récidivantes, la pilule devra parfois être arrêtée.

Pronostic

- Les candidoses de la peau et des muqueuses guérissent habituellement facilement, par un traitement simple, en trois à quatre semaines.
- Les sujets dont le système immunitaire est très déprimé et les héroïnomanes peuvent présenter des formes plus sévères.

Voir LA PEAU, *page 52*

CARATE

Le carate, ou pinta, est une maladie infectieuse cutanée qui existe surtout en Amérique tropicale. Elle se transmet par le contact avec un sujet infecté. Au début apparaissent des taches rouges et squameuses sur la face, le cou, les mains et les pieds. Elles deviennent bleues, puis finalement blanches. Les paumes de main et les plantes de pied peuvent s'épaissir. La maladie guérit avec la pénicilline.

CARDIOPATHIE CONGÉNITALE

Environ un enfant sur cent naît avec une anomalie du cœur. Certaines sont légères et ne gênent pas la vie de tous les jours, d'autres sont trop graves pour que l'enfant puisse mener une vie normale. Entre ces deux extrêmes, tous les cas de gravité sont possibles à des degrés divers.

Symptômes

• Parfois il n'y en a aucun, et l'anomalie sera découverte au cours d'un examen médical systématique.
• Essoufflement à l'effort.
• Retard de croissance.
• Fatigue.
• Coloration bleue de la peau.

Durée

• Les symptômes persistent indéfiniment en l'absence de traitement.

Causes

• La cause est inconnue dans la plupart des cas.
• La rubéole, ou certains médicaments pris durant la grossesse.
• Certaines anomalies chromosomiques.

Complications

• Les petites malformations risquent d'être le point de départ d'infections (ENDOCARDITE). Les malformations plus importantes peuvent retenir sur le pompage cardiaque et entraîner une respiration haletante (*voir* DYSPNÉE) et une INSUFFISANCE CARDIAQUE

Quand consulter le médecin

• Si l'enfant devient bleu quand il crie, lors d'un effort, ou même au repos.
• S'il y a un essoufflement anormal au cours de l'effort.
• Si un bébé ou un enfant ne grandit pas bien.

Rôle du médecin

• Envoyer l'enfant faire des radiographies et un électrocardiogramme.
• Demander des examens du cœur dans un centre cardiologique spécialisé.
• Pour améliorer leur santé, certains enfants devront subir une opération du cœur; pour d'autres, l'intervention chirurgicale sera vitale.

Prévention

Les mères peuvent réduire le risque en prenant quelques précautions durant leur grossesse :
• Être en pleine forme lors de la conception de l'enfant.
• Éviter les médicaments durant toute la grossesse, et particulièrement au début.
• Éviter de fumer pendant la grossesse.
• Se faire vacciner contre la rubéole avant le début de la grossesse (surtout pas durant la grossesse).
• Les personnes atteintes de cardiopathies ne doivent subir aucune intervention ou extraction dentaire sans prendre des antibiotiques, avant, pendant et après l'intervention.

Pronostic

• Il dépend du type d'anomalie et du traitement.
• En général, il y aura avec l'âge une augmentation du travail du cœur et une aggravation des symptômes.
• Certaines anomalies sont totalement réparées par une opération, d'autres ne le sont que partiellement.

Voir SYSTÈME CIRCULATOIRE, *page 40*

CATARACTE

C'est un voile indolore au niveau du cristallin. La cataracte atteint les deux yeux, mais souvent l'un davantage que l'autre. La plupart des individus au-delà de soixante-cinq ans ont un certain degré d'opacification cristallinienne, mais dans la majorité des cas cela ne leur occasionne que peu ou pas d'inconvénient.

Symptômes

• La vision, surtout lointaine, devient floue, d'habitude d'un œil plus que de l'autre. Au début, la vision rapprochée (lecture, couture) est peu affectée.

Durée

• La cataracte persistera tant qu'un chirurgien n'aura pas procédé à l'extraction du cristallin. Elle ne peut être traitée par gouttes, comprimés ou lunettes et ne disparaîtra pas spontanément. Parfois, l'évolution est si lente que le patient ne ressent pas de gêne visuelle avant l'âge de quatre-vingts ou quatre-vingt-dix ans. Dans d'autres cas, la cataracte se développe progressivement mais doucement; dans quelques rares cas, pour une raison inconnue, l'aggravation se produit rapidement en quelques mois.

Causes

• La cause la plus fréquente est l'âge. La nutrition du cristallin s'appauvrit et il perd sa transparence normale pour devenir opaque.
• D'autres origines de cataracte sont toutefois possibles : le DIABÈTE, certaines maladies oculaires comme les IRITIS, le GLAUCOME et le DÉCOLLEMENT DE RÉTINE.

Traitement à domicile

• L'intervention chirurgicale est le seul remède, et l'époque doit en être correctement choisie : le plus tard possible. En effet, on peut avoir une vision convenable d'un seul œil bien que l'autre soit atteint de cataracte totale, alors qu'il est plus difficile de voir en utilisant les deux yeux quand l'un a un verre de contact et l'autre pas. L'intervention doit avoir lieu quand la vision du meilleur œil est atteinte au point d'empêcher une activité normale.

Quand consulter le médecin

• Dès qu'il y a une difficulté visuelle.

Rôle du médecin

• Il vous fera lire de chaque œil, sans, puis avec verres correcteurs, de loin et de près. Il examinera votre fond d'œil et contrôlera votre tension oculaire.
• Si votre gêne visuelle se limite à un œil, il vous enverra chez un ophtalmologiste qui vérifiera si la baisse visuelle se manifeste de l'autre côté. Généralement, le spécialiste conviendra avec vous d'un bilan oculaire de contrôle dans six mois.
• Si la vision du meilleur œil est assez mauvaise pour entraver une vie normale, l'ophtalmologiste pourra proposer une intervention sur la cataracte. Après l'intervention, le port de lunettes adaptées ou de verres de contact sera nécessaire. Dans certains cas, on aura inclus dans l'œil pendant l'intervention un cristallin artificiel, ce qui permet de ne porter que des lunettes très faibles pour lire. Une réadaptation visuelle de un à deux mois est nécessaire.

Prévention

• En règle générale, il n'y a pas de traitement préventif de la cataracte. Mais en revanche chez le patient diabétique, le contrôle rigoureux du diabète permet d'éviter ou de retarder les complications oculaires de la maladie.

Pronostic

• Bien que la cataracte apparaisse généralement avec l'âge, seulement 15 patients sur 1 000 âgés de plus de soixante-quinze ans ont besoin de consulter pour ce problème. Un petit nombre d'entre eux seulement sera opéré. Les résultats opératoires sont excellents.

Voir L'ŒIL, *page 36*

CATARRHE

C'est l'écoulement dans le nez et la gorge des sécrétions muqueuses provenant des sinus. Elles sont dues généralement à une inflammation des muqueuses rhinopharyngées.

CATHÉTER

Un cathéter est un tube fin et flexible qui peut être inséré dans la cavité d'un organe. On l'introduit dans la vessie pour permettre à l'urine de s'écouler quand un obstacle l'en empêche. Introduit dans une veine ou une artère du bras ou de la jambe, il peut remonter jusqu'au cœur. Là, il mesure les pressions, les concentrations d'oxygène, et permet d'apprécier le fonctionnement de cet organe. Il sert aussi à transfuser ou perfuser du sang et des liquides.

CÉCITÉ

La perte de la vision peut survenir au cours de diverses maladies oculaires. Chacune de ces maladies atteint des patients d'âges différents et donne lieu à un traitement spécifique.

Voir LISTE DES SYMPTOMES (CÉCITÉ)

CELLULE

Élément de base de tous les êtres vivants. Le corps humain contient environ cent mille milliards de cellules, chacune ayant quelques microns de largeur. La cellule humaine est entourée d'une fine paroi appelée membrane. L'intérieur est rempli par le cytoplasme. C'est un épais liquide constitué de protéines, d'hydrates de carbone, de sels, de lipides et d'eau. En son centre se trouve le noyau qui contient l'acide désoxyribonucléique (A.D.N.). Ce dernier permet à la cellule de se reproduire. Dans les cellules sexuelles, il est responsable de la transmission des caractères héréditaires. L'ensemble cytoplasme et noyau constitue le protoplasme. Les fonctions de la cellule consistent à absorber l'oxygène et les éléments nutritifs apportés par le sang et à lui rendre le gaz carbonique et les déchets du métabolisme cellulaire.

CELLULITE

Déformation de la peau localisée généralement en haut des cuisses, et parfois sous les bras. Toutes les femmes ont de la cellulite et s'en désolent, mais les personnes fortes y sont davantage prédisposées. Elle est due à l'accumulation de graisse dans les couches tissulaires situées sous la peau, qui prend un aspect rugueux. Un amaigrissement contribue à faire fondre cette surcharge en graisse, et la gymnastique peut aider à remodeler les muscles des cuisses et des bras, mais le plus efficace des remèdes est d'essayer de se sentir « bien dans sa peau » et de s'accepter telle que l'on est.

CELLULITE INFECTIEUSE

Infection de la peau et des tissus sous-cutanés. Les diabétiques sont particulièrement exposés à cette affection.

Symptômes

- La peau est chaude, brillante et tendue en raison de l'œdème.
- Des douleurs lancinantes et profondes peuvent apparaître.
- Une induration de la région atteinte est fréquente.
- Une lymphangite, extension de l'infection au ganglion voisin (bras ou jambe), apparaît. Le ganglion devient douloureux et volumineux.
- L'infection peut se généraliser. Une fièvre apparaît.

Causes

- Généralement, l'infection bactérienne pénètre sous la peau à la suite d'une plaie ou d'une piqûre invisible.
- Une piqûre d'insecte.
- Un empoisonnement.

Complications

- Des furoncles ou des boutons. Exceptionnellement, les os et le sang sont gagnés par l'infection.

Traitement à domicile

- Mettre au repos le membre malade en le surélevant pour éviter que l'infection se propage.

Quand consulter le médecin

- En cas de doute, mieux vaut consulter avant l'infection généralisée et la LYMPHANGITE.

Rôle du médecin

- S'assurer qu'il n'y a pas d'affections plus graves.
- Donner, sous forme de comprimés ou de piqûres, des antibiotiques qui doivent rapidement enrayer l'infection bactérienne. *Voir* MÉDICAMENTS, n° 25.

Prévention

- Il n'est pas possible de se prémunir contre une infection accidentelle; toutefois, une bonne hygiène permet de limiter les infections.

Pronostic

- Un traitement précoce permet une guérison rapide.
- Lorsque l'infection dure un certain temps, la peau s'assèche et peut desquamer si l'inflammation est importante.
- La cellulite infectieuse bien traitée ne laisse pas de cicatrice.

Voir LA PEAU, *page 52*

CÉPHALÉE

Symptôme très commun dont les causes sont multiples : de la plus bénigne à la plus grave. En effet, une céphalée, ou mal de tête, peut être le symptôme d'une tumeur cérébrale, d'un ABCÈS DU CERVEAU, d'une poussée d'HYPERTENSION ARTÉRIELLE, mais aussi d'une banale MIGRAINE ou d'une sinusite.

CÉPHALÉE DE TENSION NERVEUSE

C'est le plus courant des maux de tête. Il y a rarement nausée, vomissement ou trouble de la vue (*voir* MIGRAINE). Le mal de tête n'est pas localisé préférentiellement à un seul côté de la tête et ne réveille pas le malade.

Symptômes

- Cette céphalée se déclare plutôt vers le soir, quand le sujet est fatigué. C'est une sensation de tension douloureuse, généralement ressentie à l'arrière de la tête, mais parfois à l'avant (frontale).
- Les muscles postérieurs du cou sont sensibles et contracturés (tendus).

Durée

- Une douleur importante ne dure jamais plus de deux heures, alors que la sensation de tension peut durer plus longtemps. Ces céphalées peuvent récidiver durant des jours, des mois ou des années.

Causes

- La douleur est due à une contraction des muscles du cuir chevelu, qui persiste après une période de concentration prolongée.

- Les gens qui ont besoin de lunettes mais qui préfèrent ne pas en porter sont particulièrement touchés.
- Le stress émotionnel, la tension nerveuse sont des causes fréquentes, de même que la dépression ou l'anxiété qui prédisposent aux maux de tête répétitifs.
- De nombreux patients ont du mal à trouver (ou à s'avouer) l'origine de leurs céphalées.

Complications

- Aucune.

Traitement à domicile

- Le plus important est d'éviter ou de surmonter le stress ou le surmenage.
- Un peu de sommeil, du repos ou une conversation amicale peuvent relâcher la tension musculaire.
- La chaleur ou les massages sur le cou et le cuir chevelu peuvent atténuer la douleur.
- Des analgésiques légers peuvent soulager les céphalées.

Quand consulter le médecin

- Si les céphalées sont fréquentes ou importantes.
- Si elles s'accompagnent d'autres symptômes, tels que nausées, vomissements ou troubles visuels.
- Si le malade, pour une raison quelconque, craint une maladie plus grave.
- Si le sujet devient confus, somnolent, ou s'il présente des modifications importantes de son comportement.
- Devant toute altération notable de la vision, accompagnée de maux de tête persistants ou récidivants.

Rôle du médecin

- Demander s'il y a une cause particulière, comme un stress affectif ou surmenage. Il posera des questions très générales sur le mode de vie si le malade ne parvient pas à déterminer l'origine des troubles.
- Dans les cas graves, le médecin demandera des examens pour éliminer l'éventualité d'une maladie plus grave.
- Il peut conseiller une consultation psychiatrique ou psychologique.

Prévention

- Si la céphalée est due à l'anxiété ou au surmenage, de simples modifications du mode de vie peuvent prévenir les récidives.
- Le grand air et l'exercice physique ont un effet bénéfique en détendant les muscles du cuir chevelu et en activant la circulation.

Pronostic

- De légères céphalées occasionnelles sont souvent le fait de la vie moderne. Presque tout le monde en fait l'expérience de temps en temps. Leur cause est généralement facile à identifier et à éviter. Chez les personnes sensibles, tout le problème est de découvrir la cause et trouver le moyen d'en venir à bout.

Voir SYSTÈME NERVEUX, *page 34*

CÉPHALÉMATOME

Épanchement de sang se développant aux dépens des enveloppes osseuses du crâne du bébé. Il ne doit pas être confondu avec la bosse séro-sanguine qui apparaît sur le cuir chevelu du nouveau-né à la suite des pressions sur le crâne durant l'accouchement. Chez l'enfant plus âgé, un coup peut également entraîner les mêmes symptômes. Habituellement, tout rentre dans l'ordre en quelques semaines.

CÉRUMEN (BOUCHON DE)

Les petites glandes situées dans le conduit auditif externe sécrètent en permanence du cérumen, qui protège le revêtement interne de l'oreille. Dans l'oreille externe, de petits poils repoussent sans cesse à l'extérieur le cérumen mou et humide. Parfois, celui-ci bloque le conduit auditif externe. C'est une cause de surdité qui touche les personnes âgées.

Symptômes

- Surdité de l'oreille atteinte.
- Parfois, impression d'avoir l'oreille bouchée.

Durée

- Le bouchon de cérumen restera indéfiniment, sauf s'il est enlevé par un médecin ou une infirmière.

Causes

- Phénomène normal, dû au vieillissement.
- Certaines personnes sont prédisposées : celles qui ont un conduit auditif externe long ou étroit.

Traitement à domicile

- Ramollir le cérumen en introduisant dans l'oreille deux ou trois gouttes d'huile d'olive, par exemple, deux fois par semaine, et les maintenir toute la nuit en mettant un petit tampon de coton.
- Ne pas utiliser de cotons-tiges pour l'oreille.

Quand consulter le médecin

- Si vous constatez une surdité.

Rôle du médecin

- Laver les oreilles avec une seringue.
- Retirer les gros bouchons de cérumen avec une sonde.

Pronostic

- Le bouchon de cérumen est facile à enlever, mais il peut réapparaître.

Voir L'OREILLE, *page 38*

CERVEAU
Voir page 130

CÉSARIENNE

Pratiquée sous anesthésie, cette intervention permet la naissance de l'enfant après ouverture des parois de l'abdomen et de l'utérus de la mère. La césarienne est pratiquée quand l'accouchement par les voies naturelles peut être dangereux pour l'enfant ou la mère.

CHAGAS (MALADIE DE)

Maladie observée en Amérique latine, due à un trypanosome, parasite voisin de celui qui est responsable de la maladie du sommeil. Chez les enfants, cette maladie est souvent mortelle; chez les adultes, elle provoque une atteinte cardiaque et n'affecte que rarement le cerveau. Il n'y a pas de médicament efficace contre ce trypanosome particulier.

CHALAZION

C'est le bloquage de l'excrétion glandulaire qui provoque le gonflement d'une glande sécrétant une substance grasse dans la paupière. Ce n'est pas douloureux. Si le chalazion ne disparaît pas spontanément en quelques semaines ou s'il subit une poussée d'infection, il y a lieu de consulter l'ophtalmologiste.

CHANCRE

Ulcération indolore, premier symptôme de la syphilis. Les organes génitaux, ou parfois l'anus, la bouche, les lèvres ou les doigts, sont les parties touchées.

CHÉLOÏDE

Les chéloïdes sont des tumeurs bénignes faites de tissu fibreux qui se forme à l'endroit d'une cicatrice après une blessure. Elles sont plus fréquentes chez les individus à peau noire.

Symptômes

- Protubérance cutanée ferme ou dure, rouge au début, puis plus pâle ou parfois pigmentée.
- La taille et la forme sont variables, avec souvent en périphérie un aspect en patte de crabe qui défigure le sujet.
- Un prurit, une sensibilité locale sont possibles.

Durée

- Sans traitement, les chéloïdes ne disparaissent pas, mais elles peuvent diminuer de volume.

Causes

- La cause réelle est inconnue. Il existe souvent une prédisposition familiale.
- Les chéloïdes surviennent souvent après une plaie, une brûlure, une intervention chirurgicale, un tatouage ou surtout un détatouage, un percement d'oreilles.
- Elles peuvent compliquer une acné sévère.

Traitement à domicile

- Massages quotidiens pendant plusieurs minutes.

Quand consulter le médecin

- Si la cicatrice est laide ou gênante.

Rôle du médecin

- Rassurer le patient dans tous les cas où il s'agit d'une simple cicatrice saillante qui régressera dans les délais habituels.
- Proposer un traitement : massages-pétrissages avec crèmes; appareils de compression qui agissent par une pression permanente sur la chéloïde; douches filiformes; gelage à la neige carbonique suivi d'injection locale de corticoïdes.
- Un traitement chirurgical sera parfois proposé, particulièrement pour les chéloïdes des oreilles.

Prévention

- Éviter les interventions chirurgicales non indispensables chez les sujets prédisposés aux chéloïdes.
- Éviter toute tension ou irritation dans la zone blessée, surtout s'il s'agit de zones prédisposées aux chéloïdes : épaules, sternum, haut du dos, oreilles.

Pronostic

- Les traitements locaux sont longs, et les récidives sont possibles.

CHEVEUX
Voir page 134

CHEYNE-STOKES (DYSPNÉE DE)

Alternance de périodes de respiration calme, superficielle et lente, puis de respiration rapide, profonde et bruyante. A la fin d'une période lente, la respiration peut s'arrêter un court instant. Ce symptôme survient au cours d'une INSUFFISANCE CARDIAQUE sévère, souvent lorsque le patient est dans le coma.

CHIMIOTHÉRAPIE

Traitement d'une maladie en utilisant des médicaments, qu'il s'agisse d'un traitement anti-infectieux ou anticancéreux.

CHIROPRAXIE

Système de manipulations articulaires, particulièrement celles de la colonne vertébrale, pour traiter les douleurs ostéo-articulaires ou musculaires, ainsi que certains troubles liés à la nervosité. Un autre mot utilisé, de signification similaire, est OSTÉOPATHIE.

La chiropraxie est largement reconnue en Amérique du Nord, où les chiropracteurs ont quatre années de formation et sont reconnus par la loi. Il en est de même en Nouvelle-Zélande et en Australie. En Grande-Bretagne, la méthode n'est pas reconnue par le Service national de santé. En France, seuls les docteurs en médecine sont légalement autorisés à effectuer des manipulations.

CHIRURGIE ESTHÉTIQUE

Les demandes d'interventions esthétiques n'ont pas cessé d'augmenter depuis quelques années. C'est le résultat d'une évolution des mentalités dans les sociétés modernes. Aujourd'hui, en effet, la correction d'une imperfection physique, d'une altération, d'un vieillissement n'est plus simplement une marque de vanité.

En rectifiant un défaut, comme un nez disproportionné ou disgracieux, la chirurgie esthétique peut redonner au patient confiance en lui-même. Il n'aura plus la crainte de subir des remarques désobligeantes quant à son aspect physique.

Les chirurgiens pratiquant des interventions esthétiques sont de plus en plus nombreux dans les hôpitaux publics, et leur principale activité est le traitement correcteur de patients gravement défigurés ou difformes. Mais ils ne sont pas assez nombreux pour les demandes, et la chirurgie esthétique s'effectue le plus souvent dans des centres privés. Le médecin traitant sera toujours d'un conseil précieux pour que chaque cas particulier soit dirigé vers le centre qui lui convient.

CE QUE PEUT FAIRE LA CHIRURGIE ESTHÉTIQUE

La chirurgie esthétique peut aider le patient par quatre moyens.

1. Elle peut améliorer une vilaine cicatrice, bien que l'effacer complètement soit impossible. En effet, la cicatrice qui résulte d'une coupure profonde de la peau est définitive. Mais on peut enlever la cicatrice initiale et recoudre la peau bien nettement, de manière à laisser une zone bien plate et d'aspect moins mutilé. Malgré cela, certaines personnes — surtout celles qui ont la peau sombre — vont développer un tissu cicatriciel épais, surélevé et rougeâtre, que l'on appelle CHÉLOÏDE. Ce type de guérison anormal est souvent pire que la cicatrice de départ. C'est un risque que le patient doit être prêt à courir. De plus, la plupart des chéloïdes vont s'atténuer, puis disparaître. Si elles persistent, la radiothérapie peut aider à les effacer.

2. Les grains de beauté et autres marques de naissance peuvent être enlevés chirurgicalement ou par une habile application de laser à l'argon, au prix d'une petite cicatrice.

3. Résultat des années ou d'un amaigrissement, la peau en excès peut être enlevée sur le visage, les paupières, le ventre ou les seins. Les cicatrices, après interventions de LIFTING du visage et opérations du même genre, seront dissimulées dans les plis naturels, sous les cheveux, ou cachées par les vêtements.

4. Le nez, le menton, les seins et le ventre peuvent être réduits et rendus plus symétriques.

CE QUE LA CHIRURGIE ESTHÉTIQUE NE PEUT PAS FAIRE

En dépit de la croyance populaire, on peut rarement exécuter une intervention de chirurgie esthétique sans laisser de cicatrice. Les quelques opérations qui ne laissent pas de cicatrice sont : le ponçage des cicatrices du visage (dermabrasion), qui est limité aux couches superficielles de la peau; l'usage d'acide pour resserrer les peaux ridées, qui ne donne qu'un léger brunissement temporaire; la réduction d'un nez trop gros ou trop grand (rhinoplastie), où les cicatrices sont à l'intérieur du nez et donc invisibles.

1. Elle ne peut pas rendre les gens — hommes ou femmes — plus jeunes qu'ils ne sont, mais elle peut les empêcher de paraître plus vieux. Elle peut changer une personne de soixante ans en une personne de soixante ans bien conservée, et c'est tout. En effet, l'âge n'est pas qu'une question d'années : il est aussi révélé par les habitudes, le langage, l'attitude, la démarche.

2. En changeant un visage, une intervention ne peut sauver un mariage, permettre de garder un emploi ou modifier une personnalité — bien qu'elle puisse rendre plus confiant, plus joyeux, et donc plus agréable à côtoyer.

3. Elle ne peut guérir la dépression de celui qui rumine une difformité particulière, réelle ou imaginaire. Si un patient est obsédé par, disons, un nez disproportionné, son traitement n'entraînera pas automatiquement la diminution ou la disparition de son affection mentale. Il peut continuer à être mécontent de son « nouveau » nez ou s'inquiéter d'un autre défaut physique, existant ou non.

4. La chirurgie esthétique ne peut reproduire le nez « idéal » d'une photo d'acteur ou d'un mannequin de magazine. Et ceux qui espèrent cette perfection sont voués à la déception.

5. Elle ne peut pas non plus faire disparaître les taches de naissance roses ou les taches lie-de-vin (ANGIOMES) de grande taille, qui seront masquées au mieux par des cosmétiques. Il est ppossible de remplacer une grosse marque de naissance par la peau prise à un autre endroit du corps et greffée à sa place. Mais la peau ne correspondra ni au teint ni à la texture de la peau alentour, et cette greffe restera un peu visible.

LES MANIÈRES D'UTILISER LA CHIRURGIE ESTHÉTIQUE

On exécute, en chirurgie esthétique, treize interventions de base avec succès et en toute sécurité. Elles nécessitent une anesthésie, locale ou générale selon les cas.

Les cicatrices inesthétiques. Elles peuvent être améliorées, et on peut enlever les petits défauts cutanés comme les grains de beauté.

Le tatouage. Le tatouage est une injection de pigments profondément dans la peau. On utilise une fine aiguille, et des couleurs bleues, vertes et rouges, pour faire un dessin. Trois techniques permettent d'enlever les tatouages : en découpant la peau tatouée, puis en recousant la plaie de manière à ne laisser qu'une cicatrice linéaire; en découpant un grand tatouage, puis en le remplaçant par une greffe de la peau; en brûlant la couleur à l'aide d'un rayon laser, laissant donc une cicatrice de la forme du tatouage original. Poncer la peau est insuffisant, car la teinture bleue est toujours très profonde. Cela améliorera néanmoins un tatouage en effaçant le rouge et le vert.

Oreilles décollées. Les oreilles décollées peuvent être rapprochées de la tête. On enlève la peau en excès derrière les oreilles, puis on amincit le cartilage, permettant ainsi à l'oreille de rester à plat sur le crâne. Le pli entre l'oreille et le crâne dissimule la cicatrice.

Lifting du visage. Le lifting du visage peut supprimer des rides, des bajoues, un double menton. L'incision commence à la limite des cheveux, sur les tempes, descend dans le pli naturel en avant de l'oreille, contourne le lobe de l'oreille, puis continue dans le pli naturel en arrière de l'oreille, et enfin à la limite des cheveux jusqu'à la nuque. Le chirurgien tire ensuite doucement la peau du visage en arrière, la tendant sur les pommettes. Cela aplanit les rides. La peau en excès est retaillée et les deux berges sont suturées, refermant l'incision. On peut évaluer à l'avance l'effet d'un lifting : avec un doigt de chaque côté, il suffit de tirer la peau du visage en arrière, vers les oreilles.

Un bon lifting du visage durera des années — jusqu'à ce que le visage s'affaisse à nouveau —, et il n'est pas habituel de subir plus d'un lifting. En effet, le résultat de la deuxième opération n'apporte jamais une amélioration nette.

Les poches autour des yeux. Pour éliminer les poches autour des yeux, on enlève la peau excédentaire sur les paupières. Pour les paupières supérieures, la cicatrice sera dans le pli naturel, à mi-chemin entre cils et sourcils lorsque l'œil est fermé. Pour les paupières inférieures, on fait l'incision juste au-dessous des cils du bas, où la cicatrice ne se remarque pas. La peau est ensuite décollée, tirée en haut et en dehors. On enlève son excès, faisant ainsi disparaître les poches sous les yeux. La partie externe de la cicatrice s'étendra dans le plis naturel entre la tempe et l'œil.

Visage grêlé. Les cicatrices d'acné et de variole peuvent être effacées et enlevées si elles ne sont pas trop profondes. On décape la peau à l'aide d'un cylindre abrasif mécanique ou de papier de verre. Les meilleurs résultats sont obtenus sur les joues, le front et le menton. La poitrine et le dos répondent moins bien au traitement.

Un lifting du visage pourra améliorer les cicatrices profondes en changeant leur forme qui, de circulaire, deviendra ovale et moins visible. L'acné devra toujours être inactivée au moment de l'intervention, sinon on risque une flambée postopératoire.

Menton difforme. Un menton « en galoche » par croissance trop importante du maxillaire inférieur se rectifie. L'os de la mâchoire est fendu de chaque côté, puis remis en bonne position. Les dents sont ligaturées afin d'immobiliser l'os et permettre la guérison. Si bien que, tout en améliorant le contour du visage, l'opération le fait apparaître plus rond et plus petit dans son ensemble. Lorsque seul le menton est trop proéminent et que les dimensions de l'os de la mâchoire sont normales, on rabote simplement l'os en excès.

Pour les mentons fuyants, on implante des silicones (ou parfois de l'os provenant du bassin) pour avancer et raffermir le menton. On réalise cette intervention par la bouche, entre la gencive et la lèvre inférieure, et il n'y a donc pas de cicatrice externe.

Nez difforme. On rapetisse, raccourcit ou redresse le nez. Ce sont les plus demandées des interventions esthétiques. On fait toutes les incisions dans les narines.

Pour les nez de travers, la cloison nasale — qui sépare les narines — est souvent déviée, gênant la respiration. La guérison de ce handicap fait partie de l'opération de rectification du nez.

D'autres nez manquent du soutien apporté par la cloison nasale et ont un aspect déformé ou effondré. La correction consiste à insérer un tuteur de silicone ou un fragment de l'os du bassin. L'incision est verticale, au milieu de la zone de peau qui sépare les narines. La cicatrice, étroite, est cachée par l'ombre du nez.

Petits seins. Chez la femme, une poitrine plate peut être gonflée en implantant de la gomme de silicone derrière les seins. On fait l'incision sous le sein, dans le pli horizontal, puis on glisse un ballonnet entre le sein, en avant, et les muscles du thorax, en arrière. On remplit doucement l'implant avec la pâte de silicone. Le nouveau contour du sein cache la cicatrice située dans le pli naturel. Malheureusement, plus d'une patiente sur deux peut développer plus tard un tissu cicatriciel excessif autour de l'implant — ce qui le rend dur, sphérique, et parfois inconfortable. Rien ne peut prévenir cet accident, et on ne peut pas savoir qui en sera victime. Néanmoins, on peut par une deuxième intervention enlever le tissu cicatriciel et la prothèse, puis la remplacer. Même alors, il n'y a aucune garantie contre une rechute.

Gros seins. On peut réduire des seins volumineux et tombants et raffermir leur contour. On enlève l'excès de peau, de graisse et de tissu, mais ce faisant, les mamelons vont être déplacés. Ils seront donc remis chirurgicalement en position correcte. Cette intervention est plus importante que le traitement d'une petite poitrine et les cicatrices plus visibles. Il y aura une longue cicatrice dans le sillon sous le sein, et une autre autour de l'aréole — qui est la zone plane et colorée du mamelon —, mais celle-ci ne se remarquera pas trop si elle siège à la jonction des zones pigmentées et non pigmentées de la peau. Une cicatrice verticale — en partie à l'ombre — rejoint les deux premières. Toutefois, cette cicatrice s'élargit souvent mais s'atténue avec le temps.

Chez l'homme, les seins peuvent grossir anormalement et devenir gênants. L'ablation de tout le tissu du sein par une incision autour de l'aréole les supprime. La cicatrice est invisible.

Gros ventre. On peut redonner une silhouette élégante aux patients en enlevant l'excès de graisse et de peau — qui n'aura pas pu être éliminé par le régime — qui se trouve en avant de l'abdomen. L'incision traverse d'un côté à l'autre l'abdomen, atteignant presque le muscle. On décolle une couche de graisse et de peau vers le haut. Ces tissus sont ensuite tirés vers le bas, tendant la peau du ventre, et leur excès est retaillé. Cela étant, le nombril s'est abaissé; il est replacé chirurgicalement en bonne position. Pour ménager la suture des deux berges, les genoux et les hanches du patient sont immobilisés en flexion pendant quelques jours, mais il pourra s'asseoir normalement. La cicatrice court d'une hanche à l'autre mais peut être facilement dissimulée par un short ou un maillot de bain une pièce.

Cuisses, fesses, hanches. On peut enlever la graisse en excès sur les cuisses, les hanches et les fesses. Mais les cicatrices peuvent s'étirer et devenir visibles.

Calvitie. On fait, le plus souvent chez les hommes, des transplantations de cheveux... qui ne sont pas toujours des succès. Les tempes et le sommet de la tête sont les endroits privilégiés de la calvitie masculine. Des pastilles de cuir chevelu contenant des racines de cheveux sont découpées à l'emporte-pièce sur les côtés et l'arrière du crâne, puis transplantées dans des découpes circulaires de même taille sur les endroits chauves. On utilise pour cela un emporte-pièce spécial, très tranchant. Deux cents implants environ sont nécessaires, et ils peuvent être complétés par une bande de peau portant des cheveux, prise au-dessus des oreilles : cela donne l'illusion de la lisière des cheveux sur le front.

Le résultat final — appréciable au bout d'un an environ — n'est jamais aussi dense qu'un toupet ou une perruque. Les zones de prélèvement deviennent progressivement invisibles.

LES INCONVÉNIENTS DE LA CHIRURGIE ESTHÉTIQUE

Avant de subir une quelconque intervention de chirurgie esthétique, les patients doivent être conscients des dangers et des inconvénients qui peuvent survenir. Ils sont de quatre ordres :

Risque. Comme dans toutes les interventions chirurgicales, le risque physique d'infection ou de saignement excessif existe en chirurgie esthétique, avec en plus quelques risques particuliers. Il existe une possibilité de désunion des sutures et de guérison retardée, qui peut gâcher le résultat final. Il y a aussi possibilité d'épanchement de sang sous la peau (hématome). Cet épanchement tire sur la peau et compromet le résultat d'un lifting du visage, par exemple. Il augmente le risque d'infection et de rupture des sutures.

Prix. Cet inconvénient est à comparer aux avantages attendus. Les prix moyens pourront être communiqués dans la plupart des centres avant la consultation.

Espérances. Certains pensent que la chirurgie esthétique peut « faire des miracles ». Cela n'est pas vrai.

Déception. Même si l'opération réussit, les patients sont souvent déçus par le résultat. Ils ont l'impression que le nouveau nez ou le nouveau menton aurait pu être un peu « différent » ou un peu « mieux ». L'insatisfaction est parfois la conséquence d'un manque de dialogue entre le patient et le chirurgien avant l'intervention.

10 pour 100 des patients sont déçus d'une manière ou d'une autre : parmi ceux-ci, 30 pour 100 n'aiment pas leur nez redressé ou rapetissé, 20 pour 100 leur lifting du visage et des paupières, 20 pour 100 leurs seins plus petits, et 15 pour 100 leurs seins plus gros.

RÈGLES ET GARDE-FOUS

Ne consultez pas dans un centre de chirurgie esthétique sans en parler à votre médecin traitant.

Si vous décidez de persévérer, votre médecin peut vous indiquer une clinique sûre. De plus, les chirurgiens doivent contacter le médecin traitant et s'assurer de l'absence de contre-indication physique, comme un cœur fatigué, par exemple, des réactions allergiques à certains médicaments ou une tendance œdémateuse. Le prix de ces interventions est généralement élevé, aussi renseignez-vous de façon détaillée à l'avance afin de ne pas avoir de mauvaises surprises.

Se renseigner avant l'opération sur le type d'anesthésie (générale ou locale), la durée d'hospitalisation et les inconforts possibles.

Souvenez-vous : les plaies cicatrisent mieux si on les garde au sec; les cicatrices sont souvent plus laides pendant les trois premiers mois et, bien que définitives, elles s'estomperont en moins d'un an; un gonflement est banal, mais disparaît en un mois; dans les interventions sur le nez, la peau met environ un an à se rétracter complètement.

CHIRURGIE PLASTIQUE ET RECONSTRUCTIVE

Branche de la chirurgie dont le but est de corriger ou de réparer les parties du corps déformées, abîmées, anormales ou lésées par un accident. Quand la chirurgie n'est utilisée que pour améliorer l'aspect, elle est appelée CHIRURGIE ESTHÉTIQUE.

CHLAMYDIA (INFECTIONS A)

Les chlamydia sont des bactéries responsables de différentes maladies infectieuses. Leur existence n'a été révélée que récemment, mais l'importance de leur rôle nocif est de plus en plus reconnue. Le diagnostic de ces maladies à chlamydia est difficile à établir, mais le traitement aux antibiotiques est efficace. Elles peuvent donner les affections suivantes :

- Le TRACHOME, cause la plus fréquente de cécité dans le monde, qui peut être soigné de façon précoce.
- La PNEUMONIE du nouveau-né.
- L'URÉTRITE non gonococcique, dite non spécifique, principale maladie vénérienne, de fréquence croissante.
- Une épididymite (infection de l'épididyme, canal placé sur le testicule), qui peut se compliquer de stérilité.
- Une SALPINGITE, infection des trompes de Fallope, cause fréquente de stérilité chez la femme.
- La lymphogranulomatose vénérienne, maladie sexuellement transmissible qui donne un gonflement des ganglions lymphatiques de l'aine chez l'homme et la femme.
- Le syndrome de FIESSINGER-LEROY-REITER, qui associe une urétrite, une conjonctivite, une arthrite et une atteinte cutanée.
- La PSITTACOSE, type de pneumonie transmise par les oiseaux, en particulier les perroquets.

Voir MALADIES INFECTIEUSES, *page 32*

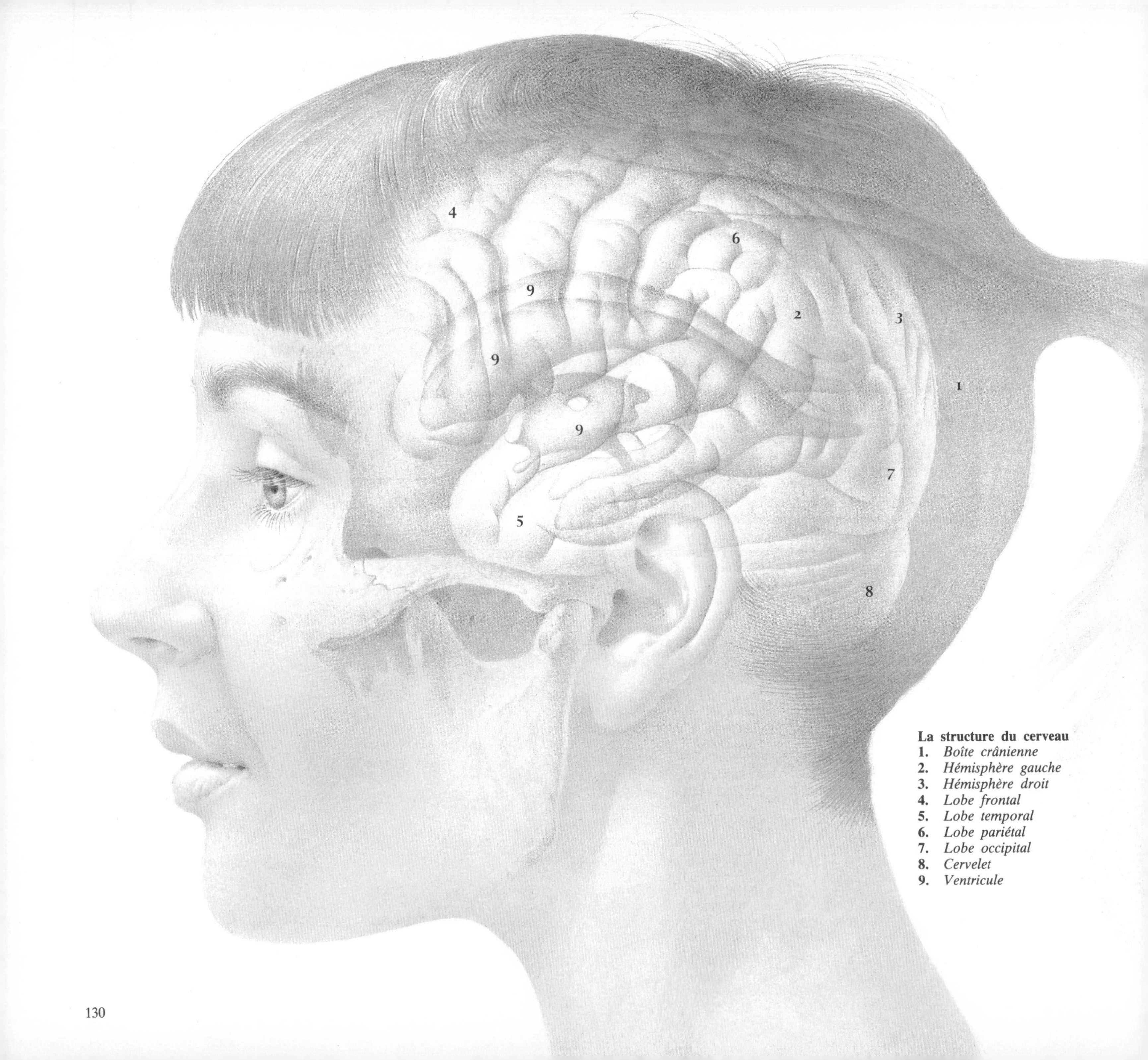

La structure du cerveau
1. *Boîte crânienne*
2. *Hémisphère gauche*
3. *Hémisphère droit*
4. *Lobe frontal*
5. *Lobe temporal*
6. *Lobe pariétal*
7. *Lobe occipital*
8. *Cervelet*
9. *Ventricule*

REGARD SUR LE CERVEAU. *A l'intérieur de la boîte rigide formée par les os du crâne, le cerveau baigne dans le liquide céphalo-rachidien, qui à la fois le nourrit et amortit les chocs. Le liquide céphalo-rachidien circule entre les feuillets (externe et interne) d'une membrane protectrice appelée méninge. Vu à travers la boîte crânienne, l'élément le plus évident du cerveau est le cortex, masse grise, plissée, ressemblant à une noix. Le cortex est divisé en deux hémisphères comportant chacun quatre parties principales : les lobes frontal, temporal, pariétal et occipital, qui sont séparés par de profonds sillons. Le lobe frontal commande nos processus de pensée et nos émotions, les autres commandent nos sens : audition, odorat, toucher et vue. A la base du cerveau, juste au-dessus de la moelle épinière, se trouve le cervelet, qui contrôle l'équilibre et la coordination des mouvements. Au centre du cerveau se trouvent quatre cavités communiquant entre elles, appelées ventricules, qui sécrètent et stockent le liquide céphalo-rachidien. En moyenne, le cerveau pèse 1,40 kg chez l'homme et 1,25 kg chez la femme. La différence de poids semble être liée à la différence de taille entre les deux sexes.*

CERVEAU

Le cerveau est le centre de commande du corps humain et la demeure de la pensée. Le cerveau coordonne et commande toutes les fonctions du corps, sans que l'individu soit conscient de cette activité. Il y a environ 100 milliards de cellules dans le cerveau humain. Elles sont toutes situées dans la boîte crânienne, dont la contenance n'atteint pas 2 litres.

La commande de l'activité physique du corps est transmise à travers un réseau complexe de nerfs qui relient toutes les parties du corps au cerveau. Les nerfs sensoriels envoient des signaux au cerveau, qui enregistre les sensations telles que la vue, l'odorat, le toucher, le goût. Le cerveau répond à ces informations en renvoyant des signaux à un autre groupe de nerfs : les nerfs moteurs. Les signaux qui arrivent au cerveau et repartent sont transmis le long des nerfs par des impulsions électriques. Dans le cerveau, les signaux sont transmis d'une cellule à l'autre par des médiateurs chimiques qui transportent les messages à travers des terminaisons connectées à chaque cellule. Les anatomistes divisent le cerveau en trois parties principales : le cerveau « postérieur », le cerveau « médian » et le cerveau « antérieur », ou « cortex ». Chacune de ces parties est subdivisée. Le cerveau postérieur, ou cerveau archaïque, situé à la base du crâne, comprend le tronc cérébral (le bulbe rachidien, la protubérance) et le cervelet. Le cerveau postérieur est relié à la moelle épinière, par laquelle doivent passer tous les signaux allant au cerveau ou en repartant. Il commande aussi les principales fonctions automatiques du corps, y compris les battements du cœur, la respiration et l'état de conscience. Le cervelet commande l'équilibre. Le cerveau médian, ou rhinencéphale, est une petite partie du cerveau reliant la partie postérieure au cortex.

Le cortex, partie la plus importante et la plus hautement spécialisée du cerveau, comprend deux hémisphères qui se présentent tout à fait comme les deux cerneaux d'une noix. Cette matière, appelée matière grise, présente de nombreux sillons (circonvolutions) et contient une multitude de cellules : les neurones. En général, l'hémisphère gauche commande le côté droit du corps et vice versa. Des sillons profonds divisent chaque hémisphère en quatre lobes. Les lobes temporaux, sur le côté, commandent l'audition et l'odorat. Les lobes pariétaux commandent le toucher, avec des zones parfaitement définies correspondant à des parties spécifiques du corps : un doigt, le visage, une oreille, etc. Tout ce qui concerne la vue dépend des lobes occipitaux (en arrière), tandis que les lobes frontaux se chargent de la pensée, des émotions et des fonctions mentales et intellectuelles hautement spécialisées.

Des machines sophistiquées, telles que le scanner, peuvent détecter l'activité qui semble être en relation avec les processus mentaux. Mais, pour la plupart, ces fonctions cérébrales qui ont trait à l'intelligence, la mémoire, l'apprentissage et la personnalité restent obscures. Elles paraissent mettre en jeu plus d'une zone du cerveau et dépendre de circuits complexes qui relient les unes aux autres les cellules cérébrales.

Troubles cérébraux

De nombreux troubles peuvent toucher les délicates structures cérébrales. Il existe sept raisons principales à cela :

☐ **Anomalies apparaissant avant ou à la naissance**
(comme la TRISOMIE 21 ou la DÉBILITÉ MENTALE).
Voir SYSTÈME NERVEUX, *page 34*

☐ **Troubles de l'activité électrique cérébrale**
(comme l'ÉPILEPSIE ou la MIGRAINE).
Voir SYSTÈME NERVEUX, *page 34*

☐ **L'infection**
(comme la MÉNINGITE, l'ENCÉPHALITE, l'ABCÈS DU CERVEAU).
Voir MALADIES INFECTIEUSES, *page 32*

☐ **Le traumatisme crânien**
(comme une COMMOTION CÉRÉBRALE).
Voir page 148

☐ **Une interruption du flux sanguin**
(comme une ATTAQUE).
Voir SYSTÈME NERVEUX, *page 34*

☐ **Une tumeur**
Voir TUMEURS DU CERVEAU

☐ **Une maladie mentale**
(comme une SCHIZOPHRÉNIE ou la dépression).
Voir MALADIES MENTALES, *page 33*

OBSERVATION D'UN CERVEAU EN ACTIVITÉ

Le scanner PETT donne une nouvelle vision du système mental

Le scanner PETT III montre le cerveau en activité, contrairement à la chirurgie et au scanner CT qui ne peuvent montrer que les structures. Le cerveau tire son énergie du glucose, et plus il travaille, plus il en consomme. En apportant au cerveau du glucose faiblement radioactif, puis en enregistrant l'importance de la consommation dans chaque partie du cerveau, on obtient une image du cerveau en activité. C'est ce que réalise le PETT III, qui détecte la radioactivité et l'enregistre sur un écran. A différentes maladies mentales correspondent différents types d'activité cérébrale.

PRÉPARATION D'UN EXAMEN. *Le glucose radioactif est injecté dans un vaisseau du bras pour parvenir au cerveau. La patiente est très peu exposée aux radiations, car le mélange n'est radioactif qu'un très court moment. La malade est allongée, la tête immobilisée.*

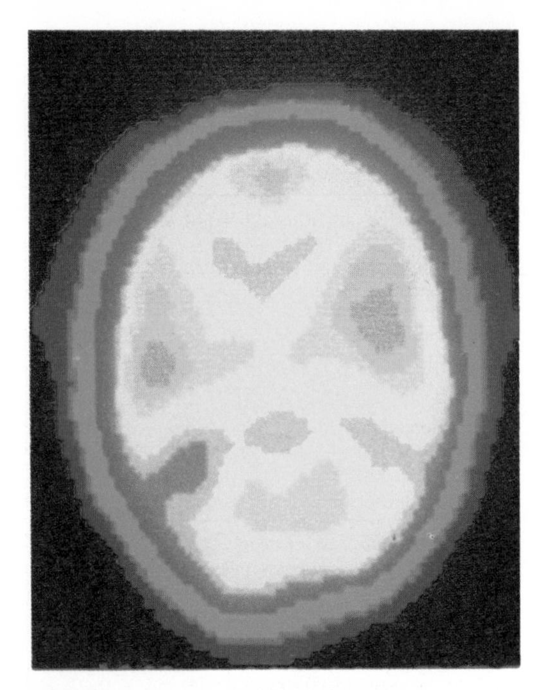

CERVEAU NORMAL. *Le PETT III examine le cerveau par coupes horizontales. Ces quatre examens montrent la même section pour quatre personnes différentes. Les couleurs correspondent à des quantités différentes de glucose consommé par le tissu cérébral. Le bleu indique une faible activité; l'échelle passe du vert au jaune, puis au blanc, zone d'activité intense.*

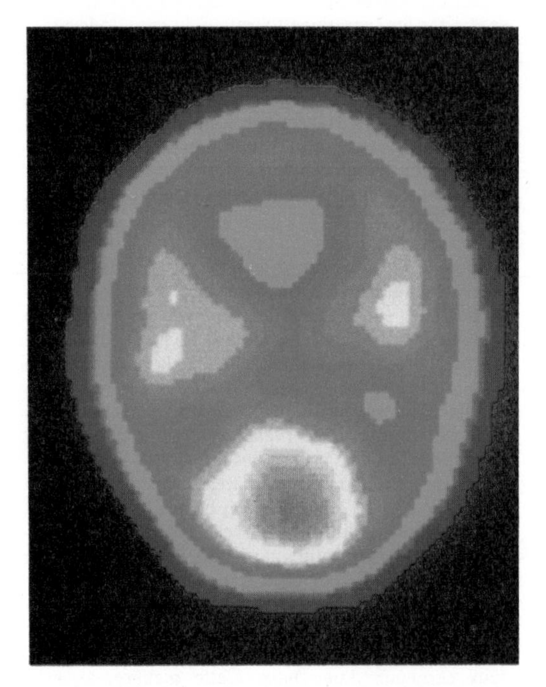

DÉMENCE. *L'image d'activité reste rigoureusement symétrique, mais il y a une réduction globale de l'activité comparée à celle d'un cerveau normal : beaucoup plus de vert et de bleu. Plus la démence est avancée, plus l'activité est réduite. La démence touche habituellement les gens âgés qui souffrent de troubles de la mémoire, de confusion mentale et d'hallucinations.*

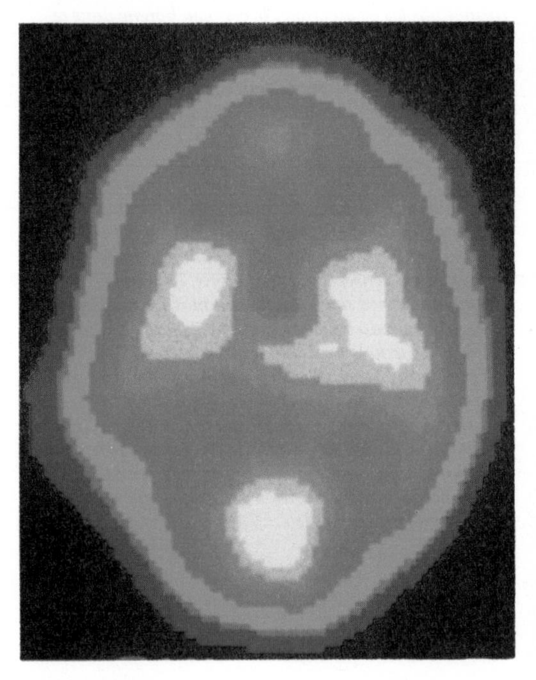

SCHIZOPHRÉNIE. *Le lobe frontal du cerveau (en haut), l'une des zones où sont contrôlées les émotions, a une consommation de glucose particulièrement faible. Les signes cliniques de la schizophrénie sont parfois vagues et peu spécifiques. L'examen au scanner rendra le diagnostic beaucoup plus facile et moins sujet à erreur.*

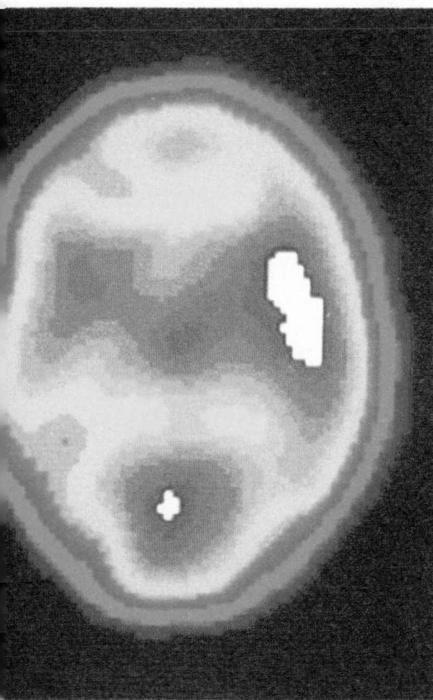

PSYCHOSE MANIACO-DÉPRESSIVE. *L'image spécifique de la phase maniaque est très caractéristique. La figure est asymétrique, l'ensemble du cerveau montrant un niveau d'activité beaucoup plus élevé que la normale. Cela coïncide avec les périodes d'exaltation.*

EXPLORATION DU CERVEAU

On peut établir une carte des fonctions du cerveau en mesurant les variations du débit sanguin cérébral

La variation du débit sanguin cérébral est en relation avec l'intensité de l'activité du cerveau. Voici les différents débits dans l'hémisphère gauche du cerveau pour des activités variées. Les données sont faites à partir d'examens au scanner, sur des sujets normaux.

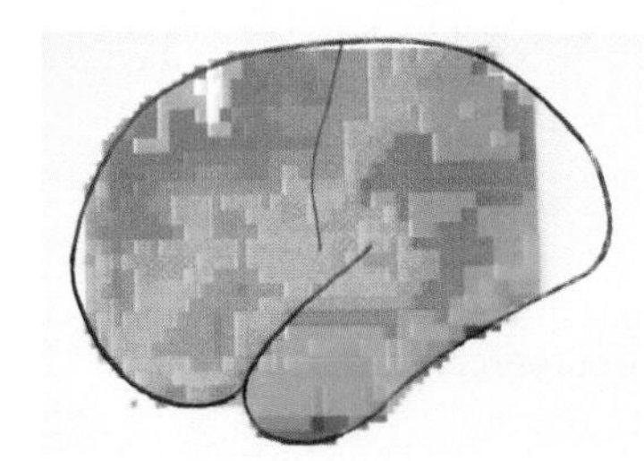

AU REPOS. *Le sujet est allongé, les yeux fermés. Dans toutes les figures, le vert représente une activité moyenne, l'orange et le rouge une activité supérieure à la moyenne, et le bleu, inférieure à la moyenne.*

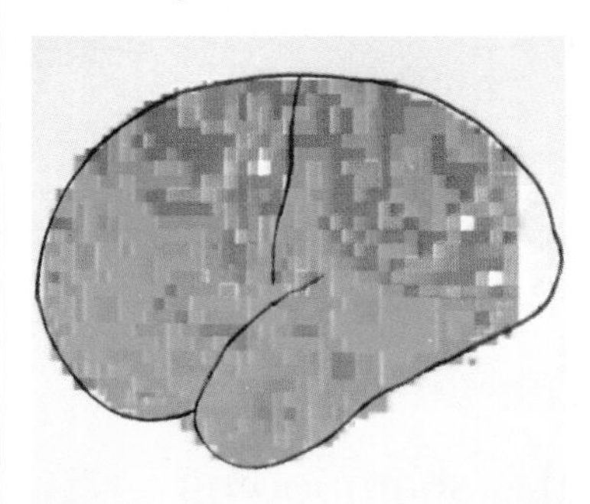

VISION D'UN OBJET EN MOUVEMENT

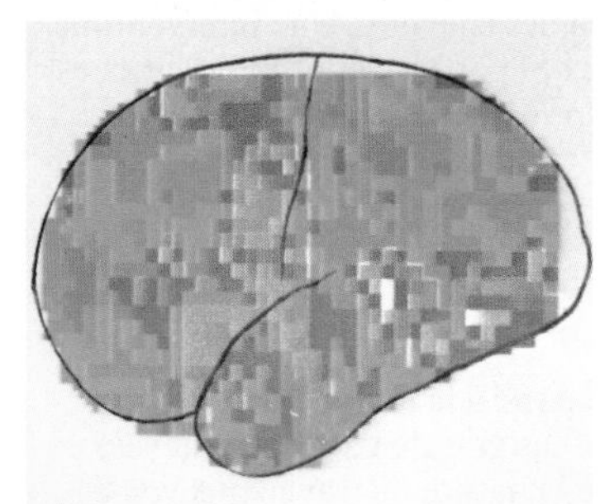

LECTURE A VOIX HAUTE

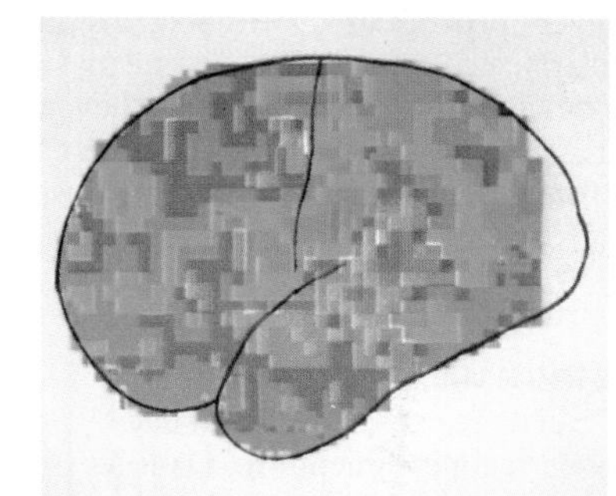

ÉCOUTE DE MOTS

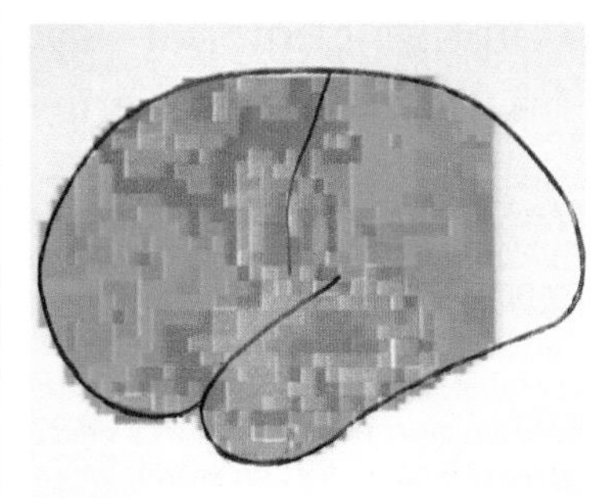

PAROLE AUTOMATIQUE : CALCUL

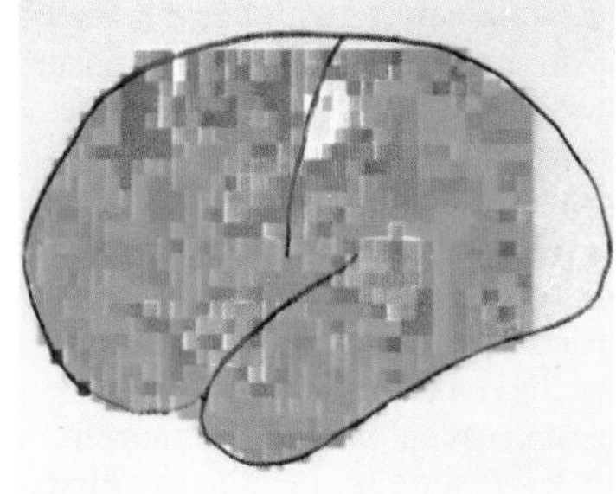

RECONNAISSANCE D'OBJETS PAR LE TOUCHER

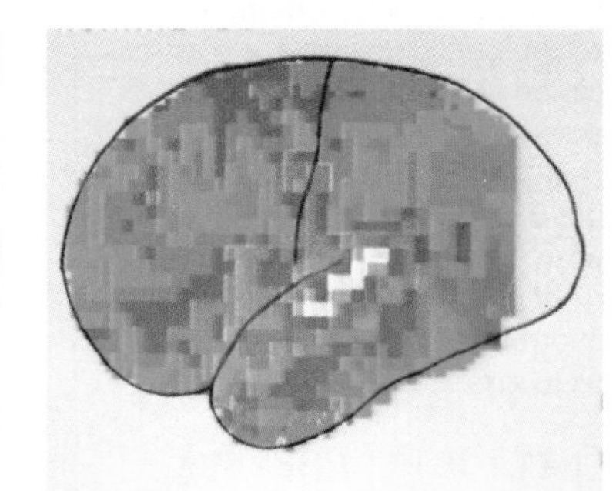

ÉCOUTE DE MUSIQUE

Soins des cheveux

COMMENT GARDER UN CUIR CHEVELU SAIN ET DE BEAUX CHEVEUX

Pour avoir de beaux cheveux, trois conditions sont essentielles : être en bonne santé, se montrer vigilant quant à leur propreté et user de cosmétiques avec circonspection.

De graves maladies, surtout si elles s'accompagnent d'une forte fièvre, peuvent provoquer la mort et la raréfaction des cheveux. Une intervention chirurgicale importante ou même un stress ont parfois des effets identiques. La dévitalisation et la chute des cheveux surviennent quelques semaines après le traumatisme initial, mais les cheveux finissent toujours par retrouver leur vigueur; pour cela, plusieurs mois sont habituellement nécessaires.

UN RÉGIME APPROPRIÉ

La croissance des cheveux est liée à un bon régime alimentaire. Dans les régions du monde où sévit la famine, les gens qui souffrent de graves carences en protéines perdent leurs cheveux. Ce n'est pas le cas en Occident. *Voir* ALIMENTATION SAINE.

Beaucoup plus répandue est la chute des cheveux consécutive à une anémie ferriprive. On l'observe surtout chez les femmes. Elle est provoquée par une carence en fer dans le sang.

LE LAVAGE DES CHEVEUX

Comme la peau, le cuir chevelu produit des squames et des graisses qui doivent être éliminées par lavage. La fréquence des lavages dépend à la fois de l'état plus ou moins gras de votre cuir chevelu et de la nature du travail que vous effectuez. Mais pour la plupart des individus, un lavage hebdomadaire est suffisant.

Les cheveux peuvent être lavés au savon, mais il est conseillé d'utiliser un shampooing. Non seulement le rinçage en sera facilité, mais on obtiendra une mousse plus abondante. Les shampooings que l'on trouve dans le commerce sont enrichis par de nombreux additifs. Les cheveux n'étant que des fibres mortes, ces substances demeurent sans effet sur eux. Les shampooings coûteux et spécifiques ne sont pas nécessairement de meilleure qualité que les produits plus simples et moins chers.

Le shampooing — des cheveux bien soignés commencent par un bon shampooing

Les shampooings servent avant tout à éliminer la graisse et la saleté, et à donner aux cheveux l'air propre et soigné. Bien qu'un lavage hebdomadaire puisse être suffisant, des cheveux très gras ou très sales nécessitent parfois un entretien quotidien.

1. *Il faut brosser ou peigner les cheveux avec soin afin d'ôter les saletés et les squames — ou cellules mortes — présentes sur le cuir chevelu. Utiliser une brosse à poils de soie naturelle ou un peigne à dents lisses et très espacées. Ne pas brosser ou peigner trop vigoureusement pour éviter d'arracher les cheveux. On doit nettoyer la brosse et le peigne après chaque usage.*

3. *Verser un peu de shampooing dans le creux de la main. L'appliquer uniformément sur tout le cuir chevelu en massant du bout des doigts, jusqu'à l'obtention d'une mousse épaisse.*

2. *Se pencher au-dessus du lavabo et mouiller les cheveux à l'eau tiède. S'assurer que tous les cheveux ont été mouillés. On peut également utiliser la douche ou une cuvette d'eau tiède et y tremper les cheveux avant l'application du shampooing.*

4. *Rincer les cheveux à l'eau tiède jusqu'à complète disparition du shampooing. Puis appliquer à nouveau une dose identique et masser délicatement le cuir chevelu. Enfin, rincer jusqu'à l'obtention d'une eau parfaitement claire.*

Lorsque vous vous lavez les cheveux, utilisez de l'eau tiède, c'est mieux pour le cuir chevelu.

Après le lavage, rincez-les abondamment. Pour les sécher, ne les frottez pas avec une serviette, mais, au contraire, tapotez-les. Mettez-les en forme à l'aide d'un peigne. Utilisez ensuite un sèche-cheveux à une température modérée et, durant l'été, laissez-les sécher au soleil; les températures trop élevées abîment les cheveux.

Bien souvent, les coiffeurs emploient des démêlants, lotions composées d'huile, d'émulsifiant et de cire. Les démêlants représentent une aide appréciable lorsque la couche superficielle du cheveu est abîmée. En enrobant chaque cheveu d'une fine pellicule qui sera éliminée au prochain lavage, le démêlant permet de se coiffer aisément.

LA COUPE DES CHEVEUX

Bien que la coupe des cheveux ne soit pas indispensable à leur santé, il est plus facile de garder le cuir chevelu propre s'ils sont d'une longueur raisonnable. Des coupes régulières ne rendent pas les cheveux plus vigoureux.

COMMENT LES CHEVEUX S'ABIMENT-ILS ?

Bien que le cuir chevelu soit robuste et puisse supporter sans risque un certain nombre de mauvais traitements, il peut être endommagé par des permanentes, des teintures, des décolorations ou des massages trop fréquents, ou par l'inexpérience de la personne qui s'en charge.

Lors d'une permanente, les cheveux sont tout d'abord assouplis en rompant quelques liaisons dans la chaîne de protéines qui forme la tige du cheveu. Cette opération est effectuée par l'application de produits chimiques, soit à chaud, soit à froid. Les cheveux ainsi assouplis sont alors prêts pour une nouvelle mise en forme, par l'intermédiaire d'un agent oxydant qui reconstitue la chaîne des protéines.

Il existe diverses manières de faire une permanente dont les effets subsistent après plusieurs shampooings. Ces techniques ne sont pas nocives si elles sont pratiquées par un coiffeur expérimenté. Si vous faites vous-même votre permanente, suivez scrupuleusement toutes les indications.

De nos jours, les teintures chimiques ont très largement supplanté les teintures inoffensives mais salissantes utilisées autrefois pour teindre les cheveux. Les teintures temporaires, ou rinçages, qui se contentent d'enrober le cheveu et qui disparaissent au prochain lavage ne présentent aucun risque. En revanche, les teintures permanentes, généralement composées de benzines aromatiques, peuvent être dangereuses pour le cuir chevelu. En effet, elles pénètrent dans la tige du cheveu, ce qui provoque des réactions chimiques. Ces teintures donnent aux cheveux des nuances naturelles et résistent aux shampooings. Toutefois, au fur et à mesure de la pousse des cheveux, on voit apparaître les racines non teintées. Il arrive parfois que le cuir chevelu soit allergique à la teinture.

Accessoires utilisés pour les soins du cheveu

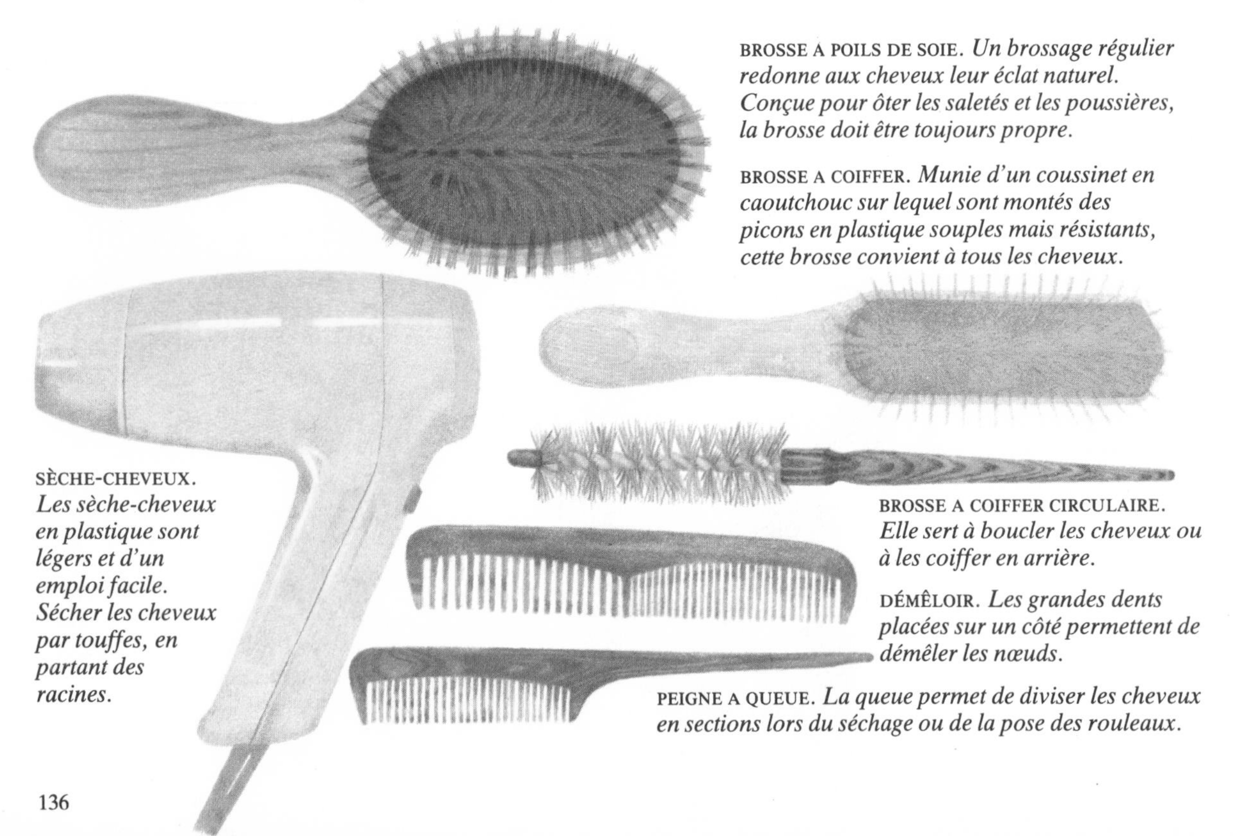

BROSSE A POILS DE SOIE. *Un brossage régulier redonne aux cheveux leur éclat naturel. Conçue pour ôter les saletés et les poussières, la brosse doit être toujours propre.*

BROSSE A COIFFER. *Munie d'un coussinet en caoutchouc sur lequel sont montés des picons en plastique souples mais résistants, cette brosse convient à tous les cheveux.*

SÈCHE-CHEVEUX. *Les sèche-cheveux en plastique sont légers et d'un emploi facile. Sécher les cheveux par touffes, en partant des racines.*

BROSSE A COIFFER CIRCULAIRE. *Elle sert à boucler les cheveux ou à les coiffer en arrière.*

DÉMÊLOIR. *Les grandes dents placées sur un côté permettent de démêler les nœuds.*

PEIGNE A QUEUE. *La queue permet de diviser les cheveux en sections lors du séchage ou de la pose des rouleaux.*

Pour éviter cette réaction, testez la teinture en l'appliquant sur une petite partie du bras. S'il existe une allergie, il y aura une réaction cutanée sur n'importe quelle partie du corps. Examinez cette zone au bout de quarante-huit heures. Si vous constatez la présence d'une plaque inflammatoire n'utilisez pas la teinture.

Beaucoup de personnes se décolorent les cheveux avec de l'eau oxygénée. Toutefois utilisée régulièrement, elle peut rendre les cheveux cassants et vulnérables aux effets des permanentes et des teintures.

LES CHEVEUX GRIS

La couleur des cheveux est déterminée par la proportion des deux pigments — l'un châtain-noir et l'autre rouge-jaune — qui sont déposés dans la tige du cheveu. Le fait que les cheveux grisonnent est lié au processus naturel de vieillissement, au cours duquel les tiges reçoivent de moins en moins de pigments. En général, les cheveux gris apparaissent d'abord sur les tempes, puis s'étendent à tout le cuir chevelu. Plus tard, la barbe et les poils peuvent aussi se mettre à grisonner. L'âge auquel ce phénomène se produit, de même que son ampleur, est héréditaire.

LES AFFECTIONS DES CHEVEUX

Les cheveux peuvent être atteints par un certain nombre d'affections, dont le traitement nécessite parfois le recours à un spécialiste.

La chute des cheveux. Les femmes perdent parfois leurs cheveux plusieurs semaines après un accouchement, ou lorsqu'elles cessent de prendre une pilule contraceptive. La chute des cheveux peut également survenir chez des patients suivant des traitements avec certains médicaments anticancéreux. Les cheveux repoussent ensuite progressivement dès que l'état de santé s'est amélioré. Au moment de la ménopause, de nombreuses femmes constatent que leurs cheveux deviennent clairsemés.

Les coiffures qui maintiennent les cheveux très serrés, comme la queue de cheval, provoquent parfois la chute des cheveux si elles sont portées régulièrement pendant de longues périodes. Des rouleaux appliqués de façon trop serrée ou portés trop souvent peuvent avoir un effet identique. Des massages répétés du cuir chevelu, dans le but d'enrayer une calvitie naissante, ont parfois l'effet inverse. Des brossages fréquents et vigoureux font tomber les cheveux au lieu de les faire pousser.

C'est à la fin de l'adolescence que les cheveux sont les plus abondants. Mais au fur et à mesure du vieillissement, tant chez l'homme que chez la femme, la pousse des cheveux se ralentit. Il en va de même en ce qui concerne les poils. C'est sur les joues et le menton de l'homme qu'ils apparaissent le plus vite et sur les cuisses des femmes qu'ils se développent le plus lentement.

Le cuir chevelu perd chaque jour une centaine de cheveux.

La calvitie masculine. La chute des cheveux est héréditaire. Mais cela ne veut pas dire que l'absence de calvitie chez un homme mettra pour autant son fils à l'abri. *Voir* CALVITIE.

Comment discipliner les cheveux

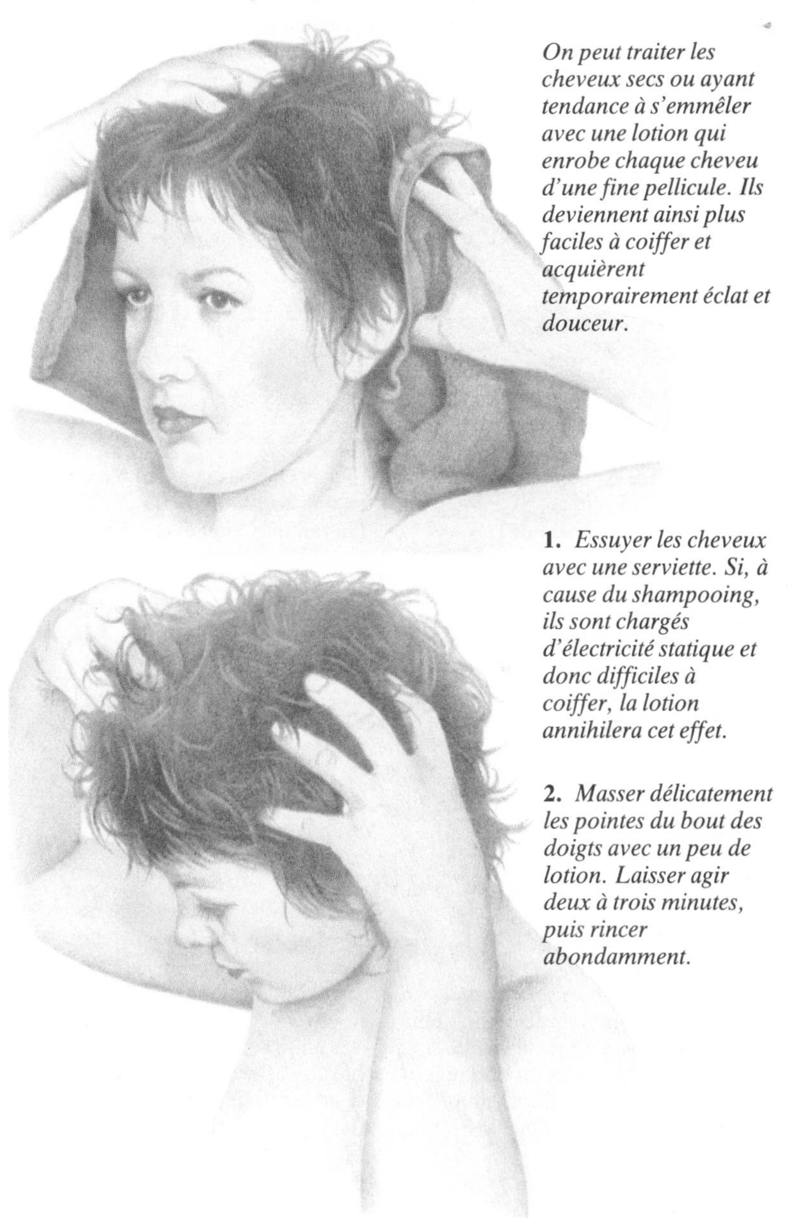

On peut traiter les cheveux secs ou ayant tendance à s'emmêler avec une lotion qui enrobe chaque cheveu d'une fine pellicule. Ils deviennent ainsi plus faciles à coiffer et acquièrent temporairement éclat et douceur.

1. *Essuyer les cheveux avec une serviette. Si, à cause du shampooing, ils sont chargés d'électricité statique et donc difficiles à coiffer, la lotion annihilera cet effet.*

2. *Masser délicatement les pointes du bout des doigts avec un peu de lotion. Laisser agir deux à trois minutes, puis rincer abondamment.*

Les pellicules. Le cuir chevelu se desquame en permanence. Si la desquamation est rapide, les pellicules se concentrent sur le cuir chevelu ou tombent. *Voir* PELLICULES.

Les cheveux cassants. Des cheveux ébouriffés et frisottés, aux pointes fourchues, sont souvent le résultat d'un excès de permanentes ou de décolorations. Il faut alors les couper.

Les poux et les lentes. Le pou de la tête est un petit insecte parasite qui vit sur le cuir chevelu. Il pond des œufs grisâtres qui sont fixés aux cheveux. On retrouve surtout les poux dans les écoles.

Les poux deviennent résistants aux insecticides. On peut cependant en venir à bout avec des lotions contenant du malathion. *Voir* POUX.

Le vrai et le faux

☐ **La bière est bonne pour les cheveux —** *Vrai*
La bière blonde est une excellente lotion pour les mises en plis.

☐ **Brosser les cheveux cent fois par jour les rend brillants —** *Vrai*
Un bon brossage stimule les glandes sébacées du cuir chevelu. Cependant, un brossage excessif risque de les casser.

☐ **La calvitie est un signe de virilité —** *Faux*
La calvitie peut être partiellement due à la testostérone (hormone sexuelle mâle circulant dans le corps). On peut y voir un signe de virilité si on en a envie. Mais les hommes à la chevelure très abondante sont tout aussi virils que les hommes chauves.

☐ **Les cheveux peuvent blanchir en une nuit —** *Faux*
Du fait que les cheveux poussent relativement lentement (environ 13 mm par mois), il est impossible qu'un choc ou un chagrin subit fasse blanchir les cheveux en une nuit.

☐ **Brûler les cheveux les fait pousser —** *Faux*
Les cheveux visibles étant composés de cellules mortes, le brûlage a pour seul effet de casser les pointes.

☐ **Les cheveux continuent de pousser après la mort —** *Faux*
Le rétrécissement de la peau entourant les follicules pileux peut rendre visible environ 1,5 millimètre de cheveux en plus, mais la pousse des cheveux, tout comme la pousse des ongles, cesse à l'instant même de la mort.

Le séchage — comment donner du ressort à vos cheveux

Tenir le sèche-cheveux à environ 15 centimètres de la tête. Plus proche, il risque de déshydrater les cheveux. En combinant brosse à coiffer et sèche-cheveux, on peut « gonfler » les cheveux.

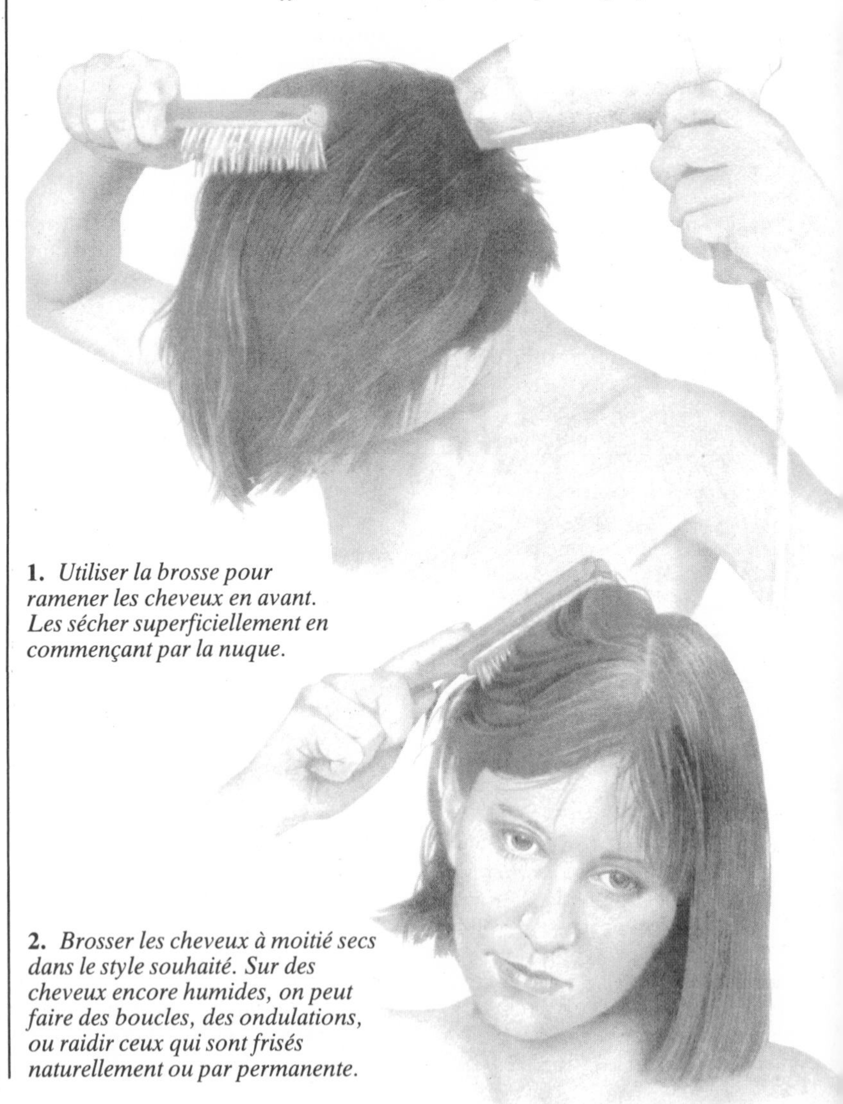

1. *Utiliser la brosse pour ramener les cheveux en avant. Les sécher superficiellement en commençant par la nuque.*

2. *Brosser les cheveux à moitié secs dans le style souhaité. Sur des cheveux encore humides, on peut faire des boucles, des ondulations, ou raidir ceux qui sont frisés naturellement ou par permanente.*

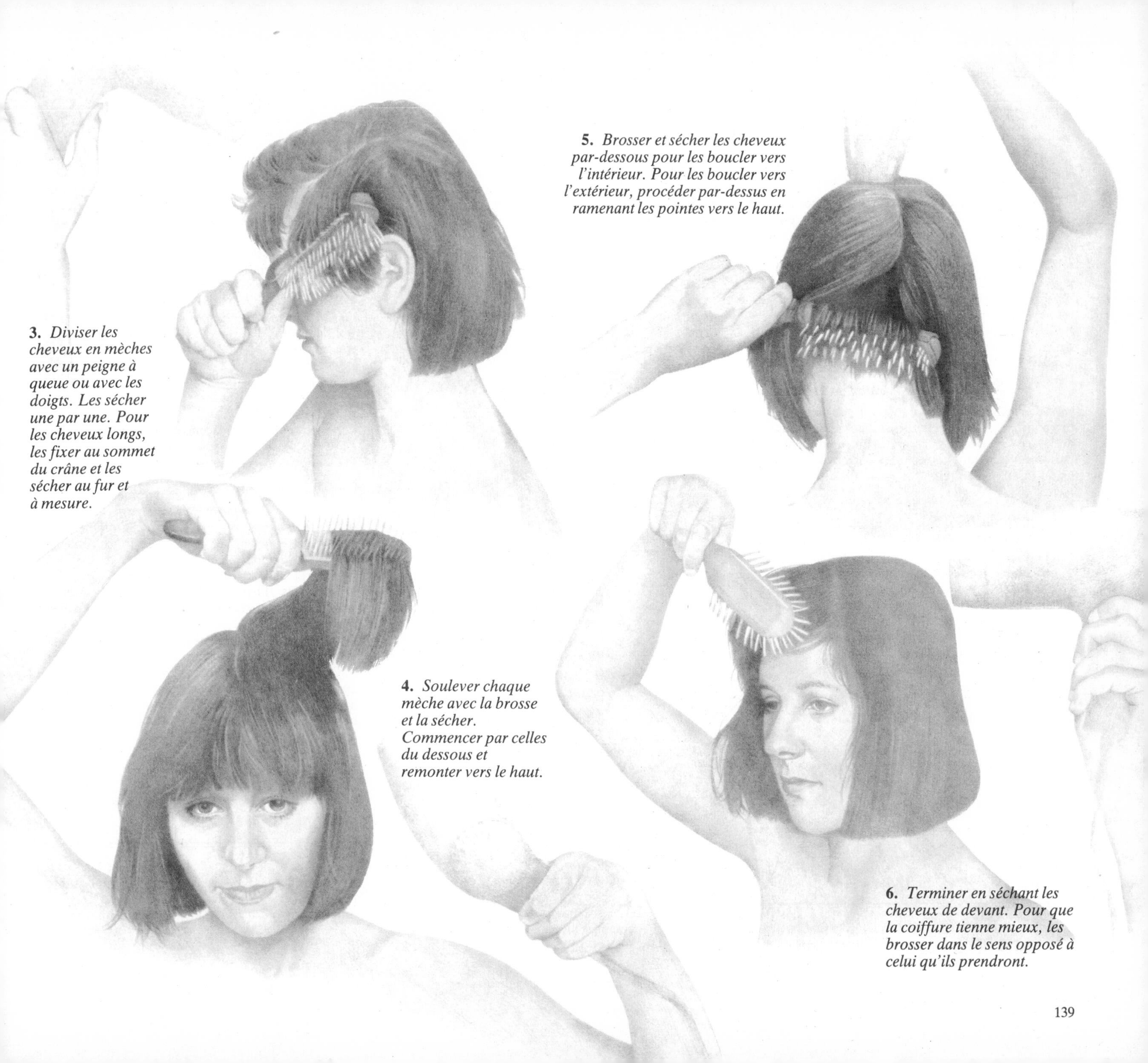

3. *Diviser les cheveux en mèches avec un peigne à queue ou avec les doigts. Les sécher une par une. Pour les cheveux longs, les fixer au sommet du crâne et les sécher au fur et à mesure.*

4. *Soulever chaque mèche avec la brosse et la sécher. Commencer par celles du dessous et remonter vers le haut.*

5. *Brosser et sécher les cheveux par-dessous pour les boucler vers l'intérieur. Pour les boucler vers l'extérieur, procéder par-dessus en ramenant les pointes vers le haut.*

6. *Terminer en séchant les cheveux de devant. Pour que la coiffure tienne mieux, les brosser dans le sens opposé à celui qu'ils prendront.*

CHLOASMA

Apparition de taches sur le visage de certaines femmes enceintes. On l'appelle aussi mélasma en langage médical, ou couramment « masque de grossesse ».

Symptômes

- Chez certaines femmes, la peau du visage devient pigmentée pendant la grossesse ou lors de la prise d'hormones œstroprogestatives (œstrogènes et progestérone de la pilule anticonceptionnelle).
- La pigmentation dessine un masque à contours irréguliers sur le front, les joues, les pommettes, les tempes, la lèvre supérieure, le menton et le nez.

Durée

- Cette pigmentation peut être passagère ou non, mais commence à régresser après l'accouchement pour disparaître en quelques mois. Certaines pigmentations du visage sont dues à l'action combinée du soleil et de parfums ou produits cosmétiques parfumés. L'arrêt de leur utilisation n'entraîne pas aussitôt la disparition des taches.

Causes

- La sécrétion des hormones qui stimulent la formation de la mélanine (pigment cutané) est augmentée pendant la grossesse.
- Les hormones sexuelles féminines (œstrogènes et progestérone) favorisent également la formation de mélanine (contraception orale ou grossesse).

Traitement à domicile

- Cacher la pigmentation avec un fond de teint.

Quand consulter le médecin

- Devant une pigmentation d'origine inconnue.

Rôle du médecin

- S'assurer que l'affection n'est pas due à une autre cause ou à un désordre général.

Prévention

- Éviter le soleil et les parfums. Ne pas prendre la pilule si l'on a eu un masque de grossesse.

Voir LA PEAU, *page 52*

CHOC TOXIQUE (SYNDROME DU)

Pathologie de découverte récente et extrêmement rare. La plupart des cas surviennent chez des femmes ayant utilisé certains tampons hygiéniques durant leurs règles. Ce syndrome est probablement dû à la prolifération d'un staphylocoque doré pathogène. Le risque de choc toxique est très faible, mais s'il apparaît, il nécessite un traitement médical immédiat, car les symptômes se développent en quelques heures.

Symptômes

- Brusque élévation de la température (supérieure à 39°), vomissements et diarrhée aqueuse sévère.
- Pertes liquidiennes, hypotension, pâleur, pouls rapide et autres signes de choc peuvent apparaître de façon grave.
- Durant la convalescence (une à deux semaines après la maladie), une desquamation de la peau des mains et des pieds peut apparaître (la peau pèle).

Causes

- Staphylocoque doré sécrétant une toxine.

Traitement à domicile

- Aucun. Appeler immédiatement le médecin.

Rôle du médecin

- Envoyer en urgence le malade à l'hôpital.
- Poser une perfusion intraveineuse.
- Donner des antibiotiques.

CHOLÉCYSTITE

Inflammation de la vésicule biliaire. L'inflammation prolongée chronique peut favoriser la formation de cailloux, constituant des CALCULS BILIAIRES. C'est une urgence médicale, et parfois chirurgicale.

CHOLÉRA

Maladie infectieuse aiguë qui sévit généralement sous forme d'épidémie. Elle est due à un germe, le vibrion cholérique, que l'on trouve dans les selles des malades et des vecteurs de germes. Le choléra est transmis par de l'eau contaminée et par les mouches, et sa propagation est rapide quand il règne une hygiène insuffisante. Un cataclysme naturel, tel qu'un tremblement de terre ou une inondation, peut déclencher une épidémie.

Symptômes

- Diarrhée aqueuse, indolore, mais très grave.
- Vomissements, souvent sans effort ni nausées.
- La perte de liquide provoque une perte rapide de poids et des crampes musculaires.

Période d'incubation

- Six à quarante-huit heures.

Durée

- Deux à sept jours.

Causes

- Des bactéries dans l'eau et la nourriture crue, en particulier les fruits et les légumes qui ont été contaminés par des porteurs de germes.

Traitement à domicile

- Si une assistance médicale immédiate n'est pas disponible, garder le malade au repos complet.
- Donner beaucoup d'eau sucrée et de boissons glacées, comme des citronnades et tisanes d'orge.

Quand consulter le médecin

- Immédiatement si l'on suspecte le choléra.

Rôle du médecin

- Poser une perfusion intraveineuse avec une solution saline pour remplacer le liquide perdu. Le malade réhydraté, la guérison est rapide.
- Prescrire des antibiotiques, bien que ce soit moins important que le remplacement du liquide perdu par la diarrhée. *Voir* MÉDICAMENTS, n° 25.

Prévention

- Faites-vous vacciner si vous allez dans une région où le choléra est fréquent. L'immunité dure environ six mois, mais n'est pas toujours efficace.
- Les personnes vaccinées pour la première fois devront être revaccinées après dix jours ou plus.
- Dans les régions où sévit le choléra, l'eau doit être bouillie et la nourriture très cuite.
- Les soins, l'hygiène personnelle et un bon état sanitaire sont les seules protections contre le choléra.

Pronostic

- Avec un traitement correct, la guérison est complète et le risque de mortalité très faible.
- Quand les épidémies surviennent brutalement, après une inondation ou un tremblement de terre, les hôpitaux ne peuvent pas toujours accepter le nombre important de malades, et la mortalité, au début, peut dépasser 60 pour 100.

Voir MALADIES INFECTIEUSES, *page 32*

CHOLESTÉROL

Corps gras apporté par l'alimentation et fabriqué en partie par l'organisme; il entre dans la composition des hormones et de la bile. Son dosage est très utile, notamment pour surveiller les maladies cardio-vasculaires. En excès, il est facteur de risque.

Voir ALIMENTATION SAINE

CHORÉE DE HUNTINGTON

C'est une maladie héréditaire rare qui entraîne une détérioration mentale, et parfois la mort. Elle se manifeste par des grimaces involontaires au niveau de la face et par des mouvements incontrôlés des bras et des jambes.

La chorée de Huntington est une maladie très pénible qui survient à l'âge moyen de la vie. Cela veut dire qu'une personne en ayant hérité n'en sera pas avertie avant d'avoir donné naissance à ses enfants. Chaque enfant a un risque sur deux de présenter la maladie.

Il n'existe pas de traitement de la chorée de Huntington. Des tranquillisants et sédatifs peuvent réduire l'intensité des mouvements anormaux, ainsi que certaines interventions chirurgicales.

Si l'on a connaissance d'un antécédent de chorée de Huntington dans une famille, il est raisonnable de consulter un médecin avant d'avoir des enfants.

Voir SYSTÈME NERVEUX, *page 34*

CHROMOSOMES

Minuscules filaments présents dans le noyau de chaque CELLULE du corps. Chaque chromosome est composé d'une chaîne de gènes, qui sont les unités déterminant chacune un caractère individuel — comme le teint, la taille, le groupe sanguin, certaines maladies congénitales. Les cellules humaines contiennent chacune 46 chromosomes, 23 hérités du père et 23 de la mère.

Voir HÉRÉDITÉ, MONGOLISME

CHUTES

Accidents courants chez les personnes âgées, qui peuvent trébucher ou glisser, et perdre ainsi l'équilibre. Parfois, la chute survient sans raison apparente, du fait d'un arrêt passager de la circulation vasculaire cérébrale.

Causes

- Manque d'attention ou retard à réagir aux situations imprévues : surface glissante ou obstacle.
- Mauvais état de santé ou faiblesse musculaire.
- « Absences » dues à une mauvaise circulation cérébrale.

Traitement à domicile

- Une personne âgée qui vient de tomber ne devrait pas être relevée si la personne qui lui porte secours est seule ou sans expérience, cette dernière risquant un tour de reins. Étendre l'accidenté sur le côté et s'accroupir. Placer une chaise à portée de main de la personne à relever, afin qu'elle puisse prendre appui sur les bras ou les avant-bras. La personne âgée peut alors s'agenouiller, et il est facile de l'aider à s'asseoir.
- Si l'accidenté a froid, lui donner une bouillotte, et le couvrir.

Quand consulter le médecin

- Si la personne a perdu connaissance ou si l'on suspecte une fracture du bassin ou des membres.
- Si la chute survient sans raison apparente.

Rôle du médecin

- En cas de traumatisme ou de fracture, transporter l'accidenté à l'hôpital.
- Rechercher la cause d'une perte de connaissance.
- Rechercher les signes d'une ATTAQUE ou d'une autre maladie grave et mettre en route un traitement.
- Prendre la tension artérielle et examiner le fonctionnement cardiaque.

Prévention

- S'assurer que le sol de la maison est propre, que l'éclairage est suffisant et que l'on est bien chaussé. Les personnes âgées devraient prendre des précautions lorsque les routes sont gelées ou mal éclairées.

Pronostic

- En cas de chutes répétées et de difficultés à se déplacer, une personne âgée devrait consulter un médecin avant que son état général ne se dégrade.

Voir SYSTÈME NERVEUX, *page 34*

CIRRHOSE DU FOIE

Maladie chronique du foie, le plus souvent liée à l'ingestion excessive d'alcool. Un tissu fait de nodules fibreux, comme du tissu de cicatrice, remplace les cellules normales du foie qui ont été endommagées. Si la maladie est combattue assez tôt, le foie qui reste indemne peut se régénérer et avoir une fonction normale. La cirrhose est plus fréquente chez l'homme. Les symptômes apparaissent vers trente ou quarante ans et deviennent sérieux dans les années qui suivent.

Symptômes

- Parfois il n'y a aucun symptôme manifeste, et le patient non seulement paraît sain mais se sent bien.
- Pâleur du visage avec pommettes rosées, paume des mains rouges.
- Fatigue, malaise général.
- Anémie.
- Picotements dans les doigts et les orteils.
- Angiome sur la peau.
- Augmentation de la taille des seins chez l'homme.
- Atrophie (diminution de taille) des testicules.
- Perte de l'activité sexuelle.
- Perte de poids et d'appétit.

Durée

- La cirrhose liée à l'alcoolisme dure tant que l'intoxication alcoolique persiste. Si le sujet arrête de boire et qu'aucune complication n'apparaît dans les deux ans qui suivent, il peut espérer mener une vie normale à condition de s'abstenir d'alcool.
- Si le patient n'arrête pas de boire, la destruction du foie progresse, et la mort peut s'ensuivre.

Causes

- Alcool dans la majorité des cas.
- L'alcool aggrave les cirrhoses d'autre origine.
- Certaines substances chimiques ou médicaments.
- Le virus de l'HÉPATITE (B).
- L'insuffisance cardiaque.
- L'obstruction des voies biliaires.
- Certaines infections.

Complications

- HÉMORROÏDES.
- Hémorragies de l'œsophage et de l'estomac.
- ASCITES, c'est-à-dire apparition de liquide dans l'abdomen.
- CANCER du foie.

Traitement à domicile

- Il n'y en a pas. Consulter le médecin.

Quand consulter le médecin

- Lorsque l'on boit trop.
- Devant l'un des symptômes précédents.

Rôle du médecin

- Faire pratiquer des dosages pour évaluer les dégâts au niveau du foie et rechercher une autre cause que l'alcool.
- Adresser le patient alcoolique à un groupe de désintoxication.
- Arrêter l'intoxication par l'alcool.
- Donner des vitamines et des conseils diététiques.

Prévention

- Éviter de boire trop d'alcool. *Voir* ALCOOLISME.
- Demander une aide médicale si vous ne pouvez réduire votre consommation d'alcool.

Voir SYSTÈME DIGESTIF, *page 44*

CLAUDICATION

Chez un enfant, la cause en est souvent banale, mais parfois il s'agit d'une maladie osseuse grave.

Voir LISTE DES SYMPTOMES (CLAUDICATION)
PUÉRICULTURE (MALADIES INFANTILES), *page 370*

CLAUDICATION INTERMITTENTE

C'est l'apparition de crampes dans les jambes durant la marche et obligeant à s'arrêter.

Symptômes

- Douleur constrictive, comme une crampe, dans les mollets. Cette douleur est déclenchée par la marche et survient toujours après avoir parcouru la même distance. Elle est calmée par l'arrêt de la marche.

Durée

- Cette pathologie évolue en s'aggravant progressivement, et le traitement n'apporte qu'une amélioration partielle des symptômes. Il n'y a jamais de guérison spontanée.

Causes

- Athérome des grosses artères (branches de l'aorte abdominale) amenant le sang aux jambes. Ces artères sont généralement touchées dès leur bifurcation dans l'abdomen jusqu'aux pieds.
- Thrombose (oblitération partielle et progressive) de l'artère qui irrigue, vascularise le mollet.

Complications

- Limitation progressive de l'activité du sujet et risque de gangrène des pieds ou des orteils.

Traitement à domicile

- Repos des jambes. A l'extérieur, arrêter la marche jusqu'à disparition de la douleur, puis la reprendre à une allure plus modérée.

Quand consulter le médecin

- Dès l'apparition de la douleur.

Rôle du médecin

- Déterminer si les symptômes proviennent d'une atteinte générale des artères, qui sont pathologiques et rétrécies par l'athérome, ou d'une obstruction de l'artère par une thrombose.
- Prescrire des radiographies des artères (artériographie), un examen Doppler et d'autres examens à l'hôpital.
- Envisager, si nécessaire, de remplacer la partie de l'artère obstruée par un greffon artificiel, ou une partie de veine de la jambe.

Prévention

- Arrêter de fumer. C'est la plus importante des mesures préventives.
- Réduire la consommation des graisses animales (beurre, crème, viandes grasses, plats en sauce, fromages) au profit des graisses végétales (huile, margarine). En effet, une alimentation trop riche en graisses animales est source d'ATHÉROME (dépôt de lipides dans les artères, qui se bouchent progressivement). Il est également indispensable de s'efforcer de ne pas trop grossir.

Pronostic

- Le traitement améliore les douleurs, retarde l'évolution, mais n'apporte pas la guérison.

Voir SYSTÈME CIRCULATOIRE, *page 40*

CLAUSTROPHOBIE

C'est la phobie ou la crainte angoissante des espaces clos. Lorsque le sujet est confronté à cette situation (ascenseurs, véhicules, petites salles de spectacle...), il éprouve habituellement une sensation d'étouffement pouvant aboutir à une crise d'angoisse. C'est une phobie assez répandue et souvent peu grave, car il existe des possibilités d'éviter la situation redoutée (par exemple, préférer l'escalier à l'ascenseur, l'autobus au métro).

CLINIQUE

Concerne un examen et un diagnostic médicaux. Par exemple, les signes cliniques chez un malade sont ceux relevés par un médecin, et ils sont distincts des signes radiologiques qui sont trouvés à l'aide des rayons X.

COARCTATION DE L'AORTE

Rétrécissement congénital de l'aorte au niveau thoracique, d'où un ralentissement de la circulation dans les parties inférieures du corps et une augmentation de la pression sanguine dans la tête et les bras. Une intervention chirurgicale est possible.

CŒLIOSCOPIE

Intervention bénigne permettant d'observer l'intérieur de la cavité abdominale. Une petite incision autour de l'ombilic permet l'introduction d'une optique. On peut ainsi connaître précisément l'état de l'utérus, des trompes, des ovaires. Éventuellement, on pratique des prélèvements. C'est également une possibilité pour certaines techniques de stérilisation.

CŒUR
Voir page 144

CŒUR PULMONAIRE
Voir page 146

COLIQUE

Douleur abdominale survenant brutalement et par accès, d'intensité variable, entrecoupée de paroxysmes et de sédation complète. Initialement, ce terme désignait les douleurs issues du côlon, puis, par extension, les douleurs intenses de la cavité abdomino-pelvienne.

Les causes sont nombreuses : INTOXICATION ALIMENTAIRE, crise d'APPENDICITE, OCCLUSION INTESTINALE, INVAGINATION INTESTINALE.

COLIQUE HÉPATIQUE

Crise douloureuse intense, survenant souvent après les repas. Elle est parfois accompagnée de vomissements bilieux dus à la présence de calculs dans les canaux biliaires. *Voir* CALCUL BILIAIRE.

COLIQUE NÉPHRÉTIQUE

Crise douloureuse unilatérale, débutant dans la région lombaire et irradiant vers les organes génitaux externes. C'est la conséquence de la migration d'un calcul rénal dans l'uretère. Elle s'accompagne souvent de difficultés à uriner et d'hématuries. *Voir* CALCUL URINAIRE.

COLIQUE DE PLOMB

Douleurs abdominales, sans diarrhée, sans fièvre, dues à une INTOXICATION PAR LE PLOMB.

COLITE

C'est une inflammation du côlon, la partie large de l'intestin.

Symptômes

- Douleurs abdominales diffuses.
- Mauvaise digestion, ballonnement de l'abdomen.
- Alternance de diarrhée et de constipation.
- Les selles sont parfois remplacées par des glaires ou du pus.
- Présence de sang dans les selles.
- Fièvre, malaises, ANOREXIE, amaigrissement.

Causes

- Il existe des colites dues à des infections (dysenteries bactériennes, amibiennes, virales), à des médicaments laxatifs ou également à des antibiotiques. *Voir* DYSENTERIE.
- D'autres colites plus rares n'ont pas de cause bien précise, bien qu'elles soient parfois fréquentes dans une même famille.

Complications

- La maladie peut être localisée au rectum. Elle est alors nommée PROCTITE et, sans être trop grave, est surtout désagréable.
- Elle peut s'étendre à tout le côlon.
- Une hémorragie digestive est fréquente.
- L'ulcération de la paroi peut perforer l'intestin et entraîner une violente douleur abdominale due à une PÉRITONITE. Le malade doit absolument être opéré en urgence.
- Des tumeurs non cancéreuses, appelées polypes, peuvent apparaître.
- Une ARTHRITE, une inflammation oculaire et des manifestations cutanées peuvent également survenir.
- Si la colite débute dans l'enfance et qu'elle s'étend à tout le côlon en une dizaine d'années, le risque d'apparition d'un cancer de l'intestin est assez important (environ deux cents fois plus fréquent que chez les sujets normaux). Plus de la moitié des patients porteurs d'une colite durant plus de trente ans développeront un cancer intestinal. Ces risques peuvent diminuer grâce à un traitement approprié.

Traitement à domicile

- Dans les formes légères, les fruits et les légumes crus doivent être évités. Dans les formes moyennes, le pain, les pâtes et céréales, le riz, les pommes de terre, les légumes secs et cuits sont interdits. Dans les formes graves, une alimentation spécialisée sera préparée en milieu hospitalier.
- Éviter le stress ou l'anxiété.
- Se reposer, si possible en restant étendu, lors des accès douloureux de colite.
- Prendre des médicaments antidiarrhéiques aux doses prescrites. *Voir* MÉDICAMENTS, n°s 2, 4.

Quand consulter le médecin

- Quand les symptômes apparaissent rapidement et de façon marquée, ou si les accès douloureux et les diarrhées se répètent pendant deux à trois semaines.
- Si du sang ou du pus apparaissent dans les selles.

Rôle du médecin

- Demander une analyse des selles et faire pratiquer des examens radiologiques ainsi qu'un examen du côlon à l'aide d'un tube (sigmoïdoscopie), pour confirmer le diagnostic et constater l'étendue des lésions.
- Ordonner des médicaments pour réduire l'inflammation colique (anti-inflammatoires en comprimés, en suppositoires ou en lavements). Ces lavements pourront être effectués à domicile, à condition que le patient réussisse à les garder une nuit entière.
- Prescrire des régimes adaptés.
- En cas d'anémie, il sera peut être nécessaire d'effectuer une transfusion.
- Une iléostomie est parfois nécessaire. *Voir* ILÉOSTOMIE, OCCLUSION INTESTINALE.

Pronostic

- Après un premier épisode de colite, 10 pour 100 environ des patients guérissent sans séquelles avec un régime alimentaire sain.
- Dans un même pourcentage de cas, des accès d'emblée infectieux et hémorragiques se compliquent de perforations.
- Dans les autres cas, les symptômes peuvent réapparaître au cours d'accès de plus en plus fréquents, entrecoupés de périodes d'accalmie.
- Il est rare que la maladie débute après soixante ans, mais alors elle est beaucoup plus grave.

Voir SYSTÈME DIGESTIF, *page 44*

COLLAGÉNOSES

Les collagénoses, ou maladies du collagène, regroupent un certain nombre d'affections systémiques, c'est-à-dire qui atteignent différents organes ou systèmes de l'organisme : le lupus érythémateux, la sclérodermie, la POLYARTHRITE RHUMATOÏDE, la périartérite noueuse. Il ne s'agit pas d'une atteinte diffuse du collagène (substance des tissus conjonctifs), contrairement à ce que ce terme laisse entendre.

COLLAPSUS

Diminution brutale et prolongée de la pression artérielle (inférieure à 8), conséquence d'une hémorragie massive ou d'un infarctus du myocarde.

COLON IRRITABLE

Affection extrêmement fréquente, liée à une paresse intestinale. Le côlon s'évacue mal, et les résidus de la digestion s'accumulent dans l'intestin qui se dilate.

Symptômes

- Alternance de constipation, avec des selles molles, et de diarrhées parfois liquides. Le côlon continuellement irrité réagit en se gonflant d'eau, ce qui provoque une diarrhée.
- Douleurs abdominales à type de crampes et efforts pour aller à la selle.

Durée

- Cette affection, qui ne s'accompagne d'aucune lésion anatomique, peut devenir chronique.
- Elle peut persister chez les personnes âgées.

Causes

- L'usage répété de laxatifs irrite le côlon.
- L'absence d'exercice et d'activité chez les personnes âgées ou les malades alités.

Traitement à domicile

- Ne pas utiliser de laxatifs irritants.
- Manger une alimentation variée, avec des fruits, des légumes, des crudités et du pain complet.
- Faire de l'exercice.
- Les douleurs abdominales sont souvent soulagées en s'allongeant, ce qui facilite le passage de l'air.

Quand consulter le médecin

- Lorsque les symptômes ne disparaissent pas en dépit d'un traitement diététique.

Rôle du médecin

- Donner des conseils sur les règles diététiques à suivre et sur le type d'exercice physique à faire.
- Prescrire des laxatifs non irritants.

Prévention

- Une alimentation équilibrée et beaucoup d'exercice physique (marche, gymnastique, sports...).

Pronostic

- La maladie peut durer toute une vie.

Voir SYSTÈME DIGESTIF, *page 44*

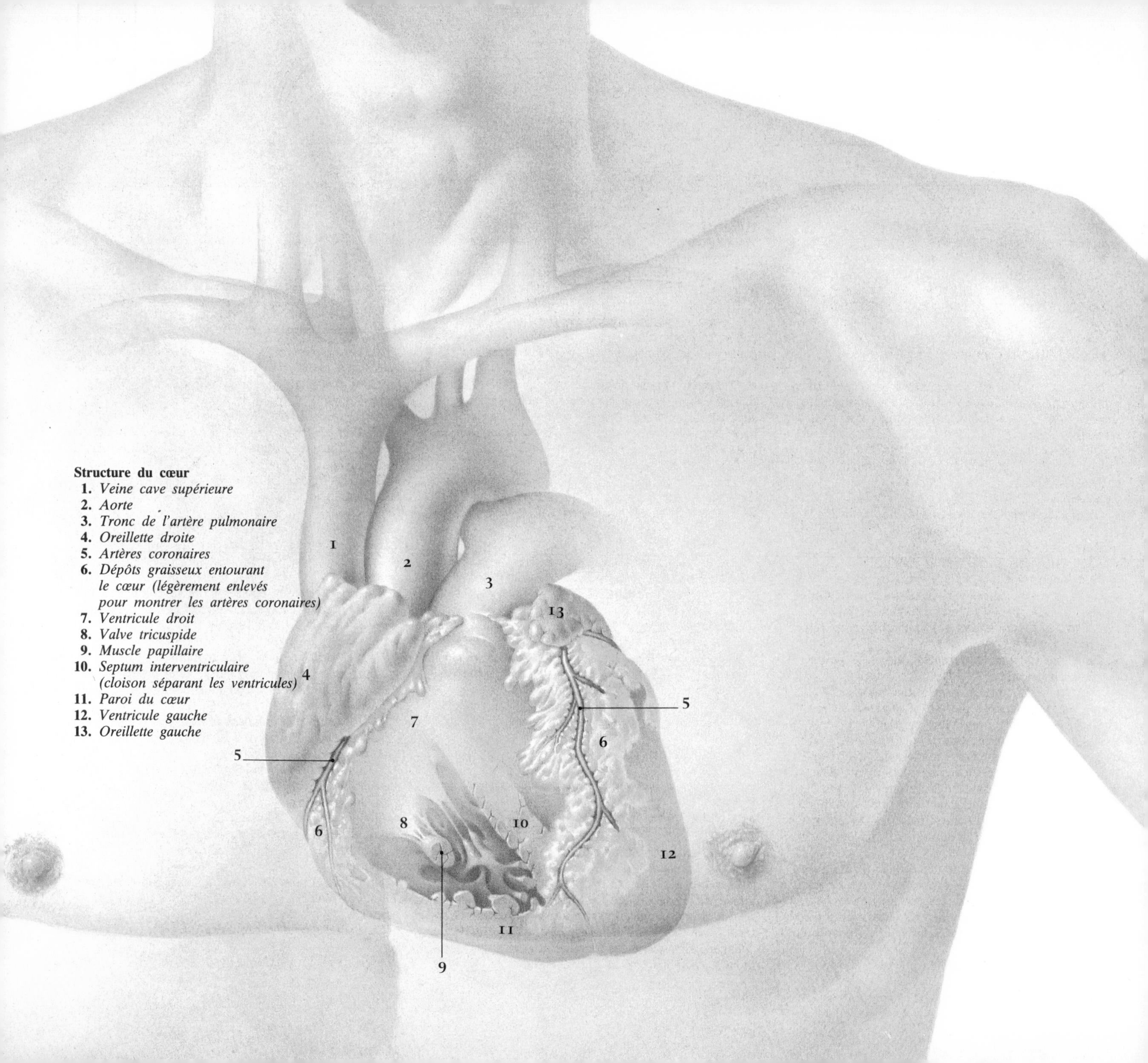
Structure du cœur
1. Veine cave supérieure
2. Aorte
3. Tronc de l'artère pulmonaire
4. Oreillette droite
5. Artères coronaires
6. Dépôts graisseux entourant le cœur (légèrement enlevés pour montrer les artères coronaires)
7. Ventricule droit
8. Valve tricuspide
9. Muscle papillaire
10. Septum interventriculaire (cloison séparant les ventricules)
11. Paroi du cœur
12. Ventricule gauche
13. Oreillette gauche
1
2
3
13
4
5
7
6
5
8
10
6
12
11
9

LE CŒUR ET LES GROS VAISSEAUX. *L'intérieur du cœur est divisé en un côté droit et un côté gauche par une cloison centrale : le septum. Chaque côté est subdivisé en une cavité supérieure, appelée oreillette, et une partie inférieure, ou ventricule. Chaque oreillette communique avec son ventricule par un orifice fermé par une valve à sens unique.*
Dans le cœur droit (oreillette et ventricule droits) circule le sang « usé » ou désoxygéné, alors que le cœur gauche contient le sang « neuf », ou réoxygéné après son passage dans les poumons. Le septum évite le mélange des deux sangs. La paroi du cœur est constituée par le muscle cardiaque (myocarde), partiellement recouvert à l'extérieur par des amas graisseux et tapissé à l'intérieur par un revêtement (endocarde). L'illustration montre la forme générale du cœur et l'intérieur du ventricule droit. Le sang désoxygéné est amené jusqu'à l'oreillette droite par les deux plus grosses veines du corps, la veine cave supérieure et la veine cave inférieure. Puis le sang passe de l'oreillette au ventricule droit entre les trois valvules cuspides de la valve tricuspide. De petits muscles, appelés les muscles papillaires, relient les valvules à la paroi du ventricule. Quand la valve est fermée, le sang est éjecté du ventricule droit, à travers une autre valve à sens unique, dans l'artère pulmonaire qui le conduit dans les poumons pour être réoxygéné.
Le sang « neuf » ou réoxygéné revient par les deux veines pulmonaires dans l'oreillette gauche, dont une partie, appelée auricule, est représentée. Puis il passe, à travers la valve mitrale, dans le ventricule gauche qui l'envoie, à travers une quatrième valve (la valve aortique), dans l'aorte. Les principales artères vascularisant la tête, le cou et les bras sont représentées bifurquant de l'aorte. Les artères coronaires, qui vascularisent le cœur lui-même, sont également issues de l'aorte. La crosse de l'aorte s'étend derrière le cœur et véhicule le sang vers l'abdomen et les jambes.

LE CŒUR

Le cœur est le muscle le plus puissant du corps. Son travail consiste à pomper le sang pour l'envoyer à travers un réseau d'artères, de veines et de plus petits vaisseaux (capillaires) s'étendant sur des centaines de mètres et irriguant toutes les parties du corps humain. Le sang, en circulant, apporte oxygène et aliments aux différents tissus et emporte les déchets. Il circule en permanence, entraîné par le cœur.

Le cœur commence à battre chez le fœtus dès le premier mois de la conception et ne cesse de battre qu'à la mort. Chez un adulte au repos, il fait circuler dans le corps 4,5 à 5,1 litres de sang en une minute.

Ce remarquable organe est un muscle en forme de poire, de la taille d'un poing humain, et pèse entre 340 et 396 grammes. Il est placé au centre de la cage thoracique, derrière le sternum. L'idée courante qui consiste à penser que le cœur est à gauche provient de ce que les battements du cœur sont ressentis à gauche.

LES VARIATIONS DU POULS

Le rythme cardiaque est mesuré par le pouls. La fréquence des battements varie durant la vie. Chez un nouveau-né de quelques semaines, il peut battre à 140 pulsations par minute, mais à l'âge de dix ans, il bat en moyenne à 90 par minute. Chez l'homme adulte, éveillé mais au repos, la moyenne est de 70 à 72 pulsations par minute. La fréquence chez les femmes est légèrement plus élevée : 78 à 82 par minute. Elle est de 60-65 chez l'adulte endormi, quel que soit son sexe. Ce sont des moyennes, mais le cœur a une grande capacité potentielle. Il est capable d'atteindre 140 pulsations par minute en cas d'effort physique très important ou de colère.

COMMENT ÉVITER LES ENNUIS CARDIAQUES

Les maladies cardiaques débutent dans l'utérus. Certaines malformations congénitales sont en relation avec des événements nuisibles durant la grossesse, comme la rubéole. Les méfaits du tabac chez la femme enceinte sont aujourd'hui bien connus. Le tabac est nuisible pour le système circulatoire, et le bébé naît plus petit (hypotrophique). Les risques de toxicité au niveau du cœur du fœtus dus à des médicaments largement utilisés sont moins bien connus.

Pour les enfants nés avec un cœur sain et normal, l'objectif doit être de prévenir le processus de dégénérescence, à l'origine de nombreuses affections cardiaques qui sont parmi les principales causes de mortalité en Occident. Cette dégradation n'est pas inévitable; elle est la conséquence d'un ensemble de facteurs néfastes de l'environnement (tabac, alimentation, mode de vie) agissant durant de nombreuses années, probablement depuis la naissance. L'alimentation est l'un des facteurs les plus importants. On sait avec certitude que le tabac a des effets secondaires très nuisibles sur les artères — à la fois dans le cœur lui-même et dans la circulation générale. Pour tenter de prévenir cette dégénérescence, une mesure unique sera insuffisante. La prévention efficace nécessitera un ensemble de mesures : un régime raisonnable (*voir* ALIMENTATION SAINE, ATHÉROME), le maintien d'un poids idéal, l'abstention du tabac et un exercice physique modéré mais régulier.

Maladies du cœur

Les principales maladies cardiaques énumérées ci-dessous ont chacune leur chapitre.

ANGINE DE POITRINE
BLOC DE BRANCHE
CARDIOPATHIE CONGÉNITALE
CŒUR PULMONAIRE
CRISE CARDIAQUE
ENDOCARDITE
EXTRASYSTOLES
FIBRILLATION AURICULAIRE
FIBRILLATION VENTRICULAIRE
FLUTTER AURICULAIRE
INFARCTUS DU MYOCARDE
INSUFFISANCE AORTIQUE
INSUFFISANCE CARDIAQUE
INSUFFISANCE CORONAIRE
INSUFFISANCE MITRALE
MYOCARDIOPATHIE
MYOCARDITE
PÉRICARDITE
RÉTRÉCISSEMENT AORTIQUE
RÉTRÉCISSEMENT MITRAL
RHUMATISME ARTICULAIRE AIGU
TACHYCARDIE
THROMBOSE CORONAIRE

Voir SYSTÈME CIRCULATOIRE, *page 40*

CŒUR PULMONAIRE

Insuffisance cardiaque qui survient lorsqu'une maladie pulmonaire chronique évoluant depuis longtemps a fatigué le cœur et le système circulatoire. Un trouble de l'absorption d'oxygène par les poumons a pour conséquence une contraction et un rétrécissement des petites artères pulmonaires, réduisant le débit sanguin et augmentant le travail de la pompe cardiaque. L'insuffisance cardiaque est révélée par une infection respiratoire, un effort ou un séjour en altitude.

Le cœur pulmonaire est en relation avec une INSUFFISANCE CARDIAQUE droite.

Symptômes
- Essoufflement et CYANOSE des lèvres et du visage.
- Œdèmes des chevilles.

Durée
- Avec le traitement, les poussées peuvent être contrôlées, mais le risque de récidive est élevé.

Causes
- Bronchite chronique, asthme, fibrose pulmonaire.
- Déformations importantes du thorax et de la colonne vertébrale (par exemple, scoliose grave).

Traitement à domicile
- Éviter les travaux fatigants et l'excès de poids.

Quand consulter le médecin
- Lorsque la respiration devient courte et rapide chez une personne atteinte d'une maladie pulmonaire, et particulièrement avec un œdème des chevilles associé.

Rôle du médecin
- Prescrire des antibiotiques, et parfois de la cortisone et de l'oxygène (*voir* MÉDICAMENTS, n°s 25, 32).
- Conseiller le repos.
- Prescrire éventuellement des diurétiques.

Prévention
- Arrêter de fumer.
- Réduire son poids (*voir* POIDS).
- Éviter l'exercice excessif (si l'on est toujours essoufflé une à deux minutes après avoir cessé toute activité).
- Toujours penser qu'une infection respiratoire peut être grave (même un simple rhume), et la traiter.
- Éviter les séjours en altitude.
- Éviter les atmosphères empoussiérées et enfumées.
- Se faire vacciner contre la grippe en automne.

Pronostic
- Cette affection peut être contrôlée, traitée, mais il n'y aura pas de guérison totale.

Voir SYSTÈME CIRCULATOIRE, *page 40*

EXPLORATION DU CŒUR

Deux examens permettant de dépister les maladies cardiaques

Chaque année, les gens meurent plus de maladies cardiaques que de toute autre chose, y compris de cancers. Dans de nombreux cas, la maladie cardiaque peut être contrôlée ou même guérie, mais pour cela il est indispensable de la détecter suffisamment tôt. Il n'y a pas très longtemps, le diagnostic d'une maladie cardiaque nécessitait des méthodes d'investigation comportant de petites interventions, comme par exemple l'introduction d'un CATHÉTER muni d'une sonde dans un vaisseau sanguin et remonté jusqu'au cœur. Des techniques récentes permettent d'examiner les organes du corps les plus difficiles à atteindre sans cathéter ni sonde exploratrice. Deux de ces méthodes, très largement utilisées, sont l'électrocardiogramme (E.C.G.) et les ultrasons (échocardiogramme).

L'E.C.G. enregistre les variations d'activité électrique du muscle cardiaque et met en évidence différentes anomalies. Sauf si elle est permanente, une arythmie ne sera découverte qu'en effectuant un enregistrement continu du rythme cardiaque une journée ou plus, avec un appareil portatif.

ENREGISTREMENT EN CONTINU. *Des électrodes fixées sur la poitrine du patient transmettent en permanence un enregistrement de son activité cardiaque à un appareil enregistreur spécial dont la vitesse de déroulement est lente, et qu'il porte en bandoulière. Le sujet vaque normalement à ses occupations et, après vingt-quatre heures, l'enregistrement est analysé.*

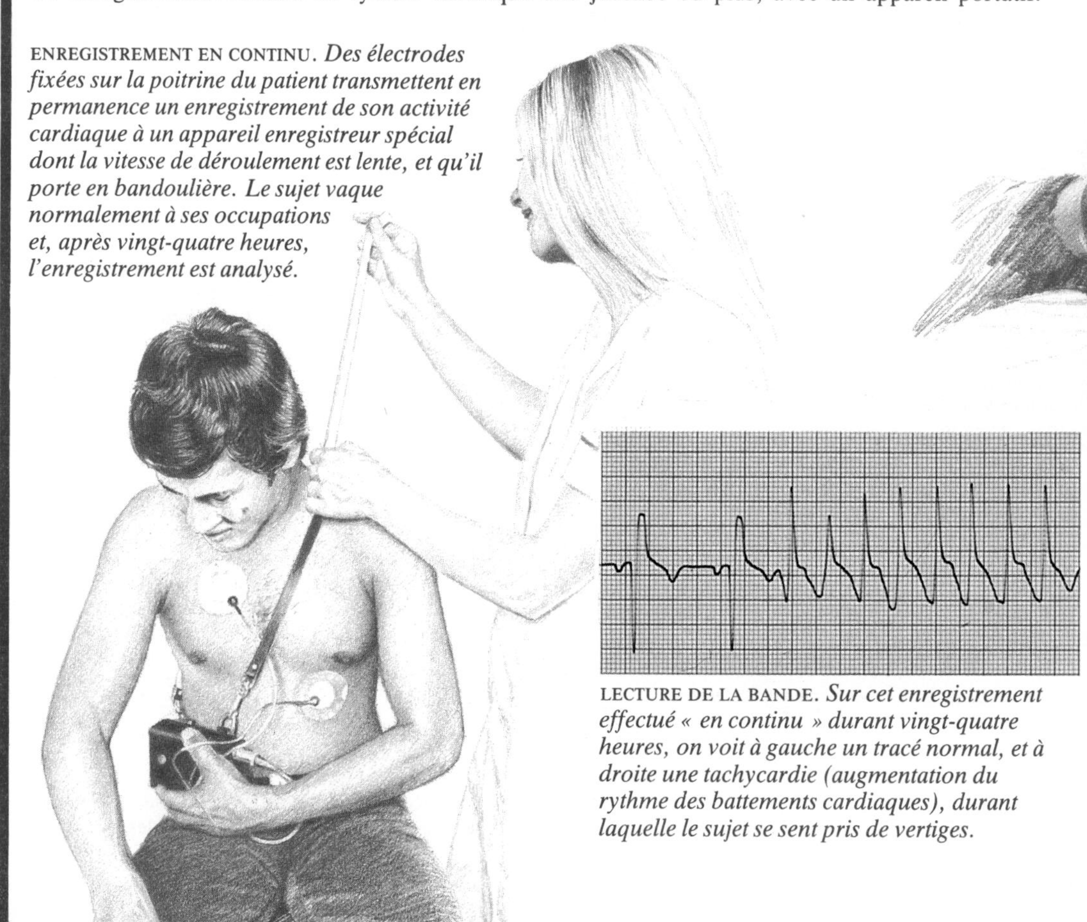

LECTURE DE LA BANDE. *Sur cet enregistrement effectué « en continu » durant vingt-quatre heures, on voit à gauche un tracé normal, et à droite une tachycardie (augmentation du rythme des battements cardiaques), durant laquelle le sujet se sent pris de vertiges.*

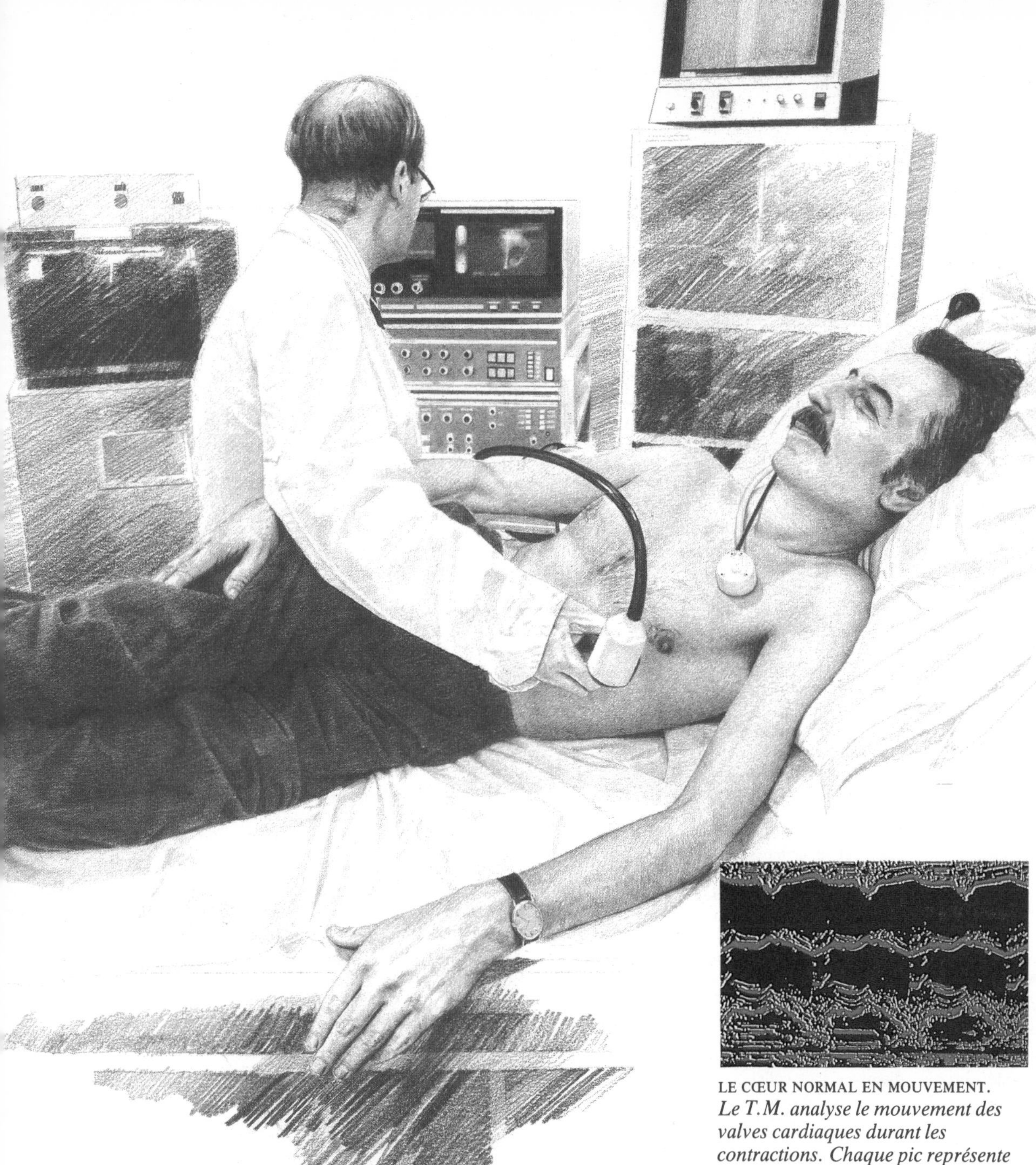

EXAMEN AUX ULTRASONS. *Un faisceau d'ondes sonores de très hautes fréquences (ultrasons) est dirigé sur le cœur; chaque structure rencontrée renvoie un écho différent selon sa densité. L'analyse des échos renvoyés par les différents tissus donne une image détaillée du cœur. Pour obtenir un échocardiogramme, le médecin déplace la tête de lecture devant le cœur. L'appareil envoie des ultrasons dont il reçoit les échos qu'il transforme en signaux électriques. Ceux-ci passent dans un analyseur qui les convertit en images sur un écran ou une imprimante. Les deux principales méthodes sont le bidimensionnel et le T.M. Le scanner bidimensionnel donne une image du cœur en mouvement, tout à fait comme un film. Celle-ci peut être colorée selon un code pour montrer les détails du muscle cardiaque. Le scanner T.M. montre le travail du cœur durant ses contractions. En combinant les informations fournies par ces deux méthodes, le médecin obtient une image complète du cœur permettant de cerner la cause du problème cardiaque.*

LE CŒUR NORMAL EN MOUVEMENT. *Le T.M. analyse le mouvement des valves cardiaques durant les contractions. Chaque pic représente un battement alors que la valve est ouverte ou fermée.*

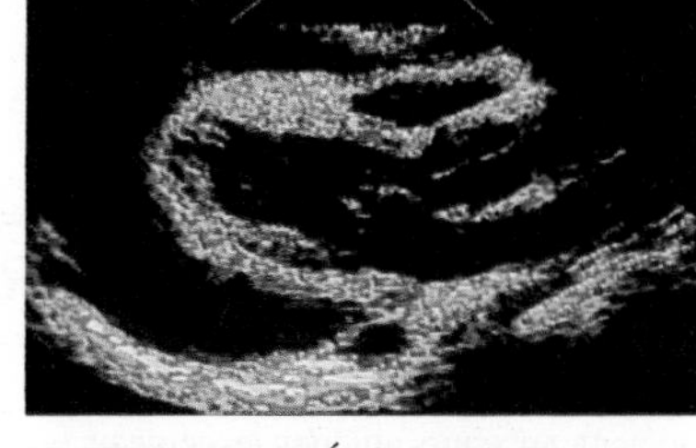

LE CŒUR ENTOURÉ DE LIQUIDE. *L'examen bidimensionnel montre la présence de liquide dans la poche qui entoure le cœur, zone noire allongée entre les deux parties colorées (en bas à gauche).*

COLOSTOMIE

Intervention qui consiste à enlever une partie du côlon malade (la partie large de l'intestin) et à dériver le côlon restant en le fixant à la paroi abdominale. Les matières fécales peuvent ainsi s'évacuer par cet anus artificiel, à l'intérieur d'une poche de matière plastique ou synthétique fixée sur la peau par un adhésif. La poche de colostomie est changée facilement, aussi souvent que c'est nécessaire.

La colostomie est pratiquée en cas d'occlusion, de gangrène, d'inflammation intestinales, ou en cas de cancer du côlon. Bien que la plupart des colostomies soient destinées à être permanentes, elles peuvent être temporaires si la guérison de l'inflammation ou l'extraction de la partie malade permettent à l'intestin de retrouver un fonctionnement normal.

Bien que cette intervention paraisse mutilante, lorsque l'iléostomie ou la colostomie sont définitives, l'emploi des poches permet de mener une vie tout à fait normale et de retrouver une activité normale (y compris sexuelle).

Voir SYSTÈME DIGESTIF, *page 44*

COMÉDON

Le comédon, ou point noir, est un petit bouchon formé d'une substance dure (kératine) et graisseuse (sébum), qui obture un pore, orifice des glandes sébacées.

Les comédons sont fréquents dans l'acné juvénile. Leur manipulation risque de créer une petite infection locale qui laissera des cicatrices.

Voir ACNÉ

COMMOTION CÉRÉBRALE

Désigne une perte de conscience causée par un choc violent au cours duquel le cerveau est ébranlé sans subir d'importantes lésions anatomiques. La perte de conscience (un état de stupeur ou un coma profond) témoigne que le cerveau a besoin d'un certain temps avant de recouvrer ses fonctions.

Voir SYNDROME POSTCOMMOTIONNEL

COMPLICATION

Une pathologie nouvelle qui se développe au cours d'une maladie existant déjà et venant généralement aggraver l'état antérieur.

CONFUSION MENTALE

C'est une atteinte globale de la conscience qui plonge le sujet dans un état intermédiaire entre la veille et le sommeil (qu'il ne faut pas confondre avec les banales méprises de la vie quotidienne). La confusion mentale s'observe plus fréquemment chez le sujet âgé.

Symptômes

- Visage et regard ahuris, gestes maladroits, paroles bredouillées.
- Le comportement est variable : parfois immobile et figé, parfois très agité.
- Difficulté à s'orienter dans le temps et dans l'espace (erreurs importantes sur l'heure et le lieu).
- Mémoire toujours perturbée.
- Courts intervalles de lucidité, s'accompagnant de perplexité (« Où suis-je ? »).
- L'obscurité aggrave l'état confusionnel.
- Hallucinations le plus souvent visuelles qui participent d'un rêve vécu et agi : c'est l'onirisme.
- L'état physique est altéré : fièvre et déshydratation sont fréquentes.

Durée

- C'est un état le plus souvent transitoire dont la durée et le pronostic dépendent de la cause.

Causes

- Tous les états infectieux peuvent entraîner une confusion mentale, et plus particulièrement les méningites et les encéphalites.
- Certaines maladies parasitaires sont fréquemment en cause : le paludisme et la maladie du sommeil (la trypanosomiase africaine).
- Alcoolisme : ivresse profonde ou arrêt brutal chez un alcoolique chronique (delirium tremens).
- Toxicomanies : cocaïne, éther, mais aussi certains dissolvants et colles.
- Intoxications médicamenteuses (suicide ou surdosage), ou accidentelles (oxyde de carbone, champignons).
- Le diabète lorsque survient une hypoglycémie.
- Atteintes cérébrales : traumatisme crânien, hémorragie, tumeurs, épilepsie.
- Fortes émotions : deuils, cataclysmes.

Quand consulter le médecin

- Toujours, car une confusion mentale peut révéler une urgence médicale qui impose l'hospitalisation immédiate.
- En attendant le médecin, maintenir un éclairage pendant la nuit et assurer un minimum de sécurité (fermer les fenêtres et prévenir les chutes).

Voir SYSTÈME NERVEUX, *page 35*

CONJONCTIVITE

Inflammation de la conjonctive qui recouvre le blanc de l'œil et la face interne des paupières. C'est la cause la plus fréquente de la rougeur et des sécrétions oculaires. Elle peut être contagieuse.

Symptômes

- Les symptômes s'installent progressivement. On ressent une sensation de sable et d'irritation au niveau des yeux.
- Les yeux paraissent rouges et congestionnés.
- Des croûtes se forment sur les paupières, surtout le matin au réveil.

Durée

- La conjonctivite peut durer deux à trois semaines. Grâce au traitement, la maladie guérira plus vite.

Causes

- La cause la plus fréquente est une infection bactérienne ou un virus.
- Des substances irritantes, comme la fumée du tabac, les cosmétiques et certaines médications oculaires.
- Quelquefois, la conjonctivite est la manifestation d'une maladie oculaire grave.
- La conjonctivite peut parfois être un signe d'ALLERGIE.
- Chez l'enfant, la cause peut être une OBSTRUCTION DU CANAL LACRYMAL.

Traitement à domicile

- Ne pas couvrir un œil irrité par un pansement, car cela peut favoriser une infection ultérieure.
- Si l'œil est collé, le nettoyer avec une compresse tiède.
- Si l'on redoute chez un enfant une obstruction du canal lacrymal, on peut masser la région de la paupière inférieure proche du nez pour déboucher le conduit.

Quand consulter le médecin

- Si les yeux sont collés, donnent une sensation de grain de sable, et si la rougeur se développe et ne disparaît pas en deux à trois jours.

• Si vous avez séjourné récemment dans un pays tropical, consultez le médecin dès les premiers symptômes, car cette conjonctivite pourra être due à un TRACHOME et mettre alors la vision en danger.
• Si la douleur est intense, consultez rapidement, car il peut s'agir d'une maladie plus sérieuse.

Rôle du médecin

• Examiner les yeux pour confirmer le diagnostic et s'assurer qu'un corps étranger n'est pas la cause de cette irritation. Il prescrira un collyre ou une pommade.
• Si la conjonctivite ne guérit pas, le médecin pourra conseiller l'arrêt des gouttes pendant vingt-quatre à quarante-huit heures et se contenter d'un nettoyage à l'eau bouillie. Il pourra alors prescrire un examen des sécrétions par un laboratoire.
• Parfois, il sera nécessaire d'orienter le patient vers un centre hospitalier en cas d'atteinte sévère.

Prévention

• Si les yeux sont douloureux, éviter les substances irritantes comme la fumée du tabac et ne pas se maquiller.
• Ne pas utiliser de pommade ophtalmique, gouttes, bains d'yeux, car ils peuvent être source d'une irritation.
• Les infections oculaires peuvent se transmettre par contact direct; il faut donc se laver soigneusement les mains après avoir pratiqué les soins. Le malade doit avoir son propre linge de toilette.

Pronostic

• Une simple poussée de conjonctivite guérira assez vite avec ou sans traitement.
• La vision ne sera jamais atteinte, sauf dans le cas de trachome, maladie tropicale.
• Il arrive que la conjonctivite persiste malgré le traitement et devienne chronique. La cause en est alors généralement allergique. Il s'agit rarement d'une maladie grave.

Voir L'ŒIL, *page 36*

CONSTIPATION

Les selles qui restent plusieurs jours dans le rectum deviennent sèches, dures, et plus difficiles à évacuer. De nombreuses personnes pensent qu'une défécation quotidienne est essentielle et que toute fréquence moindre marque une constipation. Mais en fait, un intestin normal peut se vider de trois fois par jour à une fois tous les trois jours. Pour un bébé, il est tout à fait normal de ne pas déféquer pendant une semaine. Cela ne donne, en général, aucun trouble. Parfois, une fissure, ou déchirure, de la peau de l'anus peut survenir, et un baume calmant appliqué du bout du doigt sur le canal anal aidera à la guérison.

Symptômes

• Défécations difficiles ou peu fréquentes.
• Chez les personnes âgées ou malades, la constipation peut entraîner une fausse diarrhée (selles aqueuses, souillant souvent les draps). Elle est due à un blocage et une irritation du rectum par des fèces durcies.

Durée

• La tendance à la constipation persiste habituellement toute la vie, à moins d'une modification appropriée de l'alimentation.

Causes

• Les gens fiévreux, malades, s'alimentent peu, et la tendance à la constipation est accrue par le fait de rester au lit ou d'utiliser un bassin au lieu de s'asseoir aux toilettes.
• Manque de fibres ou de liquides dans l'alimentation.
• Les rétrécissements, les cancers, les occlusions intestinales sont des causes rares. Les fissures anales, qui en sont parfois une conséquence (par le passage d'une selle très dure), sont si douloureuses que le patient appréhende le passage des selles, et cela peut entraîner une constipation.

Traitement à domicile

• Manger beaucoup de légumes, de fruits et de fibres (comme le son). Le pain complet apporte aussi un complément de fibres. Boire davantage.
• Les laxatifs peuvent aider à rééduquer l'intestin mais devront être arrêtés lorsque des habitudes normales seront revenues. *Voir* MÉDICAMENTS, n° 3.
• Certains produits naturels ont la propriété d'absorber l'eau, donnant des fèces molles et volumineuses qui seront faciles et indolores à évacuer. Ces produits seront un complément utile à un régime riche en fibres. *Voir* MÉDICAMENTS, n° 3.
• Pour les bébés, un supplément de sucre aidera le transit. Donner une cuillerée à café par biberon. Mais trop de sucre peut entraîner une diarrhée.
• Si la constipation semble provoquer une tension ou une gêne, les selles peuvent être ramollies par un petit suppositoire à la glycérine ou par une parcelle de savon de 1 centimètre de long, inséré dans le rectum.
• Pour les personnes âgées, assurer des selles régulières. Utiliser des produits augmentant le volume des selles ou des mini-lavements. Donner des suppositoires adaptés, si nécessaire.
• Consulter le médecin si le désordre persiste.

Quand consulter le médecin

• Devant toute modification persistante du transit.
• Si la constipation est tenace malgré le traitement ou s'accompagne de douleurs abdominales.
• Si une incontinence anale ou, au contraire, une rétention (blocage) survient.

Rôle du médecin

• Conseiller un régime, des laxatifs ou des suppositoires.

Prévention

• Un régime riche en fibres.

Pronostic

• Il est généralement bon si l'on accepte de modifier le régime initial.

Voir SYSTÈME DIGESTIF, *page 44*

CONTRACEPTION

Prévention de la grossesse par des méthodes naturelles ou artificielles. La méthode idéale de contraception n'existe pas encore. Pour beaucoup, contraception est encore synonyme d'inconvénient. L'homme et la femme devraient étudier l'ensemble des méthodes et adopter celle qui conviendrait le mieux à chaque étape de leur vie. Certaines méthodes contraceptives ne sont, par exemple, justifiées qu'après une naissance.

Il suffit d'un rapport sexuel pour obtenir une grossesse, même si la pénétration n'est pas totale. En effet, les spermatozoïdes déposés à l'entrée du vagin risquent de trouver leur chemin jusqu'à l'utérus et entraîner une grossesse. On ne peut pas dire que certaines positions contrarient la grossesse plus que d'autres; de même pour les bains et douches vaginales après un rapport sans protection. L'allaitement, contrairement à certaines croyances, n'évite pas une grossesse, bien qu'il en diminue la fréquence. En l'absence de toute contraception, les chances de grossesse sont de 80 à 90 pour 100 au bout de un an.

LA CONTRACEPTION NATURELLE

En reconnaissant le rythme de leur cycle menstruel, les femmes sont en mesure de dépister le moment de la ponte ovulaire, et donc le risque d'une éventuelle fécondation par les spermatozoïdes. Durant cette « période dangereuse » (environ dix jours par mois), le couple a intérêt à s'abstenir de tout rapport. Cette contraception naturelle est la seule qui soit reconnue par l'église catholique.

Il y a trois façons d'apprécier la période dite « de

sécurité » : l'usage du *calendrier*, l'étude de la *température*, le dépistage de l'*ovulation*. La combinaison de ces trois méthodes est encore la plus sûre des techniques.

La méthode du calendrier. Au cours d'un cycle menstruel, le premier jour des règles est comptabilisé comme J1. Chez une femme très régulièrement réglée tous les 28 jours, la période dangereuse se situera entre J11 et J18. Durant cette période, l'abstinence sexuelle est recommandée.

Si les cycles ne sont pas réguliers, la période dangereuse peut être établie en notant la durée de chaque cycle sur douze mois.

Le premier jour de risque est obtenu en retranchant 19 jours du plus court des douze cycles. Ainsi, si ce cycle n'est que de 25 jours, 25 − 19 = 6, et la conception est possible à partir de J6.

Le dernier jour de la période à risque est obtenu en retranchant 11 du plus long des cycles. Ainsi, s'il est de 31 jours, 31 − 11 = 20, une conception sera toujours possible entre J6 et J20. Le rapport non fécondant sera possible entre J1 et J6, et entre J21 et la fin du cycle marquée par l'apparition des règles.

A ce sujet, il n'y a pas de contre-indication médicale aux rapports pendant les règles. La méthode du calendrier est très risquée chez une femme à cycles courts et chez celles dont les cycles sont très irréguliers. Pour détecter le moment exact de l'ovulation, il est plus sage pour elles de faire appel à d'autres méthodes.

La méthode des températures. La température rectale s'élève de 0,2 à 0,5 °C au moment de l'ovulation. Cette température doit être prise le matin au réveil, avant de se lever, de préférence à la même heure tous les jours, avant d'avoir absorbé toute nourriture ou boisson. Le thermomètre doit être laissé en place au moins une minute, et la température notée sur un graphique à la date correspondante. La température peut s'élever pour d'autres raisons, comme une infection. Inversement si elle ne s'élève pas, c'est qu'il n'y a pas d'ovulation, ce qui arrive quand on avance en âge.

La méthode du dépistage de l'ovulation. Plusieurs indicateurs biologiques peuvent témoigner de l'ovulation. Le plus simple est dans la détection de la glaire qui apparaît à la vulve. C'est une gelée, comparable à du blanc d'œuf, produite par la matrice.

Aux environs de la période ovulatoire, cette sécrétion devient plus abondante et plus liquide. Le jour le plus « humide » se situe pour certaines quatre jours après l'ovulation. Les femmes peuvent apprendre à surveiller ces signes et, avec la méthode des températures, prédire ainsi la date de leur ovulation.

L'inconvénient est que cette méthode n'empêche pas une grossesse; elle prévient seulement la femme quand les rapports sont risqués. A elle de faire attention, ce qui n'est pas toujours facile.

Les rapports incomplets. Le retrait — *coitus interruptus* — est la plus vieille méthode de contraception. Elle est simple, modérément réalisable, bon marché, et sans les effets indésirables des méthodes sophistiquées. Le couple poursuit son rapport normalement, jusqu'au moment où l'homme, sentant venir l'orgasme, retire sa verge avant l'éjaculation en ayant bien soin de ne pas souiller l'entrée du vagin. Cette méthode n'est pas sans inconvénient, aussi bien chez l'homme que chez la femme. L'homme peut finir par être inhibé à force de penser au retrait avant l'éjaculation; la femme peut ne pas atteindre l'orgasme.

MÉTHODE ARTIFICIELLE : BARRIÈRE CONTRACEPTIVE

Il y a plusieurs façons d'empêcher la pénétration de spermatozoïdes dans la matrice : soit en les tuant avec des spermicides, soit en empêchant leur progression au moyen de préservatifs ou de diaphragmes.

Les préservatifs (ou condoms). Ils sont en caoutchouc et peuvent être lubrifiés avec un spermicide.

Pour éviter que le préservatif n'éclate pendant le rapport, il faudra, avant de le dérouler sur la verge en érection, bien en pincer le bout afin d'éviter la création d'une poche à air. Ainsi, le sperme restera enclos dans le préservatif pendant l'éjaculation. Après l'éjaculation, le retrait se fera la verge encore en érection, le préservatif étant retenu à sa base entre deux doigts, pour éviter toute fuite de sperme.

Un préservatif ne sert qu'une fois. Si une lubrification s'avère nécessaire, il faut utiliser de préférence des gelées spermicides vendues en pharmacie. Les petits préservatifs américains qui ne recouvrent que le gland ne sont pas fiables. Le préservatif a l'avantage de protéger contre les maladies vénériennes.

Le diaphragme (ou cape). Il est de forme hémisphérique, en caoutchouc. Une fois placé au fond du vagin, il empêche la pénétration du sperme dans l'utérus. Il est habituellement de maniement facile, à condition que sa mesure en ait bien été précisée au cours d'un examen médical préalable. Une précaution supplémentaire est réalisée en l'enduisant d'une crème spermicide avant sa pose. Il ne faut surtout pas y toucher dans les six heures qui suivent le rapport, afin d'attendre la mort des spermatozoïdes. Une fois retiré, il sera lavé à l'eau chaude et au savon, puis bien séché.

Les crèmes spermicides. Quelques firmes pharmaceutiques ont mis au point des ovules ou des gelées spermicides qu'il suffit simplement de poser au fond du vagin juste avant un rapport.

Ces ovules ont de toute évidence deux avantages importants : ils sont contraceptifs, pour certains expérimentateurs à 100 pour 100; ils sont également antiseptiques et préviendraient les maladies sexuellement transmissibles.

MÉTHODE ARTIFICIELLE : DISPOSITIF INTRA-UTÉRIN

Toute une variété de dispositifs ont été imaginés, du serpentin à la boucle, pour empêcher l'implantation de l'œuf humain dans la muqueuse utérine où il doit se développer. Ces dispositifs sont placés par le médecin. Il ne faut pas les placer en cas d'infection génitale et les déconseiller aux femmes qui n'ont pas encore eu d'enfants. Il est préférable de les éviter chez des femmes aux règles abondantes, car celles-ci risqueraient de l'être davantage. Le stérilet est placé grâce à un inserteur souple. Il retrouvera sa forme primitive dans la cavité utérine. Cette manœuvre, réalisée très rapidement, est habituellement indolore. Un petit fil est accroché au bout du stérilet. Il sort à travers l'orifice du col. En tirant doucement sur ce fil, on pourra aisément retirer le stérilet. L'usage des garnitures internes est déconseillé chez les femmes porteuses d'un stérilet. Son changement sera effectué au cabinet médical.

Les stérilets en cuivre doivent être changés tous les deux ans, du fait de l'usure du métal. Les autres peuvent être maintenus tant qu'ils sont bien supportés. Une surveillance annuelle s'impose, ne serait-ce que pour vérifier qu'il ne s'est pas déplacé.

Il peut arriver qu'après sa pose, la femme ressente des crampes abdominales, comme pendant les règles. Ce phénomène cède généralement en quelques heures. Il peut arriver qu'il s'expulse peu après son insertion : il faudra alors envisager la pose d'un stérilet de taille appropriée.

Une grossesse peut survenir avec un stérilet en place, et dans ce cas le risque d'avortement n'est pas négligeable, ainsi que celui de grossesse extra-utérine (grossesse à côté de l'utérus, se développant dans une trompe).

Environ 2 pour 100 des femmes portant un stérilet risquent de voir se développer une infection d'abord intra-utérine, puis autour de l'utérus, surtout dans la première année. Lorsque cette infection gagne la trompe en l'absence d'un traitement trop précoce, elle risque d'entraîner une stérilité définitive. C'est pourquoi il est conseillé de consulter à la moindre douleur ou à la moindre perte anormale. Il n'est pas démontré que le port du stérilet augmente le risque de cancer du col ou du corps de l'utérus.

MÉTHODE ARTIFICIELLE : PILULE ET INJECTION

Les premières pilules contraceptives orales furent vendues en pharmacie en 1959 à l'étranger, en 1963 en France. On estime à environ 80 millions les utilisatrices de pilule à travers le monde. Il y a deux types de pilules : les *pilules combinées*, associant les deux hormones œstrogène et progestérone, et les *micropilules*, uniquement à base de progestérone. Les pilules ne peuvent être prises que par des femmes.

Les pilules combinées. Les œstrogènes de ces pilules combinées agissent en empêchant la ponte ovulaire. L'objectif de la progestérone consiste à rendre hostile la glaire cervicale aux spermatozoïdes et à modifier les caractéristiques de la muqueuse qui tapisse l'utérus, de

Quelle méthode de contraception ?

Une femme jeune, normalement réglée, qui a des rapports réguliers sans aucune contraception, a 80 à 90 pour 100 de chances d'être fécondée dans l'année. Chaque méthode contraceptive ayant ses inconvénients et ses avantages, ce tableau peut être utilisé pour choisir la plus appropriée au cas particulier de chacun.

☐ **Allaitement**
Fiabilité : faible.
Avantages : pas de préparation avant le rapport.

☐ **Douche vaginale**
Fiabilité : faible.
Avantages : pas de préparation avant le rapport.

☐ **Méthodes naturelles de contraception**
Fiabilité : correcte.
Avantages : pas de préparation avant les rapports.
Inconvénients : nécessite des calculs très minutieux et limite les possibilités de rapport; nécessite une certaine participation masculine.

☐ **Le retrait**
Fiabilité : correcte.
Avantages : pas de préparation avant le rapport.
Inconvénients : réduction de la satisfaction; nécessite une participation masculine.

☐ **Spermicides (crème ou ovules)**
Fiabilité : correcte.
Avantages : facilement réalisable.
Inconvénients : préparation avant les rapports.

☐ **Préservatifs**
Fiabilité : correcte.
Avantages : facilement réalisable; protège contre les maladies vénériennes.
Inconvénients : nécessite une participation masculine; peut interférer sur le plaisir.

☐ **Diaphragme**
Fiabilité : correcte.
Avantages : pas d'effets secondaires; facilement réalisable; ne nécessite pas de participation masculine.
Inconvénients : sa mesure doit être fixée au cours d'une consultation médicale; nécessite une préparation avant rapport.

☐ **Dispositif intra-utérin, ou stérilet**
Fiabilité : bonne.
Avantages : une fois inséré, ne nécessite aucune préparation ni aucune participation masculine.
Inconvénients : ne peut être posé que par un médecin; contre-indiqué chez les femmes ayant des règles abondantes ou chez celles qui n'ont pas encore eu d'enfant.

☐ **Micropilule**
Fiabilité : bonne.
Avantages : peut être utilisée pendant l'allaitement et chez les femmes au-dessus de quarante ans; ne nécessite pas de préparation avant rapport ni de participation masculine.
Inconvénients : doit être prise tous les jours sans aucun oubli; peut entraîner des cycles irréguliers.

☐ **Injection de progestérone**
Fiabilité : bonne.
Avantages : l'effet dure environ trois mois; ne nécessite pas de préparation avant rapport ni de participation masculine.
Inconvénients : l'irréversibilité dure également trois mois; les cycles peuvent être très irréguliers.

☐ **Pilule combinée**
Fiabilité : excellente.
Avantages : régularise les cycles; rend souvent les règles moins abondantes et beaucoup moins douloureuses; ne nécessite pas de préparation au préalable ni de participation masculine.
Inconvénients : doit être prise très régulièrement; peut avoir des effets secondaires et doit être évitée chez les femmes après quarante ans.

☐ **Vasectomie (stérilisation masculine)**
Fiabilité : très bonne.
Avantages : ne nécessite pas de préparation avant rapport.
Inconvénients : c'est une petite intervention qui risque d'être irréversible; ne doit être envisagée que chez les hommes qui ne veulent plus d'enfant.

☐ **Ligature de trompe (stérilisation féminine)**
Fiabilité : très bonne.
Avantages : ne nécessite pas de préparation avant rapport.
Inconvénients : minime intervention, mais irréversible; ne peut être envisagée que chez les femmes qui ne veulent plus d'enfant.

☐ **Hystérectomie**
Fiabilité : 100 pour 100.
Avantages : ne nécessite pas de préparation avant rapport.
Inconvénients : c'est une intervention majeure, totalement irréversible, qui ne doit être envisagée que s'il y a d'autres raisons que la contraception.

telle sorte que l'implantation de l'œuf une fois fertilisé ne puisse se faire. Il est important de prendre la pilule à la même heure chaque jour, afin de maintenir constant le taux hormonal circulant. Si la prise de pilule est retardée de quelques heures, son action n'est plus fiable. Il faut utiliser les méthodes naturelles.

Les pilules sont prises pendant 21 ou 22 jours en cas de cycle régulier de 28 jours; chaque marque de pilule diffère peu dans son utilisation. Pour certains, la fiabilité de la méthode ne serait pas totale les deux premières semaines de la prise, au cours du premier cycle de son utilisation. Ces pilules combinées ne devraient pas être prises par une femme ayant des troubles de la coagulation sanguine ou des antécédents de phlébite, car des complications vasculaires surviendraient rapidement; de même en cas de maladie du foie, d'augmentation des lipides et du cholestérol. La prise de pilule n'est pas recommandée après quarante ans, spécialement en cas d'obésité ou d'excès de tabac, du fait du risque d'accidents cardio-vasculaires. Il faut donc, théoriquement, qu'une femme sous pilule ne fume ni ne mange avec excès.

Prise régulièrement, cette pilule combinée est une des meilleures techniques contraceptives. Les règles sont régulières, moins abondantes et habituellement indolores. Il y a également bien souvent une impression de mieux-être, avec disparition de la tension prémenstruelle. Les pilules combinées peuvent contenir différents types des deux hormones. Leurs effets secondaires varient de l'une à l'autre et d'une personne à l'autre. Il peut arriver qu'au cours des premiers jours de prise apparaissent des nausées et des maux de tête, mais ces phénomènes disparaissent habituellement à la fin du premier mois; de même une certaine tension, avec augmentation du volume des seins. Chez d'autres femmes, une certaine rétention d'eau pourrait favoriser un surcroît de poids.

Il faut parfois essayer plusieurs pilules avant de trouver la bonne. Dans d'autres cas, l'apparition de saignements intermenstruels peut imposer d'autres combinaisons hormonales. La pression artérielle peut s'élever, et c'est pourquoi un examen médical s'impose tous les six mois. Enfin, l'utilisation de la pilule n'est pas recommandée durant l'allaitement, car la lactation risquerait de se tarir. Après l'arrêt de la pilule, les règles peuvent disparaître pendant de nombreux mois. C'est pourquoi il est prudent de l'interrompre quelques mois avant d'envisager une grossesse. Rien n'a encore permis de démontrer que la pilule favorisait les cancers du sein ou de l'utérus.

Beaucoup de gens pensent encore que la prise de pilule comporte de grands risques; en réalité, les accidents liés à la prise de contraceptifs oraux sont quatre fois moins importants que les accidents survenant durant la grossesse ou lors de l'accouchement, et ces derniers deviennent de plus en plus rares.

Les pilules à progestérone seule, ou micropilules. Ces pilules sont prises chaque jour; leur principale action consiste à rendre imperméable aux spermatozoïdes la glaire cervicale et à transformer la muqueuse utérine de manière à la rendre inapte à l'implantation de l'œuf fécondé. Bien que moins fiable que la pilule combinée,

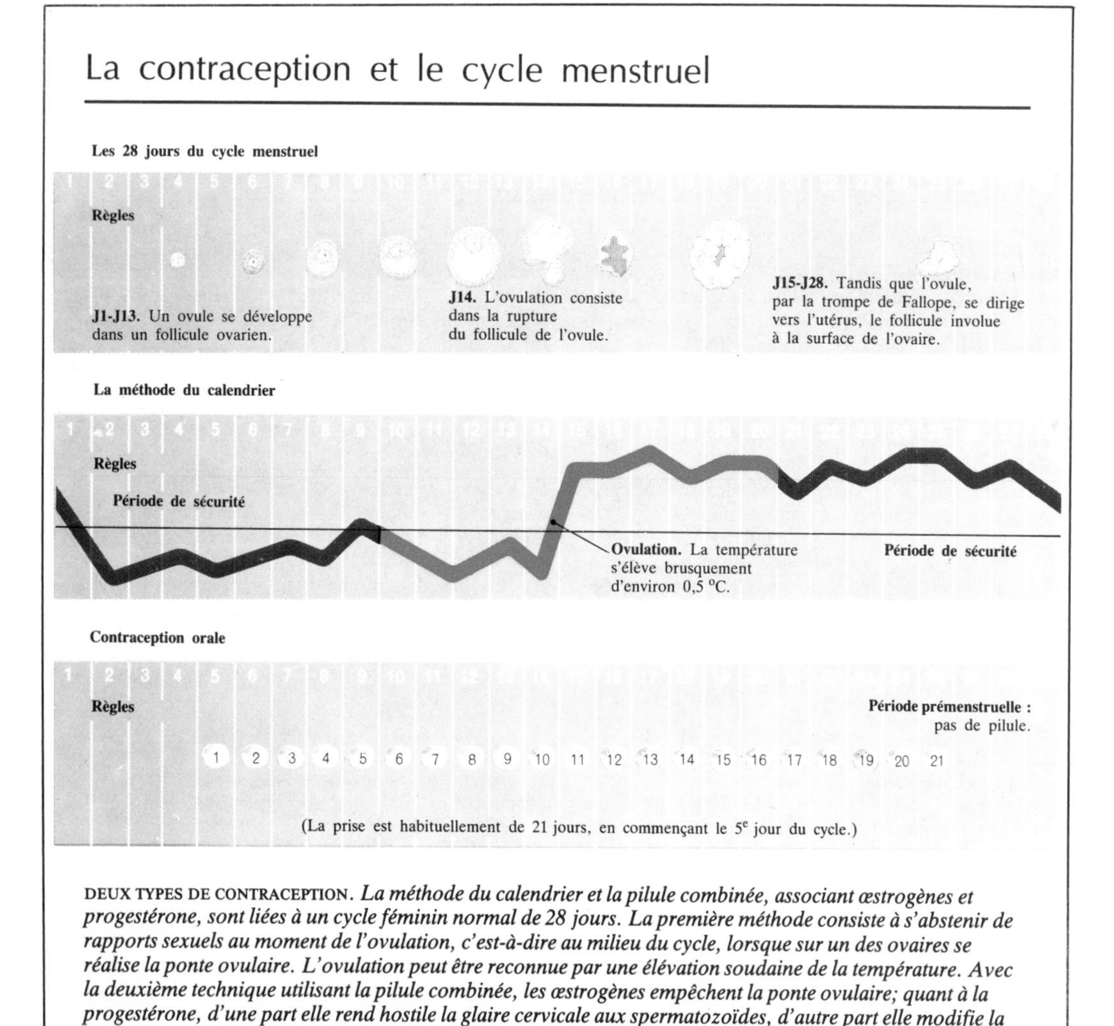

DEUX TYPES DE CONTRACEPTION. *La méthode du calendrier et la pilule combinée, associant œstrogènes et progestérone, sont liées à un cycle féminin normal de 28 jours. La première méthode consiste à s'abstenir de rapports sexuels au moment de l'ovulation, c'est-à-dire au milieu du cycle, lorsque sur un des ovaires se réalise la ponte ovulaire. L'ovulation peut être reconnue par une élévation soudaine de la température. Avec la deuxième technique utilisant la pilule combinée, les œstrogènes empêchent la ponte ovulaire; quant à la progestérone, d'une part elle rend hostile la glaire cervicale aux spermatozoïdes, d'autre part elle modifie la muqueuse utérine de telle façon qu'un ovule fécondé ne puisse s'y implanter.*

son effet doit être considéré comme effectif au bout de deux semaines, et elle peut être utilisée pendant l'allaitement maternel. Les cycles peuvent devenir irréguliers et les règles moins abondantes. Les effets secondaires sont réduits, quoiqu'il faille surveiller la tension artérielle.

Injection de progestérone. Une seule injection peut être contraceptive pendant deux à trois mois. Ces injections, effectuées sous contrôle médical, sont largement utilisées dans certains pays où la contraception habituelle est difficilement applicable (pays à démographie galopante). Les cycles sont très fréquemment perturbés et, une fois sur trois, les règles finissent par s'arrêter après un an d'utilisation de cette technique. Mais tout rentre habituellement dans l'ordre au bout de six à douze mois après la dernière injection, et la fécondité ne semble pas perturbée pour autant.

Certaines femmes peuvent prendre du poids. Avec le recul de quinze ans, il ne semble pas qu'il y ait une augmentation du taux du cancer chez les dix millions de femmes qui ont suivi ce type de contraception.

Contraception du lendemain. L'insertion d'un stérilet le plus tôt possible après un rapport peut éviter l'implantation utérine d'un ovule fécondé. De même, l'absorption précoce d'une forte dose d'œstro-progestatif peut être efficace et prévenir une grossesse. Cette dernière technique porte le nom de « pilule du lendemain », car elle ne peut être envisagée au-delà de vingt-quatre heures après un rapport. Elle peut être mal tolérée, avec en particulier apparition de nausées ou vomissements. Il n'est pas question d'envisager l'application régulière de telles méthodes, qui ne peuvent être que d'exception.

STÉRILISATION

C'est une intervention simple, peut-être davantage chez l'homme que chez la femme. Elle ne peut être envisagée qu'après mûre réflexion, car sa réversibilité n'est pas absolue.

La stérilisation masculine, ou vasectomie, est une intervention qui dure entre quinze et trente minutes. Les canaux qui conduisent le sperme du testicule à la verge sont sectionnés et liés. Il n'y a rien de changé par la suite dans le comportement sexuel, orgasme et éjaculation compris, à cela près que le liquide séminal ne contient plus de spermatozoïdes.

Quant à la stérilisation féminine, elle consiste dans la ligature-résection des trompes de Fallope, dans lesquelles chemine normalement l'ovule à la rencontre des spermatozoïdes. Cette intervention peut très bien être réalisée à travers une toute petite incision au-dessous de l'ombilic. Il n'y a habituellement pas d'effets secondaires, sauf pour quelques femmes qui se plaignent d'irrégularité menstruelle et parfois de règles plus abondantes. Certaines femmes se plaignant de règles particulièrement hémorragiques ou de fibrome préféreront envisager une hystérectomie, c'est-à-dire l'ablation chirurgicale de l'utérus, plutôt qu'une simple ligature de trompe. Mais il s'agit alors d'une intervention plus sérieuse et plus impressionnante.

La contraception peut se pratiquer dans le mois qui suit la naissance. En cas d'allaitement, une micropilule progestative peut être envisagée. Dans le cas contraire, il n'y a pas de contre-indication à une pilule combinée. Certains préfèrent attendre le retour de couches. La pose d'un stérilet pourra se faire au cours de la consultation postnatale.

COQUELUCHE

Maladie infectieuse sérieuse, survenant dans l'enfance. Elle est transmise dans les gouttelettes de salive expirées par un enfant infecté. Grâce à la vaccination, les cas de coqueluche ont beaucoup diminué dans les années 1960, mais des campagnes d'information ont, depuis, associé la vaccination à un risque très rare : l'ENCÉPHALITE. Cela a empêché certains parents de faire vacciner leurs enfants. Un regain très net des épidémies a ainsi été constaté lorsque moins d'un tiers des enfants sont vaccinés.

Symptômes

- Rhume, nez qui coule, et violents accès de toux.
- La toux s'aggrave, surtout la nuit. Au bout de quelques jours, les quintes prennent la forme d'accès de toux suivis d'une respiration rapide et bruyante.
- Vomissements après la toux.
- Les quintes peuvent réapparaître des mois après si l'enfant se remet à tousser lors d'une autre maladie.
- Dans les cas graves, les vomissements entraînent une perte de poids considérable, une déshydratation et une insomnie presque totale.

Période d'incubation

- Sept à quatorze jours.

Période de quarantaine

- Vingt et un jours après le début des quintes.

Durée

- Trois semaines à quatre mois.

Causes

- Une bactérie appelée *Haemophilus pertussis.*

Complications

- Pneumonie.
- La mort survient exceptionnellement; elle est due à une déshydratation et à des vomissements non traités.

Traitement à domicile

- Faire boire l'enfant abondamment.
- Des antitussifs peuvent soulager. *Voir* MÉDICAMENTS, n° 16.

Quand consulter le médecin

- Lorsque les symptômes décrits surviennent.

Rôle du médecin

- Prescrire des antibiotiques, qui apportent une amélioration au début de la maladie et sont nécessaires en cas de pneumonie ou autre surinfection.
- Donner aux autres enfants de la famille un traitement antibiotique préventif.
- Dans les cas graves, hospitaliser l'enfant.

Prévention

- La coqueluche étant nettement plus dangereuse que sa vaccination, tous les enfants devraient recevoir trois injections de vaccin pendant la première année de vie (vaccin associé à ceux du tétanos et de la diphtérie).
- Mais cette vaccination est contre-indiquée chez les enfants ayant eu des convulsions, une épilepsie, ou dont un membre de la famille présente ce type de maladie. Elle est aussi à éviter si l'enfant est atteint d'une maladie du système nerveux ou s'il a de la fièvre au moment prévu pour la vaccination; de même s'il a fait une réaction grave lors de la précédente injection anticoquelucheuse. Consultez dans tous ces cas.
- L'eczéma n'empêche pas forcément la vaccination, mais si l'enfant a présenté une allergie grave, vous devez consulter avant toute vaccination.

Voir MALADIES INFECTIEUSES, *page 32*

COR

Épaississement de l'épiderme situé au niveau des orteils ou de la plante des pieds. La couche cornée de la peau s'épaissit au-dessus d'un os, par suite d'une friction répétée. Le cor forme une masse conique qui s'enfonce en profondeur dans la peau. L'œil de perdrix est un cor mou, siégeant entre deux orteils.

Symptômes

- Les cors sont douloureux à la pression.

Durée

- Un cor, même traité, ne disparaîtra pas tant que la pression et la friction persisteront.

Causes

- Le plus souvent, des chaussures mal adaptées.

Complications

- Les cors situés entre deux orteils peuvent s'infecter.

Traitement à domicile
• Porter des chaussures confortables et éviter toute pression sur le cor en le protégeant avec des pansements adaptés.
Quand consulter le médecin
• Si le cor s'infecte ou s'ulcère.
• Si les os des pieds sont très déformés.
Rôle du médecin
• Voir s'il s'agit d'un cor ou d'une verrue.
• Prescrire les soins locaux adaptés.
• Conseiller une correction chirurgicale si les déformations des os des pieds sont sévères.
Prévention
• Port de chaussures souples adaptées à la forme du pied et consultation régulière d'un pédicure.

Voir LA PEAU, *page 52*

CORPS ÉTRANGERS

En termes médicaux, on appelle corps étranger tout objet dont la présence dans le corps est anormale ou accidentelle.

CORPS ÉTRANGER DANS LA GORGE
Symptômes
• Gêne dans la gorge; le patient peut en général indiquer l'emplacement exact du corps étranger.
• Déglutition difficile ou douloureuse.
• Salivation exagérée.
• Difficultés pour parler et respirer.
Durée
• Le corps étranger égratignant souvent la fine muqueuse de la gorge, les symptômes peuvent durer soixante-douze heures après l'ablation.
Traitement à domicile
• Si le patient peut respirer, parler, avaler, tapez-lui vigoureusement plusieurs fois dans le dos. Ces claques devront être suffisamment fortes pour faire sortir de force l'air des poumons, mais pas assez brutales pour faire mal ou laisser des marques. Si le patient ne peut pas respirer, *voir* LES URGENCES.
• Si les tapes ne délogent pas le corps étranger, utilisez la compression abdominale.
Voir LES URGENCES.
• Si les gestes d'urgence ne sont pas efficaces, demandez le secours immédiat d'un médecin. Allez à son cabinet ou directement au service d'urgences d'un hôpital dès que possible.
• Ne cherchez pas à enlever le corps étranger avec les doigts. Cela pourrait le repousser à un endroit encore plus dangereux.
• Pour un enfant, tenez-le par les pieds, la tête en bas, avant de lui taper dans le dos.
Quand consulter le médecin
• Dès que possible.
Rôle du médecin
• Étudier la respiration.
• Examiner la gorge.
• Essayer d'enlever l'objet avec une pince après une anesthésie locale par une pulvérisation.
• Si le corps étranger est invisible par la bouche, son extraction peut nécessiter une anesthésie générale.
• Faire faire une radiographie.
Prévention
• Donner aux petits enfants des gros jouets bien construits qu'ils ne puissent pas avaler.
• Enlever soigneusement les arêtes des poissons.
Pronostic
• Une fois le corps étranger enlevé ou dégluti, la muqueuse guérit souvent en moins de trois jours. Ensuite, il n'y a aucune séquelle à long terme.

CORPS ÉTRANGER DANS L'OREILLE
Symptômes
• Parfois, il n'y a aucun symptôme. On sait simplement qu'il y a un objet dans l'oreille.
• Écoulement par l'oreille.
• Douleur auriculaire.
• Surdité du côté atteint.
Traitement à domicile
• Allez chez le médecin — dans les 24 heures s'il n'y a pas de symptômes, et plus vite s'il y en a.
• Ne cherchez pas à retirer le corps étranger, vous risqueriez de provoquer une OTITE EXTERNE ou une perforation du TYMPAN.
Rôle du médecin
• Enlever le corps étranger par un lavage d'oreille avec une poire, ou en l'attrapant avec une pince.
• Si le corps étranger est profondément enfoncé dans l'oreille, il sera nécessaire de vous hospitaliser pour l'enlever sous anesthésie.
Prévention
• Ne vous mettez rien dans les oreilles et empêchez les enfants de le faire.
• Ne tentez pas de nettoyer la partie externe du canal auditif. Il se nettoiera de lui-même, et l'on pourra enlever le cérumen avec un simple gant de toilette. De toute façon, un lavage d'oreilles avec une poire, effectué par votre médecin de temps à autre, est toujours préférable à l'usage de cotons-tiges. Ceux-ci, en effet, poussent la plus grande partie du cérumen au fond du canal. De plus, vous risquez de perdre le tampon de coton dans l'oreille.
Pronostic
• Excellent après extraction du corps étranger.

CORPS ÉTRANGER DANS LE NEZ
Symptômes
• L'enfant se touche le nez anormalement souvent.
• Obstruction d'une seule narine avec saignement ou écoulement purulent, parfois associés.
• Gêne ou douleur dans le nez.
Traitement à domicile
• Allez chez le médecin.
• N'essayez pas d'enlever l'objet vous-même.
Rôle du médecin
• Retirer le corps étranger avec une pince.
• Si l'enfant se débat, on risque de lui endommager le nez et il peut alors être nécessaire de l'hospitaliser pour une extraction sous anesthésie.
Prévention
• Empêcher les enfants (et les adultes) de se mettre des objets dans le nez.
• Si le nez est sale ou s'il coule, essuyer simplement à l'extérieur sans nettoyer à l'intérieur.

Voir SYSTÈME RESPIRATOIRE, *page 42*

CORPS ÉTRANGER DANS L'ŒIL
Le degré d'irritation et d'inconfort qui peut être provoqué par un minuscule grain de poussière, de sable ou de métal est hors de proportion avec sa taille.
Symptômes
• Douleur, avec larmoiement.
• Si le corps étranger n'est pas rapidement retiré, l'irritation s'accentue et le blanc de l'œil devient rouge et congestif, comme dans une conjonctivite.
Causes
• Grains de poussière, de métal ou de sable projetés dans l'œil par le vent ou la manipulation d'outils.
Traitement à domicile
• Abaisser la paupière inférieure (en demandant au besoin le secours d'une autre personne) et, à l'aide d'un coton, retirer le corps étranger. Si celui-ci s'extirpe facilement, il n'y a rien d'autre à faire. L'œil peut rester sensible, surtout s'il y a une petite égratignure à sa surface, mais en deux heures tout doit rentrer dans l'ordre.
Quand consulter le médecin
• Il faut consulter lorsque le corps étranger est fiché sous la paupière supérieure ou à la surface de la cornée (partie transparente qui se trouve à l'avant de l'œil).
• Il faut également consulter lorsque la blessure a été

causée par un fragment de métal ou de verre projeté à grande vitesse (par exemple, lors de l'utilisation d'un burin ou à la suite de l'éclatement d'un pare-brise).
• Ces deux cas nécessitent un traitement médical d'urgence.
Rôle du médecin
• Le médecin va d'abord regarder sous la paupière inférieure en la retournant vers le bas, puis sous la paupière supérieure en la retroussant, au besoin avec un petit bâton. Le procédé peut paraître désagréable, mais il est en réalité presque indolore. Si le corps étranger est repéré, le médecin le retirera avec une aiguille spéciale ou un coton monté sur un bâtonnet.
• Si le corps étranger n'est pas visible sous les paupières, le médecin va colorer la surface de l'œil et examiner alors la cornée au microscope. Il retirera doucement le corps étranger à l'aide de la pointe d'une aiguille. Il instillera quelques gouttes ou appliquera une pommade ophtalmique pour éviter une infection, et il pourra mettre un pansement sur l'œil pour une période de vingt-quatre heures ou plus.
• Si le corps étranger n'est pas retrouvé et que l'on soupçonne qu'il ait pu pénétrer brutalement dans l'œil, il faudra faire des examens plus approfondis pour le situer et employer le plus souvent une méthode chirurgicale. Une hospitalisation s'impose alors.
Prévention
• Port de lunettes protectrices en cas de voyage en moto, soudure ou travail avec des outils puissants.
Pronostic
• L'œil guérira rapidement dès que la particule de sable ou de poussière aura été retirée.
• Si le globe oculaire a été atteint brutalement par un corps étranger et n'est pas traité immédiatement, la vision des yeux pourra être sérieusement compromise.

COTE CERVICALE

Quelques personnes naissent avec une côte située en position anormale, au-dessus de la cage thoracique, à la base du cou. On l'appelle côte cervicale. Généralement, elle ne pose aucun problème.

Dans un petit nombre de cas, la côte en surnombre peut comprimer des racines nerveuses du cou et produire une douleur le long du bras. Ceci survient notamment lorsqu'on porte de la main correspondante des objets lourds. Il s'ensuit généralement une sensation de faiblesse et d'engourdissement au niveau de cette main. La paupière peut se fermer et la pupille de l'œil devenir plus serrée, toujours du même côté.

Si vous avez noté de tels symptômes, signalez-les à votre médecin. Il prescrira des radios de la colonne cervicale. Mais dans la majorité des cas, il s'agit d'une simple ARTHROSE cervicale ou d'un syndrome du CANAL CARPIEN.

La douleur dans le bras peut quelquefois résulter d'une compression nerveuse par les muscles du cou.

Si le syndrome de la côte cervicale est confirmé, et si les signes sont sévères, le médecin peut conseiller une ablation de la côte cervicale par chirurgie, ce qui entraîne la guérison.

Voir SYSTÈME NERVEUX, *page 34*

COUP DE SOLEIL

Inflammation de la peau après exposition au soleil. Les sujets à peau claire sont plus fragiles, car leur peau contient moins de mélanine, pigment responsable de la protection contre le soleil.
Symptômes
• Un léger coup de soleil donne une rougeur cutanée. Cette inflammation provoque une gêne peu importante, dure trois ou quatre jours pour être suivie d'une augmentation de la pigmentation (le bronzage).
• Un coup de soleil plus sévère commence quelques heures après l'exposition. La peau est douloureuse, rouge et gonflée, avec parfois des cloques et des croûtes.
• La brûlure apparaît de deux à vingt-quatre heures après l'exposition solaire, et la desquamation survient quelques jours après.
Durée
• Elle dépend de la sévérité de la brûlure, mais le maximum d'intensité se fait sentir environ quarante-huit heures après l'exposition.
Causes
• Les rayons solaires ultraviolets.
Traitement à domicile
• Rafraîchir la peau avec une lotion à la calamine ou des compresses froides. Les crèmes antihistaminiques sont inutiles.
• Laisser les cloques à l'air.
• Prendre des antalgiques. *Voir* MÉDICAMENTS, n° 22.
• Éviter le frottement des vêtements sur les zones douloureuses.
• Éviter toute nouvelle exposition au soleil.
Quand consulter le médecin
• Si le coup de soleil est très sévère ou pénible.
• Si l'intensité de la brûlure est disproportionnée par rapport au temps d'exposition.
• En cas de fièvre, nausées, ou maux de tête.
Rôle du médecin
• Prescrire des crèmes corticoïdes pour soulager la douleur. *Voir* MÉDICAMENTS, n°s 32, 43.
Prévention
• Éviter les expositions solaires exagérées le premier jour des vacances, surtout si l'on a la peau claire. S'exposer de façon progressive afin de développer le hâle qui protégera des coups de soleil.
• Utiliser des crèmes protectrices en les appliquant une demi-heure avant d'aller au soleil et en renouvelant l'application toutes les deux heures et après chaque bain.
Pronostic
• Généralement, la guérison est totale.

Voir LA PEAU, *page 52*

Attention aux bains de soleil

☐ Évitez le soleil si vous avez une peau très claire.

☐ Limitez la durée d'exposition le premier jour (15 ou 30 minutes selon votre type de peau), puis augmentez progressivement de 15 ou 30 minutes par jour.

☐ Utilisez une crème protectrice antisolaire efficace et renouvelez fréquemment son application.

☐ Protégez les jeunes enfants du soleil.

☐ Le soleil de montagne demande une protection encore plus efficace que celui de la mer.

☐ Ne croyez pas que les nuages vous protègent des coups de soleil. En effet ils laissent filtrer 80 pour 100 des rayons ultraviolets.

☐ N'oubliez pas que vous pouvez attraper un coup de soleil en prenant un bain de mer.

☐ Ne croyez pas qu'une crème vous protège du soleil parce qu'elle est teintée.

COUPEROSE

La couperose est une rougeur de la peau du visage causée par une dilatation et une élongation permanente des petits vaisseaux du derme, les capillaires, qui deviennent visibles à l'œil nu. Cette affection accompagne souvent une fragilité des petits vaisseaux cutanés réveillée par les expositions solaires.

Symptômes

- Si les vaisseaux dilatés sont perpendiculaires à la peau, on a des petites taches rouges mal limitées.
- Quand ce sont les vaisseaux horizontaux qui sont touchés, on voit de fines lignes rouges sous la peau.
- L'angiome stellaire est un aspect particulier et fréquent de couperose : un vaisseau vertical augmente d'épaisseur et éclate en de multiples vaisseaux, à la manière d'un jet d'eau. On voit apparaître un point central rouge vif d'où partent des arborisations sinueuses en étoile.

Durée

- Mis à part les angiomes stellaires qui régressent souvent spontanément, la couperose banale est permanente une fois apparue.

Causes

- La couperose est avant tout un signe important du vieillissement cutané ou d'une altération cutanée progressive. Le soleil, le vent, les occupations en plein air, en climat chaud, s'accompagnent généralement d'une apparition progressive de couperose. Mais le rôle d'une prédisposition constitutionnelle intervient également, certains sujets étant plus fragiles.
- L'atrophie de la peau que l'on constate après une exposition prolongée aux rayons X (radiodermites) ou au cours de processus cicatriciels s'accompagne de couperose, car les capillaires deviennent visibles à travers la peau fine et atrophiée.
- L'abus de crèmes corticoïdes sur le visage est une cause fréquente de couperose.
- La ROSACÉE est une cause de couperose. C'est une dermatose du visage qui associe des rougeurs, des papules et des pustules.
- D'autres affections, comme le lupus érythémateux, la sclérodermie et d'autres maladies rares, peuvent être en cause.

Prévention

- Se protéger le visage du soleil et des intempéries.
- Ne pas appliquer sur le visage des crèmes corticoïdes sans avis médical.

Quand consulter le médecin

- Si l'on a une couperose importante.

Rôle du médecin

- Conseiller des crèmes adaptées et antisolaires.

Traitement

- Une électrocoagulation fine est efficace.

Pronostic

- Il existe souvent des récidives après traitement.

Voir LA PEAU, *page 52*

CRAMPE

Contraction brutale et involontaire d'un ou de plusieurs muscles, causant une douleur aiguë. La crampe des écrivains est un spasme des muscles de la main qui survient durant l'écriture.

Le traitement consiste en la contraction des muscles opposés à ceux qui sont tendus par la crampe. Les douleurs d'estomac (gastralgies survenant lors d'un ULCÈRE de l'estomac ou d'une GASTRITE) sont souvent appelées « crampes d'estomac ».

CRAMPE DU PIED

Affection douloureuse due à une élongation des ligaments dans un ou les deux pieds, après une marche ou une station debout prolongée.

Symptômes

- Douleur ressentie principalement au milieu du pied.
- Elle peut s'étendre le long du pied vers le mollet.

Durée

- L'affection disparaît habituellement au repos.

Causes

- Marche ou station debout excessive.

Traitement à domicile

- Reposer le pied et éviter les chaussures mal adaptées.

Quand consulter le médecin

- Si les symptômes persistent au repos.

Rôle du médecin

- Organiser un programme d'exercices et d'électrostimulations pour les muscles de la jambe et du pied.
- Conseiller des chaussures avec voûtes plantaires.
- En cas de crampes graves liées au travail, proposer un changement de poste.

Prévention

- Éviter la marche ou la station debout prolongée.

Voir LE SQUELETTE, *page 54*

CREVASSE

Les lèvres et les commissures des lèvres sont fendillées, et la peau pèle autour de la bouche. On suppose que les crevasses sont dues à une déficience en vitamines du groupe B, que l'on trouve dans la viande, le poisson, les produits laitiers et les légumes. De fortes doses de ces vitamines permettent une sensible amélioration.

CREVASSE DU MAMELON

Petite fissure à peine visible sur le mamelon, apparaissant dès les premiers jours de la mise au sein.

Symptômes

- Le mamelon est douloureux pendant la tétée, surtout quand le nourrisson commence à sucer le sein.

Durée

- Les crevasses disparaissent en trois à quatre jours.

Causes

- Certaines peaux sont plus fragiles que d'autres; il existe parfois des défauts de conformation du mamelon, mais il s'agit bien souvent d'une mauvaise condition d'allaitement.

Traitement à domicile

- Interrompre les tétées pendant quarante-huit heures, et habituellement tout rentre dans l'ordre. Le lait sera prélevé provisoirement par traite manuelle ou au tire-lait électrique à bas régime.
- Laver le mamelon à l'eau bouillie après chaque tétée, puis essuyer soigneusement. Protéger le sein jusqu'à la tétée suivante par une gaze fine et stérile.
- Le port d'un soutien-gorge confortable est recommandé.
- Les tétées seront de courte durée et le mamelon profondément introduit dans la bouche de l'enfant.

Quand consulter le médecin

- A la moindre rougeur ou à la moindre douleur.

Rôle du médecin

- Il donne des conseils concernant le traitement des crevasses.
- Il peut prescrire des antibiotiques s'il considère qu'il y a danger d'ABCÈS DU SEIN (l'infection atteignant la glande mammaire à travers la crevasse du mamelon).

Prévention

- S'assurer que la position de l'enfant durant la tétée est correcte et que la succion s'effectue bien sur le mamelon profondément introduit dans sa bouche.

• La préparation du mamelon avant la naissance, avec des massages réguliers à l'aide de lubrifiant, contribuerait à éviter l'apparition de crevasses.

Pronostic

• Les crevasses du mamelon guérissent habituellement complètement en quatorze jours. Il est exceptionnel qu'apparaisse un abcès secondaire du sein.

CRI PRIMAL (MÉTHODE DU)

Technique spectaculaire qui repose sur l'idée non démontrée que certains troubles névrotiques résultent d'une expérience traumatique vécue avant la naissance ou immédiatement après, ou encore au cours de la petite enfance. Le patient est isolé pendant quelques jours ou quelques semaines, puis, sous la conduite d'un psychothérapeute, il est encouragé à revivre dans un groupe les expériences traumatisantes. Ces séances sont des moments de grande émotion où est encouragée l'émission de cris exprimant l'angoisse.

CRISE CARDIAQUE

Terme vague et trop général, utilisé en langage courant pour désigner l'INFARCTUS DU MYOCARDE (THROMBOSE CORONAIRE).

Voir SYSTÈME CIRCULATOIRE, *page 40*

CROHN (MALADIE DE)

Autre dénomination de l'ILÉITE RÉGIONALE, inflammation de la portion terminale de l'intestin grêle. La maladie peut s'étendre à d'autres portions de l'intestin, notamment au côlon.

CROUP

Maladie infectieuse et virale de l'enfance. Elle est plus fréquente en hiver. Les virus peuvent toucher n'importe quelle partie des voies aériennes supérieures. Lorsqu'ils affectent le larynx chez un enfant de moins de cinq ans, on parle alors de croup. Le mot croup (qui signifie littéralement croassement) décrit les symptômes caractéristiques que sont la respiration bruyante et l'enrouement, et non pas un virus causal précis. La maladie survient le plus souvent dans les deux premières années : lorsque l'enfant grandit, son larynx devient plus large et l'infection entraînera alors simplement un enrouement. *Voir* LARYNGITE.

Symptômes

• Toux enrouée, aboyante chez un enfant de moins de cinq ans.
• Bruit râpeux venant du larynx lorsque l'enfant respire.
• Fièvre avec température souvent supérieure à 38°.
• Irritabilité et agitation.
• Fatigue et abrutissement.
• Paroi du thorax qui se creuse lors de chaque inspiration.
• Sueurs, difficulté à avaler, gorge douloureuse.
• L'enfant insiste pour rester assis, immobile, le cou tendu en avant.

Durée

• Le croup évolue pendant un ou deux jours.
• La respiration bruyante dure une douzaine d'heures.

Causes

• Plusieurs virus respiratoires.

Complications

• PNEUMONIE.
• La maladie est le plus souvent bénigne et guérit rapidement. Parfois, chez les bébés ou les très jeunes enfants, une infection sévère peut boucher les petits conduits aériens.

Traitement à domicile

• Donnez des boissons fraîches (eau, jus de fruits, lait — tout ce que l'enfant accepte).
• La vapeur d'eau fait disparaître les symptômes : remplissez un lavabo ou la baignoire d'eau très chaude et fermez la porte pour que la salle de bains se sature en vapeur d'eau. Assoyez l'enfant sur vos genoux afin qu'il soit le plus haut possible. Vous pouvez aussi faire bouillir de l'eau dans la cuisine de façon à la remplir de vapeur d'eau.
• Donnez des analgésiques pour diminuer le malaise et faire baisser la fièvre. *Voir* MÉDICAMENTS, n° 22.

Quand consulter le médecin

• Si la fièvre est élevée, que l'enfant semble aller mal et que sa respiration est rapide et difficile (la respiration est toujours bruyante dans le croup mais ne doit pas être difficile).
• Si l'enfant bave, se plaint de ne pas pouvoir avaler, ou s'il a mal à la gorge.
• Si l'enfant insiste pour rester assis, immobile, le cou tendu en avant.
• Si le teint de l'enfant est altéré. Appelez le médecin immédiatement si le malade devient pâle, ou bleuâtre.
• Si l'enfant est agité et se débat pour respirer.
• Si vous pensez qu'il peut s'agir d'un croup.

Rôle du médecin

• Le croup étant dû à un virus, il est possible que le médecin examine l'enfant et recommande simplement de continuer le traitement ci-dessus.
• Les antibiotiques sont normalement sans effet, mais on les prescrit parfois pour prévenir les complications.
• Certains enfants seront hospitalisés en observation.

Prévention

• Aucune n'est connue.

Pronostic

• Une guérison rapide et complète est la norme.

Voir SYSTÈME RESPIRATOIRE, *page 42*

CROUTES DE LAIT

Affection se traduisant par des croûtes brunâtres sur la tête des nourrissons. Elles n'ont aucun rapport avec l'alimentation, et sont dues à une hyperséborrhée du cuir chevelu. Elles disparaissent avec des lavages réguliers et l'application de corps gras.

Voir PUÉRICULTURE, *page 370*

CURETAGE

Cette intervention chirurgicale nécessite au préalable une dilatation du col au moyen d'instruments de calibre progressivement croissant. Quand le col est suffisamment dilaté, il permet le passage d'une curette qui, par grattage de la muqueuse utérine, va permettre de retirer les éléments pathologiques ou suspects contenus dans l'utérus. L'intervention est pratiquée sous anesthésie générale. Les curetages évacuateurs ont pour but de retirer tout tissu placentaire résiduel après un avortement spontané.

Les curetages exploratoires ont pour dessein de retirer du tissu en vue d'analyses permettant de révéler toute anomalie utérine. Cette intervention impose actuellement une à deux journées d'hospitalisation et une convalescence d'une semaine.

Voir ORGANES GÉNITAUX FÉMININS, *page 48*

CUSHING (SYNDROME DE)

Ensemble des signes liés à un excès de glucocorticoïdes, c'est-à-dire d'une série d'hormones sécrétées par les glandes surrénales. Les hormones que l'on appelle stéroïdes assurent de nombreuses fonctions dans l'organisme, en particulier celle de doser l'apport des hydrates de carbone.

Le syndrome de Cushing est rare. Il atteint aussi bien l'homme que la femme. Il est plus fréquent chez la femme à partir de la quarantaine. Les principaux symptômes sont l'hypertension artérielle, l'obésité du tronc qui contraste avec un amaigrissement des jambes et des bras, un visage arrondi et rougeaud, de l'acné, des stries violacées (vergetures) sur l'abdomen, un diabète, une sensibilité aux infections; chez la femme, des troubles des règles et parfois une poussée de poils sur le visage.

L'excès de glucocorticoïdes peut être dû à une production excessive de ces hormones par les glandes surrénales : cette production peut être due soit à une tumeur de ces glandes elles-mêmes, soit à une tumeur de l'hypophyse (l'hypophyse, qui est une glande située dans le crâne, produit une hormone qui stimule la sécrétion des glandes surrénales; la production excessive de cette hormone par l'hypophyse entraîne un excès de sécrétion des hormones produites par les surrénales). L'excès de glucocorticoïdes peut aussi être lié à l'administration de ces hormones que l'on utilise comme médicaments dans certaines maladies : ALLERGIES, RHUMATISMES, LEUCÉMIES.

Le traitement du syndrome de Cushing dépend de la cause. Les tumeurs surrénales sont généralement opérées. Les tumeurs de l'hypophyse peuvent être opérées ou bien traitées à l'aide de rayons.

Il faudra remplacer les hormones sécrétées par ces glandes par des hormones administrées sous forme de médicaments.

CYANOSE

Coloration bleue des lèvres ou des doigts, due à un manque d'oxygène dans le sang; elle peut être due au ralentissement de la circulation par temps froid, ou traduire une maladie grave, cardiaque ou pulmonaire.

Voir CARDIOPATHIES CONGÉNITALES, CŒUR PULMONAIRE, MALADIE BLEUE, TÉTRALOGIE DE FALLOT

CYPHOSE DORSALE

Déformation de la colonne vertébrale dorsale, caractérisée par une courbure trop marquée en arrière avec un dos trop rond. Cette anomalie, due autrefois au rachitisme, est devenue rare, observée dans des maladies telles que l'OSTÉOCHONDRITE ou l'OSTÉOPOROSE. Son traitement repose sur la kinésithérapie.

CYSTITE

Inflammation de la vessie, fréquente chez les femmes jeunes et les femmes enceintes, rare avant la puberté. La cystite peut être aiguë lorsque l'inflammation est isolée et de courte durée, ou chronique lorsque la vessie est enflammée en permanence.

CYSTITE AIGUË

Symptômes
- Brûlures au niveau des organes génitaux à l'émission des urines.
- Douleurs dans le bas-ventre au moment de l'évacuation de la vessie, et parfois longtemps après.
- Émissions d'urines fréquentes, plusieurs fois par jour et la nuit. Envie d'évacuer la vessie souvent impérieuse et difficulté à se retenir jusqu'aux cabinets. Un enfant atteint de cystite peut parfois mouiller ses sous-vêtements ou son lit.
- Urines troubles, sanguinolentes, odeur forte.
- Élévation de la température.
- Au cours de la grossesse, la cystite passe inaperçue; elle sera révélée par une analyse de routine.

Durée
- La cystite aiguë dure quatre à cinq jours.

Causes
- Un germe d'origine intestinale est généralement responsable des cystites; il envahit l'urètre (le conduit urinaire externe) et atteint la vessie. En raison de la proximité de l'urètre et de l'anus chez la femme, la cystite est plus fréquente que chez l'homme.
- Une irritation de l'urètre et de la vessie (située près du vagin) lors des rapports sexuels.
- Une infection et des pertes vaginales.
- La constipation.

Complications
- Une cystite chronique, une PYÉLONÉPHRITE.

Traitement à domicile
- Le repos, si possible.
- Boire beaucoup; un adulte devrait absorber à peu près quatre litres d'eau par jour. Des boissons citronnées ou à base d'orgeat peuvent soulager.
- Prendre des calmants. *Voir* MÉDICAMENTS, n° 22.

Quand consulter le médecin
- Si les symptômes décrits apparaissent, surtout en cas de cystite aiguë sévère.
- Si les urines paraissent anormales.

Rôle du médecin
- Il peut demander un prélèvement d'urines.
- Il peut aussi faire pratiquer un prélèvement vaginal chez une femme, avec étude des germes.
- Chez l'homme, pratiquer un examen du rectum.
- L'infection étant rare chez les adolescents impubères, le médecin peut prescrire une radiographie rénale et demander l'avis d'un spécialiste afin d'éliminer une maladie sous-jacente de l'appareil uro-génital.
- Recommander l'absorption de boissons et donner des antibiotiques. *Voir* MÉDICAMENTS, n° 25.

Prévention
- Se laver régulièrement, mais ne pas pratiquer d'injections intra-vaginales.
- Boire entre les repas. Éviter la constipation.

Pronostic
- Sous traitement, la cystite aiguë disparaît, en règle générale, en cinq jours.
- Les récidives sont fréquentes chez les femmes.

CYSTITE CHRONIQUE

Symptômes
- Identiques à ceux de la cystite aiguë.

Durée
En l'absence de traitement, la cystite peut persister.

Causes
- Les germes de la cystite aiguë peuvent se révéler résistants aux antibiotiques; ils peuvent rester virulents si le traitement est incomplet.
- Une anomalie du système urinaire : un CALCUL, une STÉNOSE ou une malformation congénitale.

Complications
- Non traitée, l'infection peut contaminer les reins (PYÉLONÉPHRITE).

Traitement à domicile
- Identique à celui de la cystite aiguë.

Quand consulter le médecin
- Comme pour la cystite aiguë, une cystite chronique justifie toujours un avis médical pour exclure — et le cas échéant traiter — une cause sous-jacente.

Rôle du médecin
- Demander un examen complet des urines.
- Prescrire des examens radiologiques et, en cas d'anomalie des voies urinaires, adressez le patient à un

spécialiste (parfois à l'hôpital), qui pratiquera de plus amples investigations.
• Si aucune anomalie mentionnée plus haut n'est décelée, recommander de boire une grande quantité de liquides et prescrire des antibiotiques. *Voir* MÉDICAMENTS, n° 25.
Prévention
• Identique à celle de la cystite aiguë.
Pronostic
Lorsque la cause de l'infection est traitée, il est généralement bon, bien que les récidives soient fréquentes.

Voir SYSTÈME URINAIRE, *page 46*

CYTOMÉGALOVIRUS (INFECTION A)

Infection virale assez fréquente, touchant les sujets de tout âge. La maladie passe souvent inaperçue. Beaucoup de sujets adultes (80 pour 100) ont été infectés par ce virus sans le savoir. Cette infection (que l'on appelle aussi maladie du virus des glandes salivaires) se transmet par contact proche avec une personne infectée ou à travers le placenta au cours de la grossesse. Le diagnostic se fait sur les examens de sang.
Symptômes
• Dans la plupart des cas d'infections à cytomégalovirus, il n'y a pas de symptômes.
• Très rarement, chez le nouveau-né infecté par sa mère au cours de la grossesse, on peut voir apparaître une jaunisse, de l'anémie, une atteinte des poumons, une inflammation des yeux. Dans 10 pour 100 des cas, le cerveau du nouveau-né est touché, entraînant une surdité ou un retard mental.
• Chez l'enfant et l'adulte, quoique rarement, la maladie peut entraîner fièvre, maux de tête, courbatures, angine.
• Des éruptions cutanées risquent de survenir.
• La maladie peut être grave chez les sujets recevant certains médicaments comme ceux utilisés dans les greffes du rein ou contre des maladies du sang.
Traitement
• Pas de traitement contre le virus.
• Pas de prévention, pas de vaccination.
• Quand les symptômes apparaissent, le traitement est similaire à celui des MONONUCLÉOSES INFECTIEUSES.

Voir MALADIES INFECTIEUSES, *page 32*

DANSE DE SAINT-GUY

Mouvements anormaux, involontaires, non coordonnés. Scientifiquement appelée chorée de Sydenham, cette maladie est une manifestation du RHUMATISME ARTICULAIRE AIGU.
Symptômes
• Les mouvements anormaux, irréguliers, atteignent une partie du corps après l'autre sans organisation. Le visage peut se contracter, puis les bras s'agiter, par exemple. Ces accès s'aggravent si le patient est énervé et disparaissent pendant le sommeil.
• Faiblesse et incoordination des muscles : le patient laisse tomber les objets et parfois ne peut pas se tenir debout.
• Le patient est désorienté et émotionnellement perturbé, tour à tour déprimé et exalté.
Durée
• Les symptômes persistent environ deux mois.
Causes
• La cause exacte est inconnue.
Complications
• L'atteinte du cœur, ou cardite, comme dans le RHUMATISME ARTICULAIRE AIGU.
Traitement à domicile
• Repos au lit jusqu'à l'arrêt des mouvements anormaux.
• Administration éventuelle d'aspirine.
Quand consulter le médecin
• Lorsque les symptômes apparaissent.
Rôle du médecin
• Prescrire des calmants, des anti-inflammatoires. *Voir* MÉDICAMENTS, n°s 17, 37.
Prévention
• Le rhumatisme articulaire aigu (et donc la danse de Saint-Guy) est prévenu par le traitement administré lors des angines bactériennes (pénicilline).
Pronostic
• Guérison sans séquelles en l'absence de cardite.

Voir SYSTÈME NERVEUX, *page 34*

DARTRES

Plaques rosées ou jaunâtres, finement squameuses, survenant surtout sur les joues des enfants ou les bras des femmes jeunes. Elles peuvent être suivies d'une dépigmentation qui se révèle après le bronzage.

DÉBILITÉ MENTALE

Terme général désignant un échec du développement de l'intelligence. Ce déficit intellectuel peut être léger (permettant une certaine adaptation socioprofessionnelle) ou important, imposant alors le placement à temps partiel ou complet dans des centres spécialisés, qui peuvent faciliter certaines acquisitions pour les faits simples de la vie quotidienne.

Plusieurs centaines de causes ont été dénombrées, et notamment les dommages subis à la naissance et les maladies chromosomiques. Mais de nombreuses déficiences intellectuelles restent inexpliquées, et il importe de faire un bilan médical et psychologique complet afin d'éliminer les fausses débilités, pour lesquelles des traitements efficaces sont possibles :
• Déficit sensoriel (vision déficiente, surdité).
• Retard de langage.
• Dyslexie.
• Carences affectives et sociales.
• Troubles de la personnalité (graves inhibitions affectives, psychoses...).

DÉCHIRURE LIGAMENTAIRE

Un ligament est une bande de tissu souple réunissant deux os d'une même articulation. S'il y a foulure ou entorse de l'articulation, le ligament peut être déchiré — notamment à la cheville et au genou —, particulièrement s'il y a déjà eu un précédent traumatisme.
Symptômes
• Douleur locale.
• Gonflement.
• Ecchymose.
• Si la déchirure est complète, notamment au genou, il peut y avoir une instabilité de l'articulation et des mouvements anormaux à l'examen.
Durée
• Dans une déchirure incomplète, ou foulure, les signes s'effacent habituellement en une ou deux semaines.
• Une déchirure complète, même traitée, peut demander plusieurs semaines pour guérir.
Causes
• Un traumatisme.
Complications
• Si une déchirure complète n'est pas traitée ou si elle est mal traitée, le ligament s'allonge. L'articulation

présente une faiblesse permanente qui l'expose à un nouveau traumatisme, et à l'arthrose après plusieurs années d'évolution.

Traitement à domicile

• Compresse froide, bandage de crêpe serré; éviter l'appui, prendre des médicaments contre la douleur.

Quand consulter le médecin

• Dès qu'il y a douleur forte, gonflement, ecchymose.
• Chaque fois que le traumatisme a été important.

Rôle du médecin

• Examiner l'articulation, demander des radios.
• Envoyer le malade à l'hôpital ou en clinique, s'il suspecte une déchirure ligamentaire complète.
• Dans ce cas, l'articulation doit être immobilisée, parfois par un plâtre, pendant plusieurs semaines.
• Toute déchirure complète doit être réparée chirurgicalement.

Prévention

• Faire attention quand on marche dans l'obscurité ou sur terrain glissant ou accidenté.
• Si possible, porter des chaussures ou des bottes adaptées; éviter les talons trop hauts.
• En cas de traumatismes antérieurs, être particulièrement vigilant : porter une chevillère ou une genouillère.

Pronostic

• Le plus souvent, la guérison est longue à obtenir.
• Une réparation chirurgicale correcte donne habituellement un bon résultat.
• Malgré un traitement sérieux, les déchirures ligamentaires complètes peuvent entraîner une faiblesse résiduelle permanente de l'articulation touchée.

Voir LE SQUELETTE, *page 54*

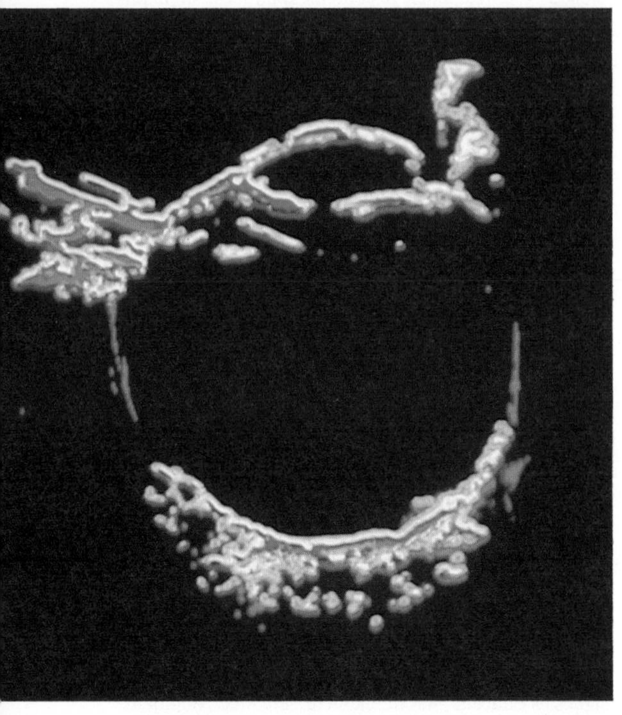

VUE DE L'INTÉRIEUR DE L'ŒIL. *Dans cette coupe du globe oculaire effectuée aux ultrasons, la face de l'œil est en haut avec les cils supérieurs à gauche (en jaune). A leur droite se trouve le disque noir de l'iris avec le reste du globe oculaire en arrière. La ligne jaune à la base du globe est la couche profonde de la rétine. Le liquide qui a pénétré entre les deux couches, entraînant le décollement de la rétine, apparaît en une mince ligne rouge.*

DÉCOLLEMENT DE LA RÉTINE

La rétine est la membrane sensorielle profonde de l'œil et elle est constituée de deux parties. Si un trou ou une déchirure se produit dans la couche la plus profonde, un liquide pénètre entre les deux parties de la rétine, et il se produit un décollement.

Symptômes

• Perte de vision ou modification visuelle sans signe douloureux, mais parfois précédée de sensation d'éclairs.
• Le malade peut avoir une sensation de voile qui s'étend dans son champ de vision.

Durée

• Le décollement de rétine persiste et risque de s'étendre jusqu'à ce qu'il soit traité.

Causes

• Bien que le décollement de rétine puisse survenir après un traumatisme, dans beaucoup de cas la cause n'est pas identifiée. Mais les myopes, les personnes âgées, les opérés de cataracte sont vulnérables.

Complications

• Perte partielle ou totale de la vision.

Quand consulter le médecin

• Immédiatement.

Rôle du médecin

• Il mesurera l'acuité visuelle, évaluera le champ visuel et examinera l'intérieur de l'œil. Il décidera d'un traitement avec repos au lit d'emblée et d'une intervention chirurgicale pour traiter ce décollement de rétine.

Pronostic

• La guérison est obtenue dans 70 pour 100 des cas.

Voir L'ŒIL, *page 36*

DÉCOMPRESSION (ACCIDENTS DE)

Un des risques de la plongée sous-marine. Plus on plonge dans les grands fonds et plus la pression augmente, ce qui favorise la dissolution des gaz dans le sang. De retour à la pression atmosphérique, ces gaz forment des bulles qui peuvent interrompre la circulation sanguine et provoquer des troubles nerveux et des douleurs articulaires.

DÉGÉNÉRESCENCE MACULAIRE SÉNILE
Voir page 162

DÉJA VU, DÉJA VÉCU (IMPRESSIONS DE)

L'impression ou l'illusion du « déjà vu » ou du « déjà vécu » est le sentiment de recommencer à vivre un fragment de sa vie passée. C'est plus qu'un simple souvenir. Ce phénomène peut être associé à des troubles importants de la personnalité, mais il s'observe également chez des sujets normaux.

DÉLIRE

Le délire est la construction d'une idée indépendante de la réalité, et qui persiste contre l'évidence des faits. L'idée délirante n'est pas une simple idée fausse, car elle procède d'une anomalie du jugement, de la perception (HALLUCINATION) ou de l'imagination (fabulation). On observe certains thèmes délirants :

• Les idées de grandeur (MÉGALOMANIE) : richesse, supériorité intellectuelle, ambition, filiation...
• Les idées de persécution : il s'agit de plaintes concernant des préjudices moraux, matériels, physiques, ou d'honneur.
• Les idées de jalousie, qui peuvent devenir un véritable délire lorsque le moindre fait, le propos le plus banal est interprété comme une preuve d'infidélité.
• Les idées mystiques, souvent accompagnées d'hallucinations visuelles (apparition) ou auditives (les voix).
• Les idées d'indignité ou de culpabilité, caractéristiques du délire mélancolique (forme grave de DÉPRESSION).
• Les idées hypocondriaques : le sujet se découvre avec certitude et précision des maladies imaginaires.

Il n'est pas toujours aisé de connaître la cause d'un délire : certains facteurs de personnalité paraissent prédisposants, et une idée délirante apparemment nouvelle peut parfois prolonger des préoccupations plus anciennes.

Le délire peut être la conséquence d'affections physiques, telles que l'ÉPILEPSIE, la MALADIE DE PARKINSON ou certaines TUMEURS DU CERVEAU.

Un état délirant impose un examen psychiatrique. Certains traitements, notamment l'association d'une chimiothérapie (neuroleptiques) et d'une relation psychothérapique, permettent d'espérer la poursuite d'une certaine vie sociale.

DELIRIUM TREMENS

C'est une forme particulière de confusion mentale qui s'observe chez les alcooliques chroniques de longue date après une privation brutale d'alcool (sevrage).

Symptômes

• Début progressif (deux à quatre jours) avec tremblements, perte d'appétit, soif intense, insomnie, agitation et anxiété.
• Désorientation aussi bien dans le temps que dans l'espace.
• Hallucinations visuelles effrayantes (les grouillements de petits animaux sont caractéristiques).
• Grande agitation (possibilité de réaction agressive ou de fuite).
• Insomnie totale.
• Tremblement intense de tout le corps.
• Fièvre et déshydratation.
• La privation d'alcool à l'origine du delirium tremens est souvent due à une circonstance particulière, comme une hospitalisation rendue indispensable pour une cause tout autre.
• Lorsque le delirium tremens est à son stade de début (simples tremblements et nervosité), une nouvelle dose d'alcool peut éviter l'aggravation.

Durée

• La guérison, sous traitement, est obtenue en quelques jours avec le retour du sommeil et de la lucidité. Une évolution mortelle s'observe dans un cas sur vingt.

Causes

• Privation d'alcool chez un alcoolique chronique.

Traitement à domicile

• Très difficile, car il faut une surveillance spécialisée et permanente.

Quand consulter le médecin

• Dès les premiers signes : tremblements, soif intense, insomnie, hallucinations.

Rôle du médecin

• Préciser le diagnostic et exclure une autre cause.
• Prescrire des sédatifs pour diminuer les symptômes et calmer l'agitation.
• Hospitaliser le patient pour des soins spécialisés :
1. Réhydratation : trois litres ou plus par jour (eau, jus de fruits, potages).
2. Isolement du malade dans une chambre bien éclairée (*voir* CONFUSION MENTALE).
3. Prescription de sédatifs pour traiter l'agitation.
4. Apport important de vitamines B pour éviter une complication cérébrale (encéphalopathie carentielle).
5. Traitement des complications infectieuses ou neurologiques.

Pronostic

• Les récidives sont possibles (les mêmes causes produisant les mêmes effets).

Voir SYSTÈME NERVEUX, *page 34*
ALCOOLISME

DÉMENCE

Affaiblissement intellectuel profond, global et durable, intéressant le jugement et le raisonnement, mais également les conduites sociales et la vie affective. (Les juristes définissent différemment ce terme : la démence est un état d'irresponsabilité mentale.)

Symptômes

• Début progressif, parfois trompeur : les automatismes socioprofessionnels peuvent masquer le déficit.
• Troubles de la mémoire.
• Désorientation dans le temps et l'espace.
• Troubles du jugement et du raisonnement.
• Troubles du langage : lenteur, répétitions, oublis.
• Lenteur et incohérence des propos et des actes.
• Tenue vestimentaire négligée, visage inexpressif.
• Régression affective : sensiblerie, incontrôle des émotions.
• Troubles somatiques associés.

Durée

• La plupart des états démentiels connaissent une évolution irréversible, mais quelques variétés peuvent bénéficier d'un traitement.

Causes

Elles sont très diverses :
• Atteinte des cellules nerveuses par un processus inconnu (maladie de Pick, maladie d'Alzheimer, démence sénile).
• Lésions cérébrales dues à l'hypertension artérielle et à l'athérome (démences artériopathiques).
• Certaines démences sont dues à l'alcoolisme chronique (*voir* syndrome de KORSAKOFF).
• Traumatisme crânien avec hématome sous-dural chronique (forme réversible).
• Encéphalite herpétique, intoxication à l'oxyde de carbone. *Voir* ACCIDENTS DOMESTIQUES, HERPÈS.

Traitement à domicile

• Pour les formes mineures, le maintien à domicile est possible avec une aide ménagère, des visites médicales régulières et quelques précautions domestiques (par exemple, remplacer les cuisinières à gaz par des cuisinières électriques).

Rôle du médecin

• Parfois, l'hospitalisation dans un centre spécialisé est nécessaire.
• L'utilisation de médicaments appropriés permet d'atténuer certains symptômes.

Voir SYSTÈME NERVEUX, *page 34*

DENGUE

Maladie virale, fréquente dans les régions tropicales et subtropicales, qui donne d'intenses douleurs musculaires et articulaires. Cette infection touche aussi ceux qui traversent ces régions. Elle est transmise à l'être humain par la piqûre d'un moustique infesté. L'incubation dure de cinq à huit jours. Le début est brutal et rapide.

Symptômes

• Céphalées (mal de tête).

- Fièvre élevée.
- Douleur en arrière des yeux.
- Douleur dans le dos.
- Douleur des muscles et articulations.
- Éruption cutanée généralisée avec souvent démangeaisons. Elles apparaissent au troisième jour. L'éruption permet de différencier la dengue de la grippe.

Durée

- Après deux ou trois jours, la fièvre tombe et les symptômes disparaissent pour revenir quelques jours après, mais moins intenses.
- Bien que la convalescence soit longue, la dengue est rarement mortelle.

Causes

- Un virus transmis par le moustique.

Traitement

- Il n'y a pas de traitement spécifique, mais le patient devra observer un repos complet au lit et boire abondamment. L'aspirine aux doses habituelles pourra combattre la fièvre et les céphalées.

Voir MALADIES INFECTIEUSES, *page 32*

DÉGÉNÉRESCENCE MACULAIRE SÉNILE

C'est une zone de cicatrisation de la rétine, au niveau de la membrane sensible de la partie postérieure de l'œil. On appelle macula la zone la plus sensible située au centre de la rétine. Dans la dégénérescence maculaire disciforme, les vaisseaux capillaires se développent en arrière de la rétine d'une façon anormale. Ils entraînent un œdème, des hémorragies et une cicatrice qui empêchent une vision nette. Cela survient le plus souvent chez des personnes dépassant cinquante-cinq ans, mais peut parfois atteindre des personnes jeunes, du fait d'autres maladies oculaires, telles qu'une forte myopie.

Symptômes

- Vision brouillée et souvent déformée qui rend difficile la lecture et la reconnaissance des visages. Ce phénomène survient rapidement; de l'extérieur, l'œil garde son aspect normal.

Causes

- Bien que la cause précise ne soit pas entièrement connue, ces altérations sont habituellement liées à l'âge, au DIABÈTE ou à l'HYPERTENSION ARTÉRIELLE.

Complications

- Perte de la vision centrale.

LA LUMIÈRE QUI GUÉRIT

Comment le laser peut aider à sauver la vue

Le laser produit un faisceau lumineux intense qui se propage en ligne droite.

Certaines circonstances, comme la dégénérescence maculaire sénile ou la rétinopathie diabétique, entraînent un développement excessif des vaisseaux capillaires au niveau de la rétine ou la fuite de leur liquide. Cela peut provoquer une détérioration grave de la vision, et même une cécité. Pour arrêter ce processus, le médecin va photocoaguler les vaisseaux anormaux par un impact de laser. La photocoagulation au laser est effectuée avec un rayon laser connecté au microscope. Le patient ne ressent aucune douleur, il voit juste un flash lumineux.

Un traitement de ce type appliqué à temps peut sauver la vue. Le laser est également utilisé pour le traitement de certaines lésions au niveau d'yeux affectés de myopie.

Le laser trouve aussi des applications dans d'autres domaines de la médecine : certains cancers et certaines maladies de la peau.

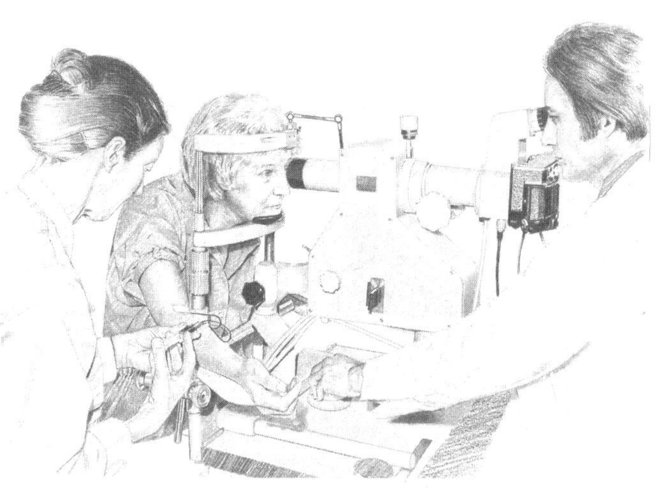

PHOTOGRAPHIE DE L'ŒIL. *On injecte la fluorescéine par voie intraveineuse au niveau du bras, et le produit est véhiculé par la circulation sanguine jusqu'aux vaisseaux profonds de l'œil. Quand l'œil est illuminé en lumière bleue, la fluorescence se produit en couleur verte, et les vaisseaux anormaux apparaissent bien visibles et peuvent être photographiés.*

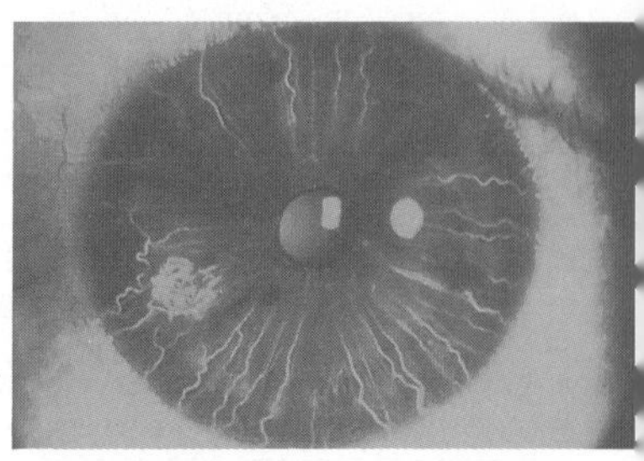

DÉTECTION COLORÉE. *Les taches irrégulières (à gauche) indiquent une zone malade de l'iris, mise en évidence par une angiographie fluorescéinique.*

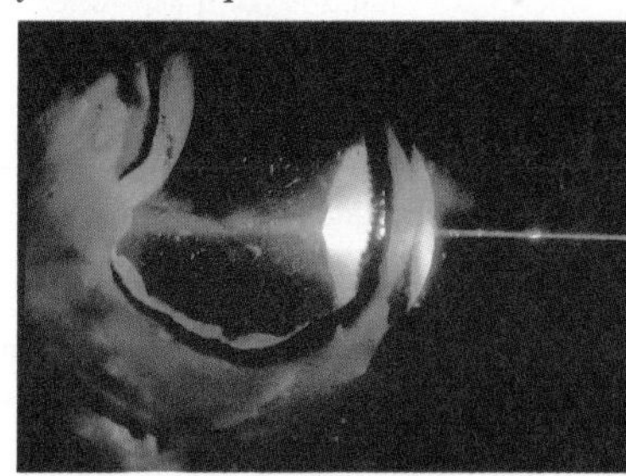

TRAITEMENT AU RAYON LASER. *Le rayon laser traverse l'œil et détruit sans douleur la zone rétinienne atteinte.*

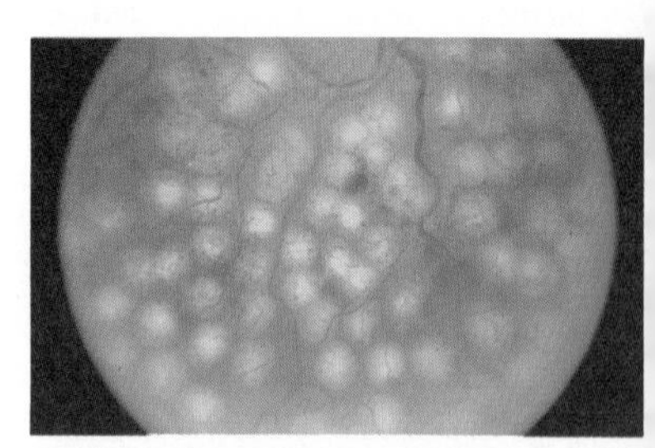

L'ŒIL APRÈS TRAITEMENT. *Les zones jaunes sont les emplacements « brûlés » par les impacts du rayon laser. Les autres zones étaient saines.*

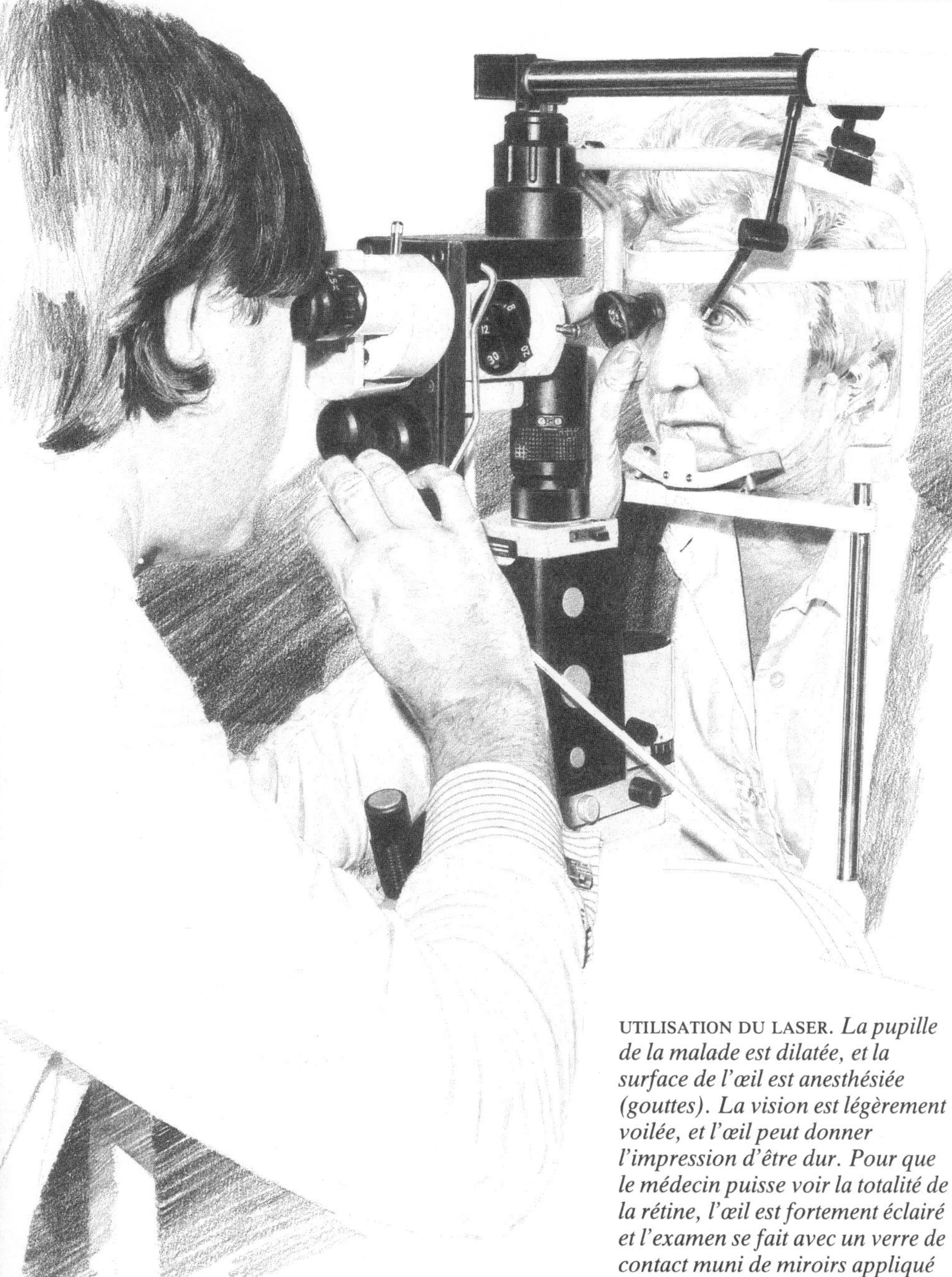

UTILISATION DU LASER. *La pupille de la malade est dilatée, et la surface de l'œil est anesthésiée (gouttes). La vision est légèrement voilée, et l'œil peut donner l'impression d'être dur. Pour que le médecin puisse voir la totalité de la rétine, l'œil est fortement éclairé et l'examen se fait avec un verre de contact muni de miroirs appliqué sur l'œil. La patiente mobilise son œil en suivant une petite lumière. Avant de faire une marque de laser, le médecin place un repère lumineux sur la rétine.*

Quand consulter le médecin

- Dès qu'un des symptômes décrits apparaît : si un œil a déjà été atteint, il faut surveiller régulièrement l'autre œil afin d'essayer de le protéger.

Rôle du médecin

- Envoyer le patient chez un ophtalmologiste.
- Sur le plan local, un examen du fond d'œil sera pratiqué à l'ophtalmoscope après dilatation de la pupille. Le spécialiste pourra demander une angiographie fluorescéinique (photographie pratiquée après injection intraveineuse de fluorescéine), qui permet de visualiser la vascularisation rétinienne et d'en préciser les anomalies dans la région maculaire. L'image de ces anomalies restera fixée par la photographie et, quelques jours après si le cas est favorable, on pourra procéder à un traitement au laser. L'ophtalmologiste surveillera minutieusement le malade pendant les semaines suivantes pour s'assurer que les vaisseaux anormaux ont bien été détruits.
- Si les anomalies vasculaires siègent au centre de la macula, le traitement par laser peut être impossible, le risque d'atteindre la zone sensorielle de la macula étant trop grand. Dans ce cas, le médecin apprendra au patient comment vivre le mieux possible avec son handicap visuel, comment utiliser des verres grossissants et assurer un bon éclairage pour la lecture.

Prévention

- Il n'y en a pas. Si un œil a été atteint, le risque est grand pour l'autre, et le patient doit consulter.

Pronostic

- Si le traitement est effectué à temps, le pronostic est meilleur. Cette dégénérescence maculaire gêne la vue, mais n'entraînera jamais la cécité.

Voir L'ŒIL, *page 36*

DENTS (SOINS DES)
Voir page 164

DÉPERSONNALISATION

Sentiment de n'être plus soi-même, qui s'accompagne d'une impression d'étrangeté et d'irréalité. Ce phénomène peut s'observer chez les sujets normaux, notamment à l'endormissement, mais également avec certaines drogues (L.S.D.) et au cours de certaines maladies (personnalités hystériques ou obsessionnelles, SCHIZOPHRÉNIE).

Les dents

LA CARIE DENTAIRE ET LA MALADIE DES GENCIVES PEUVENT ÊTRE PRÉVENUES EN SUIVANT QUOTIDIENNEMENT DES PRINCIPES D'HYGIÈNE

Les deux maladies les plus répandues au Canada et en Europe sont la carie dentaire et la maladie des gencives, appelée gingivite.

Dès la naissance, de nombreuses espèces de bactéries peuplent la cavité buccale. Seules quelques-unes sont pathologiques : essentiellement celles qui participent à la formation de la plaque (film adhérant à la surface dentaire ou gingivale). Celle-ci est d'autant plus dangereuse qu'elle s'associe avec le sucre des boissons et des aliments. Lors de son passage dans la cavité buccale, celui-ci est immédiatement incorporé à la salive et adhère à la plaque, qui reste collée à la dent plus de vingt-quatre heures.

Il faudra douze minutes pour que le sucre se combine à la plaque et augmente considérablement le niveau d'acide, toujours présent en petite quantité. L'acide attaque l'émail de la dent, et ainsi débute le processus de la carie dentaire. Le niveau d'acide ne revient à la normale que vingt-cinq minutes plus tard.

Le facteur essentiel dans la formation de l'acide est davantage lié à la fréquence de consommation qu'à la quantité. Si l'on mange du sucre en permanence toute la journée, le niveau d'acide buccal reste continuellement à un niveau élevé et expose les dents à la carie. La carie dentaire peut débuter dès l'âge de un an, et continuer la vie entière.

Cependant, carie et gingivite peuvent être prévenues par une hygiène rigoureuse et régulière, l'interdiction de manger des sucreries et des contrôles dentaires fréquents.

Le brossage

Le brossage dentaire, dont le but est la suppression de la plaque, film bactérien pratiquement invisible se formant à la surface des dents, doit être pratiqué au moins une fois par jour, sans oublier les espaces interdentaires et la surface gingivale. La plaque est la principale cause de la maladie des dents. On y remédie en utilisant des brosses à dents constituées de rangées de fibres en nylon souples ou moyennes et une pâte dentifrice qui peut contenir des fluorures. Le brossage sera vigoureux, mais pas brutal. Un brossage soigneux et parfait dure trois minutes.

1. *Le brossage de la face externe des dents supérieures se fera de haut en bas, tout en gardant la main légère, et il durera environ trente secondes.*

GINGIVITE
Si la plaque dentaire n'est pas éliminée sérieusement chaque jour, elle s'accumule autour et dans le sillon de la gencive marginale (à la jonction dent-gencive) et constitue à la longue une substance dure et rugueuse, appelée calcul ou tartre, sur laquelle la plaque adhère plus facilement et qui conduit à l'inflammation des gencives. Les nombreuses fibres qui relient la dent au maxillaire et qui agissent à la manière d'un coussin amortisseur sont détruites. Pour finir, les dents deviennent mobiles et doivent être extraites, ou bien elles tombent d'elles-mêmes.

Le signe évident de la gingivite est une gencive rouge vernissée, qui saigne au brossage. Cette maladie apparaît à n'importe quel âge, parfois chez l'enfant de moins de cinq ans. Si cet état n'est pas enrayé par une hygiène buccale soignée, les dommages deviennent irréversibles et conduisent à la perte de la dent, qui aurait pu être évitée.

HYGIÈNE DENTAIRE
Les dents doivent être brossées rigoureusement avec une pâte dentifrice (au fluor éventuellement), au moins une fois par jour, et de préférence avant d'aller se coucher. Normalement, pâtes et poudres ne sont pas indispensables pour l'amélioration du nettoyage. Cependant, les

2. *Le brossage de la face interne des dents supérieures sera identique, avec un mouvement de va-et-vient, en retournant la brosse pour faciliter l'accès.*

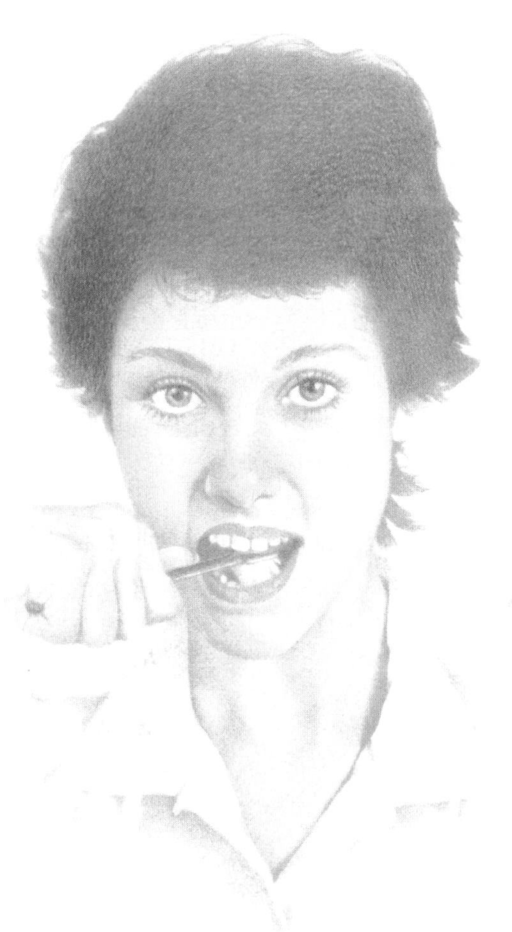

3. *Les dents inférieures devront être brossées de façon identique mais de bas en haut sur les faces interne et externe, et durant trente secondes pour chacune.*

4. *Le brossage des surfaces mordantes supérieure et inférieure se fera par un mouvement énergique et horizontal, durant environ trente secondes.*

produits contenant des fluorures ont montré une diminution de 25 pour 100 des caries quand ils sont utilisés régulièrement. La meilleure brosse à dents possédera une petite tête plate ornée de poils de nylon moyennement souples.

La brosse dont les poils deviennent aplatis et divergents sera immédiatement remplacée. Pour la plupart des gens, cela correspond à quatre fois par an au minimum. On pourra commencer le brossage chaque fois à partir d'une zone différente pour être sûr de n'oublier aucune dent.

Ceux qui auront des difficultés à bien utiliser une brosse à dents manuelle se serviront d'une brosse à dents électrique. Les invalides et les handicapés sévères en particulier (*voir* SOINS INFIRMIERS A DOMICILE). La brosse interproximale — dotée d'une tête minuscule — servira à nettoyer les embrasures ou espaces interdentaires, et tout particulièrement chez les porteurs de prothèses fixées, afin d'atteindre les intermédiaires de bridge sans danger. Elle est aussi utilisée pour nettoyer derrière la dernière dent de l'arcade.

Juste avant le brossage, ne jamais mouiller la brosse. Déposer un peu de pâte (les quantités indiquées dans les publicités sont trop importantes) sur une brosse sèche. La salive intrabuccale apportera suffisamment d'humidité. Un excès de pâte gênerait le brossage. Il n'y a pas un seul et unique moyen de se brosser les dents. Le but recherché est l'élimination de la plaque, qu'elle soit devant, derrière ou sur les surfaces mordantes des dents, ainsi qu'au niveau de la gencive et dans les espaces interdentaires.

Les pastilles de révélation de la plaque vous y aideront. Une teinture totalement inoffensive, après que vous aurez mâché la pastille, colorera la plaque adhérant aux dents et aux gencives et la mettra en évidence. Les dents ne seront complètement nettoyées que lorsque toute la plaque colorée aura disparu. Pastilles de révélation, liquides et colorants sont disponibles en pharmacie et doivent être utilisés par toute la famille une fois par semaine.

Même un brossage régulier ne retirera pas toute la plaque. Il sera complété par l'utilisation de fils de soie dentaires, ou de bâtonnets interdentaires dans les cas d'embrasures larges. Ces deux éléments d'hygiène sont disponibles en pharmacie; cependant, avant leur utilisation et pour éviter tout traumatisme gingival s'ils sont mal employés, demandez conseil à votre dentiste pour une bonne marche à suivre.

Le fil de soie dentaire est maintenant un fil de nylon robuste, que l'on jette après usage, et spécialement conçu pour l'hygiène dentaire. Si l'on constate un saignement gingival, il peut être causé soit par une mauvaise utilisation du fil de soie dentaire, soit par une gingivite. Dans ce dernier cas, un brossage quotidien minutieux et le passage du fil une fois par semaine remettront les choses en place.

Types de brosses à dents

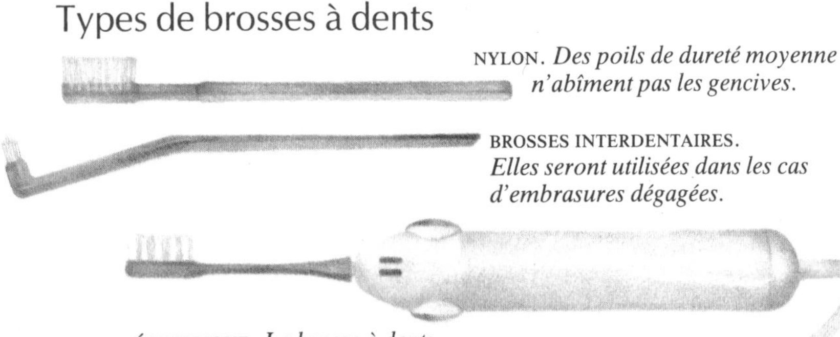

NYLON. *Des poils de dureté moyenne n'abîment pas les gencives.*

BROSSES INTERDENTAIRES. *Elles seront utilisées dans les cas d'embrasures dégagées.*

ÉLECTRIQUE. *La brosse à dents électrique sera une aubaine pour certains handicapés et pour ceux qui ne savent pas utiliser convenablement la brosse manuelle. Alimentée par le secteur, la brosse électrique est plus pratique.*

SOINS DENTAIRES CHEZ L'ENFANT

La première dent apparaît environ vers six mois. Il sera plus facile de commencer l'hygiène dentaire avec un coton-tige ou une compresse de gaze plutôt qu'avec une brosse. Cependant, l'introduction précoce de la brosse familiarisera l'enfant rapidement avec celle-ci. Même s'il la considère comme un jouet au début, cela lui permet d'avoir un avant-goût du brossage. Ne pas utiliser de dentifrice avant qu'il sache bien rincer sa bouche. Tandis que l'enfant est tranquillement assis sur sa chaise, la mère le maintiendra contre sa poitrine devant une glace éclairée et lui montrera le brossage. Jusqu'à sept, huit ans, l'enfant n'a pas la dextérité nécessaire pour brosser correctement ses dents, et il sera donc guidé par l'adulte.

RÉGIME ALIMENTAIRE

Diminuez les sucreries au minimum. En particulier, ne mangez rien en dehors des repas. Si c'est nécessaire, prenez du fromage ou des fruits. Ils pourront aussi remplacer un gâteau sucré après le dîner. Si vous achetez des plats cuisinés, choisissez ceux qui contiennent le moins de sucre ou de glucose.

L'enfant ne naît pas avec l'envie de sucré : il l'acquiert plus tard. Aidez-le en ne lui donnant pas de sucettes et en supprimant toute alimentation ou boisson trop sucrée. Quand l'enfant grandit, cela devient un problème. Idéalement, les sucreries devraient être limitées à de petites quantités données un jour dans la semaine, comme une récompense. De nombreux médicaments destinés aux enfants malades contiennent une trop grande proportion de sucre. S'ils sont administrés juste avant de dormir, les dents de l'enfant seront nettoyées ou, au moins, sa bouche sera rincée à l'eau.

2. *Dire à l'enfant d'avaler sa salive et de brosser ses dents en retirant tout ce qui est coloré. Un bon brossage quotidien est plus efficace que plusieurs brossages rapides et mal faits.*

Coloration et brossage

Pour aider à prévenir les problèmes dentaires, la plaque qui se développe sur les dents des enfants sera mise en évidence par coloration, avec un produit non toxique et sans danger. L'enfant pourra alors voir la plaque et apprécier la nécessité d'une hygiène régulière. Coloration et brossage débuteront le plus tôt possible. Dès l'âge de trois ans, les enfants peuvent souffrir de caries ou de maladie gingivale, et vers l'âge de douze ans on remarque parfois des obturations, des caries, ou des dents manquantes.

1. *A l'aide d'un coton-tige, la mère retire la plaque révélée par le colorant sur les dents de son enfant. Toutes les dents, sans exception, seront colorées.*

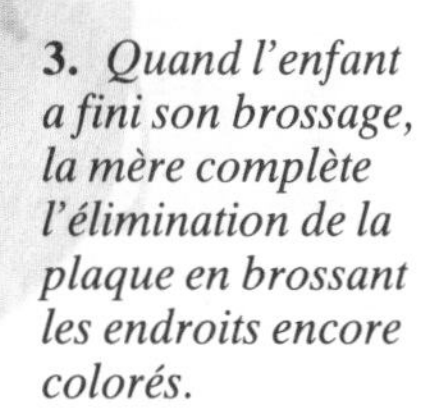

3. *Quand l'enfant a fini son brossage, la mère complète l'élimination de la plaque en brossant les endroits encore colorés.*

Glossaire du dentiste

Anesthésique
Un anesthésique local — le plus souvent à base de lignocaïne — est injecté dans les tissus avoisinant la racine de la dent pour supprimer toute sensibilité sur une ou plusieurs dents, ainsi que sur la gencive environnante.

Une anesthésie générale produira une inconscience globale avec une perte de sensibilité totale ou partielle de tout le corps.

Pont (bridge)
Il permet de restaurer une édentation, perte d'une ou plusieurs dents, par un système fixe et rigide, généralement en métal, qui supportera des dents de prothèse (en métal ou en céramique). Les dents adjacentes à l'édentation, ou piliers de bridge, seront taillées pour recevoir une couronne de recouvrement. La partie édentée sera restaurée par ce que l'on appelle l'intermédiaire de bridge.

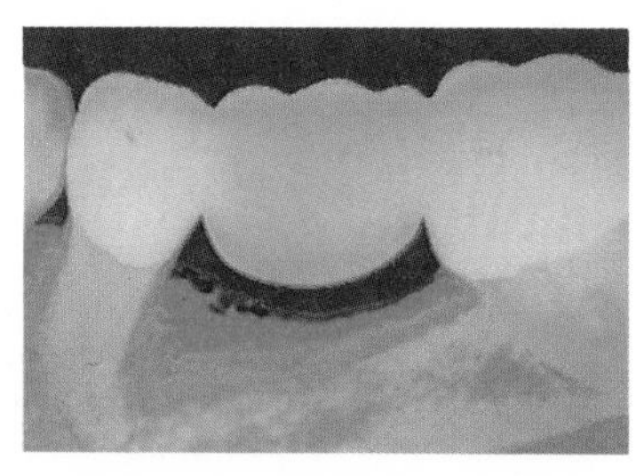
BRIDGE

Couronne
Une couronne est destinée à recouvrir une dent qui aurait été délabrée par la carie, endommagée dans un accident, ou portant des anomalies d'aspect ou de coloration. Elle peut être métallique (or ou alliage non précieux), céramique (généralement utilisée sur les dents antérieures) ou céramo-métallique.

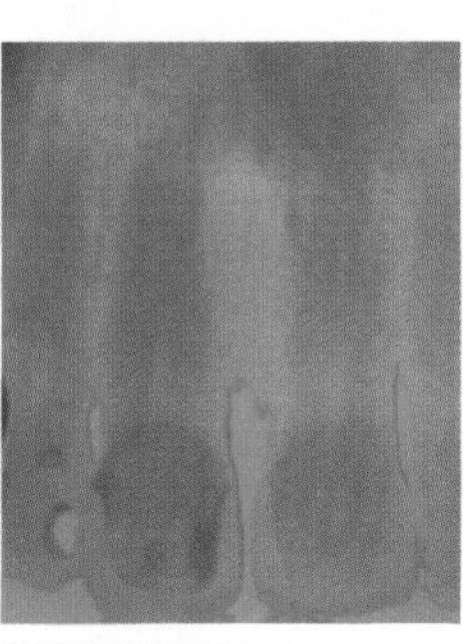
COURONNES

Extractions
La plupart des extractions sont effectuées par le dentiste, sous anesthésie locale. Des extractions très délicates demanderont une anesthésie générale, qui peut être pratiquée dans un hôpital.

Obturations
Elles sont pratiquées après avoir creusé et nettoyé la carie. L'amalgame (alliage de différents métaux en proportion variable, dont l'argent et le mercure) est, par sa solidité, réservé aux dents postérieures, le composite (résine imitant la teinte de la dent et durcissant sous l'effet de différents facteurs), pour les dents antérieures.

Dents incluses
Une dent incluse est une dent qui n'évoluera pas spontanément sur l'arcade dentaire et qui restera coincée contre une autre dent, sous la gencive. C'est le cas de la troisième molaire, ou dent de sagesse, qui apparaît généralement vers dix-huit ans.

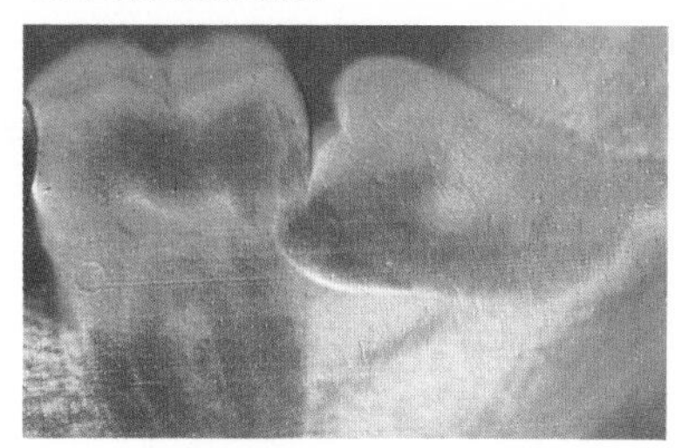
DENT DE SAGESSE INCLUSE

Implants
Les nouvelles techniques d'implants (placer de façon permanente une fausse dent dans l'os maxillaire par l'intermédiaire d'une infrastructure métallique) ont déjà montré leur efficacité. Mais les implants sont utilisés en dernier recours, quand aucune autre solution de remplacement des dents absentes n'est possible.

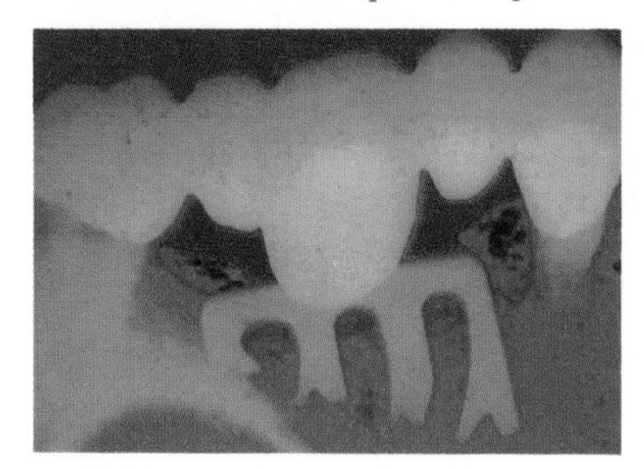
IMPLANT

Obturations canalaires
Dans beaucoup de cas, quand la pulpe dentaire (tissu vivant à l'intérieur de la dent) a été sérieusement endommagée et infectée, et qu'un abcès s'est déclaré, la dent ne doit pas être systématiquement extraite. La pulpe, ou parenchyme vasculo-nerveux, sera totalement retirée, l'abcès drainé, le ou les canaux agrandis, désinfectés, nettoyés, et complètement bouchés.

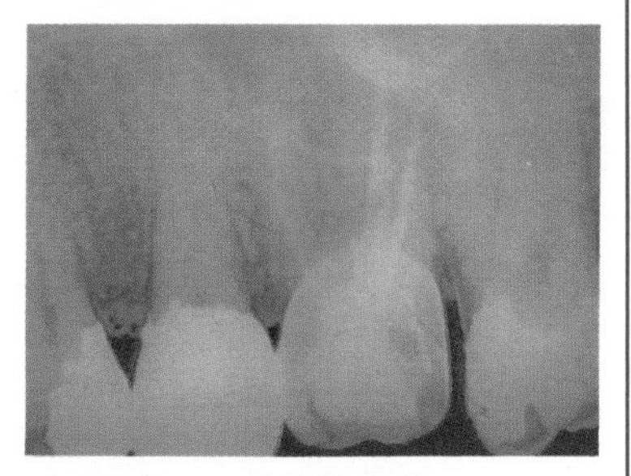
OBTURATIONS CANALAIRES

Rayons X
Les dentistes utilisent des radiographies des dents et des maxillaires pour diagnostiquer un éventuel problème dentaire. Une femme enceinte devra informer le praticien de son état avant toute radiographie.

LE FLUOR

Des recherches importantes ont montré que le fluor fortifie l'émail des dents en le rendant plus résistant à la carie. Cet effet est encore plus important s'il a lieu au moment de la formation des dents permanentes.

L'on pourra donner à l'enfant du fluor (gouttes ou comprimés) dès l'âge de six mois.

Le fluor peut être administré par le dentiste sous forme d'un gel appliqué tous les six mois (le gel est une matière visqueuse dans laquelle l'enfant plongera ses dents pendant plusieurs minutes chez le dentiste). On peut également utiliser le fluor sous forme liquide, à l'occasion de bains de bouche.

Il y a d'autres procédés qui permettent de lutter contre la carie chez l'enfant. Les dents du fond possèdent des sillons sur les tranches mordantes, et il est parfois impossible de supprimer la plaque qui s'y accroche. Le dentiste peut alors les combler avec une résine, appliquée au pinceau, dès que les molaires permanentes apparaissent. Ce procédé s'appelle l'« obturation des sillons ».

ENTRETIEN DES DENTIERS (PROTHÈSES AMOVIBLES)

Après l'extraction des dents, la gencive subit souvent une rétraction importante dans les six premiers mois, puis reste stationnaire. Ainsi, toute personne venant de se faire appareiller constatera bientôt une mobilité de sa prothèse et devra retourner chez son dentiste. L'appareil devra être

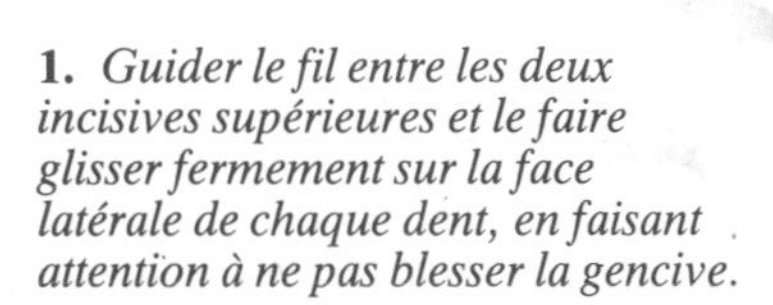

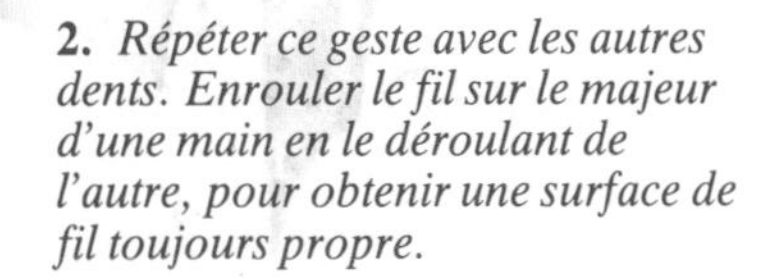

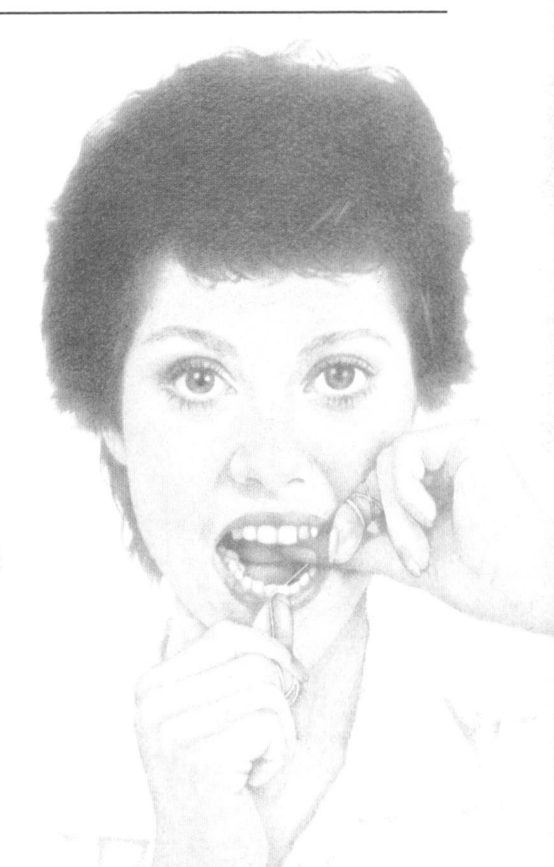

Fil de soie dentaire

Utilisé une fois par jour pour retirer les débris alimentaires interdentaires. On coupera du fil, et chaque extrémité sera enroulée autour du majeur de chaque main.

1. *Guider le fil entre les deux incisives supérieures et le faire glisser fermement sur la face latérale de chaque dent, en faisant attention à ne pas blesser la gencive.*

2. *Répéter ce geste avec les autres dents. Enrouler le fil sur le majeur d'une main en le déroulant de l'autre, pour obtenir une surface de fil toujours propre.*

3. *Après le passage du fil entre les dents supérieures, répéter l'opération entre les dents inférieures. Rincer ensuite la bouche et cracher.*

retiré et nettoyé à fond au moins une fois par jour. Le brosser avec une brosse moyennement dure, avec du savon ou un autre produit vendu en pharmacie. Rincer alors à l'eau tiède et continuer à brosser.

VISITES CHEZ LE DENTISTE
Tout individu, en particulier l'enfant, doit aller chez le dentiste tous les six mois. Il examinera non seulement les dents en prévention de la carie, mais il vérifiera le développement et l'évolution en bonne position des dents permanentes; dans le cas contraire, une visite chez l'orthodontiste s'imposera pour remettre les dents en bonne place.

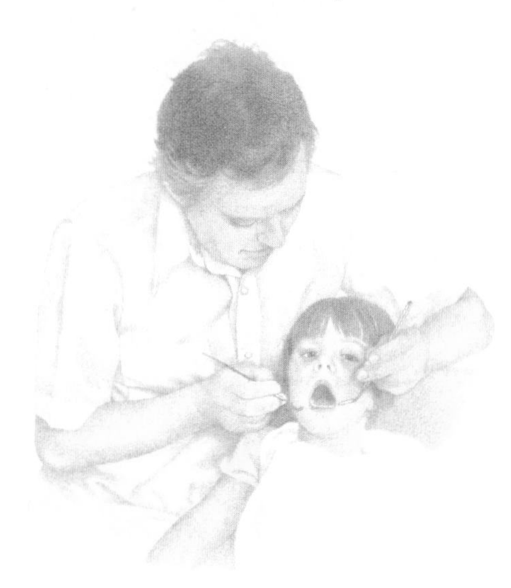

VISITE CHEZ LE DENTISTE. *Un dentiste habile et sympathique mettra l'enfant à l'aise et ne laissera pas les « visites chez le dentiste » devenir une corvée. La maladie dentaire est facile à prévenir et devra l'être, évitant ainsi nombre de souffrances et de larmes chez l'enfant.*

ORTHODONTIE/ORTHOPÉDIE DENTO-FACIALE

L'orthodontie est une discipline de la dentisterie. Elle a pour objet de corriger les malpositions ou les malocclusions dentaires. Elle obtient ainsi les conditions anatomiques permettant d'une part un déroulement optimal des fonctions (manger, parler, sourire), et d'autre part une meilleure prévention ou de meilleurs soins des caries et des maladies de la gencive *(figure 1)*.

Si les corrections à réaliser impliquent surtout des mouvements dentaires, on parlera d'*orthodontie*, tandis que si les corrections impliquent des changements des rapports des mâchoires, on parlera d'*orthopédie dento-faciale (figure 2)*. Dans la pratique ces deux termes sont pris en synonymes.

AGE ET DURÉE DES TRAITEMENTS
Le remodelage osseux physiologique — qui est utilisé pour le déplacement orthodontique — se poursuit tout au long de la vie. Un traitement orthodontique peut donc être réalisé chez l'enfant comme chez l'adulte.

Par contre, les changements des rapports des mâchoires ne peuvent être obtenus que pendant la croissance. Si ces changements sont nécessaires chez l'adulte, ils ne pourront être obtenus que par une intervention chirurgicale. En pratique, la consultation d'orthodontie doit être demandée vers neuf ans. En fonction du type de problème à corriger, l'orthodontiste fixera l'âge du traitement. Il y a rarement des traitements de moins d'un an, et les traitements moyens d'enfants durent de deux à trois ans. Tous les traitements sont suivis d'une période de contention où l'orthodontiste suit la stabilisation des résultats. Cette période dure elle-même de un à deux ans.

APPAREILLAGES
Suivant la nature du traitement à effectuer, on utilisera des appareillages fixes ou amovibles.

Le plus souvent, les appareillages amovibles sont des appareils fonctionnels utilisant les forces musculaires pour corriger les rapports des maxillaires, ou protégeant certaines portions des arcades des pressions des lèvres ou de la langue *(figure 2)*.

Les appareils fixes sont des appareillages permettant les déplacements dentaires et les fermetures d'espaces d'extraction en utilisant les forces produites par des fils qui sont des ressorts. Chaque dent est rendue solidaire d'une console, ou bracket *(figure 3)*. Ces brackets sont soit collés directement sur les dents, soit soudés sur des bagues elles-mêmes scellées sur les dents.

On peut dans certains cas utiliser des brackets collés à la face interne des dents *(figure 4)*.

Les appareillages fixes ou amovibles sont souvent complétés de systèmes permettant de prendre appui en dehors de la bouche, que l'on désigne sous le nom d'« ancrages extra-osseux ». Ils sont le plus souvent portés la nuit et prennent appui soit sur la tête ou dans le cou, soit sur le front et le menton, pour aider à reculer ou à avancer les mâchoires ou les dents. Leur port régulier est indispensable.

EXTRACTION OU NON-EXTRACTION
Si les malpositions dentaires sont dues à une dysharmonie importante entre la taille des arcades dentaires et la taille des dents, il faudra pratiquer des extractions de dents définitives pour obtenir un résultat stable *(figure 1)*.

Attendre la croissance ne permettra pas de résoudre un problème de manque de place.

Les extractions peuvent être également nécessaires pour compenser des décalages entre les maxillaires supérieur et inférieur *(figure 5)*.

DANGERS

Lésion de l'émail et destruction des gencives. Tout traitement d'orthodontie exige une hygiène stricte avec une méthode de brossage adaptée. Si elle n'est pas respectée, la plaque dentaire s'accumule autour des appareillages fixés et attaque l'émail ou produit une inflammation gingivale.

Les lésions de l'émail sont irréversibles, et celles de la gencive peuvent l'être également.

Un traitement peut toujours être entrepris sans léser les dents ni les tissus de support. Cela reste vrai même en cas de maladie parodontale (déchaussement).

Résorption des racines. Les déplacements dentaires sont permis par la résorption puis la reconstruction de l'os de soutien. Il n'est pas exceptionnel que les cellules qui résorbent l'os résorbent la partie terminale de la racine, sans qu'aucune reconstruction de compensation ne prenne place. Il n'est actuellement pas possible d'éliminer totalement ce risque mais seulement de le minimiser ou de le prévoir à partir de documents radiologiques initiaux complets.

CONTRAINTES

Un traitement d'orthodontie exige :

a) Des expositions aux rayons X pour des radiographies relativement nombreuses.
b) Des visites toutes les quatre à six semaines.
c) Quelques rendez-vous très longs.
d) Une hygiène stricte.
e) Un inconfort lié au port de l'appareillage.
f) Le port éventuel d'ancrages extra-osseux.
g) Des désagréments esthétiques (souvent).

CHOIX DU PRATICIEN

Depuis quelques années, il existe dans plusieurs pays un corps de dentistes spécialisés dans l'exercice de l'orthodontie.

En pratique, c'est le dentiste de famille qui diagnostique le besoin d'orthodontie et qui, selon le cas, s'adresse à l'orthodontiste ou réalise lui-même le traitement.

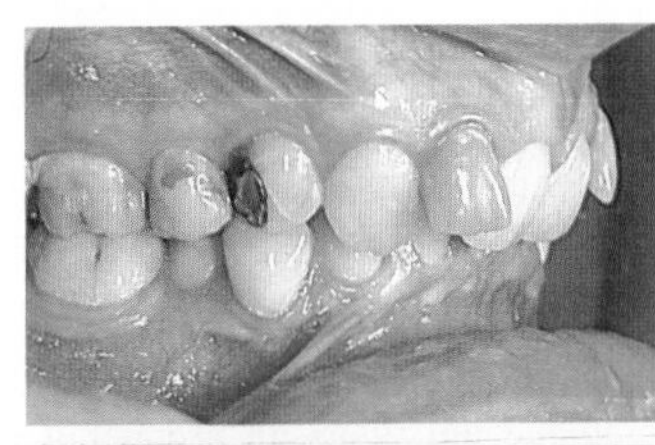
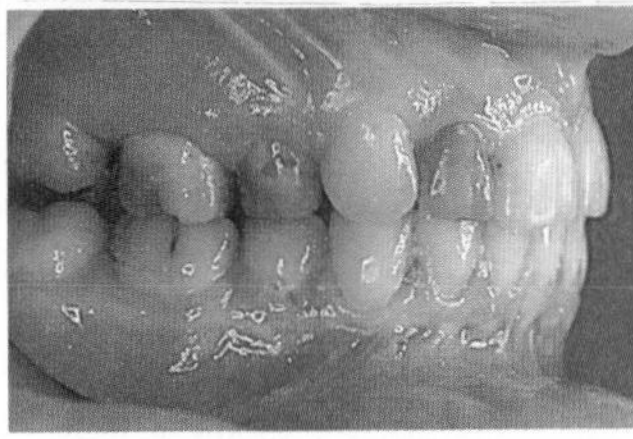

figure 1

Les nombreux soins à réaliser dans la bouche de cette patiente de trente-cinq ans ne pouvaient être effectués correctement en fonction des malpositions présentes. Le traitement d'orthodontie a permis, après extractions compensant le manque de place, de donner les conditions d'une denture correcte.

L'orthodontie peut totalement changer le profil. Comme chez ce patient qui, entre neuf ans (photo de gauche) *et douze ans* (photo de droite), *a porté un appareil fonctionnel amovible.*

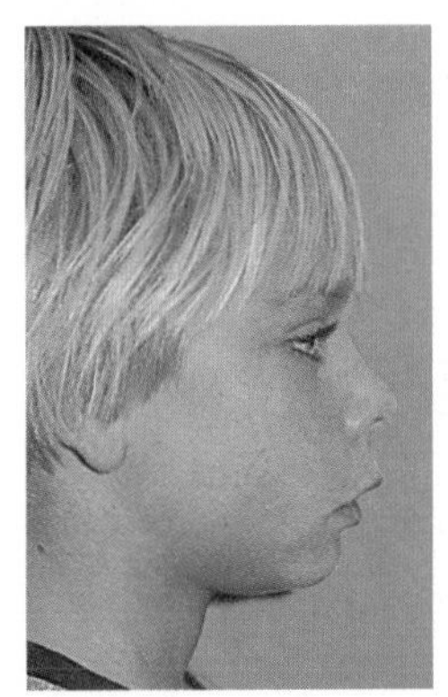
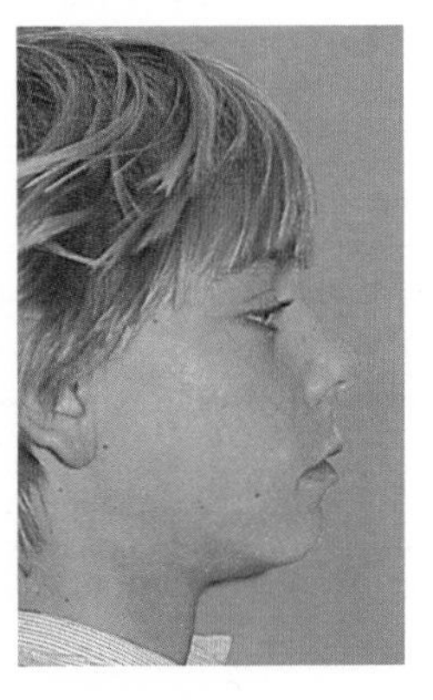

figure 2

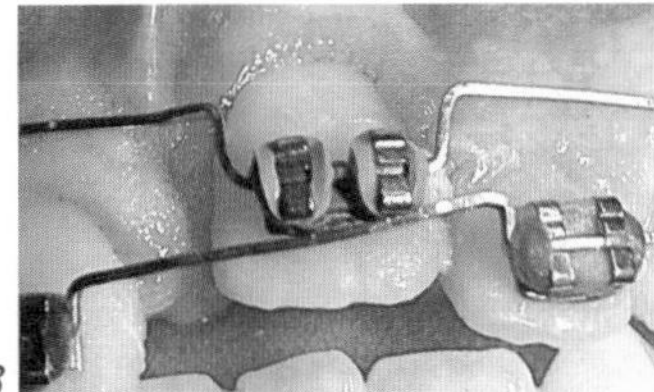

figure 3

Les brackets, ou consoles, sont ici collés à la face externe des dents et permettent à l'orthodontiste d'appliquer les systèmes de force nécessaires au déplacement à réaliser.

figure 4

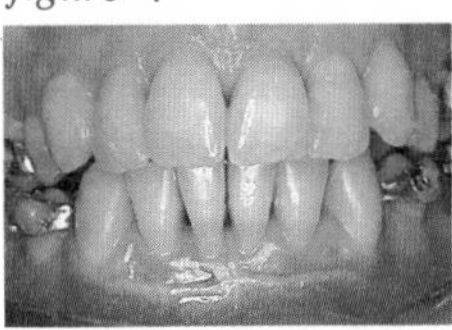
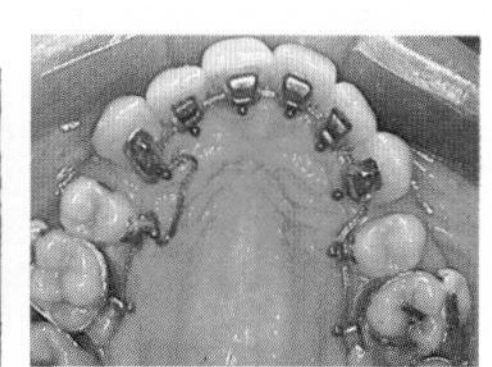

Les brackets sont ici collés à la face interne des dents; rien n'est visible du dehors.

Chez ce patient de quatorze ans (croissance terminée), les extractions sont utilisées pour permettre de compenser le décalage existant entre le maxillaire supérieur et la mâchoire inférieure.

figure 5

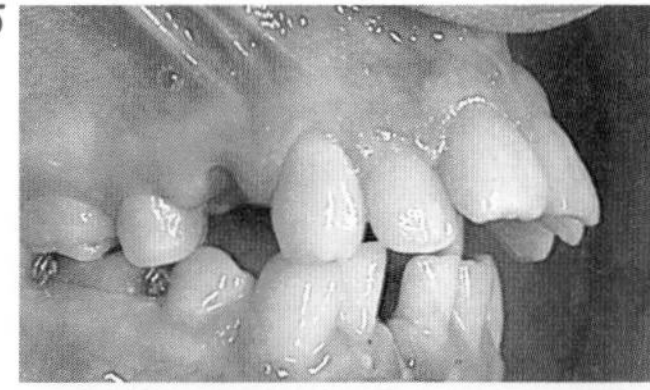
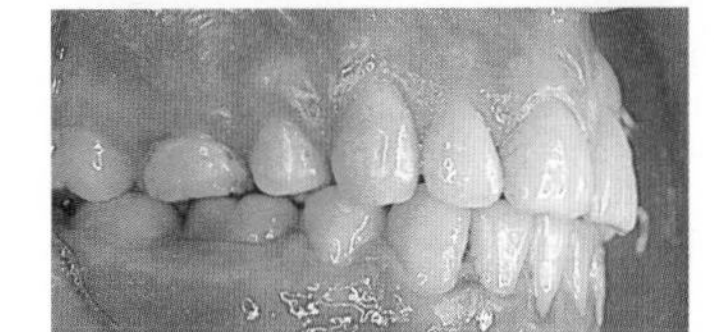

DÉPISTAGE PRÉNATAL

Les risques potentiels d'une grossesse étant maintenant mieux connus, un certain nombre d'explorations en vue de les dépister en temps utile complètent l'examen obstétrical :
- La vision indirecte du fœtus par ÉCHOGRAPHIE.
- L'AMNIOCENTÈSE précoce, qui permet l'étude du liquide amniotique et particulièrement le dépistage du MONGOLISME.

D'autres techniques plus sophistiquées sont plus rarement envisagées, comme la vision directe du fœtus, les prélèvements du sang fœtal.

DÉPRESSION

État de tristesse prolongé, inadapté, et paraissant insurmontable. La dépression est parfois compréhensible (après un événement douloureux), mais les symptômes peuvent se développer également sans cause apparente. Cette maladie concerne environ 3 pour 100 de la population et semble atteindre davantage les jeunes femmes que les hommes; elle concerne toutes les étapes de la vie, même l'enfance.

Symptômes
- Perte de l'intérêt pour les activités habituelles.
- Sentiment d'inutilité et d'incapacité.
- Découragement, fatigue, indifférence.
- Anxiété, peur de l'avenir.
- Larmes sans raisons apparentes.
- Troubles du sommeil, avec difficultés d'endormissement et réveil trop matinal.
- Perte d'appétit et amaigrissement.
- Troubles du caractère : irritabilité.
- Idées et tentatives de suicide.
- La dépression mélancolique est particulière : inertie physique et intellectuelle, désir de mort, recherche de châtiments avec idées d'indignité et de culpabilité. Chez ces sujets, on observe des moments d'euphorie et d'excitation extrêmes : il s'agit d'accès maniaques. La survenue cyclique de manie et de mélancolie caractérise la PSYCHOSE MANIACO-DÉPRESSIVE.

Durée
- La dépression peut durer de quelques jours à quelques mois; les traitements médicamenteux réduisent la durée des accès dépressifs.

Causes
- Elles s'inscrivent dans la vie : le deuil, l'échec, la perte d'emploi... Mais l'échec scolaire ou professionnel suit, plutôt qu'il ne précède, la dépression.
- La psychose maniaco-dépressive est une maladie à composante génétique, mais les événements vitaux peuvent influer sur la survenue des accès.
- Enfin, il existe des dépressions secondaires à une maladie (DIABÈTE, HYPERTENSION ARTÉRIELLE...).

Rôle du médecin
- Les meilleurs résultats s'obtiennent avec l'association de médicaments antidépresseurs et d'une aide psychothérapique qui, dans un premier temps, peut être le seul fait de l'écoute et de la compréhension.
- L'hospitalisation s'impose :

1. Lorsque la dépression persiste malgré le traitement.
2. Pour tous les déprimés chez lesquels existe un risque de suicide.
3. Pour toutes les formes majeures de dépression (mélancolie).

- Le traitement médicamenteux par le lithium permet une action préventive sur l'apparition des phases dépressives et des phases d'excitation dans la psychose maniaco-dépressive.
- Cette prévention est efficace dans 50 à 70 pour 100 des cas, mais elle impose au patient un traitement et une surveillance à long terme.
- Un bilan médical attentif permet de préciser le diagnostic et de proposer une thérapeutique adaptée.

Pronostic
- Il dépendra de la cause et du traitement.

Voir MALADIES MENTALES, *page 33*

DERMITE

Terme qui désigne une inflammation de la peau, dont les causes sont diverses. La dermite de contact est synonyme d'eczéma allergique de contact. La dermite, ou dermatite atopique, est un autre terme pour eczéma atopique.

Voir ECZÉMA

DERMOGRAPHISME

Urticaire provoquée par une pression ou une friction douce de la peau. Ce phénomène est fréquent chez les sujets à peau fragile, mais il peut être la conséquence de la prise de certains médicaments.

DÉVIATION DE LA CLOISON NASALE

Déformation de la cloison nasale (paroi séparant les deux narines), qui est alors repoussée d'un côté.

Symptômes
- Nez bouché, en général d'un seul côté.
- Si le cartilage (qui forme l'arête de la cloison nasale) est dévié, le nez apparaît déformé.

Causes
- Choc sur l'os ou le cartilage qui cicatrise en mauvaise position.
- Croissance inégale de l'os.

Quand consulter le médecin
- Si les symptômes entraînent une gêne, en particulier si une des narines est bouchée en permanence.

Rôle du médecin
- Adresser le sujet à l'hôpital pour une intervention chirurgicale correctrice sous anesthésie générale.

Voir SYSTÈME RESPIRATOIRE, *page 42*

DIABÈTE

Maladie dans laquelle l'organisme ne peut utiliser correctement le sucre et les féculents (hydrates de carbone ou glucides) parce que le pancréas ne produit pas assez d'hormone insuline. En conséquence, le sucre s'accumule dans le sang et les tissus, et cette anomalie crée des lésions en divers points de l'organisme. Cette maladie fréquente (2 pour 100 de la population) est appelée diabète sucré pour la distinguer d'un désordre très rare, le diabète insipide.

Tous les types de diabète peuvent être maîtrisés par le régime, des comprimés ou un apport d'insuline en piqûres. Le diabétique peut mener une vie normale.

Symptômes
- Soif et urines trop abondantes. Une quantité excessive de sucre dans le sang entraîne souvent le rein à produire de grandes quantités d'urine. En raison de cette perte de liquides par l'organisme, le malade devient assoiffé, mais boire ne diminue pas la soif.
- Perte de poids, en raison de la perte de liquides et de l'incapacité de l'organisme à utiliser correctement les hydrates de carbone.
- Démangeaisons de la vulve chez la femme.
- Démangeaisons du pénis chez l'homme.

• Fatigue et troubles du caractère.
• Tendance à avoir des furoncles, des infections de la peau, de la vulve et du pénis.
• Arrêt des règles chez la femme.
• Troubles de la vision, difficultés pour accommoder.
• Ulcération des pieds.
• Picotements des mains et des pieds.

Durée

• Il n'y a pas de guérison radicale du diabète, mais le régime et les médicaments peuvent, dans de nombreux cas, ramener le sucre du sang à la normale.

Causes

• Incapacité du pancréas à fabriquer de l'insuline, hormone qui assure le stockage et l'utilisation des sucres dans l'organisme. Le diabète est une maladie différente chez l'enfant ou l'adulte jeune, et chez les sujets plus âgés. Chez les jeunes diabétiques, l'insuline est habituellement produite en très petite quantité ou, plus souvent encore, n'est plus du tout produite et doit être en conséquence remplacée par des piqûres d'insuline. Chez les diabétiques âgés de cinquante ans et plus, il persiste le plus souvent une production partielle d'insuline, et le traitement peut habituellement se limiter au régime et à la prise de comprimés sans avoir recours à l'insuline.

La cause exacte de la défaillance du pancréas est inconnue, mais il y a souvent une prédisposition héréditaire. Si deux diabétiques se marient et fondent une famille, le risque que l'un de leurs enfants devienne diabétique est de un sur quatre.

• Certaines infections virales semblent déclencher le diabète sur terrain prédisposé.

Complications

• La plupart des complications paraissent liées à la durée d'évolution de la maladie et peuvent demander vingt ou trente ans pour se manifester, mais plus encore que par la durée, elles semblent déterminées par un mauvais contrôle du diabète, c'est-à-dire une glycémie trop souvent élevée. Les complications se localisent aux :

Vaisseaux sanguins. Les petits vaisseaux sanguins peuvent se boucher en raison d'un épaississement de leurs parois ou s'affaisser, formant des micro-anévrismes (sortes de poches minuscules susceptibles de se rompre). Ces lésions des petits vaisseaux sanguins peuvent atteindre les yeux, les jambes, les nerfs, le cœur et les reins.

Yeux. La cataracte est plus fréquente chez les diabétiques. Une atteinte de la rétine (rétinopathie) peut survenir par hémorragie des vaisseaux rétiniens et peut diminuer la vision.

Jambes. Les artères peuvent se boucher, provoquant un refroidissement permanent des pieds, des douleurs en marchant, notamment aux mollets, des ulcères; la gangrène est devenue exceptionnelle.

Nerfs. Les fourmillements dans les mains et dans les pieds, la sensation de « doigts morts » peuvent résulter de l'atteinte des nerfs sensitifs.

Cœur. L'épaississement des artères du cœur (coronaires) peut conduire à l'angine de poitrine, aux attaques cardiaques, à l'insuffisance cardiaque précédée d'un essoufflement à l'effort et d'un gonflement des jambes. Il y a risque d'hypertension.

Reins. Peuvent survenir le blocage des petites artères, ainsi que d'autres altérations rénales. La défaillance totale est rare.

Traitement à domicile

• Rien n'est possible tant que le diabète n'a pas été diagnostiqué. Dès qu'il est reconnu comme diabétique, le malade doit assumer de nombreuses responsabilités.
• Aller dans un hôpital ou consulter son médecin.
• Observer un régime alimentaire fixé par le médecin.
• Manger régulièrement, ne pas sauter de repas.
• Prendre des comprimés ou son insuline.
• Faire des contrôles réguliers du sucre dans les urines, et mieux encore dans le sang, en mesurant la glycémie au moyen d'autopiqûres indolores, pratiquées au bout des doigts, et de bandelettes réactives.
• La famille du diabétique peut jouer un rôle important en l'aidant à observer son régime, en l'encourageant à mener une vie normale, et en relevant toute réaction inhabituelle au traitement.

Quand consulter le médecin

• Aussitôt qu'une soif anormale apparaît et persiste, associée à des urines trop abondantes (éventualité devenue assez rare aujourd'hui).
• Chez le diabétique reconnu, s'il note le moindre symptôme inhabituel ou sujet d'inquiétude, tels qu'ils sont mentionnés dans la rubrique « Complications ».
• Si le diagnostic de diabète n'a pas encore été fait, il faut y penser devant tout signe mentionné dans la rubrique « Symptômes ».

Rôle du médecin

• Placer une bandelette réactive dans un échantillon d'urine. S'il y a du sucre dans l'urine (glycosurie), signe de diabète, il y aura un changement de couleur sur la bandelette. Confirmation en sera donnée par une mesure du taux de sucre dans le sang (glycémie).
• Prendre le malade en charge ou l'adresser à un service de diabétologie.
• Tous les diabétiques ont besoin d'un traitement adapté à leur cas. Le but du traitement est de rétablir un taux normal de sucre (glucose) dans l'organisme.

Il existe trois méthodes principales de traitement :

Vivre avec son diabète

Le plus important, c'est d'apprendre toutes les notions essentielles concernant votre maladie; s'il est du rôle du médecin de s'attaquer à elle et de vous soigner, il ne peut pas vous conseiller pour tous les détails pratiques de la vie quotidienne, détails qui pourraient ne plus vous gêner si vous saviez ce qu'il faut faire, si vous connaissiez l'expérience d'autres personnes qui sont dans votre cas. Des brochures claires, des revues bien faites, des rencontres peuvent transformer votre vie. Adressez-vous à l'Association canadienne du diabète : 78, rue Bond, Toronto, Ontario, M5S 2J8; tél. (416) 362.4440.

☐ Ne laissez pas votre maladie gouverner votre existence. A condition de suivre les règles simples, il y aura peu d'activités qui vous seront interdites, même sportives.

☐ Un diabétique à l'insuline doit éviter de conduire ou de diriger des engins lourds s'il ne s'est pas alimenté dans les deux heures qui précèdent. Avoir du sucre sur soi, des horaires réguliers de repas, une alimentation bien répartie sont des précautions nécessaires.

☐ Si vous êtes à l'insuline, donc exposé à un accident hypoglycémique, il est utile de porter sur vous une carte de diabétique ou un bracelet métallique faisant état de votre maladie, et des mesures d'urgence à prendre en cas de coma (glucagon).

☐ Les diabétiques de longue date sont particulièrement exposés aux ennuis de pieds en raison de troubles locaux, circulatoires ou nerveux et doivent consulter un podologue. Une toilette quotidienne, des chaussettes chaudes et propres, des chaussures souples et larges sont essentielles.

☐ Il peut y avoir des problèmes lors de voyages de longue durée, notamment avec les cuisines et les climats tropicaux. Préparez sérieusement vos voyages. Des centres spécialisés offrent des séjours pour les jeunes diabétiques à l'insuline.

Le régime, visant à réduire l'apport des aliments, notamment ceux contenant des glucides, tels que pain, biscottes, gâteaux, sucreries, sucre, pommes de terre, de telle sorte que l'organisme pourra se contenter de moins. Les diabétiques qui ont un excès de poids doivent impérativement maigrir. *Voir* OBÉSITÉ.
Les comprimés aident les diabétiques d'âge mûr. Ils ne peuvent en aucun cas remplacer le régime (ils ne font que le compléter). *Voir* MÉDICAMENTS, n° 30.
Les injections d'insuline doivent être prescrites pour remplacer l'insuline manquante chez un malade présentant un diabète sévère. Il est quelquefois possible de contrôler la glycémie par une seule injection quotidienne, mais, plus souvent, un meilleur contrôle est obtenu avec deux injections, une le matin et une le soir, voire trois injections, une avant chacun des trois principaux repas. Les injections sont habituellement faites par le malade lui-même, et la plupart des diabétiques apprennent vite à les faire, mais il est bon qu'un autre membre de la famille en soit aussi capable. Il faut varier les points de piqûre.

Tous les diabétiques à l'insuline peuvent éprouver des signes à hypoglycémie (taux de sucre trop bas dans le sang), notamment quand ils ont sauté un repas ou fait un effort physique important.

L'hypoglycémie est toujours due à un excès relatif d'insuline : les symptômes sont les suivants : pâleur, faiblesse, sueurs, faim, voire crampes d'estomac, tremblements, troubles de l'équilibre ou du comportement. Le malade lui-même doit apprendre à reconnaître les signes d'alarme de l'hypoglycémie et peut y couper court en absorbant du sucre. Sinon il peut finir par paraître ivre, et il y a un risque sérieux de coma hypoglycémique. Il faut aussitôt faire une piqûre de glucagon, hormone élevant le taux de sucre dans le sang, délivrée sous forme d'ampoule que le malade doit toujours avoir à proximité, en un endroit connu par tout l'entourage.

Prévention

- Les enfants de parents diabétiques doivent éviter d'être gros : cette précaution diminue indiscutablement le risque qu'ils courent de devenir eux-mêmes un jour diabétiques.
- La normalisation de la glycémie prévient les complications d'un diabète déclaré.

Pronostic

- Mauvais si le diabète est mal surveillé, mal traité, et de ce fait installé.
- Bon chez ceux dont la maladie est contrôlée par une coopération active du malade avec le médecin, des bilans réguliers (œil notamment) et une stricte observation du traitement.

DIARRHÉE

Selles liquides, augmentées en nombre et en abondance. Ce symptôme très courant a des causes fort variées.

Voir LISTE DES SYMPTOMES (DIARRHÉE)

DIASTOLE

C'est la période du repos du muscle cardiaque après chaque contraction, ou systole. Chaque diastole ou systole dure environ deux cinquièmes de seconde.

DIATHERMIE

Un courant électrique échauffe les tissus du corps lorsqu'il les traverse entre deux électrodes. Ce procédé indolore est utilisé pour détruire des tissus malades, soigner les muscles, arrêter les saignements au cours des interventions chirurgicales.

DILATATION DES BRONCHES

Les bronches et les bronchioles (petits conduits amenant l'air au poumon) se dilatent. L'affection peut être congénitale (présente à la naissance), mais est le plus souvent due à une maladie : BRONCHITE par exemple. Cette dilatation réduit le volume respiratoire, amincit la paroi des bronches. Toute maladie diminuant l'entrée d'air dans le poumon peut entraîner une dilatation des bronches : COQUELUCHE, PNEUMONIE, TUBERCULOSE, aussi bien que la bronchite. La cause est parfois locale. La bronche est entièrement ou partiellement obstruée par une tumeur ou, plus souvent, par un corps étranger passé par la trachée.

L'infection des bronches, quand il y a dilatation, entraîne souvent la présence de pus dans les bronchioles et une grosse toux. Le traitement de cette surinfection de la dilatation des bronches comporte deux facteurs : les antibiotiques, pour détruire les bactéries, et la kinésithérapie respiratoire, pour drainer le pus et les sécrétions hors du poumon.

Voir SYSTÈME RESPIRATOIRE, *page 42*

DIPHTÉRIE

Jusqu'à une époque récente, la diphtérie très contagieuse en Amérique du Nord et en Europe occidentale, emportait un tiers de ses victimes. Mais la vaccination l'a pratiquement éliminée. Elle est due à une bactérie (*Corynebacterium diphteriae*), dont la toxine détruit les cellules. Cœur et reins peuvent être atteints et, sans traitement par antitoxines, être définitivement lésés.

La toxine peut aussi atteindre les nerfs, entraînant une impression de double vision, des difficultés à

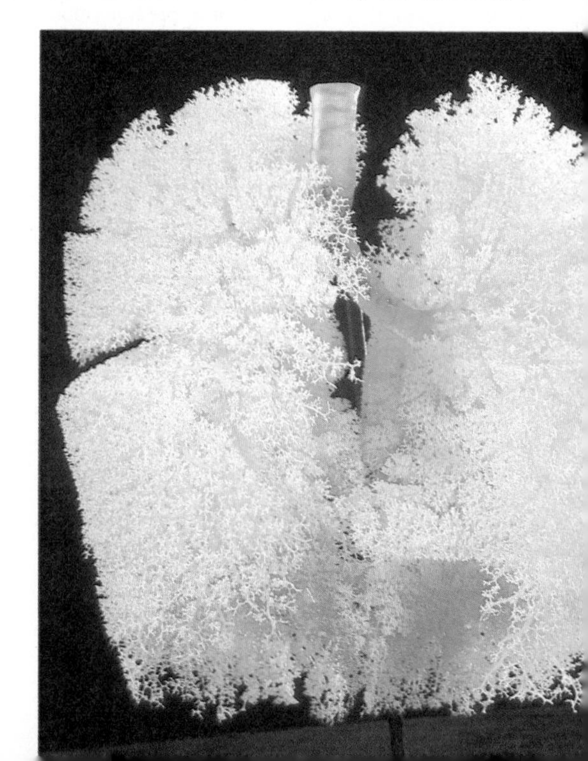

L'ARBRE PULMONAIRE. *Le poumon ressemble à un arbre dont la trachée serait le tronc (en jaune). La trachée se divise en deux branches, les bronches souches, qui à leur tour se divisent en plusieurs bronches segmentaires. D'autres divisions aboutissent à des milliers de bronchioles qui entrent dans des petites poches d'air appelées alvéoles. Là, l'oxygène est apporté à de fins vaisseaux sanguins qui l'échangent contre le gaz carbonique.*

avaler, la paralysie des muscles respiratoires et des membres. Dans les cas graves, cela entraînera la mort, surtout chez les enfants et les vieillards. Bien que les personnes vaccinées puissent être atteintes, la maladie est alors beaucoup moins grave que chez les non-vaccinés.

L'infection débute souvent dans la gorge. Elle est transmise par des germes propagés par la parole et la respiration. Les germes sont présents chez les malades et les porteurs sains. Un porteur sain est infecté, mais ne manifeste aucun symptôme. Si l'infection débute sur la peau, dans le nez, elle peut être transmise par le linge de toilette ou tout objet contaminé.

Symptômes

- Gorge douloureuse.
- Au fond de la gorge, traînées blanchâtres, grisâtres ou bleuâtres qui s'étendent et s'épaississent en moins de vingt-quatre heures. Tenter de les enlever provoque des saignements.
- Sur la peau, ulcération avec trace blanchâtre.
- Une fièvre, un malaise général, une prostration.
- Les toxines peuvent attaquer le cœur et les nerfs dès le quatrième jour, entraînant une défaillance cardiaque, une paralysie de la respiration, de la déglutition ou des mouvements des yeux.

Période d'incubation

- Un à sept jours.

Durée

- Une à trois semaines.

Causes

- Une bactérie.

Quand consulter le médecin

- Aussitôt que l'on suspecte la diphtérie.

Rôle du médecin

- Faire un prélèvement de gorge pour confirmer le diagnostic.
- Hospitaliser.
- Injecter immédiatement des antitoxines.
- Pratiquer une TRACHÉOTOMIE, si nécessaire, pour permettre la respiration.
- Ordonner le repos au lit complet.
- Prescrire des antibiotiques, même s'ils sont dans ce cas moins importants que les antitoxines.

Prévention

- Le vaccin est la meilleure protection. On pratique trois injections pendant la première année de vie et un rappel à l'entrée à l'école avec un vaccin associé à celui du tétanos, de la poliomyélite, de la coqueluche. C'est, en France, le vaccin classique « D. T. coq. polio. » (Di-té-per, en Suisse). La contre-indication est l'affection fébrile de l'enfant, bien que la vaccination antidiphtérique soit sans aucun danger.

Pronostic

- Chez les patients vaccinés, la diphtérie est rare et évolue vers la guérison sans séquelles.
- Chez les patients non vaccinés, l'évolution est toujours sérieuse.

Voir MALADIES INFECTIEUSES, *page 32*

DIPLOPIE

Une vision double permanente est habituellement liée à l'insuffisance d'un muscle qui coordonne les mouvements oculaires. Cette double vision est dénommée diplopie. Un sujet peut être atteint de diplopie transitoire pendant la convalescence de certaines maladies. La découverte d'une diplopie impose un examen oculaire complet et également un bilan plus général pour en rechercher la cause.

DIVERTICULITE

C'est l'inflammation d'un cul-de-sac formé dans la paroi du gros intestin par la DIVERTICULOSE COLIQUE. L'entrée de diverticules souvent étroits et profonds est obstruée par un œdème ou des selles durcies, et le sac devient le siège d'une inflammation. Un état fébrile, des accès douloureux, une sensibilité abdominale marquent cette diverticulite. En cas de lésion proche de la vessie, les symptômes sont ceux d'une CYSTITE.

Voir DIVERTICULOSE COLIQUE

DIVERTICULOSE COLIQUE

Présence de diverticules dans le côlon (gros intestin). Les diverticules sont des culs-de-sac formés par la muqueuse tapissant le gros intestin. Les selles peuvent s'y accumuler. Les diverticules forcent alors des zones de faiblesse des muscles intestinaux et provoquent des hernies le long de la paroi du côlon. N'ayant pas de muscles propres, les diverticules ne se contractent pas et ne peuvent se vider. Leur contenu, en durcissant, peut obstruer l'ouverture du sac et s'infecter.

Les diverticules ayant habituellement une ouverture large et étant peu profonds, ils se drainent facilement. Leur diamètre varie entre cinq et trente millimètres, et ils siègent le plus souvent dans la partie basse du côlon.

La diverticulose est fréquente après cinquante ans.

Symptômes

- La diverticulose n'entraîne aucun symptôme.
- En cas contraire, les premiers symptômes sont une impression de ballonnement, de malaise abdominal, de flatulences (gaz). Ils sont difficiles à distinguer des symptômes des autres maladies abdominales (hernie hiatale, ULCÈRE, maladie de la vésicule biliaire).
- Ballonnement soulagé par l'émission de gaz et la défécation.
- Douleurs dans la partie gauche et basse du ventre.
- Diarrhée ou constipation.
- Pus ou sang dans les selles.
- Parfois, saignements importants par l'anus.

Durée

- La diverticulose dure toute la vie.

Causes

- Les causes de la présence de la diverticulose et de l'infection sont mal connues : la constipation et un régime pauvre en fibres végétales.

Complications

- Diverticulite marquée par des accès douloureux, une fièvre, une sensibilité abdominale.
- L'inflammation peut créer un abcès en traversant la paroi (comme une APPENDICITE mais à gauche).
- Cet abcès peut évoluer vers une PÉRITONITE.
- La perforation d'un abcès peut se faire dans la vessie, le vagin ou une autre partie de l'intestin. Une occlusion peut compliquer cette perforation.

Traitement à domicile

- Repos au lit et une bouillotte d'eau chaude sur l'endroit douloureux en cas de symptômes modérés et s'il n'y a pas de fièvre. En cas de température, mettre de la glace.
- Des antalgiques mineurs si le diagnostic est établi.

Quand consulter le médecin

- En cas de douleur forte, de fièvre, de sang ou de pus dans les selles.

Rôle du médecin

- Prescrire des antibiotiques, des analgésiques plus forts et des antispasmodiques. *Voir* MÉDICAMENTS, n°s 1, 22, 25.
- Demander des examens complémentaires en cas de doute, de symptômes graves, de complication.

Prévention

- Régime riche en fibres : crudités, pain complet, son.

Voir SYSTÈME DIGESTIF, *page 44*
ALIMENTATION SAINE

DOS (DOULEURS DU)

Des millions de journées de travail sont perdues en raison de douleurs du dos. La plupart des gens souffrent de leur dos au moins une fois dans leur vie, mais il ne s'agit d'une affection sérieuse que dans un très petit nombre de cas. La douleur du dos, même atroce, est souvent le résultat d'un effort ou d'un traumatisme minime; près de 75 pour 100 des gens guérissent en une semaine et près de 90 pour 100 du reste en un mois.

La colonne lombaire est très mobile et permet de se pencher en avant, en arrière, sur les côtés, et aussi de se mettre en rotation; la plupart des douleurs du dos sont accompagnées d'une perturbation minime de cette mobilité. La douleur peut aussi provenir des muscles entourant la colonne vertébrale et qui contrôlent le mouvement entre vertèbres voisines, permettant de se pencher et de se redresser.

Structure du bas du dos

1 *Première vertèbre lombaire*
2 *Deuxième vertèbre lombaire*
3 *Troisième vertèbre lombaire*
4 *Quatrième vertèbre lombaire*
5 *Cinquième vertèbre lombaire*
6 *Sacrum*
7 *Coccyx*
8 *Articulation sacro-iliaque*
9 *Os iliaque (hanche)*

Cette forme de douleur mécanique est bien sûr aggravée par l'activité, et même par une simple quinte de toux. Elle est soulagée par le repos, et le malade guérit avec un traitement simple. La douleur mécanique du dos frappe souvent plusieurs membres d'une même famille et affecte certains types d'individus. En outre, on trouve généralement une cause évidente, telle qu'un effort physique inhabituel, par exemple jardinage ou transport d'objets. Ces tâches occasionnelles doivent être entreprises avec précaution. Il est utile également de faire une quantité raisonnable d'exercice modéré chaque semaine, notamment de la marche et de la natation. Toutefois, les formes d'exercice brusque ou inhabituel devront être évitées. *Voir* GYMNASTIQUE.

Dans la majorité des cas, le traitement est le suivant : repos, application de chaleur dans la région affectée et prise de médicaments analgésiques comme l'aspirine. Les médicaments décontracturants, prescrits par un médecin, peuvent également être utiles. La chaleur peut être fournie par une bouillotte d'eau chaude ou par un coussin électrique. Beaucoup de gens obtiennent un soulagement en se couchant à la dure, en plaçant un matelas à même le plancher ou en installant une planche sous le matelas.

Si la douleur de dos persiste plus de deux ou trois jours, un médecin doit être consulté. Néanmoins, beaucoup de gens souffrant du dos ne tirent pas profit du traitement habituel et appellent à l'aide des ostéopathes, manipulateurs et autres non-médecins. Quelquefois ces traitements apportent un soulagement, et tous les médecins n'y sont pas opposés. Mais un médecin doit normalement demander une radio de la colonne vertébrale avant toute forme de traitement par manipulation.

CATÉGORIES EXPOSÉES

Les personnes âgées. Plus vous avancez en âge, plus vous êtes exposé à souffrir du dos, car les articulations et les muscles perdent de leur souplesse. Les personnes âgées sont particulièrement menacées par l'OSTÉOPOROSE (fragilisation des os).

Ceux qui ont déjà souffert. Plus de la moitié des patients ayant des disques abîmés, examinés par des médecins, n'en sont pas à leur première atteinte.

Les travailleurs manuels. Des gens comme les mineurs et les travailleurs du bâtiment, qui ont à soulever, porter des charges lourdes et se pencher, les dactylos, qui travaillent sur leur machine à bout de bras, et les maîtresses de maison, faisant les lits et portant des bébés (spécialement pour les sortir du berceau), courent un risque élevé.

Les gros. Souvent, la colonne des individus souffrant d'un excès de poids ne peut pas supporter la contrainte d'une charge anormale.

Les grands. Les gens ayant une taille au-dessus de la normale souffrent davantage du dos que les autres.

Voir LE SQUELETTE, *page 54*
MÉNAGEZ VOTRE DOS, *page suivante*

LES CAUSES DU MAL DE DOS. *Depuis que les ancêtres lointains de l'homme apprirent à se tenir debout, l'espèce humaine doit se battre avec le mal de dos. Plusieurs millions d'années d'évolution n'ont pas, apparemment, pleinement adapté une colonne vertébrale originairement destinée à la locomotion quadrupède : la station debout lui pose un problème. Une contrainte supplémentaire a été imposée à la colonne vertébrale — spécialement au cou et au bas du dos, là où les vertèbres ne sont pas soutenues par la cage thoracique. Le mal de dos survient le plus sévèrement dans le bas du dos, où la cause la plus fréquente est l'effort musculaire et ligamentaire. La colonne vertébrale est soutenue par un réseau complexe de ligaments et de muscles. Elle n'est jamais en repos — même la respiration l'entraîne à se mouvoir pendant que la cage thoracique se remplit et se vide — et il en est ainsi pour toute activité particulière. Toutefois, les épreuves inhabituelles comme bêcher un jardin ou porter de lourdes charges sont des facteurs qui sont susceptibles de provoquer le mal de dos. Les activités de ce type sont souvent responsables d'une saillie discale (survenant sur un disque abîmé), plus particulièrement à partir de l'âge mûr. Les disques sont des amortisseurs souples et solides placés entre les vertèbres : ils souffrent lors d'un excès de poids ou d'une cambrure excessive de la région lombaire.*

Causes du mal au dos

En dehors des efforts et des traumatismes mineurs, d'autres facteurs peuvent provoquer le mal de dos; certains, indiqués en majuscules, font l'objet d'une entrée.

☐ **Bas du dos**
(causes fréquentes)
FIBROSE
Maladies du rein
Effort musculaire
Troubles gynécologiques
ARTHROSE
ENTORSES
SCIATIQUES et détérioration discale

☐ **Bas du dos**
(causes moins fréquentes)
SPONDYLARTHRITE ANKYLOSANTE
CANCER
Coccygodynie
OSTÉOPOROSE avec tassements vertébraux

☐ **Haut du dos**
(causes fréquentes)
FIBROSE
ENTORSES et traumatismes mineurs

☐ **Haut du dos**
(causes moins fréquentes)
ULCÈRE DUODÉNAL
Maladies cardiaques
PLEURÉSIE
PNEUMONIE
OSTÉOCHONDRITE vertébrale
SCOLIOSE
ZONA
Tuberculose vertébrale

MÉNAGEZ VOTRE DOS

Un programme de précautions personnelles pour prévenir et alléger le mal de dos

La meilleure manière d'éviter le mal de dos est d'adopter en permanence une posture correcte, naturelle. Cela signifie : ne jamais se tenir courbé ni raide. Les femmes porteront des chaussures à talons plats pour faire les courses et le ménage. Les gens qui ont déjà souffert du mal de dos éviteront de dormir sur le ventre.
Voici quelques exemples de mauvaise et bonne tenue de la colonne vertébrale.

SOMMEIL

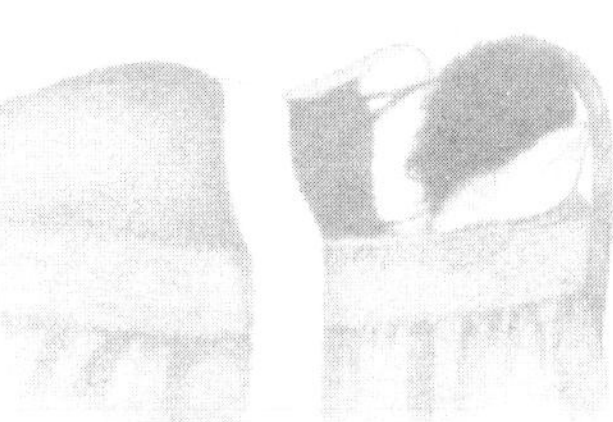

MAUVAIS. *Un lit mou ne soutient pas la colonne et peut causer une douleur. Néanmoins, beaucoup de gens utilisent un matelas « confortable » qui s'affaisse en son milieu.*

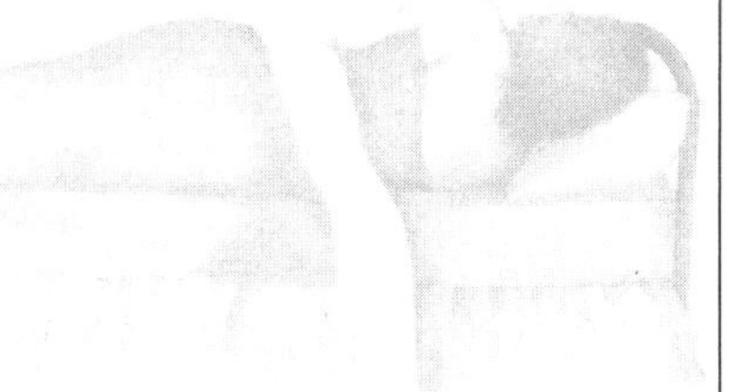

BON. *Il est essentiel d'avoir un lit ferme pour soutenir la colonne. Si vous avez un lit mou, mettez une planche sous le matelas à la dimension du sommier. Certains trouvent plus confortable d'être couchés avec les genoux repliés (et les jambes remontées).*

JARDINAGE

MAUVAIS. *Ne vous penchez pas à partir des hanches, les jambes raides, pour arracher les mauvaises herbes. Cette mauvaise position est la cause la plus fréquente du mal de dos lors des travaux du jardin.*

BON. *Agenouillez-vous sur un — ou les deux — genoux, aussi près que possible des mauvaises herbes, pour éviter d'être en extension. Cette précaution est valable pour attraper tout objet au sol.*

POSITION ASSISE ET CONDUITE

MAUVAIS. *Ne vous affaissez pas, ne vous effondrez pas quand vous êtes assis et n'arrondissez pas votre dos quand vous conduisez ou lisez.*

BON. *Choisissez des chaises qui soutiennent le creux de votre dos, et évitez celles qui sont trop molles ou trop arrondies. Adoptez une position droite et tenez le livre en hauteur, loin de vos genoux.*

TRANSPORT DE MEUBLES

MAUVAIS. *N'essayez pas de transporter tout seul chez vous un objet volumineux.*

BON. *Trouvez quelqu'un pour vous aider. Pliez vos genoux et gardez votre dos naturellement droit.*

TRANSPORT D'OBJETS ENCOMBRANTS

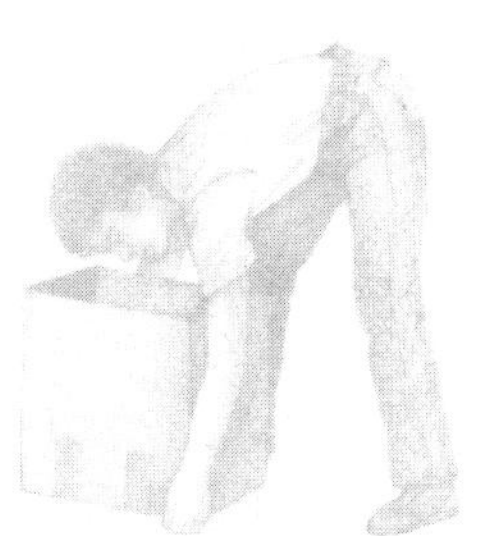

MAUVAIS. *Ne vous penchez jamais pour transporter un objet tel qu'une caisse ou un carton.*

BON. *Accroupissez-vous à hauteur de l'objet pour le soulever. Gardez vos pieds écartés d'environ 30 cm. Restez proche de l'objet et tirez-le vers vous pendant le transport.*

TRANSPORT D'UNE MACHINE A ÉCRIRE

MAUVAIS. *Ne vous penchez pas pour prendre une machine à écrire, et ne la portez pas avec les touches tournées vers vous.*

BON. *Pliez les genoux et tournez la machine de sorte que l'arrière, l'extrémité lourde, soit tout contre vous.*

TRANSPORT D'OBJETS LOURDS

MAUVAIS. *Si vous avez une lourde charge à transporter pendant vos courses, ne mettez pas tous vos achats dans un seul grand sac. Cette façon de faire penche votre corps sur le côté et exerce une contrainte sur la colonne vertébrale.*

BON. *Portez deux sacs également remplis, un dans chaque main, afin d'être bien en équilibre. Ne vous surmenez pas et sachez vous reposer si nécessaire en posant les sacs par terre.*

DOULEUR

La douleur est souvent difficile à décrire et des malentendus peuvent en résulter. Elle est habituellement créée par un traumatisme des tissus de l'organisme. Différents types de douleurs peuvent être causés par différents traumatismes. Ainsi, le gonflement ou l'inflammation d'une zone limitée provoque une douleur continue et lancinante, comme celle d'une brûlure ou d'une rage de dents; la distension d'un organe creux, comme l'intestin ou la matrice, provoquera une violente douleur intermittente en coup de poignard; une arrivée insuffisante d'oxygène sanguin dans un organe (c'est le cas dans l'ANGINE DE POITRINE) provoquera une douleur continue et aiguë; une destruction de tissus par la chaleur ou par des produits caustiques provoquera une douleur caractéristique de la brûlure; les petites ENTORSES et la contracture musculaire causent habituellement une souffrance continue.

La douleur remplit deux fonctions importantes. Tout d'abord, elle oblige celui qui souffre à arrêter de faire ce qui cause la douleur et à mettre au repos le tissu atteint. Ce repos forcé permet ainsi au tissu traumatisé de guérir. En second lieu, la douleur agit comme un système d'alarme précoce qui permet aux individus, en particulier aux médecins, de reconnaître et surveiller la présence du mal. La signification diagnostique, et les implications d'une douleur de différents types, ressentie dans différentes parties du corps, sont décrites dans la LISTE DES SYMPTOMES.

La douleur peut se répandre et irradier pour toucher une région plus large que celle affectée par la lésion. Ainsi, la douleur provenant d'un cœur malade peut s'étendre au bras et la douleur d'un disque lombaire abîmé peut irradier dans la jambe. Ces caractères aident les médecins à reconnaître quel désordre est responsable de la douleur.

La douleur causée par la lésion en un point donné peut être quelquefois ressentie en un endroit totalement différent. Ainsi une douleur ressentie dans l'épaule peut trouver son origine dans l'inflammation des poumons ou de la vésicule. Après qu'une jambe a été amputée, la douleur est parfois encore ressentie dans les orteils disparus : on parle de « MEMBRE FANTOME ».

La douleur comporte un niveau que l'on appelle « seuil de perception ». Si le niveau est relevé, la douleur ressentie est moindre ou s'efface; si le niveau est abaissé, une douleur légère peut être ressentie plus péniblement, et des sensations primitivement non douloureuses, comme le toucher ou le bruit, peuvent être ressenties comme douloureuses.

Les influences suivantes, qui sont sans rapport avec la cause de la douleur, tendent à élever les seuils et réduisent ainsi la quantité de douleur ressentie :

- Influences physiques, telles que : analgésiques (*voir* MÉDICAMENTS, n° 22), ACUPUNCTURE, applications de chaleur, anesthésiques et alcool.
- Influences psychologiques, telles que : état d'excitation, concentration sur un sujet d'intérêt, confiance en soi, confiance en un médecin, ou foi.

A l'inverse, d'autres influences tendent à abaisser le seuil. Par exemple :

- Influences physiques, telles qu'un mauvais état de santé, la faim, le froid ou une douleur d'autre origine.
- Influences psychologiques, telles que le chagrin, l'ANXIÉTÉ, la fatigue, l'INSOMNIE, la DÉPRESSION, la frustration et l'ennui. Ainsi, une douleur supportable pendant le jour peut s'accentuer pendant la nuit.

Des recherches récentes suggèrent que des substances appelées endorphines, produites par l'organisme sous des influences psychologiques aussi bien que physiques, peuvent modifier la manière dont la douleur est ressentie.

DOULEUR ABDOMINALE

La douleur abdominale, dans toutes ses formes et à tous les âges, exige une observation médicale attentive. *Voir* LISTE DES SYMPTOMES — ABDOMINALE (DOULEUR).

DOULEUR DE POITRINE

Il y a deux types de douleurs de poitrine : une douleur en rapport avec la respiration et une douleur sans rapport avec elle. Chaque type peut être un symptôme de maladie sérieuse. *Voir* LISTE DES SYMPTOMES — POITRINE (DOULEUR DE).

DUPUYTREN (MALADIE DE)

Un ou plusieurs doigts sont fléchis et crispés vers l'intérieur de la main; ce sont habituellement l'annulaire et le petit doigt. Cette affection est le résultat d'un épaississement et d'un raccourcissement du tissu fibreux sous-cutané de la paume. Elle se rencontre plus souvent chez l'homme que chez la femme. Une ou deux mains peuvent être atteintes.

Symptômes

- Le premier signe est une petite grosseur qui se développe sous la peau, dans la paume, habituellement en regard de la base de l'annulaire.
- Parfois, des cordes fibreuses et dures courent sous la peau depuis la paume jusqu'aux doigts atteints.
- La peau se fronce dans les zones d'épaississement.
- Au début, il est simplement impossible d'ouvrir entièrement les doigts; puis, après une période de quelques mois ou de quelques années, les doigts se ferment définitivement sur la paume.
- Dans les cas sévères, les doigts et la main ne peuvent plus fonctionner normalement.

Durée

- Non traitée, la maladie est permanente.

Causes

- Il peut y avoir une prédisposition héréditaire.
- Présence de fractures locales ou voisines; épilepsie, prise de barbituriques, alcoolisme avec cirrhose du foie, diabète.

Traitement à domicile

- Aucun, sinon étendre les doigts sur une table.

Quand consulter le médecin

- Quand le fonctionnement de la main est entravé.

Rôle du médecin

- Faire des infiltrations de cortisone dans les zones épaissies : on peut ainsi freiner ou stopper l'évolution.
- Le seul traitement vraiment efficace comporte une opération chirurgicale qui restaure la capacité à ouvrir complètement la main. Mais la chirurgie n'est pas indiquée dans tous les cas. Trop précoce, elle risque d'aggraver les choses. Chez les personnes âgées, il faut même s'abstenir s'il n'y a pas d'impotence majeure.

Prévention

- Aucune.

Pronostic

- Le traitement chirurgical restaure habituellement la fonction de la main, mais il est parfois impossible d'obtenir une correction complète de la déformation.

Voir LE SQUELETTE, *page 54*

DURILLON

Le durillon est un épaississement de la couche cornée de l'épiderme. Il se produit au niveau d'une zone cutanée soumise à une pression ou une friction permanente, généralement sur la plante des pieds ou sur la paume des mains. Il existe souvent une déformation du pied, un mauvais appui plantaire, et donc une accentuation du poids supporté par une partie du pied.

Symptômes

- La peau de la région atteinte devient dure, épaisse, légèrement boursouflée.
- Le durillon est soit insensible, soit douloureux.

Durée

- Tant que la pression continue à s'exercer.

Causes

- Aux mains, il s'agit surtout de causes professionnelles : frottement de la peau par l'emploi d'outils.
- Aux pieds, il peut s'agir d'un durillon dit d'appui, dû à un mauvais équilibre plantaire ou au frottement d'une chaussure mal adaptée.

Traitement à domicile

- Porter des chaussures confortables à semelle ni trop fine ni trop rigide. Si les talons sont très hauts ou la chaussure étroite, il s'ensuit une surcharge en regard d'un point d'appui osseux, ce qui entraînera la formation d'un durillon.
- Prendre des bains de pied à l'eau tiède additionnée d'un sachet de sels spéciaux, puis poncer le durillon en douceur.
- Masser le durillon avec une crème anticallosités.

Quand consulter le médecin

- Si la lésion est très gênante.

Rôle du médecin

- Prescrire une préparation locale qui rongera l'excroissance cornée.
- Adresser le patient à un podiatre qui enlèvera une partie de la peau épaissie.
- Conseiller un éventuel traitement de la déformation du pied.
- Indiquer les moyens possibles de prévention.

Prévention

- C'est essentiellement le port de chaussures de bonne qualité, dès l'enfance. La chaussure doit s'adapter au pied, et non le contraire.

Pronostic

- Les durillons guérissent presque toujours quand la cause disparaît.

Voir LA PEAU, *page 52*
LE SQUELETTE, *page 54*

DYSENTERIE

Infection intestinale avec diarrhée grave. Deux formes existent : l'une causée par une bactérie, l'autre par une amibe. Les symptômes sont au départ les mêmes, mais identifier le germe est nécessaire pour un traitement correct. Si la forme amibienne est rare en Amérique du

Nord et en Europe, elle est grave en raison de la résistance du petit parasite et du risque d'abcès du foie et des poumons; en revanche, complications inexistantes dans les dysenteries bactériennes.

Symptômes

- Selles fréquentes, jusqu'à vingt par jour chez l'enfant.
- Selles liquides, avec souvent présence de sang, de pus, de mucus.
- Crampes abdominales et besoins répétés et urgents de défécation.
- Vomissements.
- Ballonnement abdominal.
- Sensibilité abdominale.
- Chez l'enfant, fièvre, irritabilité, perte de l'appétit.

Durée

- Dysenterie bacillaire mineure : guérison avec repos et boissons abondantes en quatre à huit jours. Dans les cas sévères, diarrhée et présence de bactéries dans les selles durant des semaines.
- Dysenterie amibienne (ou AMIBIASE) : au moins dix jours de traitement et examen confirmant la guérison. Traitement prolongé en cas de rechute.

Causes

- *Shigella bacillus.*
- *Entamoeba histolytica.*
- Une préparation peu hygiénique de l'alimentation est à l'origine des deux types de dysenterie. La forme amibienne peut être contractée par l'eau.

Traitement à domicile

- Remplacement des aliments solides par des boissons non alcooliques.
- En cas de symptômes mineurs, absorption d'un antidiarrhéique simple. *Voir* MÉDICAMENTS, n° 2.

Quand consulter le médecin

- Quand les symptômes sont graves, persistants et rapprochés.
- Quand les symptômes se manifestent dans les pays où existe la dysenterie amibienne.
- Quand apparaissent du sang, du pus, ou du mucus dans les selles, surtout si c'est au retour d'un voyage ou après une contact avec un malade dysentérique.

Rôle du médecin

- Examiner les selles pour identifier la cause.
- Ordonner une alimentation liquide et conseiller des règles d'hygiène pour éviter la contamination des proches.
- Prescrire des antibiotiques en cas d'amibiase, et parfois en cas de dysenterie bacillaire.
- Prévoir un traitement spécialisé.
- Observation et examens de contrôle pour confirmer la guérison. La dysenterie bacillaire est guérie si les selles sont exemptes de *Shigella bacilli* pendant trois jours de suite. Pour la dysenterie amibienne, une surveillance de six mois peut être nécessaire.

Prévention

- Faire bouillir l'eau et la nourriture en cas de contact avec des malades dysentériques ou en cas de voyage dans un pays où sévit l'amibiase.

Pronostic

- Bon dans la dysenterie bacillaire. Guérison complète plus difficile dans la dysenterie amibienne.

Voir SYSTÈME DIGESTIF, *page 44*

DYSLEXIE

Difficulté durable d'apprentissage de la lecture, qui concerne environ 10 pour 100 des enfants normalement scolarisés. Ce n'est ni un trouble intellectuel global, ni un trouble sensoriel, ni un trouble affectif. C'est une difficulté spécifique, souvent associée à un retard de langage et à une dysorthographie. Les enfants dyslexiques semblent tirer un meilleur profit de la méthode traditionnelle (qui débute par les lettres), par opposition à la méthode globale (qui part de la phrase et du mot). Une aide spécialisée en orthophonie permet habituellement de grands progrès.

DYSPEPSIE

Douleur ou gêne en haut et au milieu de l'abdomen, survenant principalement après un repas copieux, et parfois accompagnée de nausées et d'éructations.

Voir INDIGESTION

DYSPHAGIE

Sensation d'obstacle ou d'arrêt dans la gorge ou l'œsophage. Cette sensation de gorge serrée est le plus souvent un signe d'anxiété. Les émotions perturbent le travail des muscles de la gorge et de l'œsophage et donnent cette sensation de boule. Cette dysphagie purement nerveuse touche surtout la femme d'âge moyen, mais peut survenir chez chacun de nous. Plus rarement, cette difficulté à avaler peut être due à la présence d'un obstacle.

Symptômes

- Le seul symptôme des dysphagies nerveuses est la sensation de boule dans la gorge durant quelques minutes. Elle peut augmenter lorsqu'on avale de la salive. Plus prolongée, elle s'appelle un « globus », mais l'absorption des aliments n'est jamais difficile ou douloureuse, comme c'est le cas dans les dysphagies causées par un obstacle.

Durée

- La dysphagie nerveuse peut durer des mois ou des années, au point de faire croire au patient qu'il existe un obstacle réel.

Causes

- L'anxiété, le chagrin, la nervosité peuvent faire apparaître une dysphagie nerveuse. Une INDIGESTION peut avoir le même résultat.
- Les ANGINES, les TUMEURS DE L'ŒSOPHAGE et les compressions par les organes du cou ou du thorax peuvent créer une dysphagie.

Quand consulter le médecin

- Si les symptômes durent plus de deux semaines.
- Si les symptômes de dysphagie indiquent la présence d'un obstacle (douleurs, difficulté à avaler les aliments avec sensation d'accrochage, enrouement inexpliqué).

Rôle du médecin

- Étudier les symptômes et examiner la gorge pour tenter d'éliminer un obstacle physique responsable de la dysphagie. Améliorer le malaise psychologique.
- Adresser au spécialiste O.R.L. si des examens complémentaires sont nécessaires.

Pronostic

- Le globus n'est pas grave mais réapparaît lors des stress. Cette sensation de boule dans la gorge est parfois si réelle chez certains patients qu'il est difficile de les rassurer.
- Dans les dysphagies provoquées par un obstacle, le pronostic est celui de la maladie responsable de ce malaise.

Voir SYSTÈME RESPIRATOIRE, *page 42*
SYSTÈME DIGESTIF, *page 44*

DYSPNÉE

Modification de la respiration, qui peut s'accélérer ou se ralentir. Les causes de la dyspnée sont variées : une infection respiratoire, une maladie cardiaque ou pulmonaire. Chez le jeune enfant, il faut toujours penser à une obstruction du larynx, due à la présence d'un corps étranger qu'il a pu avaler.

ECCHYMOSES (BLEUS)

Les ecchymoses sont une accumulation de sang dans et sous la peau. Elles sont superficielles et donc différentes des hématomes, qui sont plus profonds. Elles sont en général la conséquence de chocs mais peuvent être spontanées. Les vaisseaux sanguins blessés laissent couler du sang qui s'infiltre dans les tissus voisins. Ces bleus apparaissent plus facilement chez certaines personnes dont la circulation ou les vaisseaux sanguins sont médiocres.

Symptômes

- Coloration bleue, violette ou noire, mais qui jaunit et s'efface au cours du temps.
- Parfois associée avec un gonflement de la peau.
- Douleur variable. Les ecchymoses proches des os sont très douloureuses : elles sont comprimées par des tissus sans élasticité.

Durée

- Les ecchymoses s'effacent lorsque le sang est réabsorbé par la circulation : deux à trois jours pour les petites, deux à trois semaines pour les plus importantes. Sur le dos de la main des personnes âgées (purpura sénile), elles durent plus d'un mois.

Causes

- Habituellement, un coup ou une pression forte sur une partie du corps. Le sang qui s'écoule des vaisseaux lésés tend à s'infiltrer vers le bas, obéissant à la loi de la gravité. Ainsi, une ecchymose de la cheville peut s'étendre aux orteils; sur le sourcil, elle peut aboutir à un « œil au beurre noir ».
- Certaines maladies provoquent des ecchymoses multiples en l'absence de tout choc.
- Avec l'âge, la peau perd son élasticité, et les petits vaisseaux se rompent facilement dans la peau pour aboutir à un PURPURA, ce qui donne ces bleus du dos des mains et des pieds très longs à disparaître. Le sang est en effet lentement repris par un courant sanguin ralenti dans les extrémités des membres.

Complications

- Dans les ecchymoses avec plaie ou contusion qui entame la peau, une infection peut donner un ulcère de la peau (surtout au niveau du pied et de la jambe).
- Chez une personne âgée, une ecchymose avec une simple éraflure peut ainsi aboutir à un ulcère de jambe chronique.

Traitement à domicile

- Immédiatement après le choc, une vessie de glace sur la zone blessée diminuera l'étendue et les symptômes de l'ecchymose.
- Ensuite, il est difficile de hâter la guérison. Les massages sont nocifs. Pour les lésions de la jambe, le repos, pied surélevé, améliore souvent une circulation déficiente.

Quand consulter le médecin

- En cas de douleur aiguë ou si l'on éprouve des difficultés à bouger la partie du corps accidentée le lendemain de la blessure.
- Si le bleu n'est pas provoqué par un choc.
- S'il atteint le bas de la jambe chez une personne âgée ou souffrant d'une mauvaise circulation.

Rôle du médecin

- Demander des radiographies; une ecchymose grave peut être accompagnée de lésion des os ou des ligaments exigeant un traitement.
- Faire des examens biologiques afin de rechercher une anomalie sanguine (trouble de la coagulation) dont dépendra alors le traitement.

Prévention

- Prendre les précautions habituelles contre les accidents. Chez les personnes âgées, en évitant particulièrement les chutes dues à des petits détails ménagers comme le bord relevé d'un tapis, un fil électrique en travers du chemin, etc. *Voir* ACCIDENTS DOMESTIQUES.

Pronostic

- Toutes les ecchymoses guérissent, à moins qu'elles ne soient dues à une autre maladie.

Voir LA PEAU, *page 52*

ÉCHOGRAPHIE
Voir page 186

ECTOPIE TESTICULAIRE

Défaut de descente d'un ou des deux testicules de l'abdomen vers le scrotum avant la naissance. Normalement, les testicules doivent être situés dans le scrotum où ils trouvent la température idéale pour fabriquer le sperme. Si les testicules restent dans l'abdomen (où il fait chaud : 37°), leur production de sperme sera diminuée, allant jusqu'à l'INFERTILITÉ, mais la puissance sexuelle restera intacte.

Symptômes

- Absence d'un ou deux testicules dans le scrotum.

Durée

- En l'absence de traitement, état inchangé.

Causes

- Anomalie inexpliquée du développement fœtal.

Traitement à domicile

- Ne pas essayer de traiter l'ectopie à domicile.

Quand consulter le médecin

- L'anomalie est le plus souvent découverte par l'examen systématique du bébé après la naissance.
- Les parents qui constatent que les testicules de leur enfant ne sont pas en bonne position doivent consulter le médecin.

Rôle du médecin

- Attendre pour voir si le testicule ne va pas descendre spontanément après la naissance (avant un mois dans la moitié des cas).
- Si les testicules restent dans l'abdomen, un traitement hormonal peut entraîner leur descente dans le scrotum.
- Si les testicules ne sont pas descendus spontanément ou après traitement hormonal, une intervention chirurgicale est nécessaire avant l'âge de cinq ans.

Prévention

- Il n'y en a pas.

Pronostic

- Si le traitement a été correct et précoce, la fertilité (production du sperme) sera normale.
- Un retard dans le traitement augmente le risque d'une infertilité partielle ou totale, de tumeur maligne du testicule et de torsion du testicule.

Voir ORGANES GÉNITAUX MASCULINS, *page 50*

ECTROPION ET ENTROPION

Ces deux affections de la paupière inférieure se rencontrent chez les personnes âgées. Dans l'entropion, la paupière se retourne en dedans; dans l'ectropion, la paupière pend en dehors. Ces anomalies ne sont pas dangereuses, mais sont à l'origine de gêne et de complications.

Symptômes

- Pour l'entropion : douleur, larmoiement, rougeur oculaire.
- Pour l'ectropion : larmoiement, car les larmes ne peuvent s'écouler normalement vers le nez.

Causes

- Ces affections peuvent être causées par une blessure ou une inflammation des paupières, mais le plus souvent il s'agit d'un spasme ou d'un relâchement des muscles de la paupière lié à un vieillissement de ces muscles.

Traitement à domicile

- Il n'y en a pas.

Quand consulter le médecin
• Lorsque l'on ressent une gêne oculaire avec rougeur; lorsque l'on se rend compte d'un larmoiement persistant.
Rôle du médecin
• L'ophtalmologiste procédera à une intervention chirurgicale simple, sous anesthésie locale généralement.
Pronostic
• Sans traitement, l'entropion, par le frottement permanent des cils retournés au contact de l'œil, peut causer une blessure de la cornée plus ou moins infectée qui peut ultérieurement gêner la vision. Le succès de la légère intervention chirurgicale est alors très appréciable.
• L'ectropion non traité, bien que peu esthétique, n'entraîne généralement pas de complications, mais il est préférable de l'opérer pour éviter le larmoiement persistant.

Voir L'ŒIL, *page 36*

ECZÉMA

Il existe cinq types d'eczémas, correspondant tous à une inflammation de la peau, et qui évoluent en plusieurs phases. Au début apparaît une rougeur, due à la dilatation des vaisseaux sanguins. Du liquide s'accumule dans la peau, provoquant un gonflement, un prurit et des vésicules. Ces dernières se rompent rapidement si la peau est fine, et tardivement si elle est épaisse, comme à l'intérieur des paumes et des plantes de pied.

Cette phase suintante peut s'infecter, mais finalement un dessèchement survient avec formation de croûtes. Si les phénomènes persistent, l'eczéma peut devenir chronique; l'épiderme (couche superficielle de la peau) s'épaissit avec une inflammation modérée, laissant des plaques cutanées rouges recouvertes de squames. Une ou plusieurs de ces phases peuvent se combiner chez une même personne.

Les cinq types d'eczémas — de contact, atopique, séborrhéique, nummulaire et variqueux — se distinguent par leur configuration, leur topographie et leur évolution.
Facteurs communs à tous les eczémas
• Les démangeaisons sont pénibles, sauf dans l'eczéma séborrhéique où elles sont inexistantes ou légères. Se gratter aggrave les lésions de la peau, qui devient infectée et douloureuse.
• L'atteinte des paumes et des plantes de pied peut provoquer de petites bulles enchâssées dans la peau comme des grains de sagou. C'est la dysidrose.
• La peau de l'eczéma chronique est épaisse, sèche, squameuse, avec accentuation des sillons normaux. Elle peut se fissurer et saigner.

ECZÉMA DE CONTACT

C'est une réaction allergique de la peau qui survient au niveau de la zone de contact avec un produit irritant. Un contact, même très court, peut être suffisant, par exemple chez les personnes sensibles au sparadrap des pansements.
Symptômes
• Prurit, rougeur et petites vésicules au point de contact.
• Suintement lors de la rupture des vésicules, qui survient spontanément ou est favorisée quand le patient se gratte; suintement suivi par une desquamation quand la peau lésée s'assèche.
Durée
• Persiste jusqu'à ce que la cause soit reconnue et éliminée.
Causes
Quelques-unes des causes les plus fréquentes sont, selon les régions touchées :
• Tête et cou : produits cosmétiques (spécialement autour des yeux), laques et colorants capillaires, poussières chimiques, fleurs et plantes, comme les chrysanthèmes ou les primevères.
• Aisselles : parfums, antisudorifiques et déodorants.
• Tronc : boucles de ceinture en nickel, élastiques des sous-vêtements.
• Organes génitaux et sillon interfessier : produits de toilette, poudres et contraceptifs locaux.
• Mains : poudres de lavage, nombreux produits chimiques industriels (spécialement les huiles), colorants, farines, ciment, plantes de jardin, nickel des bijoux fantaisie et des bracelets-montres.
• Pieds et chevilles : colorants et produits chimiques du cuir des chaussures, caoutchouc des bottes.
Traitement à domicile
• Écarter la cause quand elle a pu être détectée et éviter tout nouveau contact avec la substance responsable.
Quand consulter le médecin
• Si les symptômes sont sévères et gênants pour votre vie professionnelle ou quotidienne.
Rôle du médecin
• Si la cause de l'eczéma est incertaine, adresser le patient à un allergologue pour la pratique de tests épicutanés (patch-tests).
• Donner des conseils de protection.
• Prescrire un traitement.
Prévention
• Éviter les contacts irritants par le port de gants, de vêtements protecteurs ou de lunettes.
• Éviter le contact avec les produits connus pour provoquer des allergies.
Pronostic
• L'eczéma guérit mais récidive lors d'un nouveau contact avec la substance irritante.

ECZÉMA ATOPIQUE

Il atteint souvent les familles sensibles à l'asthme et au rhume des foins. La plupart des eczémas de l'enfant sont des eczémas atopiques.
Symptômes
• La peau est habituellement très sèche.
• Le prurit est souvent intense.
• Chez les nourrissons, l'eczéma débute habituellement sur la tête et le cou à partir de deux mois. Il peut aussi toucher la face externe des avant-bras et des jambes, et rarement la zone des langes.
• Après deux ans, l'eczéma se localise préférentiellement aux creux des coudes, des genoux, et à la face antérieure des poignets.
• Plus l'enfant est âgé, plus l'eczéma a de chances de devenir chronique, avec épaississement, desquamation et fissuration de la peau.
Durée
• La moitié des nourrissons atteints guériront avant deux ans. Dans la plupart des cas la maladie va s'améliorer, mais les récidives sont imprévisibles.
• Dans certains cas extrêmes mais rares, l'eczéma va persister toute la vie.
Causes
• Une prédisposition héréditaire.
• Le froid, les stress émotionnels sont souvent des facteurs favorisants ou aggravants des poussées.
Traitement à domicile
• Au début de l'inflammation, une lotion à la calamine peut apaiser l'irritation. *Voir* MÉDICAMENTS, n° 43.
• L'état de la peau sèche et épaisse de l'eczéma chronique sera amélioré par des applications de pommade contenant du coaltar.
• La vaccination antivariolique est interdite, car elle peut mettre la vie en danger.
• Le contact avec des sujets atteints d'herpès ou de varicelle devra être évité.
• Il ne faut pas se gratter. La peau sèche et le prurit seront améliorés par des bains additionnés d'huile et par des crèmes hydratantes.

Quand consulter le médecin
• Si des plaques rouges et prurigineuses apparaissent chez un nourrisson ou un enfant.
Rôle du médecin
• Donner des crèmes corticoïdes. *Voir* MÉDICAMENTS, n° 43.
• Prescrire des sédatifs pour diminuer le prurit et les démangeaisons.
• Prescrire d'autres médicaments, selon le stade de l'eczéma.
Prévention
• Elle est actuellement impossible.
• Éviter les agressions climatiques, vestimentaires ou émotionnelles qui peuvent favoriser des poussées.
Pronostic
• Tous les cas s'améliorent sous traitement, et beaucoup finiront par guérir.

ECZÉMA SÉBORRHÉIQUE
Il est appelé aussi dermite séborrhéique et se développe au niveau des zones cutanées riches en glandes sébacées. L'atteinte du conduit auditif externe donne une OTITE EXTERNE. L'atteinte des paupières et des cils donne une BLÉPHARITE.
Symptômes
• Les croûtes de lait du nourrisson en sont la forme la plus précoce : il peut s'agir de quelques squames ou d'un casque séborrhéique épais de tout le cuir chevelu.
• Des plaques rouges et squameuses apparaissent sur le visage et derrière les oreilles. Le milieu de la poitrine (au niveau du sternum) et le milieu du dos (entre les omoplates) sont fréquemment atteints.
• L'irritation est légère ou absente. Les plaques d'aspect gras, rouges ou jaunâtres peuvent se localiser dans les aisselles, les plis sous-mammaires, le nombril et l'aine, régions habituellement humides qui sont propices à l'infection.
Durée
• La réponse au traitement est bonne, mais les récidives sont fréquentes.
Causes
• Elles ne sont pas connues, mais n'ont aucun rapport avec l'alimentation (lait pour les bébés).
Traitement à domicile
• Lavages fréquents avec des produits doux.
• Les croûtes de lait ne sont pas dues à une mauvaise hygiène. Des préparations spéciales pour le cuir chevelu des bébés sont habituellement efficaces, et l'affection guérit en quelques semaines ou mois.
Quand consulter le médecin
• Si l'affection ne guérit pas avec les remèdes.
• S'il apparaît une sensibilité, un écoulement de pus ou des furoncles, il faut consulter immédiatement.
Rôle du médecin
• Prescrire des crèmes ou lotions appropriées, et des antibiotiques si nécessaire.
Prévention
• L'eczéma séborrhéique ne peut pas être évité, mais les poussées peuvent être traitées précocement.
Pronostic
• Le traitement guérit ce genre d'eczéma, mais il y a souvent des récidives.
• Quoique désagréable, cette forme d'eczéma, au contraire de l'eczéma atopique, provoque rarement de graves complications.

ECZÉMA NUMMULAIRE
Plaques arrondies comme des pièces de monnaie, de 5 à 10 centimètres de diamètre, qui apparaissent surtout chez les adultes jeunes, d'âge moyen ou âgés.
Symptômes
• Les lésions siègent à la face dorsale des mains, des avant-bras et des jambes, et moins souvent sur les fesses ou le bas du tronc.
• Vésicules, suintement et croûtes sont fréquents.
• L'infection des plaques peut donner un aspect d'impétigo ou de piqûre d'insecte.
Durée
• Les disques n'augmentent habituellement pas de taille et durent de plusieurs mois à deux ou trois ans.
Causes
• Elles sont inconnues.
Traitement à domicile
• Éviter de se gratter, et traiter comme un eczéma atopique.
Quand consulter le médecin
• Si vous pensez avoir un eczéma nummulaire.
Rôle du médecin
• Prescrire des crèmes ou lotions cutanées.
Pronostic
• L'affection finira par guérir.

ECZÉMA VARIQUEUX
Ce type d'eczéma se développe au tiers inférieur des jambes chez le sujet adulte souvent âgé.
Symptômes
• L'eczéma, de couleur brun sombre, est surmonté d'une peau desquamative et siège souvent autour d'un ulcère.
• Il existe habituellement une insuffisance veineuse, avec des varices apparentes ou non.
• Un suintement et des croûtes sont habituels.
• L'irritation est intense.
• Des plaques secondaires peuvent apparaître dans d'autres parties du corps.

Vivre avec un eczéma

Neuf fois sur dix, l'eczéma débute dans la petite enfance, et va s'améliorer puis guérir avant l'âge adulte.

□ La plupart des patients atteints d'eczéma sont traités avec des préparations locales contenant des corticostéroïdes. Il est important de bien connaître leur mode d'utilisation, le danger de leur abus, et de ne pas les prêter à des amis.

□ Beaucoup de patients voudront essayer des régimes spéciaux ou des traitements marginaux si les traitements classiques échouent. Il est sage de demander d'abord l'avis du médecin traitant et de ne pas se faire trop d'illusions.

□ Le prurit et le fait de se gratter peuvent être difficilement supportés par l'entourage familial ou scolaire, mais il est important de ne pas culpabiliser l'enfant. Si les démangeaisons sont vraiment pénibles, il faut apprendre à l'enfant à frotter et non gratter.

□ Les professeurs d'école doivent être coopérants et rassurer les autres enfants et leurs parents, en rappelant que l'eczéma n'est pas contagieux.

□ Les patients doivent éviter le contact de la laine avec la peau et avoir une chambre à coucher semblable à celle décrite pour l'ASTHME. L'eczéma est aggravé par le stress; donc une atmosphère calme et heureuse ne peut être que bénéfique.

□ Plus l'enfant entreprendra d'activités extérieures, mieux il se portera. Il est souhaitable de prévenir les moniteurs qui auront à s'occuper de l'enfant.

□ Le graissage de la peau par des préparations émollientes et hydratantes est un élément fondamental du traitement de l'eczéma. Il faut éviter les bains trop chauds, car ils entraînent des démangeaisons.

Durée
- L'affection peut durer des années.

Causes
- Principalement la mauvaise circulation du sang, qui stagne dans les veines dilatées (varices).

Complications
- Apparition d'un ulcère variqueux.

Traitement à domicile
- Protéger la peau de tout traumatisme afin d'éviter l'apparition d'un ulcère, souvent lent à guérir.
- Ne pas utiliser de produits irritants ou trop gras.
- Placer les jambes surélevées aussi souvent que possible pour favoriser le drainage du sang.
- Des lavages doux ne sont pas nocifs, mais il faut éviter de frotter la peau sèche et sensible.

Quand consulter le médecin
- Si l'eczéma est très irritant ou extensif, et si un ulcère commence à se former.

Rôle du médecin
- Conseiller le patient selon un schéma thérapeutique qui associera le repos, l'exercice, les bandages élastiques pour favoriser la circulation veineuse.
- S'il existe des varices, conseiller un traitement par sclérose ou chirurgie.

Pronostic
- La couleur brune persistera, mais avec de la patience l'eczéma guérira lentement.
- Des récidives seront probables ultérieurement.

ÉJACULATION

C'est l'émission de sperme par le pénis en érection. Elle se produit de façon brutale et saccadée lorsque la jouissance, ou orgasme, est atteinte par l'homme. Celle-ci peut être provoquée par un rapport sexuel, par la MASTURBATION, ou même obtenue spontanément durant la nuit (chez les adolescents, au cours de la puberté). A l'inverse de l'érection, qui existe dès la naissance, l'éjaculation n'apparaît qu'à la puberté.

ÉLECTROCARDIOGRAMME

C'est l'enregistrement de l'activité électrique du cœur sur un graphique. Il est utilisé pour analyser l'état du cœur. Des électrodes, placées sur la poitrine et les quatre membres, captent les impulsions électriques qui sont amplifiées par un appareil appelé électrocardiographe, auquel sont reliées les électrodes. L'électrocardiographe reporte les impulsions enregistrées sur un papier en traçant un graphique : l'E.C.G. Les anomalies du tracé permettent de diagnostiquer différentes maladies ou anomalies cardiaques. Cet examen ne présente aucun danger.

ÉLECTRO-ENCÉPHALOGRAMME

Enregistrement de l'activité électrique du cerveau pour en rechercher une anomalie. Des électrodes, fixées sur le cuir chevelu, captent les micro-ondes électriques émises par le cerveau, puis les envoient à un électroencéphalographe. Cet appareil amplifie les ondes et les dessins sur un papier millimétré. Cet examen est indolore et sans aucun risque. L'analyse des tracés d'E.E.G. par le médecin permettra ensuite de découvrir et de localiser les anomalies.

ÉLÉPHANTIASIS

Trouble de la circulation lymphatique se traduisant par un œdème chronique, avec augmentation irréductible de volume d'un membre ou d'une autre partie du corps (organes génitaux). Il s'accompagne de modifications de la peau (épaississement avec verrues et hyperkératose), donnant un aspect de pied de pachyderme. L'éléphantiasis peut être secondaire à une affection congénitale ou acquis, dû à un blocage lymphatique par une tumeur ou certains parasites tropicaux (filariose, onchocercose).

EMBOLIE PULMONAIRE

C'est l'obstruction d'un vaisseau pulmonaire par un obstacle appelé embol. Cet embol est formé le plus souvent par un caillot sanguin, mais il peut être d'une autre nature : par exemple de la graisse (embolie graisseuse après une fracture par passage dans le sang d'un peu de moelle osseuse) ou un gaz (embolie gazeuse après un accident de DÉCOMPRESSION lors d'une plongée sous-marine, ou l'injection d'air durant une intraveineuse). Quelle qu'en soit la cause, on parle d'embolie.

Symptômes
- Essoufflement nettement anormal (*voir* DYSPNÉE), avec une respiration courte, superficielle et rapide.
- Toux soudaine, avec parfois des crachats sanglants.
- Douleur dans la poitrine. Dans les formes légères, la douleur se localise latéralement dans le thorax et le malade peut reprendre son souffle. Si l'embolie est grave, la douleur peut être très importante, intense, en coup de poignard, se localisant sur la face antérieure du thorax et amplifiée à chaque inspiration.
- Les lèvres peuvent devenir bleues (cyanosées).
- Les embolies graves sont accompagnées de signes de choc, ou même de perte de la conscience.
- Ces symptômes sont suivis d'un accès de fièvre.

Durée
- L'évolution dépend du traitement et de la gravité.

Causes
- La plus fréquente est la THROMBOPHLÉBITE : formation d'un caillot de sang dans un segment de veine inflammatoire, en n'importe quel endroit du corps. Ce caillot se détache, est emporté dans les veines par le flux sanguin jusqu'au cœur droit, qui l'envoie dans les poumons. La thrombophlébite touche plus souvent les veines des jambes quand le patient est immobilisé par une blessure, une maladie, une opération ou un accouchement. Les veines pelviennes sont également le siège de thrombophlébites après une intervention abdominale. Certaines personnes, ou même des familles, sont sujettes aux embolies pulmonaires.

Traitement à domicile
- Observer un repos complet.

Quand consulter le médecin
- Dès l'apparition des symptômes.
- En cas d'apparition de symptômes respiratoires (toux, douleur thoracique, dyspnée, sang dans les crachats) au cours d'une maladie quelconque, ou après un accouchement ou une intervention chirurgicale. Les symptômes peuvent débuter quelques jours ou quelques semaines après l'immobilisation au lit.

Rôle du médecin

Dans les cas bénins :
- Radiographie pulmonaire.
- Prescrire des anticoagulants, ou d'autres médicaments actifs sur le caillot sanguin pour prévenir une embolie ultérieure. *Voir* MÉDICAMENTS, n° 10.

Dans les cas graves :
- Envoyer le patient à l'hôpital pour recevoir de l'oxygène, des anticoagulants, et éventuellement subir une intervention chirurgicale.

Prévention
- Bouger (dans le lit et hors du lit) après une opération, une maladie ou un accouchement.

- Des anticoagulants sont prescrits avant certaines opérations comportant un grand risque de thrombophlébite.
- Les personnes ayant eu plusieurs embolies pulmonaires peuvent suivre un traitement de longue durée aux anticoagulants.

Pronostic

- Les embolies graves sont une cause de mort subite.
- Pour les embolies moins importantes, la guérison spontanée sans séquelles est possible.
- Les très petites embolies sont bénignes et guérissent souvent sans avoir été diagnostiquées.

Voir SYSTÈME CIRCULATOIRE, *page 40*

EMPHYSÈME

C'est la distension des minuscules alvéoles du poumon. La paroi amincie de ces alvéoles dilatées peut se rompre. Là où siègent les zones distendues et inefficaces pour la respiration, le poumon n'est plus élastique.

La cause la plus fréquente est la bronchite chronique, mais toute infection grave ou récidivante peut être responsable. Le vieillissement entraîne aussi un durcissement des tissus qui favorise un emphysème.

L'emphysème s'associe souvent à une affection préexistante (bronchite) et en accentue les symptômes, tels qu'une coloration bleutée des lèvres (CYANOSE) ou un essoufflement (DYSPNÉE). Souvent, une radiographie demandée pour cette première cause permet le diagnostic d'emphysème.

La destruction partielle du tissu pulmonaire gêne la circulation sanguine dans les artères pulmonaires et augmente le travail du cœur. Cet excès peut aboutir à l'insuffisance cardiaque. Le traitement, en cas d'emphysème établi, n'est pas satisfaisant.

Voir SYSTÈME RESPIRATOIRE, *page 42*

ÉCHOGRAPHIE

On ne peut plus envisager aujourd'hui la surveillance d'une grossesse sans l'apport de l'échographie. Pratiquée au début de la grossesse, elle permet de dépister une éventuelle anomalie du fœtus et, dans la deuxième moitié, de vérifier que le déroulement de la grossesse est correct.

ÉCHOGRAPHIE

La première vision de l'enfant par sa mère

Grâce aux ultrasons, la future mère peut observer son enfant et le médecin peut déceler une anomalie. L'utilisation des ultrasons est indolore et ne nécessite aucune introduction d'instrument dans le corps de la mère. A l'inverse des rayons X, les ultrasons ne présentent, semble-t-il, aucun danger. Ils sont également utilisés en pathologie gynécologique et abdominale, pour examiner le cœur (échocardiographie) et le cerveau sans interférence avec les os du crâne.

Quand un faisceau d'ultrasons rencontre un objet quelconque, ce faisceau est réfléchi. Les ultrasons sont de très haute fréquence, si grande que l'oreille humaine ne peut les détecter; ils peuvent être dirigés d'une manière très précise vers l'objet que l'examinateur veut observer. L'enregistrement de l'écho réfléchi dessine une image qui représente l'objet détecté et permet ainsi de préciser sa situation et son volume.

Les appareils à ultrasons utilisent une sonde émettrice qui envoie le faisceau, puis capte l'écho réfléchi et convertit le son en un signal électrique. Ces signaux électriques sont ensuite transformés en une image transmise en noir et blanc sur un écran. Certaines substances, telles que les os ou les gaz, réfléchissent intensément les ultrasons et donneront des images très blanches; inversement, le placenta ne réfléchissant pas autant les ultrasons apparaîtra en gris; quant au liquide amniotique, qui ne réfléchit pas du tout les ultrasons, il apparaîtra totalement noir sur l'écran. Il y a deux types d'appareils à ultrasons couramment utilisés : les appareils à temps réel, qui permettent de visualiser les mouvements, et les appareils qui utilisent le mode B, donnant des images statiques. Les femmes enceintes doivent subir trois échographies au cours de leur grossesse. La première sera pratiquée vers le troisième mois pour évaluer l'âge gestationnel et vérifier le développement harmonieux de l'enfant. La deuxième sera effectuée vers la seizième ou dix-septième semaine pour dépister d'éventuelles anomalies, telles que l'ANENCÉPHALIE, l'HYDROCÉPHALIE et le SPINA-BIFIDA. Enfin, la troisième échographie sera pratiquée au cours de la trente-quatrième semaine.

Si la mère a eu des saignements au cours de sa grossesse, l'échographie permettra de déterminer en particulier la position du placenta et donnera de nombreux éléments concernant la vitalité de l'enfant. Grâce aux ultrasons, on peut détecter très vite l'éventualité d'une grossesse multiple.

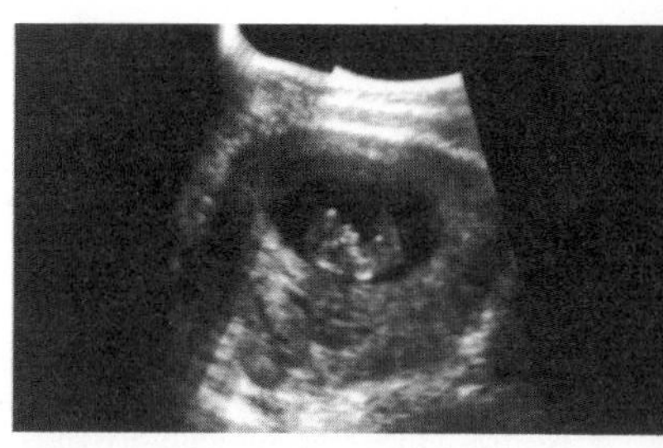

10 SEMAINES. *L'embryon, qui flotte dans le liquide amniotique, mesure environ 4 cm. La tête, repliée sur le tronc, se développe. La croissance des membres débute.*

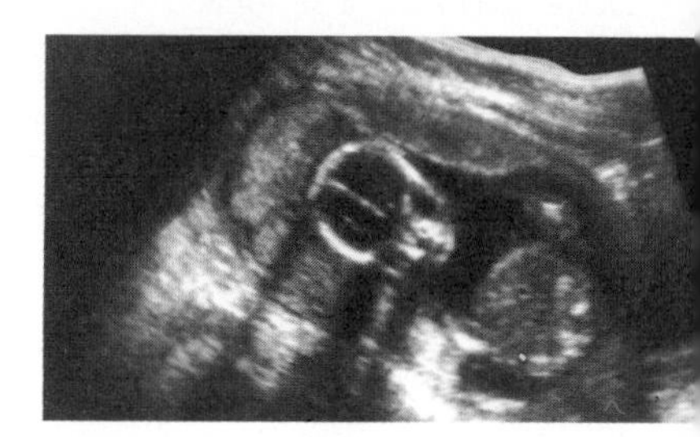

16 SEMAINES. *Le bébé a vite grandi : il mesure plus de 17 cm. Il reçoit sa nourriture du placenta, longue surface grise que l'on observe juste au-dessous de la paroi abdominale.*

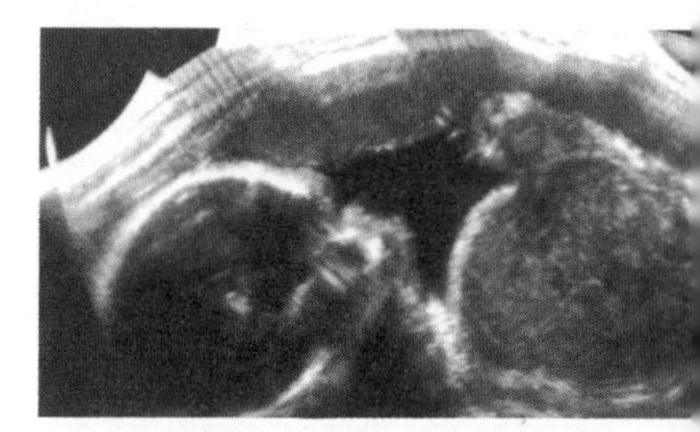

34 SEMAINES. *L'enfant est trop gros pour se mouvoir dans l'utérus. Sa tête est à gauche. La ligne du front, du nez et du menton est visible. Bras et jambes sont repliés contre le tronc.*

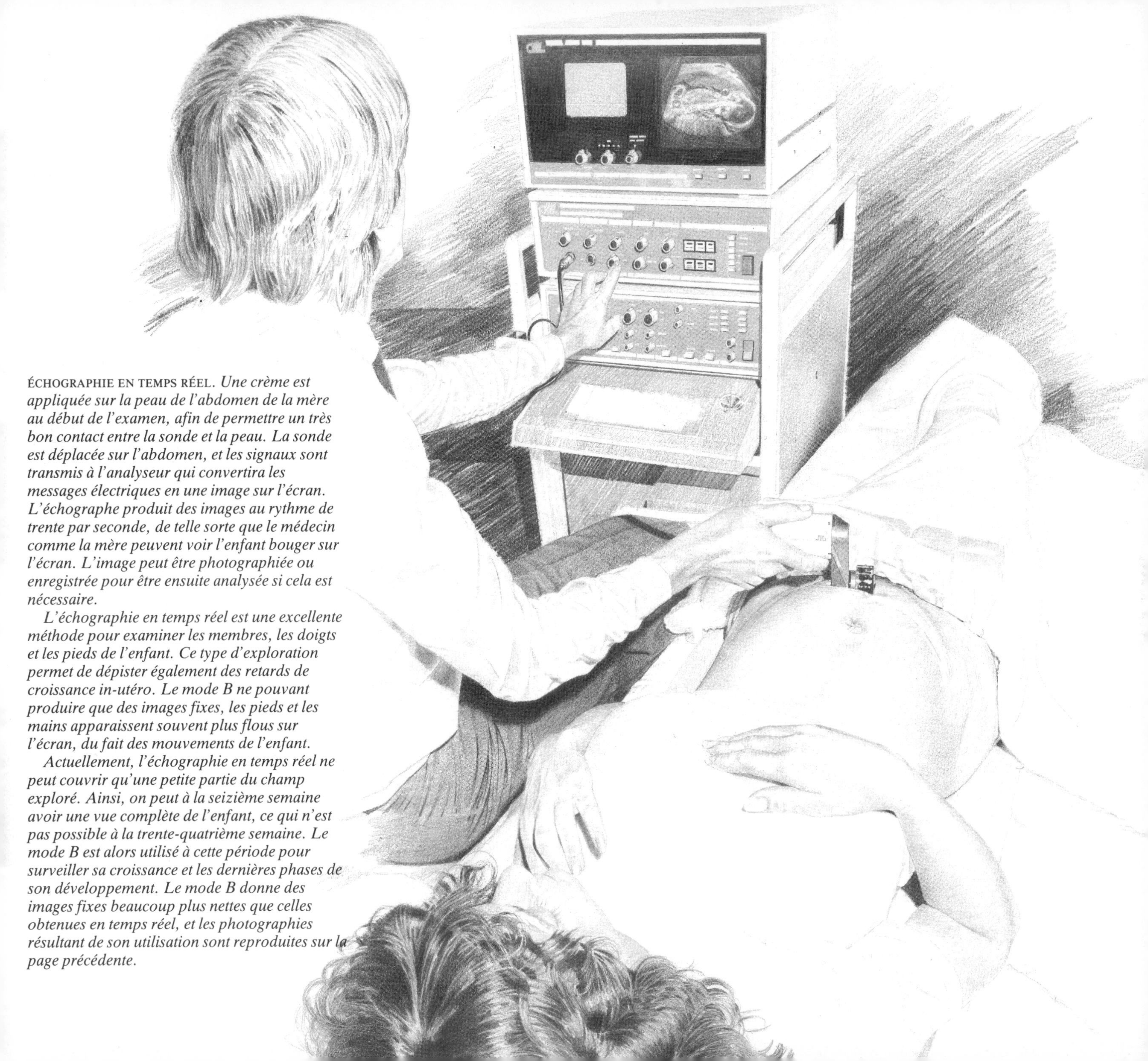

ÉCHOGRAPHIE EN TEMPS RÉEL. *Une crème est appliquée sur la peau de l'abdomen de la mère au début de l'examen, afin de permettre un très bon contact entre la sonde et la peau. La sonde est déplacée sur l'abdomen, et les signaux sont transmis à l'analyseur qui convertira les messages électriques en une image sur l'écran. L'échographe produit des images au rythme de trente par seconde, de telle sorte que le médecin comme la mère peuvent voir l'enfant bouger sur l'écran. L'image peut être photographiée ou enregistrée pour être ensuite analysée si cela est nécessaire.*

L'échographie en temps réel est une excellente méthode pour examiner les membres, les doigts et les pieds de l'enfant. Ce type d'exploration permet de dépister également des retards de croissance in-utéro. Le mode B ne pouvant produire que des images fixes, les pieds et les mains apparaissent souvent plus flous sur l'écran, du fait des mouvements de l'enfant.

Actuellement, l'échographie en temps réel ne peut couvrir qu'une petite partie du champ exploré. Ainsi, on peut à la seizième semaine avoir une vue complète de l'enfant, ce qui n'est pas possible à la trente-quatrième semaine. Le mode B est alors utilisé à cette période pour surveiller sa croissance et les dernières phases de son développement. Le mode B donne des images fixes beaucoup plus nettes que celles obtenues en temps réel, et les photographies résultant de son utilisation sont reproduites sur la page précédente.

ENCÉPHALITE

Inflammation du cerveau, souvent due à une infection virale. Plusieurs maladies fréquentes et habituellement bénignes peuvent provoquer cette complication exceptionnelle (OREILLONS, ROUGEOLE, HERPÈS). L'encéphalite apparaît en général dès le début de la maladie et rarement, comme dans la RAGE, après des semaines.

Symptômes
- Mal de tête.
- Fièvre.
- Douleurs du cou et du dos gênant les mouvements de flexion (courber la tête). Le cou est parfois complètement rigide. Raideur de la nuque.
- Des convulsions peuvent survenir.
- Douleurs et faiblesse musculaires, gestes imprécis et non coordonnés. Ces symptômes sont variables selon les zones du cerveau atteintes.

Durée
- De l'ordre de plusieurs semaines.

Causes
- Les virus des oreillons, de la rougeole, de la rage, de la POLIOMYÉLITE peuvent tous provoquer une encéphalite, ainsi que plusieurs autres virus plus rares.
- La cause la plus fréquente en Europe est l'herpès. Mais cette encéphalite reste extrêmement rare.

Traitement à domicile
- Aucun.

Quand consulter le médecin
- Dès que l'on constate à la fois un mal de tête, une fièvre, une raideur du cou.
- En cas d'encéphalite, l'état du malade est très inquiétant; il faut consulter immédiatement.

Rôle du médecin
- Hospitaliser le malade.
- Ensuite, pratiquer des examens comprenant un ÉLECTROENCÉPHALOGRAMME, un SCANNER et une éventuelle ponction lombaire (permettant d'examiner le liquide entourant la moelle épinière et le cerveau) pour confirmer le diagnostic.
- Traiter les symptômes : antalgiques pour le mal de tête et anticonvulsivants pour prévenir les convulsions.
- Prescrire des médicaments antiviraux.

Pronostic
- Le plus souvent, guérison totale.
- Pour une petite minorité, la mort survient malgré le traitement, ou des séquelles persistent, comme des trous de mémoire ou une faiblesse musculaire.

Voir SYSTÈME NERVEUX, *page 34*

ENDOCARDITE

Maladie rare, mais grave et parfois fatale, due à l'infection de l'endocarde (revêtement interne du cœur) et des valves cardiaques par un germe passé en circulation dans le sang.

Symptômes
- Fièvre inexpliquée, permanente ou intermittente.
- Fatigue et altération de l'état général.
- Apparition d'un souffle au cœur.
- Autres symptômes variables : éruption cutanée, arthrite, atteinte rénale avec hématurie, localisation cérébrale avec épilepsie ou confusion mentale.

Durée
- Elle dépend de la précocité du traitement.

Causes
- Passage dans le sang de micro-organismes (bactéries, comme le streptocoque, ou champignons, tel le candida) qui vont se greffer sur les valves cardiaques et les détruire en l'absence de traitement. Un cœur normal peut être atteint, mais les porteurs de malformations cardiaques congénitales seront plus sensibles. Le RHUMATISME ARTICULAIRE AIGU peut donner une endocardite.
- La source d'infection la plus fréquente est l'extraction dentaire ou le traitement d'une dent infectée.
- Mais les autres causes sont : les interventions sur les voies urinaires ou le rectum, l'introduction de sondes ou d'un cathéter dans la vessie, et la pose d'un stérilet.
- Infection à partir d'une escarre ou d'un ULCÈRE.

Complications
- En l'absence de traitement antibiotique, l'infection s'étend par voie sanguine et peut gravement toucher d'autres organes, tels le cerveau, les reins ou les poumons, et provoquer un infarctus du myocarde.
- Une insuffisance cardiaque ou rénale est possible.

Traitement à domicile
- Formellement déconseillé. Consulter un médecin.

Quand consulter le médecin
- Si vous avez de la fièvre durant plus de trois jours sans cause évidente.

Rôle du médecin
- Prescrire des examens de sang pour rechercher une infection et faire le diagnostic, puis décider d'un traitement (antibiotique) en fonction des résultats.

Prévention
- Être très prudent lors des traitements dentaires ou des interventions chirurgicales, spécialement chez les sujets ayant une atteinte cardiaque (congénitale ou acquise). Donner préventivement des antibiotiques.

Pronostic
- Même avec les traitements antibiotiques actuels, la guérison n'est pas toujours assurée, et la mortalité peut atteindre 30 pour 100.

Voir SYSTÈME CIRCULATOIRE, *page 40*

ENDOMÉTRIOSE

C'est une curieuse affection gynécologique qui survient quand des cellules de la muqueuse utérine sont retrouvées en dehors de leur localisation habituelle. C'est le cas lorsque l'on découvre ce type de cellules dans les trompes, dans les ovaires, ou à l'extérieur de l'utérus. Ce tissu en position atypique ressemble à la muqueuse utérine et, comme elle, va supporter les effets des modifications hormonales du cycle menstruel pendant les vingt-huit jours. Si bien qu'il risque de saigner légèrement au moment de la menstruation, et comme ce sang ne peut pas s'éliminer à cause de sa situation, il en résulte des phénomènes douloureux.

Symptômes
- Douleurs souvent chroniques dans le bas-ventre, qui s'accentuent durant les règles.
- Douleurs dans le bas du dos.
- Douleurs pendant les rapports sexuels.
- Dans un tiers des cas, aucun trouble n'apparaît. Un diagnostic peut être établi au cours d'une intervention effectuée pour d'autres raisons.

Durée
- Tant que cet état n'est pas traité.

Causes
- Inconnues.

Complications
- Quelquefois stérilité.
- Cette situation anormale des cellules entraîne parfois des kystes volumineux dans le pelvis.

Traitement à domicile
- Utiliser des analgésiques à dose raisonnable. *Voir* MÉDICAMENTS, n° 22.

Quand consulter le médecin
- Lorsque les symptômes se répètent pendant deux ou trois mois consécutifs.

Rôle du médecin
- Pratiquer un examen gynécologique soigneux.
- Si le diagnostic se confirme, il peut adresser la patiente à un gynécologue qui lui prescrira un traitement hormonal ou envisagera une intervention.

Prévention
- Il n'y en a pas.

Pronostic

• Les crises douloureuses menstruelles cèdent habituellement en quelques jours.

Voir ORGANES GÉNITAUX FÉMININS, *page 48*

ENFANTS BATTUS (SYNDROME DES)

Au moins un enfant sur cent est à un moment ou un autre victime de sévices physiques, d'attentats à la pudeur, ou négligé de façon criminelle. On les appelle les « enfants battus », et leurs parents sont en général responsables de leurs souffrances. Environ une sur dix de ces victimes mourra ou gardera des séquelles.

PARENTS A PROBLÈMES

Les parents des « enfants battus » sont rarement des sadiques ou des malades mentaux. En général très jeunes, ils ont souvent des problèmes de logement, d'argent et de couple. La grossesse et l'accouchement ont pu être difficiles et l'enfant a pu être séparé de sa mère pendant les premiers jours. Par-dessus tout, ces parents sont « mal dans leur peau » après avoir reçu une éducation trop rigoureuse ou trop violente moralement et physiquement. Malgré tout, ces problèmes ne sont pas toujours responsables des mauvais traitements infligés aux enfants. La cause peut être l'énervement.

Tout parent craignant de commettre un acte irraisonné contre son enfant devrait rechercher une aide. Cette aide peut être apportée par un ami, par une relation, par le médecin de famille, par un ministre du culte, par une assistante sociale appelés au téléphone. Le pédiatre traitant, les organismes de protection de l'enfance peuvent aussi être contactés.

Dans certains cas, le traumatisme psychologique de l'enfant est tel que la décision de le séparer de ses parents doit être prise de façon temporaire, et même parfois définitive.

COMMENT AIDER UN ENFANT BATTU

Vous soupçonnez que l'enfant d'un de vos voisins est maltraité par ses parents. Dans ce cas, demandez conseil *confidentiellement* à une personne responsable. Médecin de famille, assistante sociale. Légalement, vous ne pouvez vous confier à vos voisins, et même aux parents de l'enfant sans preuve tangible.

Voir PUÉRICULTURE

ENGELURES

Plaques rouge violacé de la peau, légèrement tuméfiées, que l'on remarque habituellement sur les orteils, les mains, les talons, le nez ou les oreilles, ou parfois sur le bas des jambes. Les fesses peuvent être sujettes aux engelures chez les gens qui travaillent en plein air et qui portent des jeans serrés. Dans les cas sévères, la peau risque de s'ulcérer.

Symptômes

• Prurit, engourdissement.

• Douleur et sensation de cuisson.

• Plaques inflammatoires de 2 à 5 centimètres de diamètre.

Durée

• S'il n'y a plus d'exposition au froid, les engelures guériront en deux à trois semaines. Dans le cas contraire, elles peuvent persister plus longtemps.

Causes

• Exposition au froid et à l'humidité.

Traitement à domicile

• C'est essentiellement la protection contre le froid; il faut garder les membres secs et chauds grâce à des gants, chaussettes, chaussures et pantalons efficaces.

• Ne pas gratter les engelures.

Quand consulter le médecin

• Si des engelures apparaissent malgré le port de vêtements suffisamment chauds, ou si elles ne guérissent pas en trois semaines.

Rôle du médecin

• Faire le diagnostic d'une autre affection qui pourrait simuler des engelures.

• Donner des conseils sur la prévention des engelures : se protéger du froid humide en portant des vêtements chauds et amples; activer la circulation locale par des frictions alcoolisées, une gymnastique des extrémités, des massages, des immersions brèves des régions menacées dans des bains alternativement froids et chauds; prendre des vasodilatateurs artériels ou des toniques veineux.

• Prescrire une crème pour diminuer l'irritation.

Prévention

• En climat froid, port de vêtements chauds.

Pronostic

• Une guérison complète est normalement obtenue après le retour à la chaleur.

• Si l'engelure s'est compliquée d'ulcérations, des cicatrices peuvent s'être formées.

Voir LA PEAU, *page 52*

ENGORGEMENT MAMMAIRE

Trois ou quatre jours après un accouchement, certaines femmes qui allaitent ressentent une impression désagréable au niveau des seins : c'est un engorgement mammaire. Si celui-ci est important, l'enfant sera incapable de sucer correctement le mamelon.

Symptômes

• Les seins sont durs, tendus et douloureux.

Traitement à la maternité ou à domicile

• Exprimer une petite quantité de lait en pressant doucement le sein, autour de l'aréole.

• L'infirmière ou la puéricultrice vous expliqueront comment procéder.

Quand consulter le médecin

• Quand l'engorgement du sein entraîne des difficultés au cours de l'allaitement.

Rôle du médecin

• Examiner les seins, regarder le bébé s'allaiter, montrer à la mère comment elle doit encourager et aider son enfant à téter correctement, lui expliquer comment exprimer le lait.

Prévention

• Il n'y a pas de prévention possible.

Voir ORGANES GÉNITAUX FÉMININS, *page 48*

ENTORSE

Étirement brusque ou déchirure d'un ligament, bande de tissu fibreux qui réunit les os d'une même articulation.

Symptômes

• Douleur et sensibilité de l'articulation touchée, aggravées par le mouvement.

• Gonflement de l'articulation.

Durée

• Une entorse peut durer quinze jours et plus.

Causes

• Une entorse est due habituellement à une chute.

Traitement à domicile

• Repos de l'articulation atteinte.

• Appliquer sur l'articulation un linge trempé dans l'eau froide, envelopper l'articulation dans un bandage bien serré, pour diminuer le gonflement.

• Pulvérisations, pommades pour entorses, à condition qu'il n'y ait pas de plaie cutanée.

• Analgésiques pour soulager la douleur.

Quand consulter le médecin
• Chaque fois que les analgésiques et le repos n'ont pas soulagé très vite la douleur.
• Chaque fois qu'un hématome ou une ecchymose apparaissent sous la peau.
Rôle du médecin
• Faire une radio pour vérifier qu'il n'y a pas de fracture associée à l'entorse.
• Immobiliser l'articulation avec une contention ferme et élastique.
• Prescrire des antalgiques.
Pronostic
• Une entorse négligée peut laisser une articulation douloureuse, en particulier à la cheville et au genou.

Voir LE SQUELETTE, *page 54*

ENTROPION

Dans cette anomalie, la paupière inférieure de l'œil et les cils se retournent vers l'intérieur. Cette affection n'est pas dangereuse au départ, mais entraîne un inconfort avec douleur, rougeur de l'œil, larmoiement.

Voir ECTROPION ET ENTROPION

ÉNURÉSIE

La plupart des enfants cessent de faire pipi au lit avant l'âge de quatre ans. Cependant, 10 pour 100 continuent au-delà de cet âge, et environ 1 pour 100 jusqu'à l'âge adulte. La signification de l'énurésie est complexe, mais habituellement ce trouble est sans aucune gravité, surtout s'il est exclusivement nocturne. Il peut s'agir d'un retard de maturation des muscles soutenant la vessie, ou d'une insuffisante capacité vésicale. Mais de nombreux événements de l'existence peuvent influencer la poursuite ou la réapparition de l'énurésie : une hospitalisation, l'entrée à l'école, ou la naissance d'un frère ou d'une sœur.

Très exceptionnellement, ce trouble peut être secondaire à une maladie organique, et notamment le DIABÈTE ou l'ÉPILEPSIE. Dans tous les cas, une consultation médicale permettra de rassurer l'enfant et sa famille en quelques conseils ou traitements permettant une fois sur deux d'y porter rapidement remède.

Voir PUÉRICULTURE

ÉPAULE (LÉSIONS DE LA COIFFE DES ROTATEURS DE L')

L'épaule permet d'exécuter des mouvements très variés, et elle est de ce fait une articulation complexe. La coiffe des rotateurs est un manchon de muscles et de tendons qui maintient l'extrémité arrondie de l'os du bras contre la cavité de l'os de l'épaule, constituant ainsi l'articulation. Cette coiffe de tendons peut être lésée et déchirée par un accident. Elle peut également s'abîmer après un traumatisme ou avec l'âge, ce qui crée des désordres en apparence spontanés, tels que l'ÉPAULE GELÉE, le syndrome ÉPAULE-MAIN, les mouvements du bras douloureux, et la tendinite du sus-épineux. Ces deux dernières affections ont des causes, des symptômes, un traitement et un pronostic semblables.
Symptômes
• Douleur dans l'épaule, aggravée par le mouvement.
• La partie supérieure du bras et l'épaule se meuvent comme si elles étaient soudées. Le spasme musculaire produit par la douleur limite la mobilité articulaire entre l'os du bras et celui de l'épaule (humérus et omoplate).
• La douleur peut être sourde ou aiguë, liée au mouvement, ou persistante au repos, diurne ou nocturne.
Durée
• Elle dépend de la cause. Une lésion tendineuse sévère peut affaiblir définitivement l'épaule.
• La plupart des lésions, traumatiques ou spontanées, évoluent vers la guérison en trois mois de repos ou de ménagement.
Causes
• Traumatisme.
• Chez les personnes âgées, les petits traumatismes répétés, le surmenage articulaire, le DIABÈTE.
Complications
• Une faiblesse permanente de l'articulation de l'épaule.
Traitement à domicile
• Mettre au repos l'articulation avec une écharpe en triangle qui entoure le cou et prend l'avant-bras.
Quand consulter le médecin
• Dès le début des symptômes.
Rôle du médecin
• Demander au patient de subir une radiographie de l'épaule pour vérifier que les symptômes ne sont pas dus à une fracture.
• Quand la douleur est forte, donner des analgésiques et des anti-inflammatoires.
• Il peut faire une infiltration cortisonique locale. *Voir* MÉDICAMENTS, n° 32.
• L'intervention chirurgicale ne peut être pratiquée que chez le sujet jeune, et son résultat fonctionnel est souvent incertain.
• L'immobilisation pendant trois semaines sera suivie d'une rééducation douce de l'épaule.
• Chez les sujets âgés, les lésions dégénératives des tendons rendent la chirurgie le plus souvent impraticable, et la rééducation avec physiothérapie est fortement préconisée pour aider à récupérer le plein usage du bras.
Pronostic
• Chez les sujets jeunes, le traitement redonne habituellement au bras son usage normal.
• Chez beaucoup de gens âgés, une partie de la mobilité de l'épaule est définitivement perdue.

Voir LE SQUELETTE, *page 54*

ÉPAULE GELÉE

Affection de l'épaule évoluant souvent progressivement sur plusieurs semaines, frappant les sujets d'âge moyen et les personnes âgées.
Symptômes
• Douleur parfois vive de l'épaule et de la partie supérieure du bras, qui tend à s'aggraver la nuit.
• Limitation des mouvements de l'épaule.
Durée
• De deux mois à deux ans.
Traitement à domicile
• Immobiliser le bras à l'aide d'une écharpe.
• Prendre des analgésiques aux doses recommandées pour soulager la douleur. *Voir* MÉDICAMENTS, n° 22.
• Ne pas se forcer à faire « travailler » l'articulation.
Quand consulter le médecin
• Dès que la douleur gêne l'activité ou le sommeil.
Rôle du médecin
• Après avoir examiné l'épaule, il peut demander des examens de sang et une radio; elle montrera souvent une décalcification osseuse locale.
• Prescrire analgésiques et anti-inflammatoires.
• Faire des infiltrations cortisoniques dans l'articulation.
• Prescrire de la rééducation ou, dans les cas bénins, montrer des exercices simples que l'on peut pratiquer soi-même à domicile.

Prévention
• Aucune.
Pronostic
• La récupération spontanée complète peut demander jusqu'à deux ans, mais les infiltrations cortisoniques locales et la rééducation raccourcissent beaucoup ce délai.

Voir LE SQUELETTE, *page 54*

ÉPAULE-MAIN (SYNDROME)

Douleur et limitation des mouvements de l'épaule, avec une main gonflée, des doigts raides, une peau tendue et brillante. Ce syndrome apparaît progressivement et peut accompagner un traumatisme, une maladie coronaire, un diabète. C'est une épaule gelée dont le gel s'est étendu à la main.

ÉPICONDYLITE (TENNIS ELBOW)

Inflammation des tendons qui attachent les muscles de l'avant-bras au coude, à la suite d'une utilisation brutale ou excessive de l'avant-bras.
Symptômes
• Au début, douleur progressive à la partie externe du coude, irradiant souvent vers l'avant-bras, remontant quelquefois vers l'épaule.
Durée
• L'affection dure facilement un à douze mois.
Causes
• Surmenage inhabituel des muscles de l'avant-bras à l'occasion de n'importe quelle activité, entre autres le tennis, le jardinage.
Traitement à domicile
• Ne pas utiliser le bras pour les mouvements qui réveillent ou aggravent la douleur.
Quand consulter le médecin
• Si la douleur gêne les activités normales.
Rôle du médecin
• Prescrire une radio du coude, pour vérifier l'absence de traumatisme visible.
• Prescrire des analgésiques.
• Injecter un produit cortisonique au point de la douleur maximale afin de réduire l'inflammation locale. *Voir* MÉDICAMENTS, n°s 22, 32.
• Prescrire de la rééducation pour apprendre à éviter certains gestes.
• Dans les cas de douleur sévère, il enverra le malade à l'hôpital pour que soit mise en place une contention légère du coude pendant quelques semaines. Une simple coudière peut également être utile.
Pronostic
• Quelques infiltrations cortisoniques locales et une utilisation mesurée de l'avant-bras guérissent presque toujours le *tennis elbow*.

Voir LE SQUELETTE, *page 54*

ÉPIGLOTTITE

Relativement rare mais grave, cette maladie se déclare brusquement et touche en général des enfants entre un et six ans (surtout pendant la deuxième année), et parfois aussi des enfants plus âgés ou des adultes.

L'infection est à l'origine d'une inflammation du pharynx, puis du gonflement de l'épiglotte.

Bien qu'il s'agisse d'une infection bactérienne, un enfant atteint a peu de chance de transmettre la maladie aux enfants avec lesquels il a été en contact.
Symptômes
• Fièvre.
• Respiration bruyante.
• Bouche remplie de mucosités; l'enfant bave.
• Respiration difficile qui fait que l'enfant veut rester assis.
• Toux souvent rauque et « métallique ».
• Palpitations et pouls rapide.
• Les symptômes apparaissent rapidement, en quelques heures.
Durée
• Sous traitement, la guérison s'amorce au bout de vingt-quatre heures.
Causes
• Une infection bactérienne de l'épiglotte.
Traitement à domicile
• Aucun. C'est une urgence : consulter le médecin sans attendre; après l'avoir appelé, faire faire des inhalations de vapeur chaude à l'enfant.
Quand consulter le médecin
• Si un enfant atteint de CROUP commence à respirer difficilement.
• Si le teint de l'enfant n'est plus rose mais pâlit ou devient bleuâtre ou grisâtre.
• Si la respiration reste bruyante malgré des inhalations chaudes. *Voir* CROUP.
Rôle du médecin
• Dès qu'il soupçonne une épiglottite, hospitaliser l'enfant pour effectuer des radiographies et commencer un traitement.
• L'infection est habituellement enrayée par les antibiotiques, mais les difficultés respiratoires peuvent entraîner l'introduction d'une sonde respiratoire dans la trachée (intubation); parfois, une TRACHÉOTOMIE est nécessaire.
• Maintenir l'équilibre des liquides dans le corps grâce à un goutte-à-goutte.
• Fournir de l'oxygène.
Pronostic
• Lorsque le risque d'asphyxie est écarté, la guérison est complète.

Voir SYSTÈME RESPIRATOIRE, *page 42*

ÉPILEPSIE

Il faut distinguer la crise épileptique, qui peut être unique dans la vie d'un sujet et survenir pour des causes très diverses, parfois banales, et l'épilepsie, qui est une maladie chronique caractérisée par la répétition des crises.

L'épilepsie est une maladie neurologique. Ce n'est pas une maladie mentale, même si de rares complications psychologiques ou sociales surviennent.

La crise épileptique correspond à une modification brutale et réversible de l'état biologique du cerveau, par une décharge bioélectrique synchrone des cellules nerveuses. Les symptômes observés sont très divers et fonction de la localisation de la crise épileptique (crise partielle ou généralisée).
Symptômes
Ils diffèrent selon le type de crise.
LE GRAND MAL
C'est une crise convulsive généralisée à l'ensemble du corps.
• Le début de la crise peut être marqué par une sensation bizarre, s'accompagnant d'anxiété et de pâleur du visage.
• Parfois, le sujet pousse un petit cri avant de tomber sans connaissance.
• Pendant quelques secondes, on observe un état de rigidité, avec contracture musculaire intense (phase tonique), suivi de contractions rythmées de tous les muscles (phase clonique).
• Le sujet demeure immobile et inconscient.
• Après une courte pause, la respiration reprend.

• On constate souvent qu'il y a eu une morsure de la langue et une émission d'urines involontaire.
• La conscience revient progressivement, après quelques instants de confusion mentale.
LE PETIT MAL
Il s'observe surtout chez l'enfant et disparaît parfois à l'adolescence. On décrit trois variétés, isolées ou associées :
• Les absences, correspondant à une suspension brusque et passagère de la conscience. Elles s'accompagnent d'un arrêt de la conversation ou de l'activité. Elles durent quelques secondes, sans entraîner de chute et sans provoquer de convulsions. Le sujet est pâle, son regard est fixe ou hébété.
• Secousses musculaires dans le cou et les membres supérieurs. Elles surviennent souvent au moment de s'endormir ou de s'éveiller.
• Brusque suspension du tonus musculaire. Les crises s'accompagnent parfois de chutes.
LA CRISE TEMPORALE
C'est la plus fréquente des crises partielles.
• Modification de la conscience, avec sentiments d'étrangeté, d'irréalité, s'associant parfois à un « état de rêve » ou à des impressions de DÉJA VU, DÉJA VÉCU.
• Hallucinations auditives, olfactives, visuelles.
• Modifications du comportement, avec apparition de réflexes automatiques (mâchonnement, gestes d'émiettement, de frottement).
LA CONVULSION FÉBRILE SIMPLE
Elle survient chez un enfant, généralement entre six mois et quatre ans.
• La crise apparaît lors d'une fièvre, qui peut être liée à une infection banale comme la grippe.
• L'enfant se raidit, perd brutalement connaissance et présente de brèves secousses au niveau des muscles du visage.

UNE FENÊTRE DANS LE CERVEAU
Le contrôle de la fonction cérébrale

L'électroencéphalogramme fournit aux médecins des informations sur l'état d'un malade inconscient, ce qui peut permettre d'éviter des lésions cérébrales, et même de lui sauver la vie.

L'E.E.G. est utilisé pour déceler l'apparition d'une crise d'épilepsie, pour apprécier la profondeur d'un coma, pour donner l'alerte quand la circulation cérébrale est insuffisante. L'E.E.G. commence aussi à être utilisé pour la surveillance des nouveau-nés, pour avertir de toute diminution des taux d'oxygène.

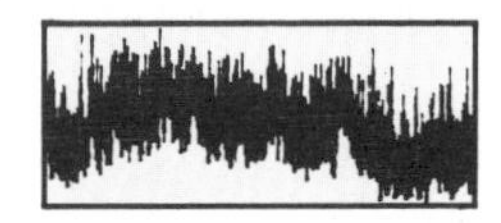

ÉVEIL ET SOMMEIL. *Courbe normale de l'activité du cerveau d'une personne qui s'endort. Le tracé varie peu d'un individu à l'autre.*

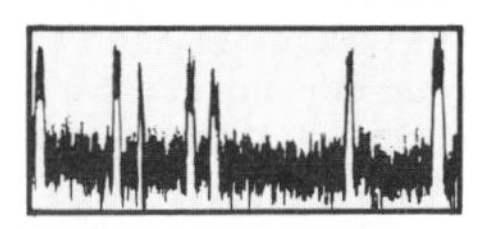

ÉPILEPSIE. *Chaque pointe représente les modifications du cerveau pendant une crise. Entre les crises, le niveau d'activité revient à la normale.*

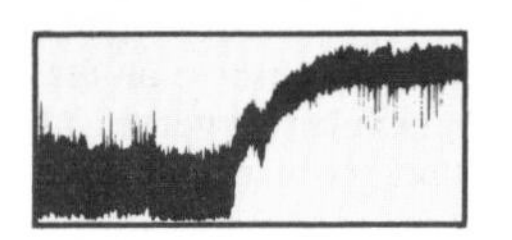

AMÉLIORATION. *Premiers signes de guérison chez un sujet dont le coma a été provoqué par une « overdose ». Le patient commencera à réagir deux jours plus tard.*

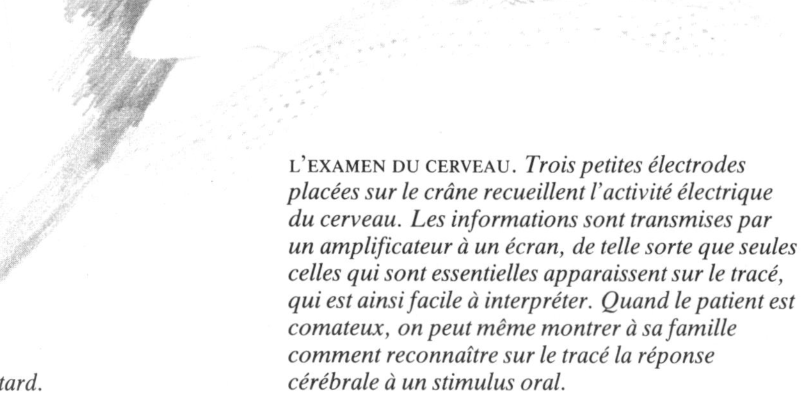

L'EXAMEN DU CERVEAU. *Trois petites électrodes placées sur le crâne recueillent l'activité électrique du cerveau. Les informations sont transmises par un amplificateur à un écran, de telle sorte que seules celles qui sont essentielles apparaissent sur le tracé, qui est ainsi facile à interpréter. Quand le patient est comateux, on peut même montrer à sa famille comment reconnaître sur le tracé la réponse cérébrale à un stimulus oral.*

• Une autre crise peut survenir à l'occasion d'un autre accès de fièvre. Parfois, c'est la seule crise que connaîtra le sujet pendant toute son existence.

Durée

• La crise épileptique dure habituellement quelques minutes. Certains tranquillisants injectables permettent de l'arrêter plus rapidement.

Causes

• Toutes les crises correspondent à une brusque décharge bioélectrique qui vient modifier l'activité normale des neurones. Mais les causes sont extrêmement diverses.

• Méningites, encéphalites.
• Alcoolisme, sevrage de drogues.
• Certains médicaments.
• Accidents vasculaires.
• Tumeurs.
• Parfois, aucune cause n'est détectée.

Que faire pendant la crise

• Dégager le cou du malade en desserrant la cravate et en ouvrant la chemise.
• Écarter tous les objets autour de lui pour éviter qu'il ne se blesse.
• Inutile d'essayer d'ouvrir sa bouche.
• Ne pas gêner ses mouvements.
• Quand la crise est terminée, allonger le sujet et rester avec lui.

Quand consulter le médecin

• Après toute première convulsion.
• En cas de crises trop longues (plus de cinq minutes) ou trop rapprochées (deux en vingt-quatre heures), même si le sujet est sous traitement.

Rôle du médecin

• Examiner le patient et rechercher les causes possibles (antécédents personnels ou familiaux).
• Confirmer le diagnostic par des examens complémentaires, et en premier lieu un électroencéphalogramme.
• Prescrire éventuellement des médicaments contre les convulsions.

Pronostic

• Certaines épilepsies nécessitent un traitement à vie : il existe depuis quelques années des médicaments efficaces, bien tolérés et dénués d'effets secondaires.
• Parfois, et en particulier chez l'enfant, le traitement peut être arrêté après quelques années sans que n'apparaisse la moindre rechute.

Vivre avec l'épilepsie

☐ L'épilepsie n'est pas une maladie à part, mais il existe des préjugés sociaux, le plus souvent absolument injustifiés, qui contraignent certains épileptiques à taire leur maladie à leur entourage.

☐ En règle générale, l'épilepsie est parfaitement contrôlée grâce à de nouveaux médicaments contre les convulsions, qui sont bien tolérés et n'entraînent ni accoutumance ni effets secondaires, complications qui étaient fréquentes avec les anciens traitements. Cependant, si vous constatez des effets secondaires désagréables ou gênants avec votre traitement, n'hésitez pas à consulter un spécialiste.

☐ Certains facteurs déclenchant des crises épileptiques sont bien connus : le stress, l'alcool, les lumières fluorescentes, la télévision, le manque de sommeil. Mais il y a des variations selon les individus, et vous devez vous efforcer de découvrir quels sont les facteurs qui favorisent vos propres crises. Quelques épileptiques ont découvert que le fait de ne pas manger pendant de longues périodes ou le surmenage leur déclenchent des crises. Si c'est votre cas, ne sautez pas de repas et efforcez-vous de manger régulièrement et de dormir suffisamment.

☐ Si l'éventualité d'une crise est possible malgré le traitement, il est préférable d'informer vos proches afin que ceux-ci puissent réagir opportunément. Vous devez certainement informer de votre état un employeur ou un futur conjoint, mais si vous n'avez pas eu de crises depuis plusieurs années, une trop grande franchise risquerait au contraire de vous être préjudiciable.

☐ En cas de crise, il n'est pas nécessaire d'aller à l'hôpital, mais vos amis et vos proches doivent en être informés. Si les crises deviennent de plus en plus fréquentes, consultez votre médecin.

☐ Les jeunes épileptiques qui vont choisir un métier doivent éviter les travaux en hauteur (couvreur), ou proches d'une machine sans protections de sécurité ou d'un feu. Évitez également les métiers tels que conducteur de véhicule, ou les postes dits « de sécurité »; mais si l'épilepsie est totalement contrôlée depuis plusieurs années, les seuls métiers qui sont interdits sont ceux de l'aviation, des transports publics, des transports de marchandises et de l'armée.

☐ Si vous avez un enfant susceptible de faire une crise, il est conseillé d'en informer ses enseignants. Éventuellement, mettre en rapport le médecin de votre enfant et celui de l'établissement scolaire.

☐ La pratique des sports n'est pas déconseillée, mais la plus grande prudence s'impose pour certains sports (le ski et l'escalade, par exemple, qui comportent un risque de chute, et la natation).

ÉPISCLÉRITE

C'est une rougeur de l'œil disgracieuse mais peu fréquente.

Symptômes

• L'épisclérite n'atteint généralement qu'un seul œil. Elle provoque une douleur sourde plutôt qu'une irritation. L'œil devient rouge de façon localisée, et parfois on constate l'existence d'une petite tache qui grandit sur le blanc de l'œil.

Durée

• Avec un traitement convenable, la plupart des cas d'épisclérite guérissent en quelques jours, mais une récidive est toutefois possible.

Causes

• Elle n'est pas bien élucidée. Mais l'épisclérite est parfois liée à une affection rhumatismale qui peut atteindre les muscles dans d'autres parties du corps.

Quand consulter le médecin

• La persistance d'une rougeur ou d'une douleur doit conduire à consulter.

Rôle du médecin

• L'ophtalmologiste examinera complètement l'œil. Il regardera au microscope la zone d'épisclérite et il s'assurera en instillant des gouttes de colorant que la cornée est normale.

• Le diagnostic d'épisclérite étant fait, il prescrira des instillations de collyre.
• Il pourra adresser le malade à son médecin traitant pour que celui-ci, à l'aide d'examens biologiques et de radiographies, recherche une maladie rhumatismale possible.
Pronostic
• L'épisclérite peut persister en dépit du traitement mais n'entamera pas la vision.

Voir L'ŒIL, *page 36*

ÉPISTAXIS

Saignement de nez, affection banale survenant en général chez les jeunes ou les adultes.
Symptômes
• L'écoulement de sang par une ou deux narines.
Causes
• Souvent aucune, mais le fait de se moucher, d'éternuer fort, de se nettoyer le nez peut provoquer un saignement. Mais d'autres causes sont possibles : un simple rhume, un choc sur le nez ou la tête, une HYPERTENSION ARTÉRIELLE ou une SINUSITE. Parfois, une maladie du sang est responsable (APLASIE MÉDULLAIRE, LEUCÉMIE).
Complications
• Habituellement, aucune.
Traitement à domicile
• Assis droit, pencher légèrement la tête en avant et pincer fortement la partie souple du nez pendant au moins quinze minutes, puis lâcher les narines et rester assis tranquillement. Si l'épistaxis recommence, pincer à nouveau les narines quinze minutes.
• Lorsque le saignement s'arrête, se reposer un peu, assis ou allongé. Ne pas se moucher pendant trois heures.
Quand consulter le médecin
• Si le saignement résiste au traitement ci-dessus (surtout chez une personne âgée) ou si la perte de sang est si importante que le patient pâlit ou se sent mal.
• Si le saignement réapparaît.
Rôle du médecin
• Engourdir le nez par une anesthésie locale, puis le remplir avec une mèche de gaze ou un ballonnet pour arrêter le saignement par compression à l'intérieur de la cavité nasale.
• Hospitaliser les cas graves.
• Prendre la tension artérielle et traiter une hypertension éventuelle.
Prévention
• Ne pas se nettoyer le nez brutalement.
• Traiter les causes, comme l'hypertension artérielle ou la sinusite.
Pronostic
• *Voir* LES URGENCES.

Voir SYSTÈME RESPIRATOIRE, *page 42*

ÉPITHÉLIOMA CUTANÉ

Tumeur maligne de la peau survenant le plus souvent chez le sujet de plus de quarante ans au niveau des zones les plus exposées au soleil : visage, dos des mains, et parfois cou. Le soleil joue un rôle certain dans l'apparition de ces cancers, qui sont très fréquents.

On distingue deux grands types d'épithéliomas :
L'épithélioma baso-cellulaire, le plus fréquent. Il mérite à peine le nom de cancer, car il s'étend très lentement et ne dissémine jamais à distance.
L'épithélioma spino-cellulaire, qui survient le plus souvent sur une peau altérée par le soleil ou une radiothérapie ancienne. Sa prophylaxie se fait par le dépistage et le traitement des lésions précancéreuses que sont les kératoses séniles ou kératoses actiniques. Leur traitement est généralement chirurgical.

Voir CANCERS DE LA PEAU

ÉQUILIBRE

Les étourdissements, les vertiges ou les difficultés à se maintenir en équilibre apparaissent de façon fréquente à l'occasion d'un changement brutal de posture. Souvent dus à une variation de la tension artérielle, ils peuvent révéler une maladie plus grave lorsqu'ils sont importants.

Voir LISTE DES SYMPTÔMES (ÉQUILIBRE)

ÉRUPTION CUTANÉE

Terme général qui s'applique à toutes les manifestations cutanées, quels que soient leur type et leurs causes.
Symptômes
• Taches roses ou brunes, de taille variable, qui peuvent être recouvertes de squames.
• Bulles, vésicules, croûtes, pustules.
• Papules, nodules, taches pigmentées.
Causes
• Une affection dermatologique, comme le LICHEN PLAN, le PSORIASIS, l'ACNÉ, l'URTICAIRE, le PEMPHIGUS.
• Une infection virale, comme l'HERPÈS, le ZONA, la VARICELLE ou la ROUGEOLE.
• Une infection microbienne, comme l'IMPÉTIGO, la SYPHILIS, ou une infection mycosique (CANDIDOSE).
• Une allergie solaire, une éruption d'origine médicamenteuse.
Pronostic
• Il dépend de la cause.

ÉRUPTION MÉDICAMENTEUSE, OU IATROGÉNIQUE

Encore appelée toxidermie, il s'agit d'une éruption d'origine allergique ou toxique, due à un ou plusieurs médicaments pris par voie interne. Les médicaments peuvent être bien tolérés pendant des années avant que n'apparaisse l'accident médicamenteux.
Symptômes
• L'éruption, souvent prurigineuse, peut prendre divers aspects. Parmi les plus fréquents, il y a :
• Éruption généralisée, comme dans la rougeole.
• URTICAIRE aiguë, avec gonflement des paupières.
• Sensibilisation au soleil inhabituelle.
• Plaques rouges, comme dans la scarlatine.
• Bulles ou décollements cutanés, plus ou moins larges, pouvant atteindre la bouche et les yeux.
• Plus rarement, éruption à type d'ECZÉMA ou de LICHEN PLAN.
Durée
• Jusqu'à ce que le médicament soit éliminé de l'organisme, c'est-à-dire plusieurs jours, ou parfois plusieurs semaines.
Causes
• Les raisons de la sensibilité individuelle à certains médicaments sont inconnues.
Traitement à domicile
• L'irritation peut être calmée par des applications d'eau fraîche ou de lotion à la calamine.
• Mais vous devez consulter un médecin.
Rôle du médecin
• Arrêter le ou les médicaments incriminés.

• Prescrire éventuellement des comprimés d'antihistaminiques pour diminuer la gêne et le prurit, et dans certains cas des corticoïdes (urticaire sévère). *Voir* MÉDICAMENTS, n°s 14, 32.

Prévention

• Ne pas reprendre un médicament ayant entraîné une éruption sans l'avis du médecin.

Pronostic

• Guérison habituelle à l'arrêt de la drogue, sans séquelles. Il existe néanmoins quelques formes graves.

Voir LA PEAU, *page 52*

ÉRYSIPÈLE

Touchant surtout les sujets entre quarante et soixante ans, cette infection bactérienne de la peau peut s'étendre rapidement aux tissus profonds. Elle a été responsable de nombreuses morts avant la connaissance des règles élémentaires d'hygiène et l'avènement de la pénicilline. La maladie reste sérieuse, mais très rarement mortelle. Le germe pénètre le plus souvent par un orifice cutané, comme une plaie, une piqûre, un ulcère. L'alcoolisme, le diabète, la dénutrition favorisent cette infection.

Symptômes

• Une impression de malaise pendant environ vingt-quatre heures.
• Tache rouge sur la face, le cuir chevelu ou le membre inférieur. Elle grandit rapidement pour former un placard rouge, chaud, douloureux, gonflé.
• La fièvre monte souvent jusqu'à 40°, avec frissons, courbatures, nausées, et parfois vomissements.
• Les ganglions lymphatiques de la région atteinte peuvent être gonflés et douloureux.
• Des bulles apparaissent parfois sur les plaques.
• L'éruption peut commencer près d'une blessure.

Causes

• Une bactérie, appelée streptocoque pyogène.

Complications

• Si l'infection n'est pas traitée rapidement, elle peut sévir localement, en profondeur, en donnant une gangrène, et s'étendre à tout l'organisme, provoquant une septicémie, une affection des poumons, du cerveau et des reins. Ces complications peuvent être mortelles en l'absence de traitement efficace.

Traitement à domicile

• Aucun. Il faut consulter le médecin.

Quand consulter le médecin

• Aussitôt que l'affection est soupçonnée.

Rôle du médecin

• Faire analyser le sang et les bulles.
• Prescrire des antibiotiques.
• Faire hospitaliser le patient, qui restera au lit jusqu'à la guérison. Le siège de l'infection initiale sera désinfecté, les zones de peau nécrosées seront excisées et les bulles ouvertes.

Prévention

• Bien nettoyer toute fissure, piqûre ou blessure, qui peuvent être le point de départ d'un érysipèle.
• Éviter le contact avec une personne atteinte d'érysipèle.

Pronostic

• Si l'érysipèle est reconnu et traité rapidement, l'infection guérit habituellement en quelques jours.
• Parfois, il y a des récidives quelques mois ou années plus tard.
• S'il s'agit d'un érysipèle de la jambe, un œdème peut persister longtemps.

Voir MALADIES INFECTIEUSES, *page 32*

ÉRYTHÈME FESSIER DU NOURRISSON

Irritation de la peau des fesses des nourrissons à l'endroit des couches. Elle est due à la macération de la peau mouillée par les urines.

Voir PUÉRICULTURE

ÉRYTHROMÉLALGIE

Soudaines sensations de brûlure, de fourmillement, de démangeaison au niveau des pieds et des mains, touchant surtout les sujets d'âge moyen lorsque la température ambiante augmente.

Symptômes

• Sensation de brûlure.
• Peau chaude et rouge.

Durée

• Quelques minutes à plusieurs heures.

Causes

• Inconnues.

Traitement à domicile

• Mettre les mains et les pieds au frais.
• Dormir les pieds hors des couvertures.
• Utiliser un ventilateur.
• Porter des sandales sans chaussettes.

Quand consulter le médecin

• Lorsque l'un des symptômes apparaît.

Rôle du médecin

• Surveiller le système circulatoire pour éliminer toute suspicion de maladie grave.
• Traitement pour soulager les symptômes.

Prévention

• Maintenir les pieds et les mains au frais.
• Éviter le soleil.
• Ne pas porter de chaussettes ni de gants.

Pronostic

• Cette maladie, inconfortable mais sans danger, est souvent difficile à soigner.

Voir SYSTÈME CIRCULATOIRE, *page 40*

ESCARRES

Plaies suintantes et douloureuses de la peau, localisées aux zones d'appui (fesses, talons, coudes) chez des malades alités. Ces zones d'appui exercent une pression et une irritation constante de la peau qui entraîne ces lésions, très difficiles à soigner.

Voir SOINS INFIRMIERS A DOMICILE

ÉTERNUEMENT

C'est l'expulsion involontaire d'air par le nez et la bouche sous l'effet d'une irritation ou d'une inflammation des narines. Les causes d'inflammation les plus fréquentes sont la RHINITE ALLERGIQUE et le RHUME. C'est en éternuant que les nourrissons, qui ne peuvent pas se moucher, dégagent leur nez.

Voir SYSTÈME RESPIRATOIRE, *page 42*

EXANTHÈME

Éruption passagère de plaques rouges ou de boutons. Il peut s'agir d'une irritation, d'une allergie, mais aussi du symptôme d'une maladie (infectieuse ou non).

Voir LISTE DES SYMPTOMES (ÉRUPTION)

EXERCICES RESPIRATOIRES

Le contrôle de la respiration est pratiqué depuis l'Antiquité dans le but d'acquérir un bien-être physique et mental. C'est, par exemple, une des composantes du YOGA. Plusieurs thérapeutes modernes proposent leurs propres exercices respiratoires, et le contrôle du souffle est largement utilisé pour soigner les difficultés d'élocution et la nervosité.

EXOPHTALMIE

C'est la saillie anormale du globe oculaire. Elle est parfois unilatérale ou bilatérale.

Symptômes

- Aspect des yeux, anormalement saillants, qui attire l'attention, parfois sans autre manifestation oculaire.

Causes

- L'exophtalmie peut être en rapport avec un traumatisme, une inflammation, une tumeur, une anomalie vasculaire de l'orbite, et elle sera unilatérale.
- Si elle est bilatérale, elle est généralement causée par une HYPERTHYROÏDIE (*voir* THYROTOXICOSE).

Quand consulter le médecin

- Dès que la saillie anormale du globe est constatée.

Rôle du médecin

- L'ophtalmologiste fera un examen oculaire habituel complet. Il mesurera le degré de l'exophtalmie et orientera les examens à pratiquer suivant le contexte qui accompagne l'exophtalmie. Si celle-ci est liée à une hyperthyroïdie, il confiera le malade à un endocrinologue et surveillera sur le plan oculaire l'évolution de la maladie traitée de façon générale.

Pronostic

- Il est surtout lié à la progression de la maladie qui est à l'origine de l'exophtalmie.

Voir L'ŒIL, *page 36*

EXSANGUINO-TRANSFUSION

Forme particulière de transfusion sanguine : la quasi-totalité du sang d'un malade est remplacée par celui de donneurs sains. A l'aide d'une seule seringue adaptée à un robinet à trois voies, le sang malade est aspiré lentement puis éliminé. Du sang neuf est injecté dans les vaisseaux du patient, remplaçant progressivement le sien. Les exsanguino-transfusions sont nécessaires dans certains cas de polyglobulie néonatale (excès de globules rouges à la naissance), d'intoxications, d'atteintes graves du foie, ou encore d'INCOMPATIBILITÉ FŒTO-MATERNELLE.

EXSUDAT

Liquide contenant des globules blancs et qui filtre à travers les vaisseaux sanguins vers une zone d'inflammation. Les globules blancs, principales défenses de l'organisme, vont attaquer les bactéries au sein de cette inflammation.

EXTRASYSTOLES

Irrégularité du rythme cardiaque : un battement supplémentaire vient s'ajouter aux battements réguliers du cœur, suivi d'une pause avant la reprise du rythme normal. Les extrasystoles peuvent être uniques, répétées dans l'intervalle d'une minute, ou permanentes, accompagnant chaque contraction cardiaque. Elles peuvent survenir chez des gens en parfaite santé.

Parfois, les extrasystoles passent inaperçues; dans d'autres cas, elles provoquent une sensation de choc ou de spasme, appelée palpitation. Les patients disent qu'ils ont l'impression que leur cœur « fait des sauts », qu'il « manque un battement » ou qu'il « bat la chamade ».

Les causes des extrasystoles sont très variées. En l'absence de maladie cardiaque, elles s'observent chez les buveurs de boissons excitantes, comme le thé, le café ou l'alcool, et chez les fumeurs. Mais ce symptôme peut aussi révéler une maladie grave; c'est pourquoi une consultation médicale est indispensable.

Voir SYSTÈME CIRCULATOIRE, *page 40*

FAUSSE COUCHE

Il s'agit de l'avortement spontané ou naturel. Tout se passe comme si la nature trouvait le moyen d'éliminer une grossesse qui risquerait de ne pas être normale ultérieurement. Une femme doit se reposer impérativement après une fausse couche.

Voir AVORTEMENT

FÉCALOME

Bloc de selles coincé dans le rectum. Il affecte en général les impotents et les personnes âgées.

Symptômes

- Constipation de plus de quatre jours.
- Selles liquides, qui sont passées malgré le bloc de selles solides et qui suintent à l'anus sans être contrôlées.

Causes

- Inactivité.
- Maladie.
- Besoins d'aller à la selle non ressentis.
- Négligence d'une constipation sévère.

Traitement à domicile

- On peut parfois attraper une partie des fèces en glissant un doigt dans le rectum. Mettre un gant en caoutchouc et lubrifier son doigt avec une crème ou du savon. Disposer beaucoup de papier sous le patient.
- Après avoir extrait une partie du fécalome, mettre deux suppositoires de glycérine haut placés dans le rectum pour faciliter le transit. Ils stimuleront l'intestin, qui s'évacuera en une heure ou deux. L'intestin rempli peut continuer à fonctionner de temps en temps pendant vingt-quatre heures et risquer de souiller le malade.
- Si l'on n'a pas de suppositoires, un morceau de savon de 25 millimètres de long et de l'épaisseur d'un crayon peut être aussi efficace.

Quand consulter le médecin

- Si la constipation dure plus de deux ou trois jours chez une personne âgée ou chez une personne immobilisée par une blessure ou une maladie.

Rôle du médecin

- Tenter de retirer davantage de fèces avec un doigtier, en utilisant éventuellement un gel anesthésique et des suppositoires laxatifs.
- Demander à une infirmière de donner un lavement.
- Prescrire un stimulant du transit digestif. *Voir* MÉDICAMENTS, n° 3.

Prévention

- Faire bouger les personnes âgées.
- Ne pas négliger la constipation.

Voir SYSTÈME DIGESTIF, *page 44*

FENTE LABIO-PALATINE

Malformation congénitale des lèvres et du palais. Elle est généralement évidente, mais des anomalies mineures du palais peuvent n'être détectées que lorsque l'enfant pleure. Cette affection est plus fréquente dans certaines familles.

Symptômes

- Difficulté à téter le sein comme le biberon (ces bébés doivent parfois être nourris à la cuillère dès la naissance).
- Une façon de parler caractéristique.

Causes

- Le plus souvent, la cause est inconnue.
- Certains médicaments, dans les premières semaines de grossesse, peuvent provoquer des anomalies congénitales.

Traitement à domicile

- Il n'y en a pas. Consulter le médecin.

Rôle du médecin

- Le traitement est chirurgical.
- Adresser l'enfant en rééducation du langage.

Pronostic

- L'opération donne généralement de bons résultats.

Voir SYSTÈME RESPIRATOIRE, *page 42*
BEC-DE-LIÈVRE

FERTILITÉ

Capacité pour une femme de concevoir un enfant, ou pour un homme de procréer. L'impossibilité de conception ou de fertilisation d'un ovule peut être due à de nombreuses causes.

Voir INFERTILITÉ, STÉRILITÉ

FIBRILLATION AURICULAIRE

C'est un battement cardiaque irrégulier. Normalement, la stimulation nerveuse qui déclenche la contraction du muscle cardiaque survient à intervalles réguliers et provoque les battements cardiaques. Elle prend son origine dans les oreillettes et se propage aux ventricules et à toute la cavité cardiaque. Lors de la fibrillation auriculaire, cet influx nerveux est très rapide et anarchique; le cœur bat de façon irrégulière. Cet état peut survenir par accès intermittents, mais souvent il est durable, voire définitif, particulièrement chez les personnes âgées.

Symptômes

- Palpitations accompagnées de sensation de malaise.
- Respiration haletée et fatigue.
- Parfois, aucun symptôme.

Durée

- Les accès intermittents peuvent durer quelques minutes à quelques heures et se répéter pendant plusieurs années avant que la fibrillation soit définitive. Une fibrillation auriculaire chronique ne peut guérir sans traitement.

Causes

- Bien souvent, aucune cause sous-jacente n'est décelable.
- Une malformation cardiaque congénitale.
- THYROTOXICOSE.

Complications

- Défaillance cardiaque globale, avec œdèmes pulmonaires et œdèmes des membres inférieurs.
- Une EMBOLIE PULMONAIRE est assez fréquente.

Traitement à domicile

- Rester assis. Se reposer.

Quand consulter le médecin

- Dès que possible, lorsqu'on suspecte un trouble du rythme cardiaque.

Rôle du médecin

- Si le trouble du rythme persiste au moment de l'examen, le médecin peut généralement le diagnostiquer et le confirmer par un électrocardiogramme.
- Si l'accès de fibrillation auriculaire a disparu, le médecin ne peut en déterminer la cause avec certitude; il devra faire des investigations supplémentaires.
- Il peut prescrire des médicaments destinés à ralentir le rythme cardiaque, ou bien vous adresser à l'hôpital pour un choc électrique externe destiné à rétablir la régularité du rythme cardiaque.
- Au cours de cette affection, des caillots sanguins risquent de se former à l'intérieur des vaisseaux cardiaques, entraînant le danger d'une EMBOLIE; c'est pourquoi le médecin prescrit toujours un traitement anticoagulant surveillé par des examens sanguins réguliers. *Voir* MÉDICAMENTS, n° 10.

Prévention

- On ne connaît pas de prévention efficace.

Pronostic

- Sous traitement médical, la fibrillation auriculaire peut être stabilisée sans se compliquer.

Voir SYSTÈME CIRCULATOIRE, *page 40*

FIBRILLATION VENTRICULAIRE

Trouble très grave du rythme cardiaque. Les cavités cardiaques principales (les ventricules), responsables de l'envoi du sang dans la circulation sanguine, se contractent trop rapidement, de façon irrégulière et inefficace. Cette maladie, quand il y a une INSUFFISANCE CORONAIRE, peut parfois provoquer des complications et une mort subite.

Symptômes

- Une chute soudaine, suivie d'une perte de connaissance.
- Arrêt des battements cardiaques.
- Souvent, il n'existe aucun signe d'alarme. A l'inverse, ces symptômes peuvent survenir de façon inattendue chez une personne déjà atteinte d'une insuffisance coronaire.

Durée

- Quelques minutes.

Causes

- Un infarctus du myocarde dû à une THROMBOSE CORONAIRE.
- Une insuffisance coronaire.

Traitement à domicile

- Il faut immédiatement pratiquer un massage cardiaque externe et une respiration par bouche-à-bouche si le malade ne respire pas. *Voir* LES URGENCES.

Quand consulter le médecin

- Immédiatement.

Rôle du médecin

- Pratiquer un massage cardiaque externe et adresser le malade à l'hôpital.
- A l'hôpital, on pratique un choc électrique externe grâce à un défibrillateur électrique qui rétablit le rythme cardiaque régulier.

Pronostic

- Avec un massage cardiaque externe, qui doit être poursuivi sans arrêt jusqu'à ce qu'un choc électrique soit pratiqué à l'hôpital, le malade peut être sauvé; sinon, si le trouble persiste pendant quelques minutes, c'est la mort inéluctable.
- La défibrillation électrique permet de stopper de nombreux accès de fibrillation ventriculaire.
- Le pourcentage de guérison en cas de fibrillation ventriculaire est comparable à celui des attaques cardiaques.

Voir SYSTÈME CIRCULATOIRE, *page 40*

FIBROME

C'est une tumeur bénigne, non cancéreuse, qui est quelquefois découverte dans le tissu fibreux, et particulièrement dans les tissus qui entourent les nerfs.

Voir NEUROFIBROMATOSE

FIBROSITE

On rassemble sous cette dénomination des douleurs apparemment musculaires, sans altération anatomique précise décelable, sans gravité, attribuées sans preuve certaine à une inflammation des structures fibreuses, d'où le nom de fibrosite.

Symptômes
- Douleurs et sensibilité de certains muscles (épaule, cou, bas du dos).
- Parfois, des nodules peuvent être perçus sous la peau.

Durée
- Habituellement brève : une ou deux semaines.

Causes
- Inconnues. La douleur survient le plus souvent chez des sujets anxieux, dont le seuil de tolérance à la douleur est abaissé. L'humidité semble aussi aggraver l'état du patient.

Traitement à domicile
- La douleur peut être soulagée par une bouillotte, une ceinture chauffante ou une autre source de chaleur.

Quand consulter le médecin
- Devant toute douleur d'apparence musculaire qui ne cède pas rapidement.

Rôle du médecin
- S'enquérir par l'interrogatoire attentif, l'examen, quelques radios si nécessaire, de l'existence éventuelle d'une maladie plus sérieuse.
- Si le diagnostic de fibrosite est retenu par élimination de tous les autres, prescrire un traitement par la chaleur et les massages.

Prévention
- Se couvrir par temps froid et humide.

Pronostic
- La durée du mal est habituellement brève, mais les récidives sont assez fréquentes.

Voir LE SQUELETTE, *page 54*

FIESSINGER-LEROY-REITER (SYNDROME DE)

Maladie de cause incertaine, frappant habituellement l'homme, comportant des symptômes variables et responsable d'ARTHRITE, précédée de DIARRHÉE, d'URÉTRITE et de CONJONCTIVITE.

Symptômes
- Écoulement par l'urètre, débutant peu après un contact infectieux.
- Articulations gonflées et douloureuses, en règle générale la cheville, le pied, le genou et le poignet. Les douleurs articulaires commencent habituellement quatre à trente jours après l'écoulement par l'urètre.
- Douleurs du bas du dos. Les articulations sacro-iliaques (situées entre le sacrum et les os iliaques du bassin) sont souvent touchées. Douleur possible dans le talon.
- Une conjonctivite peut se déclarer.
- De petites ulcérations se développent parfois dans la bouche ou sur les parties génitales.

Durée
- Un à six mois.

Causes
- La cause est incertaine. On pense que le syndrome succède à des infections bactériennes ou virales diverses (dysenterie ou autres infections intestinales avec diarrhée, urétrite d'origine vénérienne ou non).

Complications
- Le mal peut devenir chronique, avec une atteinte de la colonne vertébrale et des articulations sacro-iliaques.

Traitement à domicile
- Aucun avant le diagnostic.

Quand consulter le médecin
- Devant l'un ou l'autre des symptômes énumérés.

Rôle du médecin
- Envoyer aussitôt le malade à l'hôpital pour y passer des radiographies et des tests sanguins.
- Si l'affection en est au stade aigu, une hospitalisation peut s'avérer nécessaire. On administrera au malade un médicament anti-inflammatoire pour soulager la douleur, et un antibiotique si l'infection responsable paraît récente et active. *Voir* MÉDICAMENTS, n°s 37, 25.
- Faire des infiltrations.

Prévention
- Les incertitudes qui planent sur les causes rendent la prévention difficile.

Pronostic
- La plupart des cas répondent bien au traitement s'ils sont détectés rapidement; il y a toutefois des rechutes.

FIÈVRE

Les gens associent souvent le mot fièvre avec des maladies spécifiques comme la malaria. Pour le médecin, il ne signifie qu'une élévation de la température qui peut s'accompagner d'autres symptômes. Le terme d'HYPERTHERMIE peut signifier deux choses :

1. Température dangereusement élevée : au-delà de 41°. Les bébés fiévreux sont particulièrement susceptibles d'hyperthermie, et les parents doivent les couvrir le moins possible pour faire baisser la fièvre. *Voir* PUÉRICULTURE (MALADIES INFANTILES), *page 405.*

2. Élévation artificielle de la température provoquée par les médecins pour soigner certaines maladies.

Voir LISTE DES SYMPTOMES (FIÈVRE)

FIÈVRE BILIEUSE HÉMOGLOBINURIQUE

Complication grave et rare d'une certaine forme de PALUDISME, qui survient chez des sujets vivant depuis longtemps dans les pays où sévit la maladie. Les globules rouges sont détruits et l'hémoglobine qu'ils contiennent passe dans les urines, qui deviennent très foncées.

Symptômes
- Jaunisse.
- Urines foncées, voire noires.
- Parfois, blocage des reins.

Durée
- Un ou deux jours si l'accès est modéré.

Causes
- La cause de la destruction des globules rouges n'est pas connue; mais l'accès touchait souvent les personnes qui se traitaient par la quinine. Aujourd'hui, les malades prennent d'autres médicaments et cette complication est devenue rare.

Traitement
- Le repos absolu et des soins adaptés sont indispensables à la guérison de l'accès.
- En cas d'atteinte rénale, il faut se soumettre à une dialyse rénale.

• Absorption de liquides à base de solutions alcalines. Parfois, perfusion intraveineuse de glucose et de bicarbonate de sodium.
• Arrêter la prise de quinine.

FIÈVRE JAUNE

Maladie infectieuse aiguë des régions tropicales d'Afrique et d'Amérique du Sud. Elle est due à un virus et transmise par les moustiques. Lorsqu'une épidémie survient, elle peut toucher des milliers de personnes qui seront ensuite immunisées à vie.

Après une incubation de trois à six jours, les symptômes apparaissent brutalement et sont de gravité variable. Ils comportent des maux de tête et une fièvre durant deux ou trois jours dans les cas mineurs; dans les cas plus graves, ils s'accompagnent de conjonctivite, d'hémorragies, de jaunisse et d'insuffisance rénale. Et dans les cas les plus dramatiques, le patient peut sombrer dans le coma et mourir. Il n'y a pas de traitement spécifique, mais la vaccination prévient efficacement la maladie. Elle est contre-indiquée chez les enfants de moins de neuf mois (*voir* VACANCES ET VOYAGES). Le certificat international contre la fièvre jaune est valable pendant dix ans.

Voir MALADIES INFECTIEUSES, *page 32*

FIÈVRE DE LASSA

Maladie rare et grave, d'origine virale, observée en Afrique occidentale. Elle se présente comme un syndrome infectieux, avec fièvre, douleurs musculaires et maux de gorge. Le diagnostic est très difficile à faire et l'issue de la maladie est souvent fatale.

FIÈVRE PAR MORSURE DE TIQUES

Infection transmise à l'homme par un parasite des animaux domestiques qui se nourrit de leur sang.

Voir MALADIES INFECTIEUSES, *page 32*
FIÈVRE POURPRÉE DES MONTAGNES ROCHEUSES, TULARÉMIE, TYPHUS

FIÈVRE A PHLÉBOTOME

Maladie virale qui survient dans les régions tropicales et chaudes d'Asie centrale, du Moyen-Orient et d'Amérique du Sud. Elle est transmise par de minuscules insectes, les phlébotomes. Seule la femelle pique les humains, habituellement la nuit. Il existe de nombreuses formes de fièvre à phlébotomes, dont la moins grave, « la fièvre des trois jours », se manifeste par des maux de tête, une température élevée et des douleurs musculaires. La piqûre est souvent douloureuse mais peut parfois passer inaperçue.

L'accès fébrile dure environ trois jours et, après une convalescence, le malade affaibli peut rechuter dans un délai variable de deux à douze semaines. Il n'existe pas de traitement spécifique en dehors du repos au lit, des calmants et de l'absorption de boissons. La « fièvre des trois jours » guérit toujours sans séquelles.

FIÈVRE POURPRÉE DES MONTAGNES ROCHEUSES

C'est une forme particulière de la FIÈVRE PAR MORSURE DE TIQUES. Elle est due au virus de la rickettsiose, rencontrée dans le monde entier et notamment au Canada et aux États-Unis. Après une incubation d'une dizaine de jours, une fièvre élevée, des maux de tête, des douleurs musculaires, articulaires et abdominales sont les signes prémonitoires de la maladie qui peut être extrêmement aiguë.

Des plaques rouges apparaissent, d'abord au niveau des poignets et des chevilles, et un traitement antibiotique doit être administré le plus rapidement possible. Dans nos contrées, cette maladie est bénigne.

FIÈVRE Q

Maladie infectieuse touchant les moutons, les chèvres et les vaches. Elle est due à une rickettsie — minuscule organisme à mi-chemin entre la bactérie et le virus. L'infection peut être transmise à l'homme par l'intermédiaire du lait ou des déjections des animaux, mais ne se transmet pas entre humains. L'incubation est d'environ dix-neuf jours. Les symptômes comprennent une fièvre, des maux de tête et une faiblesse généralisée. Quelques jours après, une pneumonie survient, parfois associée à un amaigrissement, qui guérira ensuite complètement sous antibiotiques (*voir* MÉDICAMENTS, n° 25).

Il existe une protection par vaccin pour les personnes à haut risque comme les employés des abattoirs, des laiteries et des tanneries.

Voir MALADIES INFECTIEUSES, *page 32*

FIÈVRE TYPHOÏDE

Maladie infectieuse très contagieuse, que l'on contracte en général en Asie ou dans les pays méditerranéens. Comme les PARATYPHOÏDES, c'est une fièvre avec manifestations digestives (fièvre intestinale). La typhoïde est due à une bactérie qui vit dans les selles des humains. L'infection est transmise par l'eau et la nourriture, en particulier les coquillages contaminés par les mouches. Trois pour cent environ des patients restent porteurs sains de la maladie après leur guérison : ils gardent une infection dans la vésicule biliaire et continuent à excréter des bactéries dans leurs selles. Ils n'ont absolument pas de symptômes et ignorent donc qu'ils sont encore infectés. Le seul moyen de détecter un porteur sain est d'identifier le germe dans les fèces. Les porteurs sains peuvent être le point de départ d'une épidémie, surtout s'ils manipulent de la nourriture.

Cette possibilité d'être porteur sain est recherchée si le patient a été en contact avec des malades ou dans les communautés à niveau sanitaire faible.

Symptômes
• Fièvre prolongée. Souvent, la première indication de gravité est la fièvre dès le cinquième jour.
• Mal de tête.
• Confusion mentale.
• Douleurs abdominales.
• Éruption de points roses au bout de huit jours.
• Constipation, qui peut être suivie de diarrhée.

Période d'incubation
• Dix à quatorze jours.

Durée
• Une à huit semaines selon la gravité de l'infection et selon le traitement entrepris.
• Il peut y avoir une rechute (retour des symptômes) deux semaines environ après la guérison apparente.

Causes
• Un bacille appelé *Salmonella typhi.*

Traitement à domicile
- Aucun. Consulter le médecin si l'on suspecte une typhoïde, en particulier après un voyage à l'étranger.

Rôle du médecin
- Envoyer le malade à l'hôpital.
- Examiner les prélèvements de sang, d'urines et de selles pour confirmer le diagnostic.
- Lorsque la typhoïde est confirmée, prescrire des antibiotiques. *Voir* MÉDICAMENTS, n° 25.
- Isoler le patient.
- Le principal traitement est le remplacement des liquides perdus par des boissons abondantes.

Prévention
- La vaccination contre la typhoïde, qui donne une certaine protection pendant trois ans, n'est pas obligatoire, mais elle est recommandée aux voyageurs dans les pays du Sud.

Voir MALADIES INFECTIEUSES, *page 32*

FISSURE ANALE

Fente dans la paroi interne du canal anal. Cette crevasse est difficile à guérir, car le spasme musculaire que crée la douleur liée à l'inflammation locale la maintient ouverte.

Symptômes
- Douleur pendant et après la défécation.
- Sang sur le papier hygiénique ou présence de sang sur les selles.

Causes
- Due en général au passage d'une selle trop dure.

Traitement à domicile
- Prendre un bain de siège chaud ou appliquer sur l'anus une éponge mouillée d'eau chaude pour soulager la douleur et le spasme musculaire.
- Avant et après la selle, appliquer avec un doigt une pommade antalgique sur la fissure.
- Manger beaucoup de fruits et utiliser un lavement ou un laxatif lubrifiant (*voir* MÉDICAMENTS, n° 3), pour éviter la constipation et les selles dures.

Rôle du médecin
- Examiner le patient, confirmer le diagnostic et éliminer les autres causes de douleurs et de saignements.
- Dans les cas extrêmes, l'adresser au chirurgien qui enlèvera la fissure au bistouri ou dilatera l'anus pour soulager le spasme musculaire.

Voir SYSTÈME DIGESTIF, *page 44*

FISTULE ANALE

Canal supplémentaire qui relie le conduit ano-rectal (terminant le gros intestin) à la peau bordant l'orifice de l'anus.

Symptômes
- Parfois une douleur et un petit saignement de l'anus.
- Écoulement de pus et quelquefois de selles.

Durée
- La fistule persiste jusqu'à son traitement.

Causes
- Un abcès proche de la terminaison du gros intestin perce en haut, dans l'intestin, ou en bas, sur la peau entourant l'anus.
- ILÉITE RÉGIONALE.

Traitement à domicile
- Des bains fréquents nettoieront l'écoulement et diminueront l'odeur.
- Le port de protections comme des garnitures et des culottes en plastique permettra d'absorber l'écoulement et d'éviter le suintement et les taches sur les vêtements.

Quand consulter le médecin
- Si un écoulement par l'anus se prolonge au-delà de sept jours.

Rôle du médecin
- Adresser au chirurgien pour traitement.

Prévention
- Aucune.

Pronostic
- Bon après traitement.

Voir SYSTÈME DIGESTIF, *page 44*

FLUTTER AURICULAIRE

Trouble du rythme cardiaque qui se traduit par une tachycardie (augmentation de fréquence des battements) auriculaire régulière et rapide, presque toujours associée à un BLOC auriculo-ventriculaire, c'est-à-dire que la contraction des oreillettes n'est suivie d'une contraction des ventricules qu'une fois sur deux, trois ou quatre.

Symptômes
- Ils sont d'apparition brutale.
- Rythme cardiaque rapide perçu par le sujet.
- Essoufflement.
- Douleur thoracique d'effort (ANGINE DE POITRINE).

Durée
- Bien que le flutter puisse être de courte durée, il persiste habituellement en l'absence de traitement.

Causes
- Infarctus du myocarde. *Voir* THROMBOSE CORONAIRE.
- Malformations cardiaques congénitales.
- INSUFFISANCE CORONAIRE : la circulation des vaisseaux coronaires est partiellement réduite.
- RHUMATISME ARTICULAIRE AIGU à localisation cardiaque, avec INSUFFISANCE CARDIAQUE.

Traitement à domicile
- Rester assis ou allongé jusqu'à l'arrivée du médecin.

Quand consulter le médecin
- Dès que les premiers signes d'une anomalie cardiaque apparaissent.
- En cas d'essoufflement anormal ou de douleur thoracique.

Rôle du médecin
- Tenter de ralentir le rythme cardiaque trop rapide par une pression sur une ou les deux artères du cou.
- Pratiquer un ÉLECTROCARDIOGRAMME.
- Adresser le patient à l'hôpital en vue d'un traitement médicamenteux sous surveillance médicale, ou afin qu'il subisse un choc électrique externe pour rétablir un rythme cardiaque régulier.

Prévention
- Elle dépend de la cause du flutter.

Pronostic
- Lorsque l'accès a disparu, des médicaments peuvent prévenir une récidive.
- Le pronostic à long terme dépend de la cause sous-jacente au flutter.

Voir SYSTÈME CIRCULATOIRE, *page 40*

FOLLICULITE

Infection d'un follicule pileux, souvent localisé au niveau de la barbe (sycosis). C'est une forme d'abcès cutané.

Voir ABCÈS

FONTANELLE

Zone de cartilage située entre les os du crâne du bébé avant leur soudure. La plupart des nouveau-nés ont deux fontanelles principales. La plus grande est au sommet de la tête, au-dessus du front, et mesure environ 2,5 cm de large. La petite fontanelle est en arrière du crâne et se ferme, en général, avant la fin de la première année. Les os entourant la grande fontanelle se soudent vers dix-huit mois.

FORCEPS

C'est un instrument qui a la forme d'une grande pince ou d'une grande cuillère, utilisé pour saisir fermement la tête de l'enfant durant le travail de la mère lors de l'accouchement quand le passage à travers le bassin s'avère trop difficile. Il existe plusieurs types de forceps obstétricaux.

FRACTURES

Brisure ou fêlure d'un os, habituellement causée par un traumatisme. Plus rarement, une fracture peut résulter de petits traumatismes répétés (on parle alors de « fracture de fatigue ») ou survenir sur un os rendu friable par une maladie (fracture dite pathologique). Une fracture est « simple » ou « fermée » si la peau qui la recouvre n'est pas elle-même rompue, et « compliquée » ou « ouverte » si l'os est à nu — auquel cas le risque d'infection est important. Le processus de guérison varie en fonction du siège de la fracture et de l'âge du patient. Chez l'enfant, une fracture guérit plus rapidement que chez l'adulte.

Il est habituellement évident qu'un os a été cassé (*voir* LES URGENCES), mais il arrive qu'une fracture passe inaperçue. Consulter le médecin après tout traumatisme qui continue à faire mal ou qui a entraîné une bosse ou un gros hématome.

FRACTURE DE LA CHEVILLE

Symptômes

- Douleur immédiate, souvent sévère.
- La cheville devient rapidement gonflée ou bosselée.
- Douleur dès que l'on remue la cheville.
- Il est souvent impossible de poser le pied au sol.

Durée

- La cheville est habituellement mise dans le plâtre pour six semaines environ.

Causes

- Une chute maladroite ou un faux pas.
- Tomber sur le pied d'une grande hauteur.

Complications

- Une arthrose peut survenir plusieurs années plus tard.

Traitement à domicile

- Mettre la cheville au repos, ne rien poser de lourd dessus.
- Appliquer une compresse froide pour réduire l'enflure.

Quand consulter le médecin

- Dès qu'une fracture est suspectée.

Rôle du médecin

- Envoyer le malade à l'hôpital le plus proche.
- A l'hôpital, le type et l'étendue de la fracture seront précisés par l'examen et la radiographie.
- En cas de fracture simple, un plâtre immobilisera d'emblée la jambe jusqu'au-dessous du genou.
- Si la fracture est grave, la cheville peut être remise en place sous anesthésie générale, ou une opération peut être nécessaire pour fixer ensemble les os fracturés. Puis un plâtre est mis en place.
- Prescrire une rééducation douce et intensive sous plâtre et après avoir retiré le plâtre.

Pronostic

- Dans une fracture bien traitée, la cheville récupère une fonction normale en deux ou trois mois.
- Si la fracture est grave, il y a un risque de raideur permanente.

FRACTURE DE LA CLAVICULE

Fracture fréquente, qui suit habituellement un traumatisme sportif. C'est une fracture partielle ou complète de l'un des deux os compris entre le sommet du sternum et les omoplates.

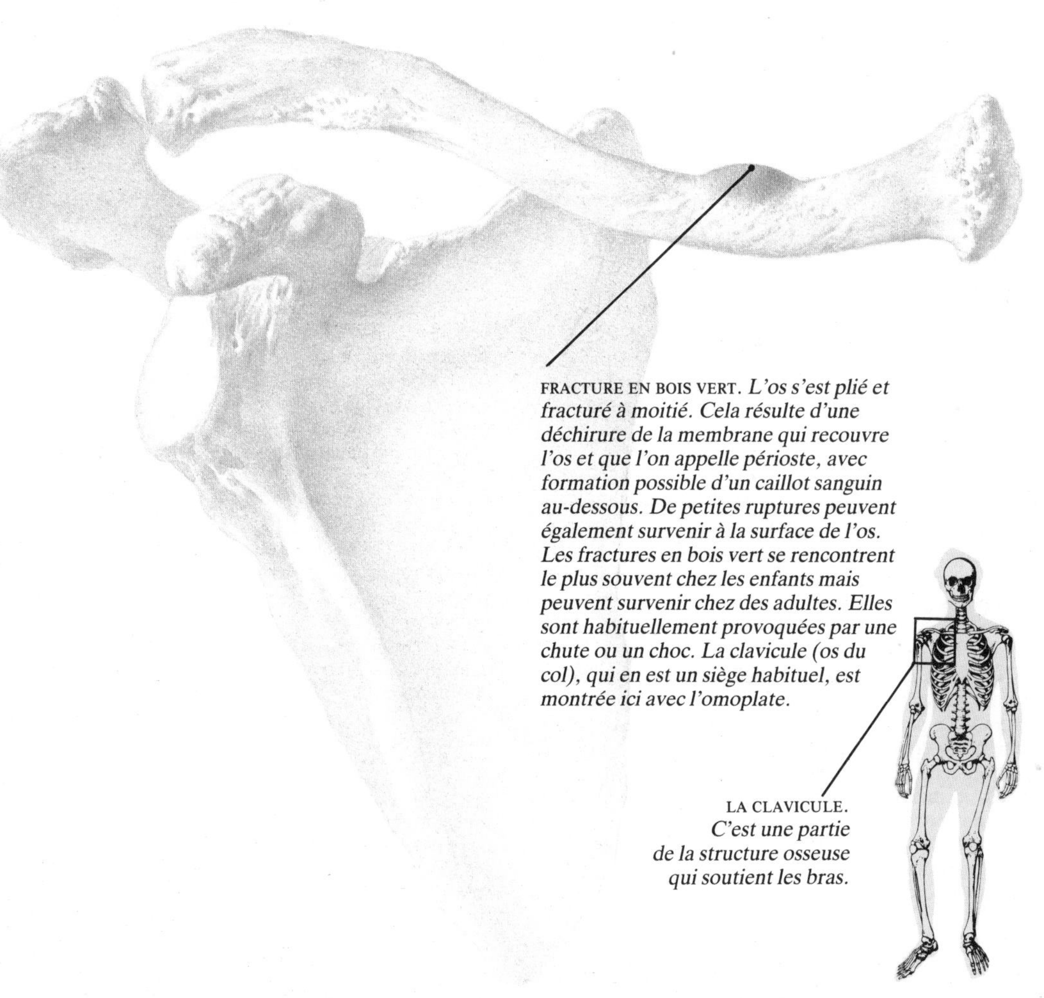

FRACTURE EN BOIS VERT. *L'os s'est plié et fracturé à moitié. Cela résulte d'une déchirure de la membrane qui recouvre l'os et que l'on appelle périoste, avec formation possible d'un caillot sanguin au-dessous. De petites ruptures peuvent également survenir à la surface de l'os. Les fractures en bois vert se rencontrent le plus souvent chez les enfants mais peuvent survenir chez des adultes. Elles sont habituellement provoquées par une chute ou un choc. La clavicule (os du col), qui en est un siège habituel, est montrée ici avec l'omoplate.*

LA CLAVICULE. *C'est une partie de la structure osseuse qui soutient les bras.*

Symptômes
• Douleur, souvent sévère, au niveau de la clavicule.
• Gonflement sensible, habituellement situé à la partie moyenne de l'os.
• Impossibilité de lever le bras du côté atteint.
Durée
• Sous traitement, la fracture guérit habituellement en quatre semaines.
Causes
• La fracture est presque toujours consécutive à un choc indirect : chute sur la main ou sur l'épaule.
Traitement à domicile
• Mettre le bras blessé dans une écharpe. Cela soulage souvent la douleur.
Quand consulter le médecin
• Dès qu'une fracture est suspectée.
Rôle du médecin
• Envoyer le malade à l'hôpital.
• A l'hôpital, la clavicule sera examinée et radiographiée pour préciser le type et l'étendue de la fracture.
• Les épaules seront fixées simultanément en arrière par un bandage en forme de 8. Cette position aligne les deux fragments fracturés et permet une consolidation en bonne position.
• Si la douleur reste excessive, le bras peut être, en outre, placé dans une écharpe.
• Les patients âgés auront une rééducation après une bonne consolidation de l'os. Celle-ci préviendra la raideur de l'épaule.
Pronostic
• L'os guérit habituellement sans la moindre séquelle, hormis une bosse osseuse au point de fracture.

FRACTURE DU COL DU FÉMUR
Le col du fémur se trouve au sommet de l'os de la cuisse, à l'endroit où il rejoint le bassin. Il est fréquemment fracturé chez les personnes âgées, plus particulièrement chez les femmes, dont les os sont fragiles après la ménopause.
Symptômes
• Douleur qui est habituellement aggravée quand on remue la jambe.
• Dans les cas où les extrémités osseuses fracturées sont déplacées (non alignées, non engrenées), le malade ne peut s'appuyer sur le membre blessé. Si la fracture a été provoquée par une chute, il ne peut se relever sans aide. Quand les os sont engrenés (bord à bord), la marche serait à la rigueur possible, mais il y a une douleur dans l'aine irradiant au genou.
• La jambe et le pied, du côté blessé, sont tournés vers l'extérieur quand le malade est étendu à terre ou sur un lit.
Durée
• La fracture demande habituellement trois mois environ pour guérir, mais le malade peut ne récupérer pleinement qu'après plusieurs mois supplémentaires.
Causes
• La plus fréquente est une chute, mais une fracture chez une personne âgée est souvent le résultat d'un traumatisme minime.
Complications
• Infections urinaires et broncho-pulmonaires déclenchées par la position allongée.
Traitement à domicile
• Il faut éviter absolument de remuer le membre blessé (ou le patient).
Quand consulter le médecin
• Dès qu'une fracture est suspectée.
Rôle du médecin
• Diriger le malade vers l'hôpital, au service des urgences de traumatologie. En même temps, il peut solidariser les chevilles entre elles et les genoux entre eux afin que le membre indemne serve d'attelle au membre fracturé; cela évitera un déplacement secondaire dans le foyer de fracture.
• A l'hôpital, plusieurs radios seront faites pour déterminer le type de fracture.
• Une fracture sans déplacement guérira habituellement d'elle-même, sans exiger de traitement chirurgical. Le malade sera autorisé à marcher sur des béquilles.
• Pour une fracture avec déplacement, une opération sera nécessaire pour fixer entre elles les extrémités cassées. Après cela, pendant deux ou trois mois, le malade ne sera pas autorisé à marcher en prenant appui sur le membre blessé.
Prévention
• Les personnes âgées prendront garde de ne pas avoir chez elles de tapis ou de marches d'escalier branlantes. Elles feront aussi attention en marchant dans la rue, surtout à la tombée de la nuit ou sur du verglas.
Pronostic
• La fixation des extrémités osseuses déplacées réussit dans au moins 70 pour 100 des cas. Dans les autres cas, une intervention ultérieure sera nécessaire.
• Après la plupart des traitements, y compris la fixation, le pronostic est habituellement excellent.

FRACTURE DE LA COLONNE VERTÉBRALE
La colonne vertébrale peut être fracturée au niveau du cou (colonne cervicale), du thorax (colonne dorsale) ou de la taille (colonne lombaire). Toutes ces fractures sont potentiellement dangereuses parce que la moelle sous-jacente peut être lésée, soit lors du traumatisme initial, soit lors d'une manipulation ultérieure du blessé. La moelle contient les nerfs qui contrôlent la respiration, les sphincters de la vessie et de l'anus, et les mouvements des membres. Toutes ces fonctions de l'organisme, et beaucoup d'autres encore, peuvent rester paralysées. *Ne jamais transporter un blessé après un accident* s'il existe une douleur à la manipulation ou à la torsion de la colonne vertébrale (cou, dos ou taille).
Symptômes
• Douleur en remuant ou en tournant une partie de la colonne vertébrale.
• Paralysie ou fourmillements au niveau des membres ou du tronc.
• Difficulté à respirer ou à avaler de l'eau.
Durée
• Trois mois, s'il n'y a pas de lésion de la moelle.
Causes
• Chutes, accidents de voiture, de travail ou de sport.
• Blessures par écrasement : accidents de la route ou chutes de matériaux sur les chantiers de construction.
Complications
• Paralysie définitive d'un ou plusieurs membres.
• INCONTINENCE d'urines ou de matières fécales.
• Une atteinte de la moelle cervicale peut entraîner la mort.
Traitement à domicile
• Installer confortablement le blessé au chaud, sur place.
Quand consulter le médecin
• Immédiatement.
Rôle du médecin
• Confirmer le diagnostic et rechercher une atteinte éventuelle de la moelle.
• Organiser le transport à l'hôpital en ambulance.
• Prévoir l'examen radiographique et l'immobilisation de la colonne à l'hôpital.
• Organiser la rééducation.
Prévention
• Les conducteurs de voiture et tous les passagers devraient toujours attacher leur ceinture de sécurité, même pour un court trajet.
Pronostic
• Bon, sauf si la moelle est lésée, auquel cas une paralysie peut en résulter.

FRACTURE DU CRANE
Fracture partielle ou complète d'un ou de plusieurs des os formant le crâne, due à une blessure de la tête. Une fracture du crâne peut être grave, car elle peut être associée à des lésions des organes sous-jacents. Il peut

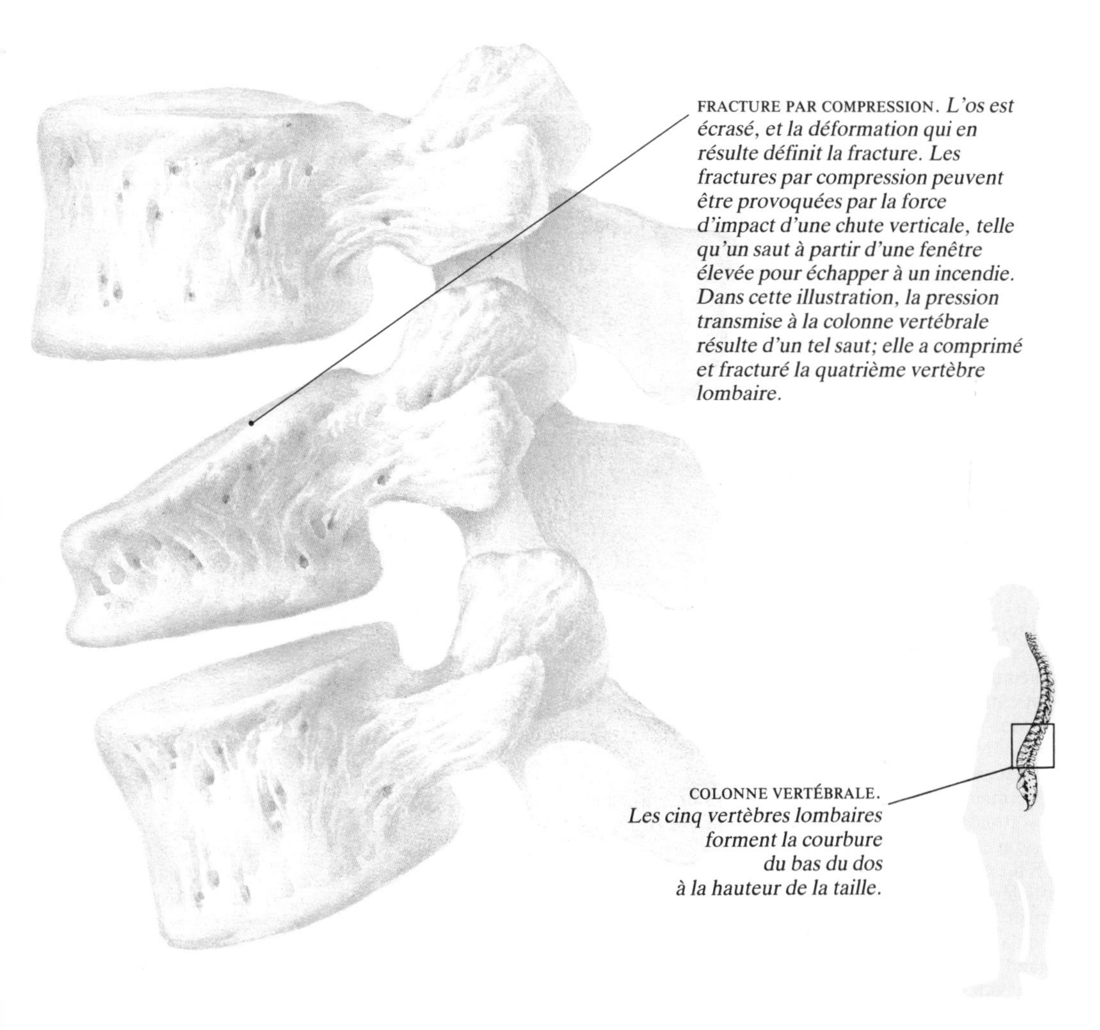

FRACTURE PAR COMPRESSION. *L'os est écrasé, et la déformation qui en résulte définit la fracture. Les fractures par compression peuvent être provoquées par la force d'impact d'une chute verticale, telle qu'un saut à partir d'une fenêtre élevée pour échapper à un incendie. Dans cette illustration, la pression transmise à la colonne vertébrale résulte d'un tel saut; elle a comprimé et fracturé la quatrième vertèbre lombaire.*

COLONNE VERTÉBRALE. *Les cinq vertèbres lombaires forment la courbure du bas du dos à la hauteur de la taille.*

y avoir COMMOTION CÉRÉBRALE (contusion du cerveau), hémorragie intracrânienne, lésions du tissu cérébral, de ses enveloppes (méninges) ou d'autres structures intracrâniennes. Toutes peuvent être graves.

Symptômes

- Contusion du crâne.
- Saignement par une oreille ou le nez.
- Très souvent, la commotion cérébrale associée au traumatisme du crâne provoque des vertiges, une perte de conscience, des troubles de la mémoire, un comportement anormal ou des vomissements.

Causes

- Les causes les plus fréquentes sont les accidents de la route, les chutes de cheval, de motocyclette, les chutes brutales (pour les enfants, souvent d'une balançoire ou d'un manège), la pratique de sports violents ou les agressions.

Traitement à domicile

- Placer la personne blessée au repos, dans une position confortable.
- Ne pas donner à manger ni à boire.
- S'il y a perte de connaissance, s'assurer que les voies aériennes demeurent dégagées. *Voir* LES URGENCES.

Quand consulter le médecin

- Dès la survenue d'un traumatisme de la tête, s'il est accompagné par l'un quelconque des signes décrits plus haut.

Rôle du médecin

- Envoyer le patient dans un hôpital, au service des urgences de traumatologie.
- A l'hôpital, le crâne sera radiographié et, s'il y a le moindre risque de complications, le blessé sera admis pour une mise en observation de vingt-quatre à quarante-huit heures. Certaines complications peuvent nécessiter un traitement chirurgical (neurochirurgie).

Prévention

- Porter une ceinture de sécurité en voiture.
- Des casques de protection adaptés (légers et durs) sont prévus pour les travaux dangereux et les sports tels que l'équitation, la motocyclette, le cyclo-cross...
- Éviter la pratique de la boxe.

Pronostic

- Tout traumatisme de la tête comporte un danger potentiel. S'il n'y a pas de commotion cérébrale prolongée ni d'autre signe évident de lésions des structures sous-jacentes (cerveau), le pronostic d'une fracture du crâne est bon.

FRACTURE DE LA MAIN

Cinq os métacarpiens soutiennent la paume de la main et joignent les os du poignet (carpe) aux os des doigts (phalanges). Un ou plusieurs de ces métacarpiens peuvent être partiellement ou complètement fracturés par écrasement ou choc direct.

Symptômes

- Une douleur aiguë succédant au traumatisme est ressentie dans la paume et le dos de la main, au point de fracture. Plusieurs métacarpiens peuvent être fracturés.
- Gonflement de la main.
- Les articulations de l'os atteint deviennent moins saillantes que d'habitude.

Durée

- Selon l'importance du traumatisme, la main sera inutilisable de dix jours à un mois.

Causes

- Les causes habituelles sont une chute sur la main ou un choc sur les articulations, par exemple durant une bagarre à coups de poing ou une descente à ski.

Traitement à domicile

- Appliquer fermement une compresse froide pour maintenir la main et réduire le gonflement.

Quand consulter le médecin

- Dès qu'une fracture est suspectée.

Rôle du médecin
- Adresser le blessé dans un service d'orthopédie, aux urgences.
- A l'hôpital, la main sera examinée et radiographiée pour préciser le type et la gravité de la fracture.
- La plupart des cas sont bénins, et, après une période de repos, il est conseillé d'exercer sa main.
- Si une immobilisation s'avère nécessaire, un plâtre léger sera mis en place pour maintenir au repos le dos de la main et l'avant-bras pendant plusieurs semaines.
- Si les extrémités de l'os fracturé sont déplacées (non alignées), elles pourront nécessiter une remise en place sous anesthésie générale, ou même une opération permettant de les fixer entre elles.

Pronostic
- On retrouve habituellement l'usage normal de sa main.

FRACTURE DU NEZ

Les os de l'arête du nez peuvent être brisés ou déplacés par un traumatisme. Il y a alors un risque que la déformation soit permanente, comme on le voit chez quelques boxeurs.

Symptômes
- Douleur importante.
- Déformation du nez.
- Saignement important par les narines.

Durée
- Une fracture des os du nez demande habituellement deux semaines environ pour guérir.

Causes
- Le plus souvent, un coup de poing ou un choc avec un instrument arrondi, ou un accident de la route.

Traitement à domicile
- Le saignement peut le plus souvent être arrêté par la compression directe d'un doigt sur la narine qui saigne.

Quand consulter le médecin
- Immédiatement.

Rôle du médecin
- Inspecter le nez soigneusement. S'il n'y a pas de déformation créant une obstruction du nez ni de dislocation du septum (tissu épais et élastique qui divise le sommet de l'intérieur du nez en deux chambres distinctes), le traitement est habituellement inutile; une radio est nécessaire pour s'assurer qu'il n'y a pas de déplacement.
- Dans le cas de déformation, obstruction ou dislocation, la lésion sera corrigée par une opération.

Prévention
- Mettre sa ceinture de sécurité en voiture.

Pronostic
- Un nez déformé par une fracture pourra habituellement retrouver sa forme s'il est opéré rapidement.

FRACTURE DES OS DE LA JAMBE

Fracture partielle ou complète de la tige du tibia (os du devant de la jambe) et du péroné, qui vont du genou à la cheville. Les deux os sont souvent fracturés ensemble.

Symptômes
- Forte douleur immédiate.
- Souvent, un craquement est perçu lors du traumatisme.
- Gonflement et déformation de la jambe.
- Incapacité à s'appuyer sur la jambe.
- Souvent, les extrémités des os fracturés percent la peau (fracture ouverte).

Durée
- Si les os ne sont pas déplacés, la fracture met quatre à six semaines pour guérir.
- S'ils sont déplacés, cela peut demander douze à vingt semaines.

Causes
- Il s'agit le plus souvent d'un accident de la route (chute de motocycliste) ou d'un accident de ski.

Complications
- Les accidents de la circulation provoquent souvent des fractures graves, ouvertes, avec fragments osseux multiples, entraînant des complications. Il peut s'agir de lésions des vaisseaux ou des nerfs, d'infection, de difficulté à replacer les os et à les immobiliser. Cela peut entraîner une incapacité des os à se souder, et la guérison sera retardée. Si tel est le cas, il peut être nécessaire d'opérer pour fixer la fracture.

Traitement à domicile
- Le malade doit être manié et transporté avec les plus grandes précautions, sinon la fracture risque de s'aggraver.
- S'il existe une fracture évidente, le blessé doit être installé confortablement et chaudement là où il se trouve (en plein air ou sur le bas-côté de la route) jusqu'à l'arrivée des secours médicaux d'urgence.

Quand consulter le médecin
- Immédiatement.

Rôle du médecin
- Adresser le malade à l'hôpital, au service des urgences de traumatologie le plus proche du lieu de l'accident.
- A l'hôpital, la jambe sera radiographiée. Si les os ne sont pas déplacés, la jambe est plâtrée, ce qui immobilise les os et permet au malade de marcher. Le plâtre est appliqué au-dessus du genou si les deux os, ou le tibia, sont fracturés, et au-dessous du genou si le péroné seul est fracturé. L'appui et la marche, avec un plâtre bien adapté, seront conseillés dès que possible.
- S'il existe un déplacement des os, le blessé subit une anesthésie générale, et le chirurgien remet en bonne position les fragments séparés, avec contrôle radiographique pendant l'intervention. Quelquefois, les os doivent être fixés. Un plâtre est ensuite appliqué pour immobiliser la jambe. Après deux semaines, ce premier plâtre est remplacé par un autre, remontant au-dessus du genou, qui permet au malade de marcher.
- Une fracture ouverte, compliquée, peut s'infecter et nécessiter des antibiotiques, avec retard de guérison.

Prévention
- Par temps de verglas ou temps humide et brumeux, on fera très attention sur les routes, les motocyclistes

FRACTURE TRANSVERSALE. *La fracture est presque rectiligne, à angle droit avec le grand axe de l'os. Les fractures transversales peuvent être provoquées par un choc ou une chute. Cette illustration montre une fracture transversale du col du fémur (os de la cuisse). Les fractures de ce type sont très fréquentes chez les personnes âgées.*

L'OS DE LA CUISSE, OU FÉMUR. *L'os le plus volumineux et le plus solide de l'organisme.*

LA ROTULE. *Un os rond et plat situé en regard de l'articulation du genou.*

LE TIBIA. *Le plus volumineux des deux os du bas de la jambe.*

en particulier. Les protège-jambes des motocyclettes ne seront jamais ôtés dans le but de faire de la vitesse. On attachera toujours les ceintures de sécurité dans les voitures.

Pronostic

- Pour les fractures sans déplacement et les fractures déplacées bien remises en place, le pronostic est bon.

FRACTURE DE POUTEAU-COLLES

Brisure partielle ou complète de l'extrémité inférieure du radius (un des deux os de l'avant-bras), juste au-dessus du poignet. C'est la plus fréquente des fractures. Elle survient le plus souvent chez les femmes âgées, dont le radius est particulièrement fragile.

Symptômes

- Douleur, déformation et gonflement du poignet surviennent immédiatement après le traumatisme.
- Le patient ne peut rien faire avec cette main.

Durée

- La récupération de l'usage normal du poignet et de la main se fait habituellement en dix semaines.

Causes

- La plus commune est une chute sur la main en hyperextension.

Traitement à domicile

- Une compresse froide et un bandage aident à diminuer le gonflement et à immobiliser le poignet.

Quand consulter le médecin

- Dès le début des symptômes.

Rôle du médecin

- Placer le bras dans une écharpe.
- Adresser le blessé dans un service d'orthopédie, aux urgences.
- A l'hôpital, le poignet sera radiographié pour préciser le type de fracture et le déplacement. Ensuite, sous anesthésie générale ou locale, les fragments déplacés de l'os fracturé seront réalignés en bonne position, avec nouveau contrôle radiographique en fin d'intervention. Puis on appliquera une plaque dorsale pour aider à immobiliser solidement le poignet et l'avant-bras dans un plâtre. Le bras sera alors soutenu par une écharpe pendant quelques jours, jusqu'à disparition du gonflement. On enlèvera l'écharpe, et le blessé fera des exercices avec son coude et son épaule. Il fera aussi des mouvements de doigts pour aider le retour à un usage normal de la main.
- Certaines fractures peuvent se déplacer à nouveau et nécessiter une immobilisation prolongée ou une seconde intervention.

Prévention

- Les personnes âgées prendront garde, chez elles, aux tapis et aux marches d'escalier qui risquent de les faire tomber. Pour les promenades à l'extérieur de la maison, elles marcheront à petits pas s'il fait nuit ou s'il y a du verglas.

Pronostic

- La récupération de la mobilité du poignet et de l'usage de la main demande environ dix semaines.

FRACTURE DU SCAPHOÏDE

Fracture partielle ou complète du scaphoïde, os du poignet. Cette fracture passe facilement inaperçue.

Symptômes

- Poignet douloureux, gonflé. La sensibilité est plus grande vers la base du pouce et au-dessus.

Durée

- Quand elle est traitée, la fracture guérit habituellement en huit semaines.

Causes

- La cause la plus habituelle est une chute sur la main en extension; elle est fréquente chez les jeunes adultes.

Traitement à domicile

- Prendre des médicaments analgésiques. *Voir* MÉDICAMENTS, n° 22.

Quand consulter le médecin

- Quand le poignet demeure gonflé après une chute.

FRACTURE OBLIQUE. *La ligne de fracture est oblique par rapport au grand axe de l'os. Ce type fréquent de fracture est habituellement causé par une chute avec pression latérale et torsion, comme lors d'une chute d'une échelle ou une glissade sur la glace. Cette fracture est survenue au tiers inférieur du tibia gauche (os du devant de la jambe).*

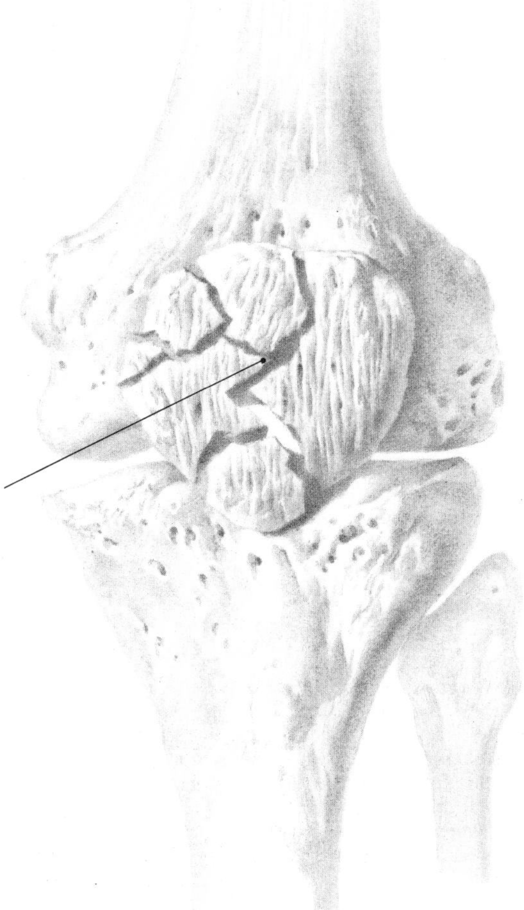

FRACTURE COMMINUTIVE. *L'os se casse en plusieurs morceaux. Une fracture comminutive peut être provoquée par un choc direct. Il s'agit ici d'une fracture de la rotule gauche (recouvrant le genou). Cet accident peut survenir en auto, lorsque la collision projette les genoux du conducteur contre la boîte à gants.*

Rôle du médecin
- Adresser le malade à un service d'orthopédie.
- A l'hôpital, le poignet sera radiographié.
- Dans quelques cas, cependant, la fracture n'est pas immédiatement visible à la radiographie. Une radiographie faite ultérieurement, après dix jours, révèle habituellement la fracture.
- Le poignet est placé dans un plâtre qui laisse les doigts libres, pour une durée de huit semaines au terme de laquelle le poignet devrait avoir guéri. Toutefois, la guérison peut être retardée si la fracture a entraîné une lésion de l'artère nourricière du scaphoïde ou si l'immobilisation a été retardée, la fracture n'étant pas visible sur la première radiographie.

Voir LE SQUELETTE, *page 54*

FRIGIDITÉ

Absence de désir sexuel ou incapacité d'aboutir à la phase d'excitation terminale, c'est-à-dire l'orgasme. La frigidité peut atteindre les deux sexes, mais le terme est plus couramment employé quand il s'agit de femmes.

Voir SEXOLOGIE

FROTTIS CERVICAL

C'est un test qui permet de détecter les cellules précancéreuses à partir de prélèvements effectués au niveau du vagin et du col de l'utérus. Si cet état précancéreux n'est pas traité à temps, il se transformera ultérieurement en état cancéreux.

Les prélèvements effectués seront examinés au microscope. Si le test est positif, c'est-à-dire si l'on découvre des cellules précancéreuses, la patiente sera habituellement adressée à un gynécologue.

Chaque femme devrait avoir régulièrement ses frottis de cytodétection. Son médecin lui précisera à quel rythme ces frottis doivent être effectués.

Les frottis vaginaux et cervicaux ne permettent pas le dépistage du cancer du corps de l'utérus, et un frottis négatif ne doit pas empêcher une femme de consulter à la moindre perte vaginale imprévue, particulièrement si elle est rouge, car il y a un risque qu'il s'agisse d'un symptôme du cancer de l'utérus.

Voir ORGANES GÉNITAUX FÉMININS, *page 48*

FURONCLE

C'est un exemple d'abcès cutané, qui est dû à l'infection d'un follicule pileux par une bactérie, généralement un staphylocoque.

Voir ABCÈS

GALE

La gale, ou scabiose, est une infection parasitaire de la peau très fréquente et contagieuse, due à l'infestation par un acarien, le *Sarcoptes scabiei*, qui creuse des sillons dans l'épiderme superficiel. Les régions touchées sont avant tout la face antérieure des poignets et des aisselles, la face latérale des doigts et les espaces interdigitaux, l'ombilic, les seins, la région fessière et les organes génitaux mâles.

Symptômes
- Le signe principal est un prurit intense à recrudescence nocturne, qui apparaît trois à quatre semaines après la contamination.
- Fins sillons grisâtres ou de la couleur de la peau, où se loge la femelle du sarcopte.
- Papules rouges, nodules, vésicules, égratignures.

Durée
- Si elle n'est pas traitée, la gale devient chronique.
- Le prurit peut persister une dizaine de jours après la guérison.

Causes
- Un parasite qui vit à la surface de la peau humaine; la femelle y est fertilisée, puis creuse des galeries dans la couche cornée où elle dépose ses œufs qui deviendront adultes au dixième jour.
- Le prurit est dû à une allergie aux parasites.
- La transmission se fait habituellement par contact cutané direct.

Traitement à domicile
- Aucun.

Quand consulter le médecin
- S'il existe un prurit et des lésions cutanées.

Rôle du médecin
- Prescrire un traitement local.
- Traiter en même temps tous les membres de la famille pour éviter les recontaminations de cette maladie très contagieuse. *Voir* MÉDICAMENTS, n° 43.

Prévention
- Éviter les contacts avec un sujet atteint de gale.
- Désinfecter la literie et le linge selon les indications du médecin (ébullition, repassage au fer chaud, nettoyage à sec, saupoudrage avec des insecticides).

Pronostic
- Le traitement donne une guérison rapide.

GANGLION

Les ganglions lymphatiques sont de petites nodules disposés sur le trajet des vaisseaux lymphatiques. Ils existent dans tous les tissus. Normalement, les ganglions sont trop petits pour être palpables. Un ganglion augmenté de volume (adénopathie) peut dans certains cas être le témoin d'une maladie grave à traiter rapidement, et il doit donc conduire à une consultation médicale sans délai.

Symptômes
- Perception d'une petite masse au niveau des chaînes ganglionnaires, douloureuse ou non, dure ou molle, portant sur un ou plusieurs ganglions.

Causes
- Infections bactériennes (staphylocoque, SYPHILIS, TUBERCULOSE); infections virales (MONONUCLÉOSE INFECTIEUSE, RUBÉOLE, ROUGEOLE); sarcoïdose.
- Les causes malignes : métastases ganglionnaires (localisation à distance) d'un CANCER (digestif ou pulmonaire); maladies du sang (LEUCÉMIE); maladie de HODGKIN.

Complications
- Négliger l'augmentation de volume d'un ganglion peut retarder le traitement d'une affection maligne, traitement d'autant plus efficace qu'il est entrepris tôt.

Quand consulter le médecin
- Dès la perception d'un ou plusieurs ganglions.

Rôle du médecin
- Rechercher la cause, infectieuse en particulier.
- Si le ganglion n'a pas fait la preuve de son caractère bénin, un geste chirurgical peut être indiqué afin de pouvoir réaliser un examen microscopique du ganglion, qui seul permettra de savoir s'il est bénin ou malin.

Pronostic
- Dépend de la cause.

GANGRÈNE

Mort et décomposition des doigts, orteils, membres ou autres parties du corps, survenant lorsque la circulation sanguine y est interrompue.

Symptômes
- Les tissus ou les extrémités touchées deviennent soudain pâles et froides.
- En quelques jours, la zone atteinte — qui peut être humide ou sèche — devient noire.
- Dans la gangrène humide, les tissus voisins peuvent s'infecter et devenir très douloureux.

Durée
- La zone morte se détache du corps.

Causes
- Interruption de la circulation sanguine, par compression ou obstruction des artères, quelle qu'en soit la cause.
- Le DIABÈTE ou l'athérosclérose artérielle (*voir* ATHÉROME, THROMBO-ANGÉITE) peuvent endommager et boucher (THROMBOSE) les artères, entraînant alors une gangrène.
- Gelures.
- Compressions (escarres ou bandages serrés).

Complications
- Infection et perte du membre gangrené.

Traitement à domicile
- Éviter les compressions, les frottements et les températures extrêmes.

Quand consulter le médecin
- Immédiatement si un membre devient subitement pâle et froid, et reste ainsi plus de deux heures.
- Si une pâleur ou une ulcération à l'extrémité d'un doigt ou d'un orteil ne disparaît pas en deux jours.

Rôle du médecin
- Conseiller des soins infirmiers dans les cas mineurs.
- Dans les cas plus graves, imposer une hospitalisation.
- Proposer un traitement chirurgical pour rétablir la circulation ou enlever les tissus morts.

Prévention
- Garder les mains et les pieds bien au chaud.
- Éviter les chaussures serrées.
- Traiter avec attention les plus petites infections des pieds et des mains, surtout chez les personnes âgées ou celles qui ont une mauvaise circulation.

Pronostic
- Il dépend de la cause mais, traitée avec soin, l'affection peut en général être maîtrisée.
- Dans les maladies artérielles évoluées, l'amputation des parties touchées peut devenir inévitable.

GANGRÈNE GAZEUSE

Destruction des tissus par un germe qui se trouve habituellement dans la terre. Ce microbe peut pénétrer dans l'organisme à l'occasion d'une blessure. La maladie est appelée gangrène gazeuse parce que la décomposition des tissus produit des gaz qui s'accumulent sous la peau.

Voir SYSTÈME CIRCULATOIRE, *page 40*

GASTRECTOMIE

Ablation chirurgicale de tout ou partie de l'estomac. La gastrectomie partielle est en général pratiquée pour traiter les ULCÈRES DUODÉNAUX graves. Au lieu de cette gastrectomie partielle, on pratique souvent une GASTRO-ENTÉROSTOMIE. La gastrectomie totale est souvent réalisée en cas de CANCER DE L'ESTOMAC.

GASTRITE

Inflammation ou irritation de la muqueuse de l'estomac. Il en existe deux formes : la gastrite aiguë, qui est déclenchée par la nourriture ou la boisson, et la gastrite chronique, qui peut persister, surtout chez les personnes âgées, sans être liée à un aliment absorbé.

GASTRITE AIGUË

Symptômes
- Douleur à la partie haute du ventre.
- Nausées et vomissements.
- Sang dans les vomissements, qui peut être rouge vif ou avoir l'aspect du marc de café.
- Diarrhée.

Durée
- L'accès se calme lorsque sa cause disparaît.

Causes
- L'alcool. Une « gueule de bois » est un accès de gastrite aiguë.
- Une nourriture manipulée par des porteurs de furoncles ou de panaris, et donc contaminée par des staphylocoques (germes). Dans ce cas, les aliments réchauffés, peu cuits ou à la crème sont particulièrement dangereux. Un accès dû à cette cause commence environ quatre heures après le repas.
- Des irritants, comme l'aspirine, ou des toxiques, comme les produits de vaisselle, les antiseptiques.

Complications
- Aucune.

Traitement à domicile
- Repos. Donner à boire de l'eau raisonnablement.

Quand consulter le médecin
- Si la douleur abdominale ne cède pas assez vite.
- Tout sang dans les vomissements doit être signalé.
- Si les vomissements et la diarrhée sont importants et que l'état général du patient est inquiétant.
- Si plusieurs personnes sont touchées.

Rôle du médecin
- Éliminer la possibilité d'infection sérieuse.
- Donner des conseils de régime.

Prévention
- Éviter de trop manger et trop boire.

Pronostic
- La gastrite aiguë disparaît en général avec un traitement simple.

GASTRITE CHRONIQUE

Symptômes
- Gênes mal définies, nausées.
- Souvent aucun, et l'affection ne sera le plus souvent démasquée que lors d'un examen pour une autre cause.

Durée
- L'affection persiste souvent malgré le traitement.

Causes
- Affaiblissement de la muqueuse de l'estomac, dû au vieillissement.

Complications
- Manque de fer et de vitamines. ANÉMIE.

Traitement à domicile
- Même que pour la gastrite aiguë.

Quand consulter le médecin
- Si les symptômes persistent.

Rôle du médecin
- Même que dans la gastrite aiguë.

Pévention
- Même que pour la gastrite aiguë.

Pronostic
- Bien que le traitement améliore les symptômes, l'affection persistera vraisemblablement.

Voir SYSTÈME DIGESTIF, *page 44*

GASTRO-ENTÉRITE

Inflammation du revêtement muqueux des intestins et de l'estomac. C'est le nom médical de l'intoxication alimentaire.

Symptômes
- Vomissements et diarrhée, d'apparition brutale, en général accompagnés de crampes abdominales.
- Ces pertes de liquides peuvent conduire à la déshydratation.

Durée

- La plupart des accès de vomissements et de diarrhée se terminent en deux à quatre jours. Les infections bactériennes peuvent durer des mois, voire des années; le patient remarquera à peine les symptômes.

Causes

- Les infections bactériennes, surtout après absorption de nourritures réchauffées. Une contamination bactérienne massive peut toucher les aliments conservés à la température ambiante, surtout les viandes et les poissons préparés, les pâtisseries à la crème, le lait.
- Des bactéries, comme les staphylocoques, les shigelles, les salmonelles, sont le plus souvent responsables. Les infections à staphylocoques entraînent des symptômes aigus en deux à quatre heures. Les infections bactériennes à shigelles et à salmonelles se manifestent en douze à trente-six heures.
- Les campylobactéries touchent surtout les volailles, la viande et le poisson. Elles donnent une diarrhée et des douleurs abdominales intenses.
- *Escherichia coli* est normalement une bactérie sans danger, mais certaines espèces peuvent provoquer des gastro-entérites aiguës chez les bébés, évoluant en épidémies dans les pouponnières.
- Les infections virales : le rotavirus est la cause la plus fréquente des diarrhées de l'enfant. Mais d'autres virus peuvent provoquer une gastro-entérite.
- Les poisons végétaux : ils existent dans de nombreuses plantes naturelles (if, belladone, liseron et marrons d'Inde en sont des exemples). Les feuilles et les tiges des pommes de terre sont toxiques.
- Les poisons chimiques, comme l'arsenic, le plomb et les insecticides, provoquent des symptômes en quelques heures.
- Certaines maladies, comme l'AMIBIASE et la GIARDIASE, peuvent entraîner des symptômes de gastro-entérite.

Complications

- Dans la plupart des cas, l'intoxication est mineure et le corps tout à fait capable de résister sans traitement. Néanmoins, le BOTULISME et certains TOXIQUES chimiques ou végétaux peuvent s'avérer mortels si une action précoce n'est pas entreprise.

Traitement à domicile

- Si une diarrhée et des vomissements apparaissent brutalement, buvez uniquement quelques gorgées d'eau. Ne buvez pas de lait, ne mangez pas. L'estomac essaie de rejeter ce qui l'irrite.
- Un antidiarrhéique et un analgésique peuvent être pris par les adultes. *Voir* MÉDICAMENTS, nº 2.
- Un antidiarrhéique convient également aux enfants de moins de cinq ans.
- Lorsque l'estomac se calme, après quelques heures, recommencez l'alimentation par des biscuits secs, des confitures, de la maïzena, un potage léger, du fromage blanc. Évitez le café, le thé et les boissons acides comme les jus d'orange ou de citron. Ils peuvent irriter l'estomac et faire réapparaître les vomissements.
- La plupart des épisodes de gastro-entérite disparaissent en un à trois jours en continuant le régime anti-irritation.

Quand consulter le médecin

- Si une douleur abdominale, du sang dans les selles ou un autre symptôme est associé.
- Si les symptômes sont graves ou prolongés.
- Consultez immédiatement si vous avez absorbé un poison végétal ou chimique.
- Consultez immédiatement si vous avez la moindre difficulté à fixer des yeux, si vous voyez double ou si des convulsions ou une paralysie surviennent.

Rôle du médecin

- Hospitaliser si les symptômes sont graves ou si des poisons chimiques ou végétaux sont en cause.
- Le médecin peut faire une injection d'antiémétique.
- Si la diarrhée se prolonge, le médecin peut prescrire des antispasmodiques et des antidiarrhéiques.
- Le médecin ne prescrira pas d'antibiotiques, sauf s'il a diagnostiqué une infection à germes sensibles.
- Chez les patients âgés, les enfants et ceux qui ont un mauvais état général, il peut demander des perfusions pour remplacer les liquides perdus.

Prévention

- Refusez les aliments à la crème, les viandes et poissons cuisinés qui auront été gardés trop longtemps à température ambiante.
- Refusez toute boîte de conserve avec un fond bombé.
- Avertissez les enfants du danger causé par les plantes vénéneuses et les produits chimiques toxiques.

Pronostic

- La gastro-entérite est très banale, et les malaises qu'elle provoque ne durent en général que quelques jours. Les vomissements et la diarrhée débarrassent l'organisme des toxiques et des infections aiguës.

Voir SYSTÈME DIGESTIF, *page 44*

GAZ INTESTINAUX

Ils se manifestent par des éructations, des gargouillements dans l'abdomen, une émission de gaz, une sensation de ballonnements. Ces gaz sont rarement le symptôme d'une maladie. Ils sont parfois la conséquence de déglutition d'air lors des repas, et il suffit alors de manger lentement pour maîtriser ce phénomène; ou bien ils sont la conséquence de boissons gazeuses qu'on peut éviter. Ces gaz sont aussi un produit secondaire de la digestion, notamment de celle des aliments qui ne sont pas complètement détruits par les sucs digestifs et laissent donc un résidu qui fermente dans l'intestin.

Les haricots sont les plus connus de ces aliments. Mais d'autres aliments comme les oignons, le chou peuvent avoir un résultat similaire.

GELURES

Les gelures sont une réaction à un froid intense. Elles surviennent au cours d'une exposition plus ou moins longue à une température inférieure à 0 °C. Elles atteignent spécialement les montagnards, skieurs, sujets vivant dans des conditions précaires, accidentés qui restent longtemps immobilisés dans une voiture par temps très froid.

Symptômes

- Les lésions siègent essentiellement aux extrémités (mains, pieds), ainsi qu'aux parties découvertes directement exposées au froid (visage et oreilles).
- La peau atteinte prend une couleur blanc cireux et devient progressivement insensible, puis engourdie.
- Secondairement peuvent apparaître un gonflement, une rougeur, une sensation de brûlure, des vésicules, des bulles, des zones noires nécrosées.

Traitement à domicile

- Il faut se soustraire très vite à l'action du froid et tremper les régions atteintes dans un bain chaud à 38 ou 39 °C.
- Il est important que la peau soit ensuite laissée à l'air libre.

Quand consulter le médecin

- Au moindre doute de gelure.

Rôle du médecin

- Entreprendre un traitement rapide, de préférence à l'hôpital si la gelure est sérieuse. Le traitement repose sur le réchauffement des tissus par des bains chauds à 37-42 °C. Ce traitement est douloureux et exige souvent l'usage d'antalgiques.

Pronostic

- Le pronostic dépend de la précocité du traitement et de l'importance de la gelure. Des séquelles peuvent persister (hypersensibilité au froid), et des amputations sont parfois nécessaires.

GENU VALGUM

Appelée communément genoux cagneux, cette affection est fréquente chez les jeunes enfants et guérit spontanément dans la plupart des cas.

GIARDIASE (LAMBLIASE)

Infection digestive qui affecte plus volontiers les habitants des pays chauds, notamment méditerranéens. Les symptômes apparaissent quelques semaines après la contamination parasitaire.

Symptômes

- Diarrhée abondante et fétide.
- Douleurs abdominales et ballonnement.
- Nausées et manque d'appétit.

Durée

- L'affection dure plusieurs semaines ou mois.

Causes

- Le parasite *Giardia lamblia*.

Traitement à domicile

- Des potions à base de kaolin ou de simples antidiarrhéiques peuvent soulager les symptômes. *Voir* MÉDICAMENTS, n° 2.

Quand consulter le médecin

- En cas de diarrhée ou retour de pays chauds.

Rôle du médecin

- Prescrire des examens des selles.
- Administrer des médicaments vermifuges.

Prévention

- Les autres membres de la famille devraient être examinés et, le cas échéant, traités.

Pronostic

- Grâce au traitement, la guérison est complète.

Voir SYSTÈME DIGESTIF, *page 44*

GINGIVITE

Inflammation de la gencive. Elle peut être isolée ou associée à une stomatite (inflammation de la bouche). Il existe de nombreuses causes de gingivites : causes générales (maladies du sang, intoxications, carences vitaminiques), virales (herpès) ou locales (tartre, prothèses dentaires).

Voir DENTS (SOINS DES)

GLANDES SALIVAIRES (CALCULS, INFECTIONS ET TUMEURS DES)

Les glandes salivaires sécrètent la salive. Il en existe trois paires. Les plus volumineuses sont les parotides, en dessous de l'oreille, sous l'angle de la mâchoire. La salive qu'elles sécrètent emprunte un canal qui aboutit à la face interne de la bouche, au niveau du collet de la première molaire supérieure. Les deux autres paires sont les sous-maxillaires et les sublinguales, dont le canal excréteur aboutit sous la langue (à proximité du frein de la langue). Des calculs, généralement de nature calcique, peuvent se former dans les glandes salivaires (le plus souvent les sous-maxillaires) et migrer dans le canal excréteur où ils sont susceptibles de se bloquer, empêchant ainsi l'excrétion de la salive. Les glandes salivaires peuvent également s'infecter ou donner naissance à des tumeurs.

Symptômes

- Les calculs ne donnent aucun symptôme, sauf lorsqu'ils migrent à travers le canal et qu'ils s'y coincent. La glande salivaire devient douloureuse et volumineuse.
- Les infections donnent lieu à une gêne, des douleurs ou un gonflement des glandes salivaires. Elles peuvent s'accompagner de fièvre.
- Les OREILLONS représentent la plus fréquente des infections de la parotide. C'est une infection virale.
- Les tumeurs salivaires peuvent être découvertes à la palpation de la glande, ou bien à l'occasion d'une infection ou de douleurs.

Durée

- Ces différentes affections des glandes salivaires ne disparaissent qu'après traitement.

Causes

- Inconnues dans la plupart des cas.

Complications

- Les calculs risquent de se compliquer d'inflammation et d'infection.
- Les tumeurs comportent un risque d'extension locale ou générale suivant leur degré de malignité.

Traitement à domicile

- En cas de calcul salivaire douloureux, éviter les boissons et les mets acides.

Quand consulter le médecin

- Au moindre signe anormal au niveau d'une de ces glandes.

Rôle du médecin

- Pour un calcul, en cas d'échec du traitement médicamenteux, une intervention chirurgicale est nécessaire.
- En cas d'infection, prescrire un traitement anti-infectieux.
- En cas de tumeur, une intervention chirurgicale est indispensable afin de réaliser un examen microscopique de la tumeur qui, seul, permettra de savoir si celle-ci est bénigne ou maligne.

Prévention

- Aucune.

Pronostic

- La guérison sera complète après l'extraction d'un calcul.
- Risque de complications locales ou générales en cas de tumeur, suivant son degré de malignité.

GLAUCOME

C'est une maladie des yeux qui atteint souvent les personnes âgées. On distingue le glaucome aigu du glaucome chronique. Les deux types sont graves, car faute de traitement précoce l'évolution est défavorable et peut entraîner la cécité.

GLAUCOME AIGU

C'est une urgence rare mais grave.

Symptômes

- Douleur vive de l'œil et de l'orbite, qui s'accompagne parfois de vomissements.
- Trouble visuel.
- La crise survient généralement le soir; elle est souvent déclenchée par une émotion.
- Parfois, la nuit, une sensation de halos colorés autour des lumières survient de façon brève, puis prolongée.

Causes

- Il se produit un blocage de la région de l'œil appelée « angle », située entre l'iris et la cornée, à la périphérie de l'iris et où se fait normalement la circulation d'un liquide nommé « humeur aqueuse ». A cause de ce blocage, l'évacuation et la circulation de ce liquide ne se font plus normalement.

La pression augmente dans l'œil, provoque une douleur et entraîne l'altération des fibres du nerf optique situé dans la partie postérieure de l'œil.

La vision sera ainsi altérée. Ce blocage est accentué par la dilatation de la pupille, réaction normalement provoquée par l'obscurité ou une émotion.

Traitement à domicile
• Aucun.
Quand consulter le médecin
• Consulter un ophtalmologiste en cas de douleur oculaire aiguë et si un trouble visuel survient.
• En cas de gêne visuelle, surtout le soir, accompagnée d'une impression de halos colorés.
Rôle du médecin
• Si le récit des troubles évoque un glaucome possible, le médecin, en examinant l'œil malade, essaiera d'évaluer sa vision, de voir, si l'état de la cornée le permet, comment se présente le fond de l'œil du malade.
• Il mesurera la pression du globe oculaire, dont le chiffre se trouve généralement très élevé. Il pourra également s'assurer de l'état et de la tension de l'autre œil, et il instillera des gouttes destinées à diminuer la tension de l'œil atteint.
• Ultérieurement, il est généralement nécessaire d'hospitaliser le patient pour instituer un traitement local de gouttes, dont la surveillance sera continue, et d'y associer des médicaments destinés à diminuer la pression oculaire.
• A ces traitements, on sera parfois amené à en ajouter un contre la douleur. Si aucun résultat n'est obtenu, il faudra envisager une intervention chirurgicale pour obtenir la normalisation de la tension oculaire. A cette occasion, l'autre œil sera toujours examiné attentivement et surveillé ou traité si cela est nécessaire.
Pronostic
• Avec les traitements modernes, on peut limiter les conséquences de la maladie.

GLAUCOME CHRONIQUE
C'est une maladie grave qui atteint la vision des deux yeux et qui peut aboutir à la cécité. Cette maladie, qui touche plutôt les gens âgés, est souvent héréditaire.
Symptômes
• Il n'y a pas de symptômes évidents du glaucome chronique, et c'est là que réside le danger. Progressivement, la vision diminue par altération du champ visuel en quelques mois ou quelques années. La maladie évolue subrepticement, graduellement, parfois pendant plusieurs années, et demeure méconnue jusqu'à ce qu'un dommage irréparable survienne.
Causes
• Pression excessive à l'intérieur de l'œil. Cette pression augmente lorsque l'évacuation de l'humeur aqueuse diminue. Le ralentissement de l'évacuation ne s'explique pas toujours facilement; il peut être dû au vieillissement des tissus avec l'âge, et l'hérédité joue parfois un rôle certain.

Quand consulter le médecin
• Lorsqu'on éprouve une difficulté de vision, en particulier à la limite du champ visuel.
• En cas de perception de halos colorés le soir.
Rôle du médecin
• Il mesurera la vision, le champ visuel de chaque œil séparément, et demandera au patient de fixer un point central et de signaler l'apparition de points lumineux venant de toutes les directions. Plusieurs méthodes de mesure du champ visuel sont à la disposition des ophtalmologistes.
• Il regardera ensuite le fond de l'œil avec un ophtalmoscope, essayant de mesurer l'excavation du nerf optique. C'est à ce niveau que les fibres optiques se réunissent en transmettant les renseignements visuels vers le cerveau.
• Il appréciera la tension de l'œil en utilisant un appareil approprié fixé sur le microscope.
• Le diagnostic confirmé, l'ophtalmologiste prescrira des gouttes destinées à faire baisser la tension oculaire avec une ou plusieurs instillations quotidiennes.
• Il contrôlera leur effet. Il recommandera à son patient de boire peu de café ou de thé, d'essayer autant que possible de mener une vie calme.
• Quelquefois, une intervention chirurgicale s'avérera nécessaire pour faire baisser la pression dans l'œil.
Prévention
• Il n'y a pas de moyen de prévenir l'apparition d'un glaucome chronique. Des traitements sont susceptibles d'enrayer les progrès de la maladie qui risque de menacer sérieusement la vision.
• Il faut faire un bilan oculaire complet tous les deux ans après l'âge de quarante ans.
• Consulter un ophtalmologiste si l'on ressent une altération du champ visuel, si l'on a fréquemment les yeux rouges et irrités, et surtout s'il y a des cas de glaucome dans la famille.
• Il faut respecter scrupuleusement le traitement prescrit et se prêter aux examens de surveillance. La maladie évolue insidieusement et progressivement, si bien que beaucoup de gens n'y prennent garde. Il faut avertir également le médecin généraliste de l'existence de ce glaucome pour qu'il puisse, d'une part, donner à son patient des calmants si cela s'avère nécessaire et, d'autre part, éviter de lui prescrire des médications susceptibles de faire augmenter la tension oculaire.
Pronostic
• Il est favorable si l'on suit scrupuleusement le traitement; dans le cas contraire, les risques de cécité sont possibles.

Voir L'ŒIL, *page 36*

GOITRE

Augmentation de volume de la glande thyroïde. Les goitres sont surtout fréquents chez la femme. Ils peuvent ne pas avoir de conséquences sur la santé, ou au contraire témoigner d'une anomalie de la thyroïde.
Voir HYPERTHYROÏDIE, HYPOTHYROÏDIE, MYXŒDÈME.

GOUTTE

Affection dans laquelle certains processus chimiques de l'organisme sont perturbés, provoquant un excès d'acide urique dans de nombreux organes. La goutte frappe généralement des hommes âgés de trente à soixante ans. La maladie atteint rarement les femmes, et pas avant la ménopause.

Contrairement à la croyance populaire, la goutte n'est pas due à la bonne chère. Et ce n'est pas seulement une maladie rhumatismale, bien que les douleurs articulaires en soient le symptôme le plus spectaculaire. Les reins peuvent être également affectés : des calculs se forment dans les voies urinaires et deviennent responsables de fortes douleurs. Des dépôts de sels d'acide urique peuvent se former et provoquer inflammation et douleurs au niveau des pieds, des genoux, des mains, des coudes, des tendons, du pavillon des oreilles.
Symptômes
• Forte douleur à début très brutal, souvent nocturne, gonflement, rougeur, sensibilité de l'articulation frappée. L'articulation du gros orteil est le plus souvent touchée, mais les chevilles, les genoux, doigts, poignets et coudes peuvent l'être également.
• En cas de goutte chronique (qui est presque toujours une goutte négligée), des dépôts d'urates peuvent se former sur le pavillon des oreilles, le dos des pieds et des mains.
Durée
• Le malade est exposé à subir des attaques pendant toute son existence s'il ne se traite pas.
• Les attaques aiguës peuvent être rares et espacées, ou bien fréquentes.
Causes
• Le goutteux fabrique trop d'acide urique, ou n'en élimine pas assez par le rein, ou les deux.
• Certaines attaques risquent d'être favorisées par un traumatisme local, une intervention chirurgicale, la prise régulière de diurétiques.

• L'excès de nourriture ou d'alcool peut déclencher une attaque mais n'est pas responsable de la maladie.
Complications
• Des attaques répétées donnaient jadis des lésions articulaires allant jusqu'à détruire une articulation.
• Des dépôts d'urate dans les reins pouvaient aboutir à la formation de calculs, responsables de douleurs sévères (colique néphrétique) et de lésions rénales.
• Sans traitement, les cristaux d'acide urique peuvent détruire la substance des reins, conduisant à l'hypertension et aux défaillances cardiaque et rénale.
Traitement à domicile
• Il n'y en a pas avant confirmation du diagnostic.
Quand consulter le médecin
• Devant toute douleur articulaire aiguë ou durable.
Rôle du médecin
• Demander un dosage de l'acide urique dans le sang (uricémie) et des radios articulaires.
• Prescrire des médicaments anti-inflammatoires pour contrôler la douleur aiguë et l'inflammation dans les articulations. *Voir* MÉDICAMENTS, n° 37.
• Ceux qui souffrent d'attaques répétées et ont un haut niveau d'acide urique dans le sang doivent suivre un traitement quotidien avec des comprimés qui ramèneront à la normale le taux d'acide urique.
• Donner des conseils d'hygiène générale : se maintenir en forme, surveiller son poids et éviter l'alcool.
Prévention
• Éviter l'excès de poids et l'alcool; ils élèvent tous deux le taux d'acide urique dans le sang.
• Démarrer le traitement au premier signe.
• Si nécessaire, suivre un traitement à très long terme pour normaliser le taux d'acide urique.
Pronostic
• Sans traitement la maladie peut ou non s'aggraver.
• Le traitement permet de stopper les attaques aiguës.
• Les médicaments pris à long terme peuvent atténuer les complications déjà présentes ou les éviter.

GRAIN DE BEAUTÉ

Le grain de beauté, ou nævus pigmentaire, est une tumeur bénigne cutanée extrêmement courante qui survient chez l'enfant ou l'adulte en n'importe quel point de la peau. C'est une tache plane ou saillante, plus ou moins pigmentée, parfois pileuse.
Durée
• Habituellement permanente.
Causes
• Une accumulation et une prolifération des mélanocytes, qui sont les cellules pigmentaires de la peau.
Traitement à domicile
• Il n'y en a pas.
Quand consulter le médecin
• Devant tout grain de beauté qui change de forme, de taille, d'apparence ou de couleur, qui démange ou qui saigne.
Rôle du médecin
• Faire enlever et analyser tout nævus situé dans une zone de frottement ou d'irritation (col de chemise, soutien-gorge, trajet du rasoir, plante des pieds).
Pronostic
• Bénin dans l'immense majorité des cas. La transformation en mélanome malin est exceptionnelle.

GRIPPE

Infection due à un virus, survenant par épidémie, surtout en hiver. Il ne faut pas confondre le RHUME et la grippe. La vraie grippe est due à trois groupes de virus : A, B et C. On peut reconnaître ces virus par des examens de sang. La plupart des épidémies sont liées à des virus du groupe A (responsables entre autres de la grippe asiatique et de la grippe de Hong Kong). Dans chaque groupe, les virus sont nombreux, et chaque virus change lui-même de caractère au fil des ans. Cela explique que l'on puisse attraper plusieurs grippes, car on ne s'immunise à chaque grippe que contre un seul virus. Chaque année, on essaie de prévoir quels sont les virus de la grippe qui vont sévir le prochain hiver, de manière à fabriquer un vaccin. Les personnes qui risquent de mal supporter la grippe doivent être vaccinées : les malades du cœur et des poumons, les diabétiques, les personnes âgées doivent se faire vacciner en septembre ou octobre.

Les épidémies débutent brutalement, durent deux ou trois semaines et disparaissent. L'infection se transmet d'une personne à l'autre par l'air de la respiration, de la toux, de l'éternuement.
Symptômes
• Maux de tête.
• Courbatures des muscles, du dos.
• Fièvre, frissons.
• Sueurs.
• Fatigue générale.
• Toux produisant parfois des crachats.
• Douleur dans la poitrine, accentuée par la toux.
• Écoulement nasal.
Période d'incubation
• De dix-huit heures à trois jours.
Durée
• La période la plus pénible de la maladie dure deux ou trois jours.
• Les courbatures, les maux de tête, la fièvre durent une semaine en moyenne.
• La fatigue peut persister plus longtemps.
Causes
• Virus de la grippe.
Complications
• Broncho-pneumonies, infections pulmonaires. Au cours de certaines épidémies, la grippe peut être sévère et entraîner des décès chez des personnes fragiles : les sujets âgés, les malades du cœur et des poumons.
Traitement à domicile
• Certaines épidémies touchent de si nombreux sujets qu'il est impossible que tous les malades soient examinés par un médecin.
• Rester couché.
• Boire pour remplacer les pertes de liquide causées par la fièvre (sueurs).
• Des médicaments peuvent calmer la toux et les douleurs. *Voir* MÉDICAMENTS, n°s 16, 22.
• Ne pas se fatiguer. Un excès de travail peut prolonger la maladie et favoriser les complications.
Quand consulter le médecin
• Si le patient appartient à un groupe à haut risque, c'est-à-dire souffrant d'une maladie de cœur, d'infection pulmonaire ou de diabète chroniques, ou s'il s'agit d'une personne âgée.
Rôle du médecin
• Prévenir et traiter les complications.
• Prescrire des antibiotiques dans certains cas.
Prévention
• La vaccination peut être efficace à condition qu'elle soit pratiquée en automne, avant l'épidémie, et qu'elle corresponde au virus qui en est responsable. Si l'épidémie est causée par un nouveau virus ou un virus qui n'était pas prévu, la vaccination est inefficace.
Pronostic
• Le plus souvent la grippe guérit, mais la fatigue peut persister.

GROSSESSE

Durant les neuf mois que dure une grossesse, de la conception à la délivrance, la future mère a le plus grand besoin d'attention et de soins particuliers de la part du corps médical, de sa famille et de son mari.

Voir MATERNITÉ, *page 286*

GROSSESSE (HÉMORRAGIES DURANT LA)

Saignements par le vagin durant la grossesse. Devant un tel symptôme, il faut consulter son médecin immédiatement, car il peut exister un danger pour la mère ou l'enfant.

Symptômes

• Saignements durant la grossesse. Hémorragies, ou même présence de caillots.

Durée

• Varie avec chaque cas particulier.

Causes

• Si le saignement apparaît durant le premier trimestre de la grossesse, il s'agit habituellement d'une menace d'AVORTEMENT spontané, mais il faut envisager une grossesse extra-utérine. Il peut s'agir également de l'expulsion d'un des jumeaux.

• Quand l'hémorragie survient plus tard dans la grossesse, il faut penser à un PLACENTA PRÆVIA.

• Il peut s'agir d'un décollement prématuré du placenta, avec formation d'hématome rétro-placentaire, comme c'est le cas dans certaines toxémies gravidiques.

Traitement à domicile

• Repos au lit, jusqu'à l'obtention d'un avis médical. Garder, en vue d'un examen de laboratoire, le sang éliminé, et particulièrement les caillots.

Quand consulter le médecin

• Aussitôt qu'apparaissent les saignements.

Rôle du médecin

• Le traitement dépend de la cause et de l'importance du saignement. Habituellement, la future mère est hospitalisée; dans d'autres cas, le repos au lit suffit.

Prévention

• Il est conseillé d'éviter au cours de la grossesse d'avoir une activité intense, professionnelle ou autre. Pour plus de sûreté, évoquer le sujet avec son médecin ou la sage-femme. Les rapports sexuels peuvent être poursuivis durant la grossesse normale, à moins qu'il n'y ait dans les antécédents une fausse couche ou une hémorragie. Consulter le médecin.

Pronostic

• Le pronostic, pour la mère comme pour l'enfant, dépend de la cause, mais il est habituellement bon quand le médecin est prévenu à temps.

• Plus rarement, cette hémorragie peut entraîner un accouchement prématuré ou même, quelquefois, la mort in-utéro du fœtus.

GROSSESSE (PATHOLOGIES DURANT LA)

Un certain nombre de désordres peuvent apparaître au cours d'une grossesse. Les examens mensuels permettent de les dépister le plus tôt possible et, si cela est nécessaire, de mettre en route le traitement approprié.

Les examens sanguins peuvent dépister une ANÉMIE, due à un manque de fer ou d'acide folique, ou une INCOMPATIBILITÉ FŒTO-MATERNELLE (système rhésus).

Différents moyens (faisant intervenir les ultrasons et les rayons X) sont utilisés en vue de préciser la position de l'enfant et du placenta dans l'utérus. Un enfant est habituellement placé la tête en bas, exceptionnellement la tête en haut, le siège en bas. Il peut également présenter en premier la face, le front, une épaule ou un bras. La recherche de cette position est impérative au cours des consultations prénatales. Si ces investigations précisent qu'un accouchement par les voies naturelles n'est pas possible, le médecin ou la sage-femme doit alors envisager une césarienne. Un accouchement naturel peut être rendu difficile si la tête de l'enfant est par trop volumineuse, ou si le bassin de la mère est trop étroit. De même, la naissance posera des problèmes si le placenta est placé en bas de l'utérus (PLACENTA PRÆVIA), et en particulier quand il est inséré sur le col utérin.

Les grossesses multiples, comme les grossesses gémellaires ou les grossesses triples, seront diagnostiquées lors des consultations prénatales.

L'excès de volume du liquide amniotique (hydramnios) peut être un signe de grossesse multiple ou d'anomalie fœtale. Si le médecin ou la sage-femme dépiste une telle anomalie, il faudra prélever du liquide amniotique par amniocentèse pour l'étudier.

La grossesse peut également aggraver un état pathologique préexistant et favoriser l'apparition d'autres maladies, comme les CYSTITES et toutes les infections urinaires et vaginales qui seront identifiées grâce à des analyses d'urines et à des prélèvements vaginaux. La dentition risque d'être également perturbée par la grossesse, et il est recommandé de consulter son dentiste (*voir* DENTS). Pour les diabétiques, il faudra s'assurer pendant la grossesse qu'un traitement à l'insuline est envisagé, poursuivi ou modifié.

La future mère sera également examinée sur le plan cardio-vasculaire et pulmonaire, pour ne pas méconnaître des maladies telles que le RÉTRÉCISSEMENT MITRAL, l'ASTHME, la TUBERCULOSE, l'HYPERTENSION ARTÉRIELLE qui peut être cause de prééclampsie. Enfin, la grossesse peut s'accompagner de KYSTES de l'ovaire, de fibrome, ou de toute autre tumeur pelvienne. Pendant la grossesse, la future mère peut contracter une MALADIE VÉNÉRIENNE.

VOMISSEMENTS GRAVIDIQUES

Par leur persistance, leur répétition et leur abondance, les vomissements ont un retentissement sur l'état général (*voir* MATERNITÉ).

Symptômes

• Vomissements répétitifs avec ou sans nausées.

• Perte de poids.

Durée

• Les vomissements débutent vers la quatrième semaine et disparaissent vers la quinzième semaine de grossesse.

Causes

• Modifications des taux de sécrétion hormonale.

• Les inquiétudes aggravent cet état.

Complications

• Fuite du liquide amniotique, des minéraux et des vitamines. Si elle n'est pas compensée, elle peut entraîner des effets secondaires, en particulier un amaigrissement considérable.

Traitement à domicile

• Boire très souvent.

• Avoir une activité normale.

Quand consulter le médecin

• Si les vomissements, par leur abondance ou leur répétition, vous fatiguent considérablement.

Rôle du médecin

• Exclure toute autre cause de vomissement (par exemple, une appendicite).

• Inciter à boire abondamment, à manger en quantité suffisante et à reprendre une activité normale.

• Prescrire des médicaments sédatifs et antivomitifs qui ne sont pas dangereux pour l'enfant (*voir* MÉDICAMENTS, n°s 17, 21).

• Adresser la patiente à l'hôpital en vue d'un repos, et même d'une hospitalisation.

Prévention

• Aucune.

Pronostic

• Il est bon. Les vomissements disparaissent spontanément vers la seizième semaine de la grossesse.

HYPERTENSION ARTÉRIELLE, TOXÉMIE GRAVIDIQUE, ÉCLAMPSIE

Malgré leur relative fréquence, le mécanisme exact de ces différents troubles est encore mal élucidé. Ainsi, une légère élévation de la pression artérielle peut apparaître dans la deuxième moitié de la grossesse. Si cette hypertension s'accompagne d'œdème des chevilles et d'albumine dans les urines, cet état porte le nom de prééclampsie, ou plus simplement de toxémie gravidique. Si cet état toxémique s'aggrave, la future mère doit être hospitalisée.

Symptômes
- Élévation de la pression artérielle.
- Maux de tête.
- Œdème important des chevilles.
- Augmentation de poids inexpliquée.

Durée
- Ces trois éventualités que sont l'hypertension artérielle, la toxémie et, exceptionnellement, l'éclampsie peuvent survenir à n'importe quel moment du dernier trimestre de la grossesse et s'accentuer tout particulièrement dans les dernières semaines. Ces troubles disparaissent en quelques heures après la naissance.

Causes
- La cause exacte n'est pas connue, mais l'on sait qu'un certain nombre de circonstances peuvent en favoriser l'apparition : première grossesse, mère âgée, obésité associée, hypertension artérielle préexistant à la grossesse, diabète, grossesse gémellaire, INCOMPATIBILITÉ FŒTO-MATERNELLE.

Complications
- L'éclampsie, caractérisée par des crises convulsives, phase ultime de décompensation de la toxémie, est exceptionnelle. Elle est extrêmement grave, pour la mère comme pour l'enfant. Quand les symptômes de la toxémie sont méconnus ou traités d'une manière imparfaite, les risques sont grands (hémorragie au cours du dernier trimestre, accouchement prématuré, naissance d'un enfant trop petit pour son âge gestationnel [hypotrophique], exceptionnellement mort in-utéro).

Traitement à domicile
- Suivre attentivement les conseils du médecin.

Quand consulter le médecin
- Dès l'apparition d'un symptôme anormal.

Rôle du médecin
- Surveiller la tension artérielle et le poids.
- Rechercher la présence d'albumine dans les urines tous les mois.
- Conseiller le repos, surveiller le régime alimentaire.
- Envisager l'hospitalisation.

Prévention
- Une parfaite coopération entre la future mère et son médecin.

Pronostic
- Excellent si les conditions de surveillance et de soins sont les meilleures. C'est pourquoi il est indispensable de suivre scrupuleusement les prescriptions médicales.

GROSSESSE EXTRA-UTÉRINE

Grossesse qui se développe en dehors de l'utérus, habituellement dans l'une des deux trompes. En quelques jours, la trompe, par le développement embryonnaire, va augmenter de volume, puis se distendre, et finalement se rompre, créant une situation d'urgence par la gravité des symptômes que cela entraîne.

Symptômes
- Douleurs brutales à la partie basse de l'abdomen.
- Petits saignements d'origine vaginale, qui peuvent être rouges ou bruns.
- A droite, cette douleur peut faire croire à une appendicite.
- Simples troubles des règles (date d'apparition retardée ou aspect inhabituel).
- Malaises dus à la perte de sang intra-abdominale.

Durée
- Tant que le diagnostic et le traitement ne sont pas réalisés définitivement.

Causes
- Le plus souvent quand la trompe n'est plus saine, comme c'est fréquemment le cas après une salpingite.
- Le port d'un stérilet accentue le risque de grossesse extra-utérine.

Complications
- Si l'intervention n'est pas effectuée, la rupture peut survenir et finir par entraîner la mort par hémorragie interne.
- Il ne faut pas trop compter sur l'arrêt de tous les symptômes à la suite de la mort de l'œuf.

Traitement à domicile
- Il n'y en a pas; consulter dès que possible.

Quand consulter le médecin
- Immédiatement, dès qu'une femme en début de grossesse perd connaissance ou se plaint de douleurs ou de saignements vaginaux.

Rôle du médecin
- Adresser la patiente à un spécialiste pour que toutes les mesures soient prises le plus tôt possible.

Prévention
- Il n'y en a pas, mais le risque de rupture peut être réduit lorsque l'on consulte le médecin immédiatement.

Pronostic
- Si l'on retire une trompe, il reste encore l'autre pour envisager la possibilité d'une grossesse. Si l'intervention a été pratiquée dès les premiers symptômes, certaines techniques permettent de conserver la trompe, ce qui améliore les chances de grossesse ultérieure.

GUILLAIN-BARRÉ (SYNDROME DE)

Inflammation des nerfs. Cette maladie rare s'observe soit après une infection généralement bénigne, soit après certaines vaccinations, soit au cours de maladies malignes, comprenant la maladie de HODGKIN.

Symptômes
- Le début est souvent marqué par une PHARYNGITE ou une GASTRO-ENTÉRITE, deux ou trois semaines avant que la maladie se déclare.
- Une faiblesse musculaire atteint progressivement les bras et les jambes. Dans les cas sévères, le patient peut devenir rapidement paralysé et éprouver une gêne pour respirer.
- Des sensations désagréables (fourmillements, brûlures) au niveau des membres sont fréquentes. De véritables douleurs sont rares.

Durée
- Quelques semaines à plusieurs mois, selon l'importance des lésions des nerfs.

Causes
- Il n'y a pas de cause connue. Il semble que le patient fabrique des substances toxiques pour ses nerfs à la suite d'une infection. *Voir* MALADIE AUTO-IMMUNE.

Traitement à domicile
- Il n'y en a pas. Cette maladie sérieuse impose l'hospitalisation dès le début des troubles.

Quand consulter le médecin
- Quand les bras ou les jambes sont faibles ou paralysés.

Rôle du médecin
- Adresser le patient à l'hôpital pour une surveillance spécialisée (surveillance des muscles respiratoires).
- Parfois, prescription de stéroïdes, mais leur effet bénéfique n'a pas encore été prouvé.

Prévention
- Il n'y en a pas.

Pronostic
- Si la prise en charge médicale est précoce et correcte, le pronostic est bon. La mortalité est très faible. 80 pour 100 des patients guérissent sans séquelles dans les dix-huit mois qui suivent. Dans les autres cas, une faiblesse musculaire peut persister.

Gymnastique

PROGRAMME POUR ASSOUPLIR LE CORPS ET DÉVELOPPER LA FORCE ET LA RÉSISTANCE MUSCULAIRES

Le corps humain est fait pour l'exercice physique intense et régulier, mais dans le monde d'aujourd'hui, où tout est automatisé, il n'en a guère l'occasion. Les exercices physiques permettent de conserver en bonne condition les os, les articulations et les muscles. Ils peuvent diminuer le risque d'avoir une crise cardiaque et augmenter les chances de survie si l'on en a été victime. Ils aident à rester mince en brûlant les calories contenues dans les aliments et éliminent les tensions de la vie quotidienne. Nécessaires pour un bon équilibre psychique, ils protègent de l'anxiété ou de la dépression. Enfin, par-dessus tout, ils permettent de rester en forme.

Quelques conseils

☐ Consultez votre médecin avant de commencer les exercices si vous souffrez d'une maladie de cœur, d'hypertension, de vertiges, de diabète, de douleurs lombaires chroniques, d'arthrite, si vous êtes en convalescence ou si vous craignez les répercussions des exercices sur votre santé.

☐ Commencez en douceur et augmentez progressivement vos efforts sur un laps de temps de six semaines. Restez en deçà de vos limites.

☐ Reposez-vous immédiatement en cas de douleur ou de malaise.

☐ Ne commettez pas l'erreur de croire qu'un exercice doit vous faire mal pour vous faire du bien.

☐ Ne faites pas d'exercice si vous êtes fatigué. Vous pourriez vous « claquer » un muscle ou vous fouler une articulation.

☐ Ne faites pas d'exercice difficile dans les deux heures suivant un repas copieux. Vous risqueriez des crampes abdominales ou une indigestion.

☐ Ne faites pas d'exercice si vous avez un rhume, de la fièvre, ou si vous ne vous sentez pas bien.

QU'ENTEND-ON PAR « ÊTRE EN FORME » ?
Il n'y a pas de définition scientifique de la « forme », mais cela signifie être en bonne santé, faire preuve d'une grande vitalité.

Ce programme de mise en forme vous aidera à évaluer votre propre état et, à partir de là, à progresser, par étapes dosées, jusqu'à un bon niveau de base qui pourra être développé.

TESTEZ VOTRE FORME
Voici un test simple : debout, pieds joints, placez-vous devant une marche de 20 centimètres de haut. Pendant trois minutes, montez et descendez au rythme de deux mouvements complets toutes les cinq secondes. Par « mouvement complet », nous entendons monter la marche un pied après l'autre, puis la redescendre. *Arrêtez si vous commencez à vous sentir mal.*

L'exercice terminé, asseyez-vous et reposez-vous une minute. Mesurez ensuite la fréquence de votre pouls. Si vous êtes en forme, il devrait être redevenu plus ou moins normal. Consultez le tableau page suivante pour connaître votre condition physique.

Comment acquérir une forme physique durable

Ce programme est déconseillé aux personnes très jeunes ou très âgées. Avant de l'entreprendre, lisez attentivement l'encadré à gauche et mesurez votre forme à l'aide du test ci-contre.
Le programme est prévu pour des sessions de 25 minutes :
2 minutes pour l'assouplissement,
3 minutes pour la force,
20 minutes pour la résistance.
Prévoyez au minimum deux sessions par semaine.
Les exercices d'assouplissement échauffent les muscles, ce qui réduit les risques de « claquage ». Ils consistent en des extensions faites lentement et en douceur, sans effort pénible.
Les exercices de force donnent de la puissance aux bras, au tronc et aux jambes.
Les exercices de résistance représentent l'essentiel d'un programme de mise en forme. Toute activité qui vous essouffle, même modérément, augmentera votre résistance.

ASSOUPLISSEMENT,
EXERCICE 1

Flexions latérales du tronc

Durée : 30 secondes

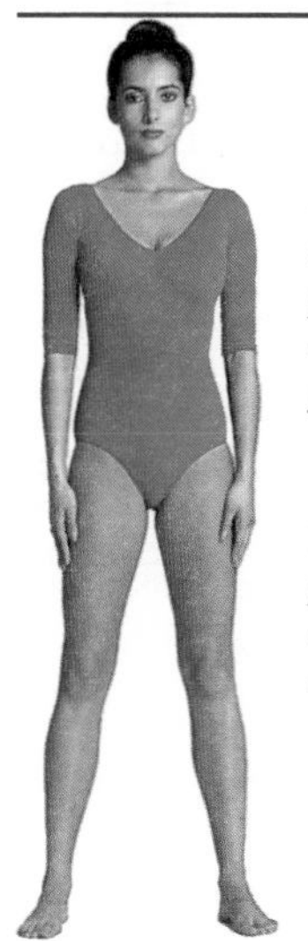

Placer la paume des mains le plus bas possible le long des jambes.

1. *Station debout, pieds écartés de 30 cm, bras le long du corps.*

2. *Incliner la tête et faire une flexion du tronc vers la droite. Glisser la main droite le long de la jambe.*

3. *Même mouvement du côté gauche. Alterner flexions à droite et flexions à gauche pendant 30 secondes.*

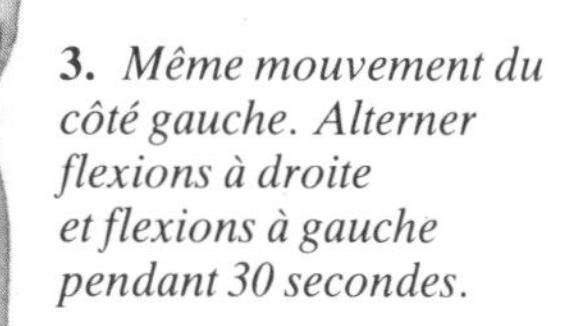

Fréquence du pouls (battements par minute)		Condition physique
Hommes	*Femmes*	
Au-dessous de 79	Au-dessous de 84	Très en forme
80-89	85-94	En forme
90-99	95-109	Méforme
100 et plus	110 et plus	Grande méforme

Note : ces chiffres ne s'appliquent pas aux enfants.

EN QUOI CONSISTE LA FORME ?

Les éléments de base d'une forme physique sont la souplesse, la force et la résistance.

La souplesse. La souplesse est caractérisée par la flexibilité ou la mobilité du cou, du tronc et des membres. Plus vous êtes souple, plus vous pouvez mouvoir vos articulations avec aisance. Les exercices d'assouplissement étirent et relâchent les muscles qui font fonctionner les articulations. Quant à ces dernières, elles sont resserrées et tonifiées, et les ligaments qui les soutiennent sont raccourcis et raffermis.

Lorsqu'on est souple, on peut bouger son corps avec aisance, virevolter, se pencher ou s'étirer sans effort et sans se faire mal. C'est un élément important de la forme, particulièrement chez les personnes âgées dont les muscles se raidissent facilement. La raideur musculaire rend difficile l'accomplissement de tâches ordinaires telles que

ASSOUPLISSEMENT, EXERCICE 2

Rotations des bras

Durée : 30 secondes

Station debout, pieds bien écartés pour être à l'aise, tête droite.

1. *Doigts joints, lever lentement les bras en les suivant des yeux.*

2. *Pousser les bras en arrière par-dessus la tête en suivant des yeux l'extrémité des doigts.*

3. *Abaisser les bras. Les pousser le plus loin possible en arrière. Se cambrer légèrement.*

ASSOUPLISSEMENT, EXERCICE 3

Rotations du tronc

Durée : 30 secondes

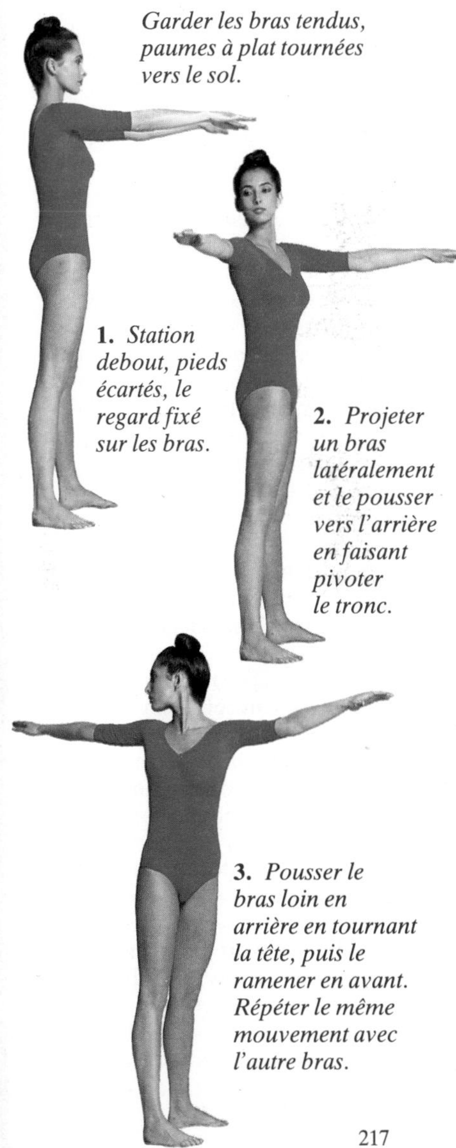

Garder les bras tendus, paumes à plat tournées vers le sol.

1. *Station debout, pieds écartés, le regard fixé sur les bras.*

2. *Projeter un bras latéralement et le pousser vers l'arrière en faisant pivoter le tronc.*

3. *Pousser le bras loin en arrière en tournant la tête, puis le ramener en avant. Répéter le même mouvement avec l'autre bras.*

descendre de son lit, prendre un bain, s'habiller ou faire le ménage.

Parmi les activités qui développent la souplesse, on peut citer la danse, le YOGA et la gymnastique.

La force. La force, c'est tout simplement la puissance musculaire. Elle est nécessaire pour tirer, pousser, soulever ou déplacer quelque chose. La force des muscles de l'avant-bras assure une prise solide. Celle des muscles de l'épaule permet de prendre aisément un enfant dans les bras. Les personnes âgées doivent entretenir la force de leurs membres pour pouvoir s'asseoir et se relever facilement, ou bien entrer dans la baignoire et en sortir.

On peut acquérir de la force en faisant travailler les muscles contre une résistance, par exemple, en s'exerçant aux poids et haltères, en pratiquant des flexions-extensions des bras (familièrement appelées « pompes ») et en faisant de la bicyclette.

La résistance. La résistance musculaire signifie l'endurance, c'est-à-dire l'accumulation d'énergie. C'est l'élément fondamental de la forme, grâce auquel on peut continuer un exercice sans être essoufflé ou se sentir faible. Toute activité nécessitant une contraction rythmique des muscles longs, comme ceux des jambes par exemple, exige de la résistance.

Courir ou nager sont des exemples de ce type d'activités, qui fournit un apport d'oxygène dont les muscles au travail ont besoin. Cela exige un effort supplémentaire, non seulement du cœur, des poumons et de la

ASSOUPLISSEMENT, EXERCICE 4

Flexions des jambes

Durée : 30 secondes

Au début, pour garder l'équilibre, on peut se servir du dossier d'une chaise. Mais, avec la pratique, cela ne sera plus nécessaire.

1. *Station debout, dos droit, pieds joints.*

2. *Lever lentement un genou, les orteils dirigés vers le sol.*

3. *Lever le genou le plus haut possible. Baisser la tête simultanément en essayant de mettre en contact le front et le genou.*

FORCE, EXERCICE 1

Flexions-extensions des bras (début)

Durée : 1 minute

Au début, il est recommandé de faire les exercices de force au rythme de 10 à la minute. Augmenter graduellement jusqu'à 30 à la minute.

1. *Placer les mains écartées de 30 cm sur le rebord d'une table. Garder les paumes à plat.*

2. *Reculer les pieds pour que les jambes et le dos forment une ligne droite.*

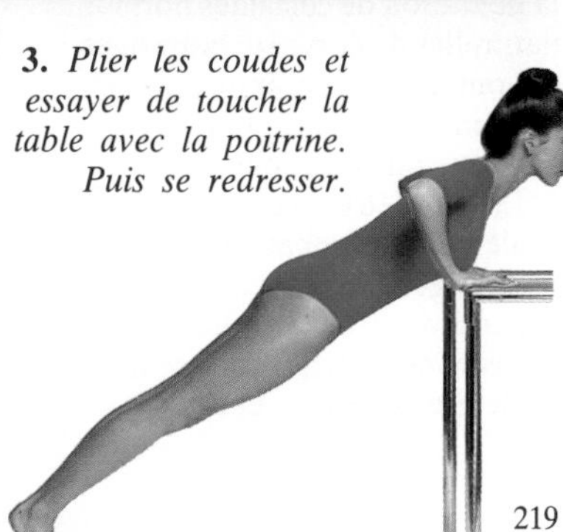

3. *Plier les coudes et essayer de toucher la table avec la poitrine. Puis se redresser.*

circulation, mais aussi des muscles eux-mêmes, car ils doivent être en mesure d'extraire l'oxygène du courant sanguin avec rapidité et efficacité.

POURQUOI FAUT-IL ÊTRE EN FORME ?

Pour beaucoup, les mots « forme » et « exercice » évoquent la cour de l'école ou la solitude du coureur de fond. Or, loin d'être déplaisants, les exercices et une bonne forme physique augmenteront votre joie de vivre.

Il existe maintes façons de pratiquer des exercices physiques. Pour garder la forme, il faut se livrer régulièrement à une activité qui exige un effort modéré. Il est important d'en choisir une qui vous donne envie de continuer.

En dehors des bénéfices physiques qu'on peut en retirer, des recherches ont montré que l'exercice physique était un bon remède contre l'anxiété et la dépression. Des athlètes ont déclaré qu'après avoir produit un effort intense ils avaient l'impression d'être drogués naturellement. C'est une description très pertinente de ce qui se passe dans leur cerveau. En effet, des chercheurs étudiant ce phénomène ont découvert que l'exercice physique semble stimuler la libération de certaines hormones naturelles du cerveau, hormones qui ont une action similaire à celle de la morphine : euphorie et suppression de la douleur.

Le fait d'être en forme aide également à combattre les maladies de la dégénérescence. L'inactivité engendre un certain nombre d'inconvénients qui vont de la raideur des muscles et des

FORCE, EXERCICE 2

Flexions-extensions des jambes (début)

Durée : 1 minute

Il faudrait faire cet exercice les mains sur les hanches. Mais si c'est trop difficile au début, prendre appui sur le dossier d'une chaise.

1. *S'accroupir en plaçant les mains sur les hanches.*

2. *Se mettre debout lentement et rester dans cette position.*

3. *Toujours debout, se dresser sur la pointe des pieds.*

4. *Se baisser lentement et reprendre la position accroupie.*

FORCE, EXERCICE 3

Élévation des jambes sur une chaise

Durée : 1 minute

Utiliser une chaise stable, qui ne risque pas de glisser. Prendre appui sur les bords.

1. *S'asseoir tout près du bord de la chaise, jambes allongées.*

2. *Soulever lentement les talons en gardant les jambes droites.*

3. *Soulever doucement les jambes jusqu'à ce qu'elles soient horizontales. Puis les baisser progressivement.*

articulations à l'obésité, ou encore des palpitations à un risque accru de crise cardiaque. Une activité exigeant un effort modéré et pratiquée régulièrement (au minimum deux sessions de vingt minutes par semaine consacrées à des exercices développant la résistance musculaire) réduit les risques de voir apparaître ce genre de problèmes.

COMMENT SE DÉCIDER
L'étape la plus décisive à franchir pour acquérir la forme est de prendre la décision de commencer à pratiquer des exercices. Il faudra fournir un effort supplémentaire. Commencez en douceur et améliorez graduellement vos performances au fil des semaines.

Pendant que vous préparez votre programme d'exercices et que vous réfléchissez au temps que vous y consacrerez, vous pouvez faire un premier pas vers la forme en apportant certains changements dans votre mode de vie.

Marchez le plus souvent possible. Pour vous rendre à votre travail ou dans les magasins, faites le trajet ou une partie du trajet à pied. Prenez l'escalier au lieu de l'ascenseur. Descendez de l'autobus un ou deux arrêts avant votre destination.

Des marches quotidiennes de cinq à dix minutes constituent un excellent moyen pour commencer à se mettre en forme. Marchez un peu plus rapidement chaque jour. Montez les escaliers de plus en plus vite. Consacrez tous les jours cinq à dix minutes de votre temps à une activité qui vous essoufflera légèrement, en mettant, par exemple, un peu plus d'énergie à
Voir suite page 226

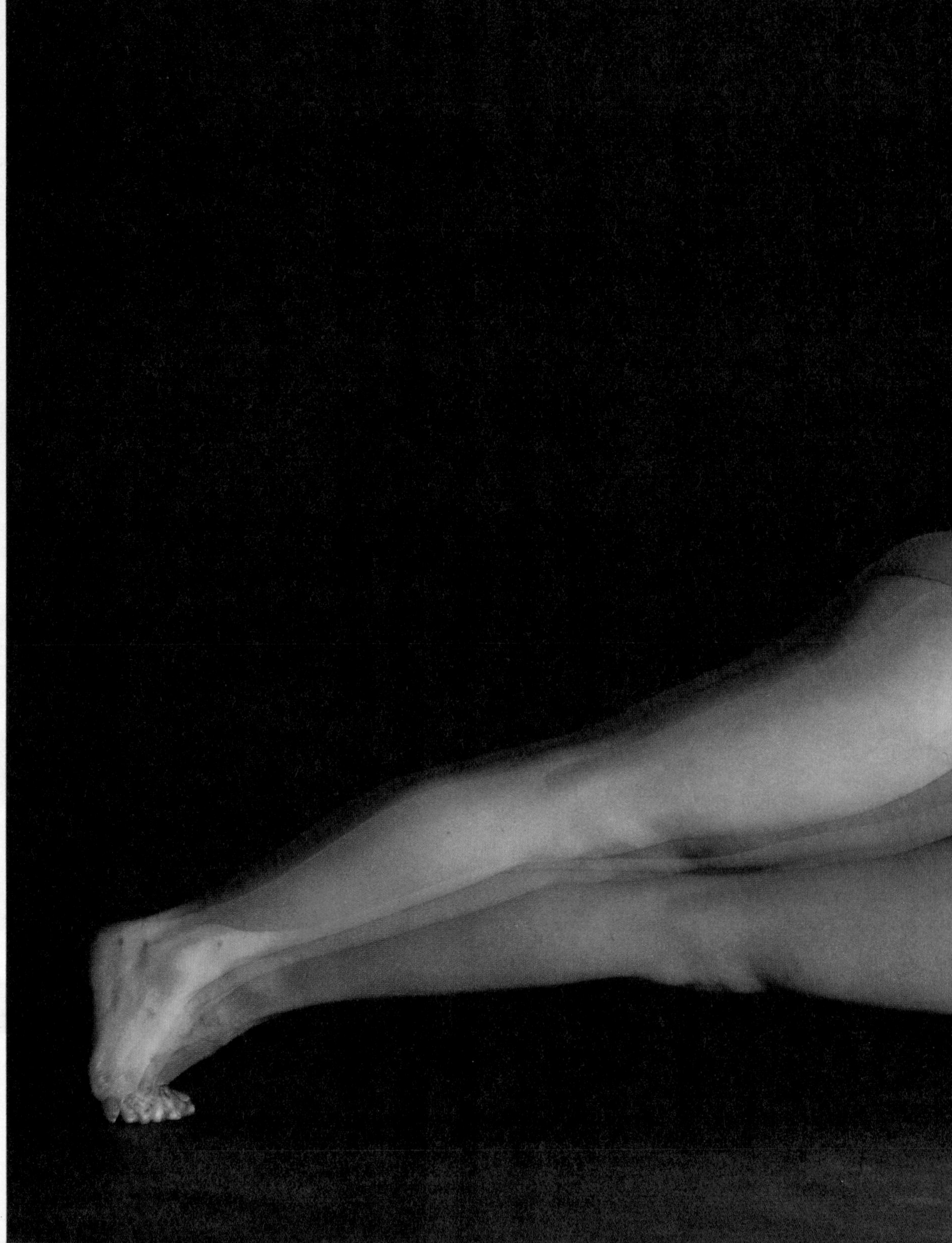

FORCE, EXERCICE 4

Flexions-extensions des bras (perfectionnement)

Durée : 1 minute

Comme tous les exercices de force destinés aux personnes entraînées, celui-ci sera entrepris à condition de maîtriser parfaitement l'exercice de base.

1. *S'accroupir, jambes rapprochées. Poser les paumes des mains sur le sol en les écartant de 30 cm environ.*

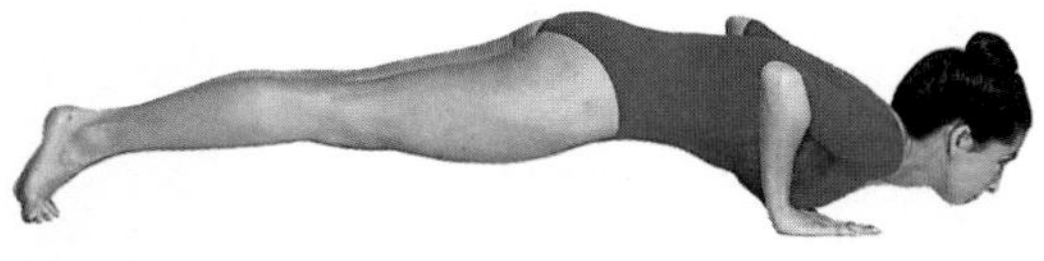

2. *Repousser les pieds en arrière de manière à être à plat, jambes rapprochées, corps droit.*

3. *Soulever le corps jusqu'à ce que les bras soient tendus.*

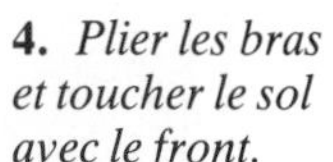

4. *Plier les bras et toucher le sol avec le front.*

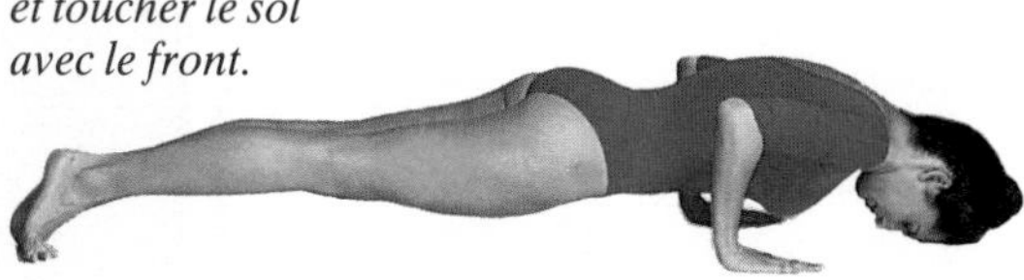

Évaluation de l'apport bénéfique de certains sports et autres activités

Quatre points : effet excellent; trois points : très bon effet; deux points : effet salutaire; un point : pas d'effet réel, sinon de relaxation.

Activités	*Assouplissement*	*Force*	*Résistance*
Badminton	●●●	●	●
Bêcher le jardin	●●	●●●●	●●●
Bicyclette (en pédalant avec énergie)	●●	●●●	●●●●
Canoë	●●	●●●	●●●
Danser (dans un bal)	●●●	●	●
Danser (dans une discothèque)	●●●●	●	●●●
Escaliers (Monter les)	●	●●	●●●
Faire le ménage (modérément)	●●	●	●
Golf	●●	●	●
Grimper une côte	●	●●	●●●
Gymnastique	●●●●	●●●	●●
Jogging	●●	●●	●●●●
Judo	●●●●	●●	●●
Marcher vite	●	●	●●
Nager avec énergie	●●●●	●●●●	●●●●
Poids et haltères	●	●●●●	●
Ramer	●●	●●●●	●●●●
Soccer	●●●	●●●	●●●
Squash	●●●	●●	●●●
Tennis	●●●	●●	●●
Tondre la pelouse à la main	●	●●●	●●
Voile	●●	●●	●
Yoga	●●●●	●	●

FORCE, EXERCICE 5

Redressements du corps

Durée : 1 minute

Pour accomplir cet exercice correctement, il faut caler les pieds sous un meuble lourd (banquette ou canapé, par exemple).

1. *S'allonger sur le dos, pieds bien calés et mains jointes derrière la nuque.*

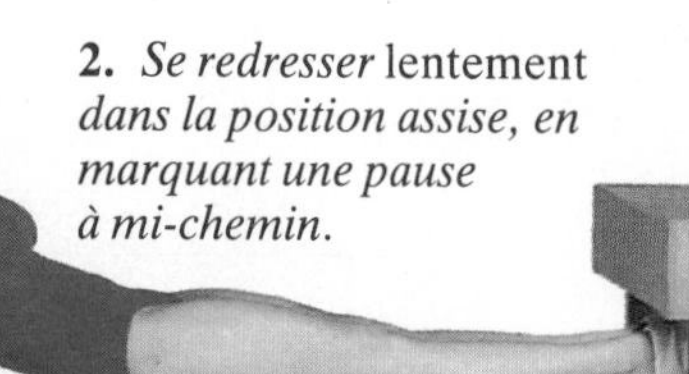

2. *Se redresser* lentement *dans la position assise, en marquant une pause à mi-chemin.*

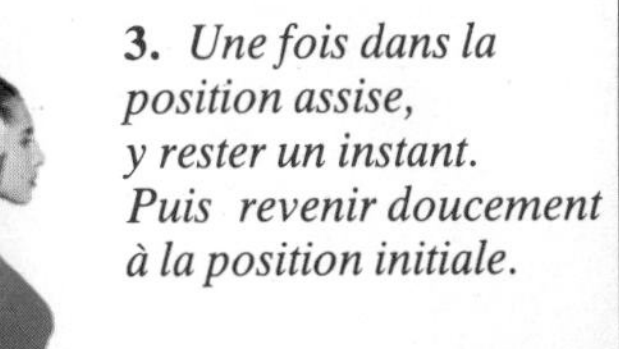

3. *Une fois dans la position assise, y rester un instant. Puis revenir doucement à la position initiale.*

FORCE, EXERCICE 6

Flexions-extensions des jambes (perfectionnement)

Durée : 1 minute

Dans tous les exercices de force, qu'ils soient ou non pour débutants, on développe la force musculaire. Commencer avec 10 exercices à la minute, puis augmenter progressivement jusqu'à 30 exercices à la minute.

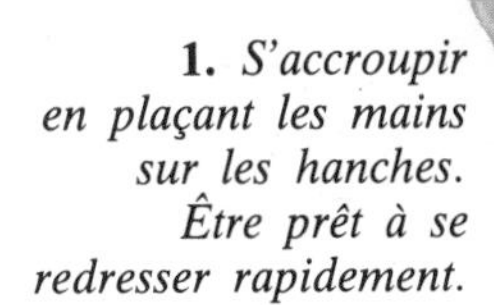

1. *S'accroupir en plaçant les mains sur les hanches. Être prêt à se redresser rapidement.*

2. *Sauter en jetant les bras en l'air et en les écartant en même temps.*

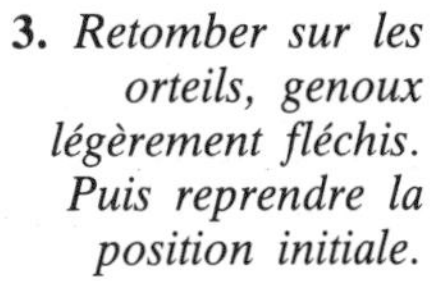

3. *Retomber sur les orteils, genoux légèrement fléchis. Puis reprendre la position initiale.*

faire le ménage, en jouant avec vos enfants. Le simple fait d'être debout est meilleur pour le cœur que de rester assis ou couché.
Arrêtez de fumer. Fumer diminue la résistance. Quelques minutes après avoir fumé une cigarette, les voies respiratoires se contractent et rétrécissent. Fumer augmente la fréquence cardiaque de vingt à trente battements par minute, ce qui diminue la résistance. La nicotine favorise l'encrassement des artères, ce qui réduit le débit sanguin en direction du cœur et augmente les risques de thrombose. *Voir* TABAC (RISQUES LIÉS AU).

PERDEZ DU POIDS
Les exercices vous aideront à garder votre ligne, mais, par ailleurs, le fait de rester mince vous permettra de tirer un bénéfice plus grand de notre programme de mise en forme. Plus vous perdrez de kilos superflus, mieux vous vous sentirez en faisant les exercices et moins vous risquerez de vous blesser. *Voir* ALIMENTATION.

LES EXERCICES DE PERFECTIONNEMENT
Lorsque vous aurez acquis une bonne forme de base, vous pourrez envisager de développer certains muscles. L'un des moyens les plus efficaces est de pratiquer ce que l'on appelle des « poids et haltères ». Ce sont des exercices au cours desquels on utilise des haltères, ou bien des bouteilles en matière plastique remplies d'eau ou de sable. L'intérêt de ces exercices, qui font travailler les muscles contre la résistance des poids, réside dans leur répétition. Exercices à pratiquer sous surveillance médicale.

EXERCICES DE RÉSISTANCE

La marche et le jogging

Durée : 20 minutes

Ce programme, mis au point pour accroître la résistance, repose sur une combinaison de la marche et du jogging. Il comprend quatre stades correspondant aux quatre niveaux de forme physique figurant dans le test du « pouls », page 216. Le stade 1 s'adresse à ceux qui sont « en grande méforme »; le stade 2 à ceux qui sont « en méforme »; le stade 3 à ceux qui sont « en forme »; et le stade 4 à ceux qui sont « en grande forme ». Ces catégories sont valables pour tout le monde.

Stade 1. *Marcher d'un pas vif (4 min), puis alterner la marche (15 s) et le jogging (15 s) pendant 4 minutes. Marcher 4 minutes, puis alterner de nouveau jogging et marche (15 s) pendant 4 minutes. Enfin marcher (4 min).*

Stade 2. *Marcher d'un pas vif 2 minutes. Puis alterner jogging (2 min), marche (30 s), jogging (2 min), marche (30 s), jogging (2 min). Marcher 2 minutes et recommencer la séquence jogging-marche. Marcher (2 min).*

Stade 3. *Marcher d'un pas vif pendant 1 minute. Puis alterner jogging (4 min), marche (30 s), jogging (4 min), marche (30 s), jogging (4 min), marche (30 s), jogging (4 min). Enfin marcher 1 minute.*

Stade 4. *Jogging 20 minutes, en soufflant toutes les six foulées. Ralentir si ce rythme respiratoire est insuffisant, et accélérer dans le cas contraire. Peu à peu, vous courrez plus vite au même rythme respiratoire.*

PRENEZ SOIN DE VOTRE CORPS APRÈS UN ACCOUCHEMENT

Voici quatre exercices simples qui vous aideront à retrouver votre ligne et à tonifier vos muscles abdominaux

Pendant la grossesse et l'accouchement, les muscles périnéaux et abdominaux sont très étirés, et ils le demeurent après la naissance du bébé, ce qui nuit à leur bon fonctionnement. Plus ils resteront dans cet état et plus il sera difficile de les rendre à nouveau fonctionnels. Afin d'être en forme pour vous occuper de votre bébé et reprendre vos activités quotidiennes, il est indispensable de commencer les exercices à l'hôpital dans les quelques heures qui suivent l'accouchement.

Les muscles périnéaux entourent l'anus, le vagin et l'urètre. Ils soutiennent le contenu du bassin, l'utérus, la vessie et les intestins. S'ils sont affaiblis, ils peuvent provoquer l'incontinence ou un prolapsus utérin.

Les muscles abdominaux sont divisés en trois groupes : ceux qui traversent l'abdomen verticalement, ceux qui le traversent horizontalement et ceux qui le traversent transversalement. L'ensemble forme un « corset » qui soutient les organes abdominaux et la colonne vertébrale. Après l'accouchement, les muscles distendus et affaiblis sont souvent la cause de douleurs lombaires.

Les exercices suivants, qui doivent être exécutés sur une surface dure pendant la semaine suivant l'accouchement, tonifieront et raffermiront ces muscles. Si, pour des raisons d'espace ou d'hygiène, il vous est impossible de pratiquer les exercices sur le sol, faites-les sur un lit assez dur. Une fois que vous en aurez pris l'habitude, il serait bon que vous continuiez à vous exercer pendant toute la période d'activité génitale. Mais n'oubliez surtout pas que le repos est aussi important que l'exercice. Pour trouver le juste milieu, demandez conseil à la maternité où vous séjournez.

EXERCICES POUR RAFFERMIR LES MUSCLES PÉRINÉAUX

Contracter et tirer vers l'intérieur les muscles de l'anus et du vagin (muscles du périnée). Continuer à contracter les muscles en comptant lentement jusqu'à quatre. Se relaxer, faire une pause et recommencer quatre fois. Au début, il vous sera peut-être impossible d'aller au-delà de un. Mais vers le troisième ou quatrième jour après l'accouchement, vous devriez être à même d'arriver jusqu'à quatre sans fatigue. On accomplit les exercices de jour, à une heure d'intervalle, en adoptant ces trois positions :

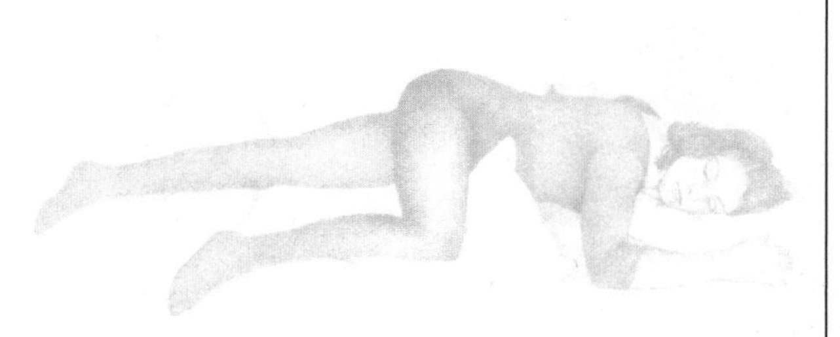

Position 1

Se coucher sur le côté, la tête posée sur un oreiller. Plier la jambe droite en la faisant reposer sur un autre oreiller. Puis accomplir l'exercice.

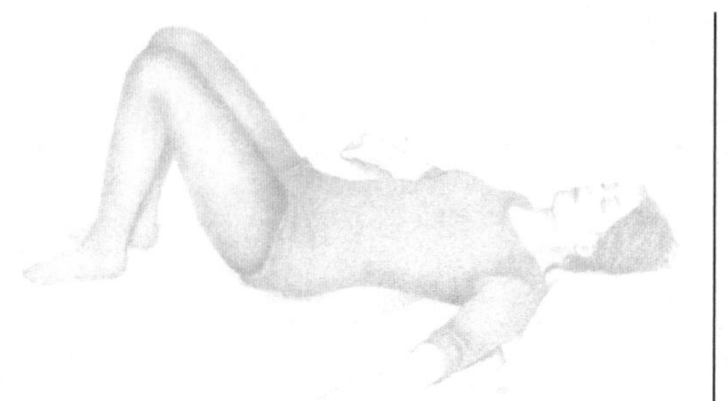

Position 2

Se mettre sur le dos, les bras légèrement éloignés du corps et les genoux levés. Garder les pieds à plat. Puis accomplir l'exercice.

Position 3

S'asseoir sur une chaise en se penchant un peu en avant. Puis accomplir l'exercice.

EXERCICES POUR RAFFERMIR LES MUSCLES ABDOMINAUX

Exercice 1

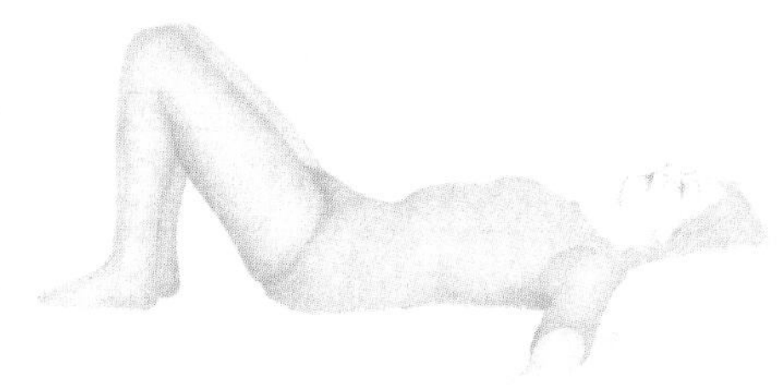

Se coucher sur le dos, genoux pliés, pieds à plat et bras perpendiculaires au corps. Contracter les fesses et rétracter en même temps les muscles abdominaux (creuser le ventre). Continuer jusqu'à ce que les reins appuient sur le sol ou sur le lit, puis se reposer. Commencer par faire cet exercice cinq fois de suite, deux fois par jour, et aller jusqu'à vingt fois de suite, deux fois par jour.

Exercice 2

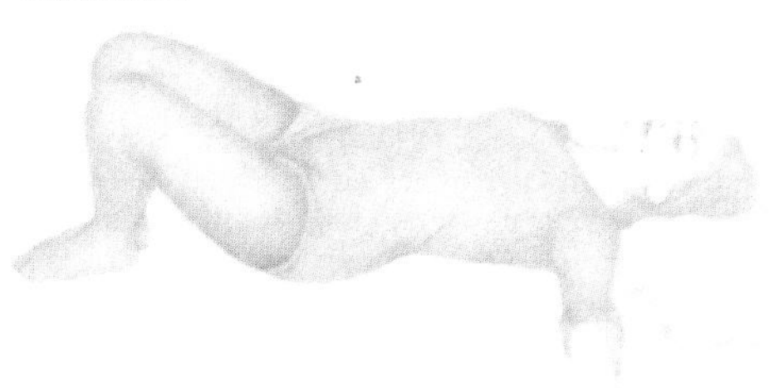

Se coucher sur le dos, genoux pliés, pieds à plat et bras perpendiculaires au corps. Incliner le bassin vers l'arrière. Maintenir les talons et les chevilles serrés. Puis propulser les genoux d'un côté, le plus loin possible.

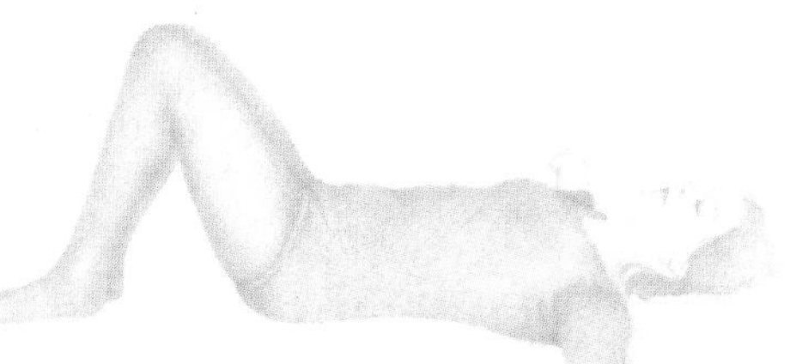

Revenir à la position initiale, se reposer, puis exécuter le même mouvement de l'autre côté. Faire cet exercice cinq fois de suite, deux fois par jour, et aller jusqu'à vingt fois de suite, deux fois par jour.

Exercice 3

Se coucher sur le dos, la jambe droite étendue et la jambe gauche pliée, les bras légèrement écartés du corps. Incliner le bassin vers l'arrière. Puis soulever la tête et toucher le genou gauche de la main droite.

Exécuter le même mouvement de l'autre côté. Faire cet exercice cinq fois de suite, deux fois par jour, et aller jusqu'à vingt fois, deux fois par jour.

HALEINE (MAUVAISE)

Anomalie banale et sans danger, mais gênante. Elle est souvent due à un entretien défectueux des gencives et des dents. Les conseils d'un dentiste, le brossage régulier des dents et des bains de bouche antiseptiques sont essentiels à la guérison complète. Une tendance à la mauvaise haleine fera aussi éviter les nourritures épicées, l'ail et l'oignon.

Voir DENTS (SOINS DES)

HALLUCINATION

Perception sans réalité extérieure, pouvant intéresser tous les sens (vision, audition, olfaction, goût, toucher). Les hallucinations indiquent généralement une affection mentale sérieuse qui nécessite une consultation médicale.

Voir LISTE DES SYMPTOMES (COMPORTEMENT ANORMAL CHEZ L'ADULTE)

HANCHE (LUXATION CONGÉNITALE DE LA)

La luxation survient avant la naissance ou au moment de celle-ci. Elle est découverte à l'examen systématique du nouveau-né. Dans les rares cas où elle n'est pas détectée rapidement, l'enfant peut devenir handicapé, alors que le traitement aurait pu prévenir cette évolution fâcheuse.

Les filles sont atteintes par la maladie six fois plus que les garçons. Dans les deux tiers des cas, une seule hanche est atteinte.

Symptômes

- Des symptômes surviennent uniquement si l'anomalie n'a pas été détectée et traitée à la naissance. Il n'existe pas de symptômes jusqu'à ce que l'enfant parvienne à l'âge de marcher : il y a souvent un retard à marcher et, quand il commence à le faire, l'enfant a une marche hésitante ou « en canard ».

Causes

- Il peut y avoir d'autres exemples dans la famille, et dans certaines régions relativement isolées on constate davantage de cas de luxations par suite de mariages consanguins.

Quand consulter le médecin

● Devant toute anomalie de la marche ou toute boiterie d'un enfant, même minime.

Rôle du médecin

● Manipuler les hanches du bébé et écouter : c'est un clic qui permettra d'affirmer la luxation avec une quasi-certitude.

● Envoyer l'enfant à l'hôpital pour une radio ou pour un second avis.

● Si le diagnostic est confirmé et le nourrisson âgé de moins de six mois, les cuisses seront maintenues largement séparées par une attelle pendant trois à six mois. C'est souvent le seul traitement nécessaire pour que les hanches reprennent leur développement normal.

● Si le nourrisson est âgé de plus de six mois, la luxation peut demander une autre forme de traitement, ou parfois une opération.

Pronostic

● Excellent si le diagnostic est fait à la naissance ou avant l'âge de six mois.

Voir LE SQUELETTE, *page 54*

HANDICAPÉS

Voir page 232

HÉMATOME EXTRADURAL

Complication grave des blessures de la tête. Un choc provoque une perte de connaissance (COMMOTION CÉRÉBRALE) et la fracture d'un os du crâne. Une des artères internes parcourant l'os brisé peut être coupée et saigner à l'intérieur du crâne. Un gros caillot se forme (hématome) et comprime le cerveau. La mort surviendra si cette compression n'est pas soulagée par une intervention immédiate.

Symptômes

● La commotion cérébrale provoque au départ une perte de connaissance pouvant durer quelques secondes, plusieurs minutes, voire des heures. Si l'inconscience initiale dépasse deux ou trois minutes, la gravité est évidente et le patient aussitôt envoyé à l'hôpital.

● Une perte de connaissance plus courte peut aboutir à une situation dangereuse. Le patient se réveille alors après le choc et se sent bien. La fracture et le saignement dans le crâne ne seront suspectés que lorsque l'hématome et la compression du cerveau entraîneront une somnolence puis une inconscience deux à quatre heures après.

● Un côté du corps peut être atteint par une rigidité ou une paralysie.

● Les pupilles peuvent être de taille inégale.

● Des vomissements sont possibles.

Durée

● Les symptômes se déclarent souvent deux à six heures après, mais ils peuvent aussi apparaître plus tôt dans les cas graves. Il arrive que la mort survienne avant toute tentative d'intervention.

Causes

● Le crâne est fracturé sur le trajet de l'artère méningée moyenne, qui court sur la face interne de l'os. Cette artère sectionnée saigne sans arrêt et crée un caillot entre le crâne et le cerveau. Cette masse de sang va peu à peu comprimer le cerveau et aggraver l'inconscience.

Complications

● Sans traitement, l'hématome aboutit à la mort.

Traitement à domicile

● Quiconque perd connaissance après un choc sur la tête doit recevoir des soins de toute urgence. Le patient sera allongé, tout spectateur sera écarté pour le laisser respirer; l'air doit circuler librement. En cas d'arrêt respiratoire, on pratiquera la respiration artificielle. *Voir* LES URGENCES.

● Appeler une ambulance ou un médecin immédiatement. Même si le patient reprend conscience et semble parfaitement bien, il devra être examiné à l'hôpital et éventuellement y rester en observation.

Quand consulter le médecin

● Immédiatement si la personne a perdu connaissance, même brièvement, après un choc sur la tête.

Rôle du médecin

● Prévoir des radiographies du crâne ou un examen par scanner. En cas d'hématome dans le crâne, une intervention immédiate sera nécessaire pour le vider et soulager la compression du cerveau.

Prévention

● La plupart des blessures sont dues à des accidents de la route. Les risques sont moindres si l'on conduit prudemment et si l'on porte une ceinture de sécurité.

● Respecter les limitations de vitesse. Partout où elles existent, le nombre d'accidents graves diminue dans des proportions impressionnantes.

● Les motocyclistes doivent porter un casque réglementaire.

Pronostic

● Dans les cas où l'hématome se développe lentement et où l'hospitalisation est rapide, une opération apporte la guérison. Dans les cas graves, la compression est si rapide que la mort survient avant qu'un traitement soit possible.

Voir SYSTÈME NERVEUX, *page 34*

HÉMATOME SOUS-DURAL

Les veines sous-durales, situées sur toute la surface du cerveau (sous une membrane appelée dure-mère), peuvent se rompre lors d'un choc sur le crâne. L'amas de sang coagulé ou fluide qui se forme alors est l'hématome sous-dural. Si le saignement est rapide, les symptômes évoluent vite, comme dans l'HÉMATOME EXTRADURAL; si au contraire le saignement est lent, ils vont évoluer sur plusieurs semaines : c'est l'hématome sous-dural chronique.

Symptômes

● Juste après le choc sur la tête, le patient ne ressent rien. Mais progressivement, en quelques jours ou semaines, un mal de tête, une somnolence, des troubles de la mémoire apparaissent.

● Le patient devient de plus en plus confus et peut finalement tomber dans un coma.

Durée

● Dans les cas graves, le patient devient comateux quelques heures après le choc initial. Dans les cas moins graves, l'évolution s'étale sur des jours et même des semaines.

Causes

● Les accidents routiers sont les principaux responsables; même un petit coup peut provoquer un hématome sous-dural.

● Les enfants et les vieillards y sont particulièrement vulnérables, car leurs veines sont fragiles.

● Les patients sous anticoagulants sont aussi plus exposés à ces complications, ainsi que les alcooliques.

Traitement à domicile

● Aucun. Si le patient tombe dans le coma, s'assurer qu'il respire bien. En cas d'arrêt respiratoire, pratiquer la respiration artificielle jusqu'à l'arrivée des services d'urgence et de l'ambulance. *Voir* LES URGENCES.

Quand consulter le médecin

● Dès que les symptômes apparaissent, ou au moindre soupçon d'hématome sous-dural.

Rôle du médecin

● Demander des radiographies ou un scanner de la tête pour rechercher un hématome sous-dural.

● Le médecin des services d'urgence peut envoyer le

malade directement à l'hôpital. Une opération sera nécessaire pour décomprimer le cerveau en forant des trous dans le crâne sous anesthésie et en évacuant l'hématome.

Prévention

• Mettre la ceinture de sécurité en voiture et porter un casque en roulant à motocyclette.

• Casques protecteurs au travail, sur les chantiers et dans les usines.

Pronostic

• Si le patient arrive à l'hôpital à temps, l'intervention soulage généralement la compression cérébrale et permet une guérison complète.

Voir SYSTÈME NERVEUX, *page 34*

HÉMATURIE

C'est la présence de sang dans les urines. Elle peut être évidente et massive, ou uniquement décelée par une analyse d'urines. Une hématurie est toujours le symptôme d'une affection urinaire, et le patient doit impérativement consulter son médecin. Les causes principales sont la CYSTITE, les blessures du système urinaire, les TUMEURS du rein et de la vessie, les CALCULS URINAIRES.

Voir SYSTÈME URINAIRE, *page 46*

HÉMÉRALOPIE

Personne ne peut voir dans l'obscurité totale. Mais, pourvu qu'il y ait un peu de lumière, la plupart des personnes ont un certain degré de vision nocturne. Cela s'explique, car au niveau de l'œil se forme une substance dénommée rhodopsine, ou pourpre rétinien. Cette substance, en lumière faible, se transforme en substance chimique qui transmet les messages au cerveau. L'héméralopie est rare; elle se produit en cas de formation anormale du pourpre rétinien.

Symptômes

• Baisse de l'acuité visuelle en faible luminosité.

Causes

• Une malnutrition entraînant une déficience en vitamine A, nécessaire à la fabrication du pourpre rétinien.

• Une maladie héréditaire nommée rétinite pigmentaire. Elle peut survenir dans la petite enfance et progresser de façon variable. Elle peut évoluer très lentement. Après de nombreuses années, elle peut aboutir à la cécité.

Quand consulter le médecin

• Lorsqu'une difficulté apparaît dans la vision en faible luminosité.

Rôle du médecin

• L'ophtalmologiste pratiquera un examen complet. Le diagnostic sera parfois guidé par l'existence de rétinite pigmentaire dans la famille.

• Il appréciera la vision et étudiera le fond d'œil, où il pourra découvrir des amas pigmentés anormaux au niveau de la rétine. Il pourra compléter ce bilan par des examens du champ visuel, ainsi que par des examens électriques.

• Il n'existe pas de traitement de la rétinite pigmentaire. Pourtant, l'ophtalmologiste devra suivre le patient au fur et à mesure de l'évolution de sa maladie, pour utiliser au maximum les capacités visuelles restantes.

Prévention

• Il n'en existe pas. L'insuffisance de vitamine A peut être évitée par l'absorption d'aliments contenant cette vitamine : lait, poissons et légumes. (En fait, la carence en vitamine A ne se rencontre que dans les pays en voie de développement, lorsqu'il y a sévère dénutrition.)

Pronostic

• Si la maladie est causée par l'insuffisance de vitamine A, la réparation de ce déficit améliorera l'atteinte oculaire. Cette maladie donne lieu à de nombreuses recherches.

Voir L'ŒIL, *page 36*

HÉMODIALYSE

Ce procédé, appelé aussi épuration extrarénale, effectue le travail des reins lorsqu'ils sont inefficaces. L'appareil d'hémodialyse, ou rein artificiel, extrait du sang du malade les déchets habituellement éliminés dans les urines. Il maintient aussi l'équilibre des liquides corporels et de certains sels minéraux.

HÉMORRAGIE

Tout saignement massif à l'intérieur ou à l'extérieur du corps. Toute hémorragie abondante est une urgence.

Voir LISTE DES SYMPTOMES (SAIGNEMENTS)
ÉPISTAXIS, GROSSESSE EXTRA-UTÉRINE, GROSSESSE PATHOLOGIQUE, GROSSESSE (HÉMORRAGIES DURANT LA), HÉMATURIE, HÉMORRAGIE MÉNINGÉE

HÉMORRAGIE MÉNINGÉE

Voir page 246

HÉMORRAGIE SOUS-CONJONCTIVALE

C'est une accumulation de sang rouge qui apparaît sur le blanc de l'œil. Cette hémorragie spontanée survient surtout chez des personnes d'âge moyen ou chez les personnes âgées.

Symptômes

• Une rougeur vive colore brusquement une partie ou la totalité du blanc de l'œil. Il n'y a pas de douleur ni de troubles visuels.

Durée

• La rougeur diminue progressivement; la coloration deviendra brune et disparaîtra après deux ou trois semaines.

Causes

• L'hémorragie sous-conjonctivale est due au saignement spontané d'un petit vaisseau et n'est pas un signe de gravité. Quelquefois, surtout chez les jeunes patients, l'hémorragie sous-conjonctivale est due à un choc sur l'œil ou le visage, à proximité du globe oculaire.

Traitement à domicile

• Aucun. Elle se résorbe généralement d'elle-même.

Quand consulter le médecin

• Si l'hémorragie s'associe à une blessure évidente, si la rougeur oculaire s'accompagne de douleur, d'irritation, d'une gêne visuelle ou d'une suppuration, si l'hémorragie sous-conjonctivale récidive après avoir régressé.

Rôle du médecin

• L'hémorragie est généralement un incident isolé, mais si elle se reproduit elle peut être due à une anomalie sanguine. Dans ce cas, le médecin demandera un bilan.

Pronostic

• La plupart du temps, l'hémorragie sous-conjonctivale ne se reproduira pas et l'évolution sera excellente.

Voir L'ŒIL, *page 36*

Les handicapés

COMMENT DES HANDICAPÉS PEUVENT-ILS AVOIR UNE VIE ACTIVE ET UTILE ? DIFFÉRENTS ÉQUIPEMENTS ET AIDES TECHNIQUES

Un handicapé est une personne qui, du fait de sa maladie physique ou mentale, ne peut évoluer normalement dans une société conçue pour des gens valides. Certains naissent handicapés; d'autres le deviennent à la suite d'un accident ou d'une maladie et doivent alors s'adapter. Cela nécessite de surmonter une période dépressive, souvent associée à un refus du handicap. Cet état réactionnel peut durer et resurgir tant que l'intéressé n'a pas la force d'accepter son invalidité et sa nouvelle identité. Durant cette période critique, il a besoin d'un fort support social et relationnel.

Le sujet handicapé à la naissance aura des difficultés à s'accepter comme tel. Son ressentiment peut être moins intense parce qu'il n'a jamais eu une autonomie totale, mais il risque d'éprouver beaucoup de frustration. La surprotection des parents et la ségrégation scolaire risquent de retarder la prise de conscience de sa différence jusqu'au moment de l'adolescence, où elle se fera alors brutalement. Sa mise à l'écart peut être compliquée par les premières sensations confuses de perception et d'éveil sexuels.

Les parents d'un enfant handicapé à la naissance ont une tâche difficile : ils doivent faire preuve d'une patience illimitée, de compréhension, et savoir apporter l'aide nécessaire tout en veillant à ne pas compromettre le développement de l'indépendance et de l'initiative pour encourager autant que possible le sentiment de confiance en soi.

LES AIDES TECHNIQUES

De nos jours, les handicapés peuvent disposer d'une grande variété d'aides techniques. Elles vont du simple dispositif facilitant la marche, la prise des repas, l'habillage, le transfert aux toilettes, jusqu'à l'équipement électronique qui permet aux plus atteints de se déplacer en fauteuil roulant, d'utiliser une machine à écrire, d'allumer ou d'éteindre le téléviseur ou la lumière, de répondre au téléphone.

Il y a de nombreuses possibilités pour la famille d'un handicapé d'améliorer la vie à la maison. En cas d'instabilité à la marche, des barres peuvent être fixées dans le vestibule, le couloir, la salle de bains et les toilettes. Pour ceux qui utilisent un fauteuil roulant, la difficulté représentée par les marches peut être supprimée par l'installation d'une rampe d'accès. Cependant, la montée et la descente des escaliers constituent le problème majeur. On peut parfois le résoudre en aménageant une chambre et une salle de bains au rez-de-chaussée. Beaucoup cependant préfèrent pouvoir accéder à leur chambre située à l'étage : l'idéal serait un ascenseur, ouvert d'un côté, prenant le moins de place possible (installé au coin des pièces de différents niveaux). Une autre solution peut être celle d'un monte-malade électrique installé dans la cage d'escalier.

Pour l'aménagement d'une cuisine, on peut utiliser des tables abattantes, prévoir l'espace sous l'évier et sous les plans de travail pour l'installation du fauteuil roulant. Quand le handicap concerne les membres supérieurs, on peut recourir à des équipements appropriés, comme ouvre-boîtes ou robinets spéciaux...

L'usage des treuils peut rendre de grands services aux personnes qui s'occupent des handicapés. Dans certains pays les treuils sont fixés sur des rails et permettent de transporter la personne invalide de la chambre à la salle de bains par exemple. D'autres sont mobiles et peuvent être utilisés pour les transferts du fauteuil roulant au lit, aux toilettes ou à la baignoire.

Un certain nombre d'organismes peuvent se charger des études d'aménagement et des devis. Le handicapé dont les ressources sont insuffisantes peut faire appel à différentes institutions sociales. Les renseignements nécessaires sont obtenus auprès des services sociaux de la région. Le service ambulatoire de l'hôpital référera le handicapé à un centre de réadaptation. Là, il sera mis en contact avec les différents organismes spécialisés et pourra se procurer un fauteuil roulant ou une chaise percée.

Organismes intervenant pour l'habitat

La Société canadienne d'hypothèque et de logement (S.C.H.L.), qui administre la *Loi nationale sur l'habitation* et assure les prêts hypothécaires, fournit un service consultatif sur le cadre de vie des personnes handicapées couvrant la planification, l'aménagement et la construction de logements et de services communautaires accessibles aux personnes handicapées.

La S.C.H.L. accorde aussi une aide financière aux organisations à but non lucratif gérées par leurs propres membres, pour la construction ou l'acquisition de logements destinés à des groupes défavorisés, comme les personnes âgées et les handicapés. La S.C.H.L. offre aussi un programme d'aide à la remise en état des logements (PAREL) aux propriétaires désirant améliorer leur propriété pour qu'elle réponde aux normes minimales d'hygiène et de sécurité. Des subventions, pouvant atteindre 15 000 dollars, sont offertes à toute personne ou société canadienne qui trouverait le moyen de rendre la vie plus facile aux handicapés. Au nombre des publications de la S.C.H.L. traitant du domaine de l'habitation, il faut mentionner le périodique *Habitat.*

Pour tout renseignement, on peut s'adresser à la Société canadienne d'hypothèque et de logement, en écrivant à l'administration centrale, Chemin de Montréal, Ottawa, Ontario K1A 0P7.

Associations d'aide aux handicapés

La Direction générale des services et de la promotion de la santé du ministère de la Santé et Bien-Être social du Canada offre aux amputés des services de réadaptation : consultation et mise au point, fabrication et vente de prothèses et d'appareils orthopédiques notamment. Renseignements : Ottawa-Hull (613) 996-2838.

- L'Association canadienne des paraplégiques — 520, Sutherland Drive, Toronto, Ontario M4G 3V9; tél. : (416) 422-5640 — a des branches dans toutes les provinces.
- Le Comité de liaison des handicapés physiques du Québec est situé au : 2222 Laurier est, Montréal, Québec H2H 1C4.
- On peut s'adresser à la Société des timbres de Pâques de la province de Québec en écrivant à : B.P. 1030, Succursale B, Montréal, Québec H3B 3K5. Tél. : (514) 866-1969.
- Quant à l'Association des paraplégiques du Québec, elle est située au : 4545, chemin Queen Mary, Montréal, Québec H3W 1W4. Tél. : (514) 344-3890.
- L'Association québécoise de loisir pour personnes handicapées se trouve au 1415 est, rue Jarry, Montréal, Québec H2E 2Z7. Tél. : (514) 374-4700.
- Les Amputés de guerre du Canada — 2277, Riverside Drive, Suite 210, Ottawa, Ontario KiH 7X6; tél. : (613) 731-3821 — s'occupe bien sûr des amputés de guerre mais procure aussi des prothèses aux amputés de tout âge.
- L'Institut national canadien pour les aveugles — 1931, avenue Bayview, Toronto, Ontario M4G 4C8; tél. : (416) 486-2537 — aide les personnes aveugles en leur procurant des livres en braille, des cannes blanches, et même des chiens.
- Le Conseil canadien de coordination de la déficience auditive — 294, rue Albert, Suite 201, Otttawa, Ontario K1P 6A6; tél. : (613) 728-0936/0954 — ainsi que la Sociéte canadienne de l'ouïe — 60, route Bedford Toronto, Ontario M5R 2K2; tél. : (416) 964-9595 — s'occupent des sourds.
- Enfin, Silent Voice Canada Inc. — 1190, avenue Danforth, Toronto, Ontario M4J 1M6; tél. : (416) 463-1104 — s'occupe des muets.

Publications

Comment rendre votre logement accessible : guide du consommateur handicapé, par Carol Kushner, Conseil canadien de l'habitation, Ottawa, 1983.
Logements pour handicapés, Ottawa, Société canadienne d'hypothèque et de logement, révision, 1982.
Paraquad, périodique trimestriel de l'Association canadienne des paraplégiques.
Habiletés Loisirs, périodique publié par l'Association québécoise de loisir pour personnes handicapées.
Le Courrier Braille, publié six fois par an par l'Institut national canadien pour les aveugles.
Le Carrefour Braille, publié mensuellement par l'Institut Nazareth et Louis-Braille.
Vibrations, publié trimestriellement par la Société canadienne de l'ouïe.
Silent Voice, publié deux fois par mois par Silent Voice Canada Inc.
Blissymbolics Communication Institute / Blyssymbolics Communication Foundation publient *Communicating Together,* périodique trimestriel employant la symbolique de Bliss, langue transcrite en symboles et non en lettres traditionnelles.

LES DÉPLACEMENTS

Les handicapés qui ont des difficultés à marcher peuvent s'aider de cannes simples, de cannes tripodes, d'un déambulateur fixe ou à roulettes, d'un fauteuil roulant à commande manuelle, voire d'un fauteuil roulant électrique. En cas d'invalidité majeure, le fauteuil roulant est une nécessité, mais beaucoup parmi ceux qui ont une autonomie partielle de déplacement ne souhaitent pas y recourir, malgré la réelle économie d'énergie qu'il permet sur les longs parcours.

Le choix d'un fauteuil roulant est fonction de son utilisation : est-il prévu pour l'extérieur, pour l'intérieur, ou pour les deux ? Différentes adjonctions peuvent être prévues selon le handicap : chaque marque propose différents modèles aux caractéristiques souvent variées, enrichissant les choix possibles.

Pour un très grand nombre de handicapés, l'usage des transports publics est encore limité, mais ils ont la possibilité de se déplacer en voiture, de préférence équipée d'une transmission automatique. Le choix d'un véhicule doit là encore donner lieu à des questions préalables : la porte est-elle assez large pour entrer et sortir sans difficulté ? (Les voitures à deux portes sont généralement d'un accès plus facile que celles à quatre portes.) La porte s'ouvre-t-elle suffisamment ?Sinon, est-il possible d'y remédier ? (Un siège pivotant ou un système de levage fixe sur le toit de la voiture peut faciliter l'entrée ou la sortie.) Si l'on doit transporter un fauteuil roulant, peut-il être placé dans la voiture derrière les sièges avant, ou dans le coffre ?

Ces questions étant résolues, reste à choisir le type de commande nécessaire. Il en existe pour différents handicaps, y compris des commandes sophistiquées pour ceux qui ont une atteinte des membres supérieurs.

Garages spécialisés

Les adresses des garages spécialisés se trouvent dans les pages jaunes de l'annuaire téléphonique de votre ville ou de votre région. Les associations de handicapés peuvent aussi vous référer au garage spécialisé le plus proche de votre domicile.

Sortir de chez soi et voyager

Un handicapé peut apprendre à conduire une voiture, spécialement équipée, dans un centre d'auto-école agréé, et cette possibilité ne peut que le stimuler pour aller au travail, au cinéma ou faire des courses.

Le stationnement et l'entrée de la maison devraient faire l'objet d'une étude sérieuse pour que l'utilisateur d'un fauteuil roulant puisse tirer le plus grand bénéfice de sa voiture en l'utilisant chaque fois qu'il le désire.

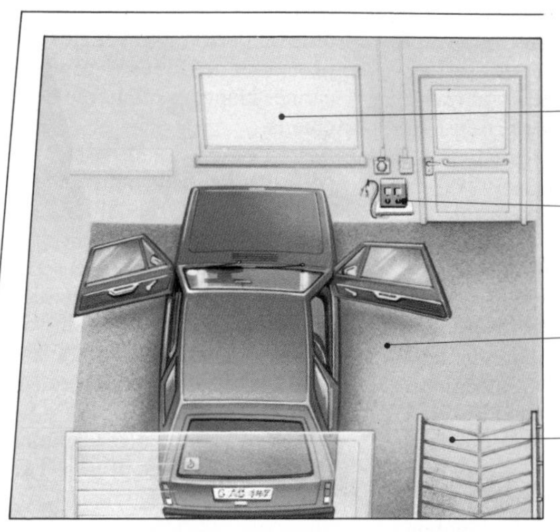

Points importants dans l'entrée et dans le garage

VENTILATION. *Pour une bonne aération de la batterie, il convient de prévoir une fenêtre pouvant être ouverte par une personne en fauteuil roulant.*

CHARGEUR DE BATTERIE. *Les batteries des fauteuils roulants électriques doivent être rechargées régulièrement et la prise de courant facilement accessible. Il faut procéder aussi à un contrôle régulier des circuits de sécurité.*

L'ACCÈS EN FAUTEUIL ROULANT. *Il faut un espace suffisant de part et d'autre de la voiture, afin de pouvoir ouvrir les portes entièrement et permettre l'introduction du fauteuil.*

RAMPE D'ACCÈS. *Si le niveau du garage est différent de celui de la maison, une rampe est nécessaire pour les relier.*

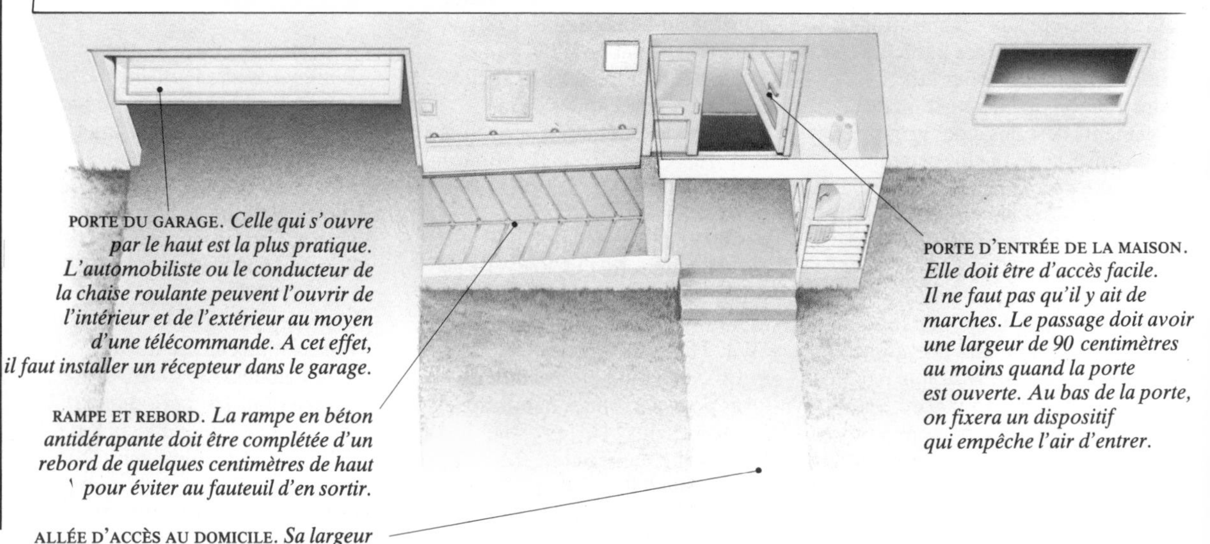

PORTE DU GARAGE. *Celle qui s'ouvre par le haut est la plus pratique. L'automobiliste ou le conducteur de la chaise roulante peuvent l'ouvrir de l'intérieur et de l'extérieur au moyen d'une télécommande. A cet effet, il faut installer un récepteur dans le garage.*

RAMPE ET REBORD. *La rampe en béton antidérapante doit être complétée d'un rebord de quelques centimètres de haut pour éviter au fauteuil d'en sortir.*

ALLÉE D'ACCÈS AU DOMICILE. *Sa largeur minimale doit être de 1,20 m. Recouvrir de surfaces lisses.*

PORTE D'ENTRÉE DE LA MAISON. *Elle doit être d'accès facile. Il ne faut pas qu'il y ait de marches. Le passage doit avoir une largeur de 90 centimètres au moins quand la porte est ouverte. Au bas de la porte, on fixera un dispositif qui empêche l'air d'entrer.*

GARAGES ET VÉHICULES. *Certains garages peuvent être agencés pour recevoir une automobile et un fauteuil roulant. Quand ce n'est pas possible, une place de stationnement peut être une solution appréciable. Dans tous les cas, les dimensions minimales sont d'environ 3,6 m de large et 5,7 m de long. Certains préfèrent laisser leur fauteuil roulant habituel chez eux et en mettre un second dans la voiture pour l'utiliser là où ils se rendent. Le fauteuil peut être placé devant les sièges arrière, si l'ouverture des portes de derrière, en sens contraire des portes de devant, le permet, ou dans le coffre. Dans ce dernier cas, une tierce personne doit l'y déposer au départ et l'en retirer à l'arrivée.*

AIDES AU DÉPLACEMENT

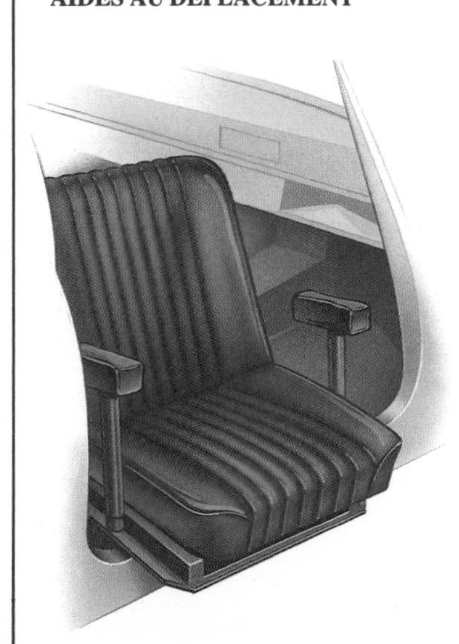

SIÈGE PIVOTANT ET COULISSANT. *Pour aider un handicapé à entrer et sortir de sa voiture on peut installer un siège pivotant qui permet de faire face à la porte, puis de tourner vers le tableau de bord.*

TREUIL SUR LE TOIT DE LA VOITURE. *Un treuil hydraulique peut hisser un conducteur handicapé de 90 kilos de son fauteuil jusque dans la voiture.*

VOITURES ÉLECTRIQUES. *Faciles à conduire, elles sont conçues pour une autonomie de 20 kilomètres, peuvent gravir des pentes de 25 % et franchir des trottoirs.*

Se déplacer dans la maison

Puisqu'un handicapé a des difficultés d'adaptation à la maison traditionnelle, c'est à la maison de s'adapter aux handicaps. Voici quelques possibilités d'aménagement pour l'entrée, les dégagements et les escaliers.

Points importants dans le hall, les couloirs et les escaliers

FERMETURES. *Éviter celles qui nécessitent l'usage des deux mains; remplacer les poignées par des barres-leviers de chaque côté de toutes les portes (particulièrement pour les handicapés des membres supérieurs); poser un judas en hauteur, adapté en l'absence de vitrage sur la porte d'entrée.*

INTERRUPTEURS. *Ils doivent être faciles à manœuvrer pour l'éclairage extérieur de la rampe et de l'auvent.*

BOÎTE A LETTRES. *Elle doit être fixée à 60 centimètres du plancher.*

COMMUNICATION AVEC LE GARAGE. *Porte à l'épreuve du feu.*

PORTES. *Poser des barres à la place des poignées. Une protection vinylique des bas de porte évitera les dégâts occasionnés par les fauteuils roulants.*

PAILLASSON. *Un tapis-brosse encastré est préférable.*

MOQUETTES. *Elles doivent être parfaitement fixées et à poil ras.*

ASCENSEUR INTÉRIEUR. *Solution idéale pour les problèmes d'accès à une chambre en étage.*

PRISES ÉLECTRIQUES ET INTERRUPTEURS. *Ils doivent être d'accès facile.*

TÉLÉPHONE. *Il peut être installé sur un mur à hauteur convenable.*

LARGEUR DES COULOIRS. *Elle doit être au minimum de 1,20 m pour permettre une bonne accessibilité en fauteuil roulant.*

DEUXIÈME RAMPE DANS LA CAGE D'ESCALIER. *Elle peut aider le déplacement de certains handicapés.*

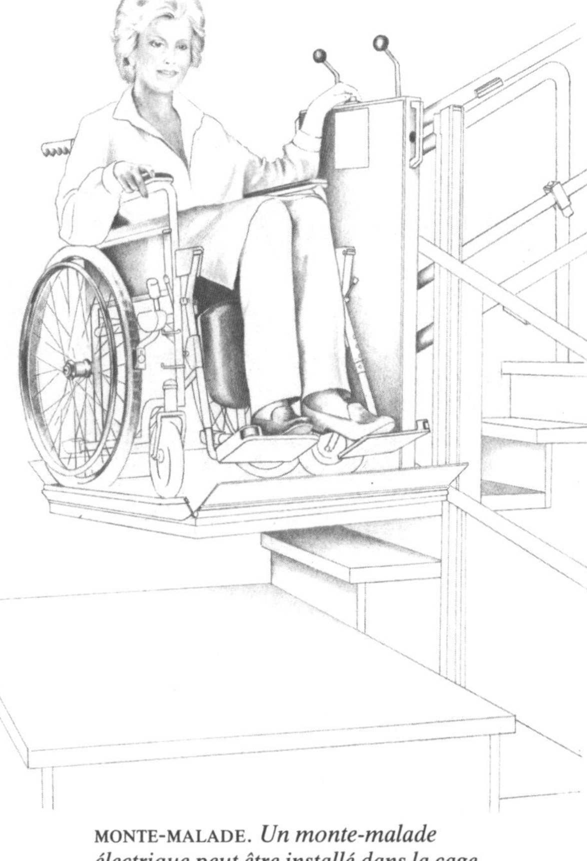

MONTE-MALADE. *Un monte-malade électrique peut être installé dans la cage d'escalier. Si l'architecture de la maison le permet, avant de choisir entre ce type d'appareil et un ascenseur individuel, il est préférable d'en discuter avec un médecin spécialiste de rééducation fonctionnelle, qui peut donner beaucoup de conseils sur le type de commande à adapter. Pour les ascenseurs personnels, la plupart des handicapés préfèrent utiliser des commandes à touches lumineuses plutôt qu'à boutons.*

TREUIL. *Le treuil peut faciliter la vie des handicapés et de leur famille. Il fonctionne à l'aide d'une pompe hydraulique ou d'un moteur électrique. Cet appareil, très peu encombrant et démontable, peut soulever le handicapé du sol ou de son lit pour le conduire d'une pièce à une autre. Grâce aux nombreuses options, le treuil est utilisé dans beaucoup d'occasions : pour le bain, pour la pesée, pour aller aux toilettes ou pour se mettre au lit.*

FAUTEUILS ROULANTS

Le fauteuil roulant moderne s'adapte aux besoins de l'utilisateur. En partant d'un modèle de base, on peut le compléter sur demande suivant les nécessités : prenez conseil auprès de votre médecin. On distingue les fauteuils roulants électriques et les fauteuils roulants mécaniques, mais il en existe d'autres types conçus en fonction de leur lieu d'utilisation : à l'extérieur ou à l'intérieur de la maison. En effet, certains fauteuils roulants sont prévus essentiellement pour l'intérieur, tandis que d'autres ne servent qu'à l'extérieur; certains modèles cependant sont conçus pour les deux cas.

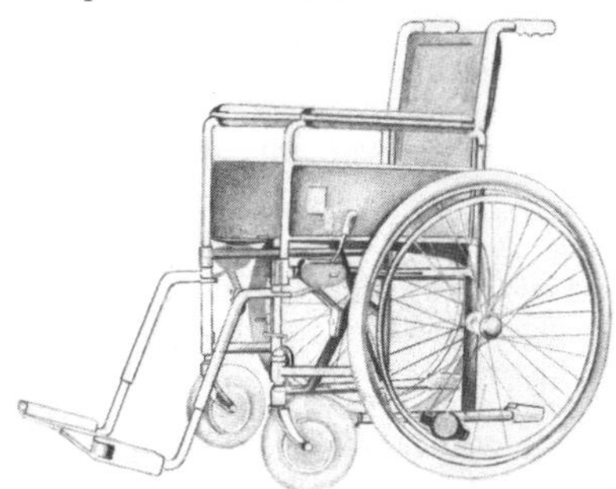

FAUTEUIL ROULANT PLIANT AVEC PNEUS ANTIDÉRAPANTS. *Ce fauteuil, que le malade conduit lui-même, est surtout utilisé en appartement. Il se plie facilement, et sa largeur ne dépasse pas 30 centimètres quand il est plié. Il peut être transporté en voiture sans difficulté. Cependant, à l'extérieur, il faut une personne pour le pousser.*

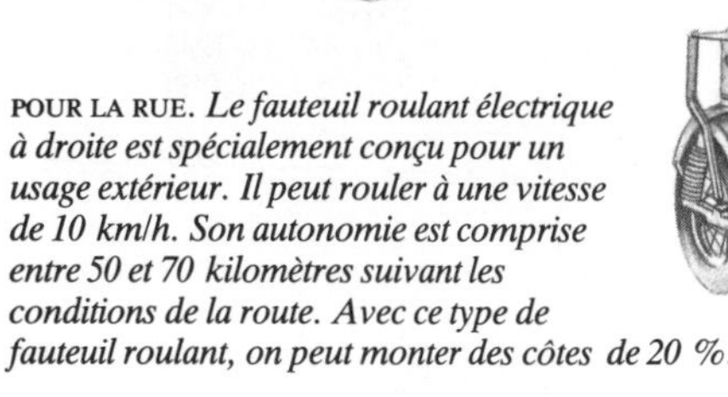

FAUTEUIL ROULANT ÉLECTRIQUE. *Les différents types de fauteuils permettent une utilisation dans la maison et au travail, ainsi qu'à l'extérieur (à gauche). Les modèles proposés vont du fauteuil qui roule à 4 km/h, jusqu'au modèle de pointe qui atteint 12 km/h.*

POUR LA RUE. *Le fauteuil roulant électrique à droite est spécialement conçu pour un usage extérieur. Il peut rouler à une vitesse de 10 km/h. Son autonomie est comprise entre 50 et 70 kilomètres suivant les conditions de la route. Avec ce type de fauteuil roulant, on peut monter des côtes de 20 %.*

Agencement d'une salle de bains confortable — zone clé de la maison

Le point essentiel de l'agencement d'une salle de bains, pour un handicapé des membres inférieurs, est qu'elle soit suffisamment vaste pour qu'un fauteuil roulant puisse y être aisément manipulé. Parfois, une douche est préférable à une baignoire, car pour certains le transfert est alors plus facile. La température de la salle de bains doit être environ de 22 °C. Une salle de bains bien équipée assure l'indépendance d'un handicapé.

Points importants dans la salle de bains

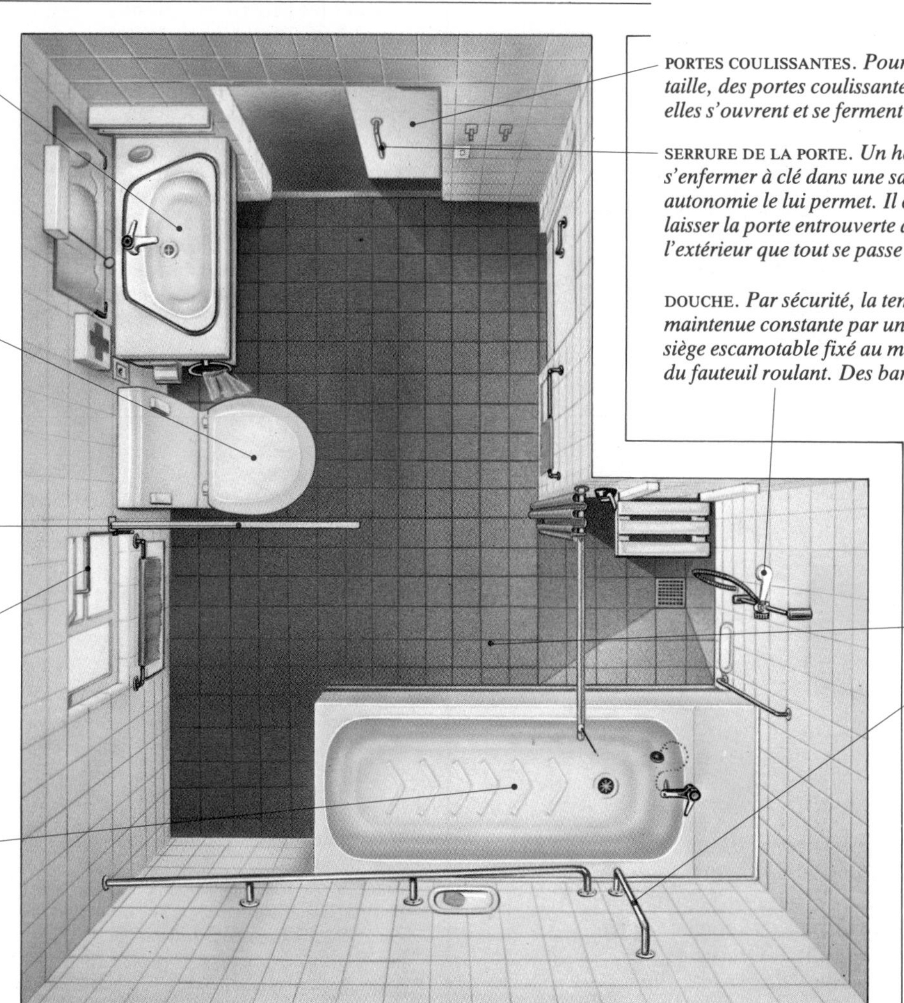

LAVABO ET GLACE. *Le lavabo doit être solidement fixé au mur de façon à réserver en dessous un espace pour les repose-pieds du fauteuil roulant. Les robinets, facilement accessibles, doivent être actionnés par des systèmes à levier. La glace sera ajustée à hauteur convenable.*

TOILETTES — BIDET AUTOMATIQUE. *La chasse d'eau doit pouvoir être déclenchée par simple pression contre le panneau arrière, la toilette intime puis le séchage étant successivement assurés par un jet d'eau automatique et un courant d'air chaud.*

BARRES D'APPUI AMOVIBLES. *Quand elles ne sont pas utilisées, elles doivent pouvoir être remises en position verticale.*

COMMANDE DE VENTILATION. *La fenêtre de la salle de bains doit pouvoir s'ouvrir et se fermer au moyen d'une télécommande.*

BAIGNOIRE. *Elle doit être d'accès facile pour permettre d'aider le malade de chaque côté. On voit que la baignoire est très bien placée : on peut y accéder par le haut, à l'aide du treuil roulant décrit page précédente. Le fond de la baignoire doit être antidérapant; on trouve à cet effet des tapis ou des morceaux de caoutchouc autocollants.*

PORTES COULISSANTES. *Pour une salle de bains de petite taille, des portes coulissantes sont une solution idéale, car elles s'ouvrent et se ferment facilement.*

SERRURE DE LA PORTE. *Un handicapé ne devrait jamais s'enfermer à clé dans une salle de bains, même si son autonomie le lui permet. Il est toujours recommandé de laisser la porte entrouverte afin que l'on puisse entendre de l'extérieur que tout se passe bien.*

DOUCHE. *Par sécurité, la température de l'eau est maintenue constante par un dispositif thermostatique. Un siège escamotable fixé au mur facilite le transfert à partir du fauteuil roulant. Des barres d'appui sont à conseiller.*

REVÊTEMENT DE SOL. *Qu'il soit en carrelage ou en matériau synthétique, il doit être absolument antidérapant.*

ACCESSOIRES DE BAIGNOIRE. *Si nécessaire, des barres supplémentaires seront fixées sur le côté de la baignoire. Des sièges portatifs peuvent être utilisés par les handicapés qui ne peuvent s'allonger dans la baignoire ou s'en relever.*

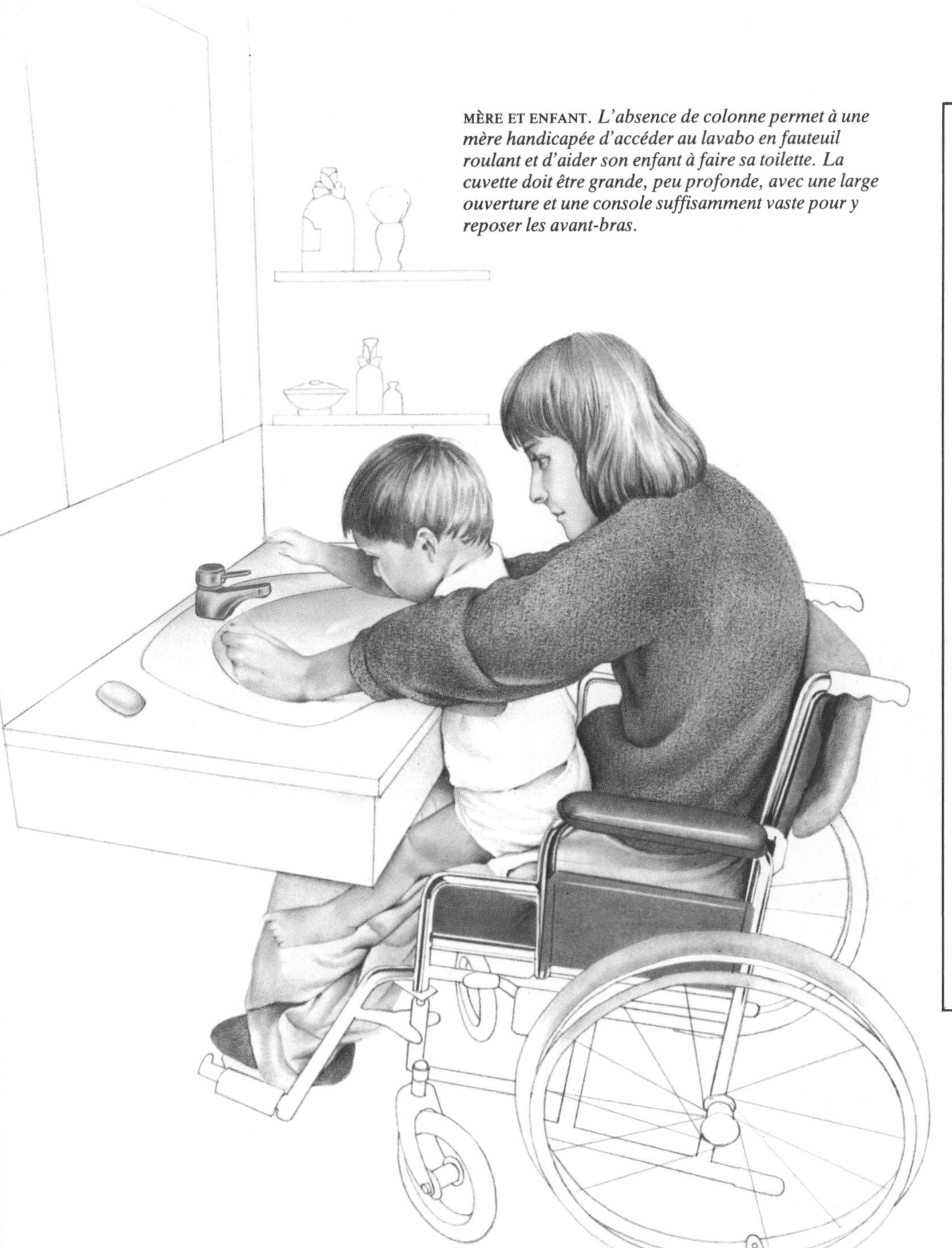

MÈRE ET ENFANT. *L'absence de colonne permet à une mère handicapée d'accéder au lavabo en fauteuil roulant et d'aider son enfant à faire sa toilette. La cuvette doit être grande, peu profonde, avec une large ouverture et une console suffisamment vaste pour y reposer les avant-bras.*

OBJETS UTILES POUR LA SALLE DE BAINS

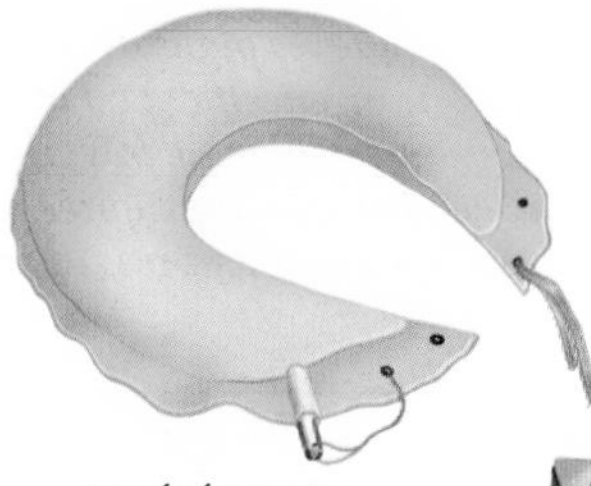

COLLERETTE DE BAIN. *La personne handicapée passe autour du cou une collerette pour que sa tête soit toujours maintenue hors de l'eau.*

SURÉLÉVATEUR AMOVIBLE. *Il permet l'adaptation en hauteur du siège des toilettes.*

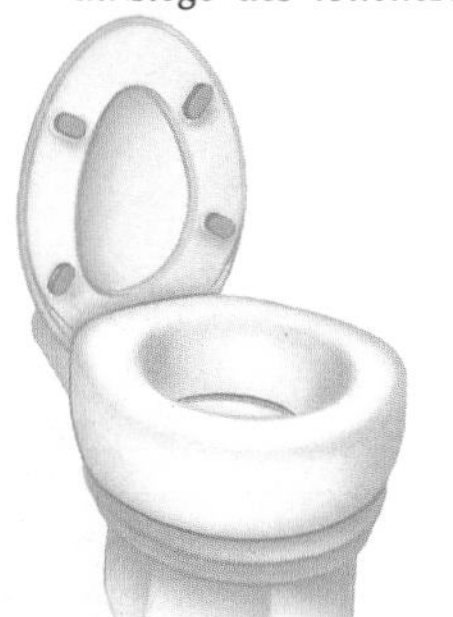

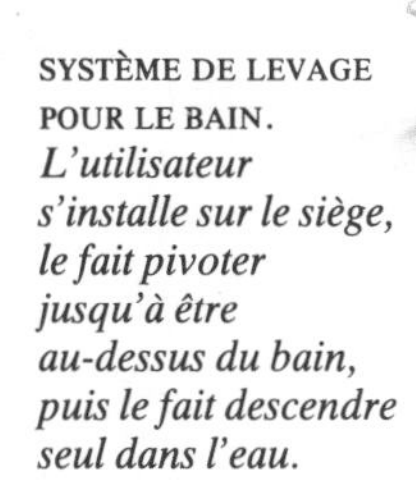

SIÈGE DE BAIGNOIRE. *Un handicapé peut l'utiliser comme palier intermédiaire avant de s'allonger dans l'eau.*

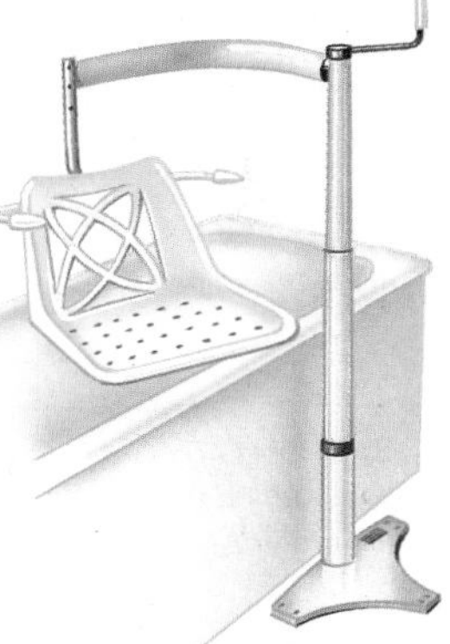

SYSTÈME DE LEVAGE POUR LE BAIN. *L'utilisateur s'installe sur le siège, le fait pivoter jusqu'à être au-dessus du bain, puis le fait descendre seul dans l'eau.*

Agencement d'une cuisine adaptée au fauteuil roulant

Il faut organiser une cuisine pour que les plans de travail et les réserves soient facilement accessibles. Le meilleur agencement est le suivant : plan de travail-évier-plan de travail-cuisinière-plan de travail. Tous ces éléments doivent être au même niveau et à hauteur appropriée pour offrir à l'usager sécurité et efficacité. Un handicapé des membres supérieurs a besoin de faire glisser les plats et les casseroles sur les plans de travail pour les mettre dans le four ou sur une plaque chauffante. Il faut laisser une place convenable pour les genoux, en évitant qu'ils puissent être brûlés par la cuisinière ou l'évier grâce à une isolation adéquate. La surface d'ensemble doit être suffisamment grande pour faciliter l'évolution du fauteuil roulant.

AÉRATEUR. *Pour évacuer la buée et les odeurs de cuisine.*

PRISES DE COURANT ET INTERRUPTEURS. *Ils doivent être faciles à atteindre.*

INTERRUPTEURS A BASCULE. *Ils peuvent être actionnés avec le dos de la main, le coude ou une baguette, et doivent être au même niveau que les poignées de porte.*

MACHINE A LAVER. *Au besoin, elle peut être surélevée pour faciliter son utilisation et doit être placée à côté de l'évier.*

PORTE COULISSANTE. *Elle peut faire gagner de la place.*

TABLE MURALE. *L'absence de pieds facilite l'accès au fauteuil roulant pour le travail ou pour les repas.*

RÉFRIGÉRATEUR. *Il peut être surélevé pour permettre une meilleure accessibilité.*

PLACARDS. *Ils peuvent être équipés d'un système de poulie permettant de monter ou descendre les étagères à atteindre.*

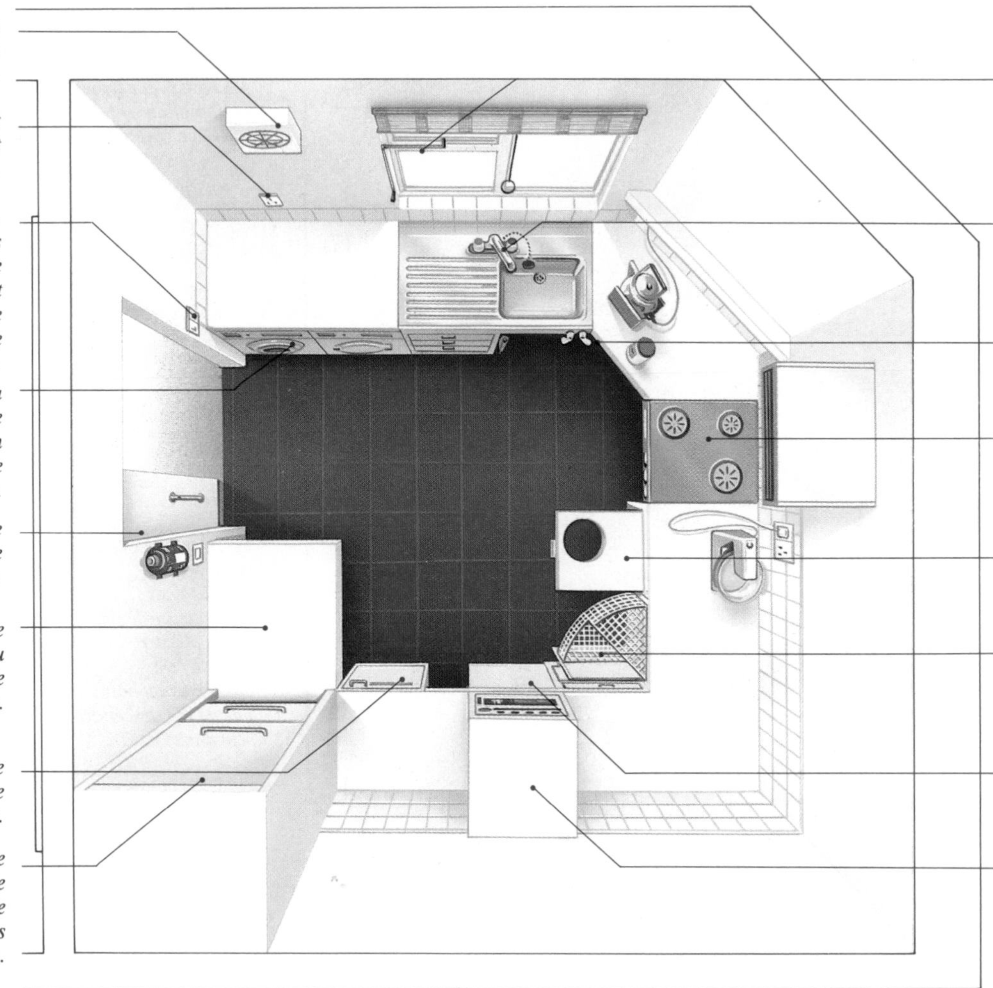

Points importants dans la cuisine

MANIVELLE A FENÊTRE. *Un système manuel, adapté à la fenêtre à guillotine, permet à tout handicapé en fauteuil roulant d'en actionner l'ouverture et la fermeture.*

ROBINET A BEC PIVOTANT. *Placé à l'angle de l'évier, il permet le remplissage d'un récipient soit dans l'évier, soit sur le plan de travail.*

COMMANDE DE ROBINETS A DISTANCE. *Un système de levier permet d'actionner les robinets à distance.*

PLAQUES CHAUFFANTES. *Au même niveau que leur support (résistant à la chaleur) pour faire glisser les casseroles sans les soulever.*

PLAN DE TRAVAIL COULISSANT. *Un trou permet d'encastrer les ustensiles de cuisson.*

CASIER A PROVISIONS. *Pivotant en même temps que la porte du placard, il rend immédiatement accessibles les réserves.*

BLOC-PLACARD MOBILE. *Permettant d'utiliser l'espace vide sous le four, il fonctionne comme un tiroir.*

PORTE DU FOUR. *Pour un four encastré, elle peut être abattante, utilisable alors comme repose-plat, ou latérale pour faciliter l'accès au four.*

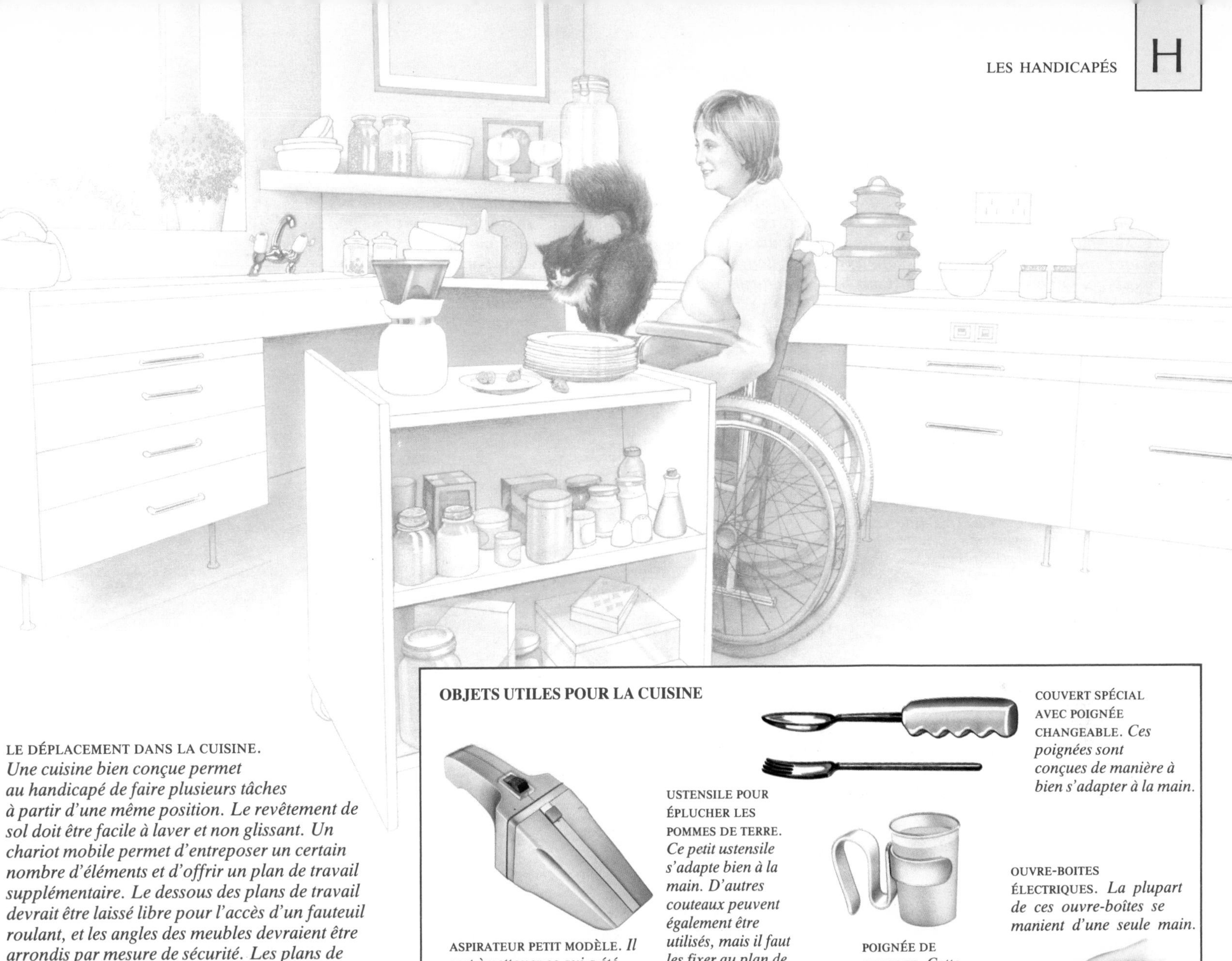

LE DÉPLACEMENT DANS LA CUISINE. *Une cuisine bien conçue permet au handicapé de faire plusieurs tâches à partir d'une même position. Le revêtement de sol doit être facile à laver et non glissant. Un chariot mobile permet d'entreposer un certain nombre d'éléments et d'offrir un plan de travail supplémentaire. Le dessous des plans de travail devrait être laissé libre pour l'accès d'un fauteuil roulant, et les angles des meubles devraient être arrondis par mesure de sécurité. Les plans de travail pourront être munis d'un léger rebord facilitant la prise d'objets ou évitant de renverser ou de faire tomber des ustensiles. Les tiroirs et les placards doivent être équipés de poignées suffisamment larges pour pouvoir être manipulés facilement. L'accès de la cuisine doit être facile depuis la salle à manger ou le salon.*

OBJETS UTILES POUR LA CUISINE

COUVERT SPÉCIAL AVEC POIGNÉE CHANGEABLE. *Ces poignées sont conçues de manière à bien s'adapter à la main.*

ASPIRATEUR PETIT MODÈLE. *Il sert à nettoyer ce qui a été renversé en cuisinant. On peut l'actionner d'une seule main, car il est très léger. Il est accroché au mur, à portée de main. Ses accumulateurs se rechargent pendant la nuit.*

USTENSILE POUR ÉPLUCHER LES POMMES DE TERRE. *Ce petit ustensile s'adapte bien à la main. D'autres couteaux peuvent également être utilisés, mais il faut les fixer au plan de travail afin de les utiliser d'une seule main.*

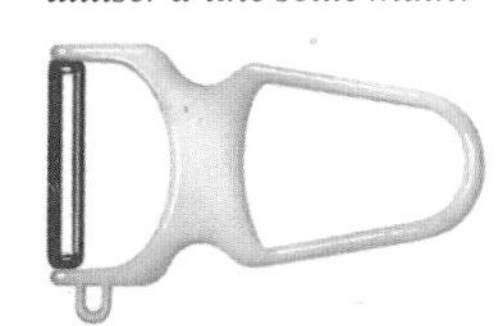

POIGNÉE DE GOBELET. *Cette poignée en matière plastique souple se fixe sur n'importe quel gobelet.*

OUVRE-BOITES ÉLECTRIQUES. *La plupart de ces ouvre-boîtes se manient d'une seule main.*

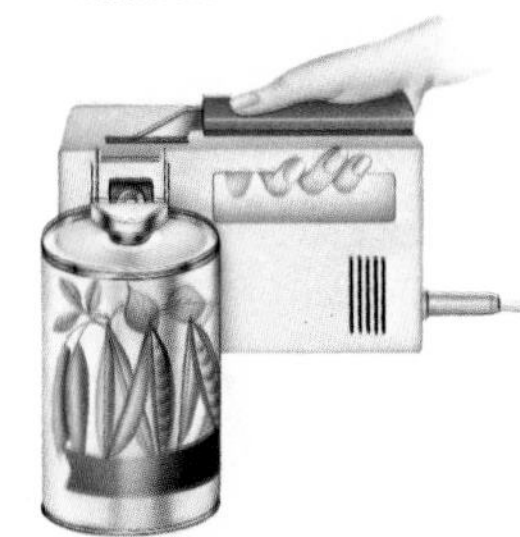

Travailler au jardin et dans la serre

Un jardin à soi, aussi petit soit-il, peut faire un plaisir immense à un handicapé. Même s'il ne peut exécuter lui-même tous les travaux du jardin, il effectuera cependant beaucoup de tâches, sans trop d'efforts, suivant le degré de son handicap. Certains conducteurs de fauteuils roulants n'ont qu'une faible autonomie pour se pencher. Des outils à poignée rallongée ou avec un manche raccourci sont à leur disposition. Ces outils sont adaptables aux besoins particuliers des handicapés. Dans tous les cas, le manche doit être très léger.

DES OUTILS DE JARDINAGE

CISEAUX POUR COUPER L'HERBE. *Une seule main pour manipuler ces ciseaux, qui permettent également de couper l'herbe très près des murs, autour des arbres et le long des plates-bandes.*

FOURCHE-BÊCHE A MANCHE LONG. *Cette fourche, avec son manche long et léger, est facilement maniable à partir d'un fauteuil roulant.*

UN PLANTEUR DE PLANTES À BULBE. *On creuse un trou rond dans la terre qui sera recouvert après y avoir déposé le bulbe.*

LA HOUE. *Des bords obliques permettent de travailler avec cet outil à côté et derrière la plante.*

LE JARDINAGE A PARTIR DU FAUTEUIL ROULANT. *Les plates-bandes surélevées et les bacs à plantes sont plus faciles à soigner pour un handicapé; si celui-ci possède une serre, il peut particulièrement s'occuper à cultiver et à soigner ses plantes. Les plans de travail dans une serre se situent très haut et sont facilement accessibles pour le conducteur d'un fauteuil roulant. Le couloir ainsi que les portes, à chaque extrémité du bâtiment, doivent être un peu plus larges que le fauteuil roulant, pour permettre de faire demi-tour.*

L'EMPLOI

Les handicapés trouvent difficilement un emploi malgré les lois et les programmes d'action positive qui leur garantissent un certain nombre de droits fondamentaux, et notamment celui au travail en milieu ordinaire ou protégé.

Santé et Bien-Être social du Canada (S.B.S.C.) a établi un bureau qui coordonne les initiatives du ministère en ce qui a trait aux personnes handicapées. Le bureau assure la liaison avec les directeurs provinciaux de la réadaptation et avec les organismes bénévoles au service des handicapés. Au Québec, la loi de juin 1978 assurant l'exercice des droits des personnes handicapées définit ainsi la personne handicapée : « Toute personne limitée dans l'accomplissement d'activités normales et qui, de façon significative et persistante, est atteinte d'une déficience physique ou mentale ou qui utilise régulièrement une orthèse, une prothèse ou tout autre moyen pour pallier son handicap. »

Outre l'aménagement de logements accessibles aux handicapés, le développement de transport et l'accessibilité aux édifices publics, la loi a institué l'Office des personnes handicapées du Québec, dont la fonction est de veiller à la coordination des services, à la promotion des intérêts des handicapés et de leur intégration scolaire, professionnelle et sociale. Il incombe de surcroît à chaque ministère, dans son domaine propre, de fournir aux handicapés les services requis.

La coordination des services s'exerce de la façon suivante :

- Au niveau national, l'Office des personnes handicapées du Québec met en communication les ministères provinciaux qui s'occupent des intérêts et des conditions de vie des handicapés. Les handicapés ont une grande influence à l'Office puisqu'ils ont une forte représentation au conseil d'administration.
- Au niveau régional et sous-régional, la coordination est faite par l'intermédiaire d'agents de développement. Leur rôle consiste à assurer la concertation entre organismes paragouvernementaux et organismes privés.

Le plan des services

La réponse à une demande d'intégration est élaborée dans une perspective globale qui privilégie le maintien de la personne handicapée dans son milieu. Le plan de service, à l'élaboration duquel l'intéressé participe, tient également compte des besoins de base aussi bien sur le plan physique que sur les plans affectif, intellectuel et social. Ayant pour principal objectif l'intégration progressive de la personne handicapée, l'Office met l'accent sur les capacités de l'intéressé et non sur sa déficience. Sensibilisant autant les employeurs que les personnes handicapées, l'Office permet en outre, grâce à la création de centres de travail adapté qu'il subventionne, à ceux des handicapés qui ne peuvent intégrer le marché régulier du travail, de recevoir le salaire minimal. Il est demandé, depuis janvier 1983, à tout employeur de plus de cinquante salariés, de mettre au point un plan d'embauche pour les handicapés.

Appel et renseignements

On peut en appeler d'une décision prise par l'Office des personnes handicapées auprès de la Commission des affaires sociales aux adresses suivantes :

- 1020, route de l'Église, 2e étage, Sainte-Foy, Québec G1V 3V9;
- 140, boulevard Dorchester, Montréal, Québec H2Z 1V7.

Pour tout renseignement, on peut s'adresser à l'Office des personnes handicapées du Québec, 309, rue Brock, Drummondville, Québec J2B 1C5. Tél. : (819) 477-7100.

De partout ailleurs au Québec, un numéro 800 sans frais est accessible aux malentendants : 1-800-567-1465.

SEXUALITÉ

Les rapports sexuels peuvent poser des problèmes de réalisation pratique à certains handicapés physiques et être impossibles techniquement pour d'autres. Pour beaucoup d'entre eux, les problèmes peuvent être surmontés par une approche plus souple et plus imaginative de l'acte sexuel, alliée à une démarche d'information et d'acceptation d'autres techniques sexuelles, et éventuellement l'utilisation d'aides.

Cependant, il est d'autres chemins à l'épanouissement sexuel que la seule technique, d'autres manières de donner ou de recevoir du plaisir, d'autres zones érogènes à susciter, d'autres échanges à imaginer : c'est dire que la sexualité peut être vécue pleinement, même par ceux qui ont une paralysie étendue aux régions génitales ou qui ont une sensibilité génitale amoindrie ou nulle.

Ceux qui peuvent procréer mais qui craignent de transmettre leur handicap devraient consulter leur médecin, qui pourrait les diriger vers un spécialiste en génétique.

Dans tous les pays, il existe des centres spécialisés vers lesquels votre médecin traitant pourra vous orienter.

Organismes

Le Conseil du Canada d'information et d'éducation sexuelles — 423, av. Castlefiels, Toronto, Ontario M5N 1L4; tél. : (416) 483-8805 — est un des organismes qui collaborent avec les différents groupes et associations s'occupant des personnes handicapées. Il leur apporte son aide, à travers des séminaires et des ateliers, et leur fournit la documentation et les ressources humaines nécessaires.

LA CÉCITÉ

Les trois causes les plus fréquentes de cécité sont la dégénérescence maculaire, la cataracte et le glaucome (*voir* CÉCITÉ).

De nombreuses personnes dont le déficit visuel n'est pas total doivent cependant être assimilées aux aveugles, du fait de l'insuffisance des verres correcteurs que l'on peut mettre à leur disposition.

La canne qu'ils utilisent est généralement longue de 114 à 140 centimètres. Beaucoup recourent aussi à un chien, qui leur apporte non seulement une compagnie, mais aussi une meilleure sécurité de déplacement. En effet, de toutes les facultés qu'un aveugle doit acquérir, la possibilité de déplacements est la plus importante, nécessitant beaucoup d'entraînement, de patience et de courage.

Le braille, combinaison de points en relief représentant des lettres et perçus par le toucher, rend d'immenses services aux malvoyants. De même, des bibliothèques sonores ont été créées dans certaines villes, pour lesquelles des bénévoles enregistrent sur cassettes le contenu de livres ou de documents dont les aveugles souhaitent prendre connaissance, que ce soit pour leurs loisirs ou leurs études.

Associations

Le Conseil canadien des aveugles, 220, rue Dundas, Suite 610, London, Ontario N6A 1H3. Tél. : (519) 433-3946.

L'Institut national canadien pour les aveugles, 1931, avenue Bayview, Toronto, Ontario M4G 4C8. Tél. : (416) 486-2537.

Division du Québec, 1010, rue Sainte-Catherine Ouest, Suite 420, Montréal, Québec H2L 2G3. Tél. : (514) 284-2040.

La Fondation E.A.-Baker pour la prévention de la cécité, 1931, avenue Bayview, Toronto, Ontario M4G 4C8.

Institut Nazareth et Louis-Braille, 1255, rue Beauregard, Longueil, Québec J4K 2M3. Tél. : (514) 463-1710.

Publications

Le Courrier Braille, publié six fois par an par l'Institut national canadien pour les aveugles.

Le Carrefour Braille, publié mensuellement par l'Institut Nazareth et Louis-Braille.

SURDITÉ COMPLÈTE OU PARTIELLE

On peut considérer comme sourds ceux qui ne peuvent comprendre une conversation, comme déficients auditifs ceux qui ne peuvent en comprendre qu'une partie. La surdité, quel que soit son degré, peut être due à un défaut de transmission du son à l'oreille interne, à un défaut de perception du son par l'oreille interne, à une lésion du nerf auditif qui transmet l'information au cerveau, à des lésions des zones réceptrices cérébrales (*voir* AUDITION).

Quiconque s'aperçoit d'une baisse d'acuité auditive, ou dont l'enfant semble avoir une diminution de l'audition, doit aviser son médecin traitant, qui l'adressera à un spécialiste. De même, celui qui n'a pas consulté depuis plusieurs années doit le faire, car il est possible qu'il puisse bénéficier des derniers progrès techniques en ce domaine.

Beaucoup de malentendants ressentent l'incompréhension de l'interlocuteur et préfèrent éviter toute conversation, d'où une tendance à l'isolement qui peut être à l'origine d'un état dépressif.

La chirurgie ou l'appareillage peuvent être une solution pour un grand nombre d'entre eux. D'autres ne pourront recourir qu'à la lecture sur les lèvres ou le langage par signes, au prix de patience et d'entraînement dans le cadre d'une école de formation spécialisée.

Il est essentiel de converser davantage avec les enfants déficients auditifs qu'avec ceux qui entendent normalement, pour lutter contre leur isolement et leur permettre d'utiliser au mieux leur acuité auditive résiduelle. C'est d'autant plus important si l'enfant est au stade de l'apprentissage du langage, mais c'est nécessaire à tout âge si l'on veut lui faire acquérir suffisamment de vocabulaire.

Organismes

Conseil canadien de coordination de la déficience auditive, 294, rue Albert, Suite 201 Ottawa, Ontario K1P 6A6. Tél. : (613) 728-0936/0954.

Centre québécois de la déficience auditive, 10580, rue Berry, Montréal, Québec H3L 2H1. Tél. : (514) 279-4571.

Société canadienne de l'ouïe, 60, route Bedford, Toronto, Ontario M5R 2K2. Tél. : (416) 964-9595.

L'ENFANT HANDICAPÉ

L'enfant handicapé aujourd'hui est un adulte handicapé pour demain. L'objectif doit être de le préparer aussi efficacement que possible au défi de l'avenir. En premier lieu, et bien qu'il ait besoin d'une aide particulière et de compréhension, il est vital qu'il ne soit pas surprotégé et trop à l'abri des dures réalités de la vie. Il devra être encouragé à faire par lui-même autant de choses qu'il est possible. Il doit être capable d'apporter sa propre contribution à la vie familiale, de prendre part le plus possible aux activités quotidiennes, de partager les joies et les peines, de prendre des risques et d'accepter les déceptions au même titre que les autres enfants. Les frères et les sœurs doivent jouer leur rôle en l'aidant, mais bénéficier aussi d'une attention particulière de façon à éviter un éventuel ressentiment de leur part.

Le jeu est un élément essentiel du développement de l'enfant; chez le handicapé, il réalise la meilleure forme de thérapeutique. De nombreuses aides techniques et des jouets spécialement conçus peuvent lui être fournis. Ceux qui ne peuvent se déplacer doivent être assis confortablement, et il faudra leur procurer des chaises, des fauteuils roulants, des chariots plats adaptés à leur handicap.

Les thérapeutes qui s'occupent de ces enfants doivent veiller à ce que l'équipement utilisé n'aggrave pas les déformations. Il faut aussi que l'ensemble des problèmes éducatifs de l'enfant handicapé fasse l'objet d'un bilan associant les enseignants, psychologues, thérapeutes, travailleurs sociaux, médecins et parents le plus tôt possible. Ce bilan doit être régulièrement et très précisément établi, au fur et à mesure de la croissance.

Les enfants ayant des handicaps mentaux ou physiques ont besoin de professeurs spécialisés et certains sont donc accueillis dans des écoles qui leur sont réservées. Mais il n'est pas toujours facile de les classer par catégories déterminées. D'une part, beaucoup d'enfants ont plusieurs handicaps, d'autre part, chaque enfant a ses besoins et ses problèmes particuliers.

Il y a par ailleurs un argument contre cette ségrégation scolaire : elle prive l'enfant handicapé du contact des autres et l'isole de la vie normale. C'est pourquoi il est souhaitable de pouvoir les intégrer dans les écoles ordinaires qui, bénéficiant d'un complément de ressources, peuvent les accepter.

Organismes

Société pour les enfants handicapés du Québec, 2300 ouest, boulevard Dorchester, Montréal, Québec H3H 2R5. Tél. : (514) 935-6898.
Société du timbre de Pâques, 350, rue Rumsey, Toronto, Ontario M4G 1R8. Tél. : (416) 425-6220.
Les Amputés de guerre du Canada, 2277 Riverside Drive, Suite 210, Ottawa, Ontario KiH 7X6. Tél. : (613) 731-3821.
Association canadienne de la dystrophie musculaire, 357 Bay Street, Toronto, Ontario, M5H 2T7. Tél. : (416) 364-9079. Adresse de cette association au Saguenay-Lac-Saint-Jean : 3814, rue du Roi-Georges, Kenogami, Québec G7X 1T2.
Société canadienne de la sclérose en plaques, 130, rue Bloor ouest, Toronto, Ontario M5S 1N5. Tél. : (416) 922-6065. Division du Québec : 1455, rue Peel, Montréal, Québec H3A 1T5. Tél. : (514) 849-7591.

LES TROUBLES DU LANGAGE

L'incapacité de parler s'observe habituellement chez les malentendants de naissance ou ceux qui ont des lésions de l'hémisphère gauche du cerveau. Ce handicap peut aussi se voir à la suite d'un accident, d'une maladie (une hémiplégie, par exemple), pour des raisons psychologiques ou dans le cadre d'un déficit mental congénital. Le sujet peut être capable de comprendre mais incapable de s'exprimer, ou, à l'inverse, avoir des difficultés de compréhension mais disposer d'un langage cohérent.

Le trouble du langage peut s'accompagner d'un trouble de l'écriture. Pour ceux qui comprennent une conversation, mais présentent une réduction du langage, la gamme des aides à la communication va du simple tableau de lettres au clavier électronique, qui inscrit les mots sur un écran de télévision.

Ceux dont la compréhension et l'expression sont limitées peuvent quelquefois communiquer à l'aide de systèmes où les symboles prennent la place des mots.

Quelle que soit la méthode de communication utilisée, elle est plus lente que le parler, et l'« auditeur » doit être prêt à passer beaucoup de temps pour s'assurer qu'il comprend bien ce que le « locuteur » essaie de lui dire. Il n'en demeure pas moins que, pour beaucoup, les aides existantes à la communication sont d'une efficacité réduite ou nulle. Mais même dans ces cas-là, il faut toujours les proposer, car elles permettent aux handicapés d'établir des contacts et de lutter ainsi contre leur sentiment d'isolement.

Organismes

Fondation pour la communication par symbolique de Bliss, 350, rue Rumsey, Toronto, Ontario M4G 1R8. Tél. : (416) 425-7835. Cet organisme aide les muets et ceux qui ont des difficultés à s'exprimer en langage de sourd-muet, comme les personnes atteintes de paralysie cérébrale, les aphasiques et les autiques, à communiquer en symbolique de Bliss.
Société culturelle québécoise des sourds, 8629, avenue Henri-Julien, Montréal, Québec H2P 2J6. Tél. : (514) 388-7016.
Centre québécois de la déficience auditive, 10580, rue Berri, Montréal, Québec H3L 2H1. Tél. : (514) 279-4571.

HÉMORRAGIE MÉNINGÉE

La rupture d'un vaisseau à la surface du cerveau entraîne une hémorragie dans l'espace crânien où se trouve le liquide séparant le cerveau des os du crâne. Cette rupture survient principalement chez des sujets jeunes.

Symptômes
- Apparition soudaine, instantanée, d'un violent mal de tête et engourdissement général.
- Le patient ne supporte pas la lumière vive.
- Vomissements ou nausées.
- Nuque raide.
- Dans certains cas, paralysie des bras et des jambes.
- Perte de connaissance, coma si l'hémorragie est importante.

Durée
- Variable. Les symptômes durent en moyenne quatre semaines.

Causes
- Une fragilité de la paroi d'un vaisseau de la surface du cerveau. Cette anomalie peut être présente à la naissance (*voir* ANÉVRISME).
- Rupture d'un vaisseau sous l'influence d'une hypertension artérielle.
- Aucune raison n'est parfois apparente.

Complications
- Une hémorragie de faible abondance guérit habituellement, mais il faut prévenir les récidives.
- Une hémorragie importante peut être mortelle ou laisser des séquelles (paralysies, par exemple). *Voir* ATTAQUE.

Traitement à domicile
- Allonger le patient sur le côté, dans une pièce sombre et calme.
- Ne pas le faire boire, ne pas lui donner à manger.

Quand consulter le médecin
- Appeler les urgences médicales. L'hémorragie méningée est une urgence.

Rôle du médecin
- Organiser le transport à l'hôpital.
- A l'hôpital, le diagnostic sera confirmé par une ponction lombaire.
- Réanimation.
- Examens radiologiques (scanner et radiographies des artères).
- Dans certains cas, quand le patient va mieux, intervention chirurgicale sur l'artère qui a saigné.

Prévention
- Il est pratiquement impossible de prévoir qui est susceptible de faire une hémorragie méningée.
- Traitement de l'hypertension artérielle (qui favorise la rupture des artères).
- Quand une hémorragie méningée a eu lieu, on peut prévenir une récidive par une intervention chirurgicale.

Pronostic
- Si le saignement s'arrête et qu'on a pratiqué une intervention chirurgicale, la récidive peut être évitée.

Voir SYSTÈME NERVEUX, *page 34*

HÉMORROÏDES

Varices (veines dilatées) à l'intérieur ou à l'extérieur de l'anus. Les hémorroïdes ont l'aspect de petites boules qui saignent souvent. C'est la cause la plus fréquente de saignement de l'anus.

HÉMORROÏDES EXTERNES

Symptômes
- Petits bourrelets arrondis, bleus ou violets, situés juste à l'extérieur de l'anus.
- Parfois leur apparition est soudaine, au cours d'efforts pour aller à la selle, et souvent douloureuse.
- Écorchées, elles saignent et se vident, soulageant la douleur. Le saignement produit quelquefois des petits caillots de sang noir.

Durée
- Les hémorroïdes externes guérissent généralement en une à deux semaines, en s'ouvrant à la peau.

Causes
- Une veine de l'extérieur de l'anus se rompt lors de la poussée. Son saignement provoque un œdème sous la peau, et des caillots se forment ensuite dans la veine.

Traitement à domicile
- Bains chauds et compresses chaudes (éponge mouillée d'eau chaude et appliquée sur l'anus).
- Un baume anesthésique peut être demandé au pharmacien.

Quand consulter le médecin
- Si la douleur est forte.

Rôle du médecin
- Anesthésier localement et inciser l'hémorroïde pour retirer le caillot, puis prescrire un baume anesthésique à appliquer quelque temps. *Voir* MÉDICAMENTS, n° 4.

HÉMORROÏDES INTERNES

Varices veineuses à l'intérieur de l'anus, mises en évidence par toucher rectal ou anuscopie.

Symptômes
- Bourrelets rougeâtres et mous qui peuvent sortir au cours de la défécation ou rester à l'intérieur en permanence.
- Saignement de sang rouge : quelques gouttes dans la cuvette ou tache sur le papier hygiénique. Le sang entoure d'habitude la selle.
- Démangeaison de l'anus.
- Du mucus suinte parfois.
- Sensation de rectum rempli donnant envie de pousser.

Durée
- Après une constipation, courts accès qui durent de quelques jours à trois semaines.
- Ils récidivent des années durant.
- L'hémorroïde peut rester extérieure jusqu'au traitement.

Causes
- Hyperpression dans les veines internes du rectum dues aux poussées de la défécation, la toux chronique, l'OBÉSITÉ, la GROSSESSE, les tumeurs abdominales.
- Veines du foie bouchées. *Voir* CIRRHOSE DU FOIE.

Complications
- ANÉMIE par pertes de sang continuelles.
- Thrombose hémorroïdaire.

Traitement à domicile
- Sur des hémorroïdes gonflées ou sorties, bains et compresses chaudes (comme pour la forme externe) soulagent la douleur. On peut rentrer les veines avec une éponge chaude.
- Garder l'anus propre (essuyer avec un papier doux ou avec une éponge et sécher).
- Suppositoires calmant la douleur vendus en pharmacie. *Voir* MÉDICAMENTS, n° 4.
- Le repos au lit diminue le gonflement et la douleur.

Quand consulter le médecin
- En cas de douleur ou de saignement important ou si les hémorroïdes ne rentrent pas après les selles.

Rôle du médecin
- Examiner le patient et éliminer toute autre cause de saignement.
- Scléroser les hémorroïdes (mais les récidives sont possibles) ou adresser le patient au chirurgien pour les enlever.

Prévention
- Éviter les poussées fortes et la constipation.
- Manger des crudités, des fruits, utiliser des laxatifs salins. *Voir* MÉDICAMENTS, n° 4.

Pronostic
- Bon en cas de traitement approprié.

Voir SYSTÈME DIGESTIF, *page 44*

HÉPATITE VIRALE

Inflammation du foie dont au moins trois virus peuvent être responsables. L'évolution de la maladie est la même pour tous les virus.

Hépatite à virus A. L'incubation est de quatorze à quarante-deux jours. Elle touche surtout les enfants et les adultes jeunes. On retrouve le virus dans les selles des patients atteints, et ils peuvent le transmettre par des aliments ou des boissons qu'ils ont contaminés. Les épidémies sont souvent liées à la dissémination de l'infection par des mouches.

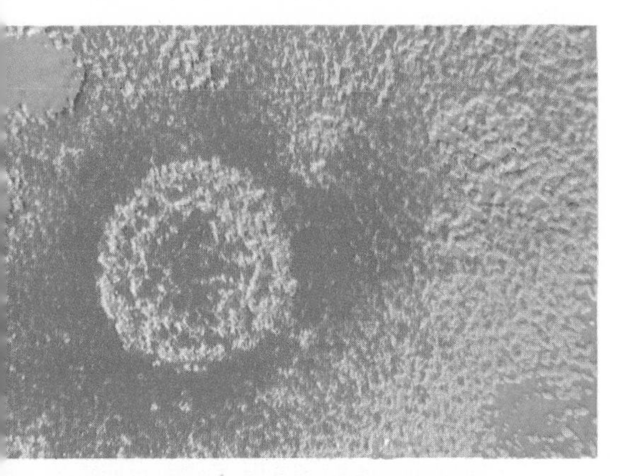

VIRUS DE L'HÉPATITE B. *Agrandi 240 000 fois au microscope électronique; la partie active de ce virus comporte un noyau entouré d'une paroi double.*

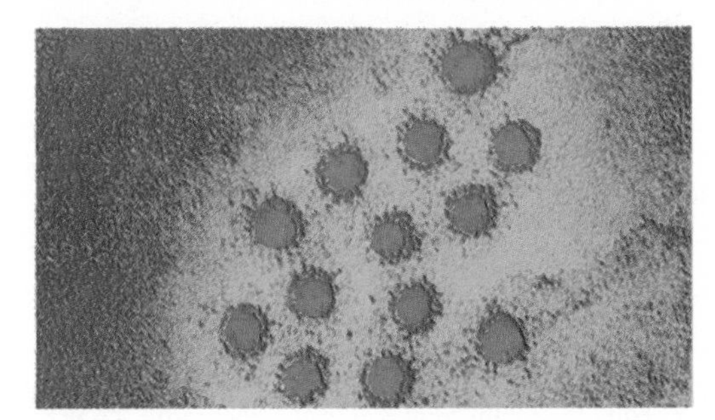

VIRUS DE L'HÉPATITE A. *Agrandis 120 000 fois; ces virus diffèrent des virus B par leur paroi homogène et leur noyau dense.*

Hépatite à virus B. Sa durée d'incubation est de six à vingt-six semaines. Elle peut survenir à tout âge. Le virus B possède un antigène (substance entraînant la formation d'anticorps) : l'antigène Australia, qui peut être décelé dans le sang, induit la production par l'organisme d'un anticorps spécial qui persiste dans le sang.

Le virus peut rester dans le sang pendant des mois, et même pendant toute la vie. Pour cette raison, les porteurs du virus B ne peuvent donner leur sang pour les transfusions et présentent un risque pour les dentistes, les infirmières, ainsi que pour le personnel de laboratoire manipulant des prélèvements sanguins. L'hépatite à virus B est aussi appelée hépatite transfusionnelle, car elle peut être transmise par un matériel de transfusion ou d'injection mal stérilisé. L'usage de seringues et d'aiguilles jetables ainsi que les examens modernes de dépistage ont considérablement réduit le risque d'infection. Des cas peuvent survenir dans les hôpitaux, lors d'une transfusion, et chez les drogués qui utilisent et partagent fréquemment des seringues contaminées.

La contagion peut aussi se faire par voie digestive, par des projections dans les yeux, ou encore par les rapports sexuels (y compris homosexuels).

Hépatite à virus non-A, non-B. Ce type d'hépatite est devenu très banal. Son incubation est en général de cinq ou six semaines et elle touche tous les âges. Aucun virus ou anticorps n'a encore été identifié.

Symptômes
- Comme dans la grippe : fièvre, maux de tête et douleurs articulaires. Ces symptômes sont chez certains patients modérés et ne s'accompagnent pas de jaunisse. Chez d'autres, ils sont sévères et associent une jaunisse (ICTÈRE).
- Les premiers symptômes sont un mal de tête, une perte de l'appétit avec une sensation de malaise général, des nausées, des vomissements et un dégoût du tabac.
- Rougeurs et démangeaisons.
- Après trois à dix jours, la jaunisse apparaît ainsi que des urines foncées et des selles décolorées. Le patient se sent parfois alors un peu mieux.

Durée
- La jaunisse peut s'accentuer pendant une à deux semaines, puis disparaît en deux à quatre semaines.

Complications
- Les rechutes et les guérisons traînantes sont possibles mais rares dans les hépatites A.
- Exceptionnellement, les hépatites B peuvent évoluer de façon grave et rapide, entraînant une somnolence, une confusion, et même un coma avec des saignements disséminés et une atrophie aiguë du foie.
- Insuffisance hépatique.

Traitement à domicile
- Aucun jusqu'à la consultation du médecin.

Quand consulter le médecin
- En cas d'apparition des symptômes décrits.

Rôle du médecin
- Faire des analyses de sang confirmant le diagnostic.
- Repos au lit jusqu'à la disparition de la fièvre.
- Suggérer un régime hypocalorique, avec des apports en graisses et en protéines limités.

Prévention
- Considérer les urines, les selles, la salive et le sang comme infectés. Se laver soigneusement les mains après avoir touché le patient ou son linge.
- Se faire vacciner contre l'hépatite A avant un voyage dans les pays tropicaux ou subtropicaux.

Pronostic
- Traités, presque tous les patients guérissent.

Voir MALADIES INFECTIEUSES, *page 32*

HÉRÉDITÉ

Transmission des parents aux enfants de leurs caractères physiques et mentaux. Elle est due aux CHROMOSOMES. Lors de la conception, les vingt-trois chromosomes du spermatozoïde paternel s'unissent à leurs vingt-trois homologues de l'ovule maternel pour donner l'œuf, porteur des caractères des deux parents sous la forme des quarante-six chromosomes que contient chaque cellule humaine à l'exception des cellules sexuelles.

HERNIE

C'est la saillie d'organes abdominaux au niveau d'une zone de faiblesse de la paroi du ventre. On décrit les hernies en fonction de l'endroit où elles apparaissent.

La hernie inguinale est la hernie masculine la plus banale. Une boule parfois très grosse (jusqu'à 15 cm de diamètre) part au-dessus du pli de l'aine et se dirige vers la bourse du testicule.

La hernie crurale est la variété féminine la plus fréquente. Une boule parfois aussi petite qu'une cerise émerge sous le milieu du pli de l'aine.

La hernie ombilicale est banale chez les bébés. Elle se présente comme une grosseur proche du nombril et disparaît entre un et quatre ans sans traitement. Les bandages ne servent à rien. Seules les très grosses hernies et les hernies de l'adulte peuvent nécessiter une intervention chirurgicale.

La hernie de la ligne blanche apparaît chez la femme après des grossesses qui ont écarté les muscles du milieu du ventre. Le renflement est surtout net lors du passage de la position couchée à la position assise.

La hernie hiatale est une protubérance de l'estomac qui remonte dans le diaphragme à son point de faiblesse, là où il rencontre l'orifice de l'œsophage. La hernie n'est pas visible et n'entraîne souvent aucun symptôme, sinon ceux d'une indigestion. *Voir* ŒSOPHAGITE.

La hernie par éventration est une grosseur qui apparaît sous une cicatrice abdominale, là où les muscles et les tissus profonds se sont écartés. Elle est le plus souvent la conséquence d'une infection de la cicatrice après l'intervention.

Symptômes

- Boule saillante ou renflement, en particulier lorsque la pression abdominale augmente : station debout, toux, cri, ou effort pour aller à la selle.
- Gêne localisée.

Durée

- La hernie dure tant qu'elle n'est pas traitée.

Causes

- Une pression interne agit sur une zone de faiblesse du ventre, souvent au bord d'un muscle. Ces hernies apparaissent spontanément aux zones d'attache des muscles ou sur les cicatrices après une intervention chirurgicale. Cette tendance persiste après la réparation chirurgicale de la hernie.

Complications

- Si le trou par lequel passe la hernie est petit, la portion d'intestin faisant hernie ne reçoit plus assez de sang. Elle peut se gangréner et provoquer une perforation intestinale et une PÉRITONITE. C'est la hernie étranglée.
- Seule une intervention urgente peut éviter la gangrène des organes contenus dans la hernie.

Traitement à domicile

- Quelques hernies peuvent être réduites (repoussées dans le ventre). Il faut s'allonger, détendre les muscles abdominaux et repousser le renflement doucement, du bout des doigts. Le patient peut faire cette réduction en toute sécurité.
- Les porteurs de bandage herniaire doivent repousser la hernie dans le ventre avant de mettre en place leur bandage.
- Si la hernie est vaste, la strangulation est peu probable et les bandages herniaires peu efficaces.
- Les hernies étranglées sont douloureuses, tendues et sensibles. Leur réduction est impossible. Elles ne grossissent plus lors des efforts et de la toux.

Quand consulter le médecin

- En urgence si une hernie douloureuse ne peut être facilement repoussée dans le ventre. Le traitement doit être entrepris aussitôt, car l'étranglement peut arrêter la circulation sanguine d'une zone d'intestin et entraîner la gangrène.
- Toute hernie, même non douloureuse, devrait être vue par le médecin afin de prévoir un traitement et éliminer le risque de complications.

Rôle du médecin

- Adresser le patient à un chirurgien en vue d'une éventuelle opération.
- Dans certains cas (par exemple, hernies à orifices larges chez des patients âgés ou infirmes, en cas de refus de l'intervention), le médecin peut prescrire un bandage herniaire. Ce bandage est constitué d'un coussinet de forme appropriée recouvert de cuir et maintenu dans la bonne position par des courroies élastiques. Les bandages herniaires sont principale ment utilisés pour les hernies inguinales.

Pronostic

- Un bandage, lorsqu'il est prescrit, contrôle la hernie. Dans beaucoup de cas, la chirurgie est indiquée mais la récidive de la hernie reste possible.

Voir SYSTÈME DIGESTIF, *page 44*

HERNIE DISCALE

Saillie anormale vers l'arrière d'un disque intervertébral; celui-ci est une structure anatomique souple, élastique, absorbant les chocs, située entre chaque vertèbre. Quand la hernie comprime seulement le ligament vertébral postérieur, elle déclenche une simple douleur vertébrale (LUMBAGO). Quand la hernie comprime les racines situées un peu plus loin, elle déclenche en outre une douleur radiculaire, irradiant au membre supérieur à partir du cou (névralgie cervico-brachiale), ou plus souvent au membre inférieur à partir de la région lombaire (névralgie sciatique). La détérioration discale fait partie de la SPONDYLARTHROSE CERVICALE. A l'étage lombaire, elle est la cause principale des lumbagos et des sciatiques.

Symptômes

- Douleur sévère de l'axe vertébral, le plus souvent lombaire, pouvant irradier à l'un des membres inférieurs (rarement aux deux).
- La douleur peut être aggravée par le fait de se pencher en avant, de tousser, de faire des efforts. Elle est soulagée par le fait de s'étendre sur un lit.
- Le début de la douleur est souvent brutal (en soulevant une lourde charge). Parfois la douleur s'installe de manière progressive, par une série de petites attaques, sans traumatisme manifeste.
- La jambe et le pied peuvent présenter un trajet douloureux avec fourmillements (sciatique).

Durée

- Souvent, il faut quelques semaines pour guérir; parfois, quelques jours suffisent.

Causes

- La détérioration progressive des disques intervertébraux commence dès l'âge de vingt-cinq ans. Un effort brusque peut déclencher la hernie.

Complications

- Rarement, perte de force définitive des muscles de jambe innervés par la racine nerveuse lésée.
- Souvent, ARTHROSE lombaire douloureuse par poussées ou en permanence.

Traitement à domicile

- Le repos, sur un lit plat et ferme. Il faut placer une planche de contre-plaqué entre matelas et sommier.
- Analgésiques à doses convenables et bouillotte chaude.

Quand consulter le médecin

- Devant toute douleur qui ne cède pas rapidement ou qui s'aggrave, surtout si elle s'accompagne de paralysie des muscles d'une jambe.

Rôle du médecin

- Prescrire des analgésiques, des anti-inflammatoires, le repos sur un lit ferme.
- Faire des radiographies vertébrales dès que possible.
- Dans certains cas, mettre en place une immobilisation par lombostat plâtré ou lombostat en coutil baleiné.
- Éviter les manipulations vertébrales.
- Conseiller la rééducation active après guérison.
- La chirurgie est réservée aux sciatiques rebelles ou paralysantes.

Prévention

- On réduit le risque en gardant le dos droit et en pliant les genoux pour soulever les objets lourds.
- Ne pas associer flexion et rotation du bassin.
- Tous les lombalgiques doivent apprendre les précautions qui ménagent les disques lésés : comment se lever d'un lit, se pencher en avant, porter une charge, sortir d'une voiture, etc.

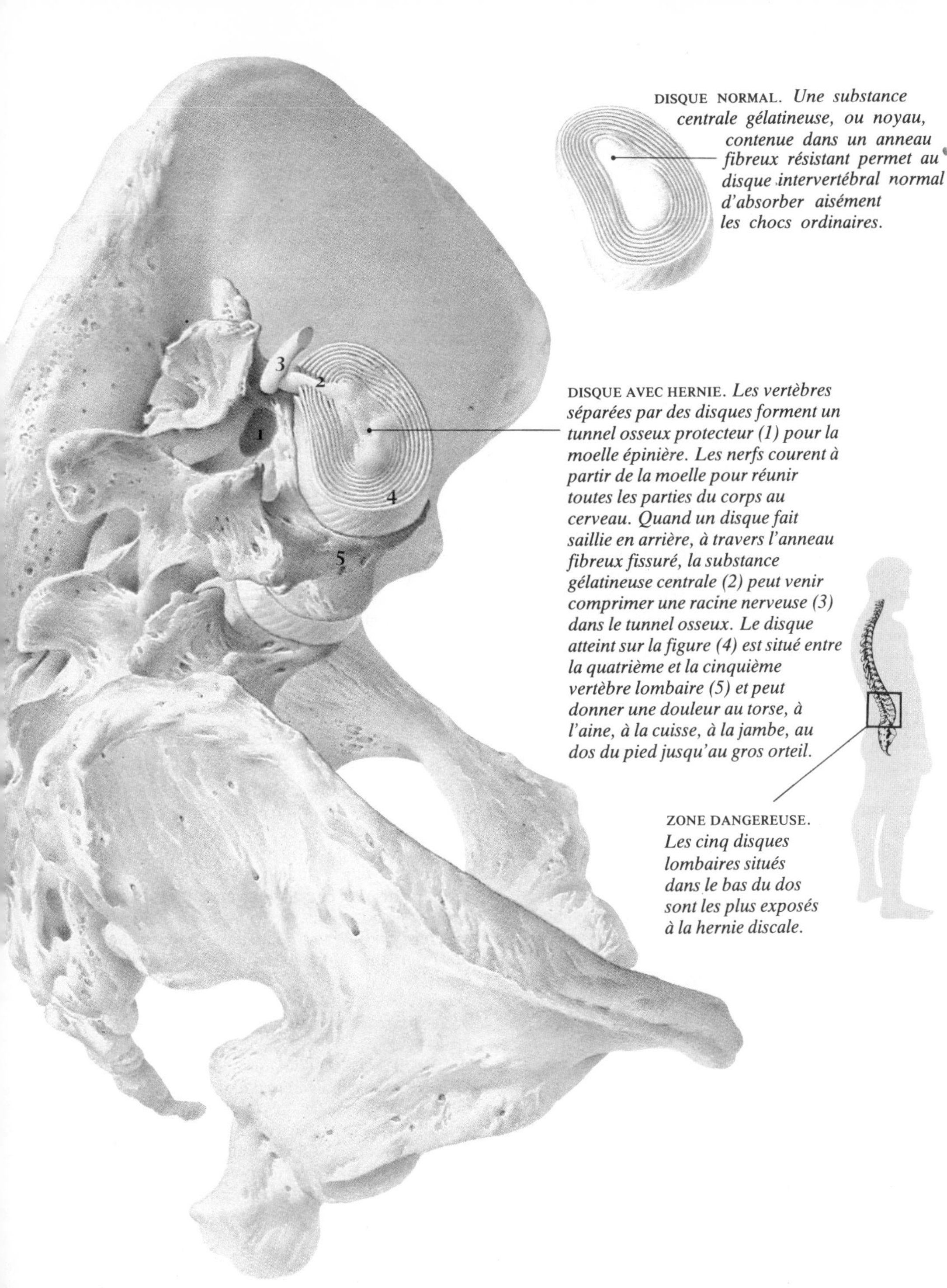

DISQUE NORMAL. *Une substance centrale gélatineuse, ou noyau, contenue dans un anneau fibreux résistant permet au disque intervertébral normal d'absorber aisément les chocs ordinaires.*

DISQUE AVEC HERNIE. *Les vertèbres séparées par des disques forment un tunnel osseux protecteur (1) pour la moelle épinière. Les nerfs courent à partir de la moelle pour réunir toutes les parties du corps au cerveau. Quand un disque fait saillie en arrière, à travers l'anneau fibreux fissuré, la substance gélatineuse centrale (2) peut venir comprimer une racine nerveuse (3) dans le tunnel osseux. Le disque atteint sur la figure (4) est situé entre la quatrième et la cinquième vertèbre lombaire (5) et peut donner une douleur au torse, à l'aine, à la cuisse, à la jambe, au dos du pied jusqu'au gros orteil.*

ZONE DANGEREUSE. *Les cinq disques lombaires situés dans le bas du dos sont les plus exposés à la hernie discale.*

Pronostic
- Il est le plus souvent bon si ces précautions sont observées.

Voir LE SQUELETTE, *page 54*

HERPÈS

L'herpès est une des infections virales les plus communes de l'humanité. Le virus responsable est appelé *Herpes simplex virus* (HSV). Il en existe deux types : HSV_1, responsable de l'herpès de la bouche, de la face et des yeux, et HSV_2, qui donne l'HERPÈS GÉNITAL. Plus de 50 pour 100 de la population adulte a déjà contracté l'herpès, ce dont témoigne la présence dans le sang d'anticorps dirigés contre ce virus. Dans la majorité des cas, le premier contact, appelé primo-infection herpétique, passe inaperçu. Le virus reste dans l'organisme sans se manifester, jusqu'à ce qu'il soit réactivé par différents stimuli, comme la fièvre, le froid, le soleil ou les règles. C'est l'herpès récurrent. Un sujet qui n'a pas été contaminé pendant l'enfance peut l'être à l'âge adulte.

PRIMO-INFECTION HERPÉTIQUE

Elle touche surtout les enfants à partir de six mois.

Symptômes
- Habituellement, fièvre et malaise quelques jours avant l'apparition de l'éruption.
- La muqueuse des joues, les gencives, la langue sont rouges et tuméfiées.
- Plus rarement, l'herpès peut atteindre la vulve et le vagin des petites filles.
- Chez les adultes, spécialement les infirmiers, dentistes et médecins, l'infection peut toucher la peau autour de l'ongle. Cet herpès digital est très douloureux.

Durée
- La période pénible dure de sept à dix jours, et les ulcérations guérissent en trois semaines.

Causes
- Un virus appelé *Herpes homini.*
- Chez l'adulte, la primo-infection herpétique peut être une maladie vénérienne, transmise sexuellement.

Traitement à domicile
- Prendre des bains de bouche fréquents avec des solutions pharmaceutiques diluées.
- Se rincer la bouche avec de l'eau fraîche ou glacée.
- Adoucir les lèvres avec un bâtonnet labial.

Quand consulter le médecin
- Si l'infection touche un enfant atteint d'ECZÉMA

atopique, il faut immédiatement voir son médecin, car l'herpès peut s'étendre dangereusement.
• Si l'état général de l'enfant empire, s'il devient somnolent.
Rôle du médecin
• Éliminer une autre affection qui peut ressembler à l'herpès. Demander des examens de sang.
• Prescrire un antiviral. *Voir* MÉDICAMENTS, n° 27.
Prévention
• Éviter le contact direct avec des lésions herpétiques.
• Pour les professions exposées, la contamination pourra être évitée grâce au port de gants protecteurs.
Pronostic
• Une guérison complète est habituelle, hormis les rares cas compliqués d'une MÉNINGITE ou d'une ENCÉPHALITE.
• Le virus peut être réactivé périodiquement, donnant l'herpès récurrent.

HERPÈS RÉCURRENT

L'infection revient habituellement au même site, le plus souvent les lèvres ou le visage, mais n'importe quelle partie de la peau peut être touchée.
Symptômes
• Des signes précèdent souvent de quelques heures l'apparition du bouquet d'herpès. Ce sont des démangeaisons, picotements, sensations de brûlures.
• Une tache rouge se couvre de vésicules claires puis troubles, groupées en bouquet. Elles se rompent, et des croûtes leur font suite.
Durée
• Les croûtes se forment en quelques jours, et la guérison complète survient en une à deux semaines.
Causes
• Le même virus que celui de la primo-infection. On ignore les raisons de sa persistance à l'état latent, puis de sa réactivation. Certains stimuli, comme une infection, un stress, le soleil, le froid, les règles, peuvent donner des poussées d'herpès récurrent.
Complications
• Elles sont rares : ulcération herpétique de l'œil, encéphalite, herpès étendu du nouveau-né ou du nourrisson eczémateux.
Traitement à domicile
• L'application d'alcool, d'éther ou d'un autre antiseptique peut aider à soulager l'herpès.
Quand consulter le médecin
• Si l'éruption siège près de l'œil, il faut demander un avis médical pour prévenir une atteinte oculaire.
• Si les poussées sont très fréquentes.
Rôle du médecin
• D'abord confirmer le diagnostic d'herpès, puis proposer un des nouveaux traitements antiviraux.
• Les pommades doivent être appliquées le plus tôt possible, dès l'apparition des premiers signes.
Prévention
• La seule prévention possible est d'éviter le contact direct avec un sujet porteur de vésicules d'herpès.
Pronostic
• Chaque accès guérit spontanément, mais les récidives sont toujours possibles.

HERPÈS GÉNITAL

Infection génitale récidivante, transmise durant les rapports sexuels. La primo-infection apparaît habituellement chez les tout jeunes gens.
Symptômes
• Aussi bien la primo-infection que la récidive provoquent un bouquet de minuscules vésicules qui se présentent comme une petite écorchure sur les parties génitales ou les zones avoisinantes. Lors de la primo-infection, les vésicules apparaissent habituellement deux à douze jours après le rapport sexuel avec le partenaire infecté. Elles se rompent un à trois jours plus tard, laissant des ulcères avec une petite croûte, qui guérissent habituellement en sept à vingt jours.
• A cette période, les rapports sont douloureux.
• Il s'y associe souvent de petites pertes blanches d'origine vaginale et des douleurs lors de la miction.
• Au cours de la primo-infection, on constate une altération de l'état général, une fièvre, et on découvre souvent à l'examen un œdème sensible de l'aine.
Durée
• Les symptômes d'une poussée durent habituellement trois semaines. Les poussées peuvent récidiver à intervalles plus ou moins réguliers; les patients (ou patientes) sont contagieux durant ces poussées.
Causes
• Le virus *Herpes simplex* HSV_2, qui est seulement transmissible par contact sexuel direct.
Complications
• Elles sont rares, mais deux d'entre elles sont préoccupantes. Les ULCÈRES DE LA CORNÉE et ENCÉPHALITE, qui peuvent atteindre un nourrisson né par les voies naturelles d'une mère infectée.
Traitement à domicile
• Maintenir propres les zones infectées.
• Éviter les rapports sexuels.
Quand consulter le médecin
• A l'apparition de la moindre douleur ou d'éruption de boutons sur les zones génitales.
• Les récidives imposent également un avis médical pour confirmer le diagnostic et mettre en route le traitement.
• La survenue de tels symptômes chez une femme enceinte doit être signalée d'urgence au médecin.
Rôle du médecin
• Pratiquer un examen pour déterminer la cause des symptômes; rechercher éventuellement d'autres maladies sexuelles.
• Prescrire des traitements contre la douleur et essayer d'enrayer l'infection (*voir* MÉDICAMENTS, n°s 43, 22).
• Proposer un traitement antiviral. *Voir* MÉDICAMENTS, n° 27.
Prévention
• Éviter les rapports sexuels incertains.
• Utiliser un préservatif en cas de risque d'infection.
• La césarienne doit être envisagée pour protéger le nouveau-né lorsqu'il existe une infection vaginale active chez la mère.
• La vaccination antiherpétique n'est pas fiable.
Pronostic
• L'infection peut s'éteindre complètement après la première poussée et ne jamais réapparaître. Mais le plus souvent, elle récidive à intervalles plus ou moins réguliers, parfois après plusieurs années.
• Actuellement, il n'existe pas de traitement réellement efficace.

HIRSUTISME

C'est une pilosité excessive chez la femme, développée à des endroits où elle n'existe normalement que chez l'homme. Elle est souvent héréditaire.
Symptômes
• Présence de poils sur le visage (barbe, moustache, favoris), le thorax, l'aine, l'abdomen, les fesses.
• L'hirsutisme peut débuter chez l'enfant ou chez la femme, habituellement avant la ménopause. Il est différent du duvet physiologique (moustache) ou des poils durs qui apparaissent sur le visage des femmes âgées.
Durée
• Souvent définitive s'il n'y a pas de traitement.
Causes
• Le plus souvent, l'hirsutisme ne témoigne d'aucune maladie, mais simplement d'une minime augmentation des hormones mâles ou d'une augmentation de la réceptivité des poils à ces hormones.
• Un désordre hormonal (maladie des ovaires, des glandes surrénales) est rarement en cause.
• Certains médicaments peuvent entraîner une pousse de poils (androgènes, stéroïdes). *Voir* MÉDICAMENTS, n°s 23, 32.

Traitement à domicile
- L'épilation à la cire ou à la pince peut être utilisée sur les jambes ou le corps. Au visage, il faut éviter ces techniques qui favorisent la repousse des poils.
- Les duvets simples seront décolorés.
- Le rasage est le plus souvent proscrit.
- Il existe des crèmes dépilatoires, mais elles peuvent être responsables d'irritation ou d'allergie.

Quand consulter le médecin
- S'il existe des signes de dysfonctionnement glandulaire, comme l'absence de règles.
- Si l'apparition de la pilosité coïncide avec une prise médicamenteuse.

Rôle du médecin
- Rechercher une éventuelle cause endocrinienne par l'examen clinique et des examens sanguins.
- Parfois, adresser la patiente à l'hôpital si des examens spécialisés sont nécessaires.
- Rassurer la patiente sur sa féminité et sa bonne santé, dans la grande majorité des cas.
- Proposer une épilation électrique des poils du visage, seul procédé qui détruit définitivement les follicules pileux. Cette technique doit être réalisée par un spécialiste pour éviter les petites cicatrices.

Prévention
- Aucune n'est possible.

Pronostic
- Des traitements efficaces permettent généralement de venir à bout de cette disgrâce esthétique.

Voir LA PEAU, *page 52*

HISTOPLASMOSE

Le champignon qui donne cette infection existe dans de nombreux pays. Ses spores se multiplient dans les déjections des oiseaux. L'homme est contaminé en les respirant. Les symptômes sont inexistants ou peu caractéristiques, et le diagnostic s'établit après des examens de sang ou de crachats. L'efficacité des antifongiques est indubitable, mais le traitement est rarement nécessaire.

HODGKIN (MALADIE DE)

Tumeur des glandes lymphatiques ou d'organes riches en tissu lymphatique, comme la rate. La maladie touche principalement les jeunes gens.

Symptômes
- Gonflement du cou, habituellement d'un seul côté.
- Gros ganglions aux aisselles et aux aines.
- Fièvre, sueurs nocturnes et fatigue excessive.
- Perte d'appétit.
- Douleurs abdominales.
- Anémie et perte de poids.

Durée
- Les malades peuvent survivre des années sans traitement, mais lui seul peut apporter la guérison.

Causes
- Inconnues, bien que les recherches récentes indiquent qu'un virus pourrait être responsable.

Complications
- Infections.

Quand consulter le médecin
- Dès que l'affection est soupçonnée.

Rôle du médecin
- Hospitaliser puis examiner des prélèvements de moelle osseuse et de ganglions pour préciser le diagnostic.
- Si le diagnostic est suffisamment précoce, organiser la radiothérapie (traitement par rayons X).
- Dans les cas plus évolués, une CHIMIOTHÉRAPIE durant six à neuf mois sera nécessaire.

Prévention
- Impossible.

Pronostic
- Soignés à temps, la plupart des patients sont guéris. Dans le cas contraire, plus de 50 pour 100 d'entre eux guérissent, car le traitement est efficace.

HOMÉOPATHIE

L'homéopathie s'oppose à l'allopathie (médecine et thérapeutique traditionnelles). Alors que l'allopathie vise à combattre les signes et les causes des maladies, l'homéopathie consiste à traiter les malades avec des substances chimiques, administrées à très faibles doses, déterminant une affection analogue à celle que l'on veut enrayer.

L'homéopathie fut inventée par un médecin allemand du XIXe siècle, Hahnemann, qui observa tout d'abord que la quinine, un médicament qui abaisse la température chez le malade, provoque, administrée à petites doses chez l'homme sain, une fièvre passagère. Le chimiste expérimenta sa méthode sur lui-même et sur des volontaires en notant minutieusement les effets de différentes substances qui provoquaient les mêmes symptômes que ceux observés chez les malades. Par ailleurs, Hahnemann adapta sa thérapeutique en fonction de chaque patient, de son « terrain ».

L'homéopathie rencontre aujourd'hui un certain succès auprès de médecins qui redoutent les effets toxiques (IATROGÈNES) de nombreux médicaments.

En fait, il existe peu d'études scientifiques comparatives entre l'allopathie et l'homéopathie; selon les partisans de cette méthode, l'homéopathie stimulerait les réactions naturelles de défense en modifiant profondément le « terrain », mais il serait intéressant d'en démontrer les mécanismes. Cette thérapeutique serait active dans les maladies aiguës, les rhino-pharyngites, les bronchites, les troubles cutanés, les insomnies, l'inadaptation scolaire..., mais également dans certaines maladies chroniques. Les doses médicamenteuses étant faibles, les médecins sont souvent incrédules quant à leur efficacité; toutefois c'est également un avantage, car les remèdes dilués sont généralement peu toxiques et bien supportés. C'est pourquoi des praticiens peuvent utiliser l'homéopathie en première intention et, en cas d'échec, recourir à l'allopathie.

HOQUET

Spasmes involontaires et répétés du diaphragme.

Durée
- Un accès dure entre dix et vingt minutes, bien que des crises plus prolongées existent. Un hoquet persistant suggère une anomalie sous-jacente.

Causes
- Irritation du diaphragme par un estomac trop plein, après un repas trop lourd ou un excès de boisson, surtout de boissons gazeuses.
- Certaines crises sont sans cause apparente.
- Rarement, une maladie du rein, du foie ou du poumon.

Traitement à domicile
- Le gaz carbonique supprime le hoquet, et le fait de retenir sa respiration plusieurs fois permet au gaz carbonique de s'accumuler dans le corps.
- Respirer dans un sac en papier agit de la même manière. Ne pas utiliser un sac en plastique, qui peut asphyxier. La plupart des « remèdes de bonne femme » sont efficaces parce qu'ils obligent à retenir la respiration.
- Sucer de la glace, boire lentement de l'eau, provoquer des vomissements ou tirer la langue sont d'autres moyens qui peuvent arrêter le hoquet.

Quand consulter le médecin
- Si l'on a des crises persistantes ou récidivantes.

Rôle du médecin
- Administrer un calmant par la bouche ou en injection. *Voir* MÉDICAMENTS, n° 17.
- Prescrire des inhalations de gaz carbonique dosé à 5 pour 100 si le malade est à l'hôpital.

HORMONES

Les hormones sont des substances chimiques du sang qui contrôlent l'activité des organes du corps. Les hormones sont fabriquées par les glandes endocrines qui les déversent dans le sang. Le sang les fait parvenir aux organes qu'elles doivent contrôler. Les principales hormones sont les hormones sexuelles, les hormones de l'hypophyse, l'insuline, la cortisone, l'adrénaline, les hormones thyroïdiennes.

HORMONES SEXUELLES
Elles contrôlent le développement sexuel et la fonction de reproduction. Elles sont produites par les testicules et les ovaires. Les hormones sexuelles mâles portent le nom d'androgènes; les hormones sexuelles femelles sont les œstrogènes et la progestérone.

HYDROCÈLE

Accumulation de liquide entre les deux couches qui entourent le testicule. L'hydrocèle ne présente pas de danger.
Symptômes
- Gonflement d'une bourse. N'entraîne pas de douleur mais peut devenir gênant.
Durée
- Persiste indéfiniment si un traitement n'est pas entrepris.
Causes
- La cause d'une hydrocèle est habituellement inconnue.
Traitement à domicile
- Une fois l'hydrocèle diagnostiquée, soutenir les testicules avec un suspensoir ou un bandage en T.
Quand consulter le médecin
- Dès que l'on remarque le gonflement.

Rôle du médecin
- Examiner les bourses; éventuellement dans une pièce sombre, en transparence, à l'aide d'une lumière forte placée derrière.
- S'il s'agit bien d'une hydrocèle, le liquide devra être évacué avec une seringue et une aiguille (intervention presque indolore). Le médecin pourra préférer hospitaliser.
Prévention
- Il est impossible d'empêcher l'apparition et le développement d'une hydrocèle.
Pronostic
- Le traitement réglera le problème, mais dans quelques cas il faudra procéder à des évacuations répétées, ou parfois à une intervention chirurgicale.

Voir ORGANES GÉNITAUX MASCULINS, *page 50*

ŒSTROGÈNES. *Hormones régissant le développement sexuel féminin. Elles sont sécrétées par les ovaires chez la femme et, en petites quantités, par les testicules chez l'homme. Elles sont visibles au microscope à lumière polarisée. On peut ainsi étudier l'aspect, la forme et la couleur des cristaux, et identifier différentes hormones. Cette différenciation est importante dans l'étude de certains troubles hormonaux.*

HYDROCÉPHALIE

Cette affection rare est le résultat d'une production excessive de liquide céphalo-rachidien (substance aqueuse baignant le cerveau et la moelle épinière). Le liquide en excès s'accumule dans les cavités du cerveau et aboutit, en général, à une tête anormalement grosse. L'affection apparaît habituellement après la naissance mais peut aussi toucher le fœtus, rendant alors l'accouchement par la voie normale impossible.
Symptômes
- Chez les bébés et les jeunes enfants atteints de ce mal, la tête grossit plus vite que normalement. Leur crâne augmente de volume et devient bombé (le visage reste petit). Chez le bébé, les fontanelles sont tendues et gonflées. Les veines du crâne sont saillantes.
- Dans l'hydrocéphalie du grand enfant et de l'adulte, la tête ne peut plus grossir car les os du crâne sont soudés. L'excès de liquide augmente alors la pression dans le crâne et provoque des maux de tête et des vomissements.
Causes
- L'hydrocéphalie est due à un blocage de la circulation du liquide céphalo-rachidien ou à sa surproduction. Présente à la naissance, l'hydrocéphalie peut être associée à un SPINA-BIFIDA.
- Parfois, l'hydrocéphalie survient chez l'adulte ou le grand enfant après une MÉNINGITE ou lors d'une TUMEUR DU CERVEAU.
Complications
- Une atteinte du cerveau, une cécité, une arriération mentale peuvent survenir en absence de traitement.

Traitement à domicile
• Aucun n'est raisonnable.
Quand consulter le médecin
• L'hydrocéphalie de naissance sera normalement remarquée par le médecin.
• Devant tout gonflement de la tête.
• Si une baisse de la vue, des maux de tête persistants, des vomissements surviennent à n'importe quel âge.
Rôle du médecin
• Proposer une intervention pour dériver le liquide vers la circulation sanguine ou la cavité abdominale par un petit tuyau.
Prévention
• Aucune.
Pronostic
• Les cas modérés se stabilisent spontanément. Environ 40 pour 100 des cas chez l'enfant ne nécessitent pas de traitement. Si une opération est nécessaire, elle ne peut réussir que si elle est réalisée avant que des dégâts irréversibles se soient produits sur le cerveau.

HYDROTHÉRAPIE

Les vertus curatives de l'eau sont connues depuis l'Antiquité, et les stations thermales retrouvent aujourd'hui la popularité qu'elles avaient connue à l'époque romaine et aux XVIIIe et XIXe siècles. L'hydrothérapie au sens strict ne comporte que des soins externes par l'eau, sous forme de bains, de douches, de jets à haute pression, mais on la boit aussi pour ses sels minéraux et on l'utilise pour des applications de boues ou d'algues marines.

Les hydrothérapeutes demandent la reconnaissance de leurs traitements, mais aucune explication scientifique réelle n'est donnée aux succès apparents des « cures d'eaux ». Pourtant il ne fait pas de doute qu'elles apportent un bienfait psychologique et que l'exercice dans l'eau aide à la guérison de diverses maladies physiques. De même, les bains chauds et les cataplasmes de boues thermales soulagent les douleurs des rhumatismes et de l'arthrose. La natation et les bains à remous sont largement pratiqués aujourd'hui.

HYGROMA DU GENOU

Affection inflammatoire du genou, apparaissant dans certaines professions où l'on travaille agenouillé (carreleurs, femmes de ménage). La bourse, une cavité liquidienne située en avant de la rotule, s'enflamme et se gonfle de liquide, gênant la lubrification normale de l'articulation.

Voir BURSITE

HYPERMÉTROPIE

Anomalie de la vision qui rend difficile la perception des objets proches, alors que celle des objets éloignés reste relativement bonne. La forme d'hypermétropie qui survient à l'âge moyen de la vie (vers quarante à quarante-cinq ans) est la presbytie. Elle n'atteint que la vision rapprochée.

Voir TROUBLES DE LA VISION

HYPERTENSION ARTÉRIELLE

Augmentation anormale de la pression du sang. Cette affection touche environ 10 pour 100 des adultes.
Symptômes
• Cette maladie est le plus souvent asymptomatique et de découverte fortuite lors d'un examen médical.
Durée
• En l'absence de traitement, peut persister à vie.
Causes
• Dans la grande majorité des cas, on ne retrouve aucune cause à l'hypertension, et on parle alors d'hypertension essentielle. Celle-ci est liée à des facteurs génétiques et d'environnement (niveau de développement socio-culturel, consommation de sel).
• Parfois, on retrouve une cause à l'hypertension : on parle alors d'hypertension secondaire. Il peut s'agir d'une cause rénale, endocrinienne, médicamenteuse, du stress, de l'obésité, d'excès d'alcool.
Complications
• L'hypertension constitue un facteur de risque vasculaire majeur, au même titre que le TABAC, l'hypercholestérolémie, le DIABÈTE, la CONTRACEPTION orale œstroprogestative.
• Elle peut aussi se compliquer de manifestations d'ATHÉROME, d'INSUFFISANCE CORONAIRE (ANGINE DE POITRINE), d'accidents vasculaires cérébraux, d'INSUFFISANCE CARDIAQUE, d'INSUFFISANCE RÉNALE.
Quand consulter le médecin
• La pression artérielle doit être régulièrement mesurée, surtout après l'âge de trente-cinq ans, afin de dépister une éventuelle hypertension.
Rôle du médecin
• Le diagnostic d'hypertension artérielle ne peut être affirmé que si les chiffres de pression artérielle (mesurés en position assise ou couchée, au repos, en l'absence de tout stress) sont trouvés trop élevés à plusieurs reprises, sur une période de temps suffisamment longue. Une élévation occasionnelle de la pression artérielle n'est pas forcément pathologique.
• Habituellement, on considère comme pathologiques des chiffres supérieurs à 120 de maxima et/ou 80 de minima avant trente ans, 140 de maxima et/ou 95 de minima après trente ans.
• Une fois le diagnostic d'hypertension artérielle posé, le médecin doit éliminer éventuellement, à l'aide d'examens complémentaires, une hypertension secondaire qui nécessiterait un traitement spécifique.
• Le bilan de retentissement de l'hypertension porte sur les yeux, le cœur, les vaisseaux, le rein. Il peut comporter des examens sanguins, radiologiques, et un ÉLECTROCARDIOGRAMME.
• Selon l'intensité et le retentissement de l'hypertension, le traitement peut comporter :
— des mesures de diététique;
— des médicaments antihypertenseurs d'un seul type, ou de plusieurs types en association.
Prévention
• La lutte contre les autres facteurs de risque vasculaire associés est essentielle : arrêt du tabac, régime pour lutter contre un excès de poids, traitement d'une hyperlipidémie, exercice physique.
• La diminution de la consommation de sel contribue également à baisser la pression artérielle.
Pronostic
• Le traitement de l'hypertension artérielle, qui doit le plus souvent être poursuivi à vie, vise à diminuer les risques de complications liées à cette hypertension.

HYPERTHYROÏDIE

Ensemble des signes liés à un excès d'hormones thyroïdiennes. Les hormones agissent sur l'utilisation de l'énergie, l'activité cardiaque et le système nerveux.

L'hyperthyroïdie est une maladie fréquente qui atteint surtout la femme. Les principaux symptômes sont : l'amaigrissement, la fatigue, les palpitations, les sueurs, l'intolérance à la chaleur, les tremblements, l'irritabilité, la nervosité, l'insomnie, la dépression.

L'excès d'hormones thyroïdiennes est dû le plus

souvent à des anomalies de sécrétion de la thyroïde. La sécrétion excessive d'hormones peut provenir de l'ensemble de la glande (l'hyperthyroïdie s'accompagne alors souvent d'anomalies des yeux, comme une EXOPHTALMIE; on parle de maladie de BASEDOW) ou d'une partie limitée de la glande (tumeur bénigne : adénome toxique). L'excès d'hormones peut être dû à certains médicaments ou à la prise de préparations contenant des hormones thyroïdiennes.

Le traitement de l'hyperthyroïdie dépend de sa cause. Les médicaments, la chirurgie, l'administration d'iode radioactif permettent une amélioration.

HYPNOSE

État de conscience distinct de la veille et du sommeil, et provoqué artificiellement. Le sommeil hypnotique est incomplet, car il permet de garder une relation avec un interlocuteur et d'être sensible aux suggestions.

Les procédés hypnotiques les plus courants sont la fixation d'un point brillant, d'un pendule ou du regard. Le climat de mystère et de prestige de l'hypnotiseur contribue à la réussite de l'entreprise.

Le sujet manifeste à l'égard de l'hypnotiseur une grande docilité en ce qui concerne des ordres immédiats, mais également des ordres à retardement qui seront exécutés après son réveil.

Ce principe peut être utilisé pour combattre certaines dépendances, telles que le tabagisme. Les indications de l'hypnose sont très diverses : sommeil ou simple détente, relaxation, dermatologie (petites interventions), chirurgie dentaire (anesthésie) ou obstétrique. En psychiatrie, les meilleurs résultats sont observés sur l'ANXIÉTÉ chronique et les PHOBIES.

La grande époque de l'hypnose se situe au siècle dernier. En Amérique du Nord et dans d'autres pays, elle continue à être pratiquée couramment et à être enseignée à l'université, contrairement à ce qui se produit en Europe, où elle est oubliée.

HYPOMANIE

État d'exaltation proche de l'excitation maniaque dans sa forme atténuée : humeur euphorique, surabondance des idées et des propos, hyperactivité désordonnée. L'hypomane prend beaucoup d'initiatives dans tous les domaines, se lance dans des projets excentriques, dépense beaucoup et dort peu.

Pour l'entourage, lorsque cette légère excitation hypomaniaque représente l'état habituel, les effets bénéfiques (productivité, sens de l'initiative) peuvent l'emporter sur la difficulté à accepter un rythme de vie aussi trépidant. Mais lorsque l'hypomanie, voire la manie franche, apparaît brusquement, en alternance avec des épisodes dépressifs mélancoliques, il s'agit alors d'une PSYCHOSE MANIACO-DÉPRESSIVE qui relève d'un traitement aujourd'hui efficace, notamment sur le plan préventif (lithium).

Voir MALADIES MENTALES, *page 33*

HYPOSPADIAS

Anomalie de l'urètre masculin dont l'orifice (par lequel est évacuée l'urine) se trouve placé à la base de la verge. Après un an de vie, une intervention chirurgicale redressera le pénis et reconstruira l'urètre. La miction normale et, plus tard, une activité sexuelle sans problème seront alors possibles.

HYPOTHYROÏDIE

Maladie liée à un déficit en hormones sécrétées par la glande thyroïde. Ces hormones thyroïdiennes sont indispensables à la croissance et à la maturation du système nerveux chez l'enfant. Elles jouent aussi un rôle dans la régulation de la température et dans l'utilisation de l'énergie chez tous les individus.

L'hypothyroïdie est une maladie très fréquente chez la femme après la ménopause. Les principaux signes sont : une sensibilité anormale au froid, des modifications de la peau, une fatigue intense, des crampes, une indifférence, de l'apathie, une constipation, une augmentation du cholestérol. Chez l'enfant, des troubles de la croissance et des troubles neurologiques et psychiques sont les signes les plus importants.

L'hypothyroïdie peut être due à une anomalie de la thyroïde elle-même (MYXŒDÈME), ou à une anomalie de la glande (hypophyse) qui commande la thyroïde à partir du cerveau. Au niveau de la thyroïde, les causes principales sont : la destruction de la glande par MALADIE AUTO-IMMUNE et son traitement par certains médicaments. Au niveau de l'hypophyse, la cause habituelle est une tumeur (toujours bénigne).

Le traitement consiste à remplacer la production insuffisante par l'administration d'hormones.

HYSTÉRECTOMIE

Ablation de l'utérus, du col, des trompes, et quelquefois des ovaires. Afin de maintenir une production d'hormones féminines, indispensables jusqu'à la ménopause, on peut envisager dans quelques cas le maintien d'une partie de l'ovaire. L'intervention est habituellement pratiquée en vue de traiter un cancer de l'utérus ou du col, ou bien certaines tumeurs non cancéreuses, comme le MYOME UTÉRIN.

Cette intervention nécessite une anesthésie générale. Elle est réalisée à travers la paroi abdominale, dans sa moitié inférieure, mais elle peut également être pratiquée, dans certains cas, par voie vaginale. La patiente sera hospitalisée pendant une dizaine de jours, et sa convalescence durera environ deux mois. La tendance actuelle est de n'imposer cette intervention qu'après échec du traitement médical, en matière d'affection non cancéreuse.

Voir ORGANES GÉNITAUX FÉMININS, *page 48*

HYSTÉRIE

Il faut distinguer la personnalité hystérique des symptômes hystériques.

La personnalité hystérique

- Égocentrisme.
- Allure théâtrale.
- Avidité affective, avec parfois un comportement de séduction permanent.
- Incontrôle des émotions.
- Possibilités de manifestations anxio-dépressives.

Symptômes hystériques

Paroxystiques ou durables, ils sont extrêmement divers :

- Banales « crises de nerfs », évanouissements.
- Anesthésies, douleurs ou paralysies sans support organique et dont l'apparition ou la disparition sont sensibles à la suggestion.
- Spasmes musculaires.
- Troubles sélectifs de la mémoire.
- Attaques de sommeil.

Causes

- Elles restent inconnues, mais le lien entre personnalité et symptôme est certain. Le malade n'est pas un simulateur, il ignore que ses symptômes ne sont pas dus à une maladie physique.

Rôle du médecin
- Dédramatiser en précisant que les troubles n'ont pas de support organique.
- Proposer, pour certaines formes graves, l'isolement.
- Une relation psychothérapique permet d'analyser les conflits et les conduites du sujet, et lui permettra ainsi de les maîtriser.
- Si le terme « hystérique » a été prononcé, le médecin pourra rappeler qu'il doit conserver un sens médical et ne pas être utilisé comme un commentaire négatif, surtout à l'encontre des femmes, ou comme synonyme de « comédienne ».

Voir MALADIES MENTALES, *page 33*

IATROGÈNE (PATHOLOGIE)

On appelle pathologie iatrogène tout désordre, ou maladie, provoqué accidentellement par un traitement médical ou chirurgical. Par exemple, la pénicilline déclenchera chez certaines personnes une réaction allergique, ou encore l'aspirine, prescrite pour une arthrose, provoquera un saignement de l'estomac.

ICHTYOSE

L'ichtyose est une affection le plus souvent héréditaire, caractérisée par une peau sèche et rugueuse. Elle peut être apparente dès la naissance ou s'installer progressivement au cours des premiers mois de la vie. Dans les formes modérées, la peau est seulement très sèche. Dans les cas sévères, elle est recouverte d'une masse de squames qui tombent lors des frottements avec les habits.

Symptômes
- Peau sèche et rugueuse, qui ressemble à des écailles.
- La sécheresse de la peau s'accentue au froid, et des fissures douloureuses peuvent apparaître.
- Amélioration à la chaleur et à l'humidité.
- La peau peut être grise, d'apparence sale, et le sujet est gêné de se montrer déshabillé en public.

Durée
- Habituellement toute la vie.

Traitement à domicile
- La peau doit être graissée et hydratée quotidiennement : huiles pour le bain, laits hydratants, crèmes.
- Le soleil, les climats chauds et humides améliorent l'état de la peau.

Quand consulter le médecin
- Dès qu'une anomalie de la peau a été constatée.

Rôle du médecin
- Conseiller des traitements locaux à appliquer une ou plusieurs fois par jour : crèmes contenant 10 à 30 pour 100 d'urée, ou autres préparations émollientes.
- Il existe de nouveaux traitements.

Pronostic
- Il n'existe pas de guérison possible, mais une amélioration peut être obtenue spontanément avec l'âge ou par des soins réguliers.
- L'affection n'est pas grave en elle-même mais retentit sur la vie sociale et affective des sujets qui en sont atteints.

Voir LA PEAU, *page 52*

ICTÈRE

L'ictère, ou jaunisse, indique toujours une maladie sérieuse. Tout le corps et le blanc des yeux prennent peu à peu une couleur jaune. Cette coloration est due à des dépôts de bilirubine. La bilirubine est un pigment jaune produit par la destruction, dans la rate, des globules rouges vieux ou abîmés. Normalement, ce pigment est ensuite extrait par le foie et rejeté avec la bile dans l'intestin pour faciliter la digestion. Il contribue dans ce cas à la couleur marron des selles. Beaucoup de maladies provoquent une production excessive de ce pigment jaune qui se dépose ensuite dans les tissus du corps. Passant dans l'urine, il lui donne une couleur brun foncé.

Au début, l'ictère peut être difficile à reconnaître, et il évoluera en quelques jours ou plusieurs semaines. On remarque d'abord les urines foncées ou les selles claires. La modification de la couleur de la peau est particulièrement difficile à constater en lumière artificielle et chez les personnes rousses ou celles dont la peau est foncée. La présence des pigments dans la peau provoque souvent une démangeaison gênante.

ICTÈRE PAR MALADIE DU FOIE

Les infections appelées HÉPATITES sont habituellement responsables de ce type de jaunisse. L'hépatite virale ou infectieuse est commune et survient par épidémies. Une forme plus grave provient des transfusions sanguines et des injections. D'autres infections peuvent être en cause : MONONUCLÉOSE INFECTIEUSE, LEPTOSPIROSE, PALUDISME et AMIBIASE. L'ictère par maladie du foie peut aussi venir de l'ALCOOLISME (*voir* CIRRHOSE DU FOIE), de poisons chimiques (*voir* RISQUES PROFESSIONNELS) et de la grossesse.

ICTÈRE PAR DESTRUCTION EXAGÉRÉE DE GLOBULES ROUGES

Médicalement appelé hémolyse, ce type de jaunisse touche certains nouveau-nés normaux entre trois et cinq jours après leur naissance : dès que l'enfant utilise ses poumons, il a moins besoin de sang, et un léger ictère transitoire apparaît à mesure que la rate élimine l'excès de sang. Les selles et les urines gardent une couleur normale si la jaunisse est entièrement due à l'hémolyse. D'autres maladies plus rares peuvent donner une hémolyse exagérée : INCOMPATIBILITÉ FŒTO-MATERNELLE et THALASSÉMIE.

ICTÈRE PAR OBSTRUCTION

La bile ne peut pas passer par la voie biliaire dans les intestins. Ces désordres peuvent être des CALCULS BILIAIRES ou un CANCER de l'intestin ou du pancréas.

Quand consulter le médecin
- Au moindre soupçon d'ictère. Même une jaunisse de nouveau-né, qui est probablement tout à fait normale, devra être signalée au médecin.

Traitement à domicile
- Aucun. Consulter si l'on soupçonne une jaunisse.
- Si nécessaire, des calmants diminueront les démangeaisons. *Voir* MÉDICAMENTS, n° 17.

Rôle du médecin
- Rechercher et traiter la cause.

ILÉITE RÉGIONALE

Inflammation de l'iléon (partie terminale de l'intestin grêle), et parfois d'autres portions du tractus digestif. Elle est appelée maladie de Crohn. Les parois de l'intestin s'épaississent, les liquides s'y accumulent, les ulcères et l'infection s'y développent. Les ulcères peuvent causer une péritonite. Les plaies peuvent être responsables de constrictions. La maladie, parfois héréditaire, notamment dans les familles juives, survient souvent chez l'adulte jeune, dans les deux sexes.

Symptômes
- Diarrhée chronique avec perte de l'appétit, fièvre et amaigrissement. Ces symptômes sont intermittents ou durables (plusieurs semaines ou plusieurs mois).
- La douleur abdominale survient par accès ou devient permanente. Son intensité est variable.
- La maladie peut revêtir l'aspect d'une APPENDICITE.

Durée
- Il arrive aussi que la guérison complète succède à un accès isolé.
- L'iléite régionale chronique peut être définitive.

Causes
- La cause exacte n'est pas connue.

Complications
- Les ulcères peuvent entraîner un rétrécissement et une OCCLUSION INTESTINALE. La perforation d'un ulcère peut être responsable d'une PÉRITONITE, d'un abcès ou d'une fistule, qui est l'ouverture de l'intestin dans un autre organe ou à la peau.
- Le côlon peut devenir inflammatoire. *Voir* PROCTITE.
- Ulcères de la bouche, éruptions cutanées, troubles oculaires et douleurs articulaires sont possibles.
- Des CALCULS rénaux ou biliaires peuvent survenir.

Traitement à domicile
- Se reposer durant les accès fiévreux.
- Éviter le surmenage physique ou intellectuel.
- De simples médicaments antidiarrhéiques aident à soulager les douleurs et la diarrhée. *Voir* MÉDICAMENTS, n° 2.
- Des mucilages (remèdes absorbant l'excès de fluides intestinaux) peuvent prévenir l'irritation intestinale et raffermir les selles. *Voir* MÉDICAMENTS, n° 3.

Quand consulter le médecin
- En cas d'accès durables ou récidivants de diarrhée, de fièvre ou de douleurs abdominales.

Rôle du médecin
- Adresser le patient à l'hôpital pour confirmer le diagnostic avec des examens complémentaires.
- Prescrire des médicaments antidiarrhéiques.
- Prescrire des stéroïdes pendant la période des poussées inflammatoires sévères. *Voir* MÉDICAMENTS, n° 32.
- Dans certains cas, proposer une opération pour enlever la portion intestinale malade.

Prévention
- Aucune n'est connue.

Pronostic
- Même après intervention chirurgicale, il arrive que la maladie récidive et nécessite la poursuite du traitement.

ILÉOSTOMIE

Intervention chirurgicale consistant à faire sortir, à travers une incision pratiquée dans la paroi du ventre, une boucle d'iléon (partie la plus longue de l'intestin grêle) et à l'ouvrir pour créer un anus artificiel.

Les patients qui ont eu une iléostomie sont parfaitement capables de vivre normalement. Conseils et informations leur sont donnés dans les services de chirurgie.

IMPÉTIGO

L'impétigo est une infection cutanée superficielle, très contagieuse, qui atteint surtout les enfants. Elle se localise surtout autour du nez et de la bouche.

Symptômes
- Une tache rouge apparaît, sur laquelle se forment des petites bulles purulentes qui se rompent rapidement pour donner des croûtes jaunâtres épaisses.
- L'impétigo est autocontagieux et peut diffuser de proche en proche ou à distance (mains, pieds).

Durée
- Elle dépend du traitement.

Causes
- Une bactérie, le plus souvent un streptocoque, parfois un staphylocoque, ou les deux.
- L'infection est particulièrement fréquente dans certaines collectivités ou lieux publics où règne une mauvaise hygiène.
- Prendre des douches fréquentes en savonnant les lésions et appliquer fréquemment des pommades pour faire tomber les croûtes. *Voir* MÉDICAMENTS, n° 43.

Quand consulter le médecin
- Le plus tôt possible pour éviter la propagation.

Rôle du médecin
- Prescrire des solutions antiseptiques, des pommades antibiotiques et des comprimés antibiotiques.

Prévention
- Avoir une bonne hygiène.
- Éviction scolaire de l'enfant contaminé.

Pronostic
- L'enfant guérit rapidement avec le traitement.

Voir LA PEAU, *page 52*

IMPUISSANCE

Chez l'homme, incapacité d'accomplir l'acte sexuel normal et complet. L'impuissance peut comporter un défaut d'érection ou d'éjaculation.

Voir SEXOLOGIE

INCOMPATIBILITÉ FŒTO-MATERNELLE

Dans la population, 85 pour 100 des gens possèdent dans leur sang le facteur rhésus (ou facteur D) et 15 pour 100 ne l'ont pas. Les premiers sont dits « rhésus positif » et les seconds « rhésus négatif ».

Une personne Rh négatif qui reçoit du sang Rh positif au cours d'une transfusion fabriquera à partir de cet antigène rhésus des anticorps dans son sang. Si elle continue à recevoir du sang Rh positif, les anticorps ainsi produits détruiront les globules rouges du sang Rh positif introduit. Il faut donc déterminer le facteur rhésus avant toute transfusion.

Au cours d'une grossesse, une femme Rh négatif peut être porteuse d'un enfant dont le sang est Rh positif (transmis par le père). Certains globules rouges de l'enfant peuvent passer chez la mère, particulièrement au moment de la naissance, et favoriser la formation d'anticorps qui lutteront donc contre le facteur Rh positif. Il n'y a habituellement pas de problème au cours de la première grossesse mais, dans les grossesses suivantes, les anticorps risquent de pénétrer dans le sang de l'enfant et détruire ses globules rouges. Il faut rechercher ses anticorps en début de grossesse si la femme est Rh négatif et le père Rh positif, mais surtout durant le dernier trimestre, car c'est là qu'ils agissent sur le fœtus.

La prévention se fait après une première grossesse par l'administration d'un sérum anti-D. Une transfusion de sang du fœtus au début du septième mois ou à la naissance de l'enfant est possible.

INCONTINENCE

Impossibilité du contrôle de l'évacuation des selles par l'anus, ou des urines par la vessie.

Voir LISTE DES SYMPTOMES (INCONTINENCE)

INDIGESTION

Sensation d'inconfort dans la partie haute et centrale du ventre qui peut s'étendre vers le haut, derrière l'os du sternum. Ce malaise est souvent associé à des

Que faire devant une indigestion ?

□ Rechercher quels aliments aggravent la douleur et les éviter. L'alcool provoque l'indigestion et ne devrait jamais être pris de façon excessive.

□ Faire appel au médecin si les symptômes s'aggravent ou se modifient.

□ Éviter l'énervement.

□ Surélever la tête de son lit à l'aide d'un oreiller placé sous le matelas.

□ Ne pas prendre des repas irréguliers et ne pas sauter de repas.

□ Ne pas fumer.

□ Ne pas se pencher en avant si la cause du trouble est une HERNIE hiatale ou une ŒSOPHAGITE peptique.

□ Ne pas prendre d'aspirine ou de médicaments qui en contiennent, sauf sur prescription médicale. En effet, l'aspirine irrite l'estomac.

éructations et à des nausées. La crise de foie désigne des remontées de bile dans la bouche, à partir de l'estomac. Les causes en sont nombreuses.

Voir LISTE DES SYMPTOMES (INDIGESTION)

INFARCTUS DU MYOCARDE

Nécrose (mort) d'une zone de muscle cardiaque, quand elle est privée de l'apport sanguin suffisant à la suite de la thrombose (obstruction) d'une artère coronaire qui l'irriguait.

Voir THROMBOSE CORONAIRE

INFECTION RESPIRATOIRE

Infection des voies aériennes supérieures — le nez, le sinus (cavités annexées aux fosses nasales), la gorge (pharynx), l'organe des cordes vocales (larynx), la trachée et les deux grosses bronches qui conduisent l'air jusqu'aux poumons.

Les infections respiratoires sont banales, surtout chez les enfants, et relativement bénignes. Il existe plus de deux cents micro-organismes infectants (virus et bactéries), parmi lesquels le virus de la GRIPPE.

Symptômes

Les symptômes diffèrent selon la localisation de l'infection le long du tractus respiratoire. Le virus A de la grippe peut se développer dans les fosses nasales et provoquer un écoulement du nez, dans le pharynx et entraîner un mal de gorge, dans la trachée et causer une toux, dans la partie basse du tractus respiratoire.

LA GRIPPE SOUS MICROSCOPE. *Sur cette coupe transversale de la surface de la trachée, les petites taches sombres sont les virus de la grippe. Les structures linéaires sont les cils, disposés tout le long de la trachée. Ils sont animés de mouvements de battement et débarrassent le conduit aérien des germes et des poussières. Toutefois, quelques virus grippaux parviennent à s'accrocher aux cils, auxquels ils adhèrent. Les virus se faufilent alors entre les touffes de cils et atteignent la paroi trachéale. Ils s'y multiplient et tentent alors de pénétrer à l'intérieur des tissus, où ils disséminent l'infection. Ici, les virus ont subi un grossissement de 35 000 fois leur taille, grâce au microscope électronique.*

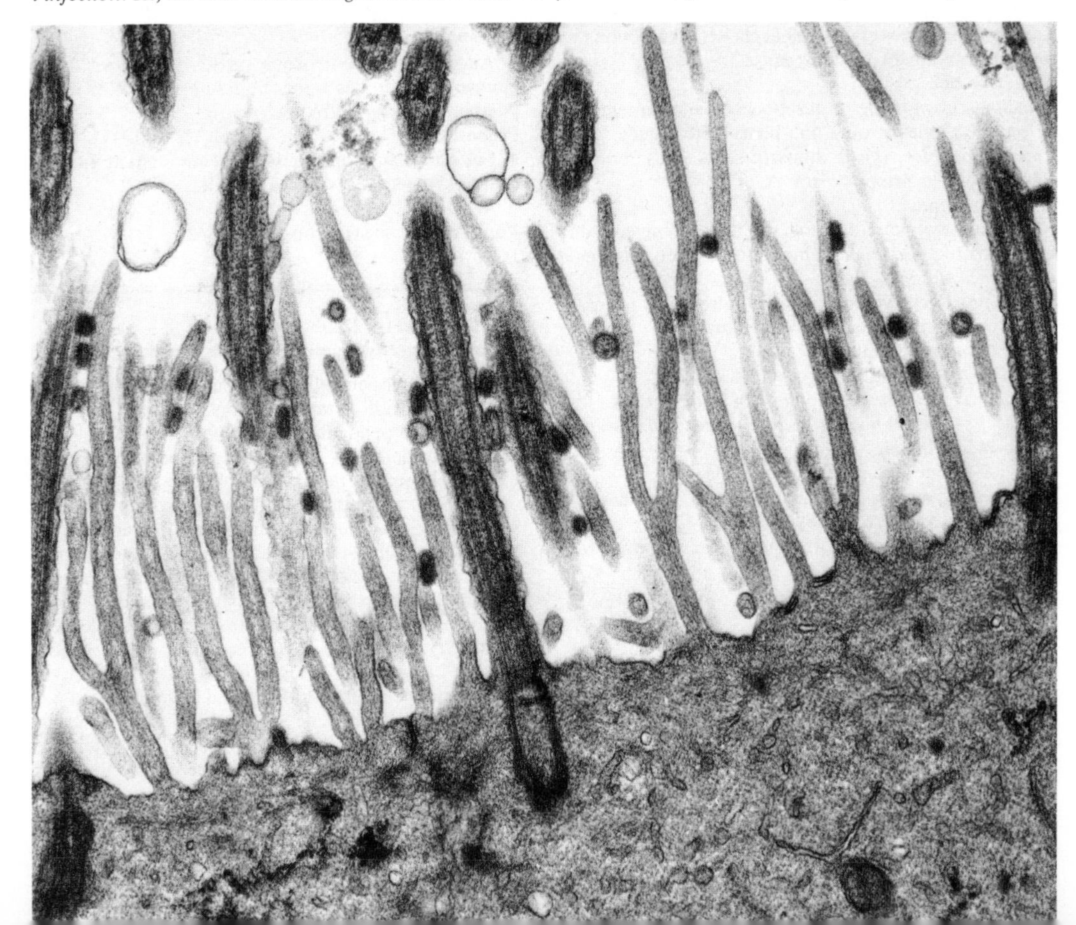

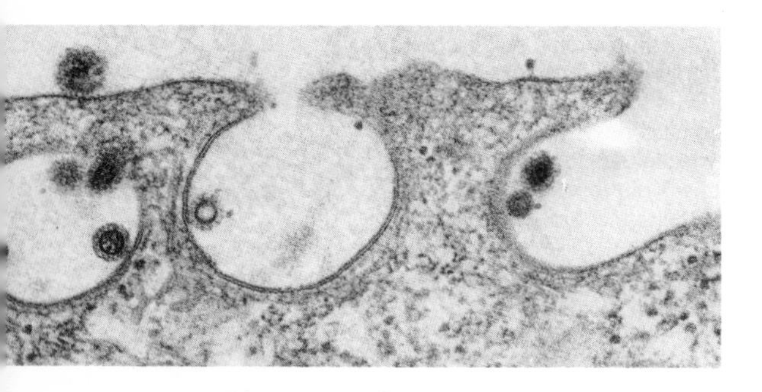

DESTRUCTION CELLULAIRE. *Lorsque les virus ont atteint la surface trachéale, ils se collent contre la membrane des cellules. Celle-ci tente de les emprisonner. Mais ici, les virus parviennent quand même à pénétrer dans les cellules, où ils se multiplient jusqu'à les tuer.*

Les principaux symptômes des infections respiratoires sont indiqués ci-dessous et classés en fonction de leur localisation et de leur cause.
Siège **: le nez**
Principaux symptômes : nez bouché, écoulement.
Infections : RHINITE ou rhino-pharyngite aiguës.
Causes possibles : virus du RHUME ou virus respiratoires, dont la grippe (virus A et B).
Siège **: les sinus**
Principaux symptômes : mal de tête au niveau du front, obstruction nasale, température élevée, frissons.
Infection : SINUSITE aiguë.
Causes possibles : virus du rhume; autres virus respiratoires et infections bactériennes banales.
Siège **: la gorge (pharynx)**
Infections : PHARYNGITE ou ANGINE aiguës.
Principaux symptômes : douleur à la déglutition.
Causes possibles : n'importe quel virus respiratoire, une bactérie banale.
Siège **: l'organe des cordes vocales (larynx)**
Principaux symptômes : mal de gorge, voix rauque.
Infection : LARYNGITE aiguë.
Causes possibles : n'importe quel virus respiratoire, bactérie commune.
Siège **: la trachée**
Principaux symptômes : toux sèche et douleurs à la toux.
Infection : TRACHÉITE aiguë.
Causes possibles : virus respiratoires, bactéries.

En plus des symptômes décrits, une infection des voies aériennes supérieures peut s'accompagner d'expectoration de crachats ou de sang, de douleurs thoraciques au cours des mouvements respiratoires, d'une respiration difficile et bruyante avec sensation d'oppression dans la poitrine. Consulter un médecin.

Durée
- Rarement plus de quatre à cinq jours.

Complications
- L'infection peut gagner les poumons et entraîner une PNEUMONIE.

Traitement à domicile
- Le but du traitement est d'éviter que l'infection ne s'étende à la partie inférieure du tractus respiratoire. Le patient doit se reposer; un surmenage peut favoriser une dissémination de l'infection.
- Les repas devraient être légers et digestes.
- Éviter de fumer.
- Des inhalations peuvent décongestionner les fosses nasales.

Rôle du médecin
- Prescrire des analgésiques légers et des médicaments pour soulager le mal de gorge et la toux. *Voir* MÉDICAMENTS, n°s 16, 22.

Prévention
- Aucune. Les nourrissons ou les personnes âgées peuvent recevoir des antibiotiques en prévention d'une pneumonie. *Voir* MÉDICAMENTS, n° 25.

Pronostic
- Les symptômes disparaissent généralement en un à cinq jours avec de simples remèdes.

Voir SYSTÈME RESPIRATOIRE, *page 42*

INFERTILITÉ

Sur cent couples en apparente bonne santé, qui auront régulièrement des rapports sans aucune méthode contraceptive pendant un an, seules quatre-vingt-cinq femmes deviendront enceintes. Six ou sept d'entre elles ne le seront jamais malgré leurs efforts.

A chaque rapport, des millions de spermatozoïdes sont déposés dans la partie supérieure du vagin, où ils se déplacent dans toutes les directions. Seuls quelques-uns s'infiltrent dans l'étroit canal cervical, à travers le col, pour pénétrer dans la cavité utérine et, après l'avoir franchie, atteindre les trompes où l'ovule peut se trouver en attente d'une fécondation (*voir* GROSSESSE). La majorité des spermatozoïdes meurent et sont rejetés. Cela est normal quand la femme n'est pas à la période féconde de son cycle.

En l'absence de grossesse, la question de l'infertilité ne doit être envisagée chez un jeune couple qu'après

LA MISE A MORT D'UN PARASITE INTESTINAL. *Ce ver plat intestinal est un parasite responsable de la schistosomiase, maladie inflammatoire du tube digestif qui provoque une anémie. Un groupe de cellules éosinophiles attaque le ver.*

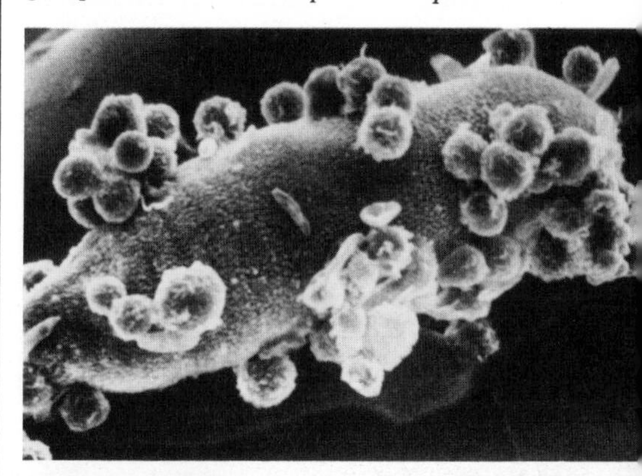

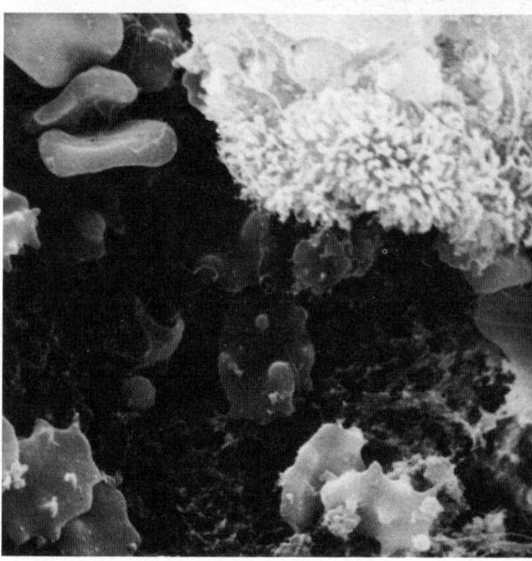

LA DÉFENSE DE L'INTESTIN. *Les cellules blanches (en haut à droite) se déplacent et tuent les bactéries (en bas à droite). Elles absorbent les débris du tube digestif. Les globules rouges, sous rôle protecteur, sont en haut et à gauche de la photo.*

MMENT LE CORPS SE DÉFEND CONTRE L'INFECTION

cellules sont prêtes à tout moment à lutter contre des germes

ıpart des germes qui pénètrent dans l'organisme sont des virus et ıctéries, prêts à sécréter des toxines nocives responsables des lies. Mais quel que soit leur lieu d'irruption, ils sont attaqués par les les blancs, présentés ici, agrandis des milliers de fois.

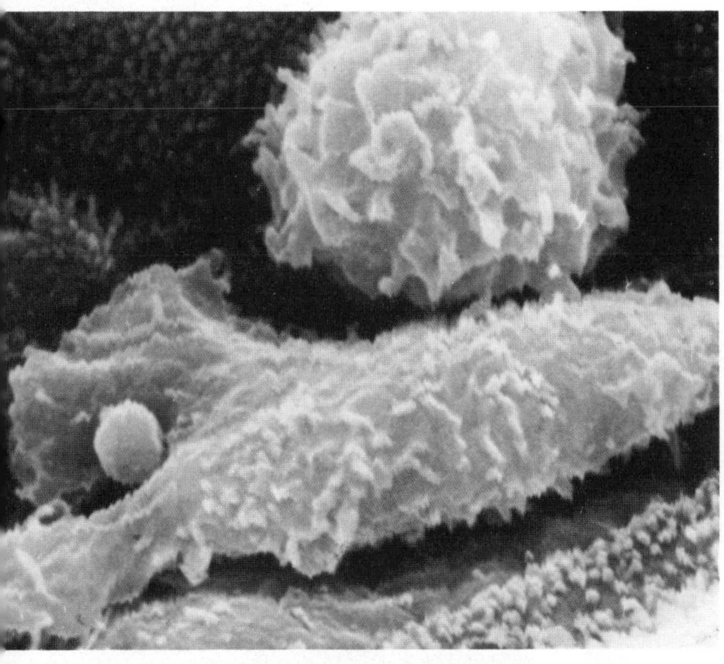

ACROPHAGES, DÉFENSEURS DES POUMONS. *Lorsqu'une particule ère pénètre dans les poumons, elle subit l'assaut d'un macrophage le mobile). La petite particule ronde, à gauche sur la photo, est ée par un macrophage de forme allongée tandis qu'un macrophage di monte la garde à la partie supérieure de la photo.*

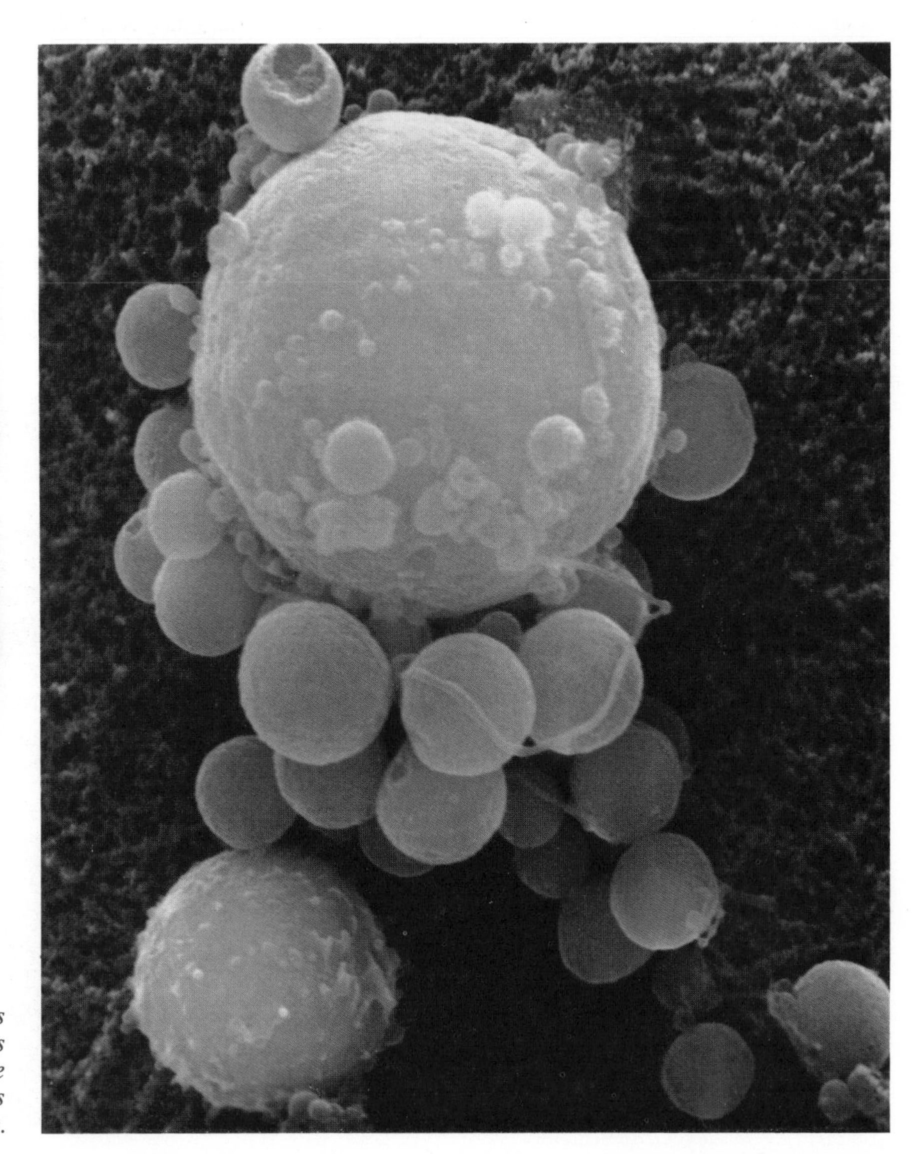

DES LYMPHOCYTES COMBATTANT LE CANCER. *Les gros lymphocytes arrondis encerclent la cellule cancéreuse et tentent de la détruire, mais il ne semble pas qu'ils y parviendront. Les excroissances qui se forment à la surface de la cellule cancéreuse se fixent aux lymphocytes et se détachent. La cellule maligne possède ainsi une barrière protectrice.*

un an de rapports réguliers sans contraception. La cause de l'infertilité peut se situer à quatre niveaux : le sperme, l'ovulation, le chemin menant le spermatozoïde à l'ovule, ou l'incompatibilité entre le sperme et la réceptivité féminine.

LE SPERME

Les spermatozoïdes sont fabriqués dans les testicules, de la puberté jusqu'à la soixantaine et au-delà. Encore immatures, ils migrent à travers d'étroits canaux vers les vésicules séminales, petits sacs siégeant derrière la prostate, où ils seront stockés. Là, ils subissent leur maturation.

Durant un rapport, juste avant l'éjaculation, un fluide est produit par la prostate et passe à travers l'urètre (canal de la verge). Au moment où ce fluide passe devant l'orifice des vésicules séminales, une importante quantité de spermatozoïdes va l'enrichir. Le mélange ainsi réalisé, qui est émis à travers l'urètre, est appelé sperme.

La faible production de spermatozoïdes peut être due à une altération des cellules qui les fabriquent. Les spermatozoïdes peuvent avoir une mobilité diminuée ou être anormaux dans leur forme, ou même morts. A la suite d'une infection, il peut arriver que le canal qui va du testicule vers les glandes séminales s'obstrue définitivement. Enfin, le sperme peut lui-même s'infecter au niveau des vésicules séminales.

Le liquide prostatique peut également être fabriqué d'une manière insuffisante ou d'une manière telle qu'il n'est pas en mesure de maintenir en vie les spermatozoïdes. Enfin, l'homme peut avoir des difficultés pour obtenir une bonne érection.

TROUBLES DE L'OVULATION

Les ovules sont produits par des cellules situées dans les ovaires. La maturation ovulaire à partir de ces cellules est secondaire à une stimulation par des hormones dénommées gonadotrophines, sécrétées par une glande qui se situe sous le cerveau, l'hypophyse. Cette stimulation favorise habituellement vers le milieu du cycle menstruel une ovulation, exceptionnellement deux. L'ovule une fois à maturité va émerger à la surface de l'ovaire, d'où il sera pondu après rupture du follicule qui le contenait jusque-là. Les franges de la terminaison de la trompe qui l'entoure vont le recueillir. Grâce à elles, il pourra pénétrer à l'intérieur des premiers centimètres de la trompe et, là, attendre les éventuels spermatozoïdes.

L'hypophyse peut avoir des difficultés pour stimuler la maturation folliculaire, et donc ovulaire, durant chaque cycle. Et même si une femme a une sécrétion normale d'hormones hypophysaires, dans certains cas le follicule ne réagira pas à cette stimulation. Ou encore le nombre d'ovules potentiels est insuffisant dans l'ovaire; il arrive qu'il n'y ait pas d'ovulation du tout. Enfin, malgré une bonne ovulation, les franges de la trompe qui entourent l'ovaire et reçoivent l'ovule peuvent parfois interdire à ce dernier d'atteindre les premiers centimètres de la trompe.

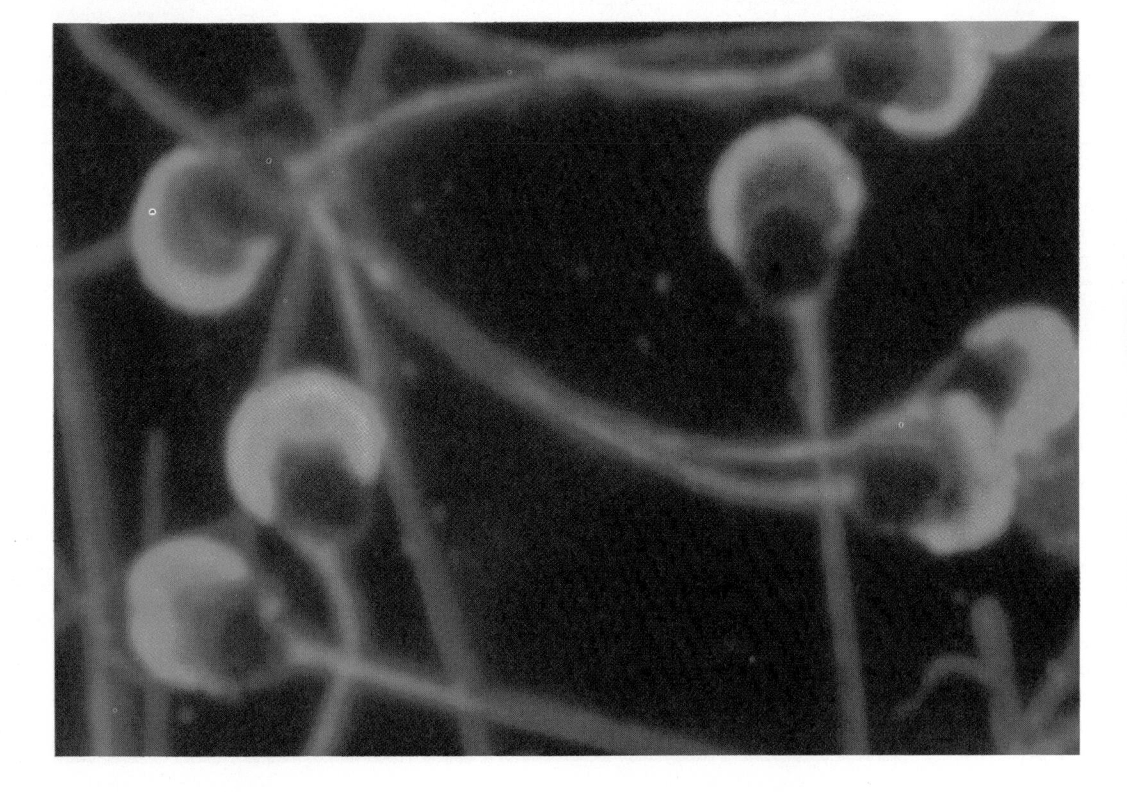

SPERMATOZOÏDES PRÊTS POUR LA FÉCONDATION. *Lors d'un rapport, 500 millions de spermatozoïdes sont émis; un seul pénétrera dans l'ovule pour le féconder. Ce processus met en jeu différents contrôles biochimiques. Si un seul d'entre eux ne fonctionne pas, les chances de grossesse seront très réduites.*

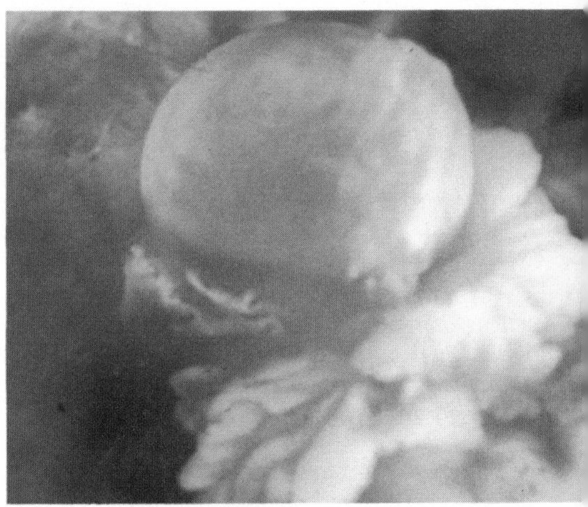

LE DÉBUT DE LA VIE. *Dans l'ovaire, un ovule arrive à maturité en deux semaines. Le follicule se rompt pour libérer l'ovule apte à être fécondé.*

OBSTACLES ENTRE LES SPERMATOZOÏDES ET L'OVULE

Même si des spermatozoïdes arrivent à trouver leur chemin du vagin vers le canal cervical, ils peuvent rencontrer des obstacles pour atteindre l'ovule.

La glaire sécrétée par les glandes du col de l'utérus peut être quelquefois si épaisse qu'elle interdit tout passage de spermatozoïdes. Les spermatozoïdes peuvent pénétrer à travers le canal cervical dans l'utérus, mais des adhérences sous forme de tissu fibreux résultant d'opérations ou d'altérations antérieures peuvent empêcher la poursuite de leur trajet vers l'orifice interne de la trompe. Des adhérences peuvent également se former à l'extérieur de la trompe et les enfermer.

Le plus souvent, les spermatozoïdes finissent par atteindre les trompes mais y sont bloqués par une obturation interne, secondaire à une inflammation ou à une infection de ces dernières. Plus rarement, les spermatozoïdes peuvent normalement traverser la trompe et atteindre l'ovule, mais la muqueuse qui borde la trompe peut être endommagée et ne pas permettre la migration de l'ovule fécondé vers l'utérus. En effet, dans une trompe normale les cellules de la muqueuse et les cils qui s'y rattachent permettent au courant sécrété, et à l'ovule, de se diriger de l'extérieur vers l'utérus, la contraction des muscles de la trompe favorisant ce courant. Sans cette assistance, l'ovule fécondé demeure dans la trompe et il en résulte une GROSSESSE EXTRA-UTÉRINE.

INCOMPATIBILITÉ AU SPERME

Ayant reçu quelques spermatozoïdes, une femme peut produire dans son sang des anticorps contre ces spermatozoïdes. Il s'agit là d'un processus immunologique, une sorte de défense du corps contre des agressions étrangères, comme par exemple une maladie bactérienne. Ces anticorps vont réagir contre les spermatozoïdes qui sont introduits après un rapport et auront tendance à les agglutiner; ainsi, ils deviendront beaucoup moins actifs.

Dans d'autres cas, c'est l'homme lui-même qui produit des anticorps contre son propre sperme. Tout se passe comme si son corps devenait incapable de distinguer ce qui lui est étranger de ce qui lui est propre. Normalement, son sperme contenant les spermatozoïdes est isolé du reste du corps dans les canaux du système reproducteur. Mais si une faille survient à travers les parois de ces canaux, le sperme peut pénétrer dans la circulation sanguine avec le risque de production d'anticorps contre lui. La maturation des spermatozoïdes sera alors diminuée.

RECHERCHE DE LA CAUSE

Avant d'envisager le moindre traitement de l'infertilité, un bilan doit être pratiqué pour en rechercher la cause. Dans un premier temps, on récapitulera scrupuleusement les antécédents de chacun des deux partenaires. Ensuite il faudra s'enquérir de la qualité des cycles menstruels dans l'année précédente, cela afin d'être certain de la régularité de l'ovulation. Le médecin s'enquerra également de la fréquence des rapports. Il terminera par un examen clinique de la patiente à la recherche d'une éventuelle anomalie.

S'agit-il d'un problème de trouble de la production des spermatozoïdes ? Il sera demandé à l'homme un examen de sperme en laboratoire (spermogramme), afin de vérifier le nombre de spermatozoïdes, leur degré de mobilité et de vitalité. Plus cette vitalité est grande, plus les chances d'atteindre leur destination et de permettre une fécondation sont importantes. La recherche d'anticorps, le degré d'acidité et bien d'autres facteurs encore seront étudiés sur le sperme.

S'agit-il d'un problème de trouble de l'ovulation ? Quand un ovule est pondu à la surface de l'ovaire, il se crée au niveau du follicule le corps jaune. C'est lui qui produit une hormone, la progestérone, qui est déversée dans le système sanguin et qui a, entre autres effets, celui d'élever la température du corps. Ainsi, si une femme prend sa température chaque matin durant le cycle menstruel et constate une élévation sensible de la température dans la deuxième moitié du cycle, l'ovulation est très probable. C'est dans cette deuxième moitié du cycle que l'on demande des prélèvements sanguins pour doser la quantité d'œstrogènes et de progestérone.

Une étude microscopique d'un prélèvement de la muqueuse utérine (biopsie) doit être envisagée.

S'agit-il d'un obstacle entre les spermatozoïdes et l'ovule ? On effectue une hystérographie, qui étudie le cheminement de l'injection d'un liquide opaque aux rayons X à travers l'utérus puis les trompes. Une série de clichés sont réalisés, qui donnent de bonnes images de l'intérieur de la cavité utérine et des trompes jusqu'à leur extrémité autour de l'ovaire.

Une autre technique permet d'étudier l'ensemble de l'appareil génital : la cœlioscopie, ou laparoscopie pelvienne. Le cœlioscope est un système optique largement éclairé qui est introduit dans la cavité abdominale à travers la paroi, sous anesthésie générale. Une vue de l'utérus, des trompes, des ovaires, du péritoine, permet de vérifier l'état du système génital interne, et en particulier de s'assurer que la trompe de Fallope est perméable et en mesure de saisir l'ovule lorsqu'il sera pondu. Cette vision peut être améliorée par une injection à travers le col utérin, le cheminement du produit injecté sous cœlioscopie permettant de vérifier facilement si la voie est libre ou non.

S'agit-il d'un trouble de la réceptivité aux spermatozoïdes ? La recherche d'anticorps contre les spermatozoïdes peut être aussi bien effectuée chez l'homme que chez la femme. En particulier dans le sang, le sperme et la glaire cervicale.

TROUVER UNE SOLUTION

En cas de faible production de spermatozoïdes, une stimulation de cette production peut être envisagée par un traitement à base de testostérone, l'hormone masculine sexuelle, ou un autre type d'hormone.

Une désobturation des étroits canaux qui conduisent les spermatozoïdes ne peut être envisagée. Mais en revanche, le canal plus large qui conduit le sperme vers le pénis (canal déférent) peut être débouché chirurgicalement. La production de spermatozoïdes augmente habituellement quand on abaisse la température des

ACCUEIL DE L'OVULE MÛR. *A l'approche de la période ovulatoire, les franges de la trompe se dressent en entourant l'ovaire et captent l'ovule dès sa ponte à la surface du follicule rompu.*

testicules. Tant que les testicules restent en dehors du corps, dans le scrotum, leur température est inférieure à celle de la température centrale du corps. Si cette basse température n'est pas maintenue, la production des spermatozoïdes est réduite (*voir* VARICOCÈLE).

Pour donner aux spermatozoïdes le maximum de chances de féconder un ovule, il est conseillé au couple d'envisager le rapport dans les vingt-quatre heures qui entourent l'ovulation (*voir* CONTRACEPTION).

En cas de mauvaise érection, un soutien psychologique pourra être conseillé (*voir* SEXOLOGIE).

En cas de mauvaise ovulation, il s'agit habituellement d'un défaut de réactivité de l'ovaire en rapport avec une insuffisance en gonadotrophines hypophysaires. Une compensation peut être réalisée par l'injection de ces gonadotrophines à un bon moment du cycle menstruel. Une surveillance et des consultations répétées s'imposent.

En cas d'obstacle entre les spermatozoïdes et l'ovule, une intervention chirurgicale peut être envisagée. Elle porte habituellement sur les trompes et a environ 25 pour 100 de chances de succès. Ce pourcentage peut être amélioré grâce à la microchirurgie.

En cas d'incompatibilité vis-à-vis du sperme, l'utilisation de drogues immunodépressives peut être envisagée, en vue d'améliorer la réaction au processus immunologique, voire de la supprimer. Mais ces médicaments ont également des effets négatifs, parmi lesquels une diminution de la résistance aux agressions, particulièrement aux agressions infectieuses. Une telle thérapeutique ne sera envisagée que si l'on est certain que ses bénéfices sont supérieurs à ses inconvénients. Le pronostic pour un couple qui est infertile s'est considérablement amélioré ces vingt dernières années. Environ 60 pour 100 d'entre eux se sont trouvés porteurs d'une anomalie qui, quand elle est diagnostiquée et traitée, permet dans environ 30 pour 100 des cas l'obtention d'une grossesse.

LES TRAITEMENTS

L'insémination artificielle. Quand un ovule est fécondé chez une femme par du sperme qui n'a pas été introduit dans la cavité vaginale à l'occasion d'un rapport, on parle d'insémination artificielle. Dans ce cas, le sperme est introduit grâce à une seringue au niveau de l'orifice du col de l'utérus, avec l'espoir qu'ainsi déposé il pourra pénétrer dans le canal cervical et, à travers l'utérus et les trompes, venir féconder l'ovule.

Il y a deux types d'insémination artificielle : celle pratiquée avec le sperme du conjoint et celle pratiquée avec le sperme d'un donneur.

L'insémination artificielle avec le sperme du mari peut être envisagée quand ce dernier n'est pas en mesure d'obtenir une érection de qualité, et donc de ne pouvoir déposer le sperme à la partie haute du vagin. Une autre indication est fournie en cas d'éjaculation précoce et lorsque certains troubles neurologiques ne permettent pas un acte sexuel normal. Le sperme du conjoint est recueilli par MASTURBATION, puis déposé dans une seringue et introduit chez la femme. Cette insémination artificielle avec sperme du conjoint a un haut pourcentage de réussite quand elle est réalisée au

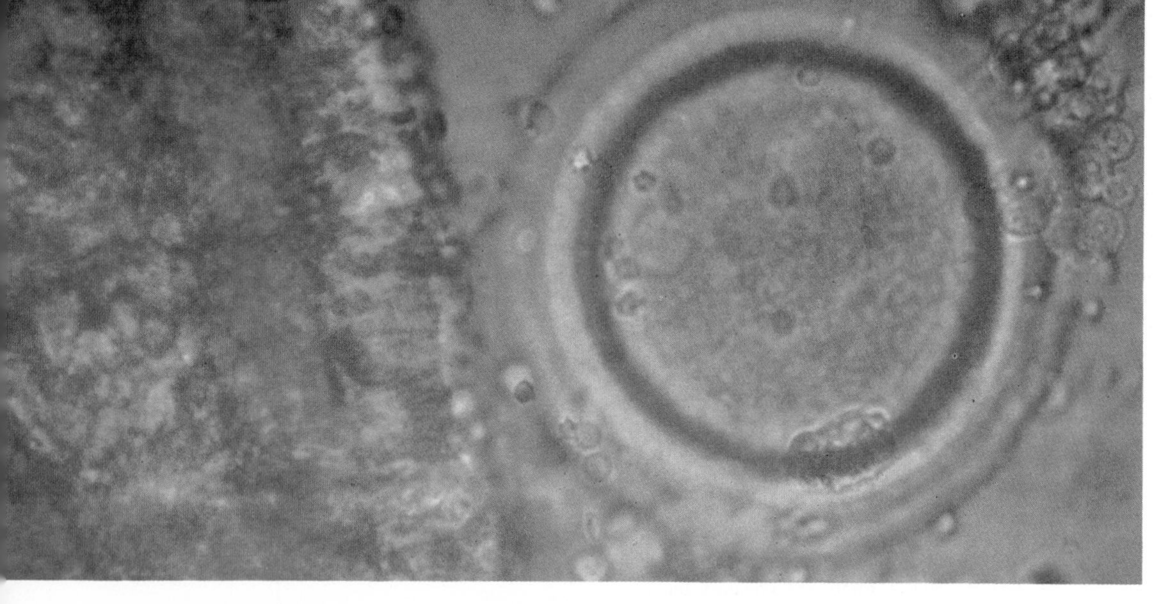

L'OVULE A L'INTÉRIEUR DE LA TROMPE. *La partie interne de la trompe est bordée d'une muqueuse dont les milliers de cellules soutiennent des cils vibratiles. Quand l'ovule mûr est capté, la trompe se contracte et les cils permettent sa progression, jusqu'à sa fécondation par le spermatozoïde.*

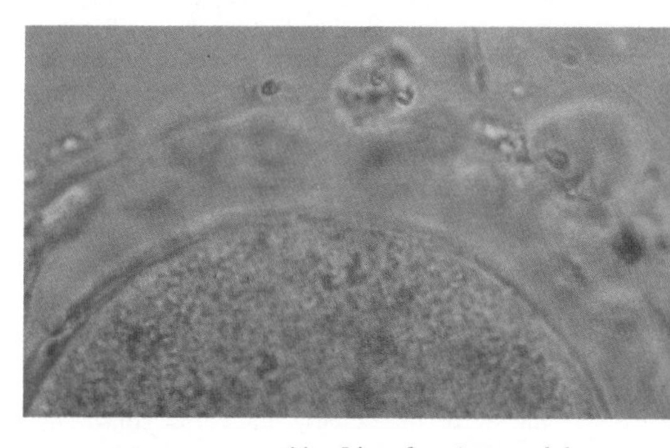

UNE VIE HUMAINE EST CRÉÉE. *L'ovule mûr attend dans la trompe (figure ci-dessus). Six heures après la fécondation, c'est le début de la vie (figure ci-dessous). L'œuf va commencer sa migration vers l'utérus.*

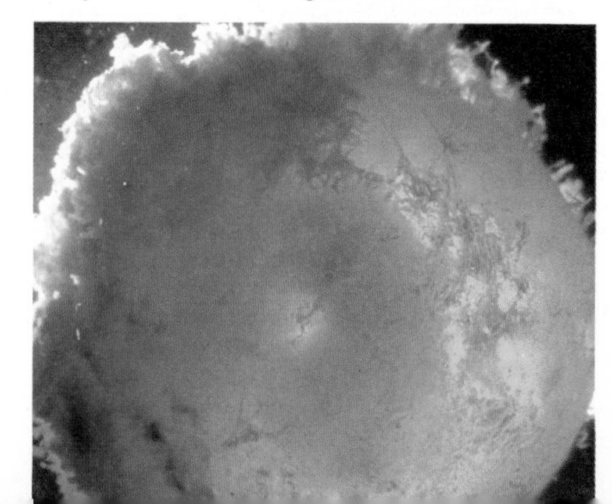

bon moment dans le cycle menstruel. Elle nécessite un certain nombre d'investigations préliminaires chez la femme également. Certains médecins, dans le but d'être plus proches des conditions naturelles, proposent aux conjoints de réaliser eux-mêmes cette insémination en leur fournissant les seringues en plastique nécessaires et en leur montrant le mécanisme.

Cette forme d'insémination peut également être envisagée dans le cas où la glaire produite par la femme se révèle hostile aux spermatozoïdes. Une fécondation peut alors être obtenue si l'on introduit le sperme juste au-dessus du lieu de l'hostilité sécrétoire.

L'insémination artificielle avec le sperme d'un donneur est une option qui n'est pas simple à prendre pour le couple. Elle est envisagée quand l'homme produit du sperme qui ne contient pas de spermatozoïdes, et incapable donc de féconder la femme. Au cours de la consultation avec le couple, le médecin soulignera que l'éventualité d'avoir un enfant dont ils seraient parents pour moitié est préférable à celle de ne pas en avoir. La technique est la même que celle de l'insémination artificielle avec le sperme du conjoint et ne peut être réalisée qu'en milieu médical.

Les donneurs sont anonymes et ne doivent pas être connus des parents. Mais il doit y avoir une certaine identité entre les caractéristiques du donneur et celles du père, afin que l'enfant puisse ressembler à son futur père. Il est également sage de ne pas dépasser le nombre de quinze inséminations réussies avec le même donneur, afin d'éviter que ne s'élève le risque statistique de voir se marier secondairement entre eux des enfants ayant le même père génétique.

Les couples doivent réfléchir et s'entourer de tous les conseils voulus. Il est impératif d'obtenir l'agrément du mari comme celui de la femme.

La plupart des couples concernés pensent qu'il est sage d'aviser les enfants des conditions de leur naissance aussitôt qu'ils auront atteint l'âge de raison.

La fécondation extracorporelle (fécondation in vitro). Quand un ovule est prélevé chez une femme et fécondé par le sperme de son mari en dehors de son corps, ce procédé porte médicalement le nom de fécondation extracorporelle, ou fécondation in vitro. Le terme popularisé de « bébé éprouvette » ne correspond pas à la réalité, car aucune éprouvette n'est utilisée dans ces procédés. Le premier enfant qui soit né par cette technique de fécondation extracorporelle a vu le jour en 1978. Depuis, de nombreuses naissances suivant la même technique ont été réalisées.

Les couples qui peuvent bénéficier de cette forme de fécondation sont ceux chez lesquels la femme est porteuse d'ovaires sains, l'homme ayant de son côté un sperme normal; mais la rencontre entre le spermatozoïde et l'ovule est impossible du fait d'un obstacle sur le trajet des spermatozoïdes, habituellement au niveau des trompes à la suite d'une infection antérieure. Dans de tels cas, un cœlioscope est introduit dans la cavité abdominale, sous anesthésie, afin de voir le follicule se développer à la surface de l'ovaire, juste avant l'ouverture du follicule et la ponte de l'ovule. Quand ces conditions idéales sont réalisées, une fine et longue pipette est introduite également dans la cavité abdominale afin d'aspirer le contenu du liquide folliculaire et l'ovule qu'il contient. Quand cette intervention est réussie, l'ovule retiré est déposé dans une soucoupe stérile et additionné d'une solution contenant le sperme du futur père. Un des spermatozoïdes va assez rapidement pénétrer à l'intérieur de cet ovule et réaliser le premier stade de la fécondation. Le développement de l'œuf ainsi obtenu se poursuit par une division en deux cellules, puis les deux cellules deviennent quatre cellules, et les quatre cellules deviennent huit cellules. Quand le stade des huit cellules est atteint, au bout de quarante heures environ, l'œuf est alors replacé dans l'utérus maternel au moyen d'une fine canule en plastique à travers le col utérin. Si l'emploi du temps a parfaitement bien été observé, la muqueuse de l'utérus de la femme qui recevra cet œuf est apte à permettre son évolution et à lui donner les mêmes chances de développement que s'il s'agissait d'un œuf naturellement fécondé.

Les techniques de ce genre ne peuvent être réalisées que dans quelques centres ultra-spécialisés. En effet, elles nécessitent de la part des opérateurs des conditions scientifiques et de recherche optimales pour donner toutes les chances de réussite à l'intervention. Habituellement, la fécondation est facilement réalisable, de même que l'atteinte du stade des huit cellules. Les difficultés commencent à partir de la réintroduction de l'œuf et de son maintien, une fois implanté, dans l'utérus. En effet, cette intervention est faite « à l'aveugle », et c'est peut-être la raison pour laquelle il n'y a que 25 pour 100 de femmes qui, ayant opté pour cette fécondation in vitro, obtiennent un résultat. Il y a aussi le risque d'un avortement spontané, qui peut se produire dans les douze premières semaines de la grossesse. Mais une fois passé ce cap, tout se déroule habituellement normalement. La proportion de jumeaux est élevée depuis que certains opérateurs pensent que la réinsertion de deux, voire trois œufs fécondés dans l'utérus augmente les chances de réussite d'au moins un d'entre eux.

Les techniques de fécondation in vitro vont peut-être bénéficier de la ponction du follicule, réalisable sous contrôle échographique sans qu'il soit nécessaire d'envisager une anesthésie ou une hospitalisation.

Médicaments favorisant la fécondation. Certaines femmes ne produisent pas facilement des ovules de bonne qualité. Le fonctionnement de ce processus dépend essentiellement de la sécrétion d'hormones par l'hypophyse. Habituellement, un seul ovule est pondu à chaque cycle au moment de l'ovulation, quelquefois deux. Il arrive que, chez certaines femmes, ce procédé simple ne fonctionne plus normalement, soit parce que la glande hypophysaire n'est pas en mesure de produire suffisamment d'hormones, soit parce que l'ovaire est incapable de répondre aux concentrations d'hormones habituelles. Dans ce cas, des médicaments sont utilisés pour stimuler la production d'ovules.

Il y a deux types de stimulation ovarienne : celle-ci peut se faire soit par des comprimés qui agissent directement sur la glande hypophysaire en favorisant l'augmentation de sécrétion de l'hormone stimulant l'ovaire, soit par l'injection intramusculaire d'hormones qui agissent directement sur l'ovaire.

Ces deux types de procédés médicamenteux ne peuvent être appliqués que si la femme est porteuse dans ses ovaires de follicules qui contiennent des ovules, et susceptibles de réagir à cette stimulation. Dans le cas contraire, il n'y a aucun résultat à attendre de cette technique. Habituellement, à partir de la ménopause, la ponte ovulaire cesse, mais il peut arriver que chez certaines femmes l'arrêt de ce fonctionnement habituel survienne beaucoup plus tôt, aux environs de trente-cinq ans. De même, il n'y a aucun résultat à attendre de ces techniques de stimulation de l'ovulation si l'infertilité est due à une cause masculine ou à un obstacle au niveau des trompes de Fallope. Dans ces cas, d'autres traitements doivent être envisagés. Ces types de traitement peuvent favoriser chez la femme la ponte de plusieurs ovules à la fois; il en résulte donc la formation de grossesses gémellaires ou de grossesses multiples.

En cas d'échec de ce type de traitement, il peut arriver qu'on obtienne des résultats par une intervention chirurgicale sur l'ovaire pour améliorer les possibilités d'ovulation.

INHIBITION

En général, ce terme désigne un processus qui ralentit ou arrête la manifestation d'un phénomène physiologique. En psychiatrie, il s'agit d'un ralentissement de l'attention, de la mémoire, des associations d'idées, des actes. L'inhibition se rencontre avant tout dans la dépression, mais elle fait aussi partie des symptômes d'autres affections mentales.

INSECTES (MORSURES ET PIQURES)

Les piqûres et les morsures d'insectes sont des petits accidents de la vie quotidienne, et surtout de la saison chaude. Aucun insecte, au Canada, n'est réellement dangereux pour l'homme. Toutefois, ils peuvent provoquer des infections locales ou des réactions allergiques en cas de sensibilités particulières.

Symptômes

• Gêne ou douleur faisant suite à la piqûre ou à la morsure. En cas de piqûre d'abeille ou de guêpe, la douleur est vive et instantanée. A l'inverse, s'il s'agit d'un moucheron ou d'un moustique, la piqûre peut passer inaperçue au début, l'irritation ne survenant que plus tard.

• Œdème et inflammation. L'œdème peut être rouge, intense, et la peau brillante; une ampoule peut se former au point de piqûre.

• L'œdème risque d'être accompagné d'une démangeaison, modérée ou intense.

• Si la piqûre ou la morsure s'infectent, les symptômes se propagent et s'intensifient.

• En cas d'allergie, l'œdème est important et immédiat; il peut s'étendre à d'autres parties du corps. Exceptionnellement, d'autres symptômes apparaissent, notamment des difficultés respiratoires.

Durée

• Une morsure ou une piqûre sont rarement douloureuses au-delà de trois à six heures. La démangeaison, par contre, peut persister pendant deux à trois jours.

• En cas d'infection, l'inflammation et la douleur persistent, au lieu de disparaître, après deux ou trois jours.

Causes

• Le poison est injecté sous la peau au moment de l'agression. Dans le liquide d'œdème, des substances qui jouent le rôle d'anticorps s'opposent aux effets toxiques du poison.

Complications

• L'infection peut entraîner une fièvre ou des douleurs articulaires.

• Exceptionnellement, une réaction d'anaphylaxie peut apparaître, réaction allergique aiguë au poison. Le patient peut éprouver des difficultés à respirer ou tomber en collapsus. A l'extrême, la mort subite peut survenir avant l'arrivée des secours. *Voir* ALLERGIE.

Traitement à domicile

• Lorsqu'un jeune enfant est attaqué par un insecte, la douleur et la frayeur peuvent causer un réel affolement. Il faut avant tout rassurer l'enfant (et les parents).

• Examiner la région atteinte. Si le dard de la guêpe ou de l'abeille est visible, il doit être enlevé, avec une pince à épiler de préférence.

• Nettoyer la plaie avec un antiseptique pour prévenir l'infection et la plonger dans l'eau froide pour soulager la douleur.

• Éviter de se gratter : cela favorise l'infection. L'irritation est généralement calmée par une lotion à la calamine.

• En cas de troubles respiratoires, le patient doit être surveillé en attendant le médecin ou l'ambulance. L'étendre, les pieds surélevés. Des soins de première urgence peuvent être indispensables.

Quand consulter le médecin

• Si la démangeaison devient intolérable.

• Si l'œdème s'étend à d'autres parties du corps.

• Si les articulations, la langue ou les lèvres gonflent.

• Appeler un médecin ou une ambulance dès qu'un signe de difficulté respiratoire apparaît, si la piqûre se localise à l'intérieur de la bouche ou dans la gorge, si des signes aigus d'allergie apparaissent.

Rôle du médecin

• Prescrire des médicaments antihistaminiques.

• Prescrire des stéroïdes pour calmer la démangeaison.

• Prescrire des antibiotiques en cas d'infection.

• En cas de réaction allergique aiguë, le médecin injectera des solutés antihistaminiques et enverra le patient immédiatement à l'hôpital. *Voir* MÉDICAMENTS, n°s 14, 25, 32.

Prévention

• On peut prendre certaines précautions évidentes afin d'éviter les piqûres ou les morsures d'insectes. Par exemple, ne pas pique-niquer en présence de moustiques ou de moucherons. Les parents devraient surveiller leurs enfants en présence de guêpes, lors des repas, surtout au moment du dessert.

• Des insecticides sont disponibles dans le commerce.

• Si la personne se sait allergique, elle devrait être particulièrement vigilante et avoir à sa disposition des médicaments utilisables en cas de piqûre ou de morsure.

Pronostic

• Dans la plupart des cas, les agressions d'insectes sont sans danger, et les symptômes disparaissent en quelques jours. Dans les rares cas de réactions allergiques, les complications peuvent être sérieuses et exiger un traitement d'urgence.

Voir LA PEAU, *page 52*
LES URGENCES

INSOMNIE

Personne ne sait pourquoi nous dormons, mais il est certain que nous en avons besoin. Les gens que l'on empêche de dormir commencent, après un certain temps, à souffrir de troubles évidents. Ils pensent moins clairement et s'endorment à la moindre occasion. Certains ont des hallucinations.

Mais il n'y a pas de règles quant à la durée de sommeil nécessaire. Les adultes dorment en moyenne sept heures et demie par nuit, mais 8 pour 100 d'entre eux ne dorment que cinq heures ou moins, et 4 pour 100 ont besoin de dix heures ou plus.

Les enfants dorment plus que les adultes — environ quatorze à dix-huit heures juste après la naissance — et ont le même rythme que les adultes vers douze ans. La durée du sommeil change aussi chez les personnes âgées.

Un manque de sommeil de plus de deux heures pendant une nuit peut diminuer la concentration et l'efficacité et rendre somnolent, nerveux et irritable le lendemain, mais il ne semble pas entraîner de problèmes physiques. Le corps récupère de lui-même la perte de sommeil. Les gens que l'on a gardés éveillés pendant plusieurs nuits se sentent en général bien après avoir dormi seulement douze heures.

Un changement de l'heure du coucher peut rendre le sommeil plus difficile, car le corps observe un cycle régulier de vingt-quatre heures — le rythme circadien — pendant lequel la température monte et descend à des moments déterminés. Normalement, elle est basse au milieu de la nuit et élevée l'après-midi. Lorsque la température du corps est basse, la plupart des gens dorment; mais si l'on est éveillé à ce moment, les performances physiques et mentales seront relativement mauvaises. Lorsque la température du corps est élevée, on est au meilleur de sa forme.

Le rythme circadien peut s'adapter afin que son point bas coïncide avec les heures habituelles de sommeil normal. Pour cela, une semaine ou plus sera nécessaire. C'est ce qui se passe généralement après un long voyage aérien, quand le passage d'un fuseau horaire à un autre a décalé le rythme circadien.

Les recherches ont prouvé que le sommeil normal comporte deux phases tout à fait distinctes et qui alternent. Le sommeil profond, qui existe surtout dans la première partie de la nuit, et le sommeil paradoxal, ou « sommeil des mouvements oculaires rapides », qui est associé aux rêves. Ces deux phases sont nécessaires au bien-être. Certains somnifères (comme les barbituriques) suppriment le sommeil paradoxal. Cela ne joue pas sur quelques nuits mais explique probablement pourquoi, sur de plus longues périodes, ces médicaments perdent de leur effet et deviennent dangereux.

LES TROUBLES DU SOMMEIL

Les personnes qui ont des problèmes de sommeil se plaignent soit de ne pouvoir s'endormir, soit de se réveiller souvent dans la nuit ou trop tôt le matin. Parfois, elles sont victimes de plusieurs troubles à la fois. Un mauvais sommeil peut répondre à bon nombre de causes, mais la principale est de loin l'inquiétude qui empêche de s'endormir au coucher, puis de se rendormir pendant la nuit. La dépression perturbe aussi le sommeil. On pourra être dérangé par son environnement, par le bruit, par la lumière, par la température trop chaude ou trop froide. Des horaires irréguliers peuvent provoquer des troubles du sommeil : travail en équipe, successivement de nuit puis de jour, voyages, enfant à nourrir la nuit. Certaines maladies rendent le sommeil difficile, habituellement en raison de la douleur qu'elles provoquent.

La plupart des gens supportent une mauvaise nuit si celle-ci est occasionnelle. Mais si les troubles du sommeil durent plusieurs semaines, cela peut entraîner de fâcheuses conséquences sur la santé.

L'encadré « Que faire devant une insomnie ? » vous donne quelques conseils pour dormir dans de meilleures conditions. Mais avant de les mettre en pratique, vous devez savoir combien d'heures de sommeil sont nécessaires à votre organisme pour être en bonne forme. Peut-être n'avez-vous besoin que de cinq ou six heures de sommeil chaque nuit. Il est inutile dans ce cas de chercher à dormir huit heures. Après cinquante-cinq ans, le sommeil est souvent interrompu.

QUELLE AIDE POURRA VOUS APPORTER VOTRE MÉDECIN ?

Il vous soulagera en vous prescrivant des comprimés pour dormir, en traitant une maladie qui vous garde éveillé ou en découvrant ce qui trouble votre sommeil. Les personnes surestiment souvent leur insomnie. Des tests en laboratoire ont montré que les gens qui souffrent d'insomnie chronique ne dorment parfois que quarante minutes de moins que les « dormeurs normaux ». Ils rapportent aussi leurs symptômes diurnes — y compris la fatigue et le mal de tête — à leur manque de sommeil, alors qu'ils ignorent ce qui a commencé en premier.

BIENFAITS ET INCONVÉNIENTS DES SOMNIFÈRES

Beaucoup de personnes prennent des médicaments pour dormir et des tranquillisants pour être calmes dans la journée.

Les somnifères agissent en ralentissant le système nerveux central du patient. A la bonne dose, ils vous endorment. Mais le sommeil est alors différent du sommeil naturel, car la proportion des deux phases (sommeil profond et sommeil paradoxal) est anormale. De plus, l'effet de la drogue peut se prolonger pendant plusieurs heures après le réveil. Enfin, le corps s'habitue peu à peu au médicament, et vous devrez en prendre davantage pour obtenir le même effet. Vous pouvez aussi avoir du mal à vous en passer, car le sommeil normal mettra des jours, et même des semaines, à revenir. Pendant cette période, vous dormirez mal et vous aurez des cauchemars. Les somnifères vous rendent plus ou moins somnolent dans la journée, ce qui peut être dangereux si vous conduisez ou si vous travaillez sur une machine.

Avec d'autres drogues, ces comprimés entraînent parfois de mauvaises réactions; pris avec de l'alcool, ils peuvent même entraîner la mort. Les barbituriques et les benzodiazépines (*voir* MÉDICAMENTS, n° 17) sont les plus utilisés.

Les somnifères peuvent être utiles dans certaines situations, par exemple aider quelqu'un à passer une

Que faire devant une insomnie ?

☐ Demandez à votre médecin un traitement en cas de douleurs ou de dépression.

☐ Efforcez-vous de vous coucher en même temps que votre partenaire si vous partagez le même lit.

☐ Faites vérifier les doubles vitres et bouchez-vous les oreilles pour vous protéger du bruit. Ayez des rideaux épais ou un masque sur les yeux contre la lumière.

☐ Faites le nécessaire pour être à l'aise dans votre lit, ce qui peut vouloir dire en acheter un neuf si l'ancien est affaissé.

☐ Essayez d'établir une routine du coucher. Par exemple, faire une courte promenade, inspecter la maison, vous brosser les dents, lire au lit.

☐ Faites l'essai d'une méthode relaxante après avoir éteint la lumière, comme compter les moutons, inventer des histoires, réciter des poèmes.

☐ Pratiquez des exercices de relaxation en respirant lentement, puis en contractant et décontractant tour à tour différents groupes de muscles.

☐ Faites de l'exercice physique l'après-midi.

☐ Prenez un bon bain chaud.

☐ Buvez du lait tiède avant de vous coucher.

☐ Évitez, si possible, le travail de nuit, les voyages fréquents, et les réunions mondaines le soir. Vous seriez obligé de tenter de dormir lorsque votre organisme n'en ressent pas le besoin (dans la journée).

☐ Évitez de manger des aliments indigestes avant le coucher.

☐ Ne prenez pas d'excitants le soir : café, thé, cigarettes.

☐ Ne vous énervez pas en regardant un film d'horreur juste avant d'aller au lit.

☐ Ne vous attendez pas à dormir si vous avez trop chaud ou trop froid. Ayez une literie adaptée à la température de la chambre.

☐ Évitez de faire une sieste pendant la journée.

période difficile. Mais l'insomnie est souvent provoquée par une cause que les comprimés ne peuvent en aucun cas résoudre de façon définitive. Il est conseillé de ne pas en abuser.

Si vous avez des difficultés pour dormir, la première chose à faire est de découvrir et résoudre les problèmes qui vous gardent éveillé ou de pratiquer une technique de relaxation. Les somnifères ne régleront pas les causes de l'insomnie, et le meilleur conseil est de les éviter si cela est possible.

INSUFFISANCE AORTIQUE

La valve aortique se situe à la sortie du ventricule gauche et se ferme normalement après chaque battement, empêchant ainsi le reflux de sang dans le cœur. Cette valve peut être altérée : s'épaississant, elle ne ferme plus correctement. Le sang reflue et provoque une hyperpression dans le cœur.

Dans les cas les moins graves, il n'y a aucun symptôme, et cette maladie n'est pas détectée. Quand le reflux est important, un essoufflement apparaît.

Les causes sont multiples : RHUMATISME ARTICULAIRE AIGU durant l'enfance, SYPHILIS, ENDOCARDITE, malformations congénitales, infection, sclérose ou durcissement de la valve en sont les principales.

Si l'essoufflement est important, vous consulterez un médecin. Celui-ci vous prescrira un traitement médicamenteux. Les indications d'une intervention chirurgicale pour remplacer la valve malade seront discutées en fonction de l'âge et de l'état général du sujet.

La prévention est celle des maladies responsables.

Le pronostic est bon dans les formes légères, avec un reflux discret. Mais si le reflux est important, la maladie évolue vers l'INSUFFISANCE CARDIAQUE. Le remplacement chirurgical de la valve atteinte améliore considérablement le pronostic, mais cette intervention n'est pas dénuée de risques.

INSUFFISANCE CARDIAQUE

Difficulté du cœur à assumer le travail de pompage. Le cœur devient incapable de faire circuler le sang à travers le corps, ou une obstruction intracardiaque réduit le débit sanguin. Ces deux situations peuvent survenir ensemble. Le début d'une insuffisance cardiaque est habituellement lent, et le cœur compense cette défaillance en augmentant la force de contraction du muscle cardiaque et la puissance des battements. Parfois, le cœur s'affaiblit brusquement — par exemple, après une importante thrombose coronaire. Il se produit alors un choc et un collapsus. L'insuffisance cardiaque affecte le fonctionnement des autres organes. Les reins en particulier sont touchés et n'éliminent pas assez de liquide; cela surcharge le système circulatoire et augmente le travail du cœur.

Symptômes

- Si l'insuffisance cardiaque est légère, les symptômes ne surviennent que lors d'un effort, mais si elle est sévère, ils deviennent permanents.
- Essoufflement qui augmente progressivement, quelquefois accompagné de sifflement (asthme cardiaque).
- Toux inexpliquée ou persistante. Dans les cas graves, il peut y avoir des poussées de BRONCHITE.
- Le sujet dort presque assis, avec plusieurs oreillers.
- Œdème des pieds et des chevilles.

Durée

- Elle dépend de la gravité et de la cause.

Causes

- HYPERTENSION (pression élevée du sang).
- ANÉMIE grave.
- Troubles du rythme cardiaque (FIBRILLATION AURICULAIRE et BLOC DE BRANCHE).
- Maladie pulmonaire avancée, BRONCHITE chronique, ASTHME. *Voir* CŒUR PULMONAIRE.
- Maladie des valves aortique et mitrale (INSUFFISANCE ou RÉTRÉCISSEMENT aortique ou mitral).
- Maladie du muscle cardiaque (CARDIOMYOPATHIE).
- CARDIOPATHIE CONGÉNITALE.
- Inflammation du cœur (MYOCARDITE, PÉRICARDITE).
- THROMBOSE CORONAIRE.
- INSUFFISANCE CORONAIRE.
- HYPERTHYROÏDIE grave (THYROTOXICOSE).
- Consommation excessive de tabac.

Traitement à domicile

- Si une crise débute, s'asseoir et se reposer.

Quand consulter le médecin

- En cas d'essoufflement anormal.
- A l'apparition d'une toux inexpliquée ou permanente.
- En cas d'œdème des pieds et des chevilles.

Rôle du médecin

- Prescrire des médicaments pour améliorer la circulation sanguine, diminuer la pression artérielle et régulariser les battements irréguliers ou rapides du cœur. *Voir* MÉDICAMENTS, n°s 5, 6, 7.
- Conseiller un régime sans sel.
- Diagnostiquer la cause de cette insuffisance cardiaque, grâce à des examens complémentaires spécialisés.

Prévention

- Arrêter de fumer.
- Conserver un poids normal.
- Éviter toute activité physique excessive et inutile. Si elle est inévitable, l'accomplir plus lentement.
- Être prudent s'il faut monter des escaliers, grimper une côte ou marcher contre le vent.
- Ne pas boire de trop grandes quantités de liquides.
- Suivre scrupuleusement le traitement prescrit.

Pronostic

- Il est bon quand la cause peut être traitée. Par exemple, maladie de la thyroïde, maladie valvulaire, cardiopathie congénitale ou hypertension.
- Il est moins bon quand le cœur a déjà compensé le plus possible l'augmentation de travail qui lui est demandée comme dans le cas des maladies pulmonaires graves ou de l'insuffisance coronaire.

INSUFFISANCE CORONAIRE

Toute pathologie cardiaque due à une insuffisance d'apport sanguin au cœur. Elle se manifeste par des douleurs thoraciques durant l'exercice, parfois un essoufflement ou des troubles du rythme cardiaque.

Cette réduction du débit sanguin (qui peut être liée à un spasme d'une artère coronaire) est due à un épaississement de la paroi des artères coronaires par l'ATHÉROME qui obstrue progressivement l'artère. C'est alors que peuvent survenir une ANGINE DE POITRINE, une INSUFFISANCE CARDIAQUE ou, plus brutalement, une THROMBOSE CORONAIRE.

Ces affections peuvent être évitées ou retardées en évitant le tabac et les alcools, en conservant un poids raisonnable et en pratiquant une activité physique régulière mais modérée, telle la natation ou la marche.

INSUFFISANCE MITRALE

Altération de la valve mitrale, qui devient incapable d'empêcher le reflux du sang du ventricule gauche vers l'oreillette gauche, lors de chaque contraction du cœur. La conséquence est une perte d'efficacité de la pompe cardiaque. L'incontinence est plus rare que le RÉTRÉCISSEMENT MITRAL, mais ces deux pathologies peuvent être associées.

L'insuffisance mitrale se manifeste par un essoufflement inexpliqué et un souffle cardiaque.

Les principales causes sont : le RHUMATISME ARTICULAIRE AIGU; l'ENDOCARDITE ou l'INFARCTUS DU MYOCARDE, par rupture d'un des piliers qui soutiennent la valve; plus rarement, absence congénitale d'un pilier.

Devant cet essoufflement inexpliqué, le médecin sera consulté. Celui-ci va examiner le cœur et les poumons, puis il demandera des examens, dont un ÉLECTROCARDIOGRAMME, une radio des poumons et un échocardiogramme (examen du cœur aux ultrasons). Si les symptômes sont sévères, on envisagera une intervention chirurgicale pour remplacer la valve malade par une prothèse.

Les seules mesures préventives sont celles du rhumatisme articulaire aigu, de l'endocardite et de l'infarctus. Si l'essoufflement est très important, en l'absence de traitement chirurgical le pronostic est médiocre; mais si une valve artificielle est posée, le malade peut mener une vie normale.

INSUFFISANCE RÉNALE

Complication de certaines maladies rénales dans laquelle les reins deviennent incapables d'épurer le sang de ses déchets. Son traitement est l'HÉMODIALYSE ou la transplantation rénale.

INSUFFISANCE VERTÉBRO-BASILAIRE

C'est une diminution de l'apport de sang au cerveau. Elle survient lorsque les artères vertébrales et basilaires (longeant la moelle épinière vers le cou) sont obstruées. Elle se manifeste par de brefs épisodes de vertiges, étourdissements, ou même pertes de connaissance lors de mouvements du cou (pour regarder en l'air, par exemple). Une diplopie (vision double) peut apparaître, ainsi qu'une faiblesse ou un engourdissement d'un membre. Cet état a tendance à s'aggraver avec le temps. Les étourdissements durent tant que la position du cou est maintenue.

Les causes de cette maladie sont l'ATHÉROME et la SPONDYLARTHROSE CERVICALE.

Si vous avez des étourdissements importants, évitez tous les mouvements du cou susceptibles de les déclencher et consultez votre médecin. Cette affection peut être améliorée par le traitement mais ne guérira jamais.

INTERTRIGO

Inflammation de surfaces cutanées qui sont en étroit contact les unes avec les autres. Une localisation fréquente est l'aine (plis inguinaux), spécialement chez les bébés, les personnes âgées et les obèses. Cette affection est plus fréquente en climat chaud.

Symptômes

- La peau d'un pli cutané est enflammée, rouge, suintante.
- Des démangeaisons, une irritation ou une sensation de brûlure sont possibles.

Causes

- La peau devient humide à cause de la sueur ou de l'urine, et la zone de peau macérée s'infecte.

Traitement à domicile

- Prendre des bains fréquents, bien rincer puis sécher avec soin, et éventuellement appliquer du talc.

Quand consulter le médecin

- Si les soins ne sont pas suivis d'une guérison.

Rôle du médecin

- Prescrire un traitement anti-infectieux local.
- Vérifier l'absence de diabète.

Prévention

- Faire des toilettes fréquentes et bien sécher.
- Perdre du poids si l'on est obèse.
- Traiter une incontinence urinaire si tel est le cas.
- Pour la prévention des intertrigos chez les nourrissons, *voir* PUÉRICULTURE.

Pronostic

- Le traitement est généralement efficace, mais une bonne hygiène est nécessaire pour éviter les récidives.

Voir LA PEAU, *page 52*

INTOXICATION ALIMENTAIRE

Maladie aiguë due à l'absorption d'aliments contaminés. Il en existe plusieurs formes, qui diffèrent en fonction des microbes qui ont infecté la nourriture. Les symptômes sont surtout digestifs, mais ils peuvent être nerveux et entraîner la mort. La consultation du médecin est donc impérative dès que plusieurs convives ressentent des symptômes semblables.

Voir GASTRO-ENTÉRITE

INTOXICATION PAR LE PLOMB

C'est le saturnisme, une intoxication rare, mais sévère, liée à l'ingestion ou à l'inhalation de plomb, ou à son absorption à travers la peau. L'intoxication peut être aiguë après inhalation de fumées contenant de grandes quantités de plomb. Plus souvent, elle est chronique, après contact professionnel ou absorption d'eau contaminée. Le corps a de grandes difficultés à se débarrasser du plomb, qui s'accumule progressivement dans les tissus, dans les os, chez des gens trop souvent et trop longtemps en contact avec le plomb.

Il n'est pas facile pour le médecin de diagnostiquer cette intoxication qui est rare et dont les symptômes n'ont rien de très particulier, à moins qu'il ne soit averti que le sujet qui se plaint est exposé à cette intoxication.

Symptômes

- Douleurs aiguës de l'abdomen, récidivantes, non expliquées.
- Pâleur due à une ANÉMIE.
- Faiblesse des muscles des poignets et des chevilles.
- Liseré noir au niveau des gencives.
- Chez l'enfant : vomissements répétés, somnolence inexpliquée et troubles de l'équilibre.
- La température reste normale en général.

Causes

Elles sont nombreuses, mais les plus fréquentes sont :

- Les peintures contenant des quantités importantes de plomb.
- Canalisations d'eau en plomb, surtout dans les régions où l'eau est douce ou acide.
- Soudure au plomb.
- Récupération, destruction ou combustion de vieilles batteries ou d'accumulateurs.
- Utilisation de plomb ou de ses dérivés dans certains procédés industriels (comme la céramique, les émaux, les verres au plomb).
- De petites quantités de plomb sont ajoutées à l'essence comme antidétonant. Les prélèvements ont montré que l'atmosphère des villes et lieux de grande circulation (autoroutes, garages) contient d'importantes quantités de plomb.

Complications

- Les intoxications sévères peuvent attaquer le système nerveux et entraîner des convulsions, un coma et des lésions cérébrales.
- Déficit intellectuel chez l'enfant.

Quand consulter le médecin
• Régulièrement quand on manipule des matériaux ou des produits riches en plomb.
Rôle du médecin
• Adresser le patient à l'hôpital pour des examens et un traitement.
• Si le patient a avalé une grande quantité de plomb, un lavage de l'estomac peut être utile.
• Rechercher une intoxication dans l'entourage.
• Avertir la direction générale de Santé et bien-être social du Canada.
Prévention
• Remplacer les vieilles peintures qui s'écaillent, car elles peuvent contenir des quantités importantes de plomb, et les jeunes enfants risquent de ramasser et sucer les débris. Depuis 1976, la teneur en plomb des peintures est limitée. Quand vous enlevez (décapez) une vieille peinture, portez un masque pour ne pas respirer les poussières et ouvrez les fenêtres.
• Ne laissez jamais les jeunes enfants toucher à des jouets à base de plomb ou de peintures au plomb.
• Si vous manipulez du plomb, pour une soudure par exemple, suivez les instructions, ayez une aération correcte, ne respirez pas les poussières ou fumées et rangez le matériel hors d'atteinte des enfants.
• Ne brûlez jamais d'objets contenant du plomb, comme des batteries de voitures.
• Des contrôles et prélèvements sont effectués régulièrement dans les aliments, les eaux de boisson et l'atmosphère des villes.
Pronostic
• Une intoxication modérée sera traitée sans laisser de séquelles.
• Les intoxications graves risquent de causer des lésions musculaires, nerveuses et cérébrales irréversibles.
• Les intoxications massives peuvent être mortelles.

Voir RISQUES PROFESSIONNELS

INVAGINATION INTESTINALE

Forme particulière de la torsion de l'intestin, dont un segment rentre dans la partie d'intestin qui le suit comme un doigt de gant retourné. Fréquente chez les bébés avant un an, elle provoque des douleurs intenses, des vomissements et l'évacuation par le rectum de sang et de mucus. Elle est moins fréquente chez l'adulte et survient alors dans la zone d'un polype ou d'un cancer de l'intestin. La chirurgie est le plus souvent nécessaire.

INVALIDITÉ

De nos jours, les progrès des techniques modernes aussi bien que les efforts d'intégration sociale ont permis une nette amélioration des conditions de vie des handicapés.

Voir LES HANDICAPÉS

IONISATEURS D'AIR

Dans les conditions atmosphériques habituelles, l'air non pollué contient des ions, qui sont des atomes porteurs d'une charge positive ou d'une charge négative. Mais, dans certaines circonstances, la proportion d'ions négatifs peut considérablement s'abaisser, et ce phénomène a été accusé d'être responsable d'un certain nombre de conséquences sur l'organisme telles que des maux de tête, des sensations d'anxiété ou de dépression.

Une diminution de la proportion d'ions négatifs se rencontre à l'état naturel dans des conditions atmosphériques qui réunissent en même temps une chaleur sèche et un vent violent, comme cela se passe par exemple avec le föhn en Suisse ou le Santa Anna en Californie. Mais, surtout dans les régions industrielles, la pollution semble responsable d'une destruction importante des ions. Les appareils à air conditionné augmenteraient encore ce phénomène.

La thérapie par ions négatifs utilise des appareils appelés ionisateurs, qui augmentent la proportion d'ions négatifs dans l'air. Des expérimentations ont eu lieu aux États-Unis, en U.R.S.S., en Grande-Bretagne et en Allemagne, pour utiliser ces ionisateurs non seulement dans le traitement de la migraine ou de la dépression, mais aussi dans celui de l'eczéma ou des brûlures, dont la cicatrisation serait accélérée. Les résultats de certaines expériences ont montré que cette thérapeutique aurait un effet dans le traitement de certaines tumeurs cancéreuses chez le rat.

Depuis 1950, différentes firmes ont commercialisé des ionisateurs d'air destinés à être utilisés aussi bien dans les maisons que dans les automobiles. Leur vente a été interdite en 1961 aux États-Unis, car ces appareils ont été accusés de produire de l'ozone dans des proportions jugées dangereuses pour la santé. La technique a donc été modifiée, et les modèles les plus récents ne produisent plus ce gaz.

Cependant, les milieux médicaux dans leur ensemble restent sceptiques devant les effets attribués aux ionisateurs d'air.

IRITIS

C'est une affection peu fréquente, aussi dénommée uvéite ou iridocyclite, qui entraîne une douleur et une rougeur oculaires. Elle touche plus souvent l'adulte jeune que les personnes âgées et généralement un seul œil.
Symptômes
• La douleur profonde augmente progressivement.
• L'œil est rouge, larmoyant et sensible à la palpation. La lumière vive est gênante. La pupille est contractée.
• La vision perd de son acuité, bien qu'elle ne soit pas entièrement troublée.
Causes
• Elles sont rarement retrouvées, bien que l'iritis puisse accompagner certaines maladies rhumatismales.
Traitement à domicile
• Il n'y en a pas.
Quand consulter le médecin
• Toute douleur oculaire persistante ou trouble visuel doit inciter à consulter un ophtalmologiste le plus tôt possible.
Rôle du médecin
• L'ophtalmologiste mesurera la vision, tentera d'examiner le fond d'œil avec un ophtalmoscope. L'examen au microscope permettra de confirmer le diagnostic d'iritis (inflammation de la partie antérieure de l'œil ayant un point de départ au niveau de l'iris).
• L'ophtalmologiste prescrira des gouttes pour dilater la pupille qui est contractée, d'autres gouttes pour lutter contre l'inflammation. Il fera faire un bilan à la recherche d'une cause possible à l'iritis (foyer O.R.L., foyer dentaire, maladie générale qu'il faudra également diagnostiquer pour entreprendre un traitement).
Pronostic
• Sous traitement, l'iritis s'améliore en une semaine ou deux, mais peut récidiver.
• Sans traitement, il y a un risque que l'iritis se complique par un GLAUCOME, par contraction de la pupille qui se trouve attachée au cristallin.

Voir L'ŒIL, *page 36*

JAMBES ARQUÉES

En position de garde-à-vous, incurvation des jambes, créant un vide entre les genoux (jambes en forme de parenthèses) ou un écart entre les chevilles (jambes en forme de X). Dans le premier cas, on parle de « genu varum »; dans le second, on dit « genu valgum ».

KÉRATOSE ACTINIQUE

Encore appelée kératose solaire ou sénile, c'est une dermatose constituée de taches rosées ou brunâtres, rugueuses et recouvertes de squames sèches. Elles apparaissent progressivement et sans douleur chez les sujets âgés de plus de quarante ans. Les régions exposées au soleil sont le plus communément touchées : visage, dos des mains, oreilles, cuir chevelu des chauves.

Durée

• L'extension est lente, sur des mois et des années.

Causes

• Les kératoses sont plus fréquentes et plus précoces chez les hommes qui ont été longtemps exposés au soleil au cours de leur profession (marins, agriculteurs), et chez les personnes à peau claire qui vivent sous les tropiques.

Complications

• Après quelques années d'évolution sans traitement, la kératose peut se transformer en cancer de la peau.

Traitement à domicile

• Aucun. Ne pas gratter les squames.

Quand consulter le médecin

• Devant toute lésion persistante de la peau, surtout si elle siège dans une zone exposée au soleil et que le sujet a le teint clair.

Rôle du médecin

• Dans les cas douteux, prélever un morceau de la lésion (biopsie) pour l'analyser au microscope.

• Détruire les kératoses par le froid (cryothérapie) ou par l'électrocoagulation.

Prévention

• Se protéger du soleil par une crème (écran solaire).

Pronostic

• Un traitement précoce prévient l'apparition d'un cancer de la peau (qui sera traité par chirurgie ou radiothérapie).

• D'autres kératoses peuvent se constituer.

KORSAKOFF (SYNDROME DE)

Atteinte du cerveau caractérisée par un trouble de la mémoire. Le patient est incapable de se souvenir d'événements récents. Il compense ses troubles de mémoire en ayant de fausses reconnaissances, en affirmant des choses fantaisistes. Il est désorienté, ne se souvient plus de la date et ne sait pas où il se trouve. Il est incapable de s'initier à de nouvelles activités, aussi simples soient-elles.

L'ALCOOLISME est la cause la plus fréquente de ce syndrome qui s'accompagne de troubles nerveux (encéphalopathie de Wernicke : confusion, paralysie, délire). Les autres causes sont rares : tumeurs, hémorragies, traumatisme du cerveau. Le traitement, lorsque l'alcoolisme est en cause, repose sur l'administration de larges doses de vitamine B, surtout B1 (thiamine). Le pronostic est souvent mauvais.

KWASHIORKOR

Maladie des nourrissons et des enfants en bas âge vivant dans les pays pauvres. Elle est due à un déficit en protéines, parfois en vitamines. Elle se manifeste par un retard de croissance, des œdèmes, un gros ventre, une irritabilité, une dépigmentation de la peau et des cheveux, une anémie, de la diarrhée. Elle apparaît quand le nourrisson est sevré de sa mère et se retrouve avec une alimentation insuffisante. Ces enfants atteints de kwashiorkor sont fragiles, et leur état s'aggrave à la suite de nouvelles maladies.

Le traitement consiste à rétablir une ration alimentaire suffisamment riche en protéines (lait enrichi en vitamines). Beaucoup d'enfants meurent; ceux qui survivent sont souvent handicapés par un retard mental et de croissance.

Voir SYSTÈME DIGESTIF, *page 44*

KYSTE

Cavité anormale, entourée d'une membrane et contenant un liquide, une substance gélatineuse ou de l'air. Les kystes peuvent apparaître dans divers endroits du corps, et il en existe plusieurs sortes. Ils sont en général bénins (c'est-à-dire non cancéreux) et, souvent, ne sont pas perçus par le patient. Mais certains peuvent devenir malins (cancéreux) ou comprimer un organe voisin, empêchant son fonctionnement normal. Il est donc sage de demander à son médecin s'il est préférable de le faire enlever.

KYSTE DE L'OVAIRE

Tuméfaction de l'ovaire, qui contient du liquide et mesure habituellement quelques centimètres de diamètre. Exceptionnellement, ces kystes peuvent devenir cancéreux. D'autres, par leur volume, font croire à une grossesse.

Symptômes

• Il peut n'y avoir aucun trouble, et dans ce cas le kyste est découvert à l'occasion d'un examen gynécologique.

• Des douleurs intermittentes de la partie basse du ventre, souvent au moment de l'ovulation ou des règles.

• Douleurs durant les rapports.

• Troubles des règles; en particulier, arrêt des règles.

• Augmentation de volume de l'abdomen.

Durée

• Les petits kystes bénins peuvent persister pendant des années sans aucun trouble.

• Les kystes qui se cancérisent augmentent rapidement de volume, et surtout s'étendent aux organes avoisinants.

Causes

• La plupart des kystes de l'ovaire sont provoqués par une rétention liquidienne à l'intérieur de l'ovaire.

• Quelques kystes gorgés de sang peuvent être en rapport avec une ENDOMÉTRIOSE.

• Parfois ils sont dus à un cancer de l'ovaire.

Complications

• Les kystes de l'ovaire peuvent se tordre, se rompre ou saigner, et entraîner de vives douleurs abdominales.

Traitement à domicile

• Il n'y en a pas. Si l'on suspecte la présence d'un kyste, il faut consulter le médecin.

Quand consulter le médecin

• Dès qu'il y a la moindre douleur, une anomalie des règles, une augmentation de volume de l'abdomen.

Rôle du médecin

• Pratiquer un examen gynécologique.

• Si la présence d'un kyste de l'ovaire se confirme, le médecin organisera une consultation auprès d'un gynécologue qui pourra envisager une intervention.

Prévention

• Il n'y en a pas.

Pronostic

• Les kystes simples peuvent demeurer ainsi pendant de nombreuses années, mais dans quelques cas ils peuvent augmenter de volume, et surtout entraîner des complications. La cancérisation du kyste exige un traitement d'urgence.

Voir ORGANES GÉNITAUX FÉMININS, *page 48*

KYSTE HYDATIQUE

Maladie infectieuse rare, appelée scientifiquement échinococcose. Elle touche les habitants des régions d'élevage de vaches ou de moutons utilisant des chiens de bergers. Les œufs d'un petit ver plat sont évacués dans les selles des chiens infectés. Ces œufs tombés sur le sol peuvent être avalés par l'homme ou le bétail dans la nourriture ou l'eau contaminée. Les œufs passent alors dans le sang et créent des kystes, souvent dans le foie et les poumons. Ces kystes passent facilement inaperçus et sont donc difficiles à diagnostiquer.

Symptômes

• La plupart du temps il n'y a pas de symptômes, et la maladie est découverte à l'occasion d'examens pratiqués par suite d'un mauvais état général.

Causes

• Un ver plat, appelé *Taenia echinococcus*, qui est un parasite du chien.

Traitement

• Une opération chirurgicale pourra être nécessaire pour enlever les kystes.

Prévention

• Éviter de toucher les chiens qui pourraient être parasités par des vers plats ou autres.

• Empêcher les chiens de lécher les assiettes ou les ustensiles de cuisine utilisés par l'homme.

Voir MALADIES INFECTIEUSES, *page 32*

KYSTES SÉBACÉS

Tumeurs de la peau formées aux dépens des glandes sébacées (productrices de sébum). Elles sont constituées d'une membrane délimitant une cavité qui est remplie d'une masse graisseuse blanchâtre. On distingue deux types de kystes sébacés suivant leur localisation :

Les *kystes sébacés épidermiques*, au niveau de la peau, dont le risque est infectieux.

Les *kystes sébacés du cuir chevelu,* qui en général ne s'infectent pas.

KYSTES SÉBACÉS ÉPIDERMIQUES

Symptômes

• Tumeurs de tailles variables, d'une tête d'épingle à un œuf de poule; souvent multiples. Elles sont surtout localisées au cou ou au tronc. Situées dans le derme profond, elles sont de consistance élastique ou dure, indolores, mobiles. Leur accroissement de taille est progressif, sur plusieurs années.

• Les kystes peuvent s'enflammer ou s'infecter : ils deviennent alors rouges, chauds, douloureux, et risquent de se fistuliser avec issue d'un mélange de pus, de sang et de kératine.

Durée

• Les kystes persistent tant qu'ils n'ont pas été enlevés chirurgicalement.

Causes

• Inconnues. Mais on suppose que des lésions de la peau comme l'acné ou les traumatismes pourraient favoriser la survenue des kystes.

Traitement à domicile

• En cas d'infection du kyste : antiseptiques (solution de Dakin diluée au tiers, par exemple) à appliquer à l'aide de compresses et à renouveler fréquemment.

• En cas d'ouverture du kyste, protéger la lésion avec des pansements stériles.

Quand consulter le médecin

• En cas de doute sur la nature exacte du kyste. Le risque serait de passer à côté d'une tumeur dont le traitement serait urgent.

• En cas d'inflammation ou d'infection du kyste.

• En cas de gêne esthétique.

Rôle du médecin

• Traitement anti-infectieux en cas de surinfection.

• Le kyste doit être enlevé chirurgicalement, le plus souvent sous anesthésie locale, en ayant soin d'enlever en totalité la capsule pour éviter les récidives.

• Dans les régions découvertes, pour éviter de trop grandes cicatrices inesthétiques, on peut tenter une extraction à la pince après une minime incision cutanée.

Prévention

• Aucune.

Pronostic

• Un kyste sébacé ne disparaîtra pas spontanément, mais il peut se stabiliser et ne pas augmenter de volume.

• Pas de récidive après ablation complète.

• Risque infectieux général en cas de surinfection.

KYSTES SÉBACÉS DU CUIR CHEVELU

Symptômes

• Petites tuméfactions du cuir chevelu, sphériques, indolores, augmentant très progressivement de volume.

• Peuvent provoquer une gêne dans les soins des cheveux (accrochent le peigne).

Durée

• Persistent jusqu'à l'ablation chirurgicale.

Causes

• Inconnues, mais les kystes ont parfois un caractère familial, avec transmission régulière d'une génération à l'autre.

Traitement à domicile

• Aucun n'est vraiment nécessaire, à l'exception d'une coiffure adaptée afin de cacher le kyste en cas de gêne esthétique.

Quand consulter le médecin

• Si l'on désire être débarrassé du kyste.

Rôle du médecin

• Ablation chirurgicale du kyste.

Prévention

• Aucune.

Pronostic

• Les kystes du cuir chevelu augmentent progressivement de taille sur plusieurs années.

• Elles ne risquent pas de s'infecter.

• Pas de récidive après ablation chirurgicale.

Voir LA PEAU, *page 52*

LABYRINTHITE

Inflammation du labyrinthe, partie de l'oreille interne qui est responsable du maintien de l'équilibre du corps. Le labyrinthe est sensible à la fois à la position de la tête et à ses mouvements. Cette inflammation entraîne des vertiges (sensation désagréable de mouvement, même lorsque la tête est immobile). Les symptômes sont ceux du mal de mer.

Symptômes

• Vertiges : sensation de tourner, de tomber.

• Nausées et vomissements.

• Vacillement des yeux lorsqu'on regarde sur le côté.

• L'audition n'est généralement pas altérée.

Durée

• Les symptômes disparaissent en dix jours.

Causes

• Infection virale, parfois épidémique.

• Extension d'une infection bactérienne de l'oreille moyenne (*voir* OTITE MOYENNE), ce qui est moins fréquent mais plus grave.

Traitement à domicile

• Rester au lit et éviter autant que possible les mouvements de la tête.

Quand consulter le médecin

• En cas d'écoulement par l'oreille, de mal de tête ou

de fièvre, consulter le médecin sans retard.

Rôle du médecin

- Examiner les yeux et les oreilles.
- S'il suspecte l'extension d'une infection bactérienne de l'oreille moyenne, le médecin enverra le patient à l'hôpital pour un traitement antibiotique intensif.
- Prescrire des médicaments pour améliorer les vertiges et les vomissements tant que l'inflammation persiste.
- Dire au patient de rester au lit.

Prévention

- Aucune n'est connue.

Pronostic

- Les labyrinthites virales disparaissent en dix jours environ, sans séquelles, à l'exception parfois d'une légère surdité intermittente.
- Les labyrinthites bactériennes, conséquences d'otites moyennes chroniques, sont beaucoup plus sérieuses. La chirurgie peut être nécessaire et l'oreille interne définitivement endommagée, entraînant une surdité définitive.

Voir L'OREILLE, *page 38*

LANGUE (AFFECTIONS DE LA)

Modifications de la texture de la langue, incluant les fissures et les crevasses, les langues chargées et celles qui sont rouges et lisses.

FISSURES ET CREVASSES

Sillons irréguliers à la surface de la langue, avec ou sans douleurs.

Symptômes

- Les fissures ont des bords arrondis. Elles sont indolores et se dessinent de façon irrégulière à la surface de la langue.
- Les crevasses sont des dentelures, des fentes ou des déchirures qui peuvent s'enflammer, devenir douloureuses et provoquer un ulcère.

Durée

- Les fissures sont généralement présentes dès la naissance et durent toute la vie.
- Les crevasses persistent seulement quelques jours avant de guérir.

Causes

- Les crevasses sont presque toujours dues à une morsure, un étirement ou une irritation de la langue.
- Dans de rares cas, fissure ou crevasse sont produites par une infection ou un cancer.

Complications

- Formation d'une tumeur, qui peut être maligne ou sans danger.

Traitement à domicile

- Observer une bonne hygiène dentaire.
- Appliquer une goutte de glycérine, en l'étalant avec le doigt, sur toute crevasse douloureuse.

Quand consulter le médecin

- Une grosseur dure, une crevasse douloureuse, grande ou ulcérée, une zone lisse et grise apparaissant sur la langue doivent être signalées si elles persistent plus de quinze jours.

Rôle du médecin

- S'il soupçonne une affection sérieuse, il conseillera un examen biopsique. Cela consiste à prélever une petite partie du tissu malade pour l'étudier.

Prévention

- Une bonne hygiène buccale réduira le risque d'inflammation d'une crevasse.
- Toute cause d'irritation de la langue (comme un dentier mal adapté) doit être traitée avant l'apparition d'une plaie.

Pronostic

- Les fissures et les crevasses sont rarement le symptôme d'une maladie grave, et les plaies de la langue guérissent en général rapidement sans traitement.

LANGUE CHARGÉE

Une langue un peu chargée est tout à fait normale. Un dépôt est produit par la desquamation des cellules à la surface de la langue, dans lequel s'accumulent des particules de nourriture, de la fumée de tabac et d'autres substances passant par la bouche.

Symptômes

- Sur une langue normale, le dépôt peut être gris, jaune ou brun.
- Une langue anormalement chargée porte un épais enduit qui risque de devenir gênant et de diminuer le sens du goût.
- Une langue sèche s'accompagne souvent d'un épais dépôt.
- Une « langue noire villeuse » est recouverte d'un dépôt particulièrement sombre, presque noir, qui rend le goût de la nourriture déplaisant.

Durée

- Sans traitement, une langue chargée peut durer de une heure à une période indéfinie.

Causes

- Une langue très chargée existe souvent chez les personnes dont le régime est à base d'aliments mous ou lactés qui manquent du pouvoir abrasif nécessaire au décapage des particules en excès.
- Une langue sèche et chargée est caractéristique des patients fiévreux ou des déshydratés, qui n'ont pas assez de salive pour la nettoyer. Cela est courant chez les malades chroniques, les personnes âgées ou ceux qui ont pris trop d'alcool.
- La « langue noire villeuse » est souvent la conséquence d'un gros tabagisme ou d'un traitement antibiotique.

Complications

- Aucune.

Traitement à domicile

- Nettoyer une langue trop chargée avec une brosse à dents et de l'eau.
- En cas de langue sèche, s'assurer que l'on absorbe des liquides en quantité suffisante.
- Le dépôt sombre de la « langue noire villeuse » peut être enlevé en quelques jours par un brossage régulier avec une solution concentrée de bicarbonate de soude. Mettre deux cuillerées à soupe d'eau dans un bol et y mélanger du bicarbonate jusqu'à saturation.

Quand consulter le médecin

- En cas de fièvre ou de déshydratation.

Rôle du médecin

- Conseiller le traitement ci-dessus.

Prévention

- Une hygiène buccale simple et un régime alimentaire équilibré préviendront une langue trop chargée chez les personnes en bonne santé.
- Arrêter de fumer préviendra souvent la « langue noire villeuse ».

Pronostic

- La langue chargée n'a pas de signification en elle-même, il suffira de la nettoyer grâce à un traitement simple.

LANGUE ROUGE ET LISSE

Affection commune chez les malades souffrant d'anémie ou d'un manque de fer.

Symptômes

- La langue devient rouge et lisse, perdant sa texture râpeuse. Elle est dite « vernissée ».
- Elle sera sensible au chaud, aux aliments et aux boissons très parfumés, de façon désagréable.
- Les symptômes ne doivent pas être confondus avec ceux d'une langue tachetée, où des zones « à contours géographiques » lisses et rosâtres apparaissent sur une langue par ailleurs parfaitement saine et normale. Cette affection indolore est sans signification et guérira toute seule.

Durée
- Une langue rouge et lisse peut guérir toute seule ou persister jusqu'à ce que sa cause soit traitée.

Causes
- Un manque de fer ou de vitamine B.

Complications
- Aucune.

Traitement à domicile
- Commencer un traitement à base de fer ainsi que de vitamine B.

Quand consulter le médecin
- Si les symptômes persistent plusieurs mois ou réapparaissent après le traitement.

Rôle du médecin
- Faire des prélèvements sanguins pour étudier le taux du fer sanguin et déceler une anémie éventuelle.
- Vous interroger et vous examiner à la recherche d'un déficit en fer, dû à un mauvais régime alimentaire, une absorption insuffisante ou des saignements excessifs (règles trop abondantes ou hémorragies, par exemple).

Prévention
- Un régime équilibré contenant des aliments riches en fer, comme le foie, les œufs et les légumes verts, préviendra l'affection chez les gens bien portants.

Pronostic
- La langue rouge et lisse est plus le symptôme d'une déficience qu'une maladie en elle-même. Lorsque la déficience aura été diagnostiquée et traitée en conséquence, l'affection disparaîtra.

Voir SYSTÈME DIGESTIF, *page 44*

LAPAROSCOPIE

Petite intervention sous anesthésie locale qui permet d'examiner la cavité abdominale. Une courte incision est pratiquée dans l'abdomen, et l'on y introduit un instrument optique appelé laparoscope. La laparoscopie permet alors d'étudier le foie et les voies biliaires (vésicule et ses canaux), ainsi que les autres organes abdominaux.

LARYNGECTOMIE

Ablation chirurgicale d'une partie ou de tout le larynx (qui produit la voix). L'opération est habituellement pratiquée lorsqu'un CANCER se développe dans cet organe. Les premiers symptômes de la maladie sont un enrouement, une toux et des difficultés à avaler. Les hommes au-dessus de quarante ans sont particulièrement touchés, surtout les gros fumeurs et buveurs. Après la laryngectomie, la rééducation permettra d'apprendre à parler de nouveau, en laissant entrer et sortir de l'air par l'œsophage et en le faisant vibrer.

LARYNGITE

Inflammation du larynx, entraînant un enrouement et parfois une extinction de voix. Il en existe deux types : la laryngite aiguë, qui survient brutalement, dure peu

La parole et la respiration — le travail du larynx

Un son est émis quand l'air fait vibrer les cordes vocales. Il faut que les cordes soient rapprochées, mais sans se toucher. Trop écartées ou trop proches, elles ne peuvent vibrer. Ces neuf photographies montrent la progression entre le silence et la parole, puis le retour au silence.

1-3. *Arrêt de la parole; les cordes s'écartent et cessent de vibrer.*
4-6. *Le silence continue, les cordes écartées laissent passer l'air.*
7-9. *La parole reprend à la sortie de l'air; cordes rapprochées.*

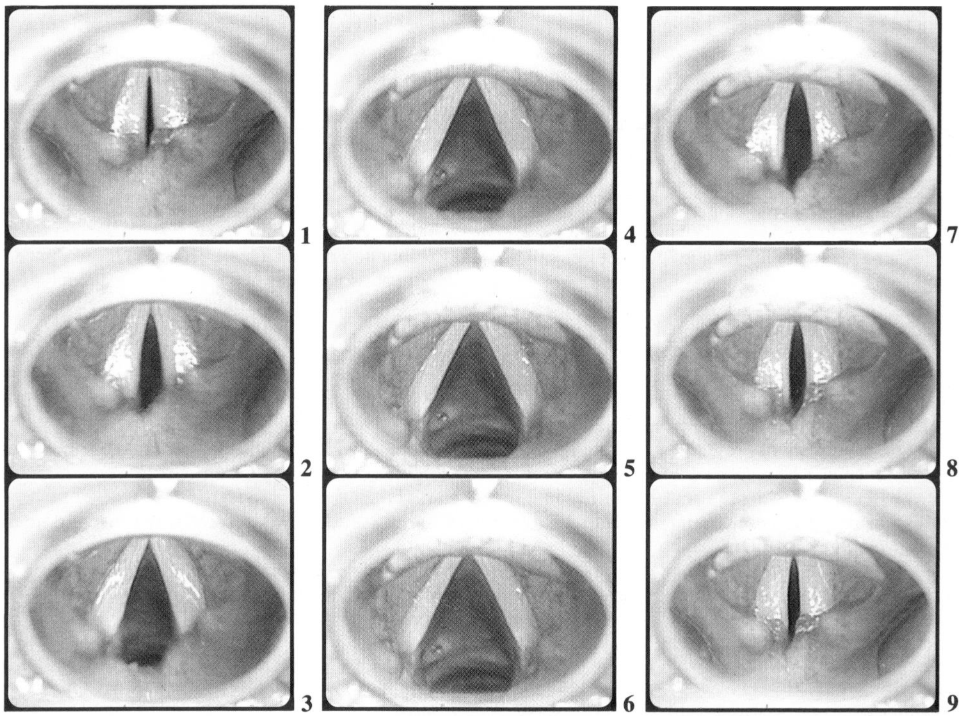

1 2 3 4 5 6 7 8 9

de temps et est d'origine infectieuse, et la laryngite chronique, qui persiste plus longtemps ou récidive, et qui est une maladie de l'adulte.

LARYNGITE AIGUË

Symptômes

• Voix enrouée, grinçante ou éteinte, et toux généralement rauque.
• Mal de gorge, accompagné souvent d'une élocution douloureuse.
• Fièvre. Habituelle chez les enfants, elle survient seulement chez 30 pour 100 des adultes qui consultent le médecin.
• Les jeunes enfants, qui ont de petits larynx, ont une respiration qui devient facilement bruyante. *Voir* CROUP.

Durée

• Moins d'une semaine.

Causes

• Différents virus respiratoires.
• Parfois, certaines bactéries.

Complications

• L'infection peut s'étendre aux poumons.

Traitement à domicile

• Reposer sa voix. Parler aussi peu que possible, ne pas crier, ne pas fumer.
• Boire abondamment. Les analgésiques aux doses usuelles atténuent la douleur et font baisser la température.
• Un sirop antitussif améliore les symptômes. *Voir* MÉDICAMENTS, n°s 16, 22.
• Le repos au lit est préférable si le patient ne se sent pas bien.

Quand consulter le médecin

• Si la fièvre persiste plus de trois ou quatre jours.
• Si un enrouement se prolonge plus de trois semaines.
• Si l'on trouve dans les crachats du sang ou du pus vert ou jaune.

Rôle du médecin

• Prescrire des antibiotiques si l'infection s'est étendue aux poumons. *Voir* MÉDICAMENTS, n° 25.
• Si l'enrouement se prolonge, faire pratiquer un examen du larynx avec un laryngoscope.
• Envoyer le patient passer une radiographie des poumons.

Prévention

• Ne pas fumer.

Pronostic

• La guérison est complète, mais certaines personnes sont menacées de laryngites lors de toute infection des voies aériennes supérieures.

LARYNGITE CHRONIQUE

Symptômes

• Extinction de voix ou enrouement.
• Pas de difficulté à avaler ou à respirer, et pas de douleur des oreilles ou de la gorge.

Durée

• Plusieurs jours ou semaines, avec rechutes de temps en temps.

Causes

• La plus fréquente est l'émotion ou le surmenage.
• Utilisation excessive de la voix, par exemple en criant ou en chantant. Cela peut entraîner des « nodules du chanteur », ou polypes des cordes vocales. Ils ne sont pas cancéreux.
• Le tabac.
• Exposition aux poussières et aux irritants.
• Bronchite chronique (toux chronique) ou sinusite.
• Respiration par la bouche.

Traitement à domicile

• Arrêter de fumer.
• Éviter l'exposition aux poussières et aux irritants.
• Ne pas forcer sa voix en criant ou en chantant.

Quand consulter le médecin

• Si l'enrouement se prolonge plus de vingt et un jours.
• Si une douleur apparaît dans la gorge ou l'oreille.

Rôle du médecin

• Examiner le nez et la gorge.
• Adresser le patient à un spécialiste du nez, de la gorge et des oreilles, qui examinera le larynx avec un laryngoscope. S'il voit un nodule ou un polype de la corde vocale, il faudra l'enlever par une intervention chirurgicale.

Prévention

• Ne pas fumer.
• Ne pas forcer sa voix.

Pronostic

• La laryngite chronique n'est pas dangereuse mais peut récidiver lors de tout accès d'énervement.

Voir SYSTÈME RESPIRATOIRE, *page 42*

LAXATIF

Médicament pris contre la constipation ou pour favoriser des selles plus molles et plus abondantes. Les laxatifs ne devraient jamais être utilisés de façon continue sans un avis médical.

Voir MÉDICAMENTS, n° 3

LEGG-PERTHES-CALVÉ (MALADIE DE)

C'est une affection dans laquelle la zone de croissance située au sommet de la tête du fémur (os de la cuisse) s'enflamme et se ramollit. La partie malade de l'os meurt, mais elle est complètement remplacée par de l'os vivant au fur et à mesure de la croissance. Durant la convalescence, on doit éviter de s'appuyer sur l'articulation de la hanche, sinon la tête du fémur restera déformée. L'affection survient chez des enfants âgés de quatre à dix ans et ne frappe habituellement qu'une seule hanche.

Symptômes

• L'enfant se met à boiter.
• Douleur discrète, souvent ressentie dans la hanche (aine), mais quelquefois au genou.
• La mobilité de la hanche peut être diminuée.

Durée

• Deux ou trois ans.

Causes

• Défaut de vascularisation sanguine de la zone de croissance au niveau de la tête du fémur. Ce défaut est de cause inconnue.

Complications

• Une ARTHROSE de la hanche tardive peut survenir à l'âge adulte.

Traitement à domicile

• Il n'y en a pas d'autre que de suivre l'avis du médecin.

Quand consulter le médecin

• Devant toute boiterie de l'enfant qui dure plus de quarante-huit heures.

Rôle du médecin

• Envoyer l'enfant immédiatement dans un hôpital en vue d'une consultation orthopédique, et procéder à des radiographies.
• Le chirurgien opérera la hanche ou posera une attelle jusqu'au rétablissement complet.

Prévention

• Aucune n'est connue.

Pronostic

• Chez des enfants tout jeunes, si la maladie est décelée très tôt, le pronostic de l'affection traitée est excellent. Il sera moins bon si le traitement est commencé tardivement ou si la maladie survient après l'âge de huit ans.

Voir LE SQUELETTE, *page 54*

LEISHMANIOSE

Maladie infectieuse qui touche l'espèce humaine et certains animaux, comme les chiens, les chacals et les renards. Des foyers existent en Chine, Russie, Inde, au Moyen-Orient, en Afrique, Amérique du Sud et Amérique centrale, et dans certains pays du Bassin méditerranéen. La période d'incubation est d'environ deux mois. La leishmaniose est due à un parasite transmis par la piqûre d'un petit insecte, le phlébotome. La maladie se présente sous deux formes : la leishmaniose viscérale, qui touche les organes internes, et la leishmaniose cutanée, qui atteint la peau. Les symptômes se développent progressivement. Le traitement est indispensable, surtout pour les formes sévères.

Symptômes

- Fièvre.
- Amaigrissement, taches pigmentées de la peau.
- Anémie, pâleur.
- Foie et rate augmentés de volume.
- La leishmaniose cutanée présente un ou plusieurs nodules rouge sombre qui peuvent s'étendre et donner des ulcérations sévères. Les lésions peuvent guérir spontanément sans traitement.

Causes

- Un parasite minuscule appelé leishmanie.

Traitement

- Injections d'antimoine. *Voir* MÉDICAMENTS, n° 28.

Prévention

- On essaie d'éliminer les phlébotomes par des insecticides. Les chiens doivent être soumis à une surveillance vétérinaire en Méditerranée.

Pronostic

- La maladie guérit sous traitement, mais le patient doit être surveillé car les rechutes sont possibles.

Voir MALADIES INFECTIEUSES, *page 32*

LÈPRE

La lèpre, ou maladie de Hansen, est une maladie infectieuse chronique qui touche initialement la peau et les nerfs. Elle est peu contagieuse, contrairement à ce que l'on croit souvent. Les premiers signes n'apparaissent que plusieurs années après la contamination, qui nécessite un contact intime et prolongé avec un malade contagieux. La lèpre est rare au Canada où l'on rencontre presque exclusivement des cas d'importation de pays tropicaux.

La lèpre peut prendre deux grandes formes : une forme dite bénigne, non contagieuse, avec peu de lésions cutanées mais des atteintes neurologiques parfois graves, et une forme dite maligne, contagieuse, avec de nombreuses lésions cutanées symétriques.

Symptômes

- Taches dépigmentées siégeant n'importe où sur la peau, de la taille d'un pois à celle d'une paume de main ou même plus. Leur caractéristique essentielle est d'être insensibles à la chaleur et à la piqûre.
- Nodules rouges et plaques pigmentées épaissies.
- Les nerfs sont souvent touchés à différents endroits, avec perte progressive de la sensibilité, paralysies et déformations, surtout des mains et des pieds.

Durée

- Sans traitement, la maladie se développe très lentement. Elle peut parfois guérir spontanément, mais le plus souvent elle évolue pendant toute la vie.

Causes

- Une bactérie retrouvée dans les nerfs et la peau.
- La contamination avec un lépreux.

Quand consulter le médecin

- Devant des lésions cutanées persistantes, si une contamination a pu avoir lieu.

Rôle du médecin

- Adresser le patient, si la lèpre est soupçonnée, dans un centre spécialisé où le diagnostic sera confirmé par l'examen microscopique d'une biopsie (prélèvement de peau) et par la recherche du bacille dans le nez.
- Prescrire les médicaments nécessaires, habituellement par la bouche. L'hospitalisation est rare.
- Dans les pays en voie de développement, où le diagnostic est tardif par manque de moyens financiers et médicaux, les déformations et les lésions destructrices sont fréquentes, nécessitant une chirurgie spécialisée.

Prévention

- La lèpre a quasiment disparu dans les pays où l'alimentation, l'habitat et l'hygiène sont satisfaisants.
- Le contact occasionnel d'un adulte avec un lépreux ne présente aucun risque. Un jeune enfant vivant avec des parents lépreux contagieux sera isolé.

Pronostic

- **Un traitement précoce, prolongé pendant deux ans au moins, peut permettre une guérison sans séquelles.**
- **Dans les pays en voie de développement où de longs traitements sont difficilement réalisables, la lèpre reste une maladie sévère.**

Voir LA PEAU, *page 52*

LEPTOSPIROSE

Maladie infectieuse due à une bactérie du groupe des leptospires. Elle se transmet par les eaux contaminées par des animaux, en particulier par des rats. Le contact avec des eaux souillées entraîne la maladie, qui touche surtout les hommes jeunes et les enfants. Certaines professions sont plus exposées (éboueurs, par exemple).

La période d'incubation est de dix jours. La maladie se manifeste par des maux de tête, de la fièvre, des douleurs musculaires. Plus tard peuvent apparaître une jaunisse (ICTÈRE) avec des urines très foncées, une MÉNINGITE ou une INSUFFISANCE RÉNALE. Le traitement comporte le repos, des antibiotiques. Le pronostic est bon. La quasi-totalité des patients guérissent.

Voir MALADIES INFECTIEUSES, *page 32*

LÉSIONS BÉNIGNES DU COL UTÉRIN

Encore appelées exocervicites, ce sont des modifications du revêtement de la partie externe du col de l'utérus. Il n'a plus sa couleur rose habituelle et se présente comme une sorte d'écorchure rouge, suintante. Cet état est très fréquent.

Symptômes

- La plupart des femmes n'ont aucun trouble, cette érosion étant découverte à l'occasion d'un examen systématique.
- D'autres, au contraire, se plaignent de pertes blanches, ou plus souvent jaunes, vertes, et quelquefois même marron. Certaines ressentent une petite douleur au bas du dos.

Quand consulter le médecin

- Si vous présentez les symptômes décrits plus haut.

Rôle du médecin

- Pratiquer un examen gynécologique complet, particulièrement examen au spéculum.
- Faire des prélèvements en vue de frottis de dépistage, dans le but d'éliminer la possibilité d'un cancer du col.
- La cautérisation du col, indolore, n'est envisagée qu'en cas d'échec du traitement médical.

Prévention

- Il n'y a aucun moyen de prévenir un tel état.

LEUCÉMIES

Atteinte maligne des cellules sanguines. La dénomination et la classification des leucémies sont très compliquées. On distingue plusieurs types de leucémies selon les cellules anormales présentes et en fonction de leur évolution : leucémie aiguë lymphoblastique ou myéloïde, leucémie myéloïde chronique, etc. De grands progrès ont été faits pour reconnaître et traiter ces différentes leucémies.

Symptômes chez l'enfant

- Fatigue inhabituelle, pâleur, malaise général, irritabilité, fièvre.
- Infections à répétition ou prolongées.
- Saignements de nez, HÉMATOMES, ECCHYMOSES.
- Douleurs des os et des articulations. L'enfant peut se mettre à boiter ou refuser de se lever.

Symptômes chez l'adulte

- Fatigue.
- Fièvre et sueurs nocturnes.
- Perte de l'appétit.
- Amaigrissement.
- Pâleur.
- Douleurs de l'abdomen (surtout en haut à gauche).
- Saignements des gencives.
- Règles trop fréquentes.
- Ganglions.

Durée

- Avec les traitements modernes, 50 pour 100 des enfants peuvent guérir.
- Chez l'adulte, la durée de la maladie dépend du type de leucémie.

Causes

- On ne connaît pas la cause des leucémies.
- L'exposition aux radiations, au benzène et à certains virus favorise les leucémies.

Complications

- Infections fréquentes et graves. Des infections habituellement bénignes (varicelle, zona) peuvent devenir très graves.
- Saignements (HÉMORRAGIES).

Quand consulter le médecin

- Dès que l'on suspecte la maladie.

Rôle du médecin

- Faire une numération-formule sanguine.
- Adresser le patient à l'hôpital.
- A l'hôpital, différents examens de sang et une ponction de moelle osseuse permettront de déterminer le type de leucémie.
- Le traitement varie selon le type de leucémie : transfusion, antibiotiques, médicaments, rayons, greffe de moelle osseuse.

Prévention

- Éviter les irradiations et les produits toxiques.

Pronostic

- Chez l'enfant, les traitements spécialisés permettent une guérison dans plus de la moitié des cas.
- Chez l'adulte, l'efficacité des traitements modernes a moins progressé, mais une survie prolongée et des guérisons sont parfois obtenues.

LEUCORRHÉE

Les leucorrhées sont des pertes blanches ou jaunes, comme du mucus, qui s'écoulent à partir du vagin. Dans la plupart des cas, il s'agit de pertes physiologiques qui n'entraînent aucune complication ou effet secondaire. Elles rappellent le blanc d'œuf et tendent à augmenter avant les règles. Cependant, si les pertes blanches sont abondantes, et particulièrement si elles provoquent une irritation ou dégagent une odeur fétide, consulter un médecin.

LÈVRES GERCÉES

Lèvres qui deviennent rouges, douloureuses, sèches, craquelées, fissurées, généralement à la suite d'une agression par le froid ou le vent. Pour la prévention, on utilise des crèmes protectrices.

La perlèche, elle, est une fissuration de la commissure des lèvres habituellement due à une mycose (CANDIDOSE). Certaines ulcérations des lèvres peuvent correspondre à un cancer, mais cela est exceptionnel.

Il existe encore d'autres causes d'inflammation des lèvres (chéilite) : infections virales ou bactériennes, hypersensibilité à un cosmétique, comme un rouge à lèvres, carence en vitamines du groupe B. Si une inflammation des lèvres persiste anormalement, il faut consulter un médecin.

LICHEN PLAN

Affection dermatologique fréquente, bénigne et non contagieuse. Elle se localise de préférence sur la face antérieure des poignets, des avant-bras et des jambes, aux lombes et parfois au tronc.

Symptômes

- Papules brillantes, mauves, à surface plane, de quelques millimètres de diamètre. Elles peuvent grossir et s'assembler en plaques recouvertes par de fines lignes blanches ou par des squames (pellicules).
- Le PRURIT est aigu.
- Des lignes blanches peuvent apparaître sur la face interne des joues, ainsi que des taches blanches sur la langue.
- Les ongles sont fissurés ou très endommagés.
- De nouvelles papules se forment le long des stries de grattage ou sur des zones blessées.

Durée

- Trois à six mois, ou parfois un à deux ans.

Causes

- Inconnues.

Complications

- Le cuir chevelu peut être atteint, laissant des plaques alopéciques définitives. *Voir* ALOPÉCIE.

Traitement à domicile

- Éviter les excitants : tabac, alcool, café, épices.
- Éviter de se gratter, car cela favorise l'apparition de nouvelles lésions et l'infection de la peau.

Quand consulter le médecin

- Devant une éruption prurigineuse persistante.

Rôle du médecin

- Prescrire une crème corticoïde ou d'autres traitements.

Prévention

- Aucune mesure préventive n'est connue.

Pronostic

- Le prurit peut régresser avant la fin des lésions.
- Des taches pigmentées persistent parfois longtemps. Les ongles repoussent.
- Il y a 20 pour 100 de récidives.

LIFTING

Intervention chirurgicale permettant de faire disparaître les rides et retendre la peau du visage et du cou. Cette intervention est pratiquée par un chirurgien plasticien.

LIPOME

Tumeur sous-cutanée non cancéreuse, correspondant à une prolifération du tissu adipeux. Ces tumeurs, uniques ou multiples, sont arrondies ou ovales, indolores, de consistance molle, recouvertes de peau saine. Elles augmentent lentement de volume.

LOCHIES

Série d'écoulements en provenance de la cavité vaginale, à la suite d'une naissance. Les premiers jours, l'écoulement est sanguin, puis, les dix jours qui suivent, il devient brunâtre; c'est un mélange de sang et de mucus qui sera ensuite remplacé par des pertes plus blanches avant de s'interrompre.

LORDOSE

Courbure excessive vers l'arrière de la colonne vertébrale, observée dans la région du bas du dos, où la courbure normale est modérée. L'hyperlordose, ou lordose excessive, est habituellement le signe d'un défaut de maintien provoqué par un abdomen trop lourd ou des muscles abdominaux défaillants.

LUMBAGO

Douleur sévère du bas du dos (région lombaire), survenant habituellement lors d'un effort (quand on soulève un objet lourd) ou en position d'inclinaison du tronc. Elle disparaît progressivement sous l'effet du repos et des anti-inflammatoires, mais dans quelques cas elle peut se transformer en SCIATIQUE quand il existe une compression d'une racine du nerf sciatique par le disque lésé. Le lumbago est souvent le premier stade de la hernie discale.

LUXATION DU COUDE

Chez l'enfant, douleur et mobilité diminuée dans le bras. L'affection succède à un traumatisme, en particulier lorsque l'enfant a été tiré, main dans la main, par un adulte marchant trop vite. L'affection est due habituellement à une luxation de la tête du radius (un des os de l'avant-bras) qui n'a pas terminé sa croissance. Le problème peut être réglé par une manipulation simple, exécutée par un médecin après un contrôle radiographique et sans anesthésie. Un clic audible à l'oreille est parfois perçu lorsque la tête radiale regagne sa position naturelle en regard de la palette membrale.

Chez l'adulte, la croissance osseuse étant achevée, il faut un traumatisme plus important pour entraîner une luxation de la tête radiale, qui s'accompagne généralement d'une fracture de l'axe cubital (traumatisme par coup de bâton appliqué sur l'avant-bras).

D'autres accidents (chute de judo sur le coude) peuvent entraîner une fracture de l'extrémité supérieure du cubitus avec luxation en arrière du cubitus. Dans ce cas, la chirurgie peut être nécessaire.

LYMPHANGITE

Inflammation des vaisseaux lymphatiques due à une infection. Aiguë, la lymphangite se présente sous forme de plaques rouges sous la peau. Si elle apparaît progressivement, un cordon d'œdèmes soulève la peau. Dans les deux cas, le ganglion satellite du vaisseau lymphatique augmente de volume. Un traitement à base d'antibiotiques s'impose (*voir* MÉDICAMENTS, n° 25). La lymphangite chronique conduit parfois au LYMPHŒDÈME.

LYMPHE

Comme le sang, la lymphe est un liquide circulant à travers des vaisseaux formant le réseau lymphatique. Elle a essentiellement deux fonctions : le drainage de substances chimiques de l'organisme (telles que les graisses), et le transport des mécanismes de défense vers les organes infectés.

La lymphe est un fluide dérivé du sang, de couleur jaune pâle. Les vaisseaux lymphatiques suivent grossièrement le trajet des artères et des veines, mais leur calibre est bien plus petit. Les canaux se réunissent en de petites glandes de la taille d'une amande, situées sur leur trajet : les ganglions lymphatiques. Ils sont faits de tissu lymphoïde contenant des cellules, les lymphocytes, qui peuvent attaquer les germes et les particules étrangères en provenance de la peau, de l'appareil respiratoire et de l'intestin. Ainsi, les bactéries et les virus sont inactivés, et les poussières toxiques sont réduites à l'état microscopique à l'intérieur des ganglions lymphatiques.

Tout comme les ganglions, la rate, le foie, les amygdales et les végétations contiennent du tissu lymphoïde, responsable de la défense de l'organisme.

Les glandes lymphatiques, notamment les amygdales et les végétations, augmentent de volume durant l'enfance, entre l'âge de trois et huit ans et au cours de l'adolescence. Ce grossissement glandulaire est tout à fait normal et résulte probablement du développement du système immunitaire qui permet à l'organisme de se défendre contre les infections. Ces glandes, palpables à la base du cou chez la plupart des enfants de huit ans, régressent ensuite spontanément. Bien qu'elles paraissent hypertrophiées, les amygdales peuvent être conservées et ne justifient généralement pas une ablation chirurgicale.

La MONONUCLÉOSE, une affection de l'adolescent et de l'adulte jeune due probablement au virus d'Epstein-Barr, se manifeste par une fièvre, un malaise, un mal de gorge, une hypertrophie de nombreux ganglions, en particulier du cou. La guérison est spontanée en deux à quatre semaines.

Les ganglions lymphatiques peuvent être situés à distance des territoires qu'ils drainent. Une infection septique du doigt, comme le panaris, provoque une hypertrophie douloureuse des ganglions de l'aisselle; une infection du pied se répercute sur les ganglions de l'aine; les infections de la gorge sont drainées par les ganglions de la base du cou. Les ganglions lymphatiques augmentent de volume parce que les lymphocytes s'y multiplient pour combattre les germes infectants. Les infections septiques cutanées relèvent habituellement d'un traitement antibiotique (*voir* MÉDICAMENTS, n° 25).

En dehors des infections, les ganglions lymphatiques peuvent être atteints au cours de maladies malignes telles que la maladie de HODGKIN, les lymphomes, ou certaines formes de LEUCÉMIES.

Les tumeurs ganglionnaires doivent donner lieu à un prélèvement, et le diagnostic est obtenu après examen au microscope. Ensuite, on en fait l'ablation chirurgicalement, ou on administre des médicaments.

LYMPHOCYTE

Une des trois principales classes de leucocytes (les globules blancs). Ils sont fabriqués dans les ganglions, la moelle osseuse, la rate, les amygdales, et dans d'autres tissus. Ils assurent principalement la production des anticorps, les agents de la lutte anti-infectieuse.

Voir LE SANG

LYMPHŒDÈME

Gonflement des bras ou des jambes dû à une maladie qui bloque la circulation lymphatique en avant des ganglions (organes de défense de l'organisme contre les infections).

Symptômes

• Gonflement d'un ou de plusieurs membres; parfois, l'œdème est considérable.

Durée

• Le lymphœdème persiste jusqu'à la levée de l'obstacle et la guérison de la maladie, mais sans disparaître complètement.

Causes

• Développement insuffisant des canaux lymphatiques drainant les membres. Congénitale, cette maladie peut néanmoins se révéler à un âge avancé.

• Blocage de la circulation lymphatique dû à un geste chirurgical accidentel, à un cancer, à une infection ou à une irradiation.

Complications

• Aucune.

Traitement à domicile

• Aucun traitement n'est efficace.

Quand consulter le médecin

• Dès l'apparition de l'œdème.

Rôle du médecin

• Ordonner des radios de la circulation lymphatique.

• Demander la pose de bandages compressifs.

• Conseiller parfois une opération de chirurgie plastique pour améliorer la circulation lymphatique.

Prévention

• Elle dépend de la cause, mais il n'y en a guère.

Pronostic

• Bien que souvent résistants au traitement, les lymphœdèmes peuvent être améliorés.

Voir SYSTÈME CIRCULATOIRE, *page 40*

LYMPHOGRANULOME VÉNÉRIEN

Maladie transmise sexuellement, survenant surtout dans les pays tropicaux. Cette infection, due à une petite bactérie, a une période d'incubation de une à quatre semaines. Le premier signe est une ulcération indolore qui guérit spontanément en quelques jours et passe le plus souvent inaperçue. Chez l'homme, elle siège habituellement aux organes génitaux, et chez la femme sur la vulve, le vagin ou le col de l'utérus. Les ganglions de l'aine deviennent enflammés, gonflés, douloureux, puis se percent de nombreux trous d'où s'écoule du pus. Chez la femme, les ganglions touchés sont internes, donc invisibles, et le pus s'écoule par le rectum. Un traitement antibiotique précoce prévient la formation de fistules et de séquelles qui peuvent nécessiter un traitement chirurgical. *Voir* MÉDICAMENTS, n° 25.

MALADIE AUTO-IMMUNE

Maladie due à une anomalie du système de défense de l'organisme. Normalement, l'organisme produit des anticorps contre les substances qui lui sont étrangères. C'est ainsi qu'il détruit les microbes et les virus. Quand l'organisme fabrique des anticorps contre ses propres constituants et ses tissus, on parle de maladie auto-immune. Il peut produire des anticorps contre le noyau de ses cellules (dans les LUPUS ÉRYTHÉMATEUX), contre ses articulations (ARTHRITE RHUMATOÏDE), contre son estomac (ANÉMIE de Biermer).

MALADIE BLEUE

Maladie due à des malformations cardiaques congénitales responsables de cyanose, c'est-à-dire d'une coloration bleue de la peau. Dans ces malformations, il existe généralement une communication entre les cavités cardiaques droites et gauches, ce qui entraîne un passage de sang veineux vers le sang artériel, sans passer par les poumons où il est normalement oxygéné. La coloration bleue est due au manque d'oxygénation du sang.

Les enfants porteurs de telles anomalies cardiaques sont facilement essoufflés et fatigués, et ils grandissent mal. La chirurgie est le principal traitement de ces malformations.

MALADIE CŒLIAQUE

Affection rare dans laquelle les intestins du malade sont incapables d'absorber les aliments essentiels. La maladie cœliaque est familiale et touche en général les bébés, bien que dans les cas mineurs elle puisse n'être diagnostiquée qu'à l'âge adulte.

Symptômes chez les bébés

• Défaut du développement et de la croissance après le sevrage entre six et dix-huit mois.

• L'enfant est souvent faible et chétif, avec une musculature affaiblie et pauvre, un ventre gonflé.

• Les selles sont anormalement volumineuses, molles, pâles et très odorantes.

Symptômes chez les adultes

• Accès de diarrhée imprévisibles.

• Les selles sont typiquement pâles, volumineuses, mousseuses, graisseuses, et peuvent flotter dans l'eau des cabinets.

• Le patient peut souffrir de flatulences exagérées, et son ventre est souvent ballonné.

• Faiblesse et insuffisance de développement du reste du corps.

Durée

• Chez l'enfant, la maladie peut durer jusqu'à l'adolescence puis réapparaître plus tard.

Causes

• L'affection est due à une intolérance au gluten (une protéine que l'on trouve dans le blé, l'orge, le seigle, et éventuellement l'avoine), et c'est pourquoi les symptômes n'apparaissent que lorsque les farines sont ajoutées à l'alimentation du bébé.

Complications

• Sans traitement, la croissance et le développement peuvent être gênés. L'enfant contracte facilement des infections de toutes sortes.

• Le déficit en vitamines et en sels minéraux peut entraîner une anémie, des irritations de la bouche et de la langue, un amincissement des os et une tendance aux saignements.

Quand consulter le médecin

• Si les symptômes persistent plusieurs semaines.

Rôle du médecin

• Prescrire divers examens qui permettront de confirmer le diagnostic.

• Donner des conseils de régime et des prescriptions de produits diététiques sans gluten, ainsi que toutes vitamines nécessaires; la farine de riz, de maïs ou de soja peut remplacer la farine de froment.

• Il devra proposer de rechercher une intolérance au gluten chez les parents et les autres enfants de la famille.

Pronostic

• Dès que les aliments responsables seront éliminés du régime, le patient retrouvera une santé normale.

Voir SYSTÈME DIGESTIF, *page 44*

Les mains

COMMENT PRENDRE SOIN DE SES MAINS DANS LA VIE QUOTIDIENNE

Pour bon nombre de personnes, les mains constituent la partie du corps la plus utilisée et la plus maltraitée. Elles sont exposées à toutes sortes d'agressions (eau, produits chimiques et corrosifs) et courent le risque de recevoir des blessures mineures susceptibles de s'infecter. Et pourtant, bien souvent, les soins des mains sont totalement ignorés jusqu'à ce que, par exemple, la peau se gerce et devienne rêche, ou encore qu'un ongle se casse.

Comment se faire une manucure chez soi

On doit se nettoyer les ongles tous les jours avec une brosse à ongles, et on peut se faire les ongles chez soi une fois par semaine. Une trousse de manucure comprend du coton, du papier émerisé, une crème pour les ongles, un polissoir, du dissolvant gras, un pied-de-biche dont une extrémité, taillée en pointe, sert à nettoyer, tandis que l'autre, terminée par un bout en caoutchouc, sert à repousser les cuticules.

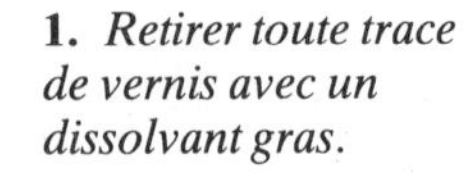

1. *Retirer toute trace de vernis avec un dissolvant gras.*

2. *Se laver les mains avec soin dans de l'eau savonneuse tiède; éviter le ramollissement des ongles par une longue immersion.*

3. *Étendre une crème pour les ongles sur l'ongle et la cuticule, masser et l'y laisser trois minutes.*

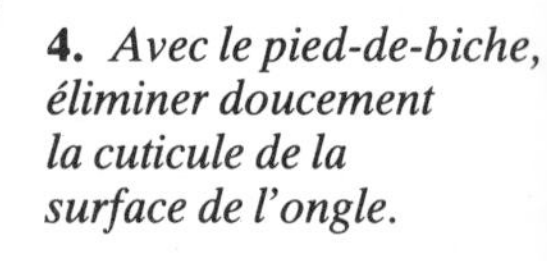

4. *Avec le pied-de-biche, éliminer doucement la cuticule de la surface de l'ongle.*

LES MAINS GERCÉES
Pour des raisons d'hygiène et de contagion évidentes, les mains doivent être propres.

Cependant, l'usage répété de l'eau, du savon, des détergents lèse la couche cornée superficielle de la peau et peut provoquer une desquamation excessive, c'est-à-dire des gerçures. Ce problème est aggravé par l'usage d'eau froide ou un séchage insuffisant.

Pour se laver les mains, il faut se servir d'eau tiède et de savon ordinaire en petite quantité, puis les rincer abondamment et, enfin, les sécher avec soin, y compris entre les doigts. Au préalable, on doit retirer ses bagues : le savon qui s'accumule près de l'anneau risque de provoquer une irritation.

Exposer des mains non protégées à des décolorants, à des produits chimiques ou à des shampooings peut aggraver les gerçures. On ne doit pas dépasser les doses conseillées par les fabricants.

On ne doit pas manipuler sans gants protecteurs des solvants tels que le white spirit, l'essence de térébenthine, la benzine et les détachants à sec.

Pour les tâches ménagères courantes, les gants en matière plastique assurent une bonne protection des mains (certaines personnes sont allergiques aux gants en caoutchouc, surtout si elles ont de l'eczéma). Ne les gardez pas plus

5. *Nettoyer l'ongle à fond avec l'extrémité pointue du pied-de-biche entourée de coton. Puis se nettoyer les mains pour ôter la crème en excès, et les sécher.*

6. *Polir les ongles, toujours dans la même direction. Cela les rend plus lisses.*

7. *Se limer les ongles avec du papier émerisé, toujours de bas en haut, c'est-à-dire des cuticules au bout des doigts. Laisser assez d'ongle de chaque côté pour protéger la peau.*

8. *Frotter les ongles avec un morceau d'étoffe pour s'assurer que les débris ont tous disparu. Si les cuticules sont rugueuses ou en lambeaux, les enlever délicatement en utilisant le côté lisse du papier émerisé.*

9. *En supplément de la manucure hebdomadaire, on doit se masser les mains au moins deux fois par jour à l'aide d'une crème, pour éviter leur dessèchement.*

de dix à quinze minutes, car la chaleur de l'eau fait transpirer les mains.

Si de l'eau, du savon ou du détergent s'infiltre à l'intérieur du gant, retirez ce dernier et ne vous en resservez qu'après l'avoir séché en aspergeant l'intérieur de talc.

De nombreux métiers, par exemple celui de mécanicien, ne permettent pas l'usage de gants. Dans ce cas, il faut enduire les mains d'une crème isolante.

Le froid est également une cause de gerçures. La peau devient douloureuse, se met à rougir et présente parfois des crevasses. Pour soulager la douleur, massez les mains avec une crème spéciale non parfumée, le parfum pouvant être une source d'irritation supplémentaire.

ECZÉMA

Dans certains cas, les gerçures provoquent de l'eczéma ou une inflammation de la peau. L'eczéma affecte également des personnes qui sont allergiques à certains produits.

Les mains étant en contact quasi permanent avec des substances plus ou moins irritantes, l'éruption peut persister. Il faut alors consulter un dermatologue, mais le patient contribuera grandement à sa guérison en suivant les conseils donnés ci-dessus.

PANARIS

Les gens dont les mains sont fréquemment en contact avec l'eau peuvent être sujets aux panaris; ce sont de petits abcès situés sur les côtés des ongles. Les replis cutanés des ongles se ramollissent et ouvrent la voie à l'infection. Dans les cas aigus, le traitement consiste à inciser la zone enflammée, ce qui permet au pus de s'écouler, et parfois même à administrer des antibiotiques. Il est indispensable d'éviter de se mouiller les mains, de manipuler de la nourriture ou de soigner des plaies.

DURILLONS

La peau s'épaissit pour protéger les zones soumises à des pressions ou à des frottements constants. Des cals se forment sur la paume et sur les doigts, à des endroits différents selon l'occupation pratiquée régulièrement. En général, il n'est pas nécessaire de les traiter ou de les ôter. Parfois, cependant, la peau épaissie se fend et devient sensible. Il faut alors poncer les cals deux fois par jour avec une pierre ponce et adoucir la peau gercée avec une crème appropriée.

VERRUES

Les enfants sont souvent atteints de verrues; elles se développent sur les mains ou sur les doigts et sont contagieuses. Nombre de verrues disparaissent spontanément à mesure que l'immunité se met en place, mais elles persistent souvent pendant plus d'un an. Il est impossible de prévenir leur apparition; si leur persistance inquiète la famille, il faut consulter un médecin qui les fera disparaître à l'aide de produits corrosifs ou de cryogènes. *Voir aussi* VERRUE.

TACHES HÉPATIQUES

Les grandes taches brunes qui apparaissent au dos des mains sont causées par le vieillissement lié au climat. Elles sont particulièrement le fait de personnes à peau claire qui ont passé une grande partie de leur existence au soleil. On note aussi parfois l'apparition de lésions de type verruqueux, nommées kératoses. *Voir* KÉRATOSE.

Si des taches brunes ou des zones verruqueuses apparaissent sur les mains avant la vieillesse, consultez un médecin : en de rares occasions, elles sont de nature maligne.

LES ONGLES ET LEURS PROBLÈMES

La fonction principale des ongles est de protéger les bouts sensibles des doigts et de concentrer le sens du toucher. La partie exposée de l'ongle est inerte; elle est composée d'une protéine (kératine) qui est aussi l'élément principal du cheveu et de la couche externe de la peau.

Les ongles poussent durant toute la vie. Mais leur taux de croissance diffère considérablement selon les individus. En moyenne, la pousse d'un ongle, de la base à l'extrémité, prend six mois.

Lorsque les ongles ne sont pas coupés, ils se fendillent et ils se cassent. On leur conserve une longueur raisonnable en les coupant avec des ciseaux ou un coupe-ongles, ou en les limant.

Les ongles friables. Si les ongles sont trop souvent agressés par du savon ou du détergent, leur couche supérieure peut se séparer et commencer à s'écailler. Dans ce cas, portez des gants en matière plastique pour les travaux domestiques et massez quotidiennement la base de l'ongle avec une crème spéciale.

Les ongles cassants. Les ongles cassants sont dus à un mauvais état général ou à une carence en protéines dans l'alimentation. Mangez davantage de viande maigre, de poisson, et de fruits et légumes frais.

Les ongles peuvent également devenir cassants du fait de leur extrême sécheresse; il faut alors leur

Instruments utilisés pour l'entretien des mains

PIED-DE-BICHE. *L'extrémité en caoutchouc sert à repousser les cuticules, l'autre à nettoyer les ongles.*

PAPIER ÉMERISÉ. *Il sert à limer les ongles selon la forme souhaitée, avec de vifs mouvements ascendants.*

POLISSOIR. *Pour polir les ongles, on refait le même geste, toujours dans la même direction.*

appliquer une crème spéciale matin et soir et les conserver assez courts.

Onychoptose. Un usage excessif de durcisseurs contenant du formaldéhyde provoque parfois le décollement de la plaque unguéale de son lit. L'espace situé derrière l'ongle peut alors s'infecter, provoquant une dyschromie.

Cette affection est assez longue à guérir. Elle atteint surtout les femmes, qui non seulement utilisent des durcisseurs, mais portent généralement les ongles longs, ce qui les rend plus facilement cassables. On retrouve également cette affection dans des maladies de la peau comme l'eczéma et le PSORIASIS.

Envies. Si les mains sont fréquemment plongées dans l'eau, la couche supérieure de la peau se sépare parfois de la cuticule. Les lambeaux, ou envies, sont douloureux et peuvent s'infecter. On peut les retirer à l'aide de ciseaux pointus. On prévient cet inconvénient en assouplissant la peau avec une crème, le soir avant de se coucher.

Ongles irréguliers. Quelques dépressions ou fossettes isolées sont courantes et n'indiquent aucune affection particulière. Le traitement consiste à conserver les ongles affectés en bon état de propreté et à les enduire la nuit d'un produit anti-irritant, composé de glycérine et d'acide borique. Le vernis à ongles est alors à proscrire.

Onychogryphose. Une infime blessure externe, ou un kyste près de la cuticule, peut provoquer l'apparition de sillons ou de gouttières sur l'ongle. Ces sillons s'ouvrent parfois, ce qui provoque la douleur et peut entraîner une infection. En cas de tuméfaction et d'inflammation, ou en présence d'un kyste, consultez votre médecin. Le traitement consiste à conserver l'ongle blessé très propre et à éliminer les bouts d'ongle. Chez les femmes, des crêtes moins importantes entre les sillons seront estompées par l'usage régulier du polissoir ou par l'utilisation d'un produit adapté.

Pinçons. Un coup violent porté sur l'ongle peut provoquer un saignement sous la couche cornée; l'ongle noircit. Si le saignement est important, il finit parfois par tomber. Quand l'ongle se remet à pousser, le problème est résolu.

Ongles jaunes. Certains vernis à ongles, surtout s'ils sont utilisés sans base protectrice, produisent des taches jaunes sur les ongles. Sans danger, ces taches disparaissent lorsque les ongles repoussent.

Taches blanches. Les marques blanches qui apparaissent dans l'ongle sont parfois le résultat d'une blessure légère, telle qu'une cuticule abîmée. Chez certaines personnes, toutefois, elles apparaissent spontanément. Sans danger, elles disparaissent d'elles-mêmes.

ONYCHOPHAGIE

Chez les adultes comme chez les enfants, l'onychophagie (pratique de se ronger les ongles) est courante et peut résulter d'un sentiment d'insécurité, d'ennui, d'anxiété ou d'excitation. Une onychophagie excessive affaiblit les ongles.

Il n'existe pas de traitement assuré de l'onychophagie. L'une des solutions consiste à avoir aussi souvent que possible les mains occupées à une activité créative.

Exercices pour les mains

*Les personnes souffrant d'*ARTHRITE *ou de* RHUMATISME *peuvent tirer profit des exercices suivants. Le premier renforce les mains et les poignets, et les rend plus souples. Le second augmente la flexibilité des mains et des doigts, et améliore la circulation.*

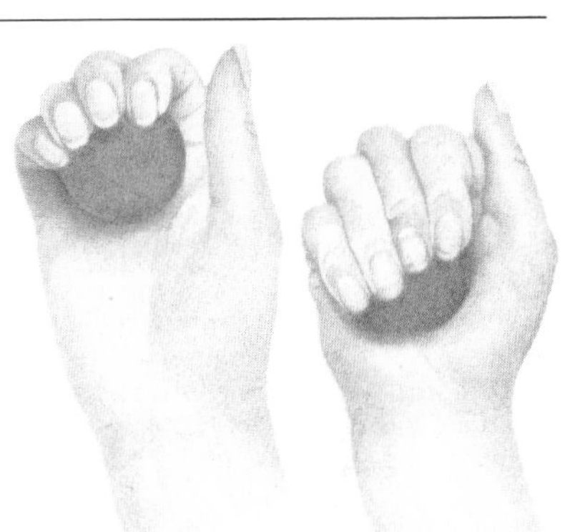

LA CONTRACTION. *Placer une balle de squash à l'intérieur de la paume de la main et l'étreindre fermement avec les doigts. Répéter l'exercice jusqu'à ce que la fatigue se fasse sentir, puis se reposer et recommencer avec l'autre main.*

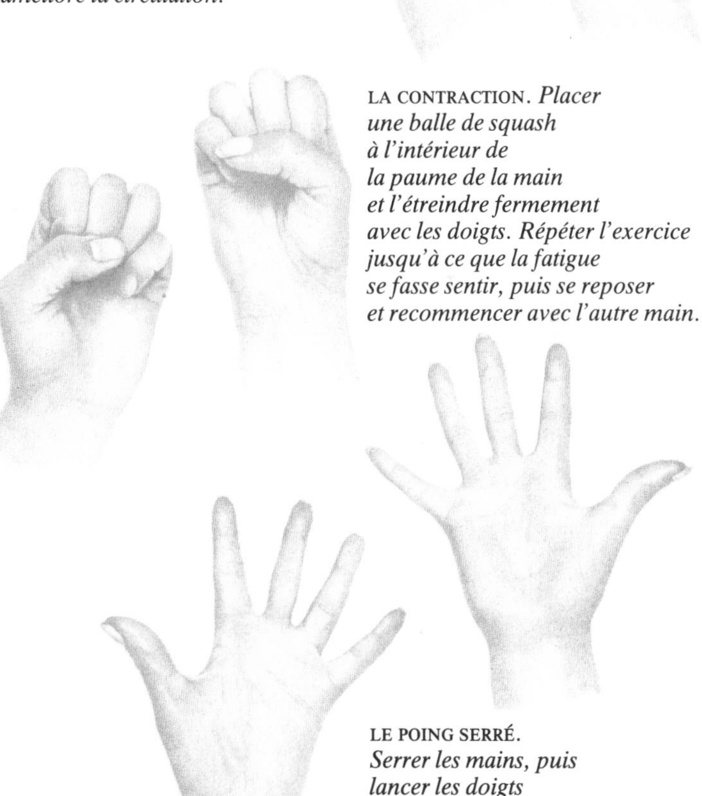

LE POING SERRÉ. *Serrer les mains, puis lancer les doigts à la volée en les écartant. Tenir cette position deux secondes. Répéter l'exercice six fois.*

MALADIE DES GRIFFES DU CHAT

Maladie infectieuse bénigne, transmise le plus souvent par une griffure de chat, mais parfois aussi par une griffure ou morsure de chien, ou une éraflure cutanée provoquée par des épines de ronces ou d'autres végétaux.

Symptômes

• Quelques jours après la griffure apparaît une petite bulle remplie de pus à l'endroit de la blessure.

• Deux à trois semaines plus tard, les ganglions lymphatiques qui drainent la région blessée gonflent et deviennent sensibles, enflammés, et peuvent se remplir de pus.

• Il peut y avoir une légère fièvre, des maux de tête, une fatigue et une sensation générale de malaise.

• Parfois, une éruption cutanée apparaît sur les mains et les pieds.

Durée

• La maladie peut durer de deux semaines à plusieurs mois. S'il se développe un abcès sévère des ganglions lymphatiques, une longue convalescence peut être alors nécessaire.

Causes

• L'inoculation dans la peau d'un agent infectieux.

Traitement à domicile

• C'est le traitement habituel d'une fièvre : repos au lit, régime léger et boissons abondantes.

Quand consulter le médecin

• Si une griffure provoquée par un animal ou par un végétal est suivie d'une inflammation de ganglions environ deux semaines plus tard.

Rôle du médecin

• Penser à la possibilité d'une maladie des griffes du chat et adresser le patient à un centre spécialisé où le diagnostic sera confirmé par un test cutané : l'intradermo-réaction à l'antigène spécifique.

• Prescrire un traitement antibiotique (tétracyclines).

• Il peut être nécessaire de ponctionner ou de drainer l'abcès des ganglions lymphatiques, ou même de pratiquer l'ablation des ganglions atteints.

Pronostic

• L'affection évolue spontanément vers la guérison en quelques semaines. Les antibiotiques hâtent la guérison mais n'empêchent pas toujours les ganglions de devenir purulents.

Voir MALADIES INFECTIEUSES, *page 32*

MALADIE HÉMOLYTIQUE DU NOUVEAU-NÉ

Rare affection sanguine du nouveau-né dans laquelle les globules rouges du bébé sont détruits, souvent en raison d'une incompatibilité avec le sang de la mère.

Voir INCOMPATIBILITÉ FŒTO-MATERNELLE

MALADIE HÉMORRAGIQUE DU NOUVEAU-NÉ

Maladie rare des premiers jours de vie. Sa cause est une insuffisance de vitamine K, essentielle à la formation du caillot. Des saignements surviennent dans l'intestin, la peau, le cerveau. Cette maladie se traite par l'injection de vitamine K.

MALADIE DU LÉGIONNAIRE

Maladie infectieuse de découverte récente, responsable d'une pneumonie. L'agent infectieux est une bactérie qui se développe dans l'eau chaude et stagnante, comme dans les appareils de conditionnement d'air ou les citernes. Elle peut également coloniser les pommes de douches. Elle affectionne les températures comprises entre 20 et 50 degrés; c'est pourquoi les hôtels et les institutions devraient maintenir les réservoirs d'eau et les systèmes d'air conditionné à une température supérieure ou inférieure à ces limites. Cette maladie pouvant exceptionnellement être fatale, la proportion importante de décès observée dans les premiers cas n'a pas été retrouvée par la suite.

Symptômes

• Les symptômes précoces sont un léger mal de tête, des douleurs musculaires et un malaise général.

• Puis apparaissent : fièvre, frissons, tremblements, rapidement suivis par une toux.

• Nausées, vomissements, diarrhée ou douleurs abdominales surviennent dans 25 pour 100 des cas.

Période d'incubation

• Elle varie de deux à dix jours.

Durée

• La maladie s'aggrave durant les six premiers jours, puis l'état s'améliore généralement après une semaine.

• La fièvre dure environ treize jours.

Causes

• Une bactérie appelée *Legionella pneumophilia.*

Complications

• Insuffisance respiratoire sévère.

• INSUFFISANCE RÉNALE.

Quand consulter le médecin

• Immédiatement si vous suspectez la maladie, et particulièrement si vous avez séjourné dans un hôtel ou un lieu où d'autres cas se sont déclarés.

Rôle du médecin

• Faire pratiquer une radiographie des poumons.

• Demander des examens de sang et de crachats.

• Donner des antibiotiques. *Voir* MÉDICAMENTS, n° 25.

Prévention

• Actuellement, il n'existe pas de vaccination ou de mesures préventives efficaces contre cette maladie.

Pronostic

• Cette maladie est fatale en cas de complications.

MALADIE DU NEURONE MOTEUR

Les nerfs moteurs sont ceux qui transportent des messages depuis le système nerveux central jusqu'aux muscles. La maladie du neurone moteur (ou motoneurone) affecte les unités (neurones) de ces nerfs, provoquant un affaiblissement progressif des muscles.

Symptômes

• Faiblesse musculaire croissante, qui débute souvent dans les jambes et les mains. Les muscles se mettent à fondre, devenant quelquefois durs et spastiques.

• Certains muscles, particulièrement au niveau des épaules, commencent à tressauter sous la peau. Les tressaillements sont d'abord discrets, déclenchés par le froid, puis d'autant plus évidents que la maladie progresse. La sensibilité cutanée n'est pas diminuée.

• Dans les cas sévères, la maladie affecte les muscles de la gorge, si bien que le malade parle et avale de plus en plus difficilement. Il y a une salivation excessive, et un risque croissant d'avaler de travers. La nourriture et les boissons ont tendance à faire des « fausses routes », ressortant par le nez, ou pénétrant dans les poumons.

Durée

• Le début des symptômes est progressif et, dans certains cas, ils peuvent cesser de s'aggraver après quelques mois, voire quelques années.

• Dans les cas sévères, la détérioration est rapide et la mort peut survenir dans les deux ans.

Causes

• La cause précise est incertaine, mais la maladie a été rattachée à des infections virales. Dans quelques cas rares, il peut y avoir une tendance héréditaire.

Complications

• L'incapacité d'avaler correctement peut, dans les cas sévères, entraîner un encombrement pulmonaire par la salive et provoquer une pneumonie.

Traitement à domicile

• Aucun.

Quand consulter le médecin

• Si un affaiblissement apparent de la force musculaire se manifeste au niveau d'un membre.
• Devant tout trouble fréquent de la déglutition.

Rôle du médecin

• Il n'existe pas de traitement radical.

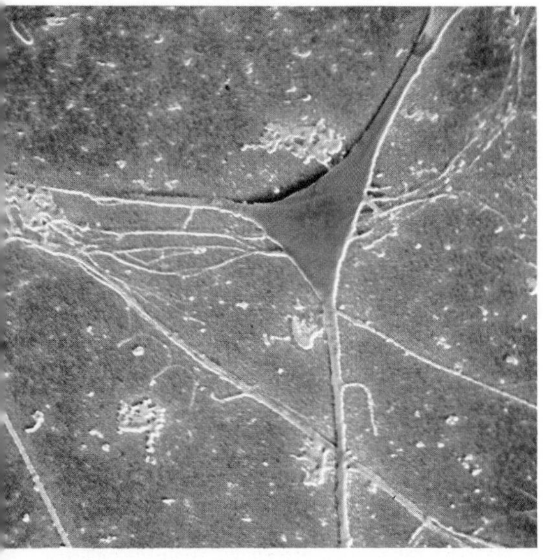

CONTROLE MUSCULAIRE. *Le triangle rouge-brun avec de longs prolongements est un neurone moteur (motoneurone), exerçant ses fonctions dans l'écorce (cortex) cérébrale. Les neurones moteurs contrôlent les activités des muscles du corps. Ils reçoivent des messages des nerfs sensitifs, à travers les minces connexions situées dans le bas de la photo. Les messages de sortie — dictant au corps ce qu'il doit faire — sont véhiculés par un canal unique, volumineux, se dirigeant vers le haut et la droite de la photo.*

• Pour atténuer les désagréments causés par la maladie, le médecin recommandera une alimentation hachée, semi-liquide.
• Recommander une canne, un fauteuil roulant, une rampe d'escalier, un siège de baignoire, selon chaque cas.
• Conseiller l'aide d'un rééducateur spécialisé pour résoudre les problèmes et les difficultés de la vie pratique.
• Conseiller de prendre une aide ménagère qui aidera le patient à domicile.

Prévention

• Aucune n'est connue.

Pronostic

• La maladie du neurone moteur (ou motoneurone) s'arrête souvent spontanément d'évoluer. Bien qu'il y ait un handicap permanent, le malade peut encore mener une vie active.
• Dans les cas sévères, la maladie peut aboutir à la mort, malgré des recherches positives concernant le traitement médicamenteux des maladies virales. Ces médicaments diminueront dans l'avenir le risque de la maladie du neurone moteur.

Voir SYSTÈME NERVEUX, *page 34*

MALADIE DU POUMON DE FERMIER

Maladie professionnelle touchant les poumons et due à une allergie aux spores de champignons microscopiques qui poussent dans le foin moisi.

Voir ALLERGIE, RISQUES PROFESSIONNELS ET LIÉS A L'ENVIRONNEMENT

MALADIE SÉRIQUE

Maladie allergique qui s'observait souvent autrefois après traitement par un sérum d'origine animale (sérum antitétanique de cheval, par exemple). Huit à quinze jours après l'injection de sérum apparaissent une éruption, des douleurs articulaires, des adénopathies, une fièvre. Ces troubles disparaissent en quelques jours spontanément. Cette maladie est devenue exceptionnelle de nos jours avec l'utilisation de sérums hautement purifiés ou d'origine humaine.

MALADIE DU SOMMEIL

Maladie due à un minuscule parasite, nommé trypanosome, transporté par la mouche tsé-tsé en Afrique. L'infection est transmise par la piqûre de la mouche. Le premier symptôme est un gonflement de la zone piquée, suivi deux semaines après de fièvre et de gros ganglions. Parfois, une inflammation chronique du cerveau entraîne des difficultés de concentration intellectuelle, des tremblements, des convulsions, puis le coma et la mort. L'évolution complète peut durer de nombreuses années. Un traitement précoce est efficace, à condition d'être institué avant toute atteinte cérébrale. Il est possible de se protéger par des vêtements couvrants, des produits contre les insectes, et en se traitant préventivement.

Voir MALADIES INFECTIEUSES, *page 32*

MALADIES DÉGÉNÉRATIVES

Terme général pour désigner les maladies liées au vieillissement. Les deux plus fréquentes sont l'ARTHROSE et l'ATHÉROME. Elles font partie du processus naturel de vieillissement de l'organisme et, si l'on peut retarder leur apparition, il est difficile de les prévenir. Certains facteurs sont aggravants ou accélèrent l'évolution, comme l'obésité pour l'arthrose. Ce processus est inévitable, mais les désordres qu'il crée peuvent être soignés; par exemple, remplacer une hanche ou un genou par des prothèses articulaires.

MALADIES ENZYMATIQUES

Encore appelées enzymopathies, ces maladies sont provoquées par un déficit total ou partiel d'une ou plusieurs enzymes. Selon l'enzyme responsable, les symptômes seront dus à l'accumulation de la substance qui aurait dû être dégradée par l'enzyme, à la carence du corps qui aurait été synthétisé par cette enzyme, ou aux deux.

Ces maladies sont généralement héréditaires. Elles sont, pour la plupart, incurables, mais certaines d'entre elles sont intéressantes à connaître et surtout à dépister, car il est possible d'éviter l'apparition de la maladie en supprimant simplement de l'alimentation le

corps qui n'est pas dégradé. Par exemple, l'intolérance au gluten (MALADIE CŒLIAQUE) ou la galactosémie.

La galactosémie est une intolérance héréditaire au galactose, par absence de l'enzyme qui permet de l'assimiler. Elle se traduit, si la maladie n'est pas dépistée tôt, par une arriération mentale, une CATARACTE, une CIRRHOSE DU FOIE, un retard de croissance et l'élimination dans les urines de galactose, de protéines et d'acides aminés. Il est important de la dépister très tôt, car en supprimant le galactose de l'alimentation dès la naissance, on peut éviter l'apparition des troubles, et l'enfant sera normal.

MALADIES PROFESSIONNELLES

Toutes les maladies en rapport avec une activité professionnelle et dont la survenue est directement liée à l'exercice d'un métier, comme la silicose des mineurs ou les maladies de peau des personnes manipulant des produits chimiques.

Voir RISQUES PROFESSIONNELS ET LIÉS A L'ENVIRONNEMENT

MALADIES VÉNÉRIENNES

Terme général pour définir des infections acquises à la suite de rapports sexuels, ou même de simples contacts sexuels.

On préfère actuellement utiliser le terme de maladies sexuellement transmissibles (M.S.T.). Elles atteignent aussi bien l'homme que la femme.

Les plus connues sont la BLENNORRAGIE, la SYPHILIS, la VAGINITE à trichomonas. On sait maintenant qu'il existe un grand nombre d'URÉTRITES non spécifiques de la blennorragie. C'est ainsi que l'on a mis en évidence les chlamydia, le mycoplasme. On insiste également sur l'HERPÈS GÉNITAL.

Chacune de ces infections est traitée dans un chapitre de cet ouvrage. Dans les grandes villes, ces infections peuvent être prises en charge aussi bien par le médecin de famille que par le spécialiste ou les centres spécialisés. L'essentiel est de consulter le plus tôt possible.

MAL DE MER

Nausées et vomissements affectant certaines personnes lors des voyages en mer. Un désordre de l'oreille interne en est la cause (*voir* ÉQUILIBRE).

Voir MAL DES TRANSPORTS

MAL DES TRANSPORTS

Beaucoup d'entre nous ont déjà souffert de nausées et de vomissements lors d'un voyage par route, rail, mer ou air. C'est le mal des transports. Il est dû aux mouvements du véhicule qui dérèglent le rapport entre ce que les yeux voient et ce que le mécanisme de l'équilibre situé dans l'oreille interne ressent. Les symptômes diminuent si l'on peut fixer des yeux la terre ou l'horizon.

Symptômes

- Nausées et vomissements. Perte de l'appétit.
- Sueurs, faiblesse et pâleur du visage.
- Gêne abdominale, ballonnement et diarrhée.

Durée

- Les symptômes durent parfois les trois premiers jours d'un voyage, mais cessent à la fin du trajet ou lorsque les mouvements du véhicule s'adoucissent.
- Certaines personnes sont capables d'adaptation, et les malaises sont moins graves à chaque voyage.

Causes

- Désordre temporaire de l'oreille interne, dû à un mouvement inhabituel.

Traitement à domicile

- Divers médicaments sont utiles contre le mal des transports. Certains d'entre eux contiennent de l'atropine ou des substances voisines, et donc assèchent la bouche et constipent. D'autres contiennent des antihistaminiques qui entraînent quelquefois une somnolence. Prenez le premier comprimé trente à soixante minutes avant le départ. *Voir* MÉDICAMENTS, n° 21.
- Prenez souvent et régulièrement des petites quantités de liquide et de nourriture, même si vous vomissez. Vous lutterez ainsi contre la déshydratation et serez souvent mieux si vous pouvez vomir.
- L'air frais fait du bien. Arrêtez-vous régulièrement lors d'un voyage en auto (toutes les heures avec des enfants). En mer, allez sur le pont.
- Prévoir un arrêt toutes les heures en auto avec des enfants ou des adultes susceptibles d'être malades.
- En cas de faiblesse, couchez-vous les yeux fermés.

Quand consulter le médecin

- Si une douleur abdominale intense accompagne le mal des transports.

Rôle du médecin

- Vérifier que les nausées et les vomissements sont dus au mal des transports et pas à une autre cause.
- Dans les cas graves, arrêter les vomissements par des injections.

Prévention

- C'est surtout lutter contre la crainte du mal des transports. Être calme et attentif. Ne pas exciter l'imagination d'un éventuel malade.
- Permettre aux enfants de voir à l'extérieur.
- Garder les fenêtres de la voiture entrouvertes.
- Pour les passagers, ne pas lire.

Pronostic

- Les enfants guérissent généralement en grandissant.

Que faire devant un mal des transports ?

☐ Prenez un comprimé contre le mal des transports (*voir* MÉDICAMENTS, n° 21) trente à soixante minutes avant le début du voyage. Si vous conduisez, n'absorbez pas de comprimés antihistaminiques, qui peuvent provoquer une somnolence.

☐ Emportez des jeux, des jouets, des puzzles, des cassettes enregistrées, ou n'importe quoi qui puisse distraire un enfant malade.

☐ Prenez quelques sacs imperméables pour le cas où tout échouerait.

☐ Ne parlez pas de la possibilité d'être malade devant une personne à risques, car cela peut provoquer le mal des transports.

☐ Ne prenez pas un gros repas ou de l'alcool avant de partir.

☐ Interdisez de fumer dans la voiture si un passager est un malade éventuel.

• Quelques adultes continuent à en souffrir et, dans certaines circonstances difficiles (par exemple par gros temps, sur un petit bateau, au sortir d'un port), même les plus aguerris y sont sujets.

Voir L'OREILLE, *page 38*

MASTOÏDITE

Inflammation de l'os mastoïde. Cet os est situé juste en arrière de l'oreille et peut être perçu à travers la peau. Il n'est pas compact mais contient des cellules d'air qui communiquent avec l'oreille moyenne.

Depuis la découverte des antibiotiques, la mastoïdite est devenue rare dans les pays développés.

Symptômes

• La mastoïdite est souvent précédée de douleurs auriculaires et d'une OTITE MOYENNE.
• Douleurs derrière l'oreille. La mastoïdite est associée à une perforation du TYMPAN, et le pus s'écoule.
• Fièvre et pouls rapide.
• Surdité croissante de l'oreille atteinte.

Durée

• Sans traitement, l'infection peut durer des semaines et s'étendre à l'os voisin, puis au cerveau.

Causes

• La mastoïdite est une complication rare de l'otite moyenne. Elle est due à l'extension de l'infection bactérienne de l'oreille moyenne à l'os mastoïde.

Complications

• L'infection peut s'étendre aux os environnants, aux vaisseaux sanguins et au cerveau.

Traitement à domicile

• Aucun. Consulter le médecin.

Quand consulter le médecin

• Si vous souffrez d'une oreille, surtout si une fièvre, une sensibilité de l'os en arrière du lobe de l'oreille ou un écoulement accompagnent cette douleur.

Rôle du médecin

• Examiner l'oreille.
• En cas de suspicion de mastoïdite, il prévoira un examen radiologique et une hospitalisation.
• Prescrire un traitement antibiotique, et souvent une opération. *Voir* MÉDICAMENTS, n° 25.

Pronostic

• Tous les patients guérissent habituellement de la mastoïdite, mais une surdité définitive, totale ou partielle de l'oreille atteinte est possible.

Voir L'OREILLE, *page 38*

MASTOPATHIE BÉNIGNE

Apparition soudaine et fréquente chez une femme de tuméfactions dans les seins.

Symptômes

• Les seins paraissent pleins.
• Habituellement, un sein est plus atteint que l'autre.
• Fatigue, irritabilité, sensations associées au SYNDROME PRÉMENSTRUEL.
• Symptômes disparaissant avec les règles.

Durée

• Cet état apparaît et disparaît spontanément.

Causes

• Cette mastopathie bénigne nodulaire est habituellement en rapport avec un déséquilibre des sécrétions hormonales, mais d'autres facteurs peuvent intervenir, en particulier psychologiques (l'angoisse).

Traitement à domicile

• Porter un bon soutien-gorge.

Quand consulter le médecin

• Dès l'apparition d'une tuméfaction dans un sein.

Rôle du médecin

• Examiner les deux seins et recommencer l'examen quelques jours plus tard, après les règles.
• Au moindre doute, un contrôle mammographique et échographique doit être envisagé.
• Si le doute persiste, une étude cytologique après ponction exploratrice peut s'imposer.
• Si le doute persiste malgré tout, il faut envisager l'ablation de la tuméfaction.
• Un traitement à base de progestérone peut donner de bons résultats, de même qu'une psychothérapie.

Prévention

• Aucun moyen de prévenir leur apparition n'existe.

Pronostic

• Sans danger s'il s'agit d'une mastopathie bénigne. Disparaît habituellement après la ménopause.

Voir ORGANES GÉNITAUX FÉMININS, *page 48*

MASTURBATION

Pratique qui consiste à provoquer le plaisir sexuel par attouchement des organes sexuels. Malgré les nombreuses théories visant à affirmer le contraire, la masturbation n'entraîne pas d'anomalies physiques.

Voir SEXOLOGIE

LA MATERNITÉ
Voir page 286

MÉCONIUM

Première expulsion intestinale du nouveau-né. Elle se présente sous la forme d'une gelée verte contenant du mucus, de la bile et d'autres produits qui ont été retenus dans l'intestin durant les dernières semaines de la vie intra-utérine.

VOTRE MÉDECIN ET VOUS
Voir page 306

MÉDECINE DU TRAVAIL

Branche de la médecine qui a pour but de dépister toute affection physique ou psychique d'origine professionnelle. C'est une médecine essentiellement préventive. Elle s'exerce par l'intermédiaire de visites médicales annuelles, à l'embauche et à la reprise du travail après une maladie ou un congé maternité. Ses objectifs sont doubles : vérifier la bonne adaptation du travailleur à son emploi et dépister toute pathologie d'origine professionnelle (certains CANCERS, des ALLERGIES, une SURDITÉ, une SILICOSE, etc.).

Voir RISQUES PROFESSIONNELS ET LIÉS A L'ENVIRONNEMENT

MÉDECINES DOUCES

A côté de la médecine classique, les médecines dites « douces », « parallèles » ou « naturelles » trouvent un regain d'intérêt tant auprès des malades que de leurs médecins, bien qu'elles ne soient pas officielles. Ces méthodes thérapeutiques sont très différentes : l'ACUPUNCTURE a pour principe d'exciter des régions extrêmement localisées du corps, en vue essentiellement de traiter des douleurs; l'OSTÉOPATHIE soigne les maladies rhumatismales par des manipulations; la PHYTOTHÉRAPIE utilise des plantes médicinales et l'HOMÉOPATHIE est fondée, quant à elle, sur des doses médicamenteuses très faibles.

Maternité

DE LA CONCEPTION A LA NAISSANCE, UN GUIDE POUR AIDER LA MÈRE A CHACUNE DES ÉTAPES DE SA GROSSESSE, POUR QU'ELLE LA COMPRENNE MIEUX ET PUISSE S'EN RÉJOUIR

Durant une grossesse, une simple cellule microscopique va se développer pour donner au bout de neuf mois un nouveau-né porteur de 6 milliards de cellules. C'est dans une vie humaine la période où le développement est le plus rapide. De tels changements chez l'enfant se répercutent sur la mère. Par l'intermédiaire du placenta, les messages aussi bien chimiques qu'hormonaux en provenance de l'enfant passent chez la mère et entraînent chez elle de profondes modifications physiques, psychologiques et sociales. Avoir un enfant est un des événements les plus passionnants et les plus émouvants de la vie d'une femme. Les progrès considérables de la science médicale permettent d'améliorer les conditions de surveillance et d'aide durant cette période, où d'excellents contacts doivent s'établir entre la future mère et ceux qui sont là pour l'aider à partir du moment où la grossesse est annoncée jusqu'à la naissance. Naissance qui se fait surtout dans une maternité, privée ou publique, rarement à la maison.

LE DÉVELOPPEMENT DE L'EMBRYON. *La fusion des deux cellules paternelle et maternelle se fait dans la trompe et, quelques jours après, l'œuf ainsi réalisé pénètre dans la cavité utérine. C'est là que l'embryon va commencer son développement, au point qu'au bout de huit semaines la plupart des organes seront en place et prendront déjà un aspect humain. A la quatorzième semaine, les quatre membres et les principaux organes internes sont en place. A partir de ce stade, il ne s'agit plus que de croissance. A la quatorzième semaine, le fœtus est déjà un être humain en miniature.*

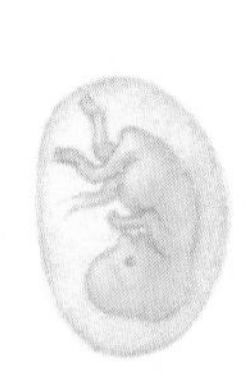

FŒTUS DE 8 SEMAINES

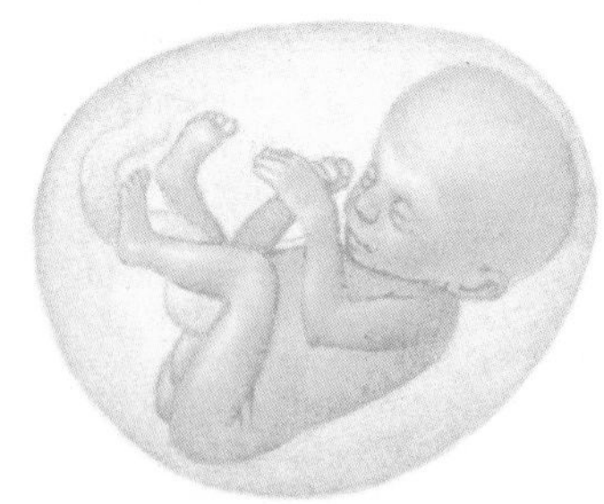

FŒTUS DE 14 SEMAINES

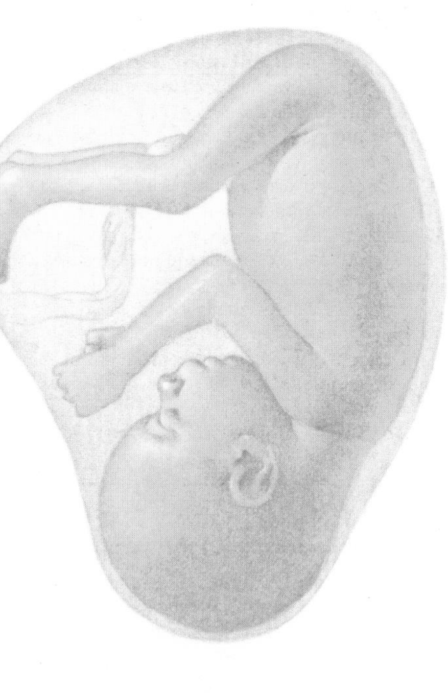

FŒTUS DE 20 SEMAINES

COMMENT EST DÉTERMINÉ LE SEXE DE L'ENFANT

☐ Le sexe est déterminé par le spermatozoïde. Les ovules portent toujours le chromosome sexuel féminin X alors que les spermatozoïdes peuvent porter soit un chromosome féminin X, soit un chromosome masculin Y. Au moment de la fécondation : soit fusion des deux chromosomes X féminins, et il en résulte une fille (XX), soit fusion d'un chromosome féminin X de provenance maternelle et d'un chromosome Y de provenance paternelle, et il en résulte un garçon (XY).

☐ A partir de la cinquième semaine les effets des chromosomes sexuels interviennent dans la différenciation sexuelle. Ainsi, chez le garçon vont se développer la verge et la prostate, chez la fille l'utérus et les trompes.

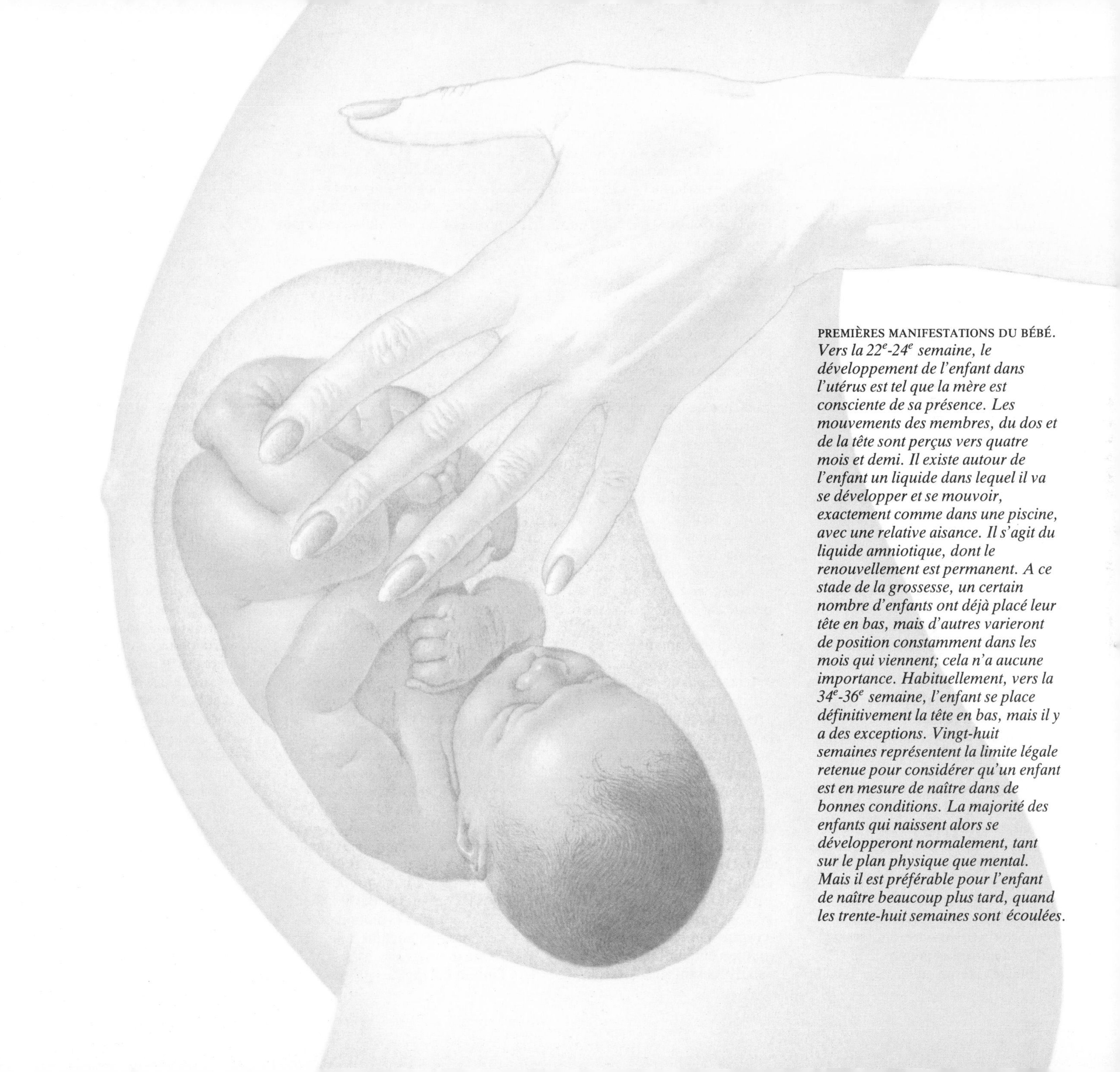

PREMIÈRES MANIFESTATIONS DU BÉBÉ. *Vers la 22e-24e semaine, le développement de l'enfant dans l'utérus est tel que la mère est consciente de sa présence. Les mouvements des membres, du dos et de la tête sont perçus vers quatre mois et demi. Il existe autour de l'enfant un liquide dans lequel il va se développer et se mouvoir, exactement comme dans une piscine, avec une relative aisance. Il s'agit du liquide amniotique, dont le renouvellement est permanent. A ce stade de la grossesse, un certain nombre d'enfants ont déjà placé leur tête en bas, mais d'autres varieront de position constamment dans les mois qui viennent; cela n'a aucune importance. Habituellement, vers la 34e-36e semaine, l'enfant se place définitivement la tête en bas, mais il y a des exceptions. Vingt-huit semaines représentent la limite légale retenue pour considérer qu'un enfant est en mesure de naître dans de bonnes conditions. La majorité des enfants qui naissent alors se développeront normalement, tant sur le plan physique que mental. Mais il est préférable pour l'enfant de naître beaucoup plus tard, quand les trente-huit semaines sont écoulées.*

COMMENT L'ENFANT EST CONÇU

Au commencement, il y a une cellule, c'est-à-dire un ovule qui doit être fécondé par un spermatozoïde. Les ovules sont produits par les deux ovaires féminins, qui se situent de part et d'autre de l'utérus. Chaque mois, un ovule arrive à maturité sous l'influence des hormones produites par une glande : l'hypophyse, qui est située à la base du cerveau.

Quand la ponte ovulaire se produit, l'ovule va passer directement à travers l'orifice externe de la trompe, véritable petit tuyau reliant la face externe de l'ovaire à l'utérus. Cet ovule va demeurer environ un jour dans la trompe près de l'ovaire.

A l'occasion d'un rapport sexuel, l'homme dépose entre six cents millions et un milliard de spermatozoïdes dans la partie supérieure de la cavité vaginale. Une faible proportion de ces spermatozoïdes atteindra l'utérus. Les spermatozoïdes vont se mouvoir alors par saccades, exactement comme des têtards, à la surface de la muqueuse utérine. Quelques milliers d'entre eux pénétreront dans l'orifice interne de la trompe, mais seuls quelques centaines atteindront sa partie plus externe, près de l'ovaire.

Si le rapport a eu lieu à la bonne période du cycle menstruel, un ovule retournera en attente dans la partie externe de la trompe. Les spermatozoïdes arriveront à sa rencontre, l'entoureront, et seul l'un d'entre eux pénétrera la couche externe qui protège l'ovule pour réaliser la fusion entre les capitaux génétiques paternel et maternel. Très rapidement la couche externe de l'ovule devient imperméable à tout autre spermatozoïde. Six à huit heures plus tard, cet ovule fécondé va se diviser en deux cellules, puis en quatre, et ainsi de suite pour finir par réaliser une petite masse. Durant ce processus, les matériels chromosomiques paternel et maternel vont intimement fusionner, de telle sorte que le futur enfant sera porteur à sa naissance de l'ensemble du potentiel génétique de ses parents.

L'œuf ainsi réalisé va, à travers la trompe, se diriger vers l'utérus grâce aux mouvements péristaltiques du muscle de la trompe. Cette progression est favorisée par le mouvement du liquide de la trompe. Ce trajet dure environ une semaine.

Durant cette période, la muqueuse qui tapisse la face interne de l'utérus va augmenter de volume grâce à l'accentuation de sa vascularisation et à des modifications de ses cellules.

En s'ancrant à l'intérieur de cette muqueuse, cet œuf va pouvoir recevoir toute la nourriture et l'oxygène indispensables à son développement. Si, à cette période de transformation de la muqueuse, l'œuf n'apparaît pas dans la cavité utérine, cette dernière aura donc été préparée inutilement. A ce moment, les vaisseaux sanguins vont modifier les conditions circulatoires et faire en sorte que cette muqueuse inutile s'élimine, associée à du sang, réalisant ainsi les règles.

COMMENT FIXER LA DATE DE NAISSANCE

De nos jours, la plupart des médecins programment la grossesse à partir du premier jour de la date des dernières règles, tout en sachant que la conception apparaît habituellement quatorze jours plus tard. L'enfant naîtra environ quarante semaines après (280 jours). Cette façon de calculer est devenue une convention internationale et est entrée en usage parce que beaucoup de femmes n'ont aucune idée de la date exacte du rapport fécondant.

L'ENFANT PREND FORME

Dans les quatre premières semaines, l'œuf humain atteindra 3 millimètres de longueur; les deux semaines suivantes, il atteindra 25 millimètres, et l'embryon qu'il contient mesurera environ 10 millimètres de long. La tête est alors formée et, grâce à l'utilisation des ultrasons, on peut se rendre compte que le cœur commence à battre. Dans les deux semaines suivantes, c'est-à-dire huit semaines après le début des règles précédentes, le fœtus mesure environ 30 millimètres de longueur, les membres sont formés et, plus tard, les doigts et les orteils. Un mois après (douze semaines), le fœtus mesure environ 50 millimètres de long et tous les organes se développent.

Cette rapide évolution de l'enfant se fait à l'intérieur de la cavité utérine, et c'est par l'intermédiaire du cordon ombilical que l'enfant reçoit toute la nourriture et l'oxygène nécessaires. Ce cordon relie ainsi l'enfant au placenta maternel.

QUELS SONT LES SYMPTOMES DE LA GROSSESSE ?

Le plus évident est bien sûr la non-apparition des règles. Cependant, il peut arriver que même avant l'arrivée de ce symptôme certaines femmes ressentent des modifications de leur corps. Quelquefois une modification de volume des seins et une sensation de tension, d'autres fois une envie plus fréquente d'uriner, ou même une irritation vaginale avec une légère décharge de liquide.

Celles qui ont déjà eu un enfant ont conscience qu'il se passe quelque chose, mais ne peuvent le définir aisément au tout début de la grossesse. Elles peuvent ressentir soit un dégoût pour certains aliments, avec perte de l'appétit et nausées, soit au contraire des envies impératives d'autres aliments. Un vague état vertigineux, une certaine faiblesse ou, quelquefois, une tendance à l'irritabilité et même à pleurer peuvent être significatifs.

La non-apparition des règles est le symptôme le plus facilement reconnaissable, surtout si la femme qui est bien réglée prend la précaution de les noter sur un calendrier et a conscience d'avoir eu des rapports non protégés. Les chances statistiques de grossesse sont importantes, et elle doit consulter dès que possible le médecin, qui le lui confirmera.

Le médecin pratiquera un examen gynécologique et, à cette occasion, constatera une augmentation de volume de l'utérus. En cas de doute, il demandera des tests biologiques de grossesse, recherche dans les urines de traces d'hormone qui confirmeront l'existence du corps jaune de grossesse.

Ces tests urinaires sont pratiqués en laboratoire, mais aujourd'hui peuvent également être pratiqués à domicile. En effet, des tests de grossesse vendus en pharmacie et pratiqués soigneusement permettent en deux heures de préciser à une femme si elle est enceinte ou pas. Un autre moyen fait intervenir les ultrasons : un faisceau d'ultrasons dirigé sur le ventre de la mère va rencontrer l'embryon débutant, s'y réfléchir, et, ainsi, donner sur l'écran une image qui se différencie de son environnement. Les ultrasons peuvent dépister l'enfant dès la sixième semaine de la grossesse.

NAUSÉES ET VOMISSEMENTS

Les nausées et les vomissements peuvent débuter dès le début de la grossesse. Ils apparaissent même quelquefois si précocement qu'ils peuvent être chez certaines femmes le premier symptôme de la grossesse avant le retard de règles. Ils créent un état de malaise, au point que certains l'ont défini comme la « maladie gravidique précoce ». Ces symptômes apparaissent plutôt le matin avant le lever, mais quelquefois également le soir. Il s'y associe souvent un désir de boire ou de manger. La cause exacte de cette maladie gravidique précoce n'est pas connue et n'est pas entièrement d'origine psychologique. Les symptômes disparaissent vers la douzième ou la quatorzième semaine de la grossesse.

CHOIX DU LIEU DE NAISSANCE

Quand votre grossesse aura été diagnostiquée, votre médecin vous adressera à une maternité. Vous y consulterez régulièrement avant la naissance de votre enfant afin de vérifier le bon déroulement de la grossesse et, le cas échéant, dépister le plus tôt possible l'existence de la moindre anomalie. Vous ferez ainsi la connaissance de l'ensemble des personnes qui vous assisteront durant la naissance.

Bien sûr, il peut arriver que les conditions de consultation y soient plus impersonnelles qu'auprès de votre médecin de famille, mais il ne faudra pas hésiter à poser toutes les questions qui vous préoccupent. Il se peut aussi que les conditions locales ne facilitent pas cette surveillance régulière; dans ce cas, un certain nombre de médecins s'organisent pour participer à la surveillance de la grossesse conjointement avec l'équipe obstétricale.

Le programme suivant peut être envisagé :

Vers la 6e-8e semaine. Vous pouvez consulter votre médecin de famille.

Vers la 12e semaine. Vous prendrez contact avec la maternité publique ou privée de votre choix.

De la 16e à la 32e semaine. Vous serez suivie soit à la maternité, soit par votre gynécologue.

A partir de la 34e semaine. Il est préférable que vous soyez suivie régulièrement par l'équipe qui procédera à l'accouchement.

LA PREMIÈRE CONSULTATION PRÉNATALE

Elle peut être réalisée aussi bien auprès de votre médecin de famille ou de votre gynécologue qu'à la maternité que vous avez choisie. Dans un premier temps, diverses questions vous seront posées en vue de connaître tous vos antécédents médicaux, chirurgicaux et obstétricaux. Le médecin pratiquera d'abord un examen général, en particulier cardio-vasculaire, puis un examen gynécologique. Il demandera des examens complémentaires, dont un certain nombre sont obligatoires à l'occasion de la déclaration de grossesse qui doit être pratiquée au terme de ce bilan, avant la fin du premier trimestre (dépistage de la syphilis, recherche de sucre et d'albumine dans les urines, groupe sanguin et rhésus). Le médecin prescrira généralement des examens de sang pour rechercher l'existence ou l'absence d'immunité vis-à-vis de la rubéole et de la toxoplasmose. Habituellement, une échographie est envisagée vers la seizième semaine.

LES MÈRES RHÉSUS NÉGATIF

15 pour 100 des femmes sont porteuses de sang rhésus négatif. Si le mari de l'une d'elles est rhésus positif et si leur enfant est porteur du groupe sanguin paternel, le sang de la mère et celui de l'enfant seront incompatibles.

Au début, cette incompatibilité est sans importance, car le sang du fœtus qui est à l'intérieur de l'utérus est séparé de celui de la mère, qui circule à l'extérieur du fœtus, dans le placenta.

Cependant, au moment de la naissance, il peut arriver que le sang de l'enfant et celui de la mère se mélangent et la mère s'immunise alors contre le facteur rhésus positif de l'enfant. Dans ce cas, elle produit des anticorps antirhésus qui, à la grossesse suivante, risquent d'atteindre le sang du fœtus rhésus positif. En l'absence des précautions maintenant habituelles, les globules rouges peuvent être détruits et provoquer une anémie, puis une jaunisse, et même la mort de l'enfant. Une injection de sérum antirhésus au moment de la naissance protégera la mère et son enfant, en l'empêchant de fabriquer des anticorps.

DÉPISTAGE DES ANOMALIES FŒTALES

Vers la seizième semaine de la grossesse, deux anomalies peuvent être dépistées grâce à l'AMNIOCENTÈSE.

La première, appelée SPINA-BIFIDA, concerne le développement anormal de la tête ou de la colonne vertébrale. Si le niveau de certaines protéines s'élève dans le sang maternel et s'il y a une forte présomption à l'examen échographique, le médecin pratiquera une amniocentèse pour déterminer le taux de cette protéine dans le liquide amniotique. Si ce taux est très élevé, la malformation est confirmée, qu'il s'agisse d'un spina-bifida ou, plus exceptionnellement, d'une ANENCÉPHALIE. Dans ces cas, le médecin peut envisager avec l'accord des parents l'éventualité d'une interruption de la grossesse. *Voir* AVORTEMENT.

Le deuxième test que permet de pratiquer l'amniocentèse est celui du dépistage du MONGOLISME, ou TRISOMIE 21. Le risque d'apparition de cette malformation congénitale chromosomique augmente considérablement chez la femme après quarante ans. Il est conseillé à partir de cet âge de pratiquer systématiquement une amniocentèse, après avoir obtenu l'accord des parents pour effectuer une interruption de grossesse en cas de découverte de cette anomalie.

L'ENFANT BOUGE

Très tôt dans la grossesse, vers la sixième-septième semaine, les membres de l'enfant commencent à se mouvoir dans l'utérus. Mais ce n'est que plus tard que ces mouvements sont perçus. Chez une femme qui a déjà accouché, cette perception se manifestera dès la seizième semaine; chez celle qui attend son premier enfant, et qui est donc moins familiarisée avec ce phénomène, ces mouvements ne seront perçus que vers la vingtième ou vingt-deuxième semaine.

LES MODIFICATIONS DE LA PEAU CHEZ LA MÈRE

Au bout de trois ou quatre mois, l'abdomen et les seins augmentent de volume, et des modifications de la peau peuvent apparaître. Ainsi, une coloration brune peut se manifester sur les mamelons, sur la partie supérieure des joues et sur le front. Chez certaines femmes, cette pigmentation peut apparaître également au milieu du ventre, sur une ligne qui va de l'ombilic au pubis. Cette pigmentation disparaît habituellement complètement après la naissance.

Plus tard dans la grossesse, l'étirement de la paroi abdominale antérieure peut entraîner de petites cicatrices sous la peau. Ces vergetures sont également retrouvées sur les fesses, sur les cuisses et sur les seins. Il n'existe pas de possibilité de prévention, car l'apparition est fonction du degré d'élasticité de la peau de chacune. Habituellement, après la grossesse, elles s'estompent et finissent par disparaître.

MALAISES PHYSIQUES

Beaucoup de femmes verront se dérouler leur grossesse sans aucun incident; quelquefois cependant, un certain nombre de troubles surviennent, qui disparaîtront spontanément grâce à des petits moyens thérapeutiques.

Essoufflement. Au fur et à mesure que le poids de la future mère augmentera, le cœur aura plus de travail à effectuer et devra donc s'y adapter. Une grande quantité d'oxygène est fournie à l'enfant pour permettre sa croissance, ce qui en accentue automatiquement les besoins chez la mère. Habituellement, une femme en bonne santé s'y adaptera parfaitement, bien qu'elle puisse noter quelques palpitations ou des difficultés respiratoires au moindre effort. Cela est d'autant plus normal qu'à la fin de la grossesse l'utérus, encore plus volumineux, comprime la base des deux poumons et diminue ainsi l'espace respiratoire indispensable.

Brûlures d'estomac. Il s'agit de cette impression d'acidité que les futures mères ressentent quand elles se penchent en avant ou qu'elles se couchent; impression provoquée par le reflux des liquides gastriques acides vers l'œsophage. Le médecin peut prescrire une drogue antiacide, sans inconvénient pour l'enfant.

Hémorroïdes. Sur le plan anatomique, les hémorroïdes sont des varices des veines qui entourent l'anus. Elle se sont constituées à la suite d'une augmentation de pression intra-abdominale. La constipation favorise leur apparition. Il est conseillé de boire abondamment, et surtout d'absorber des aliments qui contiennent des fibres (salades, légumes et son). En cas de besoin, une drogue laxative pourra être prescrite.

Urines. Le tractus urinaire est souvent perturbé à la suite des modifications anatomiques intra-abdominales, et la future mère ressent très fréquemment le besoin d'uriner, et surtout à la fin de la grossesse, quand l'utérus comprime la vessie. Si ce phénomène se produit la nuit, accompagné de douleurs au moment de la miction, il faut consulter le médecin.

Varices. De petites varices superficielles apparaissent sur les cuisses et s'accompagnent souvent de décoloration de la peau des jambes. Elles disparaissent après la naissance.

Des varices plus importantes sont dues à l'augmentation de volume des veines sous la peau. Elles peuvent atteindre, à la fin de la grossesse, les cuisses, la face postérieure des genoux, et même les mollets. Le port de bandes élastiques ou de bas à varices, en comprimant la veine, rendra la vie plus confortable, mais n'évitera pas l'apparition des varices.

QUELLE DOIT ÊTRE LA PRISE DE POIDS IDÉALE ?

Durant une grossesse, une femme normalement constituée doit prendre entre 9 et 12 kilos.

L'augmentation de poids est due essentiellement à la présence de l'enfant et à la modification d'un certain nombre d'organes :

L'enfant complètement formé pèsera en moyenne 3 kilos.
Le placenta : 500 grammes.
Le liquide amniotique : 1 kilo.
L'utérus : 1 kilo.
L'augmentation du volume sanguin : 1 kilo.
L'augmentation du volume des seins : 1 kilo.

Ce qui fait au total environ 7,5 kilos en rapport direct avec la grossesse. Le surpoids restant, soit en moyenne 3 à 4 kilos, correspond à la graisse et à l'eau maternelles.

MODIFICATIONS DES CONDITIONS PSYCHOLOGIQUES
Vers la fin de la grossesse, certaines femmes deviennent dépressives.

La grossesse est une étape très critique dans la vie d'une femme, et elle nécessite un soutien permanent. Si elle habite loin de sa mère, ce qui est fréquent, elle devra trouver auprès de son mari le plus grand réconfort. La grossesse est un état qui concerne à la fois le père et la mère, et l'entente entre eux doit être la plus grande possible durant cette période privilégiée de la croissance de l'enfant. Le soutien des amis doit également être envisagé, que ce soit pendant la grossesse ou pendant le séjour à la maternité.

AMBIANCE CONJUGALE
Les modifications physiques et les perturbations émotionnelles relatives à la grossesse peuvent affecter les rapports de la mère avec son mari et ses autres enfants. Le mari peut même avoir l'impression d'être un peu rejeté, mais il ne doit pas oublier les changements qu'entraîne la présence d'un enfant dans les relations du couple.

La femme est la première concernée par le développement de l'enfant, et elle peut devenir moins expansive dans ses relations familiales. Le mari doit se rappeler que la grossesse les touche tous les deux et se sentir encore davantage concerné. Ainsi, il est tout à fait naturel qu'il accompagne sa femme aux consultations prénatales et qu'il assiste à l'accouchement.

Les craintes de la grossesse

□ Incertitude quant à la date exacte de la naissance.
□ Il n'est pas toujours facile de donner avec précision la date du terme théorique. Tous les enfants n'arrivent pas à maturité au même moment et un battement de deux semaines peut être envisagé, lié à de nombreux facteurs dont le plus important est encore la date de l'ovulation, qui peut varier d'un cycle à l'autre.
□ Crainte que l'enfant meure in-utéro ou naisse anormal. Aujourd'hui, grâce aux progrès de la surveillance, le taux des enfants mort-nés s'est considérablement réduit.
□ Certaines femmes ont peur que leur enfant soit mal formé. Les statistiques donnent vingt malformations pour mille naissances, mais elles incluent un grand nombre qui sont facilement curables. De toute façon, de nos jours, des tests peuvent être envisagés durant la grossesse pour dépister en particulier le MONGOLISME, et le SPINA-BIFIDA. Grâce aux progrès de l'échographie et de l'amniocentèse, ce dépistage anténatal ne fait que progresser.
□ Certaines femmes craignent que la grossesse n'entraîne des modifications de leur anatomie. Elles craignent également que l'utérus ne tombe à la suite de la naissance, réalisant un prolapsus utérin. Cette éventualité est exceptionnelle, et grâce à la surveillance et à la rééducation, le retour à l'intégrité corporelle se fait.
□ L'époque où les femmes mouraient en couche est révolue. Les statistiques sont formelles; alors qu'il y a cinquante ans le taux de mortalité au cours de la naissance était de 4 pour 1 000, il est aujourd'hui de 1 pour 10 000 naissances.

LES RAPPORTS SEXUELS DURANT LA GROSSESSE
Un certain nombre de personnes évitent les rapports durant la grossesse. A tort, car en l'absence de contre-indication, comme par exemple le risque d'une menace de fausse couche, il n'y a aucune raison de les interdire. L'augmentation de poids et de volume de la femme les rend inconfortables vers la fin de la grossesse, mais l'adoption de certaines positions plutôt que d'autres doit en permettre le déroulement normal. Beaucoup de couples voient leur intérêt vis-à-vis des rapports décroître au fur et à mesure que la date de la naissance approche. Cela est parfaitement normal.

SOINS CORPORELS DURANT LA GROSSESSE
Pendant la grossesse, interrompre les douches vaginales.

Les seins seront lavés, bien séchés, et au besoin massés avec une crème, ce qui favorisera le début de l'allaitement si celui-ci est envisagé. Pour les femmes qui ont des mamelons plats, des soins locaux seront pratiqués à partir de la vingt-cinquième semaine, sous surveillance médicale si nécessaire, en vue de faciliter l'allaitement ultérieur.

Le port de vêtements amples est vivement recommandé. Quant au soutien-gorge, il doit être changé en fonction de l'augmentation du volume des seins. Il ne faudra pas hésiter à en changer, même tôt dans la grossesse. Enfin il faut porter des chaussures à talons plats.

ALIMENTATION ET EXERCICE
Durant la grossesse, il est indispensable de surveiller son régime alimentaire et de l'adapter à la croissance de l'enfant. Celle-ci nécessite des protéines et certaines vitamines. Pour cela, une fois par jour, il est conseillé de manger du poisson ou de la viande, des œufs ou du fromage. Les fruits frais et les légumes absorbés régulièrement aideront à l'apport de vitamines C à l'enfant. Un demi-litre de lait donnera le calcium nécessaire à sa croissance.

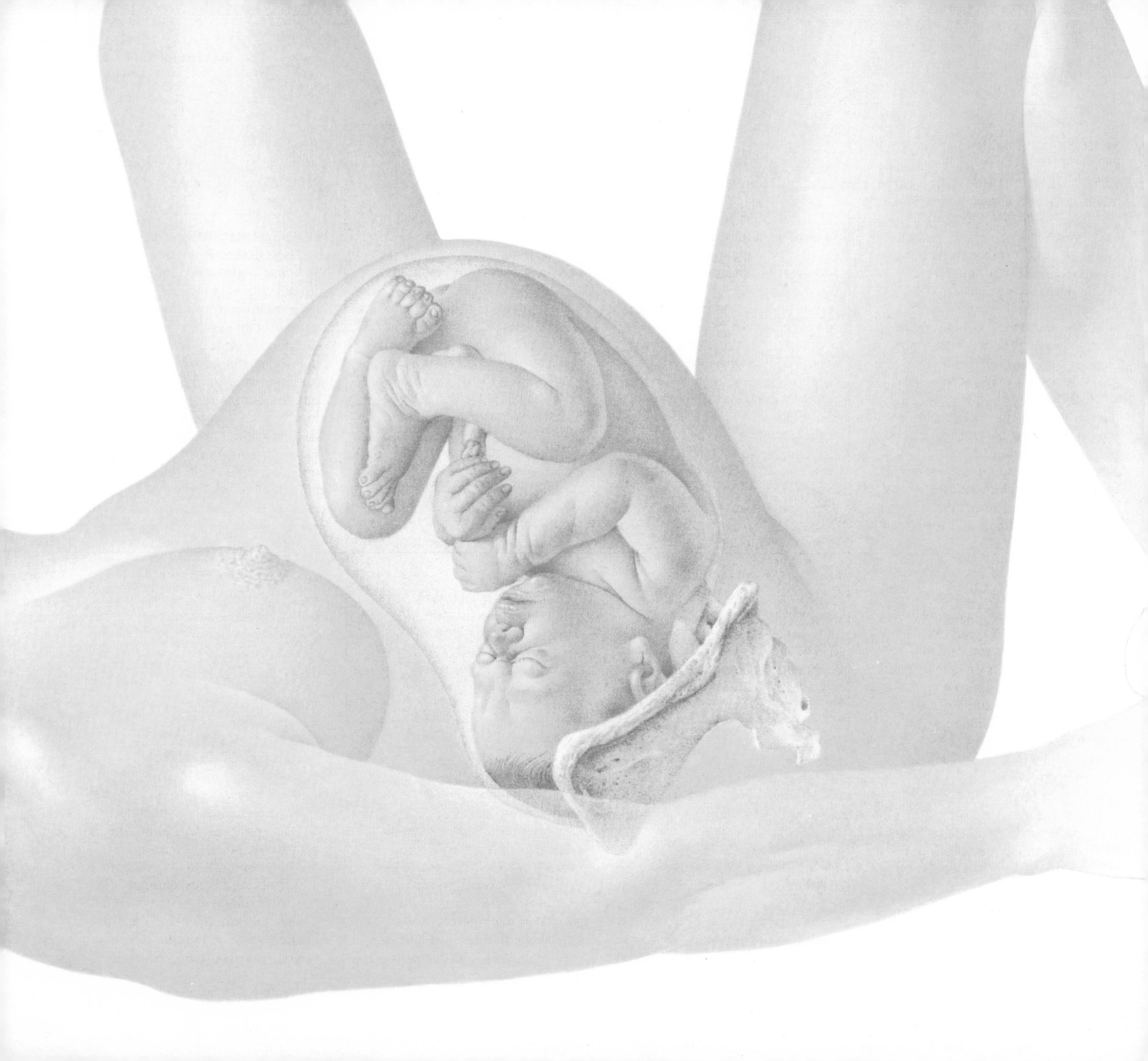

LA MUTATION INTRA-UTÉRINE DE L'ENFANT. *Dans les dernières semaines de la grossesse, l'enfant se déplace de telle sorte que sa tête se dirige vers le bas. La tête va ensuite pénétrer dans le bassin osseux à travers son orifice supérieur, ou détroit supérieur. C'est alors qu'elle va s'engager. Cet engagement est terminé quand le plus grand diamètre de la tête de l'enfant a traversé le plus grand diamètre du détroit supérieur du bassin maternel. Cet engagement est détecté à l'examen clinique par la sage-femme ou le médecin en palpant l'abdomen, ou au cours de l'examen vaginal. Il se produit habituellement quelques semaines avant la naissance quand il s'agit d'un premier bébé, mais il peut survenir plus tardivement chez la multipare, et même au moment du travail. Le diagnostic de l'engagement de la tête est un moment important de la surveillance obstétricale, et il doit donc être fait aussi minutieusement que possible.*

Dans certains cas particuliers où l'on craint une anémie, le médecin prescrira des comprimés à base de fer et d'acide folique, surtout à la fin de la grossesse où il est indispensable de préparer de bonnes conditions d'allaitement; en effet, le lait maternel contient peu de fer, et l'enfant en a besoin énormément dans les premiers mois de sa vie.

L'exercice physique pendant la grossesse ne devra pas être abandonné. Il permet le maintien de la tonicité de toute la musculature et donne une impression de bien-être incontestable. Les promenades et la natation sont d'excellents moyens pour maintenir une future mère en forme au début et au milieu de la grossesse. Mais au fur et à mesure que le volume utérin augmente, les conditions d'exercice deviennent plus difficiles.

LES DANGERS DU TABAC ET DE L'ALCOOL POUR L'ENFANT

Les constituants de la fumée de cigarette passent à travers le placenta et peuvent atteindre l'enfant. Si l'habitude de fumer persiste pendant la grossesse, le risque est grand de voir naître un enfant hypotrophique, c'est-à-dire trop petit pour son âge gestationnel.

L'absorption d'alcool peut également atteindre le développement fœtal. Si de grandes quantités d'alcool sont absorbées, elles entraînent un retard de croissance de l'enfant, et quelquefois un retard mental.

LA MENACE D'AVORTEMENT SPONTANÉ

Il arrive parfois que, durant les quatorze premières semaines de la grossesse, une femme perde du sang par les voies naturelles. Ce sang est rouge ou brun, accompagné ou non de douleurs abdominales. Ces signes font craindre le risque d'un avortement spontané ou d'une fausse couche. Il est conseillé de rester allongée et d'appeler le médecin. Si les saignements s'accentuent, il faut envisager une hospitalisation. Bien souvent, avec des soins appropriés et quand la cause de la menace de fausse couche est découverte, le risque s'estompe et la grossesse se poursuit normalement.

LES RISQUES DE L'HYPERTENSION ARTÉRIELLE

Dans la deuxième moitié de la grossesse, habituellement après la vingtième semaine, la tension artérielle chez certaines femmes s'élève considérablement. Si cette hypertension s'accompagne d'albumine dans les urines et de prise de poids, cet état porte le nom de toxémie gravidique ou de prééclampsie. Une surveillance médicale est impérative. Cette hypertension peut en effet entraîner des modifications circulatoires au niveau de l'enfant, affecter sa croissance et entraver le travail au moment de l'accouchement. La future mère devra rester allongée et, si cela est nécessaire, être hospitalisée. Différents examens pourront être pratiqués. Il existe aujourd'hui des médicaments antihypertensifs qui, maniés avec précaution et sous surveillance, permettent d'atteindre le terme de la grossesse, ou tout au moins une période où l'enfant pourra naître après déclenchement du travail ou avec une césarienne.

OU L'ENFANT NAITRA-T-IL ?

On peut s'adresser à une maternité privée ou publique; très rarement, l'accouchement se déroule chez soi. Les maternités sont bien équipées, pouvant s'adapter à toutes les éventualités qui risqueraient de survenir pendant le travail. C'est habituellement une équipe en place, structurée, qui pratique la naissance et reste en contact avec le médecin de famille. Mais il y a des exceptions qui tiennent au lieu géographique et aux conditions locales d'environnement.

Quelques femmes désirent maintenant voir naître leur enfant à la maison. C'est toujours possible, mais à la condition d'être prise en charge dans des conditions optimales, avec malgré tout le risque d'une complication imprévue au dernier moment.

C'est finalement le tempérament de chaque couple qui intervient pour choisir.

LA NAISSANCE DE L'ENFANT

La naissance, communément appelée travail, se fait en trois étapes :

1re étape. Le col de l'utérus va s'ouvrir lentement et progressivement, pour se retirer

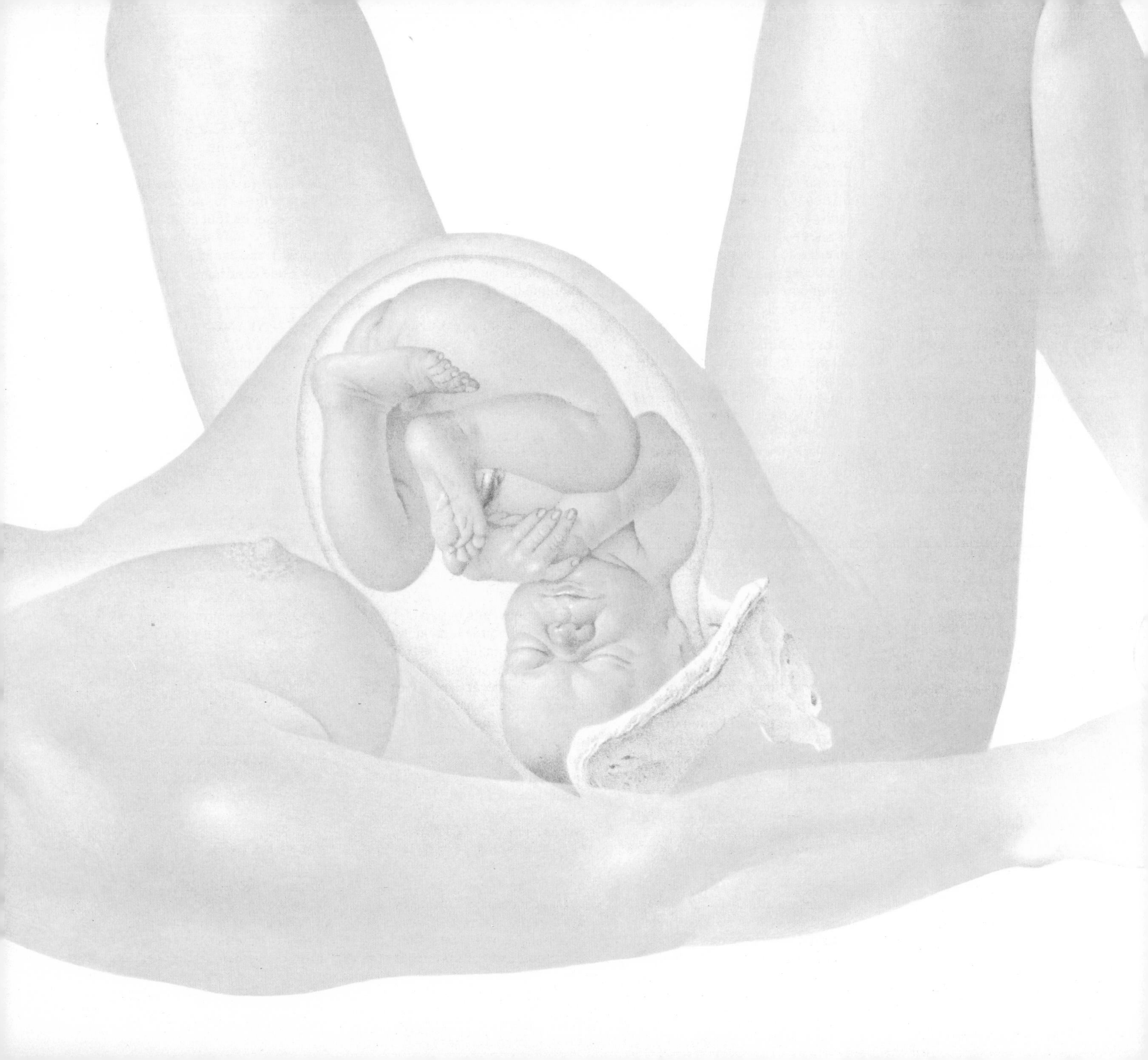

L'ENTRÉE EN TRAVAIL. *Dès que le travail débute, les contractions du muscle utérin vont entraîner la descente de la tête de l'enfant à travers le bassin maternel. Afin de profiter dans les meilleures conditions des variations de diamètre du bassin osseux, la tête de l'enfant va tourner en descendant, comme une clé dans une serrure. Ce mécanisme se déroule naturellement au fur et à mesure de la descente de la tête, qui appuie sur les muscles du plancher pelvien. Ces muscles, qui réalisent anatomiquement un plan incliné, favorisent la rotation de la tête pour faire en sorte que ses plus grands diamètres coïncident avec ceux du bassin maternel. La tête de l'enfant va rentrer encore davantage dans les épaules, de telle sorte qu'un diamètre plus petit sera présenté à l'orifice supérieur du bassin osseux. Si les contractions utérines sont de mauvaise qualité, ou si la tête de l'enfant ne s'enfonce pas dans ses épaules, le travail risque de se prolonger davantage. Habituellement, cette descente et cette rotation de la tête se font sans difficulté.*

complètement et permettre le passage entre l'utérus et le vagin.
2e étape. Le col étant entièrement ouvert, l'enfant va être propulsé de la cavité utérine vers le vagin, cela grâce aux contractions utérines d'une part, et aux efforts de poussée volontaire de la mère d'autre part. La tête arrive à la vulve, et l'expulsion a lieu.
3e étape. Le placenta et les membranes vont d'abord se décoller de l'utérus, puis vont être expulsés.

La durée de ces trois étapes est variable d'une femme à l'autre. Habituellement, la première étape est la plus longue et dure de nombreuses heures. La deuxième (l'expulsion) est beaucoup plus courte et sera même raccourcie en cas de souffrance par une extraction de l'enfant à l'aide d'instruments. La troisième étape se réalise habituellement en une vingtaine de minutes.

LA PREMIÈRE ÉTAPE DU TRAVAIL

Dans les derniers mois de la grossesse, la femme peut ressentir des contractions utérines comme au début du travail. Mais ces contractions sont un peu différentes, car elles sont moins douloureuses et n'affectent que la moitié inférieure de l'utérus. Les vraies contractions du travail sont plus fortes que les spasmes de fin de grossesse et surviennent à des intervalles plus réguliers.

Habituellement, le premier symptôme est l'apparition de contractions utérines qui commencent doucement dans le bas du dos et vont irradier vers le haut et en avant, ou vers le bas, vers les os du pubis. Elles se rapprochent, sont de plus en plus intenses et douloureuses. Quand elles deviennent vraiment régulières, il est prudent de se rendre à la maternité. En général, il est permis au mari d'assister à l'accouchement.

Il arrive parfois que le travail débute par une perte de sang, ou encore par une rupture prématurée de la poche des eaux, ce qui entraîne un écoulement de liquide clair.

Il existe une grande différence entre la naissance d'un premier enfant (primipare) et celle d'un deuxième ou d'un troisième enfant (multipare). Une primipare pourra ressentir pendant les jours qui précèdent la naissance des contractions très inconfortables dans le bas du ventre. Inversement, une femme qui a déjà accouché saura faire la différence entre les divers états, et la durée du travail sera considérablement raccourcie.

Lors de son admission à la maternité, la future mère est examinée par une sage-femme qui, après avoir pratiqué un bilan, envisagera les premiers soins (toilette périnéale, rasage des poils pubiens, lavement évacuateur pour vider l'intestin, par exemple).

Durant la première étape du travail, ou dilatation, les contractions deviennent de plus en plus fréquentes et intenses. Si la patiente s'est entraînée à la méthode d'accouchement sans douleur, c'est le moment pour elle d'appliquer les leçons qu'elle a apprises. Entre les contractions, il lui est conseillé de se détendre au maximum, de respirer profondément et de trouver une position optimale de relaxation.

Au fur et à mesure que le travail progresse, les contractions se rapprochent davantage et deviennent de plus en plus intenses. A un moment donné, la femme éprouvera le besoin d'aller à la selle et émettra spontanément des urines. Cela est dû à la compression de l'intestin et de la vessie par la tête de l'enfant qui descend dans la cavité pelvienne. Puis le besoin de pousser arrive spontanément. Il est recommandé de n'y satisfaire qu'avec l'accord de la sage-femme ou du médecin, cela afin d'éviter une poussée de la tête sur un col non complètement dilaté et qui risquerait de se déchirer à ce moment-là.

LA DEUXIÈME ÉTAPE DU TRAVAIL

Durant cette deuxième étape, la femme ressent un grand soulagement, car elle peut alors commencer à participer activement à la naissance de son enfant.

Les contractions se présentent régulièrement, comme des vagues, allant du fond de l'utérus vers le bas du ventre afin d'aider la progression de l'enfant dans le bassin. Ces contractions augmentent rapidement en fréquence et en intensité, pour atteindre le rythme d'environ une par minute à la fin du travail. Pour obtenir le maximum d'efficacité de ces contractions, il est impératif que la femme, après une profonde inspiration, fasse en sorte que le

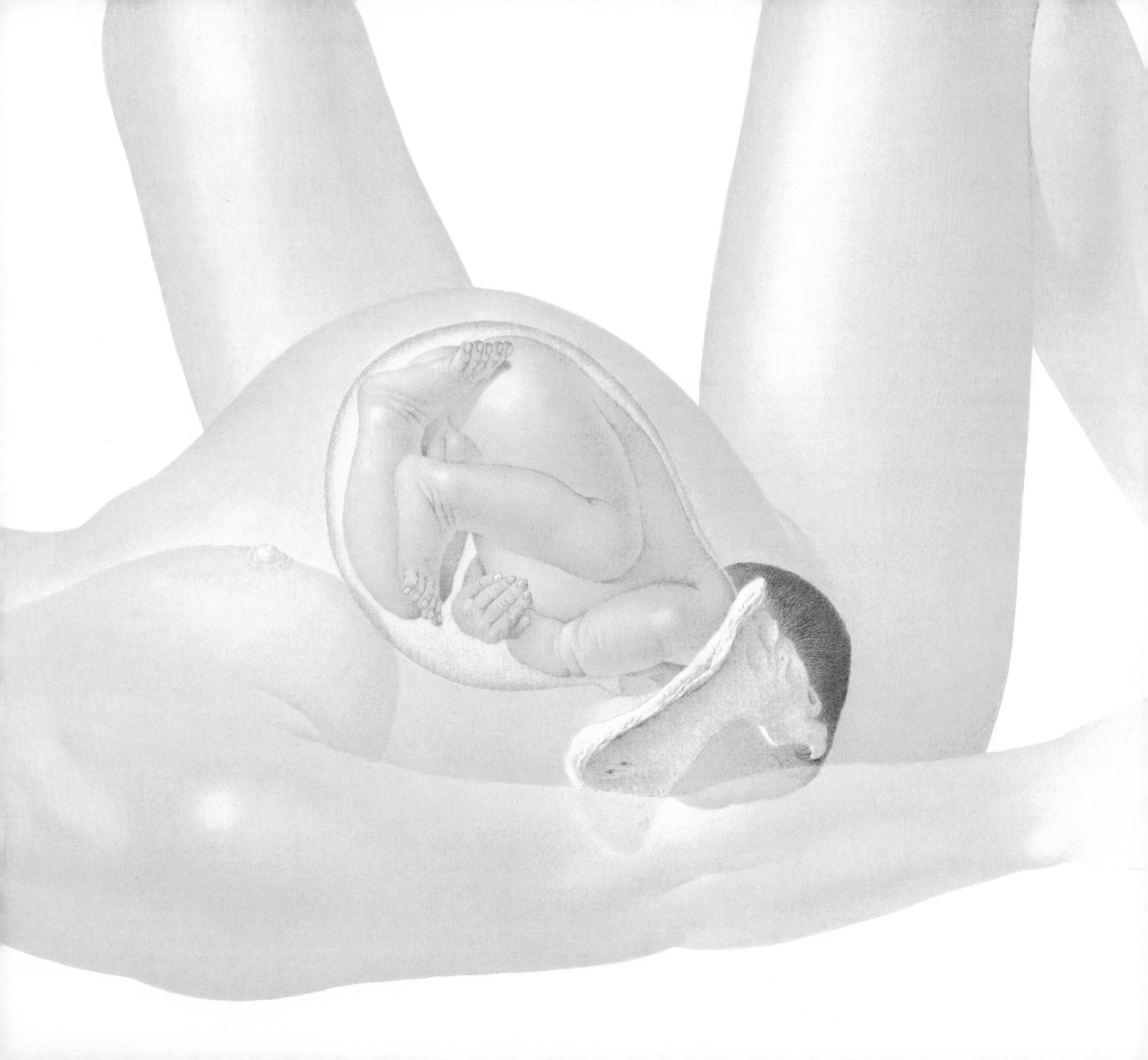

LE DEUXIÈME STADE DU TRAVAIL COMMENCE. *Au moment où les contractions utérines vont tendre à propulser la tête de l'enfant vers le bas, le col de l'utérus sera ouvert au maximum. Cette dilatation peut atteindre jusqu'à 11 centimètres, afin de permettre le passage de l'enfant de l'utérus dans le vagin. La deuxième étape du travail peut alors commencer, et la mère peut y participer en poussant volontairement à chaque contraction utérine, ce qui favorisera le passage de la tête fœtale de l'utérus vers le vagin. A chaque contraction la mère doit, après une inspiration profonde, retenir l'air et pousser vers le bas dans la cavité abdominale. Rapidement, la tête de l'enfant va apparaître à l'extérieur, à travers l'anneau vulvaire dilaté.*

maximum de sa poussée se porte vers le bas de son corps et non pas, comme cela arrive trop souvent, au niveau de sa bouche. Ces efforts de poussée doivent durer au moins quinze secondes pour être véritablement efficaces. Sous la direction de la sage-femme ou du praticien, ces efforts de poussée pourront être répétés plusieurs fois durant la même contraction, séparés par une inspiration profonde. Entre chaque contraction, il est recommandé de se relaxer, de se détendre. La présence du mari sera alors une aide.

Quand la tête de l'enfant est bien descendue et qu'elle commence à dilater l'anneau vulvaire, la femme ressent une sensation pénible de distension de son vagin. C'est alors qu'elle doit faire son possible pour éviter qu'une poussée brutale entraîne l'expulsion trop rapide de l'enfant, avec risque de déchirure du périnée. Elle doit écouter attentivement et suivre les conseils de la sage-femme ou du praticien. Une fois la tête de l'enfant sortie du vagin, on lui demandera de ne pas pousser afin que la sage-femme ou le médecin pratique l'accouchement des épaules et du reste du corps, en évitant toute déchirure. Elle peut alors voir son enfant pour la première fois — moment le plus exaltant dans la vie d'une femme.

Le cordon ombilical est alors sectionné, et l'enfant est maintenant séparé physiologiquement de sa mère. La section du cordon n'est pas douloureuse, car il ne contient pas de nerfs.

LA PREMIÈRE RESPIRATION DE L'ENFANT

Pour la première fois, l'enfant va respirer spontanément. Jusqu'à ce stade, l'oxygène lui était fourni par le sang maternel à travers le placenta. Avec la section du cordon, cet apport d'oxygène est définitivement interrompu. Dans les secondes qui suivent sa naissance, l'enfant va émettre son premier cri, qui traduit la distension des poumons et leur entrée en fonction. Cet enfant vivait jusqu'à cet instant dans une cavité close, obscure, théoriquement à l'abri des traumatismes. Il est maintenant à l'air libre. Il va lui falloir dès lors respirer pour survivre.

L'enfant est habituellement confié à la mère. Ce premier contact physique est primordial dans la création des liens qui uniront mère et enfant.

Les chances d'avoir des jumeaux

☐ Le pourcentage des grossesses gémellaires est de 1 pour 100. Il faut compter une grossesse triple pour sept mille naissances et une grossesse quadruple pour deux cent cinquante mille naissances.

☐ Quatre grossesses gémellaires sur cinq donnent naissance à de faux jumeaux, qui ne se ressemblent pas forcément et peuvent même être de sexe différent. Ils sont le résultat de la fécondation par deux spermatozoïdes différents de deux ovules émis séparément durant le même cycle menstruel.

☐ Les jumeaux vrais sont le résultat de la fécondation d'un seul ovule par un seul spermatozoïde. Très rapidement, cet œuf se coupe en deux et donne naissance à deux individus séparés, strictement identiques sur le plan physique.

☐ Le diagnostic de grossesse gémellaire se faisait habituellement vers la trentième semaine, devant un utérus beaucoup plus volumineux que d'ordinaire. Aujourd'hui, grâce à l'utilisation de l'échographie, ce diagnostic peut être fait dès le premier tiers de la grossesse.

☐ Les jumeaux entraînent une distension de la paroi abdominale et favorisent l'apparition de varices, d'hémorroïdes, de vergetures et de troubles urinaires.

☐ Cet état favorise également l'apparition d'une toxémie gravidique, c'est-à-dire une augmentation de la pression artérielle, qui peut s'accompagner d'œdèmes des membres inférieurs et d'albumine dans les urines. La grossesse gémellaire arrive plus rarement à terme.

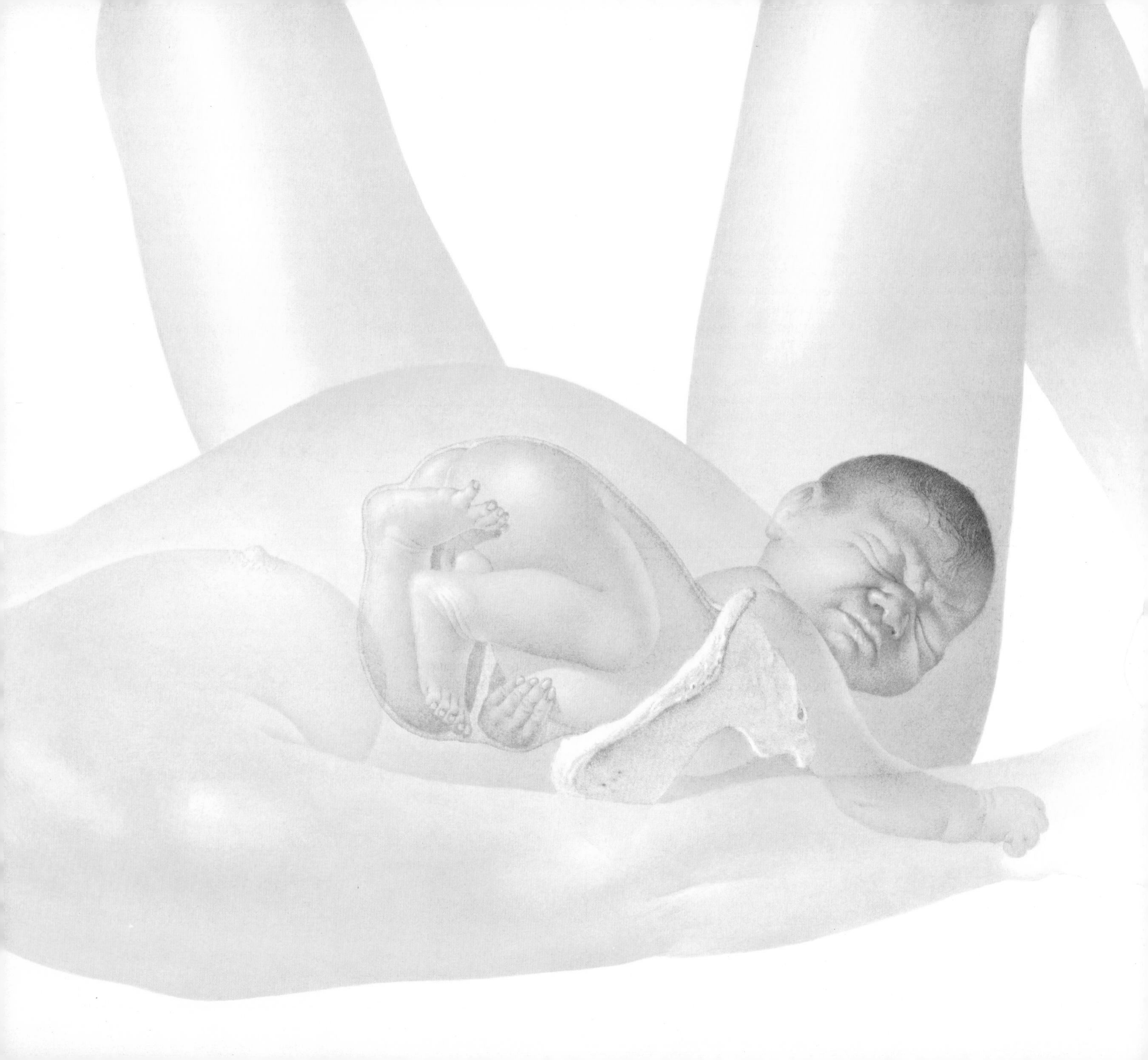

L'ACCOUCHEMENT DES ÉPAULES.
Après la sortie de la tête, la partie la plus délicate du travail est terminée. Néanmoins, il reste encore à effectuer l'accouchement du reste du corps, et à ce stade l'assistance de la sage-femme ou du médecin n'est pas superflue. En effet, la sortie de la tête s'est faite à travers le bassin par un mouvement en hélice; il faut maintenant que les épaules en fassent autant. La rotation de l'enfant se fera de telle sorte que le diamètre des épaules se présente dans l'axe du diamètre de la sortie du bassin maternel. Cela impose un mouvement à la tête de l'enfant, qui va se tourner comme pour regarder une des deux cuisses de sa mère. Une fois la première épaule délivrée, la deuxième vient très facilement, ainsi que le reste du corps de l'enfant.

LA TROISIÈME ÉTAPE DU TRAVAIL

Une fois l'enfant né, l'accouchement n'est pas terminé pour autant; en effet, il reste à effectuer l'expulsion du placenta. Habituellement au bout d'un quart d'heure réapparaissent de petites contractions ressenties par la mère et qui traduisent le début du décollement du placenta. Il suffit que la sage-femme fasse pression d'une main sur l'utérus pour que le placenta apparaisse et que la délivrance se fasse naturellement.

NOURRITURE ET SOMMEIL DURANT LE TRAVAIL

Durant le travail, la future mère doit s'abstenir de boire et de manger; les aliments restent dans l'estomac de nombreuses heures et, si une anesthésie générale s'avérait nécessaire, le risque serait grand. C'est pourquoi il est recommandé à toute femme qui se rend à l'hôpital de ne rien absorber. Mais si le travail se prolonge, il faudra pour nourrir cette femme lui fournir par voie intraveineuse les quantités de liquide et de glucose nécessaires.

COMMENT RÉDUIRE LA DOULEUR DU TRAVAIL

Le moyen le plus simple pour réduire la douleur est peut être l'injection d'une drogue analgésique, à condition qu'elle soit pratiquée au tout début du travail. Elle agit habituellement entre vingt et trente minutes et entraîne un confort certain, qui permettra de tenir les heures nécessaires.

Dans certains hôpitaux, une nouvelle méthode commence à s'implanter : l'anesthésie épidurale. C'est une anesthésie qui n'est ni générale ni locale, mais régionale. Elle consiste à injecter dans le bas du dos, à travers la colonne vertébrale, un produit anesthésique. Le risque de cette anesthésie est pratiquement nul, et son résultat est habituellement excellent : il interrompt les douleurs d'origine utérine. Mais cette anesthésie a un léger inconvénient, car dans certains cas, au moment de la deuxième étape du travail, la femme ne ressent pas toujours le besoin de pousser. Il faut alors aider la descente et la sortie de la tête par la pose d'un forceps ou d'une ventouse.

Dans certains pays, une troisième méthode est utilisée pour diminuer la douleur des contractions. Elle consiste en l'inhalation de protoxyde d'azote mélangé à de l'oxygène.

Mais il ne faut pas oublier qu'à côté de ces méthodes qui nécessitent l'emploi d'anesthésiques il existe une méthode dénommée couramment « accouchement sans douleur », qui permet à la femme de supporter le travail et son élément douloureux avec le minimum de souffrance. Cette méthode doit être proposée à toutes les futures mères dès le début de leur grossesse. Elle est dénuée de tout risque et a fait la preuve de son efficacité. Bien évidemment, si le besoin s'en fait sentir, l'utilisation d'une anesthésie est envisagée.

SURVEILLANCE DU RYTHME CARDIAQUE FŒTAL

Le travail est un moment délicat pour la vie du bébé, car les contractions utérines réduisent considérablement l'apport d'oxygène à l'enfant. Une surveillance régulière du rythme cardiaque fœtal est indispensable.

La plupart des hôpitaux possèdent maintenant un équipement qui permet par enregistrement la surveillance permanente du rythme cardiaque fœtal. Cela peut être réalisé à partir de capteurs placés sur l'abdomen, qui, par l'intermédiaire d'ultrasons ou d'une électrode directement fixée sur la tête de l'enfant à travers la cavité vaginale, enregistrent le rythme du passage du sang à travers l'aorte de l'enfant. Ainsi seront dépistées les modifications du rythme cardiaque fœtal.

Cette surveillance peut être couplée avec une étude du sang fœtal prélevé par une ponction au niveau du cuir chevelu de l'enfant.

Toutes ces méthodes ont pour but d'étudier le taux d'oxygénation qui, chez l'enfant, peut risquer dans des circonstances particulières d'évoluer défavorablement. C'est alors qu'on envisage une extraction immédiate de l'enfant par césarienne ou par forceps.

L'ÉPISIOTOMIE

Au cours d'un accouchement normal, la tête de l'enfant va distendre considérablement la partie basse des tissus vaginaux. Le diamètre de cette tête étant

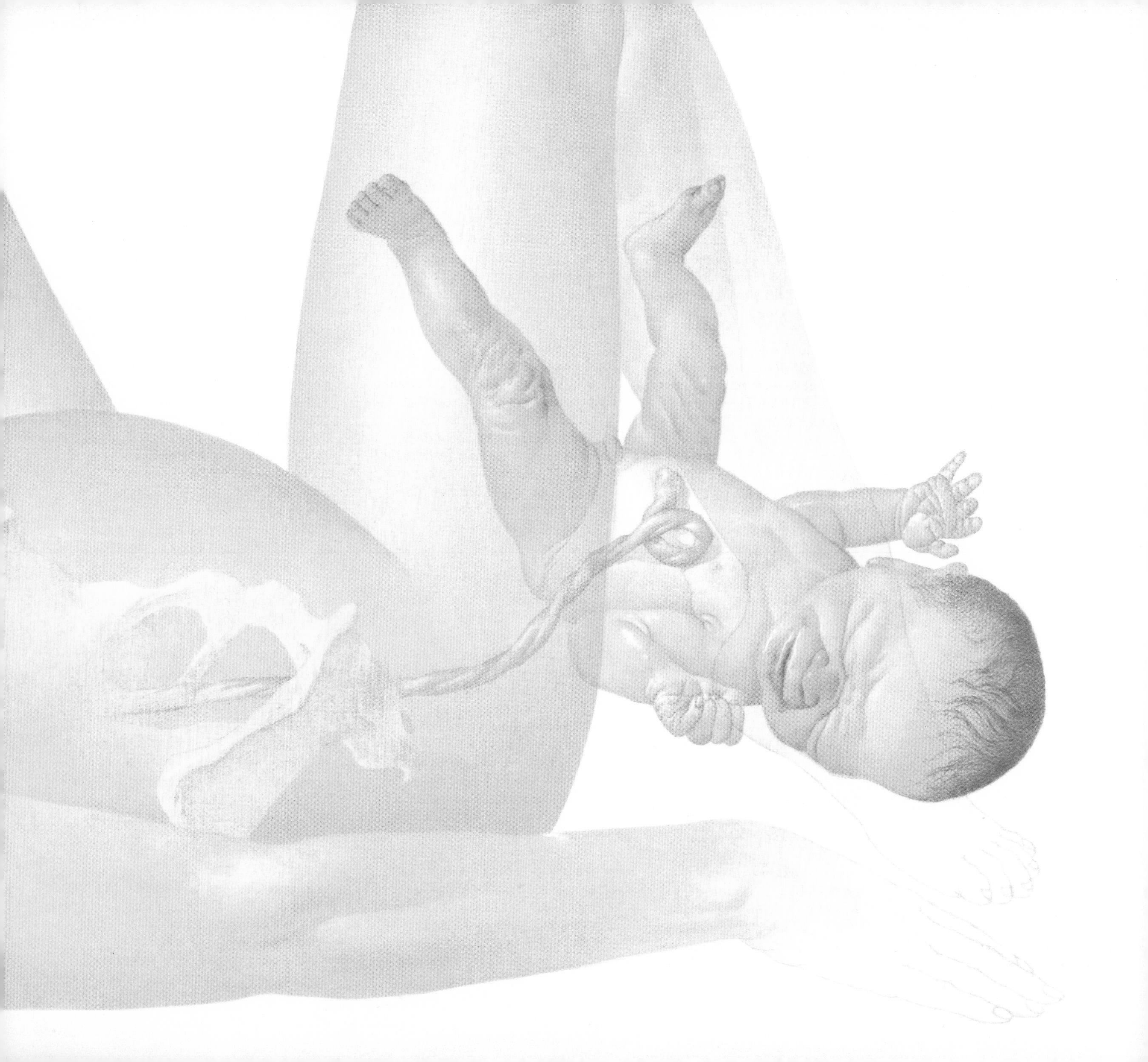

LA PREMIÈRE RESPIRATION DU NOUVEAU-NÉ. *Maintenant que l'enfant est né, il ne peut plus dépendre longtemps du placenta et de l'oxygène qu'il lui fournit. D'autant que les vaisseaux qui cheminent le long du cordon vont rapidement se contracter et que le placenta va commencer de se décoller du mur utérin. La plupart des nouveau-nés respirent dans les secondes qui suivent la naissance. Le diaphragme de l'enfant descend, les poumons se remplissent d'air, et l'enfant va commencer sa respiration et son oxygénation individuelles, comme chez tous les mammifères. Bien que des battements soient perçus au niveau des vaisseaux du cordon, cela ne signifie pas pour autant qu'il y passe suffisamment d'oxygène pour le nouveau-né. Si bien qu'il n'y a aucune raison d'attendre pour pincer le cordon et le sectionner, séparant ainsi définitivement l'enfant de sa mère.*

dans sa plus petite dimension de 10 centimètres, le risque est grand d'une déchirure du périnée, si bien que l'on peut se poser la question de savoir s'il n'est pas préférable de la prévenir par une section claire et nette du plancher pelvien, qui se cicatrisera beaucoup plus facilement.

En fait il n'y a pas d'épisiotomie pratiquée systématiquement, et la plupart des obstétriciens comme des sages-femmes attendent jusqu'au dernier moment pour vérifier si, dans certains cas privilégiés, et ils sont nombreux, l'élasticité vaginale ne permettra pas d'éviter cette intervention. Dans le cas contraire, l'épisiotomie sera réparée après la naissance de l'enfant comme toute plaie chirurgicale : sous anesthésie et avec toute l'asepsie indispensable.

LE DÉCLENCHEMENT DU TRAVAIL

Plus de quatre femmes sur cinq termineront la grossesse à terme et entreront spontanément en travail. Les autres peuvent poser quelques problèmes particuliers que l'obstétricien pourra résoudre, entre autres méthodes, en déclenchant ce travail. Par exemple, lorsqu'il existe une légère augmentation de la tension artérielle, ou lorsqu'il est vérifié que le terme a été largement dépassé. La plupart de ces déclenchements se pratiquent après un bilan très minutieux à la maternité. La poche des eaux est rompue artificiellement. On pose une perfusion intraveineuse, contenant un médicament dont l'action est de favoriser l'apparition des contractions utérines. Cette perfusion permet l'apparition des premières contractions du travail qui, quand il a débuté, va se poursuivre dans des conditions identiques à celles de l'accouchement normal.

LE FORCEPS

Si durant la deuxième période du travail, c'est-à-dire au moment de l'expulsion de la tête à travers la cavité vaginale, on perçoit le risque d'une souffrance fœtale, il faut accélérer l'extraction, qui à cette période ne se fait pas par césarienne car l'enfant est engagé dans le canal osseux, mais par la pose d'un forceps. Chacune des cuillères est glissée entre la tête de l'enfant et la paroi du vagin. Le forceps est placé de telle sorte qu'il ne crée aucun traumatisme chez l'enfant.

LA CÉSARIENNE

Dans quelques cas, les obstétriciens peuvent considérer que la naissance de l'enfant par les voies naturelles entraîne un risque vital. Ils envisagent alors une extraction chirurgicale qui porte le nom de césarienne.

L'opération césarienne nécessite une anesthésie de la mère, anesthésie générale ou anesthésie régionale par injection épidurale. En effet, cette intervention consiste à sectionner chirurgicalement la paroi de l'abdomen et celle de l'utérus, puis à retirer l'enfant et le placenta. On referme ensuite la paroi utérine, puis la paroi de l'abdomen. Cette intervention dure environ 45 minutes, et les suites évoluent favorablement.

Retrouver sa forme

☐ Une femme qui a accouché dans de bonnes conditions n'est pas malade et n'a pas besoin de rester longtemps dans un lit. Le lendemain de la naissance, elle peut marcher, ce qui favorise la circulation du sang dans les membres inférieurs et prévient le risque de phlébite. Cependant, il ne faut pas se dépenser démesurément mais trouver une juste mesure entre le repos et l'activité.

☐ Après la naissance, la paroi abdominale est beaucoup plus relâchée. Pour favoriser le retour à la normale, une gymnastique de quelques minutes chaque jour à l'hôpital, puis à domicile, donnera de bons résultats.

☐ Ces exercices étant pratiqués dans les jours qui suivent la naissance, le retour à la normale des parois musculaires, abdominales et pelviennes, se fera rapidement, et pratiquement à 100 pour 100. La mère doit retrouver son anatomie habituelle.

COMMENT SE SENT-ON APRÈS LA NAISSANCE ?
Dans les jours qui suivent la naissance, il s'écoule une certaine quantité de sang à partir de l'utérus : sang d'abord rouge, qui ensuite deviendra marron au fur et à mesure que le volume de l'écoulement diminuera. Habituellement, deux semaines après l'accouchement, le saignement s'arrête. Ces pertes portent le nom de LOCHIES. Elles peuvent durer chez quelques femmes un peu plus longtemps : trois à quatre semaines.

Il peut arriver que les contractions de l'utérus après la naissance soient péniblement ressenties, particulièrement au cours de l'allaitement. Celles qui ont déjà eu des enfants sont plus sujettes à ce phénomène que les primipares. Habituellement, la prescription d'un médicament sédatif et antispasmodique entraîne l'atténuation de ces douleurs.

LE RETOUR A LA MAISON
Habituellement, le séjour à la maternité va se prolonger une semaine. Ainsi, une surveillance très attentive pourra être assurée pour prévenir d'éventuelles complications. Pour des raisons particulières, certaines mères préfèrent rentrer chez elles plus tôt; l'essentiel est que la surveillance soit aussi attentive que possible. Généralement, c'est le médecin de famille qui poursuit cette surveillance.

Ce qui compte surtout, c'est l'aide à la maison, qu'elle soit familiale ou non. Les voisines peuvent beaucoup si on les connaît déjà et si l'on s'entend avec elles. Il sera conseillé de vérifier que la température ne s'élève pas, que les pertes diminuent progressivement et que l'on ne ressent aucun trouble.

Depuis quelques années, il est proposé dix séances de rééducation de la ceinture pelvienne avec kinésithérapie. L'objectif de tous ces soins est le retour à l'intégrité corporelle.

Habituellement une quarantaine de jours après la naissance, les règles réapparaissent. Ce retour de couches est habituellement retardé en cas d'allaitement. Il est très important, à ce moment, d'envisager une consultation postnatale afin de vérifier le retour à l'intégrité des parois vaginales et du périnée, de la paroi abdominale, des membres inférieurs, puis d'aborder le problème de la planification des naissances (*voir aussi* CONTRACEPTION).

Cours de préparation à la naissance et techniques de relaxation

☐ La plupart des maternités ont adopté ces techniques de préparation à la naissance en vue d'accroître le sentiment de confiance chez la future mère durant sa grossesse, en particulier en lui expliquant ce qui l'attend. Les futurs pères sont invités à s'investir dans cette préparation en vue d'aider encore davantage leur femme. Ces cours commencent vers la trentième semaine.

☐ Durant ces cours le médecin, la sage-femme, le kinésithérapeute vont former une équipe qui va donner le maximum d'information aux futures mères. Ainsi, la sage-femme leur décrira les trois étapes du travail et les méthodes susceptibles de réduire la douleur. Quand c'est possible, le kinésithérapeute expliquera les différents mouvements et postures à adopter au cours du travail. Les conseils diététiques éviteront la surcharge pondérale.

☐ Certains exercices pourront être enseignés en vue de prévenir le mal de dos. On donnera également une information permettant d'éviter l'apparition de la constipation, des varices, des troubles urinaires et des hémorroïdes.

☐ Au cours de cette préparation, une place importante est laissée à la relaxation et aux techniques respiratoires, qui sont d'une grande aide durant le travail. En effet, pour la plupart des mères qui attendent leur premier enfant, cette période peut être très difficile à vivre du fait du manque d'information sur ce qui va se passer.

☐ Cette appréhension peut entraîner une tension utérine et des difficultés respiratoires, et poser quelques problèmes dans les premières heures du travail. Au contraire, une parturiente qui a bien appris ses leçons de relaxation et de contrôle de respiration pourra conserver toute son énergie pour les derniers instants de la naissance.

☐ Durant le travail, la respiration devra être ample, sans excès, aussi bien sur le temps inspiratoire qu'expiratoire. Quand les contractions se rapprochent et deviennent plus intenses, la respiration tend à devenir plus rapide et plus superficielle. Quand les contractions atteignent leur maximum, la mère peut avoir des difficultés à contrôler sa respiration, et cela peut intervenir sur le rythme des contractions; lui redonner confiance en lui expliquant de nouveau la technique.

☐ Ces cours permettent en outre d'aider moralement les futures mères, surtout quand elles ont une impression d'isolement, tout particulièrement quand elles ont abandonné récemment leur vie professionnelle.

LA MÈRE ET L'ENFANT SONT RÉUNIS. *Une fois que la respiration du bébé sera régulière et effectuée sans effort, le médecin ou la sage-femme, à l'aide d'une petite sonde en plastique, se devront de débarrasser son nez et son arrière-gorge du mucus qui risque de l'encombrer. L'enfant sera alors présenté à la mère. Il ne faudra en aucun cas le placer dans son berceau ou en incubateur tant qu'il existe de petites difficultés respiratoires, ce qui est exceptionnel. En vue d'améliorer la relation entre la mère et l'enfant, certains déposent l'enfant sur le ventre de la mère alors qu'il est toujours relié au placenta par le cordon. Cette manœuvre risque de favoriser selon certains le retour du sang de l'enfant vers le placenta. Ce contact peau à peau, qui pour beaucoup semble très important pour améliorer la relation entre la mère et l'enfant, peut en revanche être réalisé après la section du cordon. Les deux seront protégés du froid par une couverture.*

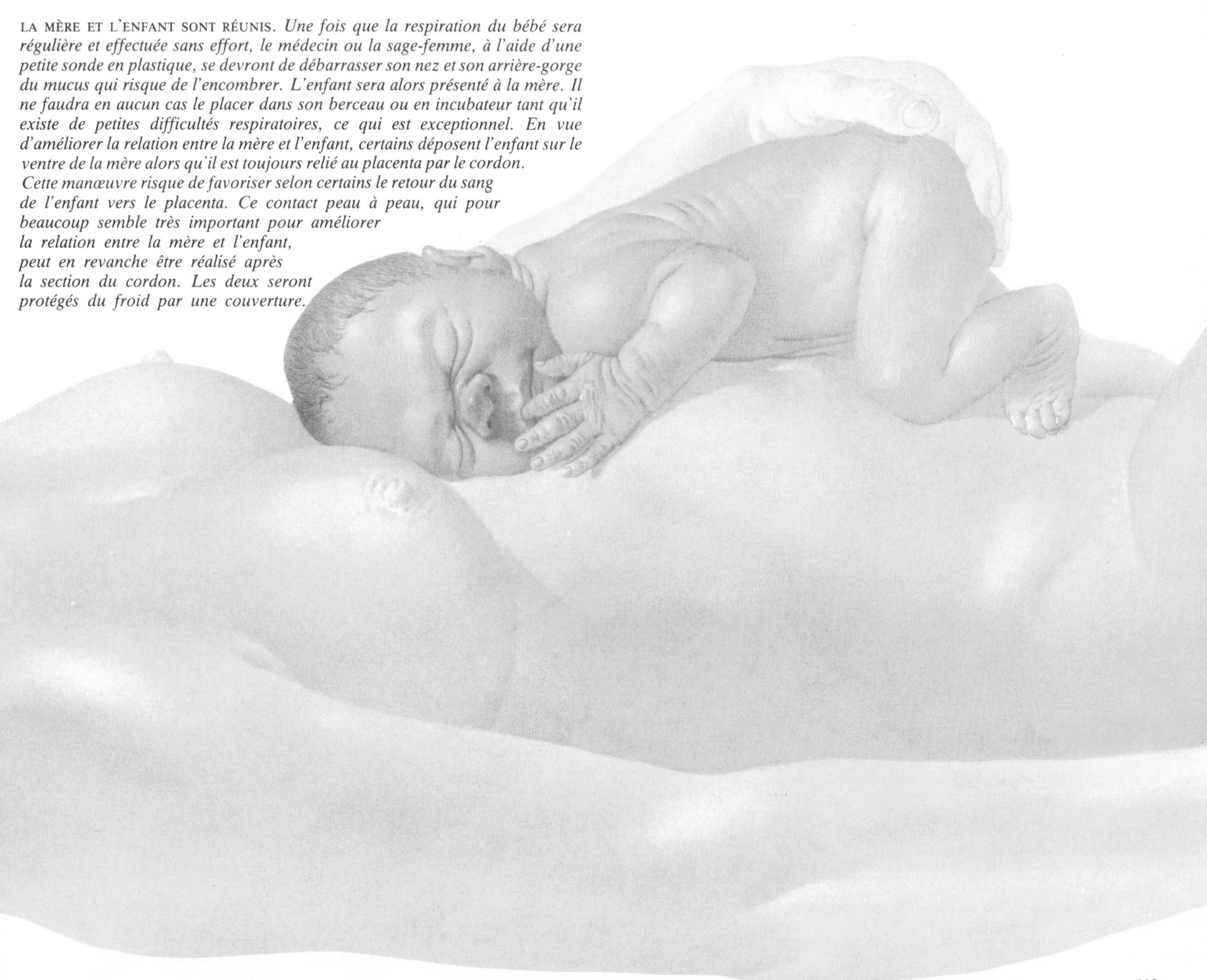

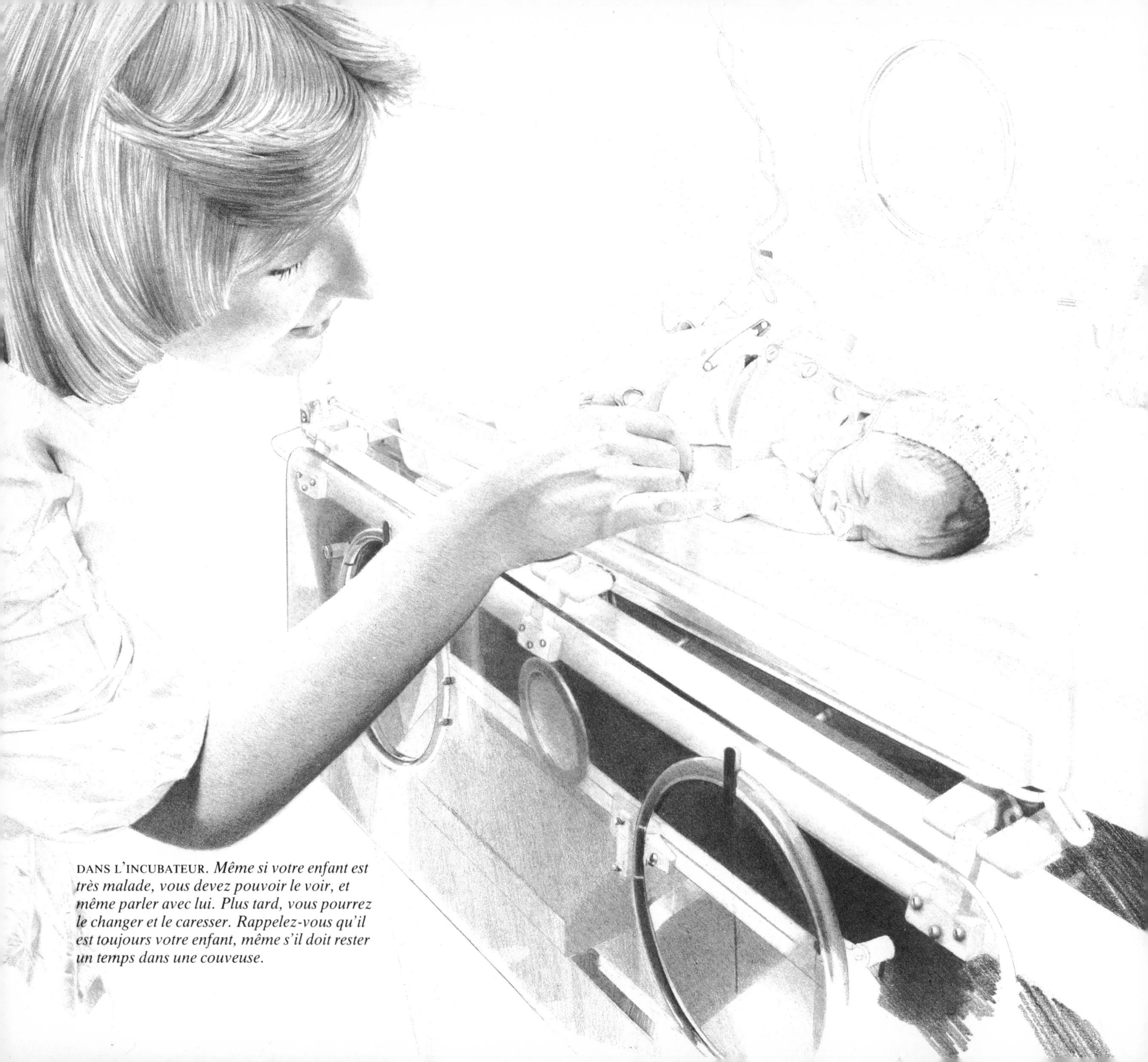

DANS L'INCUBATEUR. *Même si votre enfant est très malade, vous devez pouvoir le voir, et même parler avec lui. Plus tard, vous pourrez le changer et le caresser. Rappelez-vous qu'il est toujours votre enfant, même s'il doit rester un temps dans une couveuse.*

LA SÉCURITÉ D'UN INCUBATEUR

Les soins aux prématurés dans une unité néonatale

Un prématuré est habituellement parfaitement constitué à sa naissance, mais ses différentes fonctions vitales n'ont pas encore atteint leur maturité. D'où les difficultés d'adaptation et un certain nombre de problèmes qui se posent à la naissance, comme par exemple la respiration et l'alimentation. S'y ajoute une moindre résistance à la lutte contre les infections, contre le froid, ne serait-ce que par le manque de graisse sous la peau qui aide l'enfant normal à retenir la chaleur du corps. L'unité néonatale (le mot néonatal vient de nouveau-né) est spécialement réalisée pour permettre la surveillance de ces enfants. La plupart d'entre eux sont nés prématurément. D'autres, au contraire, sont nés à terme mais avec un trop petit poids. Ces retards de croissance in-utéro sont le résultat de maladies contractées durant la grossesse ou de certaines anomalies congénitales.

L'élément le plus important dans l'équipement d'une unité néonatale est l'incubateur. C'est une sorte de berceau recouvert d'un couvercle transparent qui maintient ainsi la chaleur et évite l'infection. Pour d'autres enfants, un simple berceau avec un chauffage en surplomb permet d'éviter les couvercles, de telle sorte que l'enfant est plus facilement examiné par les infirmières ou le médecin sans pour autant prendre froid.

SUPPLÉANCE A TOUS LES BESOINS. *Dans l'incubateur, l'enfant repose sur un matelas très spécial comportant un signal d'alarme qui retentit si le nouveau-né s'arrête de respirer. En cas de difficultés respiratoires, un apport d'oxygène peut être fourni, et même, dans certains cas, une respiration assistée peut être pratiquée. Si l'enfant a des difficultés pour avaler ou pour sucer, il sera nourri grâce à une sonde qui, placée dans son nez, va atteindre l'estomac. Ou encore, en cas d'extrême difficulté, il sera nourri par voie intraveineuse grâce à une perfusion d'un liquide nutritif spécialement étudié. Des électrodes fixées sur sa peau permettent de surveiller en permanence son rythme cardiaque, sa pression artérielle et sa température centrale.*

MÉGACOLON

Aussi appelé « côlon paresseux ». Dans cette affection, le gros intestin répond de façon paresseuse au surremplissage et est lent à transporter son contenu. Il est plein de selles molles semblables à du mastic.

Symptômes

- Constipation, mais avec selles plutôt molles que dures.
- Efforts ne permettant pas toujours la défécation. Une diarrhée aqueuse peut survenir : la production de liquide est la réaction de la paroi de l'intestin à l'irritation continuelle.
- Crampes abdominales ou rectales dues à la présence de gaz.

Durée

- L'affection peut durer toute la vie et, bien que sans danger, elle peut être ennuyeuse et relativement difficile à soigner.
- Elle persiste souvent chez les personnes âgées.

Causes

- Confinement au lit des personnes âgées et des infirmes, laissant s'installer une constipation.
- L'utilisation d'un bassin au lieu des toilettes habituelles peut inhiber la défécation.

Traitement à domicile

- Utilisez un lavement doux. *Voir* MÉDICAMENTS, n° 3.
- Habituez-vous à aller à la selle à heures fixes : par exemple, une demi-heure après le petit déjeuner.
- Utilisez les cabinets et pas le bassin, si possible.
- Mangez beaucoup de fibres (elles sont contenues dans le son, les légumes, les fruits).
- Pratiquez un exercice physique régulier.
- Allongez-vous à plat ventre pour soulager les douleurs abdominales, en effet cette position aide les gaz à s'évacuer. *Voir* CONSTIPATION.

Quand consulter le médecin

- Si les symptômes ne répondent pas au traitement simple ci-dessus.

Rôle du médecin

- Vous conseiller un régime, de l'exercice physique et des lavements ou des suppositoires, si nécessaire.
- Mettre en place des soins infirmiers avec lavements ou extractions de selles au doigt.

Prévention

- Un régime adapté et de l'exercice physique.

Pronostic

- Cette tendance dure en général toute la vie.

Voir SYSTÈME DIGESTIF, *page 44*

Votre médecin et vous

LE BON RÉSULTAT DES SOINS DÉPEND DE LA CONFIANCE RÉCIPROQUE ET DE L'OBSERVATION DE QUELQUES RÈGLES SIMPLES LORS DES CONSULTATIONS ET VISITES

Les bonnes relations entre un patient et son médecin sont fondées sur la confiance réciproque. Le patient a besoin d'avoir confiance en son médecin. Le médecin a besoin de sentir que ses patients lui font confiance et suivront l'avis qu'il leur donne. Établir cette relation prend du temps, nécessite de la compréhension, du tact et une bonne évaluation des difficultés que peuvent rencontrer à la fois le médecin et le patient.

Souvent, on atteint le médecin par l'intermédiaire de son personnel de réception, avec lequel une relation amicale devrait s'établir.

CHOISIR VOTRE MÉDECIN

Beaucoup de patients ont une idée arrêtée du genre de médecin qu'ils désirent — par exemple, le médecin doit être jeune, doit être une femme ou doit être comme le médecin précédent. Satisfaire tous ces désirs est rarement possible, et quelquefois on n'a même pas le choix. En plus du fait d'inspirer confiance, le médecin doit être facilement joignable. Si vous avez emménagé dans une nouvelle région, informez-vous le plus rapidement possible sur les médecins les plus proches. L'annuaire téléphonique en contient la liste, et le pharmacien vous conseillera souvent utilement. Demandez l'avis de vos nouveaux voisins et amis. Cherchez à savoir quel type d'homme est leur médecin, où est sa clinique, si on peut le voir facilement et ce qui se passe lorsqu'il est en congé.

Lorsque vous vous êtes décidé, allez à sa clinique.

Renseignez-vous auprès de la réception des heures d'ouverture de la clinique, comment se prennent les rendez-vous et quand téléphoner; certains médecins veulent rencontrer les patients lors de leur arrivée, d'autres se contentent d'attendre que le patient les consulte pour maladie.

Certains praticiens donnent une carte aux patients avec les numéros de téléphone, les horaires de consultation et la manière de prendre rendez-vous. Si vous avez des difficultés à trouver un médecin, demandez conseil au centre médical le plus proche de chez vous. La

Que faire lors de la première consultation chez un nouveau médecin de famille ?

☐ Prenez contact dès que possible après votre arrivée dans votre nouvelle région. Évitez d'attendre que quelqu'un de votre famille soit malade pour choisir et faire connaissance avec votre nouveau médecin.

☐ Demandez à votre médecin précédent une lettre détaillée que vous pourrez donner à votre nouveau praticien si quelqu'un de votre famille est en traitement avant le déménagement, ce qui est vital si vous vous déplacez dans un nouveau pays.

☐ Prenez votre temps lorsque vous allez pour la première fois à la clinique du médecin. Vous ne verrez peut-être pas le médecin, mais vous pourrez établir des relations amicales avec le personnel de réception. Souvenez-vous que lorsque vous demanderez le médecin la fois suivante, ce sera par l'intermédiaire de ce personnel.

☐ Ne vous inquiétez pas si vous avez besoin de plusieurs rencontres avec le médecin et son personnel avant de vous sentir détendu et confiant; cela est tout à fait habituel.

police possède généralement une liste de praticiens, en cas d'urgence.

PRENDRE UN RENDEZ-VOUS AVEC LE MÉDECIN

Nombre de patients ont l'impression que, lorsqu'ils demandent à voir le médecin, ils l'ennuient peut-être pour quelque chose qui se révélera être très banal. Cette attitude n'est pas justifiée. Le médecin et son personnel préfèrent, en général, avoir affaire à des gens peu assurés en matière médicale, plutôt que d'affronter certains patients un peu trop sûrs de leurs connaissances.

Les demandes peuvent être divisées en quatre groupes d'urgence croissante :

1. Demande de rendez-vous sans caractère d'urgence à la clinique pour signaler une évolution ou faire renouveler une ordonnance.
2. Demande de rendez-vous immédiat pour un motif urgent (médical ou autre), lors de l'apparition de symptômes d'une maladie qui peut être grave.
3. Demande d'une visite médicale à l'hôpital lorsqu'un enfant ou une personne âgée est trop malade pour consulter à la clinique.
4. Appel téléphonique urgent demandant au médecin d'interrompre ce qu'il fait et de donner conseil, par exemple, lorsque après un accident sérieux une personne est dans le coma ou saigne beaucoup et doit être transportée à l'hôpital.

Il est important pour le médecin et son personnel de réception de connaître le degré d'urgence d'une demande. Il est parfois difficile au patient de faire l'équilibre entre une exagération du problème et une explication trop simple. Les médecins sont individuellement différents dans leur manière d'aborder les problèmes, mais les points suivants peuvent être utiles.

DEMANDES NON URGENTES

Pour toutes les demandes, préparez-vous à donner les renseignements suivants :

1. Nom de famille, prénom, adresse du patient. Ses numéros de téléphone et d'assurance-maladie.
2. Exposé détaillé et complet des problèmes principaux pour lesquels vous voulez l'aide du médecin. Ces précisions doivent comprendre les symptômes principaux et le moment de leur apparition. Soyez prêt à fournir tous les détails (mêmes intimes) au personnel de réception. Rappelez-vous qu'il a pour consigne de demander ces informations et qu'elles resteront confidentielles.
3. Donnez l'âge du patient, s'il a moins de quinze ans ou plus de soixante ans.
4. Dites le nom du médecin choisi.
5. Expliquez toutes les difficultés que vous pouvez rencontrer, par exemple de transport ou d'horaires pour les rendez-vous.

Exemple : « Ici Mme Jeanne Martin, au 5, rue des Orchidées. Mon numéro de téléphone est le 555-1436. Je suis sortie hier de l'hôpital après avoir été opérée, il y a deux semaines, de l'utérus. J'ai encore quelques pertes, et j'ai besoin d'un certificat pour mon employeur. Je ne suis pas sûre de pouvoir venir en autobus à la clinique, mais quelqu'un pourra me conduire mardi après-midi. Je vois d'habitude le Dr Millot, qui m'a adressée au chirurgien. »

RENDEZ-VOUS URGENTS

Si vous pensez avoir besoin d'un rendez-vous urgent ou le jour même, dites-le clairement en expliquant vos raisons et ce qui vous inquiète. Les médecins et leur personnel comprennent parfaitement ces craintes.

Exemple : « Ici Mme Jeanne Martin, 5, rue des Orchidées. Mon numéro de téléphone est le 555-1436. Mon fils, Stéphane, a mal à l'estomac depuis hier en fin d'après-midi. Cela l'a empêché de dormir cette nuit, et il ne se sent pas bien. La douleur s'est calmée il y a une heure, mais je me demande s'il ne s'agit pas d'une appendicite. Mon mari peut l'amener voir un des médecins du centre dans les deux prochaines heures. Stéphane vient d'avoir huit ans. »

VISITES A DOMICILE

Le nombre de visites à domicile que les médecins jugent nécessaires est variable selon les praticiens. Aux États-Unis et au Canada, les visites sont rares et chères. En Europe, la plupart des médecins de famille pensent que quelques visites à domicile sont essentielles. Une connaissance directe de l'environnement du patient est souvent un facteur important des soins. Les médecins ne sont pas légalement obligés de faire des visites. Le patient ne peut donc l'exiger, et si le médecin lui refuse une visite, il devra alors se rendre à l'hôpital et être vu par le docteur affecté à l'urgence.

Le médecin a besoin de renseignements clairs et précis pour pouvoir décider si une visite à domicile est nécessaire. Préparez-vous à donner des détails par téléphone au médecin ou au personnel de réception.

Joignez le médecin vous-même chaque fois que possible. Les erreurs et les délais d'intervention dangereux sont souvent dus à des messages oubliés ou mal compris par les voisins auxquels ils ont été confiés.

Donnez au médecin vos nom et prénom, votre adresse et votre numéro de téléphone. Dites-lui depuis combien de temps les symptômes sont apparus et pourquoi vous pensez qu'une visite à domicile est nécessaire.

Exemple : « Ici Mme Julie Durand, 12, rue des Lilas. Mon numéro de téléphone est le 555-1234. Pouvez-vous demander au médecin de venir voir ma mère. Mme Rose Martin, chez moi. Elle a soixante-six ans. Elle a des accès de vertiges depuis cinq jours. Elle a du mal à marcher depuis qu'elle est tombée, il y a deux jours, et elle ne peut pas sortir. Elle a vu son médecin, il y a quatre mois, pour une arthrite des genoux. Son domicile habituel est au 6, place de la Gare. Nous habitons au dernier étage; je laisserai la porte d'entrée ouverte pour le docteur. »

APPELS URGENTS

Il peut être difficile aux patients d'évaluer le degré d'urgence médicale. Il est parfois évident : par exemple, si le patient a perdu connaissance. Dans d'autres cas, on devra donner au médecin les détails qui lui permettront de décider de quelle façon l'urgence devra être traitée. Pour cette raison, il faut que la personne qui appelle le médecin sache les éléments suivants :

1. Nom, prénom, adresse et âge du patient.
2. Nature exacte de l'urgence.
3. Lieu de l'accident et moyen d'y accéder.

Exemple : « Ici Mme Jeanne Martin. Ma mère, Mme Rose Martin, est tombée chez ma sœur, Julie Durand, 12, rue des Lilas, dont le numéro de téléphone est le 555-1234. Ma mère souffre énormément. Elle est tombée à 10 h 15 (il y a une heure) et se sent mal depuis 10 h 30. Il a fallu l'installer le mieux possible sur le sol; on ne peut la déplacer, car elle est très corpulente. Le docteur peut-il venir tout de suite ? »

Souvent, le docteur décidera d'envoyer une ambulance sans venir lui-même. Il peut au contraire décider de venir immédiatement ou penser que le patient peut être amené à la clinique sans danger.

On peut appeler une ambulance directement par téléphone sans l'aide du médecin. Cette méthode doit être réservée aux urgences réelles où l'on envisage une hospitalisation immédiate. Il est prudent d'avoir le numéro de téléphone près de son appareil.

Que faire pour prendre un rendez-vous ou demander une visite ?

☐ Appelez, chaque fois que possible, pendant les heures d'ouverture de la clinique.

☐ Demandez vos rendez-vous personnellement à la réception de la clinique du médecin.

☐ Faites une liste écrite de ce que vous avez à dire. Cela vous évitera d'oublier une chose importante. Cela vous aidera en particulier si vous avez affaire à un répondeur téléphonique. Dans ce cas, et si vous n'en avez pas l'habitude, raccrochez, mettez votre message par écrit, puis rappelez et dictez-le.

☐ Prenez un rendez-vous pour chacun des membres de votre famille qui devra être vu. Cela vous garantit que le médecin sera préparé à les examiner tous et qu'il aura leurs dossiers en main.

☐ Assurez-vous que le médecin connaît le chemin de votre domicile s'il doit venir en visite. Si vous vivez en appartement, indiquez le bâtiment et l'étage.

☐ N'exagérez pas vos symptômes pour justifier votre appel ou obtenir des soins plus rapidement. Ne les minimisez pas non plus. Les médecins ont de nombreux patients à soigner, et ils prendront des décisions importantes à partir de ce que vous leur direz.

EN CONSULTATION MÉDICALE

Les patients ne savent pas toujours quand ils doivent demander l'avis du médecin. Ils peuvent avoir peur de le déranger sans nécessité. Les médecins ont l'habitude de ces appréhensions.

Dans la plupart des cas, le médecin a besoin des renseignements suivants :
1. Le moment où les symptômes sont apparus.
2. La localisation et l'importance des symptômes.
3. Ce qui éventuellement les améliore ou les aggrave.

Le médecin peut avoir besoin de connaître d'autres détails sur la santé du patient : s'il a été hospitalisé ou s'il est traité par d'autres médecins. Il peut aussi vous interroger sur les maladies de vos parents et de votre famille. Certains patients écrivent un bref résumé de ces éléments avant les consultations.

Rappelez-vous que tout ce que vous dites au médecin est rigoureusement protégé par le secret professionnel.

EXAMEN ET EXPLICATIONS

Après avoir recherché et évalué les informations nécessaires, le médecin peut souhaiter vous examiner. Il est sage alors de porter des vêtements faciles à enlever. Après l'examen, la plupart des médecins vont expliquer au patient quelle est sa maladie et ce qu'il faut faire. Dans certains cas, le médecin peut pratiquer ou demander des examens plus approfondis, adresser le patient à un spécialiste ou à l'hôpital. Dans la plupart des cas, ces examens supplémentaires éliminent la possibilité d'une maladie grave.

Les patients déplorent souvent que les médecins n'expliquent pas ce qui se passe. Il peut y avoir plusieurs raisons à cela : le médecin peut penser que le patient le sait déjà; il peut ne pas être absolument sûr de son diagnostic et vouloir attendre pour voir comment la situation évolue. Cela n'arrive que très rarement lorsque le médecin soupçonne une maladie grave.

EMMENER LES MEMBRES DE VOTRE FAMILLE CHEZ LE MÉDECIN

Les bébés sont des patients difficiles, s'effrayant rapidement, et ne pouvant ni communiquer ni comprendre. Le personnel de réception, les infirmières et les auxiliaires médicaux sont tous très utiles. Emmenez un membre de votre famille pour vous aider si nécessaire.

Avec les petits enfants, les menaces, les chantages ou la suggestion que le médecin fera quelque chose de désagréable rendent les choses encore plus difficiles. Même le simple fait de dire à l'enfant que le médecin ne va pas lui faire de mal augmente sa méfiance. Une courte explication et une attitude apaisante sont seules bienfaisantes.

Dans le cas des enfants plus grands, les parents ne doivent pas être inquiets si le médecin demande à interroger l'enfant seul. Mais le médecin demandera la version des parents. C'est la même chose lorsqu'il s'agit d'un parent âgé.

LORSQUE LE MÉDECIN VOIT UN PATIENT A DOMICILE
Chaque fois que possible, le patient devra être seul dans une pièce tranquille et assez chaude pour qu'il puisse se déshabiller. Éteignez télévision et radio. Enfermez les animaux domestiques. Les enfants curieux et les voisins amicaux devront être refoulés.

UN AVIS MÉDICAL PAR TÉLÉPHONE
C'est parfois très utile pour le patient et pour le médecin — surtout la nuit ou en fin de semaine. Cela pose toutefois des problèmes, car la famille du patient doit alors prendre en charge la responsabilité des soins. La personne qui appelle pourra utilement faire une liste à l'avance des questions qu'elle veut poser au médecin. Demandez au médecin si vous pouvez rappeler de nouveau si le problème n'est pas réglé après un délai raisonnable.

CERTIFICATS DE MALADIE
Ils sont réglementés et peuvent être obtenus auprès des médecins. Votre praticien vous indiquera les démarches à suivre pour être en règle avec l'administration.

RENOUVELLEMENT DES ORDONNANCES
Les médicaments modernes sont très puissants, et leur usage doit être soigneusement surveillé. Ils ne sont donc délivrés que sur ordonnance. Si un patient trouve qu'un médicament lui réussit particulièrement bien — un tranquillisant par exemple —, cela ne veut pas dire qu'un traitement continu soit conseillé.

Les ordonnances renouvelables, obtenues par le patient sans consultation, peuvent faire économiser du temps et des démarches, mais leur délivrance doit toujours rester sous le contrôle du médecin.

QUELQUES DIFFICULTÉS ET PROBLÈMES

En dépit des bonnes intentions de part et d'autre, il arrive que la relation patient-médecin évolue mal. Ces difficultés peuvent être résolues. Voici quelques situations typiques de « problèmes ».

DEUXIÈME AVIS
Demander un deuxième avis à un autre médecin peut être sage et intelligent, mais cette démarche ne doit pas se faire à la légère. Si, après une réflexion attentive, cette décision est prise, la plupart des patients préfèrent prévenir leur médecin de famille. En définitive, la tranquillité d'esprit du patient est plus importante que les sentiments du médecin.

CHANGER DE MÉDECIN
Si vous n'avez pas de traitement en cours, il n'y a aucune difficulté. Assurez-vous que les renseignements de votre dossier pourront être transmis à votre nouveau médecin. Vous n'avez pas besoin de donner de raison à ce changement.

Si vous avez un traitement en cours, il peut être difficile de changer, car cela implique en général un certain manque de confiance. Dans certaines conditions, un changement peut être avisé et tout patient a ce droit. Mais un examen soigneux des désavantages est essentiel. Il est sage d'en discuter avec un parent ou un ami. Tout d'abord, voyez le nouveau médecin de votre choix. Donnez-lui tous les renseignements sur votre traitement en cours et assurez-vous qu'il accepte de suivre votre cas. Vous devez immédiatement ensuite avertir votre ancien médecin de votre décision (vous n'avez aucune raison à donner) et lui demander de transmettre les renseignements de votre dossier médical.

PERSONNEL DE RÉCEPTION
Les réceptionnistes et tout le personnel recevant des messages des patients ont des responsabilités et se trouvent parfois dans des positions difficiles. Leur devoir est de transmettre les informations essentielles rapidement et correctement au médecin et, en même temps, empêcher qu'il ne soit interrompu sans arrêt par des appels sans importance ou ne présentant pas de caractère d'urgence.

La meilleure manière d'obtenir l'aide du personnel de réception est d'exposer votre problème ouvertement, franchement, et aussi brièvement que possible, et de laisser ensuite la réceptionniste vous dire ce qu'il faut faire. Elle a l'habitude de bien des situations.

Rappelez-vous que vos problèmes médicaux (ou vos craintes) seront toujours pris en considération, mais les problèmes d'horaire des rendez-vous ou de difficultés de transport seront évalués en fonction des disponibilités du médecin.

Que faire lors de la consultation du médecin ?

- ☐ Faites une liste des questions que vous voulez poser.
- ☐ Expliquez bien la raison principale de votre consultation.
- ☐ Confiez au médecin vos craintes et vos soucis, aussi ordinaires qu'ils puissent sembler. Ils sont peut-être importants.
- ☐ Donnez des informations précises. Ne cédez pas à la tendance répandue et naturelle à minimiser ou exagérer les symptômes. Laissez le médecin décider si quelque chose est important ou ne l'est pas.
- ☐ Soyez prêt à vous déshabiller rapidement pour l'examen.
- ☐ N'ayez pas peur de demander au médecin de vous expliquer en un langage simplifié ce qu'il vient d'exprimer en termes médicaux et que vous n'avez pas compris.
- ☐ Signalez toujours une allergie éventuelle à certains médicaments (comme la pénicilline).

Les médicaments

GUIDE POUR UNE MEILLEURE COMPRÉHENSION DES PRINCIPALES CLASSES DE MÉDICAMENTS

Depuis environ un siècle, de nombreux produits chimiques ont été mis au point pour le traitement des différentes maladies. Les produits ont souvent des effets puissants destinés à combattre une maladie en agissant sur un organe ou un système donné. Mais ces effets ne se limitent pas forcément à l'organe ou au système en cause, et ils peuvent retentir sur d'autres, parfois de manière toxique. Ce sont les effets secondaires, ou effets adverses, des médicaments, d'importance et de gravité variables suivant les produits. Pour traiter une maladie par un médicament, il faut trouver un compromis entre ses effets bénéfiques et ses effets indésirables. Pour cela, le respect des doses et des rythmes d'administration prescrits est fondamental. De même, il faut tenir compte de la susceptibilité individuelle par rapport à un produit. Ainsi, on ne doit jamais prendre un médicament qui a été prescrit pour quelqu'un d'autre sans avoir auparavant pris avis auprès de son médecin.

Les médicaments décrits dans ce guide sont classés selon les systèmes, organes ou fonctions sur lesquels ils agissent. La numérotation permet de s'y reporter plus facilement à partir des différentes rubriques du livre. Par exemple, le renvoi à MÉDICAMENTS, n° 3 concerne les médicaments utilisés dans le traitement de la constipation; le renvoi à MÉDICAMENTS, n° 25 concerne les antibiotiques.

Pour des raisons de législation, les médicaments ne peuvent apparaître ici que sous leur dénomination commune internationale (D.C.I.). Vous ne trouverez donc pas dans ce chapitre des noms de spécialités pharmaceutiques, mais les noms des principes actifs qui figurent toujours sur les emballages et les notices des médicaments qui vous sont prescrits par votre médecin ou conseillés par votre pharmacien.

SYSTÈME DIGESTIF

Les médicaments utilisés dans les maladies du système digestif peuvent se répartir en quatre groupes : les médicaments des ulcères de l'estomac et du duodénum; les médicaments de la diarrhée; les médicaments de la constipation; les médicaments des affections du côlon, du rectum et de l'anus.

1 *ULCÈRES DE L'ESTOMAC ET DU DUODÉNUM*

Les ulcères de l'estomac et du duodénum sont liés à une sécrétion trop importante d'acide chlorhydrique par l'estomac. Deux types de médicaments peuvent être utilisés pour combattre cette acidité : les antiacides, qui neutralisent (tamponnent) l'acidité, et les antisécrétoires, qui s'opposent à la sécrétion acide.

Antiacides
Le bicarbonate de sodium, autrefois très utilisé, a été remplacé par des produits plus efficaces et moins dangereux.
Exemples courants
Hydroxydes d'aluminium et de magnésium (trisilicate d'aluminium);

magaldrate, carbonate de calcium, alginate.
Précautions d'emploi et effets indésirables
Certains de ces médicaments peuvent entraîner de la constipation ou de la diarrhée.

Antisécrétoires
Beaucoup plus puissants que les antiacides, les antisécrétoires classiques anticholinergiques (s'opposant à l'action de l'acétylcholine, qui déclenche la sécrétion d'acide par l'estomac) ont beaucoup d'effets secondaires gênants et sont remplacés par une nouvelle classe de médicaments, les antihistaminiques H_2.
Exemples courants
Anticholinergiques classiques (belladone, diphémanil); anticholinergiques spécifiques (pirenzépine); antihistaminiques H_2 (cimétidine).
Précautions d'emploi et effets indésirables
Les anticholinergiques classiques peuvent entraîner une sécheresse de la bouche, une constipation, une tachycardie, des rétentions d'urines. Les anticholinergiques spécifiques n'ont pas ces effets indésirables. La cimétidine, du fait de son efficacité, constitue à l'heure actuelle la base du traitement de l'ulcère gastrique ou duodénal. Elle peut être associée aux antiacides. Elle est en général prescrite pour des périodes de quelques semaines, et le traitement est arrêté en diminuant progressivement les doses.

2 *DIARRHÉE*

Les antidiarrhéiques diminuent la fréquence des selles. Dans certaines diarrhées infectieuses, cet effet peut s'avérer nuisible car il retarde l'élimination des germes. Aux antidiarrhéiques on peut adjoindre des topiques intestinaux, qui tapissent l'intestin d'une couche protectrice, et des antiseptiques intestinaux en cas de diarrhées infectieuses.
Exemples courants
Antidiarrhéiques (kaolin, craie, méthylcellulose, élixir parégorique); topiques intestinaux (charbon, attapulgite, levures); antiseptiques intestinaux (iodochlorhydroxyoquin).
Précautions d'emploi et effets indésirables
Les antidiarrhéiques ne doivent pas être utilisés en cas de diarrhée infectieuse, en particulier s'il existe de la fièvre, des glaires et du sang dans les selles. Certains régimes (carotte, eau de riz) restent aussi efficaces sur la diarrhée que les médicaments. Chez le nourrisson, la diarrhée comporte un risque de déshydratation majeur qui doit être rapidement combattu. Une diarrhée chronique ne doit pas être traitée à l'aveugle mais doit faire l'objet d'un bilan médical.

3 *CONSTIPATION*

Les laxatifs sont des produits largement utilisés, la plupart du temps sans prescription médicale. Or les laxatifs stimulants sont potentiellement dangereux et peuvent conduire à des affections graves. Il est donc conseillé de prendre un avis médical en cas d'utilisation prolongée. Les laxatifs huileux, les mucilages et les fibres alimentaires sont plus physiologiques et moins dangereux, et ils devraient être utilisés seuls dans le traitement de la constipation chronique.

Laxatifs stimulants
Ils agissent rapidement par un effet irritant en augmentant la sécrétion d'eau et d'ions de la muqueuse intestinale — qu'ils abîment —, et en renforçant les mouvements péristaltiques intestinaux.
Exemples courants
Huile de ricin, boldine, bisacodyl, grains de Vals, glycosines de Séné, phénolphtaléine.
Précautions d'emploi et effets indésirables
Ces substances, même si elles sont souvent d'origine végétale, sont potentiellement dangereuses pour l'organisme si elles sont administrées de manière prolongée. Selon les cas, elles peuvent entraîner des maladies de la peau, des hépatites, des pertes par l'organisme d'eau et d'électrolytes (sodium et potassium), un amaigrissement, des troubles rénaux. Au niveau digestif, le transit ne peut plus s'effectuer que sous la forme d'une alternance de constipation et de diarrhée au moment de la prise du laxatif.

Laxatifs lubrifiants
Ils sont représentés par les huiles minérales. Ils favorisent la progression des matières dans le côlon, sans effet irritant.
Exemples courants
Huile de paraffine.
Précautions d'emploi et effets indésirables
Ils n'ont pratiquement pas d'effets indésirables. Ils doivent être administrés au milieu du repas.

Mucilages et fibres alimentaires
Ces substances augmentent l'hydratation, le volume et le poids des selles. Le côlon peut alors se contracter plus efficacement sur une masse volumineuse et molle que sur des matières desséchées et de faible volume.
Exemples courants
Fibres alimentaires (son de blé, galettes au son); mucilages (sterculia, plantago, carraghénate).
Précautions d'emploi et effets indésirables
Les mucilages doivent être absorbés avec de l'eau. Ils sont contre-indiqués en cas de diverticule œsophagien. Ces produits sont très efficaces s'ils sont administrés pendant une période de temps suffisamment longue. Leur seul effet indésirable est qu'ils sont susceptibles de provoquer flatulence et ballonnement en début de traitement.

4 *AFFECTIONS DU COLON, DU RECTUM ET DE L'ANUS*

Les médicaments utilisés entrent dans le traitement de maladies inflammatoires du côlon et du rectum, comme la rectocolite hémorragique, ou sont des topiques pour hémorroïdes.
Exemples courants
Anti-inflammatoire intestinal (salazosulfapyridine); topiques antihémorroïdaires (sels de bismuth, bétaméthasone).
Précautions d'emploi et effets indésirables
La salazosulfapyridine n'est utilisée que sous surveillance médicale particulière. Les topiques hémorroïdaires peuvent poser des problèmes d'allergie.

SYSTÈME CIRCULATOIRE

Les médicaments utilisés dans les affections cardio-vasculaires peuvent être répartis en six groupes : les médicaments des troubles de la fréquence et du rythme cardiaque; les diurétiques; les médicaments de l'hypertension artérielle; les vasodilatateurs; les stimulants cardio-vasculaires et les anticoagulants.

5 *TROUBLES DE LA FRÉQUENCE ET DU RYTHME CARDIAQUE*

Les médicaments utilisés diminuent la fréquence cardiaque ou traitent spécifiquement les anomalies du rythme cardiaque.

Digitaliques
Ils diminuent la fréquence cardiaque en cas de tachycardie, peuvent réduire certains troubles du rythme comme la fibrillation ou le flutter auriculaire, et améliorent la contractilité cardiaque. Ils sont utilisés dans l'insuffisance cardiaque.

Exemples courants
Digitaline, digoxine, lanatoside C.
Précautions d'emploi et effets indésirables
Les digitaliques sont contre-indiqués dans les blocs de branche. Ils peuvent ralentir la fréquence cardiaque (bradycardie) au point de provoquer des malaises. En cas de surdosage, il peut se produire une intoxication aux conséquences graves. Une surveillance médicale régulière est indispensable.

Bétabloqueurs
Ils diminuent la fréquence cardiaque, s'opposent à certains troubles du rythme, diminuent la pression artérielle (ce qui les fait employer dans le traitement de l'hypertension artérielle), et enfin diminuent la consommation du cœur en oxygène, ce qui en fait un traitement très efficace de l'insuffisance coronaire (angine de poitrine). Par ailleurs, certains bétabloqueurs sont efficaces dans le traitement de fond de la migraine.
Exemples courants
Propranolol, sotalol, timolol, pindolol, pronéthlol, butoxamine.
Précautions d'emploi et effets indésirables
Ces médicaments sont contre-indiqués pour certains troubles de la conduction cardiaque et dans certaines insuffisances cardiaques. Ils peuvent entraîner une diminution de la fréquence cardiaque trop importante. Un traitement par bétabloqueur nécessite une surveillance médicale étroite.

Antiarythmiques
Ils réduisent et préviennent certains troubles du rythme ventriculaire ou auriculaire (fibrillations, flutter auriculaire).
Exemples courants
Quinidine, amiodarone, disopyramide.
Précautions d'emploi et effets indésirables
Des contre-indications très strictes et des effets secondaires potentiellement dangereux exigent pour chacun de ces médicaments une surveillance médicale stricte.

6 *DIURÉTIQUES*

Ils augmentent l'excrétion par le rein de l'eau et du sel, diminuent la volémie (contenu du système circulatoire), ce qui soulage le travail cardiaque (d'où leur intérêt dans l'insuffisance cardiaque) et abaisse la pression artérielle (d'où leur intérêt dans l'hypertension artérielle). Ils sont classés en deux groupes : ceux qui favorisent l'élimination du potassium et risquent donc de provoquer des hypokaliémies; ceux qui épargnent le potassium et risquent de provoquer des hyperkaliémies (kaliémie : taux de potassium dans le sang).
Exemples courants
Diurétiques hypokaliémiants (furosémide, chlorothiazide, acide tiénilique); diurétiques épargneurs de potassium (spironolactone, amiloride); associations contenant un diurétique hypokaliémiant et un diurétique épargneur de potassium.
Précautions d'emploi et effets indésirables
Ce traitement peut entraîner une déshydratation ou des troubles ioniques (hyper- ou hypokaliémies). Surveillance médicale nécessaire.

7 *HYPERTENSION ARTÉRIELLE (ANTIHYPERTENSEURS)*

Plusieurs classes de médicaments sont utilisées dans le traitement : les diurétiques (*voir* n° 6), les bétabloqueurs (*voir* n° 5), les vasodilatateurs (*voir* n° 8). Mais à côté de ceux-ci, on utilise aussi les antihypertenseurs centraux. Dans le traitement de l'hypertension artérielle, on administre généralement d'abord un seul antihypertenseur, puis, s'il s'avère insuffisant, deux, voire trois, de familles différentes.
Exemples courants
Méthyldopa, clonidine, guanéthidine.
Précautions d'emploi et effets indésirables
Les antihypertenseurs centraux, seuls ou en association avec d'autres antihypertenseurs, sont susceptibles de provoquer de l'hypotension orthostatique. Leur utilisation nécessite une surveillance médicale stricte. Un traitement antihypertenseur ne doit jamais être arrêté brutalement car il risque de se produire un phénomène de rebond (brutale élévation tensionnelle).

8 *DILATATEURS DES ARTÈRES OU DES VEINES (VASODILATATEURS)*

Les dérivés nitrés provoquent une vasodilatation des veines périphériques, mais surtout des artères coronaires, et sont donc utilisés essentiellement dans le traitement de l'insuffisance coronaire (traitement instantané de la crise d'angine de poitrine ou traitement préventif). Les inhibiteurs calciques provoquent également une vasodilatation coronaire et sont aussi utilisés dans le traitement de l'angine de poitrine. D'autres vasodilatateurs sont utilisés surtout dans le traitement de l'hypertension artérielle :
la dihydralazine et les alphabloqueurs. Certains agissent spécifiquement sur la circulation cérébrale.
Exemples courants
Dérivés nitrés (trinitrate de glycéride, dinitrate d'isosorbide); inhibiteurs calciques (nifédipine, diltiazem cyclandélate); alphabloqueurs (prazosine, perhexiline), vasodilatateurs cérébraux (cyclospasmol).
Précautions d'emploi et effets indésirables
Les effets secondaires sont variables selon les drogues. Ils consistent essentiellement en des hypotensions potentiellement graves. Un traitement vasodilatateur ne se conçoit donc que sous surveillance médicale stricte.

9 *STIMULANTS DE L'APPAREIL CARDIO-VASCULAIRE (ANALEPTIQUES CARDIO-VASCULAIRES)*

Il s'agit de drogues puissantes, utilisées essentiellement dans le cadre de l'urgence (choc, insuffisance cardiaque grave), en milieu hospitalier et sous surveillance médicale stricte. Ces médicaments sont surtout représentés par l'adrénaline, l'isoprénaline, la dopamine.

10 *HYPERCOAGULABILITÉ DU SANG (ANTICOAGULANTS)*

Ils sont utilisés pour traiter les maladies thrombo-emboliques (phlébites, embolies) ou les prévenir en empêchant la formation de caillots de sang dans le système vasculaire.
Exemples courants
Héparine, héparine calcique, uniquement utilisables par voie injectable; anticoagulants utilisables par voie orale (acénocoumarol, warfarine).
Précautions d'emploi et effets indésirables
Ces médicaments sont dangereux du fait des risques d'hémorragies. Leur utilisation nécessite une surveillance médicale stricte et des contrôles répétés de la coagulation.

SYSTÈME RESPIRATOIRE

Mis à part les antibiotiques (*voir* n° 25), il existe six catégories de médicaments utilisés dans le traitement des maladies du système respiratoire : les dilatateurs des bronches (bronchodilatateurs) cortisoniques et non cortisoniques; les médicaments du traitement de fond de l'asthme; les médicaments de l'allergie; les stimulants respiratoires; les médicaments de la toux.

11 *DILATATEURS DES BRONCHES (BRONCHODILATATEURS) NON CORTISONIQUES*

L'asthme est provoqué par une constriction des petites bronches (bronchoconstriction, bronchospasme) qui s'oppose au passage de l'air. Les bronchodilatateurs s'opposent à ce phénomène. Ils s'utilisent par voie injectable, par voie buccale, sous forme de suppositoires ou d'aérosols.

Exemples courants

Stimulants des récepteurs orthosympathiques bronchiques (isoprénaline, terbutaline, solbutamol); la théophylline et ses dérivés (aminophylline).

Précautions d'emploi et effets indésirables

Les bronchodilatateurs sympathico-mimétiques (stimulants des récepteurs orthosympathiques bronchiques) ont des effets secondaires cardio-vasculaires : palpitations, tachycardie, hypertension artérielle. Ces effets sont nettement diminués lorsqu'ils sont administrés sous forme d'aérosols. La théophylline et ses dérivés sont susceptibles d'entraîner excitation et insomnie. Ils ne doivent pas être administrés chez le jeune enfant du fait des risques d'intoxication grave. Devant une crise d'asthme qui résiste à l'administration de théophylline ou d'aérosol bronchodilatateur, on doit consulter un médecin rapidement.

12 *DILATATEURS DES BRONCHES (BRONCHODILATATEURS) CORTISONIQUES*

Les corticoïdes (ou dérivés de la cortisone, ou corticostéroïdes), outre leurs nombreuses propriétés anti-inflammatoires ou métaboliques, ont aussi un effet bronchodilatateur. Du fait de leurs effets secondaires importants, on ne peut les employer dans le traitement de l'asthme qu'en cas d'échec des autres bronchodilatateurs. Ils s'administrent par voie générale (orale ou injectable), ou bien sous forme d'aérosols.

Exemples courants

Hydrocortisone, béclométasone.

Précautions d'emploi et effets indésirables

Les corticoïdes ne doivent pas être administrés au long cours dans le traitement de l'asthme. Ils exposent surtout aux complications infectieuses, en particulier tuberculeuses.

13 *PRÉVENTION DE L'ASTHME*

Les médicaments utilisés ont une action préventive, efficace dans les asthmes d'origine allergique. Ils préviennent l'apparition de crises d'asthme mais n'ont pas d'action curative sur la crise elle-même. Ces médicaments agissent en inhibant la réaction allergique responsable de la bronchoconstriction. Ils peuvent être administrés par voie orale, injectable, ou sous forme d'aérosols.

Exemples courants

Cromoglycate de sodium.

Précautions d'emploi et effets indésirables

La tolérance est généralement bonne.

14 *ALLERGIE (ANTIHISTAMINIQUES)*

Les antihistaminiques s'opposent à l'action de l'histamine au cours de certaines réactions allergiques. Dans le cadre des maladies respiratoires, on les utilise surtout dans le traitement des affections allergiques des voies aériennes supérieures (rhinites allergiques). Par ailleurs, ces médicaments sont utilisés pour les manifestations cutanées allergiques (urticaire).

Exemples courants

Bromphéniramine, prométhazine, dexchlophéniramine, chlorphéniramine.

Précautions d'emploi et effets indésirables

Ces médicaments sont susceptibles de provoquer une certaine somnolence. La prudence s'impose donc chez les conducteurs de véhicules. Par ailleurs, ils peuvent entraîner sécheresse de la bouche et constipation.

15 *STIMULANTS RESPIRATOIRES (ANALEPTIQUES RESPIRATOIRES)*

Exceptionnellement employés, le plus souvent dans un cadre hospitalier et en appoint d'une oxygénothérapie pour les insuffisances respiratoires graves.

Exemples courants

Salbutanol, doxapram.

16 *TOUX (ANTITUSSIFS)*

La toux ne devrait pas être combattue lorsqu'elle constitue un réflexe physiologique destiné à débarrasser l'appareil respiratoire de certaines impuretés. Dans certains cas, la toux doit être traitée en raison des risques d'épuisement ou de complications.

Exemples courants

Préparations à base de codéine, de dextrométhrophan. Il existe de nombreuses préparations antitussives, essentiellement sous forme de sirops.

Précautions d'emploi et effets indésirables

Les antitussifs sont largement utilisés, souvent sans prescription médicale, et leurs effets bénéfiques sont parfois douteux : dans le cadre des infections respiratoires, ils semblent retarder la guérison.

SYSTÈME NERVEUX

De nombreux médicaments agissent sur le système nerveux. Beaucoup d'entre eux sont efficaces et inoffensifs, mais certains sont responsables d'effets secondaires importants qui doivent être mis en balance avec les bénéfices escomptés avant d'envisager leur utilisation.

Ils peuvent être répartis en huit groupes. Les médicaments de l'insomnie et de l'anxiété; les antipsychotiques, utilisés dans le traitement de la schizophrénie et d'autres maladies psychiatriques; les antidépresseurs; les psychostimulants et les suppresseurs de l'appétit; les médicaments supprimant les nausées et empêchant les vomissements; les médicaments de la douleur; les médicaments de l'épilepsie; et enfin les médicaments utilisés dans les tremblements et la rigidité musculaire.

17 *INSOMNIE ET ANXIÉTÉ*

Somnifères (hypnotiques)

Utilisés dans le traitement des insomnies (insomnies d'endormissement, insomnies de fin de nuit ou insomnies totales), ils peuvent agir en diminuant l'anxiété qui s'oppose à l'endormissement, ou bien en provoquant un sommeil plus ou moins artificiel.

Exemples courants

Benzodiazépines (diazépam, nitrazépam, glutéthimine, méthaqualone, prométhazine, hydrate de chloral). Ce sont les somnifères actuellement les plus prescrits, car ce sont eux qui ont le moins d'effets secondaires et sont les moins toxiques.

Les antihistaminiques (prométhazine) sont utilisés pour les enfants.

Les barbituriques (amobarbital, secobarbital, pentobarbital, méphobarbital, heptabarbital) sont de moins en moins utilisés du fait de leur toxicité, du risque de surdosage et de l'accoutumance qu'ils entraînent, pouvant conduire à de véritables toxicomanies.

Précautions d'emploi et effets indésirables
Dans la mesure du possible, les somnifères ne devraient pas être utilisés pendant des périodes prolongées. Après quelques jours d'utilisation, un effet de dépendance, qui n'est pas nécessairement physique (sauf pour les barbituriques) mais surtout psychologique, a tendance à s'instaurer, pouvant conduire l'utilisateur à augmenter les doses et surtout à ne plus pouvoir dormir sans ces drogues, l'insomnie réapparaissant à chaque tentative d'arrêt. C'est un cercle vicieux qui devrait pouvoir être brisé le plus tôt possible, et pour cela l'utilisateur devrait essayer de se passer de somnifères dès que possible. Dans la plupart des cas, une semaine de traitement est suffisante pour que le rythme du sommeil soit rétabli et que les mécanismes naturels recommencent à fonctionner. Les somnifères sont pour la plupart responsables de troubles de la vigilance et d'une certaine somnolence persistant dans la journée qui suit leur administration. C'est pourquoi la prudence s'impose chez les conducteurs d'automobiles ou de machines. Les somnifères peuvent aussi entraîner des troubles de la mémoire. Les barbituriques, quant à eux, interfèrent avec le métabolisme de nombreux autres médicaments, ce qui peut conduire à des accidents. Les personnes âgées, les insuffisants hépatiques ou rénaux doivent être particulièrement prudents, car la prise de somnifères peut chez eux conduire à des accidents graves.

Tranquillisants, anxiolytiques
Utilisés largement dans le traitement des états anxieux, ces médicaments sont souvent les mêmes que ceux qu'on utilise dans l'insomnie, mais ils sont alors prescrits à des doses plus faibles. Ils peuvent entraîner les mêmes effets indésirables que les somnifères, en particulier le risque de dépendance dans l'utilisation au long cours.
Exemples courants
Benzodiazépines (diazépam, chlorazépate, chlordiazépoxyde, lorazépam, oxazépam, bromazépam, ketazolam); carbamates (méprobamate); autres familles (hydroxyzine, chlormézanone).
Précautions d'emploi et effets indésirables
Voir somnifères.

18 *MALADIES MENTALES (ANTIPSYCHOTIQUES)*

Les neuroleptiques ont depuis un peu plus de vingt ans considérablement transformé le pronostic de certaines maladies mentales. Ils ont ainsi permis à des milliers de malades mentaux de pouvoir vivre en dehors des hôpitaux psychiatriques où ils étaient autrefois condamnés à passer leur vie. Leur mécanisme d'action est encore en partie incompris. Outre un effet sédatif, ils agissent sur certaines manifestations psychotiques comme les hallucinations, les délires. Ils sont utilisés aussi bien dans le traitement de la schizophrénie que dans celui des états d'excitation ou des délires chroniques. Un traitement prolongé est le plus souvent nécessaire. Ils ont des effets indésirables importants mais que l'on peut considérer comme minimes en comparaison des bénéfices qu'ils apportent.
Exemples courants
Neuroleptiques : phénothiazines, butyrophénones et dérivés (chlorpromazine, flupentixol, halopéridol, fluphénazine, thioridazine, phéniramine, pipotiazine),
Sels de lithium : ce ne sont pas des médicaments curatifs mais préventifs des rechutes des troubles de l'humeur (dépression, excitation) dans le cadre de la psychose maniaco-dépressive.
Précautions d'emploi et effets indésirables
Les neuroleptiques peuvent provoquer des manifestations neurologiques, comme des mouvements anormaux, des tremblements et des contractures qui peuvent être combattus par des correcteurs spécifiques : les antiparkinsoniens (*voir* n° 24). Ils peuvent aussi provoquer des effets neurovégétatifs (hypotension orthostatique, sécheresse de la bouche) qui peuvent être combattus par des correcteurs appropriés. Le lithium pour sa part a peu d'effets indésirables, mais il existe des contre-indications, et surtout un risque d'intoxication qui doit être prévenu par la surveillance régulière de la lithémie (taux sanguin du lithium). Un traitement par neuroleptiques ou par sels de lithium ne se conçoit que sous surveillance médicale régulière.

19 *DÉPRESSION (ANTIDÉPRESSEURS)*

Il existe deux grands groupes d'antidépresseurs : les tricycliques et apparentés, et les I.M.A.O. (inhibiteurs de la monoamine-oxydase). De moins en moins utilisés, les I.M.A.O. sont responsables d'accidents graves du fait de leur interaction avec certains aliments (fromages, bananes) ou avec d'autres médicaments. Les tricycliques sont remarquablement efficaces dans les dépressions, surtout les dépressions endogènes (dans le cadre de la psychose maniaco-dépressive).
Exemples courants
Tricycliques et apparentés (clomipramine, imipramine, amitriptyline, désipramine, trimipramine, maprotiline, amoxapine), I.M.A.O. (isocarboxazid, sulfate de phénélzine, sulfate de tranylcypromine).
Précautions d'emploi et effets indésirables
Les antidépresseurs demandent un certain délai (dix jours en moyenne) avant que leur action sur l'humeur dépressive ne se manifeste. Les tricycliques ont des contre-indications (cardiaques et neurologiques) et leurs effets secondaires imposent une surveillance médicale stricte du traitement. Les effets secondaires peuvent consister en des réactions psychiques : anxiété, insomnie (c'est pourquoi on les associe souvent à des tranquillisants), ou des phénomènes neurovégétatifs : hypotension orthostatique, sécheresse de la bouche, tremblements. Les I.M.A.O. ne peuvent être utilisés qu'en milieu hospitalier, aussi bien du fait des contraintes de régimes que des risques graves auxquels ils exposent.

20 *PSYCHOSTIMULANTS ET SUPPRESSEURS DE L'APPÉTIT (ANOREXIGÈNES)*

Les psychostimulants du type amphétamines et les anorexigènes ne devraient plus être employés en pathologie courante du fait des effets indésirables importants qu'ils provoquent, et en particulier du risque de toxicomanie.
Exemples courants
Amphétaminiques (diéthypropion, phentermine, chlorphentermine, mazindol); psychostimulants non amphétaminiques (caféine, méthylcellulose).
Précautions d'emploi et effets indésirables
Les médicaments amphétaminiques peuvent provoquer des accidents psychiques graves : insomnie, agitation, bouffées délirantes, dépression, accoutumance, et surtout toxicomanie.

21 *NAUSÉES ET VOMISSEMENTS (ANTINAUSÉEUX ET ANTIÉMÉTIQUES)*

Ces médicaments sont utilisés dans le traitement des nausées et vomissements d'origine diverse (mal des transports, grossesse, vertiges).
Exemples courants
Antihistaminiques (dimenhydrinate, cyclizine); neuroleptiques (métoclopramide, métopimazine).

Précautions d'emploi et effets indésirables
Certains de ces médicaments sont contre-indiqués pendant la grossesse. Leurs effets indésirables consistent surtout en une somnolence. Les antiémétiques neuroleptiques sont susceptibles d'entraîner les mêmes effets indésirables que les neuroleptiques (*voir* n° 19).

22 *DOULEUR (ANALGÉSIQUES)*

Il existe de nombreux analgésiques très différents les uns des autres par leur mode d'action et leur efficacité. On sépare les analgésiques en deux groupes : les analgésiques morphiniques et les analgésiques non morphiniques.

Analgésiques non morphiniques
Ils sont globalement moins puissants que les morphiniques, mais leur utilisation est nettement moins dangereuse. Dans ce groupe, on trouve des analgésiques simples, comme l'aspirine et le paracétamol, mais aussi des analgésiques plus puissants, comme les dérivés de la noramidopyrine. La plupart de ces analgésiques peuvent être délivrés sans prescription médicale, mais ils sont cependant susceptibles de provoquer des effets indésirables ou toxiques qu'il faut bien connaître.
Exemples courants
Aspirine, ou acide acétylsalicylique, phénacétine et paracétamol. De nombreuses spécialités contiennent de l'aspirine, du paracétamol, de la phénacétine : glafénine et apparentés (floctafénine, diflunisal); noramidopyrine et dérivés, associés ou non.
Précautions d'emploi et effets indésirables
L'aspirine a un effet irritant pour le tube digestif, en particulier l'estomac. Elle est susceptible de provoquer ou d'aggraver des gastrites, des ulcères gastro-duodénaux et des hémorragies digestives. L'aspirine peut provoquer une intoxication grave, surtout chez l'enfant. Elle interfère également avec de nombreux médicaments, en particulier les anticoagulants et les anti-inflammatoires. Le paracétamol est nettement moins toxique.
La phénacétine est susceptible de provoquer, après utilisation prolongée, des accidents rénaux. La glafénine et apparentés peuvent provoquer des accidents allergiques.
La noramidopyrine peut provoquer des accidents sanguins graves.

Analgésiques morphiniques
Nettement plus puissants, ils sont susceptibles d'induire une dépendance physique et psychique, et de conduire à des toxicomanies.
Ils ont aussi des contre-indications particulières.
Exemples courants
Morphine, péthidine, pentazocine.
Précautions d'emploi et effets indésirables
Ces drogues sont contre-indiquées dans l'insuffisance respiratoire. Elles sont susceptibles de provoquer des effets neurovégétatifs, et surtout d'induire une dépendance majeure.

Antimigraineux
Les médicaments antimigraineux sont de deux sortes : les médicaments de la crise, qui soulagent la douleur, et les médicaments du traitement de fond de la maladie migraineuse, qui visent à diminuer la fréquence des crises.
Exemples courants
Médicaments de la crise migraineuse : médicaments contenant des dérivés de l'ergotamine. Médicaments du traitement de fond de la migraine (dihydroergotamine, méthysergide, pizotifène).
Précautions d'emploi et effets indésirables
Les dérivés de l'ergotamine sont susceptibles d'élever la pression artérielle et sont donc contre-indiqués dans l'hypertension artérielle. Ils peuvent aussi provoquer des lésions par vasoconstriction (gangrène des extrémités). Les médicaments du traitement de fond sont des dérivés de l'ergotamine ou des antihistaminiques (*voir* n° 14).

Antinévralgiques
La carbamazépine agit spécifiquement dans les névralgies faciales. Elle a aussi des propriétés antiépileptiques (*voir* n° 23).

23 *ÉPILEPSIE (ANTIÉPILEPTIQUES)*

Ces médicaments ne guérissent pas l'épilepsie mais ont une action préventive sur la survenue des crises. C'est pourquoi un traitement prolongé est habituellement nécessaire. La posologie des antiépileptiques doit être adaptée pour provoquer le moins d'effets secondaires pour le maximum d'efficacité.
Exemples courants
Phénobarbital; hydantoïnes (phénytoïne); autres (valproate de sodium, carbamazépine, éthosuximide, clonazépam, diazépam).
Précautions d'emploi et effets indésirables
Le phénobarbital est un barbiturique. Il peut donc provoquer une certaine somnolence. Les hydantoïnes peuvent provoquer des troubles sanguins. Tous les antiépileptiques sont potentiellement dangereux et ne peuvent être administrés que sous surveillance médicale étroite.

24 *TREMBLEMENTS ET RIGIDITÉ MUSCULAIRE (ANTIPARKINSONIENS)*

Ces médicaments agissent sur les symptômes de la maladie de Parkinson. Certains sont aussi utilisés comme correcteurs au cours des traitements neuroleptiques.
Exemples courants
Lévodopa, ou L-Dopa; anticholinergiques (trihexyphénidyle, benzatropine, orphénadrine); autres (amantadine).
Précautions d'emploi et effets indésirables
La L-Dopa est un médicament actif dans la maladie de Parkinson mais aux effets secondaires (en particulier psychiques et cardio-vasculaires) importants qui imposent une surveillance médicale étroite. Les anticholinergiques sont contre-indiqués dans le glaucome et l'adénome prostatique. Ils peuvent entraîner une sécheresse de la bouche, des troubles de la vision, une constipation et une rétention d'urine.

LES MALADIES INFECTIEUSES

Il existe différents types d'agents infectieux : les bactéries, les virus, les parasites et les champignons. Les antibiotiques sont des médicaments utilisables uniquement pour des maladies bactériennes. On trouve deux sortes d'antibiotiques : les antibiotiques bactéricides et les antibiotiques bactériostatiques. Les premiers sont capables de détruire directement les bactéries dans l'organisme infecté; les seconds se contentent d'empêcher leur multiplication au sein de l'organisme, les défenses naturelles se chargeant d'éliminer ceux qui sont présents. Il existe par ailleurs des médicaments actifs dans les maladies virales (antiviraux), les maladies dues à des champignons (antifongiques) et les maladies parasitaires (antiparasitaires).

25 *INFECTIONS BACTÉRIENNES (ANTIBIOTIQUES)*

On distingue plusieurs familles d'antibiotiques. Elles se différencient par leur spectre d'action, c'est-à-dire par l'ensemble des bactéries sur lesquelles elles sont capables d'exercer une action. Si le développement d'une bactérie n'est pas empêché par un antibiotique donné, on dit que cette bactérie est résistante à cet antibiotique. Il arrive que des bactéries soient sensibles à pratiquement tous les antibiotiques. D'autres, au contraire, sont résistantes à certains antibiotiques. L'antibiogramme réalisé à partir de prélèvements (sang, urines, pus, etc.) permet de savoir à quel antibiotique l'agent infectieux va être sensible. Ainsi, par exemple, certains antibiotiques diffusent dans les urines ou les poumons et peuvent donc être utilisés pour traiter des infections urinaires ou pulmonaires, tandis que d'autres ne le permettent pas.

Les pénicillines
Il s'agit d'un important groupe d'antibiotiques, dont le spectre d'action est large, mais les allergies qu'ils provoquent peuvent limiter considérablement leur utilisation.
Exemples courants
Pénicilline G et dérivés (benzatine pénicilline, phénoxyméthyl pénicilline); pénicillines du groupe M, dont le spectre est un peu plus large (oxacilline, cloxacilline, méticilline); pénicillines du groupe A (amoxicilline, hétacilline); ampicillines dont le spectre est encore plus large (ampicilline, bacampicilline).
Précautions d'emploi et effets indésirables
Certains sujets sont allergiques aux pénicillines. Cela peut aller de la simple éruption cutanée au choc anaphylactique mortel.

Tétracyclines
Leur spectre est différent de celui des pénicillines.
Exemples courants
Tétracycline, doxycycline.
Précautions d'emploi et effets indésirables
Ils sont contre-indiqués pendant la grossesse et chez l'enfant, car ils peuvent provoquer une coloration jaune de l'émail dentaire. Leur tolérance digestive est parfois mauvaise (diarrhées, vomissements).

Macrolides
Ils ont peu d'effets indésirables et représentent une bonne alternative en cas d'allergie aux pénicillines.
Exemples courants
Érythromycine, troléandomycine, josamycine, spiramycine.
Précautions d'emploi et effets indésirables
Leur tolérance est en général bonne.

Antituberculeux
Spécifiquement actifs sur le bacille de Koch, leur toxicité est importante, et leur administration ne se conçoit que sous surveillance médicale stricte, d'autant plus que la durée du traitement est longue (neuf mois en moyenne).
Exemples courants
Isoniazide, rifampine, éthambutol, streptomycine.
Précautions d'emploi et effets indésirables
De nombreux effets (hépatiques, visuels, sur le nerf auditif) imposent une surveillance médicale prolongée.

Autres antibiotiques
De familles différentes, ils sont surtout employés en cas de résistances aux autres antibiotiques ou pour le traitement de certaines infections (infections urinaires en particulier).
Exemples courants
Sulfamides, chloramphénicol, céphalosporines, nitrofuranes.
Précautions d'emploi et effets indésirables
Toxicité variable suivant le produit.

26 *INFECTIONS MYCOSIQUES (ANTIFONGIQUES)*

Actifs sur les champignons (candida, dermatophytes), les antifongiques s'emploient par voie locale sous forme de crèmes ou pommades pour les atteintes cutanées, ou bien par voie générale pour les mycoses profondes.
Exemples courants
Amphotéricine, dérivés du nitroimidazole, griséofulvine, nystatine.
Précautions d'emploi et effets indésirables
Administrés par voie générale, ils peuvent avoir des effets indésirables hépatiques, digestifs ou sanguins. Sous forme locale, la tolérance est bonne.

27 *INFECTIONS VIRALES (ANTIVIRAUX)*

A l'heure actuelle, il existe encore peu de produits antiviraux, et pour la grande majorité des infections virales il n'y a pas de traitement curatif spécifique. Le meilleur traitement reste préventif, sous la forme de vaccination. Cependant, ces dernières années, de nouveaux médicaments efficaces dans certaines affections virales ont vu le jour. Il s'agit essentiellement de topiques locaux pour le traitement des herpès récurrents. Dans certaines viroses graves, en particulier chez les immunodéprimés, de nouveaux produits administrables par voie générale sont à l'essai.

28 *MALADIES PARASITAIRES A PARASITES MICROSCOPIQUES*

Quatre maladies parasitaires fréquentes en zones tropicales sont dues à des parasites microscopiques : le paludisme, l'amibiase, les leishmanioses et la trypanosomiase (maladie du sommeil). Pour chacune d'entre elles, les médicaments sont de plus en plus efficaces.

Antipaludéens
Chloroquine, quinine, pyriméthamine.

Antiamibiens
Métronidazole, émétine.

Antileishmanies
Pentamidine.

Antitrypanosomes
Métronidazole.

Par ailleurs, il existe deux autres maladies parasitaires à parasites microscopiques, mais qui, elles, sont fréquentes sous nos climats : il s'agit de la giardiase (ou lambliase) et de la trichomonase. Toutes deux peuvent être traitées par le métronidazole, qui est en général bien toléré.

29 *MALADIES PARASITAIRES A PARASITES DE GRANDE TAILLE*

Pour l'oxyurose, maladie parasitaire bénigne extrêmement fréquente, il existe des médicaments efficaces, en particulier la pipérazine (acéfylline de pipérazine), qui provoque peu d'effets indésirables. Pour les autres parasitoses intestinales, dues à des vers, il existe également des traitements efficaces comme la niclosamide. Ceux-ci ne peuvent être administrés que sous surveillance médicale stricte.

SYSTÈME ENDOCRINE

Les glandes endocrines sécrètent des substances chimiques, les hormones, qui se comportent comme des messagers chimiques : elles sont en effet porteuses d'informations s'adressant spécifiquement à certains organes cibles. Par le biais des hormones, des ordres peuvent ainsi être donnés à la plupart des organes du corps qui permettent de contrôler les grandes fonctions physiologiques : l'activité cardiaque, la régulation thermique et énergétique, la reproduction, etc. Les médicaments qui interfèrent avec le système endocrine sont ceux qui diminuent la sécrétion d'une hormone, ou au contraire la stimulent, ou enfin la remplacent quand elle fait totalement défaut. On peut répartir ces médicaments en cinq groupes : les médicaments du diabète; les médicaments des affections de la glande thyroïde; les hormones corticoïdes; les hormones sexuelles; les hormones hypophysaires.

30 *DIABÈTE*

Le diabète sucré est une maladie caractérisée par une augmentation de la glycémie (taux sanguin du glucose). Cette augmentation est due à une anomalie portant sur l'hormone qui régule la glycémie, l'insuline, soit que la sécrétion d'insuline par le pancréas soit insuffisante, soit qu'il y ait un défaut d'utilisation de l'insuline par l'organisme. On distingue schématiquement deux types de diabète : le diabète insulino-dépendant (ou diabète maigre) et le diabète non insulino-dépendant (ou diabète gras). Dans le premier cas, le patient a un besoin vital d'un apport d'insuline (son pancréas sécrète peu ou pas d'insuline). Dans le deuxième cas, ce besoin en insuline est moins indispensable, et le traitement passe par le régime auquel on peut adjoindre éventuellement des médicaments (antidiabétiques oraux). Dans tous les cas de diabète, le régime est primordial. Il consiste à fractionner les repas et à diminuer la consommation des sucres rapides pour s'opposer aux brutales élévations de la glycémie.

Insulines
L'insuline est l'hormone qui fait baisser la glycémie. Elle ne peut pas être administrée par voie orale, car elle serait détruite par les sucs digestifs, et doit donc être injectée, généralement en sous-cutanée. Le but du traitement par insuline est d'abaisser la glycémie pour qu'elle devienne en permanence le plus proche possible de la normale, mais sans trop chuter cependant car cela conduit à des malaises (ou des comas) hypoglycémiques qui peuvent être graves. Il faut donc, en plus du régime, adapter la fréquence des injections et les doses d'insuline en se basant sur la surveillance régulière de la glycémie et de la glycosurie (sucre dans les urines). Il existe plusieurs sortes d'insulines qui se distinguent par leur durée d'action, variant de quelques heures à vingt-quatre heures.
Exemples courants
Insuline à action rapide; insuline à action semi-lente; insuline à action lente.
Précautions d'emploi et effets indésirables
Un traitement par insuline ne se conçoit que dans le cadre d'une étroite coopération entre le diabétique et son médecin. En effet, c'est le patient qui réalise ses injections, adapte ses doses, surveille régulièrement ses urines et sa glycémie. Le grand risque du traitement par insuline est l'apparition de malaises hypoglycémiques, que le diabétique et son entourage doivent savoir reconnaître et traiter en urgence. Ces malaises débutent en général par des crampes d'estomac, des palpitations, des sueurs, des tremblements, des vertiges, et si, dès leur apparition, ils ne sont pas traités par l'administration de sucres, ils peuvent conduire au coma et mettre la vie du patient en péril. Les causes de ces malaises doivent être recherchées par le patient et son médecin : erreur dans la technique d'injection, erreur de dosage, régime mal adapté, exercice physique, prise d'alcool, etc.

Antidiabétiques oraux
S'administrent par la bouche et s'adressent aux diabétiques non insulino-dépendants, toujours en complément du régime, et sont de deux types : les sulfamides, qui stimulent la sécrétion d'insuline par le pancréas, et les biguanides, qui diminuent l'absorption digestive de glucose.
Exemples courants
Sulfamides (glyburide, chlorprotamide, acétohexamide); glibenclamide, tolbutamide; metformine.
Précautions d'emploi et effets indésirables
Les sulfamides peuvent provoquer des hypoglycémies. Ils peuvent aussi être responsables de manifestations allergiques. Les biguanides n'entraînent pas d'hypoglycémies, mais peuvent provoquer des comas graves, surtout chez les personnes âgées et les insuffisants rénaux. L'absorption d'alcool est extrêmement dangereuse pendant un traitement aux antidiabétiques oraux.

31 *AFFECTIONS DE LA GLANDE THYROÏDE*

Les carences de sécrétion d'hormones par la glande thyroïde (hypothyroïdies) ou les excès de sécrétion (hyperthyroïdies) peuvent être traités.

Hormones thyroïdiennes
On les administre dans les cas d'hypothyroïdies pour compenser la sécrétion naturelle insuffisante. Il s'agit d'un traitement substitutif devant généralement être poursuivi à vie.
Exemples courants
Extrait thyroïdien, thyroxine.
Précautions d'emploi et effets indésirables
Les hormones thyroïdiennes peuvent avoir des effets toxiques, en particulier sur le cœur, et le traitement est en général débuté en milieu hospitalier.

Antithyroïdiens
Ils s'adressent à certains cas d'hyperthyroïdies (maladie de Basedow) pour lesquels une intervention chirurgicale n'est pas indiquée.
Exemples courants
Propylthiouracile, méthimazole.
Précautions d'emploi et effets indésirables
Ils peuvent entraîner des allergies et des troubles sanguins graves. Leur administration ne se conçoit que sous surveillance médicale stricte.

32 *HORMONES CORTICOÏDES*

On peut distinguer deux cas très différents où les corticoïdes sont utilisés : le traitement de l'insuffisance surrénale (maladie d'Addison), où les corticoïdes naturels doivent être administrés pour suppléer à l'insuffisance de sécrétion de cortisol par la glande corticosurrénale, et, cas beaucoup plus fréquent, le traitement des maladies inflammatoires (rhumatismes inflammatoires), de maladies rénales, de l'asthme, de certaines maladies de la peau, où les hormones corticoïdes sont utilisées pour leurs effets anti-inflammatoires ou autres.
Exemples courants
Hydrocortisone, prednisone, prednisolone, dexaméthasone, bétaméthasone.
Précautions d'emploi et effets indésirables
Le traitement par corticoïdes, surtout à visée anti-inflammatoire, est un traitement dangereux qui expose à de nombreux effets indésirables. Tout d'abord, les corticoïdes ont une toxicité digestive : ils peuvent provoquer ou aggraver des ulcères gastro-duodénaux et être responsables d'hémorragies digestives. Ils peuvent aussi être responsables de troubles psychiques, d'un diabète, d'une hypertension artérielle, d'une ostéoporose, d'une fonte musculaire, d'une cataracte, d'un glaucome. Ils sont également responsables de rétention d'eau et de sel; c'est pourquoi un régime sans sel doit être suivi au cours d'un traitement par corticoïdes (sauf dans le cas de maladie d'Addison). De plus, ils favorisent l'apparition d'infections, en particulier la tuberculose. Enfin, les corticoïdes peuvent provoquer une insuffisance surrénale : la glande surrénale, habituée à ne plus fonctionner au cours du traitement, n'est parfois plus capable de redémarrer à l'arrêt du traitement ou à l'occasion d'un stress. C'est pourquoi un traitement

corticoïde ne doit jamais être interrompu brusquement, la diminution des doses devant se faire progressivement. Du fait de toutes ces complications possibles, un traitement par corticoïdes ne se conçoit que sous surveillance médicale régulière. Il ne doit être instauré qu'en cas d'indication absolue, aux doses les plus faibles, et pour la durée la plus courte possible.

33 *HORMONES SEXUELLES*

Les hormones sexuelles contrôlent la production des ovules et du sperme. Elles influent également sur les périodes et sur les caractéristiques liées au sexe. Les hormones sexuelles femelles, œstrogènes et progestatifs, sont utilisées aussi bien comme moyen contraceptif que comme traitement de certaines affections.

Les œstrogènes et les progestatifs
Les œstrogènes naturels (estradiol, estriol, estrone) et la progestérone sont sécrétés par l'ovaire. On utilise les œstrogènes et les progestatifs dans des situations très différentes. Il peut s'agir de traiter des maladies où il existe une sécrétion naturelle de progestérone ou d'œstrogènes insuffisante (troubles des règles, ménopause, endométriose), ou bien ces substances peuvent être utilisées, et c'est le cas le plus fréquent, comme contraceptif. Il existe plusieurs sortes de contraceptifs hormonaux, ou « pilules ». Tout d'abord, les pilules œstroprogestatives qui contiennent à la fois un œstrogène et un progestatif. Ces pilules peuvent être des pilules classiques plus fortement dosées en œstrogènes, ou des pilules minidosées contenant moins d'œstrogènes. Parmi les pilules œstroprogestatives, les pilules séquentielles sont celles qui ne contiennent un progestatif qu'en deuxième partie de cycle. Par ailleurs, il existe des pilules progestatives pures ne contenant pas d'œstrogènes : ce sont les micropilules.

Exemples courants
Œstrogènes (estrone, estradiol, ethinyl-estradiol); progestatifs (noresthistérone, médroxyprogestérone, dydrogestérone); pilules œstroprogestatives séquentielles; pilules œstroprogestatives classiques; pilules œstroprogestatives mini-dosées; micropilules progestatives.

Précautions d'emploi et effets indésirables
Les pilules œstroprogestatives sont contre-indiquées dans un certain nombre de cas : grossesse, antécédents de maladies vasculaires, hypertension artérielle, diabète, hyperlipidémie, maladies des seins, etc. Ces pilules sont susceptibles d'entraîner des effets secondaires qui devront être dépistés par une surveillance médicale au cours des premiers mois de contraception : hypertension artérielle, élévation des lipides sanguins, prise de poids, maux de tête, nausées, hémorragies génitales, etc. La pilule œstroprogestative, du fait des effets métaboliques des œstrogènes de synthèse, constitue un facteur de risque vasculaire au même titre que le tabac, l'hypertension, l'hyperlipidémie. Ainsi, pour beaucoup de médecins, le tabagisme serait une contre-indication à ce type de contraception dans la mesure où il surajoute un facteur de risque. La micropilule progestative, elle, n'a pas les mêmes effets secondaires métaboliques ni les mêmes contre-indications du fait de l'absence d'œstrogènes dans sa composition. Elle peut être par contre moins bien tolérée sur le plan gynécologique. Il faut savoir que de nombreux médicaments interfèrent avec les contraceptifs hormonaux et peuvent ainsi nuire à son efficacité. La pilule, contrairement à ce qui a pu être dit, n'augmente pas l'incidence des cancers et n'influe pas sur la libido.

Les hormones sexuelles mâles
Elles ont toutes un effet masculinisant. Elles augmentent la masse musculaire, rendent la voix grave, augmentent et développent la pilosité. Leur usage médical est limité. Elles ne doivent pas être prescrites pour traiter l'impuissance ou une production insuffisante de sperme. Utilisées pour accroître les performances sportives, elles sont dangereuses pour l'un et l'autre sexe.
Exemples courants
Testostérone, stéroïdes anabolisants.
Précautions d'emploi et effets indésirables
Les hormones mâles peuvent provoquer un élargissement du torse, une prise de poids non souhaitée ou des modifications du faciès.

34 *HORMONES HYPOPHYSAIRES*

Les hormones hypophysaires peuvent être utilisées pour stimuler la fonction d'autres glandes endocrines : l'ACTH stimule la production de cortisol par la corticosurrénale. Il aurait un peu moins d'effets secondaires que les corticoïdes.
Les inducteurs d'ovulation (clomiphène, gonadotrophine) provoquent la sécrétion par l'hypophyse de FSH et de LH, qui sont responsables de l'ovulation. Ce traitement comporte un risque de grossesse multiple (jumeaux, triplés). Enfin, les ocytociques (extraits de posthypophyse, oxytocine) sont utilisés pour renforcer les contractions au cours de l'accouchement.

LES CELLULES

Des médicaments, mis au point ces dernières années, sont capables de tuer des cellules cancéreuses (médicaments cytotoxiques), ou bien de supprimer certaines défenses immunitaires des cellules (médicaments immunosuppresseurs).

35 *ANTICANCÉREUX ET DÉPRESSEURS DE L'IMMUNITÉ*

Médicaments cytotoxiques
Utilisés dans les traitements chimiothérapiques des cancers, ils agissent en s'opposant à la multiplication des cellules par un effet direct au niveau des mécanismes de division cellulaire. Si ces drogues sont actives sur les tumeurs cancéreuses, c'est parce que celles-ci sont faites de cellules qui se divisent et prolifèrent rapidement. Mais ces médicaments tuent aussi un certain nombre de cellules saines de l'organisme. C'est pourquoi ces traitements comportent des effets secondaires tels que chute de cheveux, problèmes sanguins et digestifs (vomissements). Cependant, malgré ces inconvénients et des résultats thérapeutiques encore imparfaits, de grands progrès sont réalisés dans ce domaine. Certaines affections malignes autrefois incurables, telles que la maladie de Hodgkin, sont actuellement guéries dans plus des trois quarts des cas.

Médicaments immunosuppresseurs
Ils s'opposent aux mécanismes immunitaires normaux qui font rejeter par l'organisme les cellules étrangères. Ces médicaments peuvent ainsi être utilisés pour prévenir le rejet des greffes, telles que celles du rein. Mais en même temps qu'ils empêchent le rejet de l'organe transplanté, ils empêchent également le rejet des agents infectieux. D'où des complications infectieuses qui font toute la difficulté d'utilisation de ces médicaments.

LA NUTRITION

Dans nos contrées, il existe peu de carences alimentaires en vitamines ou en oligo-éléments. Cependant, certaines peuvent se rencontrer. Il s'agit surtout de la carence en vitamine D, chez le nourrisson et l'enfant, qui peut conduire au rachitisme et qui doit systématiquement être prévenue par l'administration de cette vitamine. On rencontre aussi des carences en vitamines du groupe B, mais celles-ci ne sont pas le fait de l'alimentation, mais d'autres pathologies. L'alcoolisme, en particulier, provoque des carences en vitamines B_1 et B_6, qui ont pour conséquence des lésions nerveuses analogues à celles du béribéri. Certaines anomalies de l'absorption intestinale provoquent des carences en vitamine B_{12}, ce qui a pour conséquence l'apparition d'une anémie (anémie de Biermer). En ce qui concerne les carences en oligo-éléments, la plus fréquente est la carence en fer. Celle-ci est souvent la conséquence d'hémorragies répétées (le fer est un des constituants de l'hémoglobine) et plus rarement d'un apport alimentaire de fer insuffisant. La carence en fer entraîne une anémie.

36 *CARENCES EN VITAMINES ET OLIGO-ÉLÉMENTS*

Vitamines B et D
Exemples courants
Vitamine D (ergocalciférol, cholécalciférol); vitamine B_1 (thiamine); vitamine B_6 (pyridoxine); vitamine B_{12} (hydroxocobalamine).
Précautions d'emploi et effets indésirables
La vitamine D administrée à des doses trop fortes est dangereuse : elle provoque une hypercalcémie. Les vitamines B_1 et B_6 ne comportent pas de risque de surdosage. La vitamine B_{12}, qui peut être administrée par voie injectable ou orale, ne présente aucun effet indésirable.

Fer
Dans les cas d'anémies par carence en fer le traitement peut être administré par voie orale ou par voie injectable.
Exemples courants
Fer ferreux, fer ferrique injectable.
Précautions d'emploi et effets indésirables
Par voie orale, le fer peut être mal toléré sur le plan digestif (nausées, vomissements, constipation). Il colore les selles en noir. Un traitement par le fer doit être poursuivi plusieurs mois avant que la charge en fer de l'organisme ne soit complètement reconstituée.

SYSTÈME LOCOMOTEUR

Dans le traitement des maladies des muscles et des articulations, on utilise essentiellement des médicaments anti-inflammatoires qui, s'ils ne guérissent pas forcément la maladie, ont une action soulageante sur la douleur et les signes fonctionnels. A côté des anti-inflammatoires stéroïdiens (*voir* n° 32), il existe maintenant des anti-inflammatoires non stéroïdiens efficaces, qui sont beaucoup moins dangereux et ont beaucoup moins d'effets indésirables.

37 *AFFECTIONS DES MUSCLES ET DES ARTICULATIONS*

Anti-inflammatoires non stéroïdiens
Ils soulagent la douleur et améliorent les possibilités fonctionnelles en s'opposant à la réaction inflammatoire. Ils sont très utilisés dans les maladies musculaires et articulaires comme les arthrites, les polyarthrites, la goutte, les lombalgies, les sciatiques, les traumatismes des articulations.
Exemples courants
Aspirine et salicylés (*voir* n° 22); pyrazolés (phénylbutazone, oxyphenbutazone); indoles (indométacine, sulindac); propioniques (ibuprofène, ketoprofène); diclofénac; colchicine, utilisée pour le traitement de la crise de goutte.
Précautions d'emploi et effets indésirables
La plupart des anti-inflammatoires non stéroïdiens ont une toxicité digestive : ils peuvent provoquer ou aggraver des gastrites, des ulcères gastro-duodénaux, et être responsables d'hémorragies digestives. Ils peuvent tous donner lieu à des réactions allergiques. Les pyrazolés peuvent être responsables d'accidents sanguins graves. Certains sont contre-indiqués dans la grossesse. D'une manière générale, un traitement par anti-inflammatoires ne devrait jamais être prolongé inutilement.

Médicaments préventifs de la goutte
Ils agissent en diminuant le taux sanguin d'acide urique, dont l'élévation peut être responsable des crises de goutte.
Exemples courants
Allopurinol, probénécid.

Précautions d'emploi et effets indésirables
En début de traitement, ils risquent de provoquer des crises de goutte, et doivent donc dans les premiers jours être préventivement associés à la colchicine.

LES YEUX

Il existe de nombreux produits (collyres) pour le traitement des maladies des yeux : ceux qui sont destinés à traiter les infections oculaires et ceux qui servent à dilater ou à contracter la pupille pour le traitement de certaines inflammations de l'œil ou du glaucome.

38 *INFECTIONS OCULAIRES*

Il peut s'agir de collyres antiseptiques, de collyres antibiotiques pour les infections bactériennes, et de collyres antiviraux pour les infections virales, comme l'herpès et le zona ophtalmique.
Précautions d'emploi et effets indésirables
Les collyres antibiotiques risquent de provoquer des réactions allergiques et des sensibilisations (en particulier pour le chloramphénicol). Les collyres antiviraux ne peuvent être administrés que sous surveillance médicale spécialisée.

39 *DILATATEURS ET CONSTRICTEURS DE LA PUPILLE*

Les collyres constricteurs de la pupille (myotiques) sont utilisés dans le traitement du glaucome. Les collyres dilatateurs de la pupille (mydriatiques) sont utilisés dans le traitement de certaines inflammations de la chambre antérieure de l'œil (iridocyclites) ou pour l'examen du fond de l'œil.
Exemples courants
Collyres myotiques (pilocarpine); collyres mydriatiques (atropine, néosynéphrine).
Précautions d'emploi et effets indésirables
Les collyres mydriatiques sont contre-indiqués en cas de glaucome, et les collyres myotiques en cas d'iridocyclite.

OREILLES, NEZ, GORGE

40 *AFFECTIONS DES OREILLES*

Présentés sous forme de pommades ou de gouttes, les médicaments destinés au traitement des otites externes et à celui des otites moyennes aiguës ont une efficacité moins grande s'ils ne s'accompagnent pas d'un traitement (antibiotique, anti-inflammatoire) par voie générale.

Ces produits peuvent être des analgésiques, des antiseptiques, des anesthésiques, des antibiotiques ou des corticoïdes.
Exemples courants
Analgésiques, anesthésiques; antiseptiques, antibiotiques (hexamidine, néomycine pommade); associations contenant un antibiotique et un corticoïde.
Précautions d'emploi et effets indésirables
Les gouttes auriculaires ne doivent pas être appliquées s'il existe une ouverture du tympan. Leur efficacité est limitée dans les otites moyennes aiguës qui doivent bénéficier d'un traitement général, et éventuellement d'une paracentèse.

41 *AFFECTIONS DES FOSSES NASALES*

Présentés sous forme de gouttes ou de spray, et destinés au traitement des obstructions nasales, des rhinites allergiques ou infectieuses et des sinusites, les médicaments peuvent être de plusieurs types.
Exemples courants
Vasoconstricteurs; antiseptiques (*voir* n° 42); antibiotiques (*voir* n° 25); corticoïdes (*voir* n° 32); corticoïdes associés à un antibiotique.
Précautions d'emploi et effets indésirables
Les vasoconstricteurs ne doivent jamais être utilisés de manière prolongée du fait du risque d'accoutumance pouvant entraîner un passage à la rhinite chronique. Les corticoïdes sont surtout indiqués dans les rhinites allergiques; ils sont dangereux en cas de rhinites infectieuses.

42 *AFFECTIONS DE LA BOUCHE ET DU PHARYNX*

Présentés sous forme de collutoires ou de tablettes à sucer et destinés au traitement des pharyngites, aphtoses, angines, amygdalites, les médicaments peuvent être de plusieurs types : des antiseptiques, des anti-inflammatoires ou des antifongiques, ces derniers étant utilisés dans le traitement du muguet buccal.
Exemples courants
Antiseptiques (néoarsphénamine, chlorhexidine, céthexonium), parfois associés à un anesthésique local; anti-inflammatoires associés ou non à un antibiotique; antifongiques (*voir* n° 26).
Précautions d'emploi et effets indésirables
Le principal problème posé par ces médicaments est qu'ils peuvent être responsables de réactions allergiques. Cela concerne surtout les anesthésiques locaux et les antibiotiques.

LA PEAU

Il existe de nombreux produits, sous forme de pommades, de crèmes, de lotions, pour les affections de la peau. On distingue les antiseptiques, les antibiotiques, les antifongiques et antiviraux, les corticoïdes, les antiprurigineux, les topiques cicatrisants et les médicaments de l'acné.

43 *AFFECTIONS DE LA PEAU*

Antiseptiques
Les antiseptiques sont utilisés aussi bien préventivement, pour désinfecter la peau avant une injection ou une incision chirurgicale, que curativement, devant des lésions cutanées infectées ou risquant de s'infecter (plaies, brûlures, escarres, furoncles, vésicules, etc.). Il existe de nombreux antiseptiques dont les spectres d'action (c'est-à-dire l'ensemble des agents pathogènes — bactéries, virus, champignons — sur lesquels ils sont susceptibles d'avoir une action) sont différents les uns des autres.
Exemples courants
Hexamidine, hexachlorophène, alcool éthylique à 30° ou 60°, entsufon, alcool iodé, polyvidone iodée, permanganate de potassium, cétrimide, chloride de benzalkonium.
Précautions d'emploi et effets indésirables
Il ne faut en principe pas appliquer en même temps deux antiseptiques différents, cela peut être dangereux. En particulier, il ne faut jamais associer des produits contenant de l'iode à des produits contenant du mercure. Il ne faut pas non plus associer les antiseptiques cationiques aux produits contenant du chlore (eau de Javel, solution de Dakin). Le grand risque de l'utilisation des antiseptiques est qu'ils peuvent donner des réactions allergiques (eczéma, éruptions). Ils peuvent aussi avoir un effet irritant sur la peau. Les antiseptiques les moins allergisants et les moins irritants sont peut-être le permanganate de potassium et les produits contenant du sulfate de cuivre. Les antiseptiques les plus puissants sont sans doute ceux qui contiennent de l'iode ou du chlore. L'alcool éthylique, quant à lui, n'est pas un très bon antiseptique, et en tout cas il est moins efficace pur, à 90°, que dilué, à 60 ou 30°.

Antibiotiques
Les antibiotiques peuvent être utilisés par voie locale sur les lésions cutanées infectées. Mais il faut savoir qu'appliqués localement, ils risquent de déclencher des réactions allergiques, et surtout d'induire une sensibilisation. Ainsi, par exemple, si un patient qui n'était pas jusque-là allergique à la pénicilline reçoit cet antibiotique sous forme de pommade ou de crème, il risque d'être sensibilisé à vie, c'est-à-dire qu'à l'occasion d'une autre prise de pénicilline, il développera une réaction allergique (éruption, choc). Aussi, d'une manière générale, on évitera toujours d'appliquer sur la peau un antibiotique susceptible d'être donné par voie générale.
Exemples courants
Parmi les moins allergisants : fluméthasone, lidocaïne, framycétine, néomycine.
Précautions d'emploi et effets indésirables
Risque de réaction allergique et de sensibilisation.

Antifongiques et antiviraux
Voir n° 26 et n° 27.

Corticoïdes
Les corticoïdes peuvent être appliqués par voie locale, sous forme de crèmes ou pommades. Cependant, ce type de traitement est tout aussi dangereux que par voie générale (*voir* n° 32) et doit être réservé à certains cas exceptionnels après avis spécialisé.
Exemples courants
Hydrocortisone, bétaméthasone, dexaméthasone, désonide, fluméthasone.
Précautions d'emploi et effets indésirables
Les corticoïdes ne doivent pas être appliqués sur des plaies, des brûlures, ni sur le visage ou sur des lésions infectées. Ils peuvent entraîner une atrophie de la peau, avec couperose, vergetures, dépigmentation. Ils favorisent l'infection.

Antiprurigineux
Ils s'opposent au prurit, c'est-à-dire aux démangeaisons. Il en existe de deux sortes : ceux qui contiennent un anesthésique local et ceux qui n'en contiennent pas.
Exemples courants
Antiprurigineux non anesthésiques (oxyde de zinc, acide hydroxy-benzoïque); antiprurigineux anesthésiques (pramocaïne).
Précautions d'emploi et effets indésirables
Les antiprurigineux contenant des anesthésiques sont dangereux, car ils peuvent provoquer des réactions allergiques ou des sensibilisations.

Topiques cicatrisants
Ils sont utilisés sur les plaies, les ulcères, les brûlures, les érythèmes fessiers.
Exemples courants
Pansements gras, films isolants.
Précautions d'emploi et effets indésirables
Ils sont bien tolérés. Sur les plaies et les brûlures, ils ne doivent être appliqués qu'après désinfection.

Médicaments de l'acné
On dispose actuellement de médicaments efficaces dans le traitement de l'acné, avec l'apparition de la vitamine A acide qui peut être utilisée en complémentarité avec les traitements classiques.
Exemples courants
Vitamine A acide et apparentés (trétinoïne); autres topiques antiacnéiques (peroxyde de benzoyle, hexamidine, pyridoxine).
Précautions d'emploi et effets indésirables
La vitamine A acide et les médicaments apparentés ne doivent pas être appliqués sur les muqueuses et les yeux. L'exposition au soleil est contre-indiquée.

LA TROUSSE A PHARMACIE FAMILIALE
Traitement à domicile des petites plaies et des maux bénins

Une trousse à pharmacie sert surtout pour les petites plaies ou les maladies que vous êtes en mesure de traiter vous-même. Toutefois, vous pouvez vous trouver face à des lésions plus graves qui nécessitent l'intervention d'urgence de personnes spécialisées.

En prévision d'une telle situation, il est important que les coordonnées de votre médecin et des centres de secours dont dépend votre domicile soient notées à un endroit où vous puissiez rapidement les retrouver, par exemple sur un papier fixé à l'intérieur de votre trousse à pharmacie.

Il peut aussi être utile d'y adjoindre un résumé des antécédents familiaux de chacun des membres de votre famille : leurs principales maladies, leurs allergies connues, les médicaments qu'ils prennent.

Où garder la trousse à pharmacie ?
Beaucoup de gens gardent leur trousse à pharmacie dans leur salle de bains, mais celle-ci est sujette à de grandes variations de température qui peuvent nuire à la conservation des médicaments.

Il semble préférable de conserver votre nécessaire à pharmacie sur une étagère haut placée dans la salle de séjour ou dans votre chambre. Elle est ainsi hors de portée des enfants, et vous pouvez l'emporter avec vous quand vous partez en vacances.

Si vous êtes de ceux qui utilisent la traditionnelle armoire à pharmacie murale, assurez-vous qu'elle est hors de portée de vos enfants, ou bien qu'elle est fermée à clé.

Péremption des médicaments
Même si vous rangez vos médicaments dans un endroit frais, sec et bien aéré, ils ne peuvent pas se conserver indéfiniment. Certains médicaments sont périmés trois ans après leur fabrication. La date de péremption est en général inscrite sur la boîte. Si la date est dépassée, jetez le médicament. Les médicaments liquides en contact avec l'air, tels que les collyres, les gouttes auriculaires, une fois entamés ne peuvent pas se conserver plus de quelques jours. N'hésitez pas à les jeter dès que vous ne vous en servez plus, et en aucun cas ne pensez les réutiliser passé un délai d'une semaine. Les sirops entamés, eux, peuvent se conserver plus longtemps (quelques mois). En cas de doute, demandez l'avis de votre pharmacien. Mais en aucun cas il ne faut utiliser un médicament périmé ou éventé : il peut se révéler extrêmement toxique.

CONTENU STANDARD D'UNE TROUSSE A PHARMACIE

☐ **Antiseptiques**
Sous forme de liquides ils servent à nettoyer les écorchures, les petites plaies, les petites brûlures, avant de les recouvrir d'un pansement stérile.
☐ **Pansements stériles adhésifs**
A découper ou prédécoupés, pour protéger les petites plaies.
☐ **Compresses stériles**
Pour nettoyer et désinfecter les plaies à l'aide de solution antiseptique, ou pour recouvrir les plaies. Elles seront alors maintenues par des bandes.
☐ **Bandes**
En prévoir plusieurs de largeurs différentes. Pour recouvrir un pansement ou pour immobiliser provisoirement une entorse ou une luxation.
☐ **Sparadrap, épingles de sûreté**
Pour maintenir bandes et pansements.
☐ **Ciseaux**
Pour découper pansements, adhésifs, compresses, bandes, sparadrap.
☐ **Thermomètre médical**
Pour éviter qu'il ne se casse, il doit être protégé dans un tube en plastique ou en métal.
☐ **Pince**
Du type pince à épiler, pour ôter les échardes.
☐ **Analgésique**
Du type aspirine ou paracétamol. Pour les céphalées, les douleurs dentaires ou les douleurs traumatiques.
☐ **Antiacide**
Pour les brûlures d'estomac.
☐ **Antidiarrhéique**
En cas de diarrhée aiguë bénigne.
☐ **Topique cicatrisant**
Pour brûlures et coups de soleil.
☐ **Antinauséeux**
Pour le mal des transports.
☐ **Antiseptique nasal ou rhino-pharyngé**
Pour les rhumes et rhino-pharyngites.

MÉGALOMANIE

Sentiment de grandeur de soi-même quant à la réussite, la richesse, les capacités intellectuelles ou physiques. Ce terme ne devrait pas être utilisé comme synonyme d'orgueil, mais être réservé au délire de grandeur, qui caractérise les psychoses.

MÉLANOME

Tumeur des cellules pigmentaires de la peau. On distingue le mélanome juvénile, bénin, touchant habituellement les enfants, et le mélanome malin, plus rare. *Voir* CANCER DE LA PEAU.

MÉLANOME JUVÉNILE

Tumeur bénigne brun-rouge, en forme de dôme, qui atteint surtout les enfants ou les adolescents à la face, ou parfois sur les membres. Ce nodule est généralement unique, beaucoup plus rarement multiple.

Symptômes

- Petit nodule de 5 mm de diamètre, rose à brun-rouge, bombé, de surface lisse.
- Il n'y a ni douleur ni irritation.

Durée

- Il persiste inchangé pendant des années, puis peut disparaître sans trace.

Causes

- Prolifération de cellules contenant du pigment (mélanine). La cause est inconnue.

Traitement à domicile

- Il n'y en a pas. Il faut éviter d'irriter le mélanome.
- On peut sans danger le recouvrir d'un cosmétique.

Quand consulter le médecin

- Si vous êtes inquiet.

Dès que possible si le nodule :

- Grossit, saigne ou démange.
- Devient douloureux.
- Change de couleur ou s'entoure d'un halo coloré.

Rôle du médecin

- Rassurer le patient en lui expliquant que le mélanome juvénile est fréquent, bénin, et ne demande pas de traitement.
- Si le diagnostic est douteux, le médecin vous adressera à un spécialiste qui pratiquera l'ablation de la tumeur et son analyse microscopique.

Prévention

- Inconnue.

Pronostic

- Les mélanomes juvéniles sont des excroissances fréquentes et inoffensives qui disparaissent souvent spontanément. Certains se transforment en grains de beauté. La dégénérescence en un mélanome malin est tout à fait exceptionnelle.

MEMBRANE MUQUEUSE

Couche de revêtement tissulaire qui recouvre les parois internes des tractus respiratoire et digestif, des voies génitales et urinaires, ainsi que celles de la plupart des organes creux du corps humain et de leurs conduits. Elle sécrète un liquide lubrifiant, le mucus.

MEMBRE FANTOME (DOULEURS D'UN)

Dans la plupart des cas, lorsqu'un membre a été amputé, le patient sent par moments son membre comme s'il était toujours présent. Il lui semble qu'il est capable de bouger ou d'avoir sa forme passée. Au fil du temps, le patient aura l'impression que le membre est en train de changer de forme.

Cette affection survient parce que les fibres nerveuses sectionnées lors de l'opération continuent d'envoyer des messages au cerveau à partir du moignon. Le cerveau les interprète comme si le membre était toujours présent. Les sensations comportent des picotements, des fourmillements dans le membre absent, le sentiment qu'il est chaud ou froid, léger ou lourd.

Environ 35 pour 100 des patients ressentent également une douleur dans le membre fantôme. Elle peut être déclenchée par la pression, même sur une autre partie du corps (le fait d'uriner), ou par la survenue d'une émotion. Parfois, une croissance excessive du tissu nerveux (neurofibrome) se développe dans le moignon et accentue la douleur.

Généralement, les sensations de membre fantôme sont discrètes et s'estompent avec le temps. Toutefois, dans 1 à 10 pour 100 des cas, la douleur est sévère et s'aggrave avec les années. Dans ces conditions, les patients peuvent être traités avec un anesthésique local. On injectera dans le moignon un antalgique puissant (phénol ou solution saline) pour soulager la douleur.

MÉNINGITE

Infection des méninges, qui sont les membranes entourant le système nerveux central (encéphale et moelle épinière). La gravité de la maladie, en fait très variable suivant l'agent infectieux, tient au risque d'atteinte du système nerveux : risque vital immédiat aussi bien que risque de séquelles neurologiques. Les méningites les plus fréquentes sont d'origine virale; leur évolution est en général bénigne et elles n'entraînent qu'exceptionnellement des complications. Les méningites dues à des bactéries sont plus rares mais plus graves. La plus fréquente est la méningite à méningocoque, ou méningite cérébro-spinale. La méningite tuberculeuse est redoutable. Les méningites bactériennes peuvent passer inaperçues au départ si le malade a été malencontreusement traité par un antibiotique quelconque : les symptômes risquent en effet d'être masqués et le diagnostic retardé. Généralement les méningites bactériennes ou tuberculeuses sont guéries par un traitement antibiotique adapté.

Symptômes

- Fièvre le plus souvent.
- Céphalées (maux de tête) souvent intenses, avec intolérance au bruit et à la lumière.
- Raideurs et douleurs de la nuque et du dos.
- Vomissements, souvent constipation.
- Certains signes neurologiques peuvent apparaître, voire un coma.
- Mais souvent, en particulier chez l'enfant, la fièvre est le seul symptôme. Le diagnostic est alors difficile.

Causes

- Bactéries : en particulier le méningocoque (méningite la plus fréquente, touchant l'enfant et l'adulte) et le pneumocoque (chez l'adulte surtout).
- Bacille tuberculeux.
- Mycoses chez les sujets immunodéprimés.
- De nombreux virus (GRIPPE, OREILLONS, MONONUCLÉOSE INFECTIEUSE).

Complications

- Risque de décès par atteinte du système nerveux.
- Risque de séquelles : motrices (paralysies), sensitives ou sensorielles (cécité, surdité), retard psychomoteur, ÉPILEPSIE, HYDROCÉPHALIE.

Traitement à domicile

- Aucun : dans le doute, consulter immédiatement un médecin.

Rôle du médecin

- Une hospitalisation est le plus souvent nécessaire.
- Le diagnostic est confirmé par l'étude du liquide

céphalo-rachidien (prélevé par ponction lombaire). Si le liquide céphalo-rachidien est trouble ou purulent, il s'agit d'une méningite bactérienne. Mais même s'il est clair, il faut procéder à une étude chimique et bactériologique.
• En cas de méningite bactérienne, un traitement antibiotique doit être instauré en urgence.
• La méningite virale, elle, ne justifie d'aucun traitement anti-infectieux. Son évolution est bénigne.
Prévention
• Aucune, à l'exception du cas des épidémies de méningites à méningocoque : l'entourage d'un sujet atteint doit être traité par antibiotiques.
Pronostic
• Guérison sans séquelles si le diagnostic et le traitement ont été précoces.

MÉNINGOCÈLE

Anomalie congénitale des méninges. Une méningocèle se présente sous la forme d'une poche remplie de liquide à la surface du crâne ou le long du canal rachidien. Il s'agit dans ce dernier cas d'une variété de SPINA-BIFIDA. Les nouveau-nés atteints d'une telle anomalie doivent généralement être opérés.

MÉNISQUE (RUPTURE DE)

Traumatisme du genou au cours duquel un brusque mouvement de torsion rompt ou déchire un des ménisques (fibrocartilages plats, fermes, élastiques, absorbant les chocs) placés entre les extrémités osseuses du genou. Cette lésion survient chez les sportifs, footballeurs en particulier, et les gens qui travaillent accroupis : poseurs de moquette, mineurs, etc.
Symptômes
• Douleur dans le genou succédant à une torsion brusque de l'articulation.
• Gonflement du genou.
• Quelquefois blocage du genou, qu'on ne peut étendre complètement.
Causes
• Rotation forcée sur un genou fléchi en charge.
Durée
• Tant que le cartilage déchiré n'est pas enlevé, le genou reste soumis au risque d'incidents invalidants.
Traitement à domicile
• Éviter l'appui sur le genou atteint.
Quand consulter le médecin
• Dès le début des symptômes.
Rôle du médecin
• Adresser le malade en service d'orthopédie où, après arthrographie ou arthroscopie du genou, le ménisque déchiré sera le plus souvent opéré.
Pronostic
• La récupération est habituellement bonne, mais la capacité sportive peut s'en trouver amoindrie.
• Dix à vingt ans après le traumatisme, une arthrose du genou peut se développer.

MÉNOPAUSE

C'est le moment où, dans la vie d'une femme, les ovaires ne réagissent plus à l'incitation hypophysaire et ne produisent plus d'ovules. La ménopause, souvent appelée retour d'âge, est un moment normal, physiologique et inévitable chez toutes les femmes. Si pour certaines d'entre elles le retour d'âge entraîne des troubles, d'autres au contraire se sentent mieux, ne serait-ce que parce qu'elles sont libérées des contraintes contraceptives et de la crainte d'une grossesse tardive.

L'âge où les troubles peuvent débuter varie d'une femme à l'autre : exceptionnellement dans la trentaine; habituellement, les troubles apparaissent progressivement dans la quarantaine; ils s'installent définitivement vers la cinquantaine. Durant cette période, ce sont les troubles des règles qui sont les plus significatifs. Moins d'un quart des femmes ont des troubles qui imposent un soutien médical. Le maître symptôme, pour 70 pour 100 d'entre elles, et qui motive la consultation est représenté par les bouffées de chaleur; viennent ensuite les états dépressifs (40 pour 100), les sueurs (30 pour 100), les saignements irréguliers (25 pour 100), l'insomnie (25 pour 100), la fatigue (20 pour 100), les modifications de la peau et des cheveux (15 pour 100) et les maux de tête (10 pour 100). Enfin, pour beaucoup de femmes, des modifications psychologiques apparaissent, et elles doivent être prises en considération.

Les complications du retour d'âge peuvent être telles qu'elles finissent par perturber le caractère et par favoriser une certaine anxiété, bien que non fondée. En effet, il est démontré que les femmes ne sont pas moins attirantes après la ménopause, et des statistiques ont précisé que 80 pour 100 d'entre elles voient leur réactivité sexuelle s'améliorer ou, en tout cas, rester inchangée. Mais il faut se méfier du risque d'une grossesse tardive dans l'année qui suit l'arrêt des règles et poursuivre une méthode contraceptive en s'aidant au besoin des conseils du médecin de famille.

D'autres facteurs extérieurs interviennent dans la vie d'une femme et accentuent les désagréments de cette période. Ainsi, les enfants peuvent avoir quitté la maison, donnant une sensation de vide. Inversement, la dépendance de parents plus âgés s'accentue et peut être un frein pour certaines qui voudraient trouver une compensation dans un travail à l'extérieur. Les relations avec le mari peuvent également se modifier.

Habituellement, l'anxiété, la dépression et un certain nombre de problèmes peuvent être compensés par un traitement à base de sédatifs ou de tranquillisants (*voir* MÉDICAMENTS, n° 17). En cas de bouffées de chaleur intenses, un traitement hormonal sous surveillance très précise peut donner d'excellents résultats (*voir* MÉDICAMENTS, n° 33). Quelquefois, la sécheresse du vagin peut imposer un traitement local. En cas de saignements anormaux, il ne faut pas hésiter à consulter immédiatement le médecin. Les bouffées de chaleur et les sueurs durent habituellement un an et s'estompent ensuite progressivement. Elles réagissent bien au traitement médical, ce qui n'est pas toujours le cas des états dépressifs.

Face à la ménopause

☐ Considérez le retour d'âge comme une période normale, naturelle de votre vie.

☐ Partagez vos soucis éventuels avec votre mari, en tout cas avec un ami proche.

☐ Ayez de nombreux centres d'intérêt.

☐ Consultez le plus tôt possible votre médecin à la moindre anomalie (pertes de sang vaginales, ou simples pertes blanches).

☐ Pour éviter tout risque de grossesse tardive, assurez-vous que la ménopause est définitive.

☐ Ne laissez pas la ménopause interférer dans votre vie et dans vos activités sexuelles.

☐ N'hésitez pas à consulter votre médecin au moindre trouble.

MÉNORRAGIES

Augmentation de l'abondance des règles. Elles surviennent habituellement entre quarante et cinquante ans, au moment où risque de se développer un fibrome (MYOME UTÉRIN) ou un déséquilibre hormonal.

MÉTATARSALGIES

Douleur de l'avant-pied. L'affection frappe habituellement les deux pieds. Les métatarsalgies sont fréquentes chez les femmes fortes d'âge mûr.

Symptômes

- L'avant du pied est anormalement étalé, avec une dispersion des orteils.
- La douleur survient essentiellement à la marche.
- Les muscles du pied sont affaiblis.
- Un durillon douloureux peut se former à la plante du pied, au-dessous des deuxième et troisième orteils.
- Les symptômes sont souvent d'apparition brusque ou progressive (en plusieurs mois).

Durée

- La douleur s'efface lentement sous traitement et peut durer quelquefois plusieurs mois.

Causes

- Chaussures étroites, trop serrées.
- Vie sédentaire, obésité.

Traitement à domicile

- Mettre les pieds au repos soulage la douleur.

Quand consulter le médecin

- Quand une douleur durable du pied gêne la marche.

Rôle du médecin

- Faire des infiltrations cortisoniques locales.
- Prescrire une kinésithérapie pour renforcer les muscles de la voûte plantaire.

Prévention

- Conseiller des chaussures adaptées, avec éventuellement des semelles orthopédiques, un exercice physique adéquat, le retour à un poids raisonnable.

Pronostic

- Kinésithérapie et chaussures convenables entraînent habituellement une amélioration spectaculaire.

MORTON (MALADIE DE)

On appelle maladie de Morton une affection caractérisée par de vives douleurs de l'avant-pied dues à un névrome (tumeur nerveuse bénigne) située entre deux métatarsiens. En fait, cette maladie est assez rare.

MÉTRORRAGIES

Pertes très abondantes de sang d'origine utérine.

En cas de retard de règles, penser à l'éventualité d'un AVORTEMENT spontané.

Dans le cas contraire, avant de parler d'un déséquilibre hormonal, ne pas méconnaître l'éventualité d'une TUMEUR utérine, bénigne ou maligne.

MICROCÉPHALIE

Ce terme désigne un crâne de taille anormalement petite. La microcéphalie peut être due soit à un arrêt de développement du crâne avec soudure prématurée des os du crâne, soit à un arrêt de développement du cerveau, c'est-à-dire une microencéphalie. Dans ce cas, le crâne est petit mais non déformé, et il contraste avec une face de volume normal. Le retard intellectuel est en général considérable. La microencéphalie est le plus souvent due à une embryopathie, conséquence d'une infection, comme la TOXOPLASMOSE, contractée pendant la vie embryonnaire. Parfois, elle peut être due à une encéphalite de l'enfance ou il peut s'agir d'une maladie génétique. Les enfants atteints de microcéphalie doivent en général être pris en charge dans des institutions spécialisées.

MICTION (TROUBLES DE LA)

Les troubles de la miction sont variés et de causes très diverses. Parmi les plus fréquents, on peut citer :

- **La dysurie** (miction difficile, lente, se faisant en plusieurs temps ou avec effort). Elle évoque avant tout un obstacle au niveau des voies urinaires basses (ADÉNOME prostatique chez l'homme, par exemple).
- **La rétention d'urine :** impossibilité d'évacuer en totalité ou en partie l'urine contenue dans la vessie.
- **La polyurie :** émission d'une trop grande quantité d'urine. Elle est le plus souvent le témoin d'une maladie métabolique telle que le diabète.
- **La pollakiurie :** augmentation de la fréquence des mictions (mais de petites quantités d'urine à chaque fois), qui évoque un obstacle, une maladie neurologique ou une infection.
- **Les douleurs ou brûlures mictionnelles,** qui doivent faire rechercher une infection urinaire.

MIGRAINE

La migraine se caractérise par des accès de céphalées (maux de tête), accompagnés ou précédés de symptômes divers (digestifs, visuels, neurologiques, psychiques...). Elle constitue la cause de céphalées chroniques la plus fréquente, touchant 5 à 15 pour 100 de la population. La migraine est une maladie qui a souvent un caractère familial, et dont le début se situe le plus souvent à l'adolescence, exceptionnellement après trente ans. Ses symptômes sont très variables d'un sujet à l'autre. On distingue deux formes de migraines : la migraine commune, caractérisée par un simple mal de tête et la migraine dite « accompagnée », qui présente certains signes particuliers.

Symptômes

- La migraine commune est précédée de signes annonciateurs : modifications du caractère (irritabilité), troubles digestifs (pesanteurs, sensations de faim). Puis apparaît la céphalée. En principe, elle ne touche qu'une moitié du crâne, ayant pour siège l'orbite oculaire et la tempe, mais en fait, elle peut être bilatérale et avoir n'importe quelle localisation. Son intensité est variable, de la douleur discrète à la douleur aiguë. Elle est aggravée par la marche, la lumière, les efforts. Elle est améliorée par le repos, l'occlusion des yeux. Certains signes sont associés à la migraine commune : nausées, vomissements; on l'appelle alors à tort « crise de foie ».
- Dans la migraine dite accompagnée, la céphalée est précédée d'une « aura » le plus souvent visuelle. Celle-ci est variable, mais souvent identique chez un sujet donné : un point lumineux scintillant se déplaçant dans le champ visuel, un flou de la vision, ou encore des déformations. L'aura dure environ vingt minutes, puis diminue tandis que s'installe la céphalée, semblable à celle de la migraine commune. Quand l'aura ne concerne qu'un œil, la céphalée s'installe dans l'autre partie du crâne.

Durée

- Dans la crise migraineuse, la céphalée, une fois apparue, s'accentue rapidement pour atteindre son maximum en deux à quatre heures. Elle reste ensuite stable pendant plusieurs heures, puis cède progressivement, souvent après que le sujet a pu dormir. Parfois, la crise peut durer deux ou trois jours.
- Les crises se répètent à intervalles très variables d'un sujet à l'autre.
- La fréquence des crises diminue en général avec l'âge.

Causes
• De multiples facteurs déclenchants sont incriminés dans la survenue de la crise migraineuse : facteurs psychologiques, comme le stress, les émotions, les contrariétés; facteurs alimentaires (chocolat, graisses cuites, fromages, concombre, alcool); facteurs hormonaux (règles, contraception orale œstroprogestative); efforts physiques, ruptures de rythme, changements d'horaires chez les personnes travaillant la nuit.
• Le mécanisme responsable de la douleur serait la vasodilatation des artérioles intracrâniennes. L'aura, elle, au contraire, serait due à une vasoconstriction intracrânienne. De nombreuses substances chimiques (qu'on retrouve dans les aliments susceptibles de déclencher les crises) seraient impliquées dans ces phénomènes de vasoconstriction et vasodilatation et font à l'heure actuelle l'objet de nombreuses recherches.
Complications
• Habituellement, il n'y a pas de séquelles.
• Cependant, certaines crises migraineuses particulières peuvent se compliquer de manifestations neurologiques diverses, telles que des crises d'ÉPILEPSIE ou des paralysies, qui heureusement régressent toujours.
Traitement à domicile
• En cas de crise sévère, repos allongé dans le noir.
• Prise d'analgésiques. *Voir* MÉDICAMENTS, n° 22.
Quand consulter le médecin
• Lors des premières crises, pour s'assurer qu'il s'agit bien d'une migraine et non de céphalées liées à une autre cause.
Rôle du médecin
• Éliminer d'autres causes de céphalées non migraineuses (hypertension artérielle, tumeur cérébrale par exemple). Cela peut nécessiter des examens complémentaires (radiographies du crâne, scanner cérébral).
• Si les crises sont rares, un traitement discontinu suffit. Certains médicaments, comme la di-hydroergotamine, agissent d'autant mieux qu'ils sont pris en début de crise.
• Le traitement de fond de la maladie migraineuse est indiqué si les crises sont nombreuses et rapprochées. Il s'agit d'un traitement préventif qui diminue la fréquence d'apparition des crises. Il doit être pris quotidiennement, sans interruption.
Prévention
• Éviter les facteurs déclenchants lorsqu'ils ont été identifiés chez un sujet : suppression de certains aliments par exemple, ou encore changement de contraception œstroprogestative.
• Le traitement de fond : la meilleure prévention.
Pronostic
• En général, la maladie régresse avec l'âge.
• Chez la femme, la migraine disparaît souvent définitivement avec la MÉNOPAUSE.

Vivre avec la migraine

□ Tenir un journal, non seulement le jour d'un accès migraineux, mais tous les jours sur une période de plusieurs mois. Y consigner tous les détails concernant les horaires de sommeil, les horaires et la composition des repas, les boissons ingérées, les exercices physiques pratiqués. Ces renseignements vous permettront d'identifier les facteurs déclenchants de votre migraine.

□ Éviter chocolat, fromage, graisses cuites, concombres, alcool tant que vous n'êtes pas sûr qu'ils ne déclenchent pas la crise de migraine.

□ S'efforcer de mener une vie régulière en ce qui concerne les horaires de sommeil et de repas.

□ Si vous prenez la pilule et que vous présentez des crises de migraine, consultez votre médecin afin d'envisager un changement de moyen contraceptif.

□ Un antimigraineux doit être pris le plus tôt possible en cas de crise pour être efficace.

□ Certains antimigraineux sont susceptibles de provoquer une certaine somnolence. S'abstenir alors de conduire.

□ On ne peut pas juger de l'efficacité d'un traitement de fond contre la migraine avant plusieurs mois de prise ininterrompue. En particulier, la survenue d'une crise de migraine conduisant à faire prendre d'autres antimigraineux ne doit pas faire interrompre pour autant le traitement de fond.

□ Le stress peut aggraver la maladie migraineuse. A défaut de pouvoir changer de mode de vie, on peut préconiser la pratique d'exercices physiques ou certaines thérapeutiques comme la relaxation.

□ La migraine est une maladie bénigne. Cependant, il existe d'autres causes de céphalées dont certaines peuvent être très graves. On ne doit attribuer des céphalées à une maladie migraineuse que si les autres causes ont été éliminées. Au moindre doute, consulter son médecin traitant.

MILIAIRE SÉBACÉE

Les grains de milium sont de petits kystes cutanés bénins, en tête d'épingle, qui peuvent apparaître sur le visage des jeunes. Ils siègent le plus souvent sur les joues et les paupières. Il sont indolores et ne démangent pas. Ils surviennent parfois sur des cicatrices de cloques ou de brûlure.
Symptômes
• Petites granulations blanches ou un peu jaunâtres.
• Le visage des nourrissons peut en être parsemé. Les grains sont bénins et ne demandent aucun traitement, car ils disparaîtront spontanément.
Durée
• Ils persistent plusieurs mois, puis disparaissent souvent sans traitement.
Causes
• Accumulation de kératine (substance cornée de la peau) dans le canal d'un poil follet (duvet).
Traitement à domicile
• Il n'existe pas de remède individuel. Aucune préparation locale n'est efficace sur les grains de milium, mais elle peut être responsable d'irritation.
Quand consulter le médecin
• Si vous jugez les lésions inesthétiques ou si elles vous inquiètent.
Rôle du médecin
• Chaque kyste peut être incisé individuellement avec une petite aiguille, et son contenu vidé par une légère pression.
Prévention
• Il n'en existe pas. Éviter simplement d'appliquer des crèmes trop grasses sur le visage; cela peut boucher les orifices du duvet de la peau.
Pronostic
• Disparition spontanée fréquente en moins de deux ans.

Voir LA PEAU, *page 52*

MOLLUSCUM CONTAGIOSUM

Infection virale bénigne de la peau, très fréquente, pouvant donner une quantité de petites papules indolores qui se localisent préférentiellement sur le tronc mais peuvent toucher n'importe quel point de la peau. L'affection s'observe couramment chez l'enfant, mais l'adulte peut aussi être atteint.

Symptômes

• Papules lisses, brillantes, de 3 à 8 millimètres de diamètre, avec une dépression centrale, de couleur blanc rosé ou chair.

Durée

• Les papules peuvent s'étendre à la peau environnante mais disparaissent habituellement en quelques mois.

Causes

• Un virus qui se développe dans l'épiderme (couche superficielle de la peau).

Traitement à domicile

• Aucun, mais se laver les mains pour éviter de s'auto-inoculer de nouvelles lésions.

• Si l'on est atteint de cette affection, éviter l'utilisation des vestiaires, douches, gymnase, dans une école ou un camp de vacances, pour ne pas contaminer.

• Les pommades pour verrues sont inefficaces.

Quand consulter le médecin

• Dès que possible, pour éviter la dissémination des lésions.

Rôle du médecin

• Enlever les molluscums à la curette, puis cautériser avec de l'alcool iodé ou de l'acide trichloracétique.

Prévention

• Éviter le contact direct avec un sujet infecté.

Pronostic

• Le traitement entraîne la guérison, sinon elle survient spontanément avec le temps.

MOLLUSCUM PENDULUM

Petite tuméfaction de la peau, flasque, indolore, de quelques millimètres de long. Les molluscums sont souvent multiples et siègent communément sur les faces latérales du cou, sous les aisselles, sur l'aine et sur le tronc. Ils peuvent survenir à n'importe quel âge mais sont très fréquents chez la femme âgée.

Durée

• Indéfinie, jusqu'à leur ablation.

Causes

• Elles sont inconnues.

Traitement à domicile

• Aucun.

Quand consulter le médecin

• Si vous souhaitez faire enlever les molluscums.

Rôle du médecin

• Adresser le patient à un spécialiste qui détruira la tumeur par une électrocoagulation, avec ou sans anesthésie locale.

Prévention

• Elle n'est pas connue.

Pronostic

• Les molluscums laissés en place ne grossissent pas.

MONGOLISME

Nom donné à la TRISOMIE 21, maladie provoquée par l'existence d'un chromosome surnuméraire au niveau de la vingt et unième paire. On a donné ce nom à cette maladie car les sujets atteints présentent un faciès d'aspect asiatique, avec un visage rond et des yeux bridés.

MONOCYTE

Une des trois variétés de leucocytes (les globules blancs). Il absorbe et détruit les bactéries, les cellules mortes et d'autres particules étrangères circulant dans le sang.

MONONUCLÉOSE INFECTIEUSE

Maladie contagieuse d'origine virale. Elle touche surtout l'adolescent ou l'adulte jeune. La transmission se fait par la salive, directement (« maladie du baiser ») ou indirectement (ustensiles de table). La durée d'incubation est variable : de quinze à soixante jours. La mononucléose infectieuse est une maladie bénigne qui passe souvent inaperçue et n'est pas diagnostiquée : ses symptômes peuvent se résumer à une fatigue passagère.

Symptômes

• Asthénie (fatigue), en général profonde.

• Fièvre. Parfois, maux de tête.

• ANGINE d'importance variable.

• Inflammation des ganglions (adénopathies), surtout au niveau du cou mais aussi, parfois, au niveau des autres sites ganglionnaires.

• Dans certains cas, augmentation de la rate.

• Éruptions cutanées variables. En particulier si un antibiotique, l'ampicilline, est prescrit par erreur pour une angine qui s'avère être une mononucléose infectieuse, cela provoque une éruption cutanée généralisée, qui ressemble à celle de la SCARLATINE. Cette éruption ne signifie pas obligatoirement que le patient est allergique à l'ampicilline.

Durée

• Les symptômes durent de deux à trois semaines, qui sont suivies par six à huit semaines de fatigue persistante.

Causes

• Un virus : le virus Epstein-Barr (du nom des chercheurs qui l'ont identifié).

Traitement à domicile

• Repos.

• Analgésiques en cas de CÉPHALÉES ou de douleurs importantes dues à l'angine. *Voir* MÉDICAMENTS, n° 22.

• Alimentation semi-liquide si l'angine ne permet pas une alimentation solide.

Quand consulter le médecin

• Devant une angine, chez un patient âgé de quinze à vingt-cinq ans.

• En cas de fatigue inexpliquée.

• Devant la découverte de ganglions dont le volume a augmenté.

Rôle du médecin

• Le diagnostic est affirmé par certains examens biologiques : un hémogramme (qui montre des anomalies des cellules sanguines mononucléées) et des tests immunologiques.

• Comme pour la plupart des maladies virales, il n'existe aucun traitement spécifique.

• Dans certains cas (devant des complications neurologiques ou hépatiques), des corticoïdes peuvent être prescrits.

Prévention

• Aucune.

Pronostic

• La maladie est le plus souvent bénigne et guérit spontanément sans séquelles en quelques semaines.

• Des complications rares peuvent survenir : neurologiques (MÉNINGITE), hépatiques ou abdominales (rupture de rate).

MORPIONS

Nom vulgaire des poux du pubis. Ce sont des parasites infestant les poils pubiens, transmis généralement d'une personne à l'autre par contact sexuel. Ils sont inoffensifs, mais leur présence peut (parfois) révéler une maladie vénérienne plus sérieuse.

Symptômes

• D'une couleur brun jaunâtre, les morpions ont la taille d'une tête d'épingle (1 mm de diamètre) et, vus au microscope, ils ressemblent à de minuscules crabes. Ils sont visibles à la surface de la peau, accrochés par leurs pattes à la racine des poils, où ils demeurent jusqu'à ce qu'on les enlève.

• Les morpions peuvent également envahir les poils situés autour de l'anus, dans les aisselles, sur l'abdomen, le thorax, et même les sourcils, mais pas les cheveux.

• Démangeaisons des régions pubienne et génitale.

Durée

• Sans traitement, les morpions restent en place.

Causes

• Les morpions sont transmis par contact avec une personne déjà infestée, généralement lors de relations sexuelles.

Traitement à domicile

• Une lotion antiparasitaire doit être appliquée sur tout le corps, et particulièrement sur la région atteinte. Demander au pharmacien, à un médecin ou à une infirmière quels sont les produits les plus efficaces.

• Il n'est pas nécessaire de se raser les poils du pubis.

Quand consulter le médecin

• Si l'on craint une prolifération.

Rôle du médecin

• Prescrire une lotion antiparasitaire.

• Rechercher une autre maladie vénérienne et avertir le patient qu'il risque de contaminer ses partenaires.

Prévention

• La promiscuité sexuelle étant un facteur de risque, il est préférable de limiter le nombre de ses partenaires.

Pronostic

• Le traitement est efficace.

MORT

La plupart des personnes âgées qui se trouvent placées devant la perspective de la mort l'acceptent dans le calme. Au cours de la période qui précède leur mort, elles perdent progressivement leur intérêt pour la vie et les gens qui les entourent, et accueillent finalement la mort avec soulagement.

Mais quand des gens plus jeunes apprennent qu'ils sont atteints d'une maladie incurable, leurs réactions sont généralement très différentes. On a ainsi pu observer des réactions spécifiques : refus ou révolte face à l'idée de la mort, dépression et acceptation finale. Ces différentes réactions peuvent survenir dans l'ordre ou être mêlées entre elles.

Le refus conscient ou inconscient de la possibilité de mourir, de la part de quelqu'un qui est atteint d'une maladie grave, se révèle un mécanisme de défense très efficace. La négation de la réalité protège, en effet, celui qui va mourir d'une certaine souffrance émotionnelle. Le patient a ainsi la possibilité de vivre ses derniers moments tout en gardant une certaine sérénité ou bien, au contraire, en faisant preuve d'euphorie ou d'hyperactivité pour prouver que tout va bien. Il faut respecter l'attitude d'une personne qui adopte une telle position de défi face à la mort, et ne pas tenter de la ramener à la réalité.

Les patients peuvent aussi réagir sur le mode de la révolte en se posant la question : « Pourquoi moi ? » Leur colère, surtout si elle s'associe à des souffrances physiques, peut retentir considérablement sur leur caractère : ils deviennent irritables, exigeants et agressifs, et cela peut constituer un obstacle aux soins qu'ils nécessitent. Les soignants et les proches doivent comprendre le sens de ces troubles du comportement liés à leur révolte.

L'état dépressif des gens qui se savent condamnés, fait de tristesse, de découragement, d'abattement, de détresse, peut ne pas seulement être dû à la perspective de leur propre mort. Il peut provenir de l'inquiétude qu'ils ressentent au sujet de leurs proches, du fait de leur propre incapacité à les aider et à continuer à veiller sur eux.

La position « idéale » que les mourants devraient tous pouvoir atteindre est celle qui ne comporte ni négation de la mort, ni révolte, ni dépression, mais une certaine acceptation de leur fin. Cette acceptation leur permet en effet de se laisser aller, de perdre progressivement leur intérêt à l'égard de ce qui les entoure, et de trouver la paix.

APPROCHE D'UN MOURANT

A l'exception du cas où il tient absolument à être laissé seul, un mourant a besoin du soutien et du réconfort de sa famille et de ses proches. Mais ceux-ci peuvent être troublés par leurs propres émotions et réagir de manière brusque et embarrassée en ayant tendance à fuir et à raccourcir les visites, ce qui ne fera qu'augmenter l'impression de solitude du mourant. Chaque visiteur devrait, au contraire, tenter de faire abstraction de ses émotions pour être disponible à l'égard du mourant, en lui consacrant du temps, en l'écoutant. Même si le patient semble inconscient, il peut être encore tout à fait capable d'apprécier la présence et le contact des autres.

Presque tous les malades, en phase terminale, savent qu'ils sont en train de mourir sans que cela ait été dit. Ceux qui se doutent de la vérité et qui posent à leur entourage des questions à ce sujet savent très bien discerner la vérité du mensonge. Aussi devrait-on toujours essayer de répondre avec franchise.

Cependant, on ne doit pas systématiquement dire cette vérité au malade : s'il ne pose pas directement la question, c'est peut-être parce qu'il ne tient pas à connaître la réponse.

Chaque mourant a ses propres inquiétudes, et on peut l'aider d'autant plus efficacement qu'on le connaît. Certains s'inquiètent de l'avenir de leurs proches ou bien ont peur d'être un fardeau; cela peut être discuté avec eux. D'autres craignent la douleur, et ce sujet doit être abordé avec les médecins et le personnel soignant; il faut savoir que les paroles de faux réconfort se révèlent pires que le silence.

Les personnes qui s'occupent d'un mourant doivent faire preuve d'infiniment de patience et de tolérance. La maladie peut en effet profondément changer sa personnalité. S'il a peur, s'il souffre, s'il s'inquiète pour les autres, il peut lui être impossible de rester aimable avec son entourage. Et le contact est d'autant plus difficile que chacun, famille ou personnel soignant, tient compte de ses propres émotions face à la mort, ce qui peut considérablement diminuer la patience et la tolérance.

Un mourant peut aussi rester suffisamment détendu pour rire ou plaisanter avec les autres. Il ne faut pas avoir peur de rire avec lui. Au contraire, il faut se réjouir de sa possibilité d'éprouver encore du plaisir.

APPROCHE D'UN ENFANT MOURANT

Un enfant de moins de cinq ans peut avoir entendu parler de la mort, mais il ne réalise pas vraiment de quoi il s'agit, et cela parce qu'il n'a pas une vision très nette du temps. S'il pose directement la question de savoir s'il va mourir, on peut lui répondre qu'il ne va pas mourir le jour même ou dans la semaine qui vient. Cette réponse peut se révéler totalement rassurante, car un mois est une période de temps trop longue pour qu'un jeune enfant puisse l'évaluer.

A partir de cinq ans, un enfant a une meilleure

compréhension du temps. S'il pose la question, il vaut mieux lui répondre, par exemple : « En cas de maladie grave, il arrive que certains enfants meurent, mais très souvent ils guérissent. »

La crainte principale de l'enfant est probablement celle d'être séparé de ses parents. Dans certains cas, il est préférable de le traiter à domicile. Cette possibilité est à discuter entre parents et médecins, sans perdre de vue que c'est une redoutable épreuve pour les parents.

Un adolescent qui va mourir se sent au départ assez seul, car il est en train de vivre un processus qui l'éloigne de sa famille. Il peut, dans ces circonstances, souffrir dramatiquement de la solitude et réagir en tentant de se protéger par la régression, avec un comportement très infantile. Mais il peut aussi réagir de la même façon qu'un adulte.

LE LIEU DU DÉCÈS

Les deux tiers environ des décès ont lieu à l'hôpital. Récemment se sont créés de nombreux centres spécialisés dans la prise en charge de patients atteints de maladies incurables. Ils interviennent en particulier au niveau du traitement de la douleur et de l'aide psychologique indispensable au mourant.

Ces institutions sont parfois capables de prendre en charge des patients en hospitalisation à domicile. Dans ce cas, le patient n'est pas isolé de son cadre de vie habituel et vit ses derniers moments en famille.

LE MOMENT DU DÉCÈS

Il peut être difficile, pour quelqu'un qui n'a jamais assisté à un décès, d'imaginer ce qui se passe exactement. Quand le décès est brutal, par exemple à la suite d'une attaque ou d'un accident de voiture, le patient n'a pas le temps de souffrir : la perte de conscience est immédiate. Quand, au contraire, la mort survient à la suite d'une longue maladie, tout se passe de manière plus progressive. Un des symptômes annonciateurs est l'apparition d'une dyspnée particulière, avec des variations du rythme respiratoire. Puis la perte de conscience s'installe progressivement.

Les dernières heures d'une agonie peuvent être parfois dramatiques à cause de la douleur. Dans ce cas, le médecin peut être amené à administrer des analgésiques pour soulager le patient.

LE DEUIL

La perte d'un être aimé est une expérience traumatisante. Cependant la plupart des gens, aussi fortement affectés et désespérés qu'ils aient pu être au moment du décès, finissent par trouver la force de se remettre de cette épreuve : c'est le travail de deuil. Il peut aussi parfois exiger de nombreuses années pour s'effectuer.

Même quand le décès est attendu, la première réaction consiste habituellement en une impression de choc et de torpeur, qui peut durer de quelques jours à plusieurs semaines. Durant cette période, les émotions sont exacerbées, l'attention et la concentration diminuées. Et, bien que cela soit souvent nécessaire, des décisions importantes ne devraient pas être prises pendant cette période de choc.

Puis l'idée de la perte s'instaure, et le chagrin devient intense. La pensée se focalise autour de la personne du mort. On peut avoir l'impression qu'il est toujours vivant, l'environnement familier rappelant sa présence.

Vient ensuite un stade d'agressivité à l'égard de l'être disparu, comme si on lui reprochait son absence. De tels sentiments, qui durent parfois des mois, peuvent sembler étranges mais constituent une réaction normale à la perte.

Quand la dépression se manifeste (différente suivant les personnes : perte d'énergie, fatigue, désintérêt, ralentissement des activités, troubles du sommeil, anorexie), le soutien des proches constitue toujours dans ce cas la meilleure aide. Mais si, en dépit de cette aide, la dépression persiste, un traitement médical comportant des antidépresseurs peut être indiqué. *Voir* DÉPRESSION.

Conseils en cas de deuil

Le décès d'un proche est une affaire tout à fait personnelle, mais certains conseils peuvent être utiles :

☐ Voir et toucher le corps de la personne décédée, assister aux cérémonies funéraires : cela permet d'accepter l'idée de cette mort.

☐ Ne prendre ni alcool, ni calmants, ni antidépresseurs sauf sur prescription médicale.

☐ Essayer de se faire aider d'un proche pour tous les détails pratiques qui suivent un décès : état civil, funérailles, assurances, etc.

☐ Si l'on veut aider ou soutenir une personne en deuil, les moments où elle a le plus besoin d'aide se situent à certaines dates : anniversaire du disparu, anniversaire du décès, fêtes de fin d'année, et toutes les circonstances où le souvenir se fait plus fort.

MORT SUBITE DU NOURRISSON

Décès inattendu et inexpliqué d'un nourrisson. D'après les statistiques, deux nourrissons sur mille meurent ainsi chaque année, et cela constitue la première cause de mortalité dans la première année de la vie. C'est en général un nourrisson âgé de zéro à six mois qui est trouvé mort dans son berceau. Il avait été couché quelques heures plus tôt, de façon habituelle; l'enfant était supposé dormir. Il n'y a eu aucun bruit, aucun pleur.

Les causes de la mort subite du nourrisson restent inconnues, bien que certaines hypothèses laissent penser qu'elle serait due à des troubles respiratoires ou cardiaques au cours du sommeil.

Un tel événement constitue toujours une tragédie pour les parents, non seulement du fait de son caractère brutal, mais aussi du fait des circonstances qui l'entourent. En effet, une autopsie doit d'habitude être réalisée et elle peut être vécue par les parents, déjà spontanément culpabilisés, comme une accusation injustifiée. Il faut savoir que cette autopsie, à l'exception des rares cas où le décès de l'enfant pourrait être dû à des sévices, permet de contribuer à la compréhension du phénomène de la mort subite.

Il n'existe à l'heure actuelle aucun moyen de prévention de ces décès. On sait cependant que certains nourrissons sont plus exposés que les autres : ceux qui sont nés prématurés et qui ont nécessité des soins spécialisés en néonatologie; ceux qui ont déjà présenté des troubles respiratoires; ceux dont un frère ou une sœur sont décédés de mort subite. Si les parents constatent des signes anormaux comme des arrêts respiratoires durant le sommeil, ils doivent consulter leur pédiatre afin qu'un bilan soit réalisé.

MOUCHES VOLANTES

C'est le nom donné à la sensation de percevoir des filaments, des points noirs flottant dans le champ de vision.

Symptômes

• On se rend compte progressivement ou brutalement que la vision n'est pas tout à fait nette et que de toutes petites taches ou filaments noirs semblent se mouvoir devant les yeux.

Causes
- Les petits filaments sont causés par des modifications ou des condensations dans l'humeur vitrée, fluide qui occupe l'intérieur de l'œil. Il n'y a pas lieu de s'inquiéter des « mouches volantes », à moins qu'elles s'accompagnent d'autres symptômes, tels qu'une perte d'une partie de la vision, de douleurs, d'éclairs lumineux, ou à moins qu'elles soient dues à un accident évident, tel un coup sur l'œil. Les « mouches volantes », ou myodésopsies, disparaîtront généralement avec le temps.

Quand consulter le médecin
- Consulter un ophtalmologiste dès l'apparition des « mouches volantes ».

Rôle du médecin
- Après avoir apprécié la vision, il étudiera l'intérieur de l'œil avec un ophtalmoscope (système comportant miroir, loupe, source lumineuse). Parfois, les « mouches volantes » seront découvertes. De toute façon le praticien s'assurera de l'intégrité de la rétine, en utilisant si nécessaire un verre de contact adéquat. Il pourra découvrir une lésion nécessitant un traitement au laser.

Pronostic
- Les « mouches volantes » disparaîtront le plus souvent après quelques semaines ou mois. Elles auront permis de procéder à un examen oculaire approfondi, et de détecter éventuellement une lésion rétinienne à traiter.

MUCOVISCIDOSE

Maladie héréditaire qui concerne environ un bébé sur mille à la naissance. Elle se caractérise par un dérèglement général des glandes : glandes à mucus des bronches, pancréas, glandes sudoripares en particulier. Les glandes à mucus sécrètent au niveau pulmonaire un liquide trop abondant et trop visqueux. Cette hypersécrétion provoque une DILATATION DES BRONCHES, responsable de fréquentes surinfections pulmonaires et évoluant vers l'insuffisance respiratoire. Le pancréas, lui, se fibrose et produit un suc digestif qualitativement anormal, ce qui nuit à la digestion et entraîne une insuffisance d'absorption.

Symptômes
- Retard de croissance en taille et en poids : bébé d'aspect rachitique (gros ventre et membres grêles) qui conserve son appétit.
- STÉATORRHÉE : diarrhée de selles grasses et luisantes qui flottent sur l'eau et ont une odeur caractéristique.
- Anémie avec pâleur. Œdèmes. Quelquefois, les joues du bébé sont légèrement bleuâtres.
- Toux sous forme de quintes, dès les premiers mois de la vie. Poussées de surinfection bronchique avec fièvre. Encombrement respiratoire. Expectoration. Risque de poussées d'insuffisance respiratoire qui peut conduire à une cyanose.

Durée
- La mucoviscidose dure toute la vie, mais les symptômes peuvent être améliorés par le traitement.

Causes
- La cause n'est pas connue.
- Maladie héréditaire récessive. Pour qu'un enfant soit atteint, il faut que la maladie ait été transmise par chacun des deux parents (qui, eux, ne sont pas atteints).

Complications
- La maladie peut se manifester dès la naissance par une occlusion intestinale, mortelle le plus souvent (iléus méconial). Elle est due à l'accumulation de méconium, provoquant une obstruction intestinale. Il est parfois possible d'intervenir chirurgicalement et de sauver certains de ces nouveau-nés.
- PROLAPSUS DU RECTUM (extériorisation d'un segment d'intestin par l'anus).
- Occlusions intestinales par accumulation de matières fécales.
- Atteinte irréversible du foie (CIRRHOSE).
- Infections respiratoires (BRONCHITE, PNEUMONIE).
- Dilatation des bronches. Insuffisance respiratoire.

Traitement à domicile
- Quand l'enfant vit avec ses parents, ceux-ci doivent l'entourer de soins spécifiques : kinésithérapie respiratoire (massages et clapping thoraciques) pour l'aider à respirer, régime alimentaire spécial.
- Protéger l'enfant de toute contamination infectieuse, respiratoire en particulier.
- Soutien affectif et psychologique.

Quand consulter le médecin
- Le plus souvent, le diagnostic de mucoviscidose est porté dès la naissance, à la maternité.
- Un diagnostic rapide est vital pour l'enfant.
- Mais la maladie peut se révéler plus tardivement, et le médecin doit être consulté si des symptômes évocateurs sont présents, en particulier respiratoires ou digestifs (diarrhée).

Rôle du médecin
- En cas de diagnostic douteux, un examen complémentaire permet de trancher : l'analyse de la sueur, dont la teneur en sel est très augmentée.
- Bilan radiologique pulmonaire.
- Examen des selles.
- Les enfants sont en général pris en charge dans des centres spécialisés.
- Le traitement comporte un régime spécial enrichi en extraits pancréatiques et en vitamines.
- Antibiotiques et kinésithérapie respiratoire.

Prévention
- Aucune, si ce n'est un conseil médical avant d'envisager d'avoir des enfants si un des membres de la famille d'un des deux parents (ou a fortiori des deux) a été atteint de cette maladie.

Pronostic
- Actuellement, il n'existe pas de traitement radical de la maladie; toutefois on peut soulager certains des symptômes.
- 25 pour 100 seulement des enfants survivent jusqu'à l'adolescence.
- Les sujets qui survivent jusqu'à l'âge adulte sont menacés essentiellement d'insuffisance respiratoire et de cirrhose.

Voir SYSTÈME DIGESTIF, *page 44*

MUSICOTHÉRAPIE

La musique fait vibrer l'oreille et, par un mécanisme neuro-sensoriel, agit sur le système nerveux soit en le stimulant, soit en le relaxant. Certains médecins sont allés plus loin; partant du principe que la musique peut aider à guérir des maladies, notamment des maladies mentales, ils pratiquent la technique appelée musicothérapie. C'est en raison du même principe que les transports aériens diffusent une musique apaisante au moment du décollage et de l'atterrissage des avions. Des médecins et des dentistes utilisent parfois aussi la musique, notamment lors d'interventions chirurgicales, pour décontracter les patients. On a également rapporté des cas de malades sortis d'un coma grâce à la diffusion de leur musique préférée.

MYALGIE ÉPIDÉMIQUE DE BORNHOLM

Infection virale douloureuse qui survient sous une forme épidémique, affectant surtout les enfants et les adolescents. Son nom vient de Bornholm, île danoise de la mer Baltique, où elle a été identifiée pour la première fois.

Symptômes
- Douleurs soudaines dans la partie haute de l'abdomen ou dans le thorax.
- Respiration rapide et superficielle, avec aggravation de la douleur à l'inspiration profonde, à la toux, au simple bâillement.
- Température élevée.
- Sueurs.
- Il peut y avoir une toux légère, mais pas de vomissements.

Période d'incubation
- Trois à cinq jours.

Durée
- Trois à sept jours.

Causes
- Des virus coxsackie B, diffusés par contact direct, spécialement lors des quintes de toux et des accès d'éternuement.

Complications
- Comme pour beaucoup d'infections virales, atteintes possibles de la plèvre, des poumons, et parfois du cœur, du cerveau, du foie.

Traitement à domicile
- Repos.
- Prendre des médicaments analgésiques aux doses recommandées. *Voir* MÉDICAMENTS, n° 22.
- Mettre une bouillotte chaude (enveloppée d'un linge pour éviter les brûlures) sur la partie la plus douloureuse, afin d'alléger la douleur.

Quand consulter le médecin
- Dès qu'une douleur vive ou durable se manifeste dans la poitrine ou dans le ventre.

Rôle du médecin
- Examiner le patient, afin d'éliminer d'autres maladies à symptômes semblables, telles qu'une pneumonie ou une appendicite (qui exigent un traitement urgent et différent).
- Prescrire des analgésiques puissants si nécessaire.

Prévention
- Éviter les contacts avec les sujets atteints.

Pronostic
- La guérison est complète en quelques jours.
- Une rechute peut survenir peu après la guérison.

MYASTHÉNIE

Maladie rare dans laquelle certains muscles se sentent faibles et se fatiguent vite. Elle peut survenir à tout âge et touche deux fois plus souvent les femmes que les hommes.

Symptômes
- Une paupière qui tombe, ou une vision double (DIPLOPIE) s'aggravant au cours de la journée.
- Difficulté à mastiquer et à déglutir qui augmente au fur et à mesure du repas, car les muscles des mâchoires et de la gorge se fatiguent.
- Le visage devient lisse et les lèvres se rétractent, produisant un sourire involontaire.
- Après plusieurs mois ou plusieurs années, les muscles des membres et du tronc deviennent plus faibles. Finalement, les muscles contrôlant la respiration peuvent être eux-mêmes paralysés.

Durée
- La maladie est chronique, ayant une tendance à persister pendant des mois ou des années. Les symptômes peuvent être légers après le repos, mais ils s'accentuent après toute activité musculaire.
- Dans certains cas, la maladie s'améliore sous traitement ou spontanément. Dans d'autres cas, elle progresse rapidement malgré le traitement.

Causes
- La myasthénie résulte d'un excès de certains anticorps présents dans le sang qui désorganisent le contrôle normal des muscles par les nerfs.
- La maladie est parfois causée par une tumeur ou un désordre du thymus (glande située à la base du cou). La tumeur n'est pas nécessairement maligne.

Complications
- Dans les cas sévères, la paralysie des muscles respiratoires peut entraîner la mort.

Traitement à domicile
- Aucun. Demander un avis médical.

Quand consulter le médecin
- Quand une paupière tombe d'elle-même; quand on voit double; lorsqu'on a du mal à avaler; en cas de fatigue musculaire anormale.

Rôle du médecin
- Faire des tests sanguins.
- Prescrire des médicaments qui améliorent le passage des signaux entre les terminaisons nerveuses et les muscles. Si les résultats sont positifs, le diagnostic de myasthénie est confirmé.
- Prescrire des médicaments à base de cortisone ou des immunodépresseurs, qui diminuent la production d'anticorps au point de rencontre des terminaisons nerveuses et des muscles. *Voir* MÉDICAMENTS, n° 32.
- Dans certains cas, conseiller l'ablation du thymus.

Prévention
- Aucune.

Pronostic
- La maladie peut s'améliorer spontanément.
- Dans les cas plus sévères, le traitement permettra souvent de contrôler la maladie, et le malade pourra mener une vie normale.
- Pour les cas aigus, un traitement prolongé en milieu hospitalier est indispensable.

Voir SYSTÈME NERVEUX, *page 34*

MYCOSE

Affection due à un champignon microscopique parasitant l'organisme. La plupart des mycoses affectent la surface de la peau. L'une des mycoses les plus communes est le PIED D'ATHLÈTE. La TEIGNE est une mycose du cuir chevelu. Le muguet infecte la cavité buccale ou les parois vaginales. Les mycoses ont tendance à récidiver. C'est pourquoi le médecin, outre un traitement local, administre des médicaments par la bouche pour éviter une nouvelle propagation.

MYOCARDIOPATHIES

On regroupe sous le terme de myocardiopathies un ensemble d'affections du muscle cardiaque (myocarde) indépendantes d'une atteinte congénitale, valvulaire, coronarienne ou hypertensive. Certaines de ces affections ont une cause précise, d'autres pas : ce sont les myocardiopathies primitives. Elles évoluent en général vers l'INSUFFISANCE CARDIAQUE et peuvent se révéler à tout âge, même chez les enfants.

Symptômes
- DYSPNÉE, douleurs thoraciques, palpitations, syncopes.
- La myocardiopathie primitive s'accompagne souvent d'amaigrissement.

Durée
- Évolution progressive sur plusieurs années.

Causes
- La plupart du temps, les myocardiopathies ont des causes inconnues.
- Cause toxique (des médicaments, l'oxyde de carbone, l'alcool). Certaines maladies.
- Parfois, la cardiopathie a une cause héréditaire.

Quand consulter le médecin
- En cas d'essoufflement ou de douleurs thoraciques.

Rôle du médecin
- Préciser le degré de l'atteinte cardiaque (radiographies, électrocardiogramme, échographie cardiaque).
- Rechercher la cause exacte de la maladie.

• Traiter l'INSUFFISANCE CARDIAQUE.
• Parfois, prescrire une intervention chirurgicale en cas d'atteinte des valves.
• Poser un stimulateur cardiaque.

Prévention

• La seule possible concerne les myocardiopathies liées à des maladies héréditaires : demander un conseil médical avant d'envisager d'avoir des enfants.

Pronostic

• L'apparition des symptômes correspond en fait souvent à un stade assez évolué de la maladie. Le traitement peut encore contrôler l'évolution de l'INSUFFISANCE CARDIAQUE pendant plusieurs mois ou années.
• Le pronostic dépend de la cause de la maladie.

MYOCARDITE

Inflammation du muscle cardiaque (myocarde). Elle constitue une localisation particulière d'une maladie ou d'une infection générale de l'organisme. La myocardite peut s'associer à une endocardite (atteinte de l'endocarde et des valves cardiaques) et à une péricardite (atteinte du péricarde). La sévérité de la maladie dépend avant tout de sa cause et de la proportion de muscle cardiaque atteinte.

Symptômes

• Essoufflement, palpitations, douleurs thoraciques.
• Dans certains cas, il n'y a aucun symptôme cardiaque, mais les examens lors d'une autre maladie permettent de découvrir une atteinte du myocarde.

Durée

• Quand il s'agit d'une myocardite consécutive à une infection, elle dure habituellement quelques semaines et guérit sans séquelles.
• Quand elle est liée à une autre maladie, tout dépend de l'évolution de celle-ci.

Causes

• RHUMATISME ARTICULAIRE AIGU.
• Infection bactérienne (DIPHTÉRIE), virale (MONONUCLÉOSE INFECTIEUSE) ou parasitaire (TOXOPLASMOSE).
• Maladies rhumatologiques, comme la POLYARTHRITE RHUMATOÏDE ou le lupus.

Complications

• En cours d'évolution, risque d'INSUFFISANCE CARDIAQUE, de troubles du rythme, incluant l'ARRÊT CARDIAQUE, d'où la gravité de la maladie.

Quand consulter le médecin

• En cas de sensation thoracique inhabituelle au cours de l'évolution d'une maladie qui semblait bénigne, comme un rhume ou une grippe.

Rôle du médecin

• Identifier exactement les lésions cardiaques.
• Traiter la cause quand c'est possible.

Prévention

• Aucune.

Pronostic

• Lié à celui de la maladie causale.
• En général, après la période aiguë où les complications peuvent être graves, guérison sans séquelles.

MYOCLONIES NOCTURNES

Secousses musculaires soudaines, qui surviennent lorsqu'une personne est en train de s'endormir. Elles sont habituellement ressenties comme un spasme unique et bref dans les bras ou les jambes.

Les myoclonies sont dues à une réactivation brusque des régions du cerveau contrôlant le sommeil. Elles sont sans gravité, bien que la frayeur occasionnée puisse donner envie de courir et entraîner une courte panique. Consulter le médecin si les attaques se succèdent nuit après nuit et gênent le sommeil.

MYOME UTÉRIN

Tumeur bénigne, non cancéreuse, couramment appelée fibrome, qui se forme à partir du muscle utérin. Cette tumeur est fréquente chez la femme âgée de plus de trente-cinq ans. Elle n'entraîne pas nécessairement des troubles et ne devient jamais cancéreuse.

Symptômes

• Les règles sont douloureuses et plus abondantes.
• Douleurs du dos.
• Parfois, le bas de l'abdomen est ballonné.

Durée

• La tumeur persiste et se développe lentement tant qu'elle n'a pas été soignée.

Complications

• Une anémie peut se développer si les règles sont régulièrement abondantes.
• Il est rare que la dégénérescence du fibrome entraîne des douleurs plus accentuées.
• La stérilité peut être liée à un état fibromateux.

Traitement à domicile

• Depuis quelques années, avec la découverte de certains dérivés progestatifs, il est possible d'empêcher l'augmentation du volume du myome utérin et d'éviter ainsi une intervention. Pour cela, la patiente devra être suivie de façon régulière par son médecin traitant.

Quand consulter le médecin

• Si les règles sont très abondantes et douloureuses.
• Si l'abdomen est ballonné.

Rôle du médecin

• Pratiquer un examen gynécologique.
• Prise de sang pour vérifier s'il y a anémie.
• En cas de stérilité, ou si les symptômes persistent en dépit du traitement, l'ablation du myome utérin sera envisagée sous anesthésie générale.
• En période préménopausique, une intervention peut être envisagée (hystérectomie), avec ablation de l'utérus.

Prévention

• Il n'y a pas de moyen de prévenir le myome utérin.

Pronostic

• Excellent (traitement médical ou chirurgical).

MYOPATHIE (ou Dystrophie musculaire)

Maladie entraînant un dépérissement progressif de nombreux groupes de muscles. Les formes en sont variées et affectent des groupes de muscles différents. Elles surviennent à tout âge, et les dégâts sont progressifs. Aucune cause n'a encore été découverte à cette maladie ni aucun traitement mis au point pour la guérir ou en arrêter l'évolution. Les trois types principaux, qui sont tous héréditaires, sont : la maladie de Duchenne, chez l'enfant, qui survient seulement chez les garçons, affecte les membres inférieurs et commence vers l'âge de quatre à dix ans; la forme facio-scapulo-humérale, qui affecte les muscles de la face et des membres supérieurs et débute chez des adolescents ou des adultes jeunes des deux sexes; enfin la dystrophie musculaire des ceintures, qui affecte les racines des membres (épaules ou hanches), débute chez des adultes de vingt à trente-cinq ans des deux sexes et a une évolution plus lente et moins sévère.

Symptômes

• Une faiblesse des muscles qui devient évidente parce que l'enfant ou l'adulte trouve de la difficulté à marcher ou à utiliser un membre.
• Un enfant se met à se dandiner en marchant; il ne peut plus gravir des marches correctement ou ne peut plus se mettre debout sans s'aider de ses mains.
• Un adulte se plaint de ce que certains gestes sont devenus difficiles à accomplir, bien qu'il n'y ait ni

douleur ni sensibilité musculaire anormale.
- Les muscles atteints, quoique affaissés, paraissent souvent avoir augmenté de volume.
- Les examens de sang révèlent une augmentation de certaines enzymes d'origine musculaire.

Durée
- La maladie dure toute la vie, mais la progression des symptômes est lente et très variable selon les cas.

Causes
- La cause est inconnue. La plupart des cas sont génétiquement déterminés et transmis dans la famille. Certaines formes surviennent seulement chez les garçons, mais sont transmis par la lignée maternelle. D'autres surviennent seulement si les deux parents sont porteurs du gène anormal.
- Tout malade envisageant le mariage prendra l'avis d'un consultant de génétique pour se faire préciser les risques de transmission de la maladie à sa descendance.

Complications
- Des infections sévères, en particulier une PNEUMONIE, peuvent survenir dans certaines formes.

Traitement à domicile
- Il faut consulter un médecin devant toute anomalie de la marche chez un enfant.
- Lorsque la maladie a été diagnostiquée, l'aide de la famille et l'organisation des soins à domicile sont les bases essentielles de tout traitement.

Quand consulter le médecin
- Si des symptômes suggèrent une faiblesse musculaire chez un enfant ou un adulte jeune, surtout s'il y a un antécédent familial de myopathie.

Rôle du médecin
- Envoyer le malade à l'hôpital pour une biopsie musculaire (prélèvement d'un fragment du muscle atteint en vue d'un examen sous le microscope).
- Si le diagnostic est confirmé, donner des conseils et une aide pour l'organisation des soins à domicile.
- Traiter énergiquement toute infection par des antibiotiques. *Voir* MÉDICAMENTS, n° 25.
- Il existe des centres spécialisés pour aider les myopathes.

Prévention
- Après diagnostic, consulter un service de génétique.

Pronostic
- Dans certains cas, en particulier dans la maladie de Duchenne, l'impotence devient considérable, et la marche ou l'utilisation des muscles atteints peut devenir malaisée, voire impossible.
- Grâce aux soins modernes, la plupart des malades atteints à la racine des membres peuvent vivre pendant vingt à quarante ans, et même parfois davantage.
- Le meilleur pronostic concerne les malades atteints tardivement, à partir de l'adolescence.

L'Association canadienne de la dystrophie musculaire, 357, rue Bay. Toronto, Ontario M5H 2T7. Tél. : (416) 364-9079.

Voir SYSTÈME NERVEUX, *page 34*
LES HANDICAPÉS

MYOPIE

C'est le nom médical donné à la mauvaise vision de loin, résultant d'une mise au point défectueuse des images sur la rétine. La vision de près est normale.

Voir TROUBLES DE LA VISION

MYOSITE

Désigne toute maladie musculaire qui cause une inflammation du muscle. Cette inflammation sévère et prolongée peut créer un tissu cicatriciel qui remplace les fibres musculaires normales et donne une impression de faiblesse et de raideur permanentes. La myosite peut survenir dans certaines COLLAGÉNOSES.

MYXŒDÈME

Maladie à évolution progressive et due à un déficit en hormones thyroïdiennes. Ce déficit entraîne un manque de vitalité et un épaississement de la peau et des tissus avoisinants, du fait d'une infiltration (« œdème ») par une substance gélatineuse (« myx »).

Les hormones thyroïdiennes sont indispensables au bon fonctionnement de l'organisme. Le myxœdème se manifeste différemment selon l'âge. Chez le nouveau-né (qui naît sans thyroïde ou avec une thyroïde anormale), le myxœdème est très rare. Il peut être responsable d'importants désordres mentaux (crétinisme) et physiques s'il n'est pas traité tôt. Chez l'enfant, le myxœdème est responsable d'un retard de croissance et de troubles neurologiques et psychologiques. Le myxœdème survient souvent à l'âge adulte, en particulier chez les femmes après cinquante ans.

Les symptômes apparaissent progressivement et restent inaperçus pendant de longs mois, voire des années, d'autant que celui qui en souffre est relativement indifférent à son état.

Symptômes
- Frilosité excessive.
- Infiltration de la peau, responsable d'un changement d'aspect du visage (arrondi, en « pleine lune »); effacement des traits du visage, des rides.
- Peau sèche.
- Cheveux secs. Perte des cheveux et des sourcils.
- Voix rauque. Parole lente.
- Diminution de l'audition.
- Fatigue intense. Indifférence. Somnolence.
- Douleurs musculaires. Fourmillement des mains.
- Constipation opiniâtre.
- Troubles des règles.

Durée
- Le myxœdème persistant à vie, le traitement doit être poursuivi à vie. Il est efficace rapidement, et les symptômes disparaissent en deux à quatre semaines.

Causes
- MALADIE AUTO-IMMUNE. L'organisme fabrique lui-même des substances (anticorps) qui détruisent sa glande thyroïde. C'est la cause la plus fréquente.
- Traitement d'une HYPERTHYROÏDIE (THYRÉOTOXICOSE), si le traitement chirurgical a enlevé trop de glande ou l'a endommagée par l'iode radioactif.
- Certains médicaments, en particulier s'ils contiennent de l'iode, freinent la thyroïde et entraînent un myxœdème.

Complications
- Hypothermie chez les sujets âgés.
- Troubles cardiaques.
- Troubles psychiques graves.
- Coma et mort en l'absence de traitement.

Traitement à domicile
- Aucun traitement n'est possible tant que le diagnostic n'est pas posé. Le traitement doit être poursuivi à vie et contrôlé régulièrement par le médecin.

Quand consulter le médecin
- Devant l'un des symptômes précédents. Les premiers signes sont discrets et difficiles à reconnaître pour le patient (qui est souvent indifférent) et pour le médecin (car ils peuvent être attribués à bien d'autres causes). C'est souvent l'entourage (parents, amis) qui reconnaît les premières anomalies.

Rôle du médecin
- Prescrire un dosage d'hormones thyroïdiennes.
- Donner ensuite des hormones thyroïdiennes sous forme de comprimés. *Voir* MÉDICAMENTS, n° 22.
- Vérifier que le traitement est suivi et bien dosé.

Prévention
- Il est impossible de prévenir le myxœdème. Le plus important est de savoir le diagnostiquer tôt, en particulier chez le nouveau-né (ce dépistage est devenu systématique à la naissance) et l'enfant, et chez les adultes ayant été traités pour une hyperthyroïdie.

Pronostic
- Excellent si le traitement est suivi. Le patient pourra vivre normalement sans inconvénient, à condition de suivre régulièrement et toute sa vie le traitement.

NÆVUS

Terme général pour qualifier de nombreuses lésions cutanées présentes à la naissance ou apparaissant plus tard au cours de la vie. Les nævus les plus fréquents sont des taches ou des nodules constitués de mélanocytes, cellules qui donnent à la peau sa couleur pigmentée.

NÆVUS PIGMENTAIRE
Lésion bénigne de la peau, à type de tache ou de bouton pigmenté. Sa couleur varie du jaune au brun foncé, parfois presque noire. Ces nævus peuvent survenir sur n'importe quelle région du corps. La plupart des gens en ont une vingtaine ou plus. Ils deviennent habituellement visibles aux alentours de la puberté, puis augmentent lentement de taille pendant la vie adulte, atteignant environ 0,5 centimètre de diamètre. Ils peuvent rester plans, ou devenir bombés et se recouvrir de poils.

Durée
- Indéfinie, sauf s'ils sont enlevés chirurgicalement.

Causes
- L'anomalie est déjà présente à la naissance de façon latente mais ne s'extériorisera qu'au cours de l'enfance ou de l'adolescence.

Traitement à domicile
- Il ne faut pas essayer d'enlever soi-même les nævus.
- Les poils peuvent être coupés, mais pas épilés.

Quand consulter le médecin
- Si vous souhaitez faire enlever le nævus ou s'il vous inquiète.
- Si le nævus grossit, change de forme ou de couleur, s'il devient douloureux, saigne ou s'il s'entoure d'un halo rouge.
- Si le nævus siège à la plante des pieds.

Rôle du médecin
- Rassurer le patient en lui expliquant que les nævus sont des lésions banales et bénignes.
- L'adresser à un spécialiste pour une ablation si tel est le souhait du patient, ou s'il existe le moindre doute diagnostique, afin d'analyser et d'ôter la lésion.

Prévention
- Aucune n'est possible.

Pronostic
- Les lésions s'éclaircissent et deviennent moins visibles en vieillissant (particulièrement chez le sujet âgé).
- Un nævus qui ne se modifie pas restera bénin.
- La transformation en cancer est très rare.

NÆVUS PIGMENTAIRE GÉANT
Placard pigmenté de grande taille (plusieurs centimètres de diamètre), de couleur brune ou noire, avec une surface accidentée, plane et nodulaire par endroits, recouverte de poils. Il peut recouvrir une grande partie du tronc.

Durée
- Le nævus est présent à la naissance. Il ne s'étend pas, mais sa surface grandit en proportion de la croissance du corps.

Causes
- Inconnues.

Traitement à domicile
- Aucun traitement n'est à faire. Il ne faut pas raser ni arracher les poils par épilation, car une irritation peut s'ensuivre.

Quand consulter le médecin
- Dès que possible après la naissance.
- Si le nævus se modifie au cours de l'enfance ou de la vie adulte, car un cancer est possible. Toute augmentation soudaine de taille, tout changement de coloration du nævus ou de la peau environnante, tout saignement nécessite un avis médical rapide.

Rôle du médecin
- Adresser le patient à un chirurgien plasticien qui décidera la date et les modalités de l'intervention chirurgicale avec greffe cutanée.
- Faire pratiquer des radiographies pour dépister une malformation parfois associée (SPINA-BIFIDA).

Pronostic
- Le nævus ne s'étend pas.
- Un cancer (MÉLANOME malin) peut survenir dans 10 à 30 pour 100 des cas, mais une surveillance régulière permet un traitement rapide. Cependant, le mieux est de pouvoir enlever tout le nævus chirurgicalement le plus tôt possible dans l'enfance.

Voir LISTE DES SYMPTOMES — PEAU (LÉSIONS DE LA) LA PEAU, *page 52*
Voir aussi MÉLANOME

NARCOLEPSIE

Brusque et irrésistible envie de dormir, s'accompagnant parfois d'une baisse du tonus musculaire (cataplexie). Les hommes y sont plus sujets que les femmes; cet état commence habituellement chez l'adolescent.

Symptômes
- Une soudaine envie de dormir, qui impose la cessation de toute activité. Le patient peut être à son travail, à table, ou occupé à n'importe quelle tâche.
- Il surmontera un court instant cette envie de dormir, juste le temps d'aller se coucher. La narcolepsie est donc tout à fait différente de la perte de connaissance.
- Les possibilités de réveil provoqué sont diminuées.

Durée
- L'accès est généralement assez court, quelques secondes ou quelques minutes, plus rarement une ou plusieurs heures.

Causes
- La cause est souvent inconnue. Elle est parfois liée à une atteinte cérébrale de localisation assez précise : la région du troisième ventricule.
- Ces accès ne sont dus à aucune cause habituelle de sommeil (surmenage, digestion, obésité, drogues ou alcool, par exemple).

Complications
- Aucune.

Quand consulter le médecin
- Si un brusque besoin de dormir paraît inexplicable.

Rôle du médecin
- Prescrire des stimulants (amphétamines).
- Recommander une vie organisée pour prévenir les éventuelles conséquences sociales de la narcolepsie.

Prévention
- Aucune.

Pronostic
- La narcolepsie n'entraîne pas de complication grave ou handicapante.

NAUSÉES

Malaise accompagné d'une envie de vomir. Les nausées sont des symptômes très fréquents dont les causes sont variées : MAL DES TRANSPORTS, GROSSESSE à son début, repas trop riches. Elles sont généralement soulagées par le vomissement.

Voir LISTE DES SYMPTOMES (NAUSÉES)

NÉPHRECTOMIE

Intervention chirurgicale consistant en l'ablation d'un rein. Elle peut être totale ou partielle selon la gravité du cas. Le plus souvent, on la pratique quand il s'agit d'une maladie du rein, telle qu'une tumeur susceptible de complications générales.

NÉPHRITE

Atteinte inflammatoire aiguë ou chronique du rein, qui normalement élimine certains déchets du corps humain et réabsorbe d'autres substances utiles. Ces lésions du filtre rénal entraînent une excrétion de sang dans les urines. Cette maladie rare de l'appareil urinaire peut être due à une infection microbienne, mais il s'agit le plus souvent d'une maladie dite auto-immune, au cours de laquelle le corps humain fabrique des anticorps qui attaquent le tissu rénal lui-même. La maladie s'installe plus rapidement chez l'enfant.

NÉPHRITE AIGUË

Symptômes

- Des urines foncées ou rouges.

LA VIE RENDUE POSSIBLE POUR DES MILLIERS D'INDIVIDUS
Remplacer des reins malades

Les reins ont pour rôle d'épurer le sang des déchets toxiques produits quotidiennement (tels que l'urée), ainsi que des excès de sels, de minéraux et d'eau. La dialyse est utilisée pour nettoyer le sang de ces déchets lorsque les reins ne fonctionnent plus.

La dialyse consiste à faire passer le sang du malade d'un côté d'une membrane semi-perméable, tandis que de l'autre côté circule une solution, ou dialysat, de composition voisine de celle des liquides physiologiques. Les petits pores de la membrane permettent le passage des déchets vers le dialysat, mais retiennent les globules rouges et les protéines. Les déchets sont éliminés avec le dialysat.

Il existe deux systèmes de dialyse : la dialyse péritonéale et l'hémodialyse (ou rein artificiel). L'utilisation de l'une ou l'autre est fonction de l'avis du médecin sur l'état du malade.

La dialyse péritonéale utilise la membrane péritonéale (péritoine) qui enveloppe l'abdomen. D'un côté de cette membrane se trouve la cavité abdominale, de l'autre les vaisseaux sanguins qui alimentent la paroi abdominale et les organes tels que le foie et l'estomac. Le dialysat est introduit dans la cavité par l'intermédiaire d'un drain qui traverse la paroi abdominale, réalisant une ASCITE artificielle. Les déchets passent du sang au dialysat, à travers la membrane. Lorsque le dialysat est saturé en déchets, il est drainé à l'extérieur puis remplacé par une solution propre.

Dans l'hémodialyse, le sang est nettoyé à travers une membrane artificielle à base de cellulose. Le sang du patient passe d'un côté de la membrane, le dialysat de l'autre, et les déchets sont ainsi éliminés.

UNE PLUS GRANDE LIBERTÉ D'ACTION. *Bien que la dialyse péritonéale soit réalisée généralement à l'hôpital, on peut utiliser pour certains malades une nouvelle méthode : la dialyse péritonéale ambulatoire continue (D.P.A.C.). Elle permet au malade de se dialyser lui-même tout en menant une vie normale. Un cathéter est introduit en permanence dans la cavité abdominale. Environ 2 litres de dialysat, contenus dans un sac en plastique relié au cathéter, descendent par gravité dans la cavité. Ils y restent quatre à six heures. A la fin de cette période, le patient fait descendre le liquide dans le sac puis jette celui-ci. Élimination et remplissage prennent environ une demi-heure et sont répétés quatre fois par jour. Lors de ces deux opérations, le patient peut lire, regarder la télévision ou écouter la radio. Le reste de la journée, ainsi que la nuit, il mène une vie normale. Le sac de vidange peut être contenu dans une poche ou maintenu le long de la jambe.*

- Une faible quantité d'urines émise.
- Un visage boursouflé.
- Des maux de tête et des maux de reins violents.
- La maladie survient habituellement dix jours après une angine blanche.

Durée
- Deux à trois semaines en l'absence de complications.

Causes
- Une réaction auto-immune.
- Certaines néphrites sont dues à une angine streptococcique.

Complications
- Dans certains cas, la néphrite aiguë devient chronique et peut entraîner des lésions irréversibles.

Traitement à domicile
- Rester au lit et se reposer.

Quand consulter le médecin
- Dès que les premiers symptômes apparaissent.

Rôle du médecin
- Demander des analyses d'urines.
- Prendre la tension artérielle.
- Adresser le malade à l'hôpital.
- Traiter les angines à répétition.

Prévention
- Les néphrites aiguës sont moins fréquentes actuellement, car les angines sont soignées plus tôt et les conditions d'hygiène se sont améliorées.

Pronostic
- On a pu observer que la plupart du temps la guérison est complète.

LE REIN ARTIFICIEL. *L'accès à la circulation sanguine du malade peut se faire suivant différentes méthodes. La plus courante consiste à introduire deux aiguilles dans une veine d'un bras du patient après une petite opération au cours de laquelle on élargit la veine en la rattachant à une artère. Le sang passe à travers une aiguille pour aller dans le rein artificiel, puis, une fois purifié, retourne dans la circulation par l'intermédiaire de l'autre aiguille. Chaque fois, le patient est ainsi relié à la machine pendant quatre à six heures. Le sang passe de nombreuses fois dans la machine pendant que les déchets sont collectés dans le dialysat. La dialyse est habituellement répétée trois fois par semaine, et chaque séance peut prendre huit heures. Après un enseignement, certains patients sont capables d'utiliser le rein artificiel à domicile. Lorsqu'il n'est pas en séance de dialyse, le malade peut mener une vie normale.*

NÉPHRITE CHRONIQUE

C'est une altération de l'ensemble du filtre rénal (glomérule et tubule) qui risque toujours d'entraîner une urémie ou une insuffisance rénale. La néphrite chronique peut succéder à une néphrite aiguë et même, dans certains cas, apparaître plusieurs années après.

Symptômes
- La soif.
- Des urines peu concentrées et pâles.
- Une grande fatigue.
- Un œdème du visage et des membres.

Durée
- Non traitée, la maladie évolue sur plusieurs mois ou plusieurs années.

Causes
- Pour la néphrite chronique, ce sont les mêmes que pour les néphrites aiguës.

Complications
- Une insuffisance rénale de plus en plus grave et compliquée d'HYPERTENSION.

Quand consulter le médecin
- Dès l'apparition des premiers symptômes.

Rôle du médecin
- Demander des analyses d'urines.
- Vérifier la tension artérielle.
- Prescrire un régime pauvre en protéines.
- Adresser le malade à l'hôpital.

Prévention
- Des examens d'urines ou de sang de routine peuvent permettre un diagnostic précoce. Un traitement approprié sera mis en route avant que les symptômes n'apparaissent.

Pronostic
- La maladie peut aboutir à une insuffisance rénale grave. Une dialyse ou une transplantation rénale deviennent alors indispensables à la survie.

Voir SYSTÈME URINAIRE, *page 46*

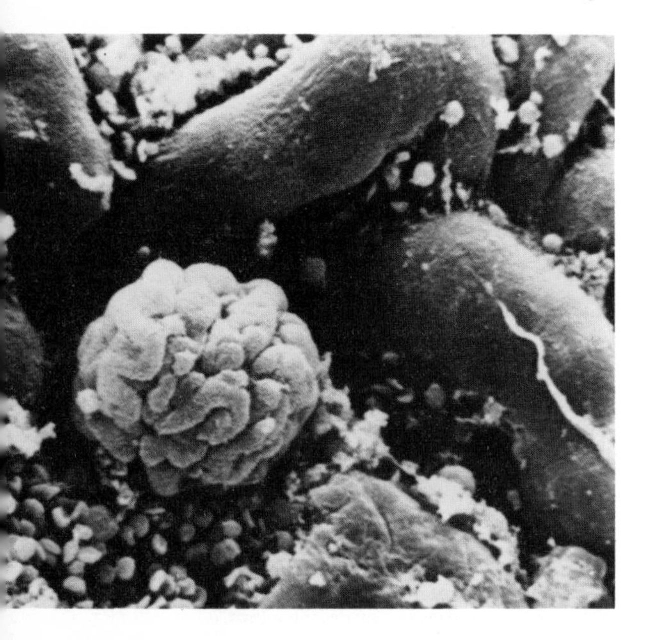

COMMENT LE FILTRE RÉNAL ÉLIMINE LES DÉCHETS. *A l'intérieur de chaque rein, des centaines de petits filtres permettent d'éliminer les déchets contenus dans le sang. Ces filtres (glomérules et tubules) sont constitués de minuscules vaisseaux sanguins pelotonnés sur eux-mêmes, qui laissent passer les substances indésirables et absorbent les constituants utiles, comme l'eau ou le sel, qui repassent dans le sang. Le liquide excrété, fortement concentré en urée, passe alors dans la vessie. La photo montre un glomérule, ressemblant un peu à un chou-fleur, au milieu des tissus environnants où l'on distingue des cellules sanguines isolées.*

NÉPHROSE

La néphrose est une maladie des reins caractérisée par une protéinurie (fuite de protéines dans les urines) importante, responsable d'une diminution de la quantité d'albumine présente dans le plasma. C'est une maladie de l'enfant qui se manifeste par des œdèmes, au visage en particulier. Son traitement nécessite, outre le repos et le régime sans sel, de recourir aux corticoïdes. La guérison s'obtient en moins d'un mois.

NÉPHROSTOMIE

Intervention chirurgicale qui consiste à inciser la peau pour atteindre les cavités rénales et en drainer l'urine au moyen d'un CATHÉTER.

NEURINOME DU NERF ACOUSTIQUE

Tumeur rare située sur le nerf acoustique (nerf de l'audition, mais aussi de l'équilibre). Cette tumeur n'est pas maligne; cependant, du fait de sa localisation à l'intérieur de la boîte crânienne, l'augmentation progressive de son volume peut provoquer des lésions irréversibles, aussi bien au niveau du nerf lui-même que, par compression, au niveau des structures nerveuses avoisinantes. D'où la nécessité d'un diagnostic précoce.

Symptômes
- Surdité progressive d'une oreille; le patient s'en aperçoit car il utilise le combiné du téléphone d'un seul côté. Cette surdité s'accompagne de sensations de bourdonnements ou de sifflements du côté de l'oreille atteinte.
- Sensations de vertige; marche instable.
- Dans les cas plus avancés peuvent s'y ajouter des douleurs de la face, des troubles visuels ou de la coordination des mouvements.

Durée
- Augmentation progressive des symptômes sur une dizaine d'années.

Causes
- Inconnues.

Complications
- En l'absence de traitement, risque de compression des structures nerveuses et hypertension intracrânienne.
- L'ablation chirurgicale de la tumeur provoque en général une surdité définitive du côté atteint.

Quand consulter le médecin
- S'il existe une surdité progressive d'un seul côté, surtout quand elle s'accompagne de vertiges.

Rôle du médecin
- Examen audiométrique, qui précise le type de surdité.
- Examen neurologique, à la recherche d'une autre cause éventuelle.
- Examens radiologiques, scanner en particulier, qui permettent d'affirmer la présence d'une tumeur.
- Si le diagnostic se confirme, il faut intervenir chirurgicalement pour enlever la tumeur.

Prévention
- Aucune sur la formation du neurinome.
- Un diagnostic précoce permet d'intervenir avant la formation de lésions neurologiques irréversibles.

Pronostic
- Bien que la surdité de l'oreille atteinte risque d'être définitive, l'intervention chirurgicale permet d'éviter le stade des complications sévères.

Voir L'OREILLE, *page 38*

NEUROFIBROMATOSE

L'affection est aussi connue sous le nom de maladie de Recklinghausen. Les neurofibromes sont des tumeurs situées sous la peau, dues à un développement excessif des fibres nerveuses. Un neurofibrome isolé est juste un accident. La fibromatose, par contre, est une maladie héréditaire grave, caractérisée par la présence de nombreuses tumeurs nerveuses.

Symptômes
- Des tuméfactions siègent sous la peau. Elles sont généralement lisses, molles, arrondies et mobiles. Leur taille varie du diamètre d'un pois à celui d'une prune.
- Des taches « café au lait » apparaissent sur la peau, d'un diamètre variable.
- Une douleur, en cas de compression nerveuse par le neurofibrome. *Voir* NÉVRALGIE.

Durée
- La neurofibromatose est définitive, mais la plupart du temps asymptomatique. En cas de symptômes, ceux-ci persistent en l'absence de traitement.

Causes
- Une anomalie génétique héréditaire.

Complications
- Une compression du neurofibrome cérébral peut entraîner une surdité, des ACOUPHÈNES, une perte de la vision ou un retard mental.

Traitement à domicile
- Aucun.

Quand consulter le médecin
- S'il existe une tumeur anormale sur la peau.

Rôle du médecin
- Rechercher les causes possibles.
- Conseiller une ablation chirurgicale des tumeurs et prescrire des calmants. *Voir* MÉDICAMENTS, n° 22.

Prévention
- Aucune.

Pronostic
- Les neurofibromes ne sont pas cancéreux, et généralement peu douloureux. Parfois, une intervention chirurgicale est nécessaire si la tumeur comprime des centres nerveux vitaux.

Voir SYSTÈME NERVEUX, *page 34*

NEUROFIBROME

Tumeur bénigne (non cancéreuse) d'un nerf. Elle est parfois asymptomatique, à l'exception d'une douleur en cas de compression du nerf. La plupart des neurofibromes siègent juste sous la peau.

Voir NEURINOME DU NERF ACOUSTIQUE

NÉVRALGIE

Douleur causée par l'irritation ou la compression d'un nerf. Souvent elle n'a pas une localisation précise en un point, mais se situe plutôt le long du trajet du nerf.

Symptômes
- La douleur surviendra en n'importe quel point du corps humain, selon le nerf atteint et le territoire qu'il innerve.
- La douleur peut être continue et sévère, ou intermittente avec des paroxysmes intolérables.

Durée
- La douleur persiste tant que la cause de la névralgie n'est pas soignée; mais parfois elle disparaît spontanément sans traitement.

Causes
- La névralgie est due soit à une inflammation du nerf lui-même, soit à une infection. Le ZONA est, lui aussi, une cause fréquente de névralgie. La douleur apparaît dans ce cas sur le lieu de l'éruption cutanée et peut persister après la disparition des autres symptômes.
- Une fracture osseuse ou un déplacement discal peut créer une compression du nerf et une névralgie.
- L'irritation unilatérale du nerf de la face (le trijumeau) entraîne une NÉVRALGIE FACIALE.

Complications
- La névralgie est plutôt un symptôme qu'une maladie, sans complications à proprement parler.

Traitement à domicile
- Des calmants peuvent soulager la douleur. *Voir* MÉDICAMENTS, n° 22.

Quand consulter le médecin
- Si l'on ressent une douleur importante, persistante ou répétée, et si elle est associée à d'autres symptômes.

Rôle du médecin
- Vous examiner et rechercher la cause de la douleur. Si une fracture osseuse est suspectée, il peut prescrire une radiographie.
- Le médecin prescrira les analgésiques convenant à soulager la douleur.
- Il essaiera de soigner la cause de la névralgie. Dans les cas sévères, il pourra décider de détruire le nerf au moyen d'injections, de faire pratiquer une intervention chirurgicale, ou même une radiothérapie.

Prévention
- Certaines activités peuvent irriter un nerf fragile et devront être évitées.
- Sortir par temps froid, par exemple, peut déclencher une névralgie faciale.

Pronostic
- Il dépend de la cause.

Voir SYSTÈME NERVEUX, *page 34*

NÉVRALGIE FACIALE

Les névralgies faciales sont des douleurs provoquées par une décharge anormale du nerf trijumeau (nerf sensitif de la face et du front). Les personnes âgées y sont plus sujettes.

Symptômes
- Violents accès de douleurs, parfois atroces (genre décharge électrique), qui sont ressentis d'un seul côté du visage, au niveau de la lèvre, de la joue, du nez ou du front.
- Ces douleurs peuvent être déclenchées par l'attouchement d'une zone précise du visage ou de la bouche.

Durée
- Les accès sont brefs : quelques secondes.
- Ils se répètent sur des périodes de plusieurs semaines, entrecoupées de périodes de rémission.

Causes
- Dans certains cas, la névralgie est liée à une cause : lésions du système nerveux central, traumatismes, infections des sinus ou des dents, diabète, etc.
- Quand on ne retrouve pas de cause, on parle de névralgie faciale essentielle, qui est la plus fréquente et survient surtout après cinquante ans. Elle serait liée à la dégénérescence d'artères intra-crâniennes.

Complications
- Aucune complication particulière, à l'exception du fait que ces douleurs répétées peuvent devenir extrêmement invalidantes par le retentissement psychologique qu'elles provoquent.

Traitement à domicile
- Analgésiques en périodes d'accès.

Quand consulter le médecin
- Si les symptômes se répètent.

Rôle du médecin
- Certaines drogues peuvent être prescrites. *Voir* MÉDICAMENTS, n° 22.
- Destruction du nerf, chirurgicalement ou par thermocoagulation (qui ne détruit que les fibres nerveuses responsables de la douleur et laisse intactes les fibres nerveuses de la sensibilité de la face).

Prévention
- Les patients apprennent à éviter tout contact avec la zone sensible qui déclenche la douleur.

Pronostic
- Sans traitement, la névralgie faciale persiste à vie.
- Les médicaments ou la thermocoagulation permettent le plus souvent d'obtenir une guérison définitive.

Voir SYSTÈME NERVEUX, *page 34*

NÉVRITE

Maladie du système nerveux, qui se traduit par des douleurs, des faiblesses musculaires et des pertes de sensibilité à la surface de la peau.

Voir POLYNÉVRITE

NÉVRITE OPTIQUE

Deux noms sont donnés à la même affection suivant la portion du nerf optique atteint : névrite optique et névrite optique rétro-bulbaire. Cette affection touche l'adulte jeune. Elle est différente des problèmes circulatoires qui entraînent une perte partielle de la vision chez les personnes âgées.

Symptômes
- Le symptôme majeur de la névrite optique est la perte brusque d'une partie de la vision d'un œil. Il est précédé d'une douleur derrière le globe oculaire. Les mouvements oculaires peuvent être également douloureux et l'œil sensible à la palpation.

Durée
• Les symptômes diminuent en quelques jours. La vision est récupérée plus ou moins complètement en un ou deux mois.
Causes
• La cause de la névrite optique est inconnue. Certains cas cependant rentrent dans le cadre d'une SCLÉROSE EN PLAQUES.
• D'autres fois, on peut mettre en cause l'excès d'alcool éthylique, l'intoxication par l'alcool méthylique, la quinine, le tabac, une infection virale.
Quand consulter le médecin
• En cas de douleur ou si l'on éprouve une difficulté à voir avec un œil.
Rôle du médecin
• L'ophtalmologiste mesurera la vision, étudiera les réflexes de la pupille, regardera l'état du nerf optique avec un ophtalmoscope et précisera les répercussions de la maladie sur le champ visuel. Il demandera un examen général à la recherche d'autres manifestations expliquant la névrite optique ou associées à elle.
• Le traitement pourra comporter des analgésiques si nécessaire, des vitamines, et parfois une cure de corticoïdes pour lutter contre l'inflammation. Parfois, l'évolution se fera vers la guérison sans traitement actif. *Voir* MÉDICAMENTS, n°s 22, 32. De toute façon, dans le cas où une intoxication serait la cause de la névrite optique, il faudrait la faire cesser.
Pronostic
• L'évolution de la névrite optique est variable et n'entraîne que des séquelles minimes.

Voir L'ŒIL, *page 36*

NÉVROSE

Terme très général qui désigne tous les troubles psychiques quand ces derniers ne diminuent pas la conscience de la réalité (*voir* PSYCHOSE).

Les troubles névrotiques se caractérisent par des sentiments, des émotions ou des comportements excessifs et douloureux, et dont le sujet a pleinement conscience : anxiété, phobies, obsession, etc. Ils peuvent, selon leur intensité, n'appeler aucun soin, ou au contraire imposer un traitement psychiatrique.

L'origine des troubles névrotiques est très variée (hérédité, facteurs socioculturels, niveau de vie, expériences affectives traumatisantes, conditionnement, par exemple). Aucune théorie ne saurait prétendre en donner, à elle seule, une explication satisfaisante.

NUTRITION

Votre santé dépend d'une nourriture équilibrée. L'alimentation apportera les variétés d'aliments essentiels au bon fonctionnement de l'organisme.

Voir L'ALIMENTATION SAINE, *page 78*

OBÉSITÉ

Scientifiquement, on dit qu'un sujet est obèse quand son poids dépasse de 20 à 30 pour cent le poids idéal correspondant à sa taille (*voir* POIDS). Cette définition est un peu arbitraire.
Symptômes
• Se sentir serré dans ses vêtements, mal dans sa peau.
• Gêne au niveau du ventre.
• Gêne pour respirer.
• Douleurs dans les articulations.
Durée
• A moins que des mesures soient prises pour perdre du poids, l'obésité se maintient ou s'aggrave.
Causes
• On ne peut pas dire que l'obésité soit une maladie et qu'il n'y ait qu'une seule cause de l'obésité.
• La nourriture n'a pas le même effet chez tous les individus.
• Certaines personnes deviennent grosses ou obèses parce qu'elles mangent plus qu'il n'est nécessaire pour maintenir un équilibre avec leur niveau d'activité; cela ne veut pas forcément dire qu'elles mangent plus que les autres, mais que leurs besoins alimentaires sont inférieurs à ce qu'elles croient.
• Certaines personnes grossissent au fil des ans parce qu'elles gardent les habitudes alimentaires de leurs jeunes années, où elles dépensaient plus d'énergie.
• Certaines personnes grossissent (d'autres, au contraire, maigrissent) à l'occasion de problèmes émotionnels (dépression, deuil, anxiété), soit qu'elles se mettent à manger plus, soit que la nourriture leur profite davantage.
• Une forte constitution peut être héréditaire.
• L'obésité s'explique parfois par une anomalie des glandes endocrines : thyroïde, hypophyse, surrénale.
• Il ne faut pas confondre obésité (excès de graisse) et prise de poids liée à une rétention d'eau (*voir* ŒDÈME), due à une CIRRHOSE DU FOIE, une INSUFFISANCE CARDIAQUE, ou à une toxémie de la grossesse (*voir* GROSSESSE).
Complications
• L'obésité favorise le DIABÈTE, l'HYPERTENSION, l'excès de CHOLESTÉROL, l'INSUFFISANCE RESPIRATOIRE. Par ces maladies, elle peut réduire l'espérance de vie.
• L'obésité favorise les complications survenant après une intervention chirurgicale.
• L'obésité favorise les troubles veineux (VARICES).
• L'obésité aggrave les problèmes rhumatologiques (ARTHROSE), respiratoires et cardiaques (insuffisance cardiaque, ANGINE DE POITRINE).
Traitement à domicile
• Essayer de réduire son poids en contrôlant son alimentation et en faisant de l'exercice.
• Il faut prendre conscience de ce que l'on mange et commencer par réduire les excès évidents (grignotements, boissons sucrées, pain, sauces, matières grasses). Avec du bon sens et un peu de volonté, beaucoup de gens arrivent à contrôler leur poids.
• Manger lentement, bien mastiquer.
Quand consulter le médecin
• Quand vous vous sentez trop gros et que vous ne pouvez pas contrôler seul votre poids.
• Si l'obésité vous gêne pour respirer; si elle entraîne l'un des symptômes précédents.
Rôle du médecin
• Préciser votre poids exact et votre état de santé. Discuter des problèmes émotionnels qui peuvent vous conduire à trop (ou mal) manger.
• Étudier votre alimentation.
• **Vous donner des conseils diététiques :**

Une bonne motivation. Le médecin peut vous donner des indications, mais c'est à vous de les suivre.

Une bonne collaboration avec le médecin. Inutile de tricher, mieux vaut discuter avec lui.

Une réduction des hydrates de carbone (les sucreries, les pâtisseries surtout), des matières grasses (beurre, huile, crèmes, sauces) et de l'alcool.

Une augmentation des protéines, des légumes verts, des fruits.

Une alimentation régulière.

Un exercice adapté à votre âge, à votre santé.
• Vous aider individuellement ou en vous faisant participer à l'activité d'un groupe d'obèses.
• Adapter votre régime à vos conditions de vie. Il n'est pas utile de réduire trop sévèrement votre alimentation. Tout dépend de ce que vous mangiez avant. Une réduction de votre alimentation de un tiers par rapport à ce que vous mangiez doit suffire pour obtenir un amaigrissement progressif et durable.
• Vous aider à poursuivre le régime.

• Les médicaments sont inutiles ou dangereux.
Prévention
• Surveillez votre poids et consultez votre médecin.
Pronostic
• Il dépend de votre motivation, des circonstances qui ont conduit à la prise de poids, d'un régime équilibré.

Voir SYSTÈME DIGESTIF, *page 44*
ALIMENTATION SAINE

OBSTRUCTION DU CANAL LACRYMAL

Le canal lacrymal qui part de l'angle interne des paupières a pour fonction de drainer les larmes vers le nez. La sécrétion permanente de larmes n'est pas limitée aux « pleurs ». L'obstruction des voies lacrymales est fréquente, surtout chez le nourrisson.
Symptômes
• L'œil paraît continuellement humide. Quelquefois, le bord de la paupière s'infecte et il y a des sécrétions qui gênent l'ouverture des paupières au réveil. *Voir* CONJONCTIVITE.
Durée
• Les symptômes persisteront jusqu'à ce que le canal soit débouché, soit spontanément, en deux à trois semaines, soit à l'aide d'un cathéter.
Causes
• Chez le nouveau-né, le conduit lacrymal n'est pas toujours totalement ouvert, ou bien, étant très étroit, il se bouche. Chez l'adulte, l'obstruction peut être due à une blessure, une infection ou au grand âge.
Traitement à domicile
• Lorsqu'un enfant âgé de un à quatre mois présente un larmoiement persistant, la mère pratiquera des massages doux dans la région de l'angle interne de l'œil, près du nez, toutes les deux à trois heures. Cela peut aider à libérer les voies lacrymales. Ces massages ont peu de chance de réussir chez l'adulte.
Quand consulter le médecin
• Si le larmoiement persiste après trois semaines.
• S'il y a des manifestations d'infection, une rougeur oculaire, la présence de sécrétions.
Rôle du médecin
• L'ophtalmologiste prescrira gouttes ou pommade pour combattre l'infection. Si l'obstruction persiste, il pratiquera pour le bébé une petite intervention destinée à rétablir le cours des larmes, soit par lavage, soit par sondage. Chez l'adulte, l'intervention supprimera l'obstacle et rétablira la continuité des voies lacrymales. Parfois, il faudra procéder à l'ablation d'une partie de ces voies.
Prévention
• Il n'y a aucun moyen d'éviter cette obstruction.
Pronostic
• Sans traitement, l'obstruction chez l'enfant peut persister ou guérir spontanément.

OCCLUSION INTESTINALE

Maladie grave dans laquelle l'intestin cesse de fonctionner normalement. L'occlusion peut avoir une cause mécanique, par exemple une HERNIE, une torsion ou un CANCER intestinal; il peut s'agir d'une PÉRITONITE, qui entraîne un iléus lorsque les mouvements naturels de l'intestin, qui provoquent la propulsion des aliments, s'arrêtent. Une intervention chirurgicale peut créer un iléus paralytique.

ŒDÈME

Infiltration par un liquide provenant du système circulatoire qui s'accumule dans les tissus de l'organisme. On appelle médicalement cette affection un œdème. Cette infiltration, qui touche surtout les chevilles où elle parvient à cause de la pesanteur, atteint également d'autres parties de l'organisme. L'œdème peut être dû à une agression, un traumatisme, ou à une anomalie des systèmes circulatoire, respiratoire ou urinaire.

ŒDÈME AIGU DU POUMON

C'est l'inondation brutale des alvéoles pulmonaires par un liquide d'origine vasculaire. Il peut être dû soit à une altération de la membrane pulmonaire (par exemple : intoxication par un gaz toxique), soit à une augmentation de la pression sanguine dans les vaisseaux pulmonaires (par exemple : insuffisance ventriculaire gauche). Il se manifeste par une DYSPNÉE, des crachats mousseux et une asphyxie aiguë.

Voir CARDIOPATHIES, INSUFFISANCE CARDIAQUE

ŒDÈME DE LA PAPILLE

C'est l'œdème du disque optique, tête du nerf optique, qui s'étend de la partie postérieure de l'œil vers le cerveau. Les deux yeux sont généralement atteints. La maladie est découverte en examinant les yeux à l'ophtalmoscope. L'œdème de la papille est causé par l'augmentation de la pression à l'intérieur du crâne, pression qui peut résulter d'une hypertension artérielle, une infection rénale, une méningite, une tumeur cérébrale, un abcès du cerveau, une hémorragie cérébrale...

Si la cause de cet œdème n'est pas rapidement traitée, le patient peut devenir aveugle.

ŒSOPHAGITE

C'est une inflammation de l'œsophage.
Symptômes
• Une douleur à type de brûlure se fait ressentir juste au-dessous du sternum (os de la cage thoracique) ou dans la partie haute de l'intestin. La douleur peut remonter jusque dans la gorge. Elle est accentuée par l'absorption d'aliments chauds, épicés ou acides.
• Se pencher en avant après les repas ou rester allongé peut augmenter la sensation douloureuse.
Durée
• La douleur après l'absorption d'aliments peut disparaître, ou persister pendant des mois.
Causes
• Un obstacle situé dans la partie basse de l'œsophage (résultat, souvent, d'une HERNIE hiatale) provoque un reflux acide de l'estomac vers l'œsophage.
Complications
• Des saignements, qui peuvent entraîner une ANÉMIE ou une hématémèse (vomissements de sang).
Traitement à domicile
• Éliminer les vêtements serrés, éviter de se pencher.
• Repas légers et nombreux. Se tenir droit en mangeant.
• Éviter de prendre trop de poids.
• Boissons lactées et médicaments antiacides après les repas. *Voir* MÉDICAMENTS, n° 1.
Quand consulter le médecin
• Si les symptômes sont inquiétants ou si les traitements à domicile ne font pas d'effet.
• Lorsqu'un saignement se produit.
Rôle du médecin
• Prescrire une radiographie.
• Il peut également demander une œsophagoscopie (examen de l'œsophage à l'aide d'un fibroscope).
Pronostic
• Bon avec le traitement. Parfois, une opération est nécessaire pour soigner la hernie hiatale.

Voir SYSTÈME DIGESTIF, *page 44*

OIGNON

Excroissance osseuse sans gravité (appelée aussi hallux valgus), située sur l'articulation du gros orteil. L'oignon, souvent bilatéral, est fréquent chez les femmes d'un certain âge.

Symptômes
- L'articulation enfle, la peau durcit et s'enflamme.
- Le frottement de la chaussure rend l'oignon encore plus douloureux.
- Le gros orteil se déplace vers les autres orteils.

Durée
- L'oignon persiste en l'absence de traitement.

Causes
- Presque toujours dû à des chaussures trop étroites. Les pieds des enfants et des adolescents sont particulièrement exposés à cette affection, car leurs os sont plus malléables que ceux des adultes. Ils ressentent donc moins la douleur due au déplacement des orteils.

Traitement à domicile
- Ne porter que des chaussures larges et placer sur l'oignon un pansement spécial.

Quand consulter le médecin
- Si le traitement ne soulage pas la douleur.
- Si l'oignon devient plus enflammé et douloureux.

Rôle du médecin
- Adresser le patient à un pédicure.
- Envoyer le malade à l'hôpital pour une opération chirurgicale.

Prévention
- Porter des chaussures bien adaptées.
- Si une excroissance ou une inflammation apparaissent sur l'articulation du gros orteil, se protéger avec des pansements spéciaux.

Pronostic
- Le traitement à domicile, la chirurgie ou le recours au podiatre sont des moyens thérapeutiques efficaces.

Voir LE SQUELETTE, *page 54*

OLIGURIE

C'est une diminution de la quantité d'urine. L'oligurie révèle généralement une maladie des reins, du foie ou du cœur, mais elle peut également survenir lorsque la personne n'absorbe pas de liquides en assez grande quantité pour remplacer l'eau, en cas de sudation trop importante.

ONGLE INCARNÉ

C'est un ongle de pied, habituellement celui du gros orteil, dont les bords latéraux poussent à l'intérieur de la chair et l'entaillent.

Symptômes
- Douleurs sur les bords latéraux de l'ongle.
- Inflammation au point de pénétration de l'ongle dans la chair.

Durée
- La lésion persiste en l'absence de traitement.

Causes
- Des chaussures trop serrées.
- Lorsqu'on coupe les bords latéraux de l'ongle au lieu de le laisser pousser au carré.
- Si l'on enlève les peaux mortes autour de l'ongle.
- Une infection bactérienne.

Traitement à domicile
- Nettoyer la lésion deux fois par jour avec de la gaze trempée dans un antiseptique.
- Découper un V dans la partie centrale de l'ongle afin de diminuer la pression sur les côtés.

Quand consulter le médecin
- Si la lésion ne guérit pas avec le traitement à domicile et si la douleur augmente.
- Si la lésion suinte ou saigne.

Rôle du médecin
- Prescrire une lotion antiseptique.
- Si l'ongle est infecté, le médecin peut aussi prescrire un antibiotique. *Voir* MÉDICAMENTS, n° 25.
- Il peut également demander à une infirmière de changer le pansement chaque jour.
- Si la lésion persiste, il faudra réaliser une petite opération chirurgicale.

Prévention
- Éviter de porter des chaussures trop étroites.
- Couper ses ongles au carré.
- Ne pas enlever les peaux mortes autour de l'ongle.

Pronostic
- Le traitement permet habituellement la guérison.

ORCHITE

Inflammation des testicules, le plus souvent de cause infectieuse.

Symptômes
- Un testicule (ou bien les deux) est gonflé, rouge et douloureux.
- Dans certains cas, il existe de la fièvre ou des brûlures urinaires.
- L'orchite due aux OREILLONS s'accompagne d'une parotidite.

Durée
- En général, une à deux semaines.

Causes
- L'orchite peut être une complication d'une infection urinaire bactérienne.
- Elle est souvent due au virus des oreillons.

Traitement à domicile
- Repos au lit, les testicules protégés par un suspensoir.

Quand consulter le médecin
- Dès l'apparition des symptômes.

Rôle du médecin
- Prescription d'analgésiques.
- Traitement antibiotique en cas d'infection bactérienne.

Prévention
- Chez les jeunes adultes, vaccination contre les oreillons s'ils ont été en contact avec une personne contagieuse.
- Traitement précoce des infections urinaires avant qu'elles ne se propagent aux testicules.

Pronostic
- En général, guérison sans séquelles.
- Dans de rares cas, une orchite entraînera la stérilité.

Voir ORGANES GÉNITAUX MASCULINS, *page 50*

OREILLE (LÉSIONS DE L')

Des traumatismes crâniens et des bruits très intenses ou inattendus peuvent endommager l'oreille moyenne ou interne, ou le nerf de l'audition. Un traumatisme sur le pavillon de l'oreille n'altère pas l'audition.

Symptômes
- Surdité dans l'année qui suit l'accident.
- Douleurs dans l'oreille.
- Du sang ou un écoulement de l'oreille.

Causes
- Un traumatisme crânien avec fracture.
- Un bruit de forte intensité.
- Une explosion. *Voir* TYMPAN (PERFORATION DU).
- Enfoncement dans l'oreille d'objets tels que des allumettes ou des épingles à cheveux pour essayer de retirer des corps étrangers ou un bouchon de cérumen.

Traitement à domicile
- Aucun.

Quand consulter le médecin
- Dès qu'un des symptômes apparaît, ou juste après le traumatisme.

Rôle du médecin
- Recoudre le pavillon de l'oreille, le cas échéant.
- Examiner l'intérieur de l'oreille pour rechercher une lésion.
- Hospitaliser en cas de lésion interne.
- S'il y a perforation du tympan, pratiquer une greffe tissulaire.
- Si les os de l'oreille moyenne sont déplacés, procéder à une opération chirurgicale.

Pronostic
- Une lésion du pavillon de l'oreille devrait se cicatriser correctement. Si l'atteinte est importante ou si le traumatisme est répété (parfois au cours de matches de boxe ou de rugby), le pavillon de l'oreille peut se déformer, mais l'audition reste intacte. Elle sera également conservée même si le pavillon est totalement arraché lors d'un accident.
- Une lésion du canal externe devrait se cicatriser sans perte de l'audition, à moins qu'il ne soit gravement déformé ou que d'autres parties de l'oreille soient atteintes. Des OTITES EXTERNES ou des bouchons de CÉRUMEN ont tendance à survenir après le traumatisme.
- Une lésion de l'oreille moyenne peut entraîner un trouble ou une perte complète de l'audition selon l'importance du traumatisme.
- Une lésion de l'oreille interne provoque généralement une perte complète et définitive de l'audition, entraînant des troubles de l'équilibre avec une sensation de nausées et de vertiges.
- Une lésion du nerf auditif entraîne habituellement une surdité définitive.
- Les fractures crâniennes guérissent souvent spontanément, bien que l'audition ne revienne qu'après plusieurs mois ou années, mais la surdité peut être définitive.

Voir L'OREILLE, *page 38*
CORPS ÉTRANGERS

OREILLONS

Maladie infectieuse bénigne, due à un virus (myxovirus) qui provoque une inflammation des glandes, en particulier salivaires, et qui parfois atteint le système nerveux. C'est essentiellement une maladie de l'enfance, mais elle peut aussi atteindre l'adulte. Dans ce cas, elle a tendance à être plus sévère.

Symptômes
- Tuméfaction d'une glande salivaire, le plus souvent d'une parotide (glande salivaire située sous l'oreille, en arrière de l'angle de la mâchoire). La tuméfaction devient bilatérale en vingt-quatre à quarante-huit heures.
- Fièvre modérée.
- Les glandes sous-maxillaires et sublinguales peuvent aussi être atteintes, de même que d'autres glandes non salivaires : pancréas, testicules chez les hommes après la puberté (*voir* ORCHITE), ovaires.

Période d'incubation
- Quinze à vingt et un jours.
- La transmission s'effectue par la salive.
- Les sujets atteints sont contagieux une semaine avant l'apparition des symptômes, et une semaine après leur disparition, ce qui rend difficile la prévention de la maladie.

Durée
- En général, dix à quinze jours.

Causes
- Virus du groupe des myxovirus, strictement humain.

Complications
- MÉNINGITE fréquente mais bénigne.
- ENCÉPHALITE virale grave mais rare.
- ORCHITE, qui elle-même peut dans de rares cas se compliquer d'atrophie testiculaire, cause de stérilité.

Traitement à domicile
- Repos au lit. Isolement. Éviction scolaire.
- Alimentation liquide en cas de difficultés à avaler.
- Analgésiques.
- En cas d'orchite, les testicules doivent être protégés par un suspensoir.

Quand consulter le médecin
- En cas de doute sur la nature exacte de la maladie.
- En cas d'orchite.

Rôle du médecin
- Le traitement des symptômes comporte des analgésiques et des anti-inflammatoires.
- Hospitaliser en cas de complications nerveuses.

Prévention
- Il existe un vaccin dont l'utilisation devrait bientôt se généraliser.
- Chez une femme enceinte ou un homme jeune, on peut appliquer un traitement préventif par injection de sérum.

Pronostic
- Les complications sont rares chez l'enfant; elles sont un peu plus fréquentes chez l'adulte.

Voir MALADIES INFECTIEUSES, *page 32*

ORGELET

L'orgelet (appelé aussi « compère-loriot ») est une petite tuméfaction des glandes situées à la racine des cils. C'est une infection fréquente, inesthétique et désagréable, mais qui peut être traitée sans aide médicale. Une infection des glandes de Meibomius, ou CHALAZION, ressemble à un orgelet et le traitement en est assez voisin. La seule différence est que le chalazion évolue en se développant et parfois en s'évacuant vers l'intérieur de la paupière, tandis que l'orgelet évolue vers le bord de la paupière.

Symptômes
- Douleur et gonflement au bord de la paupière.

Durée
- Une semaine à dix jours sans traitement.

Causes
- L'orgelet est causé par une infection microbienne. L'infection peut provenir du nez ou de la peau du patient. Il est transmissible.

Traitement à domicile
- Lorsqu'un orgelet apparaît, il faut le faire mûrir et favoriser son évacuation en appliquant des compresses tièdes d'eau bouillie sur la paupière, une dizaine de minutes toutes les deux à trois heures. Éviter de presser sur les parois de l'orgelet pour le vider.

Quand consulter le médecin
- Si l'orgelet ne s'est pas vidé après deux ou trois jours.

Rôle du médecin
- Le médecin peut recommander de poursuivre l'application des compresses chaudes et prescrire une pommade antibiotique pour éviter que l'infection ne s'étende. *Voir* MÉDICAMENTS, n° 38.
- Si l'orgelet se reproduit, le médecin pourra également prescrire une pommade nasale afin de lutter contre une infection, cause possible de l'orgelet.

Prévention
- Les orgelets ne peuvent habituellement pas être évités, mais on peut enrayer leur multiplication en se lavant soigneusement les mains après les avoir touchés. Il faut aussi n'utiliser que son propre linge de toilette et éviter que quelqu'un d'autre ne s'en serve. La répétition des orgelets fera rechercher la présence de sucre dans les urines, de diabète favorisant cette infection et la rendant plus grave.

Pronostic
- Parfois, les orgelets récidivent ou prolifèrent de façon rapide, mais ils guérissent soit spontanément, soit avec un traitement simple.

KYSTE DES GLANDES DE MEIBOMIUS
Ces kystes, également appelés CHALAZIONS, sont des petits nodules qui peuvent se former à tout âge de la vie au niveau de la portion cartilagineuse qui soutient les paupières.
Symptômes
• Le malade prend conscience progressivement d'un œdème ou d'un petit nodule indolore de la paupière.
Causes
• On pense que ces kystes sont liés au fait que l'évacuation des glandes de Meibomius est bloquée dans la paupière.
Quand consulter le médecin
• Si le kyste est petit, non enflammé et n'entraîne aucun trouble, il n'y a rien à faire.
• Si le kyste grossit, devient gênant esthétiquement ou par l'irritation qu'il entraîne, ou s'il devient enflammé et douloureux, il faut consulter.
Rôle du médecin
• Après avoir examiné la paupière, l'ophtalmologiste peut soit recommander de ne rien faire, soit décider d'enlever le kyste. Il s'agit d'une intervention mineure qui sera pratiquée sous anesthésie locale. Si le kyste est enflammé ou infecté, l'ophtalmologiste pourra recommander des compresses imbibées d'eau bouillie chaude, pour vider le kyste. Il peut également prescrire une pommade antibiotique.
Pronostic
• Les kystes des glandes de Meibomius sont bénins et n'affecteront ni la vue ni la santé.

Voir L'ŒIL, *page 36*

ORTEILS (DÉFORMATION DES)

C'est la déviation interne des orteils. La déformation apparaît généralement entre deux et six ans. Elle ne nécessite aucun traitement, à moins qu'elle soit importante et persiste à l'âge adulte.

Le gros orteil peut aussi chevaucher le deuxième orteil. Cette maladie survient à l'âge adulte, notamment chez les femmes qui portent des chaussures trop pointues ou des talons hauts. Pour corriger la déviation, il faut placer des semelles orthopédiques dans les chaussures. Parfois, une intervention chirurgicale est nécessaire.

Voir LE SQUELETTE, *page 54*

OSTÉOCHONDRITE

Désigne le ramollissement d'une partie d'un os. Il y a risque d'une déformation de l'os atteint. La colonne vertébrale, la hanche, et éventuellement le devant du tibia sont les régions osseuses les plus exposées. Les enfants sont les principales victimes de cette maladie.
Symptômes
• L'ostéochondrite peut toucher la hanche chez des enfants âgés de cinq à dix ans, et on l'appelle alors la maladie de LEGG-PERTHES-CALVÉ. Les symptômes en sont une claudication et une douleur.
• Une déformation de la colonne vertébrale peut être suspectée chez des enfants qui n'osent pas se déshabiller en public. Cette atteinte frappe les enfants âgés de dix à seize ans. En l'absence de traitement précoce, la colonne vertébrale s'incurve, provoquant une bosse et des douleurs.
• L'ostéochondrite peut aussi toucher le haut du devant de la jambe (tibia) chez les enfants âgés de dix à seize ans. La zone osseuse atteinte devient sensible et gonflée. La douleur est aggravée par l'exercice. Cette atteinte est bénigne, car il ne s'agit pas d'une zone portante.
Durée
• La maladie dure un ou deux ans, parfois davantage.
Causes
• Inconnues.
Traitement à domicile
• Aucun.
Quand consulter le médecin
• Dès qu'une maladie de ce type est suspectée.
Rôle du médecin
• Demander des radiographies. En cas d'ostéochondrite, envoyer le malade dans un service spécialisé.
• Le traitement orthopédique vise à soulager les os atteints en évitant le port de lourdes charges. Le repos peut parfois suffire. Un plâtre temporaire est quelquefois nécessaire.
Prévention
• Aucune.
Pronostic
• Excellent si le traitement est précoce. Après deux ans environ, l'os ramolli redevient dur de lui-même. Toutefois, si un os de soutien a perdu sa forme primitive et se consolide ainsi, il peut en résulter une déformation visible, une certaine invalidité, et une ARTHROSE pourra survenir plus tard.

Voir LE SQUELETTE, *page 54*

OSTÉOGENÈSE IMPARFAITE

Maladie héréditaire rare, dans laquelle les os atteints sont anormalement fragiles. Dans les cas sévères, un enfant naîtra avec de multiples fractures mortelles et ne pourra pas survivre. Dans les cas moins sévères, les fractures seront provoquées par des chocs très légers, et des déformations apparaîtront par incurvation acquise anormale ou remise en place orthopédique imparfaite. Ces petits malades ont souvent le blanc des yeux bleuté et peuvent être sourds par OTOSCLÉROSE.

OSTÉOMALACIE

Équivalent adulte du RACHITISME de l'enfance, dans lequel les os se ramollissent par insuffisance en vitamine D, nécessaire à l'incorporation du calcium dans l'os. La cause peut être un régime alimentaire inadéquat ou une absorption insuffisante par l'intestin des aliments contenant cette vitamine, ou bien encore une carence d'exposition de la peau au soleil. Le malade souffre de douleurs osseuses, et souvent de faiblesse musculaire dans les cuisses et le bassin. La maladie est diagnostiquée par des tests sanguins et des radios. Elle est traitée avec succès par un apport adéquat de vitamine D et de calcium.

OSTÉOMYÉLITE

Inflammation de l'os par une infection microbienne. L'ostéomyélite débute comme une maladie aiguë, mais sans traitement antibiotique immédiat, elle risque de devenir chronique. La maladie frappe le plus souvent les enfants et les adolescents.

OSTÉOMYÉLITE AIGUË
Symptômes
• Douleur à début brutal, sensibilité extrême, et quelquefois gonflement, souvent à un membre, surtout au voisinage du genou. Il peut y avoir eu un traumatisme.
• Difficulté à mouvoir la partie atteinte, en raison de l'extrême douleur.
• Fièvre élevée et frissons.
Durée
• Diagnostiquée et traitée dès la première heure, la

maladie peut ne durer que quelques jours.
Causes
- Infections transmises par le courant sanguin d'un point quelconque de l'organisme : abcès cutané, dentaire, etc.
- Souvent, on ne sait pas d'où vient l'infection.
- A l'opposé : accidents évidents dans lesquels un os cassé s'infecte à travers une blessure ouverte.

Complications
- Une ostéomyélite chronique peut se développer s'il y a un retard au diagnostic.
- SEPTICÉMIE.

Traitement à domicile
- Mettre au repos la partie douloureuse et contacter le médecin d'urgence.

Quand consulter le médecin
- Devant toute douleur aiguë inexpliquée d'un membre, surtout si le malade est un enfant et s'il a de la fièvre, le médecin doit être immédiatement consulté.

Rôle du médecin
- Faire hospitaliser en urgence.
- Faire des examens de sang pour confirmer le diagnostic et identifier le germe.
- Prescrire ensuite des antibiotiques. *Voir* MÉDICAMENTS, n° 25.
- Faire un drainage chirurgical du pus, si nécessaire.

Prévention
- Traitement de tout foyer infectieux chez l'enfant (furoncle, carie dentaire, angine, sinusite, etc.).
- Traitement précoce des blessures et fractures ouvertes.

Pronostic
- Il est bon si le diagnostic et le traitement antibiotique sont immédiats.

OSTÉOMYÉLITE CHRONIQUE

Symptômes
- Attaque antérieure d'ostéomyélite aiguë.
- Abcès ouvert et écoulant, par moments, du pus provenant de l'os infecté.

Durée
- Difficile à prévoir une fois qu'elle est installée. Une rémission trompeuse sur de longues périodes peut faire croire à une guérison.

Causes
- Échec à l'élimination du germe logé dans l'os.

Complications
- Destruction osseuse et dissémination de l'infection.
- Chez l'enfant, défaut de croissance de l'os atteint.

Traitement à domicile
- Le repos.

Quand consulter le médecin
- Dès l'apparition du moindre symptôme local chez quelqu'un qui a déjà eu une ostéomyélite aiguë.

Rôle du médecin
- Faire des prélèvements locaux et des tests sanguins pour identifier le germe responsable de l'infection.
- Prescrire le ou les antibiotiques appropriés, en milieu hospitalier et traiter longtemps.
- Demander à un chirurgien orthopédiste de nettoyer, si nécessaire, la zone d'os mort et infecté.

Prévention
- Traitement ultrarapide de l'ostéomyélite aiguë.

Pronostic
- Au stade chronique, le pronostic est devenu imprévisible : il peut y avoir encore une guérison rapide, ou des rechutes multiples avant la guérison.

Voir LE SQUELETTE, *page 54*

OSTÉOPATHIE

Manière systématique de traiter les désordres mécaniques du corps, particulièrement ceux de la colonne vertébrale, par des techniques de manipulations.

Dans le passé, certains ostéopathes improvisés ont prétendu que leurs manipulations étaient susceptibles de traiter même des maladies infectieuses ou des cancers. Les ostéopathes modernes sont beaucoup plus prudents dans leurs affirmations.

L'ostéopathie reste une pratique appréciée du public pour soigner le mal de dos et certains problèmes musculaires ou articulaires d'apparence rebelle, que la médecine classique n'a pas su guérir par ses médicaments antalgiques ou anti-inflammatoires. Il existe pourtant une technique médicale adjuvante valable : la kinésithérapie médicale , rééducation et massage pratiqués par un physiothérapeute à partir d'une ordonnance rédigée par un médecin. C'est une méthode très précieuse à condition que les procédés de rééducation soient appropriés à chaque cas, soigneusement indiqués par le médecin et appliqués avec douceur par le kinésithérapeute. Celui-ci aura acquis sa compétence grâce à des cours théoriques et à des stages hospitaliers approfondis, dans des services de médecine spécialisée ou dans des services d'orthopédie et de rééducation fonctionnelle.

La manipulation vertébrale ne peut absolument pas être considérée comme un savoir-faire magique dont serait doté un thérapeute occasionnel. C'est une technique strictement médicale, très précise, non exempte de dangers. Elle ne peut être exécutée que par un médecin qui s'est qualifié au terme d'un long apprentissage.

OSTÉOPOROSE

Affaiblissement des os par décalcification. L'affection est très courante chez les femmes après la MÉNOPAUSE, du fait de la diminution de sécrétion d'œstrogènes.

Symptômes
- Souvent aucun. La maladie peut être découverte à l'occasion d'une radiographie faite pour un autre motif.
- Des os peuvent se casser ou se tasser lors de traumatismes minimes, ou même sans traumatisme apparent.
- Un mal de dos persistant et fréquent.
- Le dos peut s'incurver en avant.

Durée
- Permanente.

Causes
- L'ostéoporose fait partie du vieillissement naturel du squelette.
- Il peut également survenir après un traitement prolongé par des médicaments cortisoniques. *Voir* MÉDICAMENTS, n° 32.

Traitement à domicile
- Repos au lit et médicaments analgésiques. *Voir* MÉDICAMENTS, n° 22.

Quand consulter le médecin
- Devant toute douleur osseuse durable, notamment douleur vertébrale chez un sujet âgé.

Rôle du médecin
- Radiographier les régions douloureuses.
- Demander des examens de sang pour dépister une autre cause éventuelle de décalcification.
- Prescrire des médicaments contre la douleur, et parfois du calcium, du phosphore, du fluor, de la vitamine D en combinaisons variées. *Voir* MÉDICAMENTS, n° 36.
- Prescrire une rééducation douce et progressive.

Prévention
- Après quarante ans, et surtout pour les femmes après la ménopause, faire de l'exercice physique de façon régulière.

Pronostic
- Les deux accidents les plus fréquents sont la fracture du col du fémur et le tassement vertébral.

Voir LE SQUELETTE, *page 54*

OTITE

Inflammation de l'oreille. L'otite externe concerne l'oreille externe (pavillon de l'oreille et conduit auditif externe), l'otite moyenne touche l'oreille moyenne (caisse du tympan contenant la chaîne des osselets : marteau, enclume et étrier). Ces deux types d'otites sont très différents. Ils ne comportent pas les mêmes risques de complications. Ces otites peuvent être aiguës ou chroniques, d'origine infectieuse ou non. Les inflammations de l'oreille interne, ou LABYRINTHITES, sont rares et constituent en général des complications des otites moyennes.

OTITE EXTERNE

Inflammation, souvent d'origine infectieuse (staphylocoque surtout), du conduit auditif externe ou du pavillon de l'oreille. Le point de départ est un furoncle gratté, à partir duquel s'étend l'infection.

Symptômes

• Douleur au niveau de l'oreille, spontanée ou provoquée par la mastication, la pression au niveau du tragus (en avant de l'oreille). Elle peut être d'intensité variable : d'une simple sensation de tension à une douleur lancinante empêchant le sommeil.
• Diminution de l'acuité auditive du côté malade si le conduit est en partie obstrué par de l'œdème.
• La peau du conduit auditif ou du pavillon est rouge, luisante, tendue, et on peut voir un ou plusieurs furoncles à partir desquels s'écoule du pus.
• L'eczéma de l'oreille externe, qui n'est pas, lui, d'origine allergique mais infectieuse, se présente à peu près de la même façon, mais provoque en plus des démangeaisons très importantes.

Durée

• Traitée, elle guérit en quelques jours.
• Non traitée, elle peut devenir chronique.

Causes

• Infectieuses : inflammation des follicules sébacés par le staphylocoque. Comme toutes les infections à staphylocoque, elles se rencontrent plus souvent sur certains terrains (diabétiques en particulier).
• Elle est favorisée par un traumatisme (se gratter avec un doigt, une allumette, une épingle à cheveux).

Traitement à domicile

• Nettoyage à l'aide de solutions antiseptiques en cas d'écoulement purulent.
• Ne pas nettoyer l'intérieur du conduit auditif externe : il y a risque de lésions du tympan.
• Analgésiques, au besoin. *Voir* MÉDICAMENTS, n° 22.

Quand consulter le médecin

• Pas plus tard que quarante-huit heures après l'apparition des symptômes.

Rôle du médecin

• Nettoyer les lésions.
• Prescrire une solution ou une pommade antiseptique ou antibiotique. *Voir* MÉDICAMENTS, n° 40.
• Parfois, il peut être nécessaire de réaliser l'incision de foyers purulents ou de poser un système de mèches permettant le drainage du pus.

Prévention

• Éviter de gratter le conduit auditif externe.

Pronostic

• En général, l'infection guérit complètement, mais elle peut avoir tendance à récidiver.

OTITE MOYENNE AIGUË

Maladie fréquente, qui atteint surtout les nourrissons et les enfants, mais qui en fait peut survenir à n'importe quel âge. Elle est d'origine infectieuse bactérienne et est favorisée par les infections des voies respiratoires supérieures.

Symptômes

• Douleur dans l'oreille, pouvant devenir très intense, pulsatile et irradier dans toute la tête en s'accompagnant de vomissements.
• Diminution progressive de l'acuité auditive; bourdonnements d'oreille de type grave.
• Fièvre, fatigue, manque d'appétit.
• Il peut exister en même temps d'autres signes d'infection au niveau des voies aériennes supérieures (SINUSITE, ANGINE).
• Au stade de perforation du tympan, il existe un écoulement de pus par le conduit auditif externe, et la fièvre et la douleur ont alors tendance à diminuer.
• Chez le nourrisson, l'otite peut se manifester par des signes très divers : fièvre isolée, pleurs, changement de caractère, perte de l'appétit, cassure de la courbe de poids, et seul l'examen des tympans permet le diagnostic.

Durée

• D'une journée à plusieurs semaines.

Causes

• Bactéries.
• Certaines causes locales peuvent être favorisantes : maladie des fosses nasales, angine, VÉGÉTATIONS.
• Les otites moyennes se rencontrent fréquemment chez l'enfant dont le système de défense immunitaire n'est pas encore évolué.

Complications

• Elles sont rares mais redoutables.
• MASTOÏDITE (risque de paralysie faciale définitive).
• Labyrinthite, avec risque de surdité définitive.
• Méningite, encéphalite.
• Otite nécrosante, avec destruction de la chaîne des osselets et du tympan, entraînant une surdité toujours définitive.
• Risque de chronicité.

Traitement à domicile

• Analgésiques. *Voir* MÉDICAMENTS, n° 22.
• Lutte contre la fièvre, particulièrement importante chez l'enfant et le nourrisson du fait du risque de déshydratation et de convulsions : antipyrétiques, boissons abondantes, bains à 2° en dessous de la température du corps.

Quand consulter le médecin

• Devant des signes évocateurs d'une otite moyenne.
• Devant des signes inexpliqués chez un nourrisson.

Rôle du médecin

• Examiner les tympans avec un otoscope.
• Prescrire des antipyrétiques, des analgésiques, des antibiotiques ou des anti-inflammatoires. *Voir* MÉDICAMENTS, n°s 25, 40.
• S'il existe une collection de pus derrière le tympan qui ne peut pas s'évacuer, une paracentèse est nécessaire : le spécialiste pratique une incision dans le tympan pour permettre le drainage du pus.
• Si l'otite est déjà perforée, il est souvent nécessaire, là aussi, d'effectuer une incision afin d'agrandir l'orifice d'évacuation du pus.

Prévention

• Traitement des infections du rhino-pharynx (angines en particulier).
• Ablation des végétations adénoïdes chez l'enfant quand celles-ci semblent à l'origine d'otites répétées.
• Prévention de la déshydratation du nourrisson, en évitant de le couvrir et de le laisser dans une atmosphère chaude s'il a de la fièvre.

Pronostic

• Si le traitement est précoce, la guérison se fait complètement et sans séquelles.
• Les otites ont tendance à récidiver chez l'enfant jusque vers l'âge de cinq ou six ans.

OTITE MOYENNE CHRONIQUE SUPPURÉE

Dans ce type d'otite, il existe une inflammation chronique de l'oreille moyenne et une perforation permanente du tympan. Elle peut faire suite à une otite aiguë devenue chronique, mais elle peut aussi s'installer d'emblée sur le mode chronique. Il s'agit d'une maladie fréquente chez l'enfant et chez l'adulte.

Symptômes

• Surdité d'intensité variable.
• Pas de douleur ni de signe d'infection.

• Écoulement muqueux, non fétide, par le tympan.
Durée
• Sans traitement, la surdité peut durer des mois ou des années.
• Chez l'enfant, risque de retard scolaire.
Causes
• Otite aiguë.
• Mais le plus souvent, aucune cause n'est retrouvée.
Complications
• Il peut se former une tumeur à l'intérieur de l'oreille moyenne, le cholestéatome, qui est formée de débris et d'éléments cutanés en provenance du conduit auditif. Cette tumeur, outre son effet de compression sur les éléments de l'oreille moyenne, comporte un risque d'infection grave : labyrinthite, mastoïdite.
Traitement à domicile
• Aucun.
Quand consulter le médecin
• Devant l'apparition d'une surdité ou d'un écoulement par l'oreille.
Rôle du médecin
• Le traitement anti-infectieux et anti-inflammatoire local peut parfois suffire à entraîner la guérison.
• Mais le plus souvent, une intervention chirurgicale est nécessaire.
• En cas de cholestéatome, son ablation s'impose.
Pronostic
• L'intervention donne de bons résultats.

OTITE MOYENNE CHRONIQUE A TYMPAN FERMÉ
Aussi appelée otite séro-muqueuse, elle est caractérisée par une hypersécrétion de mucus à l'intérieur de l'oreille moyenne.
Symptômes
• Surdité prédominant au début sur les sons graves, puis s'aggravant et gagnant aussi les sons aigus.
Durée
• Évolution chronique sur plusieurs mois ou années.
Causes
• Obstruction de la TROMPE D'EUSTACHE, due à l'inflammation entretenue par des rhino-pharyngites répétées.
Traitement à domicile
• Aucun.
Quand consulter le médecin
• Devant l'apparition d'une surdité.
Rôle du médecin
• Traiter les rhino-pharyngites et l'obstruction de la trompe d'Eustache.
• Parfois, il est nécessaire d'évacuer le mucus de l'oreille interne soit par aspiration à travers le tympan, soit par la mise en place d'un drain aérateur qui permet au mucus de s'écouler.
Prévention
• Traitement des rhino-pharyngites infectieuses et allergiques.
Pronostic
• Même sans traitement, ce type d'otite guérit souvent.
• Mais parfois, malgré le traitement, les signes persistent et il y a un risque de surdité définitive.

Voir L'OREILLE, *page 38*

OTOSCLÉROSE

L'otosclérose, ou otospongiose, est une affection de l'oreille qui provoque une surdité progressive. C'est une sclérose osseuse des osselets de l'oreille moyenne qui compromet la transmission normale des sons vers l'oreille interne. Il s'agit d'une maladie héréditaire, plus fréquente chez la femme, et qui commence en général tôt, au moment de la puberté.
Symptômes
• Surdité progressive.
• Bourdonnements et sifflements d'oreille (ACOUPHÈNES).
• Dans les premiers temps de la maladie, le patient entend paradoxalement mieux dans une atmosphère bruyante.
• Le patient a tendance à parler à voix basse, au contraire de ceux qui sont atteints d'autres types de surdité et qui ont l'habitude de parler fort.
Durée
• Évolution progressive sur plusieurs années en l'absence de traitement.
Causes
• Maladie héréditaire.
Quand consulter le médecin
• En cas de surdité ou d'acouphènes.
Rôle du médecin
• Le traitement est chirurgical. L'intervention consiste à remplacer l'étrier par une prothèse. On opère d'abord l'oreille la plus atteinte, puis l'autre dans un second temps.
• En complément de la chirurgie, l'appareillage par prothèse (amplificateur) est également utile.
Prévention
• Aucune.
Pronostic
• Le résultat de l'intervention est excellent.

OXYUROSE

L'oxyurose est une parasitose extrêmement répandue, due à un ver rond et blanc, visible à l'œil nu, d'environ 1 centimètre de long, et qui vit dans l'intestin. Les femelles migrent à l'extrémité du rectum et pondent des œufs dans les plis de l'anus. Tout cela se passe le plus souvent pendant le sommeil du sujet, ce qui provoque des démangeaisons intenses (prurit) pendant la nuit. Le malade se gratte, et les mains sont alors contaminées (les œufs peuvent rester sous les ongles). Si elles sont portées à la bouche, une réinfestation a lieu et le cycle recommence.
Cette parasitose, cosmopolite, atteint tous les groupes sociaux indépendamment du niveau d'hygiène. Elle prédomine cependant chez l'enfant, entre trois et quinze ans, car celui-ci porte plus facilement les mains à la bouche. Les œufs peuvent aussi rester dans le linge où ils demeurent infestants plusieurs semaines.
Symptômes
• Prurit anal, surtout la nuit.
• Lésions de grattage parfois surinfectées (ANITE, vulvite, ECZÉMA).
• Parfois troubles intestinaux banals (douleurs abdominales, selles molles ou diarrhée).
Durée
• Persiste à vie si elle n'est pas traitée.
Causes
• *Enterobius vermicularis.*
Traitement à domicile
• Aucun. Si le diagnostic est évoqué, il faut consulter un médecin.
Rôle du médecin
• Prescrire un médicament antiparasitaire adapté.
• Toute la famille et l'entourage doivent être traités en même temps.
• Les ongles doivent être coupés courts, les mains brossées avant chaque repas.
Pronostic
• L'oxyurose est une parasitose bénigne.
• Le traitement est généralement efficace. Il ne met pas à l'abri de réinfestations ultérieures.

PAGET (MALADIE DE)

Épaississement progressif des os, touchant le crâne, la colonne vertébrale, le bassin et les membres inférieurs. Se développe rarement avant l'âge de cinquante ans.

Symptômes
- Engourdissement, douleurs osseuses qui s'aggravent à la marche.
- Élargissement visible du crâne (rare).
- Souvent, il n'y a aucun symptôme et la maladie est découverte sur des radiographies occasionnelles.

Durée
- Installée, l'anomalie osseuse ne disparaît pas.

Causes
- Inconnues.

Traitement à domicile
- Prendre des médicaments analgésiques, si nécessaire. *Voir* MÉDICAMENTS, n° 22.

Quand consulter le médecin
- Si les douleurs osseuses ou articulaires durent.

Rôle du médecin
- Faire un examen de sang.
- Faire des radiographies osseuses.
- Si la douleur est sévère, il existe des traitements modernes efficaces. *Voir* MÉDICAMENTS, n°s 33, 36.

Prévention
- Inconnue.

Pronostic
- Souvent la maladie est silencieuse ou bénigne.
- Parfois, elle peut être responsable d'arthroses douloureuses (de la hanche ou du genou), de fractures, et même de surdité.

Voir LE SQUELETTE, *page 54*

PALPITATIONS

Perceptions inhabituelles des battements de cœur, trop puissants et/ou trop rapides. Il s'agit de sensations normales si elles sont produites par un effort ou une émotion, sinon elles peuvent être le symptôme d'une maladie cardiaque.

PALUDISME

C'est l'une des maladies infectieuses les plus graves et les plus répandues dans le monde. Depuis 1956, l'O.M.S. (Organisation mondiale de la santé) a mis au point un programme d'éradication de cette maladie, mais celle-ci reste difficile à contrôler et le nombre de cas est en augmentation constante. Encore appelée malaria, cette affection, due à un parasite vivant dans le sang, est transmise par la piqûre d'un moustique qui s'est contaminé en piquant un sujet atteint.

Symptômes
- L'incubation dure dix à vingt jours après la piqûre.
- La phase initiale dure trois à cinq jours avec : fièvre, douleurs abdominales, maux de tête, fatigue, courbatures, vomissements...

Signal pour le moustique

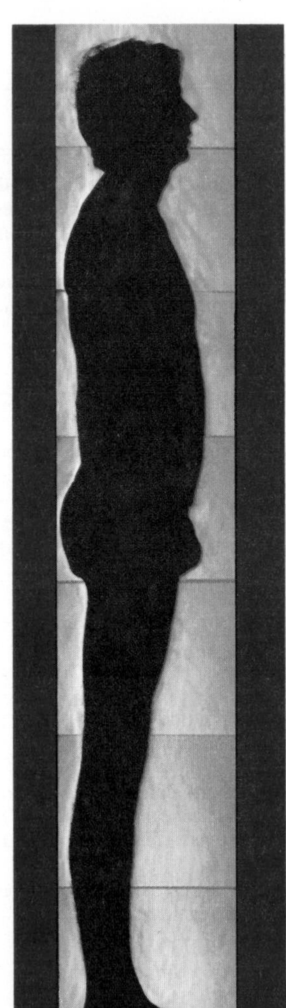

L'air qui entoure le corps humain est en mouvement permanent, et un courant d'air chaud et humide monte vers la tête où il forme un halo. Le moustique, attiré par l'augmentation de niveau de bioxyde de carbone dans cette zone, bourdonne d'abord dans ce courant d'air humide avant de piquer sa victime.

L'AIR EN MOUVEMENT. *Cette photographie, prise avec une méthode particulière appelée « système de Schlieren », montre les déplacements d'air autour du corps.*

- Puis surviennent des accès de fièvre tous les trois ou quatre jours, avec céphalées, douleurs musculaires, parfois accompagnés de frissons importants.

Durée
- Le paludisme à *Plasmodium falciparum* est la forme la plus grave. Grâce à un traitement rapide et efficace, la guérison peut s'amorcer en quelques jours, bien qu'une convalescence soit souvent nécessaire. Mais en l'absence de traitement, de graves complications peuvent apparaître.
- Le paludisme chronique s'observe chez des sujets qui sont réinfestés en permanence. Il y a une anémie, et la fièvre récidive régulièrement; en l'absence de traitement, l'infection persiste mais sera rarement fatale.
- Lorsque les accès de fièvre se répètent régulièrement, les troisième, cinquième et septième jours, on parle de fièvre tierce, et les quatrième et septième jours de fièvre quarte. Ces formes sont moins graves que le paludisme malin et répondent bien au traitement.

Causes
- Un parasite hématozoaire.

Complications
- Elles ne sont vraiment graves qu'en cas de paludisme malin, dû au *Plasmodium falciparum*. En l'absence de traitement précoce, apparition d'une ANÉMIE avec atteinte pulmonaire ou cérébrale (coma) : c'est l'accès pernicieux; ou apparition d'une atteinte rénale, comme dans la FIÈVRE BILIEUSE HÉMOGLOBINURIQUE, qui ne doit jamais être traitée par la quinine et nécessite l'hospitalisation immédiate.

Traitement à domicile
- Repos au chaud avec boissons abondantes.

Quand consulter le médecin
- Immédiatement si le paludisme est soupçonné, même si le séjour en pays infesté remonte à plusieurs mois.

Rôle du médecin
- Prescrire un dérivé des sels de quinine ou un autre médicament antipaludéen. *Voir* MÉDICAMENTS, n° 28.

Prévention
- Les sujets voyageant ou séjournant en régions dites « à risque » devront suivre un traitement par les sels de quinine ou un autre antipaludéen durant tout leur séjour, et continuer un à deux mois après leur retour.
- Dans certains pays sévit un paludisme malin à *Plasmodium falciparum* qui n'est pas prévenu par la quinine. Consultez dans ce cas votre médecin.

Pronostic
- Avec les traitements actuels, le paludisme chronique devrait disparaître.

PANARIS

Infection de la pulpe d'un doigt ou du pouce, habituellement d'origine staphylococcique.

Symptômes

- Sensibilité et douleur lancinante au niveau de la pulpe du doigt.
- La douleur est vive et atteint son point culminant en un ou deux jours.
- La pulpe devient rouge et tendue, mais comme la peau est épaisse et peu souple, le pus ne peut sortir, ce qui entraîne la douleur.
- Parfois, une fièvre et des frissons.

Durée

- Jusqu'au drainage de l'abcès.

Complications

- Une extension du panaris non traité à l'os.

Traitement à domicile

- Éviter de travailler avec la main atteinte.
- Prendre des calmants.
- Les bains d'eau chaude ne font guère d'effet.

Quand consulter le médecin

- Dès que l'on soupçonne un panaris.

Rôle du médecin

- Prescrire des antibiotiques pour tenter d'enrayer l'infection, mais le traitement est rarement un succès. *Voir* MÉDICAMENTS, n° 25.
- Adresser le patient à l'hôpital pour un drainage de l'abcès sous anesthésie.

Prévention

- Certaines personnes, notamment les ménagères, sont plus vulnérables aux infections staphylococciques telles que le panaris, les furoncles ou le périonyxis. En cas d'infections récidivantes, il faut envisager des mesures préventives.

Voir LA PEAU, *page 52*

PANCRÉATITE

Atteinte du pancréas (glande digestive située près de l'estomac), liée à une inflammation ou à des dépôts de calcium ou de tissu anormal. On distingue les pancréatites aiguës et les pancréatites chroniques.

PANCRÉATITE AIGUË

Symptômes

- Douleur aiguë au niveau de l'abdomen (au milieu ou à gauche), irradiant dans le dos. La douleur s'aggrave au changement de position.
- Vomissements.
- Fièvre (38°) au début.
- Dans les cas sévères, le patient peut être en état de choc : pâleur, pouls rapide, tension artérielle basse.

Durée

- La pancréatite aiguë s'installe brutalement et persiste plusieurs jours, parfois une ou deux semaines, puis régresse progressivement.

Causes

- Anomalies de la vésicule biliaire (CALCULS).
- ALCOOLISME, dépendance à la morphine.
- OREILLONS, interventions chirurgicales, médicaments (pilule).
- Dans un tiers des cas, pas de cause détectée.

Complications

- Jaunisse en cas de calculs biliaires.
- Occlusion digestive dans les cas sévères. *Voir* OCCLUSION INTESTINALE.
- État de choc.
- Rechute après guérison apparente.

Traitement à domicile

- Les symptômes sont habituellement d'une telle intensité que le médecin est tout de suite consulté.

Rôle du médecin

- Soulager la douleur par une injection.
- Faire hospitaliser le patient pour un bilan et un traitement (perfusion).
- Une intervention chirurgicale est parfois nécessaire, en particulier pour éliminer une perforation d'ULCÈRE DUODÉNAL.

PANCRÉATITE CHRONIQUE

Inflammation chronique du pancréas, créant des dégâts au niveau de cette glande.

Symptômes

- Douleurs à répétition siégeant au milieu de l'abdomen, irradiant dans le dos, accompagnées de nausées et de vomissements, aggravées par l'alimentation, la consommation d'alcool et la position allongée.

Durée

- La pancréatite chronique dure plusieurs années, évoluant par poussées plus ou moins sévères.

Causes

- L'alcool avant tout, mais également une MUCOVISCIDOSE.

Complications

- Si le pancréas est détruit, un DIABÈTE peut apparaître.
- L'atteinte des enzymes digestives normalement sécrétées par le pancréas peut être responsable de modifications des selles, qui sont abondantes, grasses et nauséabondes. *Voir* STÉATORRHÉE.
- Le cancer du pancréas est plus fréquent chez les sujets atteints de pancréatite chronique.

Traitement à domicile

- Suppression définitive de l'alcool.
- Régime pauvre en graisse, mais normal par ailleurs, pour maintenir une nutrition correcte.

Quand consulter le médecin

- Devant l'un des symptômes décrits.

Rôle du médecin

- Hospitaliser le patient pour confirmer le diagnostic.
- Établir un régime excluant définitivement l'alcool.
- Donner des médicaments contre la douleur. *Voir* MÉDICAMENTS, n° 22.
- Prescrire des « extraits pancréatiques » pour remplacer la sécrétion déficiente du pancréas.
- Prescrire du calcium et de la vitamine D.
- Traiter le diabète : l'insuline est parfois nécessaire.

Voir SYSTÈME DIGESTIF, *page 44*

PAPILLOME

Tumeur habituellement bénigne qui se développe soit sur la peau, soit sur une membrane muqueuse. Une excroissance qui devient sensible, change d'apparence ou produit un suintement devrait faire penser à un papillome et être examinée par un médecin.

Le papillome de la vessie peut parfois provoquer une émission de sang répétée et indolore dans les urines. Bien que le papillome ne soit pas cancéreux, il est difficile de s'en débarrasser. Il peut aussi être une cause d'ANÉMIE.

PARALYSIE

On dit qu'un muscle est paralysé lorsqu'il ne peut se contracter correctement. Cette affection est due à l'interruption de la commande musculaire sur le trajet qui va du cerveau jusqu'aux muscles, par l'intermédiaire des nerfs. Une ATTAQUE, par exemple, interrompra cette voie au niveau du cerveau; la MALADIE DU NEURONE MOTEUR peut altérer un nerf; la MYASTHÉNIE peut endommager la plaque motrice, point de rencontre entre le nerf et le muscle. Lorsque le contrôle musculaire n'est pas totalement interrompu, l'affection est appelée parésie.

PARALYSIE FACIALE
Inflammation du nerf facial, qui provoque l'affaissement d'un côté du visage. Elle atteint chaque année moins d'une personne sur mille.
Symptômes
• Une paralysie brutale d'un côté du visage, avec une faiblesse des muscles du front et des sourcils. Le patient ne peut fermer les paupières du côté paralysé. L'œil disparaît de temps en temps sous la paupière paralysée pour s'humidifier et se protéger.
• Le coin de la bouche s'affaisse du côté endommagé. La peau est entièrement lisse, et l'œil ne ferme pas correctement. Les aliments restent coincés entre les dents et les lèvres, et la salive s'écoule par le coin de la bouche.
• La paralysie demeure localisée et ne s'étend pas au reste du corps.
• Le sens du goût peut être affaibli du fait de la paralysie unilatérale de la langue.
• Une douleur ou une gêne risquent d'apparaître autour de l'oreille.
Durée
• 80 pour 100 des patients d'âges divers guérissent en quelques semaines.
Causes
• La cause de cette paralysie est inconnue.
Complications
• Une lésion de la cornée de l'œil.
• Une paralysie faciale définitive.
Traitement à domicile
• Fermer doucement la paupière, de telle sorte que l'œil ne devienne pas sec. Ne pas frotter l'œil.
Quand consulter le médecin
• Dans les vingt-quatre heures, pour confirmer le diagnostic.
Rôle du médecin
• Prescrire des médicaments stéroïdes par voie orale ou en injections, bien que l'efficacité du traitement n'ait pas été prouvée. *Voir* MÉDICAMENTS, n° 32.
• Demander des examens et recommander une physiothérapie pour les muscles de la face.
Prévention
• Aucune n'est connue.
Pronostic
• La guérison est habituellement complète après quelques semaines.
• Parfois, la force musculaire du côté atteint n'est pas totalement retrouvée, et le patient garde une certaine faiblesse, surtout au niveau des paupières et du coin de la bouche.

Voir SYSTÈME NERVEUX, *page 34*

PARANOÏA

La personnalité paranoïaque associe l'orgueil, l'intolérance, la méfiance et un raisonnement rigide et souvent pseudo-logique. On peut noter également des idées interprétatives et passionnelles qui peuvent dans de rares cas aboutir au délire.

Voir MALADIES MENTALES , *page 33*

PARAPLÉGIE

PARALYSIE des deux jambes : perte des sensations de la moitié du corps et incontinence urinaire. La paraplégie est due à un traumatisme ou à une maladie des nerfs de la colonne vertébrale, comme la SCLÉROSE EN PLAQUES ou une tumeur.

PARATYPHOÏDE

Cause grave d'intoxication alimentaire, c'est une maladie infectieuse très contagieuse. Les mouches la répandent en contaminant l'eau et la nourriture par des germes provenant des selles humaines. Certaines personnes sont porteuses de la maladie (souvent dans la vésicule biliaire) sans ressentir aucun symptôme, et elles peuvent alors transmettre l'infection en manipulant la nourriture. La paratyphoïde, comme la TYPHOÏDE, est une fièvre intestinale, mais moins grave. Les porteurs sains sont moins fréquents.
Symptômes
• Éruption soudaine de points roses.
• Mal de tête.
• Diarrhée parfois précédée de constipation.
• Malaise général survenant quelques jours après l'intoxication.
Causes
• Une bactérie appelée *Salmonella paratyphi.*
Quand consulter le médecin
• Si une fièvre ou une diarrhée soudaine persistent.
• Si vous manipulez des aliments dans votre métier et que vous ayez une diarrhée.
• Après un voyage récent à l'étranger ou après contact avec un patient atteint de cette maladie.
Rôle du médecin
• Prélever sang et selles pour des examens.
• Prescrire des antibiotiques aux porteurs sains seulement : les antibiotiques peuvent ne pas améliorer la maladie aiguë, et même la prolonger. Compenser les liquides perdus et assurer des soins infirmiers.
Prévention
• Les porteurs de germes, très contagieux, ne manipuleront pas d'aliments jusqu'au contrôle de leur guérison.

Voir MALADIES INFECTIEUSES, *page 32*

PARESTHÉSIES

Sensation de fourmillements aux extrémités d'un membre, généralement due à une affection du système nerveux. Consulter un médecin si ces fourmillements reviennent régulièrement.

PARKINSON (MALADIE DE)

Maladie du système nerveux au cours de laquelle une rigidité musculaire et des tremblements vont apparaître puis s'aggraver peu à peu. Cette affection est rare avant cinquante ans et atteint plus fréquemment les hommes que les femmes. La maladie de Parkinson touche deux personnes sur mille.
Symptômes
• Les tremblements des mains, des bras et des jambes et des hochements rythmés de la tête sont parmi les premiers symptômes. Des tremblements peuvent aussi agiter les doigts, donnant l'impression qu'ils roulent une cigarette. Ces tremblements sont plus importants au repos que lorsque le malade se déplace, mais ils ont tendance à disparaître pendant le sommeil.
• Peu à peu, les muscles du visage se figent, donnant au patient une expression absente avec disparition du clignement des yeux.
• Les membres perdent leur souplesse et résistent lorsqu'on tente de les faire bouger. Marcher devient de plus en plus difficile : les patients ont tendance à se voûter et à traîner les pieds, marchant à tout petits pas. Dans les cas graves, ils peuvent même trouver plus facile de marcher à reculons.
• Le patient est souvent atteint de dépression.
Durée
• La maladie s'aggrave en général lentement, en

plusieurs années. Dans les cas aigus, l'évolution de l'affection peut être plus rapide et fatale.

Causes

• La maladie de Parkinson est due à la dégénérescence des terminaisons nerveuses dans une partie du cerveau.

• La maladie survient en général vers la cinquantaine; elle est souvent due en partie à l'ATHÉROME. La circulation du sang dans le cerveau est gênée par le rétrécissement des artères.

Complications

• La mort peut survenir si les muscles de la respiration sont sérieusement touchés.

Traitement à domicile

• Aucun. Consulter le médecin si les symptômes évoquent cette affection.

• Comme dans les autres maladies dues à l'athérome, les lésions sont irréversibles mais on peut nettement en diminuer les effets et aider efficacement les malades. L'essentiel dans les traitements est d'encourager le patient à un exercice physique et à des relations sociales les plus fréquentes possibles. Les médecins, les infirmières, les kinésithérapeutes et les psychologues apportent tous une aide, mais la charge principale de cette rééducation repose sur les parents et amis du malade.

Quand consulter le médecin

• Lors de la survenue des symptômes décrits ci-dessus.

Rôle du médecin

• Prescrire des médicaments pour la rigidité musculaire et réduire les tremblements. *Voir* MÉDICAMENTS, n° 24.

• Recommander aux parents et aux amis du malade de l'aider à lutter contre sa dépression. Le médecin peut aussi prescrire des antidépressifs. *Voir* MÉDICAMENTS, n° 19.

• Si le patient perd une partie de sa mobilité, le médecin recommandera d'utiliser un matériel adapté.

• Dans les cas graves, lorsque les autres traitements se sont avérés inefficaces, le médecin peut recommander une opération sur le cerveau.

Prévention

• Aucune qui soit connue.

Pronostic

• Bien que la maladie de Parkinson s'aggrave inexorablement avec le temps, les traitements décrits ralentissent souvent considérablement sa progression et apportent une nette amélioration aux symptômes.

Voir SYSTÈME NERVEUX, *page 34*

PEAU (ANOMALIES DE LA)

Les anomalies de la peau comprennent les éruptions, la rugosité, les modifications pigmentaires et différentes variétés d'excroissances, de kystes, de grains de beauté, de verrues et de taches de naissance. *Voir* LISTE DES SYMPTOMES (PEAU).

PEAU (SOINS DE LA)
Voir page 352

PELLAGRE

Maladie due à une carence extrême en acide nicotinique, ou vitamine PP, présent dans la viande, le poisson, les céréales complètes et les extraits de levure. Cette maladie est rare dans les pays développés.

PELLICULES

Squames de peau morte se détachant du cuir chevelu. Ce phénomène est fréquent chez l'adulte jeune.

Symptômes

• Les squames sèches se répandent sur les vêtements.

• Plus rarement, les squames sont grasses et restent collées au cuir chevelu et aux cheveux.

Durée

• Elle dépend du traitement de l'affection.

Causes

• Inconnues. Toutefois, il existe une tendance héréditaire aux pellicules. Une peau grasse les favorise.

Traitement à domicile

• Utiliser des shampooings détergents et, dans les formes sévères, des préparations pharmaceutiques.

Quand consulter le médecin

• En cas d'infection du cuir chevelu après grattage.
• Si les squames persistent après traitement.
• Si les squames paraissent épaisses.

Rôle du médecin

• Vérifier l'absence d'infection.
• Donner des conseils sur un traitement.

Prévention

• Aucune. *Voir* SÉBORRHÉE.

Pronostic

• La survenue des pellicules peut être stabilisée.

PEMPHIGOÏDE BULLEUSE

Maladie rare où de grosses bulles se forment sur le corps, chez les sujets de plus de soixante ans.

Symptômes

• Grosses bulles de 2 centimètres ou plus de diamètre, d'apparition soudaine. Les régions les plus touchées sont les hanches, les bras. Mais les bulles apparaissent aussi dans la bouche ou sur d'autres parties du corps.

• Les bulles peuvent rester localisées à une région pendant des mois avant de s'étendre.

Durée

• Des mois ou des années.

Causes

• Inconnues.

Traitement à domicile

• Aucun. Consulter le médecin.

Rôle du médecin

• Faire pratiquer une biopsie (prélèvement de peau destiné à l'analyse sous microscope).

• Les crèmes corticoïdes peuvent suffire dans de rares cas, mais habituellement les corticoïdes par la bouche ou d'autres médicaments sont nécessaires. *Voir* MÉDICAMENTS, n°s 32, 43.

Prévention

• Aucune.

Pronostic

• La guérison peut survenir en quelques années.

Voir LA PEAU, *page 52*

PEMPHIGUS

Maladie rare, souvent mortelle, caractérisée par la présence de bulles. Elle survient chez l'adulte entre quarante et soixante ans et est particulièrement fréquente chez les Juifs.

Symptômes

• De larges bulles apparaissent partout où existe une friction sur la peau : l'aine, les aisselles, le pli interfessier, mais aussi les membres et le tronc. L'intérieur de la bouche, les yeux, l'anus et la vulve peuvent aussi être touchés.

• Les bulles se rompent rapidement, laissant des zones dénudées érosives qui peuvent s'élargir.

• Les bulles peuvent rester localisées à un territoire limité pendant des mois avant de se généraliser. Le patient devient alors malade (fièvre, malaise...).

Durée
• Sans traitement, la maladie s'aggrave et la mort survient rapidement ou après plusieurs mois.
Causes
• Inconnues.
Traitement à domicile
• Aucun. Consulter le médecin.
Rôle du médecin
• Adresser le patient à l'hôpital pour les examens, les soins infirmiers et le traitement par corticostéroïdes. *Voir* MÉDICAMENTS, n° 32.
Prévention
• Impossible.
Pronostic
• Non traité, le pemphigus est habituellement mortel.

Voir LA PEAU, *page 52*

PERFUSION INTRAVEINEUSE

Injection lente d'un liquide dans la circulation sanguine par une veine. Ce liquide passe dans un tube fin et flexible, et la vitesse de l'écoulement est contrôlée à l'aide d'une bague fixée sur le tube. Une perfusion intraveineuse permet de fournir des éléments nutritifs à un patient trop malade pour s'alimenter, ou de suppléer à une perte de fluides sanguins.

PÉRICARDITE

Inflammation aiguë ou chronique du péricarde. Celui-ci constitue l'enveloppe externe du cœur et comprend deux feuillets. Dans certaines péricardites, il peut y avoir une accumulation de liquide entre les deux feuillets du péricarde : c'est l'épanchement péricardique. D'autres péricardites peuvent être sèches. Enfin, certaines péricardites peuvent devenir constrictives : épaississement du péricarde et formation d'une gangue fibreuse rétractile enserrant le cœur.
Symptômes
• Douleurs thoraciques qui, en général, augmentent à l'inspiration profonde.
• Gêne respiratoire.
• Une atteinte péricardique peut passer inaperçue au cours d'une maladie générale.
• Fièvre en cas de péricardite aiguë infectieuse.
• Dans la péricardite constrictive, il existe des œdèmes, une ascite et un gros foie.
Durée
• Selon la cause : de quelques jours à des années.
Causes
• Infectieuses : les péricardites virales sont les plus fréquentes. Elles sont bénignes et guérissent spontanément en quelques jours. Les péricardites bactériennes, elles, sont plus graves, en particulier la péricardite tuberculeuse, qui évolue vers la constriction.
• RHUMATISME ARTICULAIRE AIGU.
• Après un INFARCTUS DU MYOCARDE.
• Dans le cadre d'une POLYARTHRITE RHUMATOÏDE ou d'un lupus.
• Après une radiothérapie au niveau thoracique.
Traitement à domicile
• Aucun.
Quand consulter le médecin
• Toujours en cas de douleur thoracique ou de gêne respiratoire.
Rôle du médecin
• Pratiquer les examens complémentaires.
• Rechercher la cause de la péricardite.
• Traitement médical approprié à la cause.
• En cas d'épanchement péricardique volumineux et mal toléré, il peut être nécessaire de l'évacuer.
• En cas de constriction péricardique, un geste chirurgical peut être indiqué.
Prévention
• Dépend de la cause.
Pronostic
• Dépend de la cause.

Voir SYSTÈME CIRCULATOIRE, *page 40*

PÉRIONYXIS

Souvent dû à une mycose, c'est une inflammation de la peau qui entoure l'ongle. Le traitement est long.

PÉRIOSTITE

Inflammation du périoste, fine couche de tissu enveloppant les os. Elle peut être due à un traumatisme, qui sera traité par des médicaments anti-inflammatoires, ou à de nombreuses autres maladies, notamment les infections osseuses (staphylocoque, bacille de la TUBERCULOSE), traitées par antibiotiques.

PÉRISTALTISME

Série de contractions des muscles de la paroi des organes creux, qui permet l'évacuation de leur contenu. Le péristaltisme permet la progression des aliments dans le tube digestif, de l'œsophage au rectum. Chez la femme, les contractions des trompes de Fallope permettent la descente de l'ovule et de l'œuf fécondé, de l'ovaire jusque dans l'utérus.

PÉRITONITE

Inflammation du péritoine, membrane qui tapisse la cavité abdominale et les organes qu'elle contient (l'estomac et autres organes digestifs).

La péritonite est une maladie grave, due à l'inflammation des organes abdominaux. Elle peut compliquer : une perforation d'un abcès appendiculaire, d'un ulcère gastrique ou duodénal; une perforation de la paroi de l'intestin, par laquelle son contenu se répand dans la cavité abdominale; une rupture de grossesse ectopique. La présence de substances infectées et de pus hors de l'intestin provoque un arrêt de son PÉRISTALTISME (*voir* OCCLUSION INTESTINALE) et peut causer la mort dans les vingt-quatre à quarante-huit heures si le patient n'est pas opéré à l'hôpital.

Voir SYSTÈME DIGESTIF, *page 44*

PERTE DE CONNAISSANCE

Trouble de la conscience, qui est plus ou moins complètement abolie. Si la perte de connaissance est prolongée, on parle de COMA. Si elle est plus brève, on parle de SYNCOPE.

Voir LISTE DES SYMPTOMES — CONSCIENCE (TROUBLES DE LA)

PESTE

La peste n'existe plus de nos jours que dans quelques territoires de l'Afrique centrale, de l'Amérique du Sud et de l'Asie centrale. Elle est due à un bacille, *Yersinia pestis*, véhiculé par certains rongeurs tels que le rat. La contamination se fait par la piqûre de la puce du rat, qui diffuse la maladie. L'incubation dure cinq jours. Les symptômes apparaissent brutalement, avec fièvre à 40° et signes neurologiques (agitation, délire). Il existe un bubon caractéristique, sorte de pustule, en général au niveau de l'aine (peste bubonique). Des signes de pneumonie peuvent se voir (peste pulmonaire). En l'absence de traitement, l'évolution est fatale en quelques jours. Heureusement, le traitement antibiotique est remarquablement efficace. Il existe un vaccin contre la peste, mais la meilleure prévention est la lutte contre les rats et la désinsectisation.

Voir MALADIES INFECTIEUSES, *page 32*

PETIT MAL

Un des trois types principaux d'ÉPILEPSIE. Le petit mal touche surtout les jeunes. Il survient entre quatre ans et l'adolescence.

PHARYNGITE

Inflammation du pharynx, conduit qui relie l'arrière-fond des fosses nasales à la cavité buccale et mène à l'œsophage en passant par le larynx. Une pharyngite peut être aiguë ou chronique.

PHARYNGITE AIGUË

Inflammation d'origine bactérienne ou virale. Elle atteint au moins 40 pour 100 de la population chaque année. Les symptômes ne sont généralement pas très sévères. Si les amygdales sont inflammatoires et qu'elles n'ont pas été enlevées, il s'agit d'une ANGINE.

Symptômes
- Mal de gorge et toux sèche.
- Température élevée, frissons et maux de tête.
- Augmentation du volume des glandes du cou.
- CONJONCTIVITE parfois.

Durée
- La période d'incubation (le temps qui sépare le contact avec l'infection de l'apparition des premiers symptômes) est généralement de trois à cinq jours.
- Chez les enfants et les non-fumeurs, la phase aiguë de l'infection ne dépasse pas quarante-huit heures. Un mal de gorge, par contre, peut durer jusqu'à dix jours, surtout si la personne fume.

Causes
- Dans la plupart des cas, les pharyngites sont dues à des infections virales respiratoires. Parfois, il s'agit d'infections bactériennes (streptocoques).
- Les enfants, dans leur première année de scolarité, sont particulièrement vulnérables, car ils sont en contact avec de nombreux germes contre lesquels ils n'ont pas constitué de résistances.
- Plus rarement, il s'agit de la ROUGEOLE, de la RUBÉOLE et de la GRIPPE.

Complications
- Le RHUMATISME ARTICULAIRE AIGU et la NÉPHRITE aiguë peuvent succéder à une pharyngite, mais ces maladies sont actuellement devenues plus rares.

Traitement à domicile
- Boire beaucoup pour soulager le mal de gorge et prévenir la déshydratation.
- Prendre des analgésiques, aux doses recommandées, pour soulager la douleur et faire baisser la température. *Voir* MÉDICAMENTS, n° 22.
- Se reposer.
- S'il existe une conjonctivite, fermer les yeux et les essuyer avec un morceau de coton trempé dans de l'eau tiède.
- Arrêter de fumer.

Quand consulter le médecin
- Si l'on crache un mucus jaune ou verdâtre au cours d'une toux et si la température est élevée.
- Si l'on a mal à l'oreille.
- Si une éruption de boutons apparaît.

Rôle du médecin
- Prescrire des antibiotiques en cas de complications bactériennes. *Voir* MÉDICAMENTS, n° 25.
- La pharyngite guérit en quelques jours. Il n'est pas recommandé de prendre des antibiotiques, comme la pénicilline, de façon répétée ou préventive. A moins qu'il n'y ait des risques de complications, le médecin ne fait que prescrire un traitement identique à celui mentionné dans « Traitement à domicile ».

Prévention
- Aucune.

Pronostic
- Guérison complète en une dizaine de jours.

PHARYNGITE CHRONIQUE

Inflammation durable du pharynx.

Symptômes
- Mal de gorge persistant.
- Gorge rouge.

Durée
- Aussi longtemps que dure l'exposition à des substances irritantes.

Causes
- Exposition prolongée à la poussière ou à d'autres substances irritantes.
- La fumée du tabac.
- La respiration buccale (due, par exemple, à une sinusite, à des polypes nasaux, à une déviation de la cloison nasale) entraîne une irritation du pharynx par de l'air non filtré et non réchauffé.
- En cas d'anxiété ou de dépression, un mal de gorge et une gorge rouge peuvent être constatés. La cause en est inconnue.

Complications
- Aucune.

Traitement à domicile
- Bains de bouche et gargarismes peuvent soulager les symptômes. Une aspirine soluble, diluée dans de l'eau tiède, peut être prise sous forme de gargarismes deux à trois fois par jour.
- Éviter les substances irritantes comme les aliments épicés, l'alcool ou le tabac.

Quand consulter le médecin
- Lorsque l'affection est due à une respiration buccale.
- En cas d'anxiété ou de dépression sévère.

Rôle du médecin
- Examiner le nez et la gorge.
- Traiter la cause.

Prévention
- Éviter de fumer.

Pronostic
- Une pharyngite chronique n'est pas grave. Elle est surtout gênante.

Voir SYSTÈME RESPIRATOIRE, *page 42*

PHÉOCHROMOCYTOME

Maladie rare due à une tumeur sécrétant en excès des hormones appelées « catécholamines ». Le plus souvent, le phéochromocytome se développe à partir d'une des deux glandes surrénales situées à la partie supérieure des reins. Plus rarement, le phénochromocytome siège au niveau d'un ganglion sympathique, dans n'importe quelle partie du corps (thorax, crâne, abdomen). Les symptômes sont une hypertension artérielle, des maux de tête sévères, des palpitations, une accélération du rythme cardiaque, des sueurs, des troubles de la vision, des troubles digestifs.

Voir HYPERTENSION

Soins de la peau

VOTRE PEAU NÉCESSITE UN ENTRETIEN QUOTIDIEN VOICI UN PLAN D'ACTION

La peau se régénère continuellement au cours de la vie, mais ce processus se ralentit avec l'âge. Comme les cellules mortes s'éliminent sans cesse et que l'on enlève régulièrement la fine pellicule de matière sébacée, la peau présente chaque jour une surface renouvelée, presque insensible aux intempéries. La peau est capable d'assurer seule sa défense. Il faut cependant la protéger contre des agressions telles que les effets du soleil et certains produits chimiques.

Soins quotidiens du visage :

1. Nettoyer

Les femmes qui se maquillent doivent non seulement se laver le visage tous les matins, mais aussi prendre l'habitude de se nettoyer la peau, de la tonifier et de l'hydrater tous les soirs. Le nettoyage élimine le maquillage, les impuretés et les matières sébacées accumulées dans la journée.

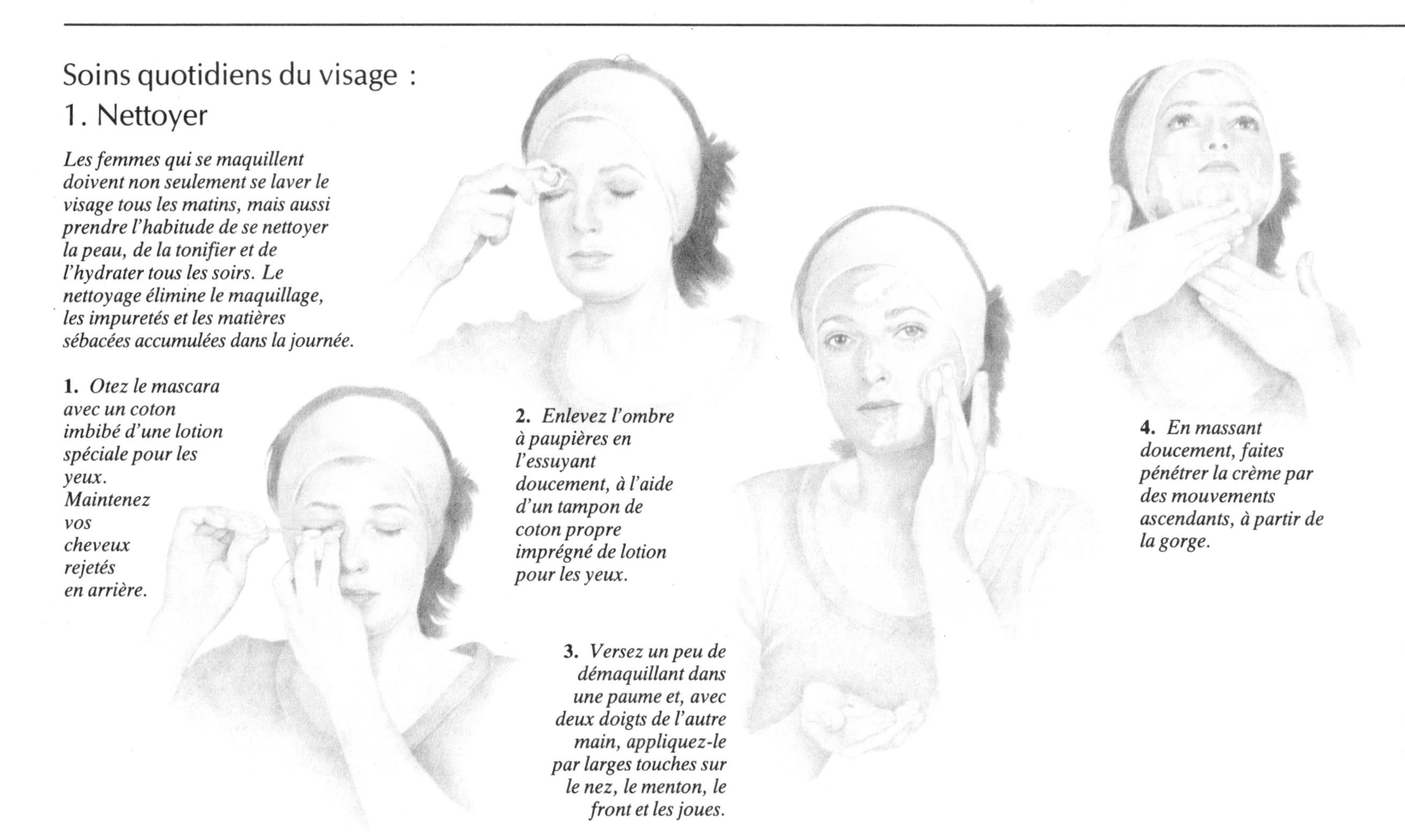

1. *Otez le mascara avec un coton imbibé d'une lotion spéciale pour les yeux. Maintenez vos cheveux rejetés en arrière.*

2. *Enlevez l'ombre à paupières en l'essuyant doucement, à l'aide d'un tampon de coton propre imprégné de lotion pour les yeux.*

3. *Versez un peu de démaquillant dans une paume et, avec deux doigts de l'autre main, appliquez-le par larges touches sur le nez, le menton, le front et les joues.*

4. *En massant doucement, faites pénétrer la crème par des mouvements ascendants, à partir de la gorge.*

LES INTEMPÉRIES

Dans les pays tempérés, où la majeure partie de la peau est couverte par les vêtements, les intempéries affectent surtout les parties exposées du visage et des mains. Plus la peau est foncée, meilleure est sa protection naturelle contre les rayons solaires.

La couleur et la texture de la peau reflètent l'état de santé général, chez les enfants et les êtres jeunes surtout. Une bonne hygiène de vie contribue à conserver une peau saine, à garder « bonne mine » et à nous sentir en forme : grand air, exercice, alimentation équilibrée.

En ce qui concerne les soins externes, le lavage régulier à l'eau et au savon demeure un principe de base. L'eau et le savon entraînent les cellules mortes et une partie des bactéries qui vivent normalement sur la peau.

LE MEILLEUR SAVON

Tout savon contient des produits alcalins, qui dissocient la couche cornée de l'épiderme et facilitent la pénétration — et l'évacuation — de l'eau. Normalement, la couche cornée se renouvelle rapidement, mais l'abus du savon entraîne une desquamation et un dessèchement excessifs, donc des gerçures — inconvénient dont souffrent la plupart des personnes qui se lavent les mains trop souvent. Un séchage insuffisant contribue aussi à aggraver les gerçures.

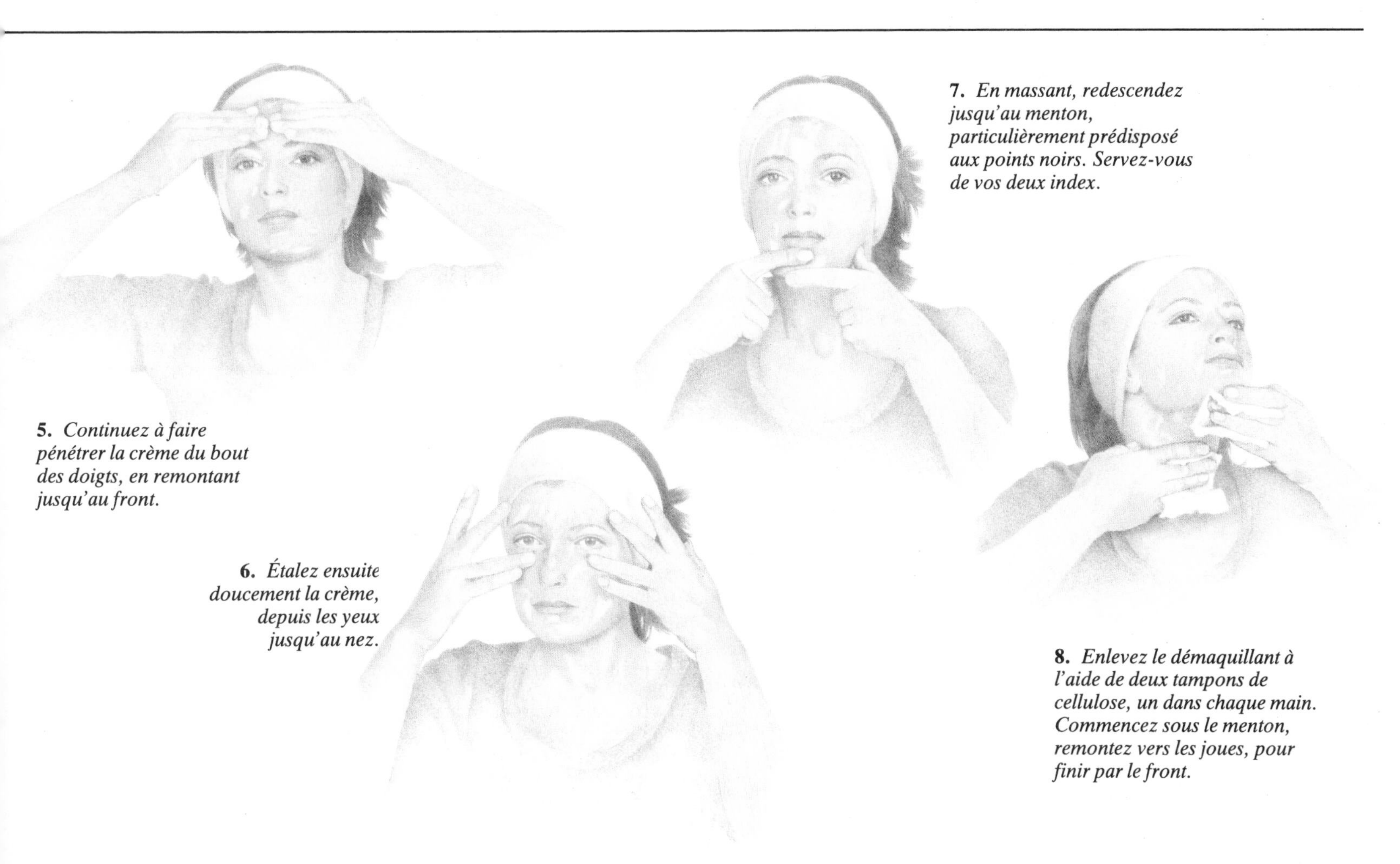

5. *Continuez à faire pénétrer la crème du bout des doigts, en remontant jusqu'au front.*

6. *Étalez ensuite doucement la crème, depuis les yeux jusqu'au nez.*

7. *En massant, redescendez jusqu'au menton, particulièrement prédisposé aux points noirs. Servez-vous de vos deux index.*

8. *Enlevez le démaquillant à l'aide de deux tampons de cellulose, un dans chaque main. Commencez sous le menton, remontez vers les joues, pour finir par le front.*

Les savons médicamenteux (ceux, par exemple, contenant un antiseptique) ne présentent aucun avantage pour une peau normale et conviennent au traitement de certaines maladies de peau (*voir* FURONCLE). Les bactéries cutanées habituelles, sans danger en général, s'éliminent au savon ordinaire. Combattues trop vigoureusement par des antiseptiques, elles risquent d'être remplacées par des organismes plus nocifs.

L'adjonction, au savon, de colorants, parfums ou antiseptiques, accroît les possibilités, même lointaines, d'irritation. Le meilleur savon est le plus simple, sans désinfectant ni parfum. Les détergents, qui sont des produits chimiques de synthèse, dissolvent plus énergiquement les graisses que les savons, mais ils sont trop agressifs pour être utilisés régulièrement et ils provoquent facilement des gerçures.

Soins quotidiens du visage : 2. Tonifier

Le tonique enlève toute trace subsistante de maquillage ou de démaquillant.

1. *Aussitôt après le nettoyage, appliquez le tonique sur le front et les joues, à l'aide d'un tampon de coton.*

2. *Appliquez le tonique sur le nez, en insistant sur les creux des ailes des narines.*

3. *Appliquez le tonique sur le menton, en insistant sur le pli du menton.*

CRÈMES POUR LES PEAUX SÈCHES

Par l'application d'une crème, on peut soulager une peau écailleuse et sèche. Il en est de deux sortes : les crèmes faites d'émulsions d'huiles dans l'eau, qui s'enlèvent facilement à l'eau, et celles faites d'émulsions d'eau dans des huiles, qui sont plus difficiles à éliminer par le lavage.

Toutes les crèmes, en raison de leur teneur en eau, hydratent légèrement la peau. La lanoline, huile obtenue à partir du suint de la laine, était très utilisée naguère pour remédier aux peaux sèches, mais beaucoup de personnes y sont allergiques.

Les personnes affligées d'ICHTYOSE (peau très sèche, héréditaire) ou bien d'ECZÉMA (inflammation), incapables de tolérer l'eau et le savon, doivent pour se laver utiliser une crème émulsifiante spéciale.

EFFETS DU CLIMAT ET DE LA CLIMATISATION

Les vents froids, les températures extrêmes, les élévations de la pression barométrique accentuent le dessèchement et la desquamation de la peau, qui se traitent par une crème grasse.

La très faible hygrométricité des habitations et bureaux climatisés dessèche et irrite la peau. Le meilleur remède est de maintenir une humidité ambiante de 50 pour 100, au moyen d'humidificateurs.

DANGER DES BAINS DE SOLEIL

L'exposition aux rayons solaires peut être nocive pour la peau. Les COUPS DE SOLEIL sont souvent douloureux; on arrive à les soulager avec des lotions à base de silicate de zinc.

Plus graves sont, sur la peau, les effets de l'exposition continuelle au soleil pendant de nombreuses années.

La peau blanche est plus vulnérable aux rayons du soleil que la peau foncée; à la longue, elle vieillit prématurément, car elle perd son élasticité, s'amincit et se ride.

Cette action néfaste du soleil pose depuis longtemps un problème aux populations blanches de l'Australie et des régions fortement ensoleillées des États-Unis. La vogue des vacances au soleil étend également ce danger aux peuples de l'Europe du Nord. Deux semaines au bord de la mer au soleil du sud ne sont pas à redouter, mais si les séjours se répètent chaque année, pendant une vingtaine d'années, et qu'on utilise entre-temps une lampe à bronzer, les risques s'accumulent.

Pendant les bains de soleil, utilisez régulièrement une crème ou une lotion filtrante.

PRODUITS DE BEAUTÉ ET ALLERGIES

De nombreux produits de beauté ont une base grasse ou huileuse. Les femmes ont tendance à les utiliser pour embellir leur teint plus que pour protéger leur peau.

Il existe aussi de nombreux produits de nettoyage et de démaquillage. Ils éliminent les matières sébacées de la peau, mais leur fonction principale est de la débarrasser des fonds de teint et fards préalablement appliqués.

La plupart de ces produits sont inoffensifs, mais il arrive que sur certaines peaux ils provoquent une irritation ou déclenchent une allergie. L'allergie se manifeste d'abord par une démangeaison, puis par des taches rouges apparaissant aux endroits touchés par le produit. Ces symptômes peuvent dégénérer en ECZÉMA.

Au cas où une allergie se déclare, il faut immédiatement rejeter le produit suspect. Si l'on ne sait à quoi attribuer l'allergie, ou si elle persiste, consulter un médecin.

LE VIEILLISSEMENT

Le vieillissement de la peau — qu'il soit ou non accéléré par l'exposition au soleil — est irréversible. La peau perd son élasticité, s'amincit et se dessèche. Les rides se font plus nombreuses et plus profondes, et le plus léger choc laisse un « bleu ». Un adroit maquillage arrive en partie à dissimuler ces défauts.

Les veines dilatées sur les joues et sur le nez sont probablement dues à une prédisposition personnelle, autant qu'au vieillissement et aux agressions atmosphériques. On les dissimule au moyen d'une crème couvrante. Il ne faut pas nécessairement les attribuer à une consommation excessive d'alcool.

LES POCHES SOUS LES YEUX

Les poches sous les yeux — qui sont fréquemment héréditaires — ne sont pas non plus le résultat de l'alcoolisme ou de veilles prolongées; elles se produisent chez les personnes qui ont la peau lâche autour des paupières. Il en est d'autres qui ont en permanence les joues et le nez rouges; ce n'est pas qu'elles boivent trop : elles sont sans doute atteintes de COUPEROSE.

L'ACNÉ DES PEAUX JEUNES

Au cours de l'adolescence, les glandes sébacées sont plus actives qu'en aucune autre période, surtout sur la face et sur le haut du tronc. Ces sécrétions sont alors si excessives qu'elles bouchent parfois les pores. *Voir* ACNÉ.

Trois types de produits de beauté

Les produits de beauté sont conçus et étiquetés à l'intention de trois types de peau :

☐ **Peau grasse.** De texture épaisse, avec des pores dilatés. Elle est sujette aux points noirs.

☐ **Peau sèche.** Elle tend à être fine, pèle facilement et donne une sensation de tiraillement. Les rides y apparaissent tôt.

☐ **Peau normale.** A mi-chemin entre ces deux extrêmes.

Soins quotidiens du visage : 3. Hydrater

La peau, si elle n'est pas hydratée, ne peut rester lisse et souple. Le visage étant exposé à l'action desséchante des intempéries, les produits hydratants, riches en eau, renforcent l'humidité naturelle de la peau et la protègent.

2. *Appuyez les doigts des deux mains au milieu du front et étalez lentement la crème vers les tempes. Tapotez doucement la crème autour des yeux.*

1. *Du bout des doigts, appliquez des touches de crème hydratante sur l'ensemble du visage.*

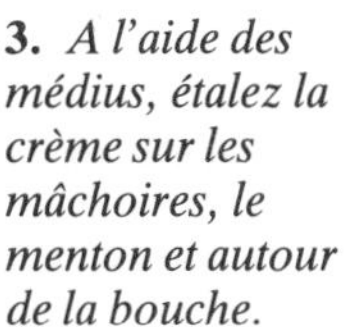

3. *A l'aide des médius, étalez la crème sur les mâchoires, le menton et autour de la bouche.*

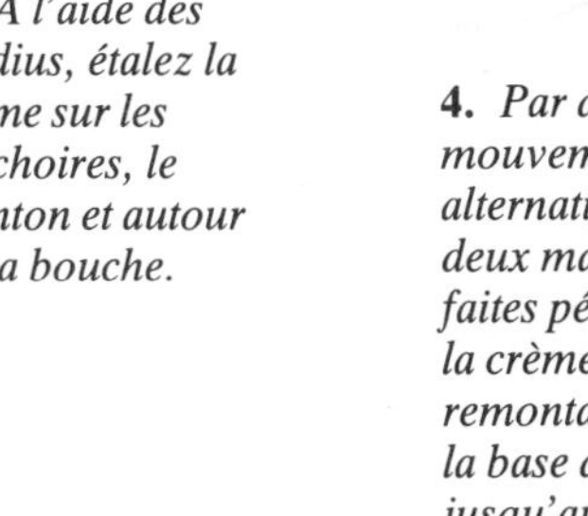

4. *Par des mouvements alternatifs des deux mains, faites pénétrer la crème en remontant de la base du cou jusqu'au menton.*

PHIMOSIS

Rétrécissement de l'orifice préputial. Une affection apparentée, le paraphimosis, est un étranglement de l'extrémité de la verge (le gland) par l'anneau préputial retenu en arrière.

Symptômes

• L'orifice préputial est très serré; le prépuce ne pouvant être ramené en arrière empêche l'extériorisation du gland.

• Les petits garçons peuvent éprouver des difficultés à uriner.

• Chez l'adulte, le phimosis est parfois responsable de problèmes sexuels.

• Le paraphimosis peut être douloureux lorsque le gland se gonfle.

Durée

• Les deux affections persistent sans traitement.

Causes

• Le phimosis peut exister à la naissance.

• Une infection, notamment chez les hommes âgés.

• Le paraphimosis est généralement dû à une petite infection de l'anneau préputial.

Complications

• Inflammation du gland. *Voir* BALANITE.

Traitement à domicile

• Chez les jeunes enfants, on peut exercer des tractions très douces sur le prépuce chaque fois que le gland a été découvert.

Quand consulter le médecin

• Si les symptômes apparaissent.

Rôle du médecin

• Examiner le pénis.

• Proposer une circoncision si nécessaire.

• Le paraphimosis cède habituellement aux réductions manuelles, mais parfois une circoncision doit être pratiquée en urgence.

Prévention

• Une bonne hygiène peut éviter l'infection.

Pronostic

• Avec un traitement adapté, la guérison est rapide.

PHLÉBITE

Inflammation aiguë ou chronique d'une veine. La phlébite aiguë (généralement située au niveau des membres inférieurs) entraîne l'obstruction de la veine par un caillot. *Voir* THROMBOPHLÉBITE.

PHLYCTÈNE

Ampoule transparente formée par l'accumulation de liquide sous la peau. Le liquide est habituellement du sérum, composante aqueuse du sang. La plupart des phlyctènes sont isolées et apparaissent à l'endroit d'une brûlure, d'un coup de soleil, d'une plaie ou d'une lésion par une substance irritante. La phlyctène peut être également due à une piqûre d'insecte.

En cas de multiples phlyctènes sans plaie externe, il peut s'agir d'une infection. *Voir* HERPÈS, ZONA, VARICELLE et IMPÉTIGO. Les phlyctènes multiples peuvent aussi être le signe d'une maladie grave.

PHLYCTÈNES DUES A UNE BLESSURE

Symptômes

• Une phlyctène peut résulter d'une brûlure, d'irritants de la peau ou d'un frottement, et elle se forme en une heure après la blessure. Une ampoule transparente apparaît sous la peau. Elle peut grossir après la fin de l'irritation et éclater si le frottement se poursuit.

• Une phlyctène se forme souvent après l'apaisement de la douleur de la blessure. Elle peut être indolore, à moins qu'elle n'éclate. En ce cas, la peau sous-jacente et les tissus sont exposés, et deviennent sensibles à l'action de l'air. La poussière ou d'autres substances irritantes risquent de pénétrer dans la peau et de former une plaie infectée.

Durée

• Une phlyctène formée sous l'étage supérieur de la peau dure une semaine. Si l'étage inférieur de la peau est altéré ou infecté, la guérison est plus longue.

Causes

• Le contact avec un objet très chaud.

• Un frottement. Des chaussures mal ajustées peuvent causer des phlyctènes.

• L'exposition à des substances irritantes, comme certains détergents ou métaux.

Complications

• Si une phlyctène apparaît, il existe un risque d'infection : elle peut former une plaie ouverte ou inflammatoire, ainsi qu'un ULCÈRE.

Traitement à domicile

• Éviter une friction persistante qui peut faire éclater la phlyctène.

• Ne pas percer l'ampoule volontairement, sauf si la peau tendue entraîne une gêne importante. L'ouverture de la phlyctène accroît les risques d'infection.

• Si la phlyctène s'ouvre, la laisser à l'air dans des conditions hygiéniques. La recouvrir d'un pansement s'il existe un risque évident de souillure.

Quand consulter le médecin

• Si la phlyctène s'infecte et s'entoure d'une zone rouge, œdémateuse et inflammatoire.

• Si la phlyctène apparaît sans blessure évidente.

Rôle du médecin

• Prescrire des antibiotiques en cas d'infection. *Voir* MÉDICAMENTS, n° 25.

• Si la phlyctène survient sans raison évidente, le médecin peut prescrire des examens de sang et des prélèvements pour mettre en évidence l'infection ou la maladie de la peau. Il peut aussi injecter un anesthésique et prélever un échantillon de peau pour examen.

Prévention

• Prendre garde en cas d'activité manuelle près d'une source de chaleur.

• Porter des gants en cas d'activité manuelle difficile à laquelle on n'est pas habitué.

• Éviter le port de chaussures étroites et ne porter des chaussures neuves que peu de temps au début. Utiliser des chaussettes épaisses lors de longues marches à pied.

• Au début d'une exposition au soleil ou à la lampe à bronzer, ne rester que quelques minutes.

Pronostic

• La plupart des phlyctènes guérissent complètement avec ou sans traitement. Parfois, une phlyctène peut atteindre toute l'épaisseur de la peau. Elle guérira également, mais avec une cicatrice.

PHLYCTÈNES ET MALADIES DE LA PEAU

Les maladies de la peau responsables de phlyctènes peuvent être l'ECZÉMA, l'érythème polymorphe (une maladie rare mais bénigne), le PEMPHIGUS et le ZONA. L'aspect et la localisation des phlyctènes varient selon la maladie. Elles sont généralement multiples.

Symptômes

• L'eczéma provoque souvent des phlyctènes multiples. Il peut s'agir de vésicules (petites phlyctènes), qui démangent et n'éclatent pas, ou de bulles (grandes phlyctènes transparentes). Lorsque les vésicules atteignent les paumes de main et les plantes de pied, la maladie est appelée dyshidrose. Parfois, une bulle peut recouvrir la totalité de la paume ou de la plante.

• L'érythème polymorphe produit divers types d'éruptions, dont les phlyctènes et les plaies des mains, des lèvres, de la bouche et des organes génitaux.

• Le pemphigus est une maladie qui provoque des phlyctènes importantes ou des bulles chez les bébés et les personnes d'âge moyen ou âgées.

Durée

• Voir cas par cas les maladies mentionnées ci-dessus.

Causes
• Se référer aux maladies mentionnées ci-dessus.
Complications
• Si la phlyctène éclate, il y a risque d'infection, de plaie ouverte ou d'ulcère.
Traitement à domicile
• Les phlyctènes inexpliquées ne peuvent être correctement traitées avant que leur cause n'ait été identifiée par des examens médicaux. Éviter les traitements à domicile : ils peuvent entraîner des infections bactériennes sur les lieux des phlyctènes.
• Pour réduire les risques d'infection, éviter les frictions qui peuvent provoquer l'éclatement des phlyctènes. Nettoyer les zones atteintes avec précaution, à l'aide d'eau chaude savonneuse.
Quand consulter le médecin
• Si des phlyctènes sont apparues sans cause évidente.
Rôle du médecin
• Demander des examens de sang ou des prélèvements d'ampoules lorsqu'il n'existe pas de cause évidente. Le traitement ultérieur dépend de la cause (voir les maladies mentionnées plus haut).
• Prescrire une pommade, des sédatifs, pour prévenir les démangeaisons et la gêne.
Prévention
• Certaines formes d'eczéma sont dues à l'allergie. Lorsque la cause de l'allergie est identifiée, il est possible de l'éviter ou de se protéger.
Pronostic
• Il dépend de la nature de la maladie responsable des phlyctènes. Dans la plupart des cas, le traitement médical soulage les symptômes, même s'il n'existe pas de guérison complète.

Voir LA PEAU, *page 52*

PHOBIE

La phobie est une crainte liée à une situation ou à un objet non dangereux, mais provoquant néanmoins une réaction d'angoisse.

L'angoisse survient en présence d'une situation toujours identique, que le sujet évite ensuite autant qu'il le peut, quitte à réduire son activité. Par exemple, un sujet atteint de claustrophobie (peur des espaces clos) peut se priver d'aller au cinéma.

Certaines phobies sont tout à fait normales chez l'enfant. Ainsi, entre six et dix-huit mois survient la peur du noir et de l'inconnu, entre deux et six ans la peur des animaux.

Citons quelques phobies parmi les plus fréquentes : l'agoraphobie (peur des espaces libres et des lieux publics), l'éreuthophobie (crainte de rougir, banale à l'adolescence), la zoophobie (peur de certains animaux, qui s'observe presque toujours chez la femme), la phobie des transports, la claustrophobie.

Ces craintes phobiques peuvent être maîtrisées en évitant certaines causes d'anxiété ou en aménageant son existence (se faire accompagner par un proche, n'utiliser que la voiture...).

La plupart des malades « s'arrangent avec leur phobie » et mènent une existence normale, mais d'autres en sont incapables. Il est parfois nécessaire de prescrire des tranquillisants et d'engager une psychothérapie comportementale : le patient est exposé à l'objet ou à la situation de ses craintes pendant une période de temps chaque fois croissante. L'angoisse s'épuise, et la suppression du symptôme phobique n'entraîne pas l'apparition d'autres symptômes.

Voir MALADIES MENTALES, *page 33*

PHOTOSENSIBILISATION

Sensibilisation de certaines personnes à l'effet du soleil; elles sont sujettes aux brûlures après une brève exposition solaire. *Voir* COUP DE SOLEIL.
Symptômes
• Les coups de soleil apparaissent immédiatement, malgré une exposition de courte durée. Dans les formes mineures, la peau devient ensuite bronzée. Dans les formes sévères, la peau est très sensible, brûlante et tuméfiée, puis couverte de cloques.
Durée
• Quelques jours, si le patient n'est plus exposé au soleil.
Causes
Certains médicaments sont le plus souvent responsables :
• Les phénothiazines, utilisées contre les troubles nerveux et les vomissements.
• Quelques antibiotiques, dont les tétracyclines, par exemple.
• Les sulfamides.
• La griséofulvine, utilisée contre les infections mycosiques.
• L'acide nalidixique, utilisé contre les infections urinaires.
• Les barbituriques.
Autres causes :
• Une déficience en acide nicotinique, dans certains pays où sévit la malnutrition.
• D'autres maladies plus rares, comme la PORPHYRIE ou une absence de pigmentation.
Traitement à domicile
• Rafraîchir la peau par des applications de lotion à la calamine ou de compresses d'eau froide. Les crèmes antihistaminiques sont peu efficaces.
• Laisser les régions couvertes de cloques à l'air libre.
• Prendre des analgésiques aux doses recommandées, si nécessaire. *Voir* MÉDICAMENTS, n° 22.
• Éviter les vêtements qui frottent les zones atteintes.
• Ne pas s'exposer à nouveau au soleil.
• Indiquer au médecin tous les médicaments utilisés.
Quand consulter le médecin
• En cas de réaction inhabituelle au soleil ou à la lampe à bronzer.
Rôle du médecin
• Demander des tests d'allergie sur des zones limitées de la peau, afin d'établir un diagnostic avec certitude.
Prévention
• Utiliser des crèmes solaires filtrantes.
• Ne pas poursuivre le traitement médicamenteux responsable, sauf s'il n'y a pas d'alternative.
Pronostic
• Les mesures préventives sont généralement efficaces.

Voir LA PEAU, *page 52*
ÉRUPTION MÉDICAMENTEUSE

PHYTOTHÉRAPIE

La phytothérapie — traitement par les plantes — et l'aromathérapie — à base d'huiles essentielles végétales — sont probablement les formes les plus anciennes de la médecine. En effet, dès la préhistoire, nos ancêtres connaissaient certaines plantes médicinales et la plupart des civilisations anciennes s'en sont servies; même encore aujourd'hui, des pays non industrialisés les utilisent.

Dans les civilisations occidentales, le déclin de la thérapeutique par les plantes coïncida avec l'avènement de l'alchimie, au XVIe siècle, qui utilisa des substances chimiques non organiques. Néanmoins, la phytothérapie continua à être employée par la suite, surtout dans les campagnes et les régions isolées. D'ailleurs, de nombreux médicaments pharmaceutiques d'usage courant dérivent des plantes : par exemple, la digitaline, un médicament qui ralentit le rythme cardiaque, vient de la digitale pourprée, et la morphine, un calmant puissant, est tirée du pavot.

De surcroît, certains chercheurs scientifiques s'intéressent de près aux effets thérapeutiques des plantes médicinales, dont ils étudient les avantages et les inconvénients par rapport aux médicaments déjà connus, car les plantes ne sont pas dépourvues d'effets toxiques. L'Organisation mondiale de la santé vient de dresser un catalogue des traitements à base de plantes médicinales traditionnelles d'Amérique du Sud, d'Afrique, de Chine et d'autres pays.

En fait, la phytothérapie et l'aromathérapie ne font pas partie de la médecine officielle, mais, de même que l'homéopathie, elles commencent à être pratiquées par certains médecins, parmi lesquels il existe plusieurs écoles et différentes opinions. Ces thérapies, bien qu'ancestrales, sont encore expérimentales, sauf pour les médicaments faiblement dosés comme les tisanes qui sont sans danger. De plus, il faut se méfier des charlatans, non médecins, qui prétendent tout guérir par les plantes, même le cancer.

PIAN

Maladie infectieuse tropicale, qui sévit surtout chez les enfants. La contamination se produit par contact direct ou par l'intermédiaire du linge ou d'ustensiles souillés. Le premier signe de la maladie est une ulcération croûteuse, située souvent sur la jambe. Cette lésion, appelée « maman-pian », peut guérir spontanément en quelques mois, mais de nouvelles lésions surviennent sur le corps, de façon disséminée. Sans traitement, des ulcérations cutanées appelées « gommes » surviennent des années plus tard. La pénicilline est efficace, mais la prévention est difficile.

PIED (DOULEURS PLANTAIRES DU)

Inflammation des enveloppes des muscles de la plante du pied (fascia plantaire) au voisinage du talon. Cette affection est attribuée à un éperon osseux développé sur l'os du talon et appelé épine calcanéenne, mais elle peut exister sans cette épine.

Symptômes
- Douleur aiguë du talon, en position debout ou lors de la marche, qui peut irradier en profondeur. La douleur ne concerne habituellement qu'un seul pied.

Durée
- Variable, écourtée par le traitement.

Causes
- La cause exacte de l'affection est inconnue, mais l'obésité, les stations debout prolongées, les marches excessives, les chaussures étroites et mal adaptées peuvent jouer un rôle.

Traitement à domicile
- Chaussures larges et repos relatif.

Quand consulter le médecin
- Si la douleur persiste malgré le traitement à domicile.

Rôle du médecin
- Faire des examens de sang et des radios du pied qui montreront souvent une épine calcanéenne.
- L'injection d'un produit cortisonique au point douloureux entraîne souvent un rapide soulagement de la douleur. *Voir* MÉDICAMENTS, n° 32.
- Prescrire des semelles orthopédiques comportant une cuvette talonnière souple.
- On ne peut faire l'ablation de l'épine calcanéenne.

Prévention
- Porter des chaussures confortables et bien adaptées.
- Éviter l'obésité.

Pronostic
- Tous les cas guérissent spontanément ou répondent bien au traitement, mais une récidive est possible.

PIED D'ATHLÈTE

Cette infection due à un champignon est surtout marquée entre les orteils et à la plante des pieds. Elle est rare chez les jeunes enfants mais très fréquente chez les adolescents et les jeunes adultes usagers des piscines, douches et vestiaires publics.

Symptômes
- Démangeaisons, parfois intenses, siégeant entre les orteils, à la plante et au bord des pieds.
- La peau est humide, blanchâtre, squameuse, particulièrement dans le pli qui sépare le petit et le quatrième orteil. Le fond du pli inter-orteil est fissuré.
- L'inflammation peut toucher la plante et les talons, qui deviennent rouges et squameux.
- Des petites bulles, une éruption peuvent se former autour des orteils, sur la plante ou le dos du pied.

Durée
- L'affection persiste si elle n'est pas traitée.

Causes
- Une infection mycosique (due à un champignon).
- La chaleur, l'humidité, la sudation la favorisent.

Traitement à domicile
- Se laver souvent les pieds en séchant soigneusement les espaces entre les orteils.
- Changer de chaussettes chaque jour et couvrir l'intérieur des chaussures d'une poudre spéciale contre les champignons. Éviter les chaussures synthétiques, qui favorisent la sudation (chaussures de tennis).

Quand consulter le médecin
- Si vous souffrez d'un pied d'athlète, même modéré, une consultation médicale est souhaitable, de façon à éviter l'extension des lésions.
- S'il existe une douleur, une inflammation importante, car une surinfection bactérienne est possible.

Rôle du médecin
- Faire pratiquer un examen au microscope de la peau grattée pour connaître le type de champignon en cause et éliminer une autre affection comme l'ECZÉMA ou le PSORIASIS, qui peuvent parfois être confondus avec le pied d'athlète.
- Prescrire des crèmes ou poudres antifongiques. Parfois, un traitement par la bouche est nécessaire.
- Soigner une éventuelle surinfection par des antiseptiques à appliquer localement et des antibiotiques.

Prévention
- L'infection est propagée par les gens qui marchent pieds nus dans les endroits publics, comme les gymnases, piscines et vestiaires; le port de sandales de protection est donc recommandé.
- Changer souvent de chaussettes et de chaussures; porter des chaussures aérées et garder les pieds frais en portant des sandales le plus souvent possible, pour éviter la chaleur et la sudation répétée des pieds.

Pronostic
- Le traitement est efficace à condition d'être effectué régulièrement pendant la durée prescrite. Les ongles sont plus difficiles à soigner.
- Les récidives sont toujours possibles, dans les mêmes conditions que la première fois, et il est important de garder les pieds, et particulièrement les plis inter-orteils, bien secs.

PIED BOT

Courbure excessive de la plante du pied, qui peut être congénitale ou acquise. L'arche du pied est très cambrée, et les orteils sont en forme de griffe. Les symptômes sont habituellement des durillons en regard des os proéminents et une douleur au niveau de la cambrure du pied. Souvent, les symptômes sont légers et peuvent être soulagés par des semelles et coussinets élastiques. Dans les cas sévères, une intervention chirurgicale est nécessaire.

PIEDS (SOINS DES)
Voir page 360

PIEDS PLATS

Pieds qui reposent trop à plat sur le sol en raison de l'absence d'arche plantaire. Tous les enfants gardent des pieds plats un an ou deux ans après avoir commencé à marcher, mais avant d'atteindre l'âge de seize ans, leurs pieds auront développé une voûte plantaire.

Symptômes
- Chez les adultes, tension et douleur des pieds.
- Chez les enfants, il n'y a habituellement pas de gêne. Le signe caractéristique est un bombement sur le côté interne du pied, juste au-dessous de l'os de la cheville. La chaussure de l'enfant bombe à l'intérieur, en avant et en dedans du talon qui s'use sur le côté interne.

Durée
- Chez beaucoup d'enfants qui ont des pieds plats peu marqués, la déformation disparaît sans traitement en un mois ou deux.
- Les enfants qui ont des symptômes plus marqués ont besoin d'un traitement pour guérir.
- Chez beaucoup d'adultes, le traitement est moins efficace et nécessite de nombreux réajustements.

Causes
- Chez les enfants, la cause est souvent un développement trop lent des muscles de la marche.
- Chez les adultes, c'est la marche excessive, les stations debout prolongées, et surtout l'excès de poids.

Traitement à domicile
- Chez les enfants qui ont des pieds légèrement plats, la marche les guérit rapidement.
- Les enfants et les adultes ayant des pieds plats accentués feront des exercices avec leurs orteils, notamment de la marche sur la pointe des pieds.

Quand consulter le médecin
- Si les pieds sont douloureux.
- Si les symptômes persistent.

Rôle du médecin
- Faire des radiographies des pieds.
- Prescrire une rééducation plantaire.
- Recommander le port de semelles comportant une arche interne de soutien ou de chaussures orthopédiques sur mesure.
- Pour les cas sévères, consulter un podiatre.

Prévention
- Des marches nombreuses durant l'enfance préviennent le développement des pieds plats.
- Il faut toujours porter des chaussures convenables, qui ne sont pas forcément les plus esthétiques.
- Éviter la surcharge que représente l'obésité.
- Éviter également la station debout immobile.

Pronostic
- Chez l'enfant, l'affection guérit le plus souvent. Chez l'adulte, elle peut nécessiter le port permanent de semelles orthopédiques.

Voir LE SQUELETTE, *page 54*

PITYRIASIS ROSÉ DE GIBERT

Affection bénigne de la peau caractérisée par la présence de petites plaques rosées et squameuses. Elle apparaît surtout chez l'adulte jeune, particulièrement au printemps et à l'automne.

Symptômes
- Une plaque rouge de 2 à 10 centimètres de diamètre, située habituellement sur le tronc, précède l'éruption de une à deux semaines.
- L'éruption, faite de plaques de 0,5 à 2 centimètres de diamètre, siège sur le tronc et la racine des membres supérieurs, région souvent décrite comme celle recouverte d'un maillot de corps.
- Les taches sont arrondies ou de forme ovale, recouvertes de fines squames, et légèrement prurigineuses. Elles sont de couleur rose-rouge ou rose saumon.
- Le centre des plaques peut perdre ses squames et devenir légèrement fripé, de couleur jaunâtre ou brun clair, alors que la bordure reste rose et squameuse, légèrement gonflée par rapport au centre.

Durée
- Cette dermatose guérit spontanément en quatre à six semaines. Il est rare qu'elle persiste plus longtemps.

Causes
- Inconnues. Peut-être une infection.

Traitement à domicile
- Une lotion à la calamine peut adoucir les démangeaisons. Aucun autre traitement particulier n'est recommandé.

Quand consulter le médecin
- Bien que la maladie ne demande aucun traitement, un avis médical est souhaitable pour éliminer une autre affection de cause différente.
- Si les démangeaisons sont très gênantes.

Rôle du médecin
- Examiner le patient, et parfois faire pratiquer une prise de sang pour éliminer un autre diagnostic (SYPHILIS).
- Prescrire des médicaments ou des lotions calmantes pour soulager le prurit. *Voir* MÉDICAMENTS, n° 43.

Pronostic
- Le pityriasis rosé guérit spontanément et complètement. Généralement, il ne récidive pas.

Voir LA PEAU, *page 52*

PLACEBO

Préparation qui ne contient pas de substance pharmaceutique active. Un médecin prescrit un placebo lorsqu'il estime que son patient se porte bien, mais que ce dernier souhaite une prescription. Très souvent, le placebo provoque la « guérison » simplement parce que le patient est persuadé des vertus bienfaisantes de cette préparation.

PLACENTA PRÆVIA

Situation anormale du placenta durant la grossesse : au lieu de se situer au fond de l'utérus comme dans le cas normal, il se développe dans sa partie basse. Cette situation peut entraîner des saignements dans le dernier trimestre de la grossesse et durant le travail, et peut même quelquefois empêcher la naissance de l'enfant par les voies naturelles.

PLANTES (THÉRAPEUTIQUE PAR LES)

Des plantes médicinales sont utilisées en PHYTOTHÉRAPIE (extraits de plantes), en aromathérapie (huiles essentielles à base de plantes) et en HOMÉOPATHIE (doses médicamenteuses infinitésimales) pour soigner certaines maladies physiques et mentales.

Soins des pieds

COMMENT PRENDRE SOIN DE SES PIEDS, DE L'ENFANCE A LA VIEILLESSE

Les pieds, qui supportent tout le poids du corps, sont soumis à un effort considérable. Aussi comportent-ils une structure complexe d'os, de muscles, de tendons et de nerfs. Le pied compte vingt-six petits os — c'est la partie du corps où ils sont le plus nombreux — et quatre fois plus de ligaments et de muscles, qui maintiennent ces os dans la position correcte et assurent entre eux la souplesse des articulations. Il convient donc de prendre grand soin de ces mécanismes.

Soins hebdomadaires des pieds

Les personnes qui ont les pieds sensibles trouveront un soulagement dans les soins et les exercices recommandés dans les pages qui suivent. Sont nécessaires : une cuvette, une crème à ongles, un cure-ongles, du coton hydrophile, une pince à ongles, des limes en carton, une râpe à peaux mortes, une crème pour les pieds.

1. *Otez le vernis à ongles. Lavez chaque pied à son tour à l'eau chaude. Brossez soigneusement les ongles. Rincez à l'eau froide. Séchez les pieds à fond, surtout entre les orteils.*

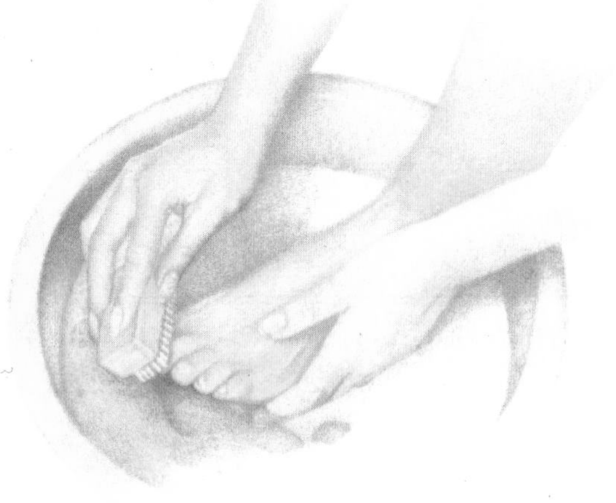

2. *Appliquez la crème à ongles avec le bout pointu du cure-ongles enveloppé de coton. Détachez les peaux des lunules. Faites pénétrer la crème le long des ongles.*

3. *Massez doucement les ongles; la crème les empêche de se dessécher et de se dédoubler. Laissez-les s'en imprégner pendant au moins trois minutes.*

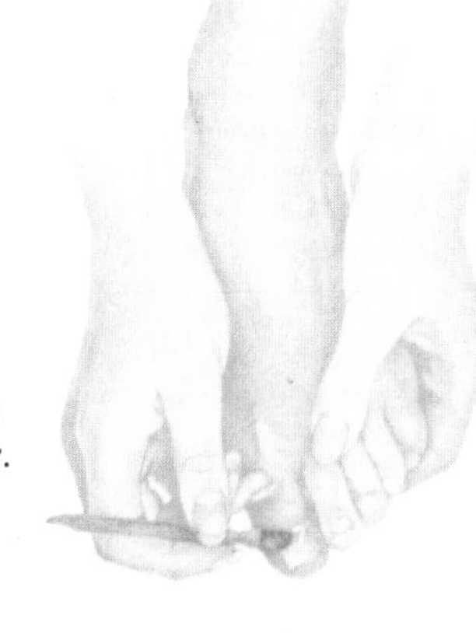

4. *Avec l'extrémité en biseau du cure-ongles, repoussez les peaux des lunules, ce qui permet aux ongles de pousser librement.*

5. *Finissez de les nettoyer avec le bout pointu du cure-ongles enveloppé de coton.*

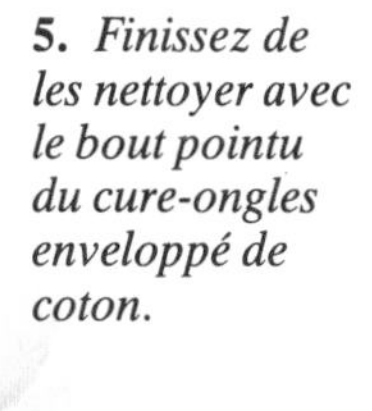

POUR UN BON ÉTAT DE « MARCHE »

La force du pied réside principalement dans le gros orteil, et le centre de l'équilibre d'une personne se situe sur la partie antérieure de la plante.

Non seulement le pied soutient le poids du corps, mais il fournit un travail énorme : les pieds d'une personne de soixante-dix ans ont parcouru l'équivalent de trois fois le tour du monde.

Quatre-vingt-dix pour cent des problèmes de pieds viennent de chaussures défectueuses. Trop serrées ou trop étroites, elles sont la cause d'oignons, de cors et de durillons. Exagérément usées, elles peuvent aussi entraîner des déformations des pieds. Trop grandes et n'apportant pas le soutien adéquat, elles peuvent provoquer des ampoules, et parfois un affaissement de la voûte plantaire.

Les talons de plus de 5 centimètres de haut, portés constamment, infligent une charge supplémentaire à la voûte transverse et à la partie antérieure de la voûte longitudinale. *Voir* PIEDS PLATS. Ils peuvent aussi déclencher des maux de dos.

Lorsque vous essayez des chaussures neuves, vérifiez ces points essentiels : emboîtent-elles bien les talons ? Pouvez-vous remuer les orteils ? Si ce n'est pas le cas, elles sont trop étroites.

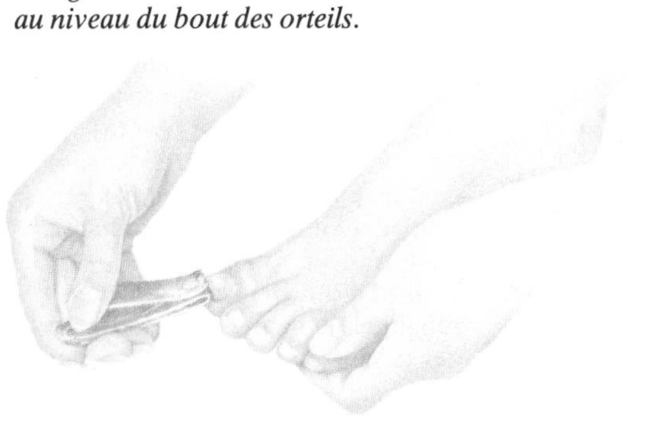

6. *Coupez les ongles avec une pince en acier. Ayez soin de les couper en carré, pour éviter la formation d'ongles incarnés. Ils doivent arriver au niveau du bout des orteils.*

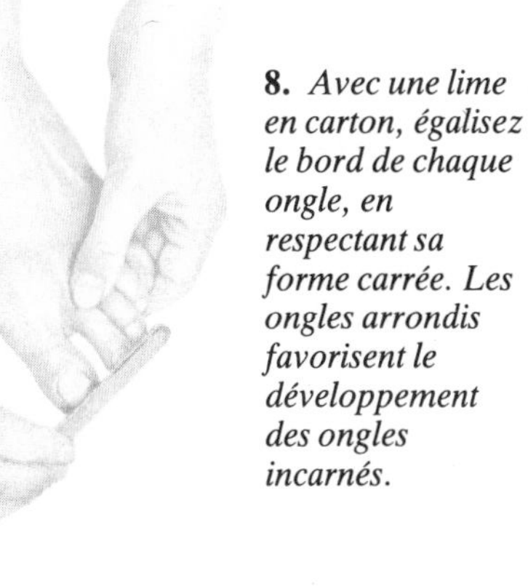

8. *Avec une lime en carton, égalisez le bord de chaque ongle, en respectant sa forme carrée. Les ongles arrondis favorisent le développement des ongles incarnés.*

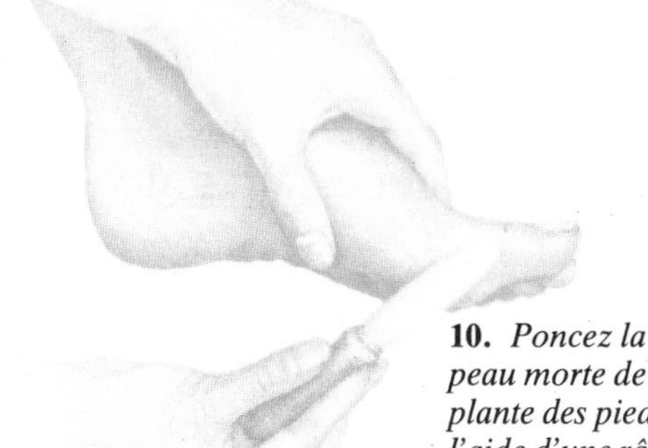

10. *Poncez la peau morte de la plante des pieds à l'aide d'une râpe spéciale, que vous achèterez en pharmacie.*

7. *Rincez à l'eau chaude pour ôter toute trace de crème à ongles. Séchez à fond. Le pied laissé humide risquerait de gercer.*

9. *Entourez de coton le biseau du cure-ongles et nettoyez les côtés des ongles. N'allez pas trop profond, de peur de provoquer une infection.*

11. *En remontant des orteils vers la cheville, massez tout le pied et faites pénétrer la crème par des mouvements circulaires.*

Exercent-elles une pression douloureuse en un point quelconque du pied ? Soutiennent-elles la voûte plantaire ?

Vous garderez des pieds en bonne santé en marchant pieds nus, à l'occasion, surtout dans le sable ou dans l'herbe; cet exercice accroît la mobilité des orteils et contribue à la relaxation du corps.

SE PRÉPARER AUX EXCURSIONS

Les personnes peu habituées aux longues marches et qui se font des ampoules gâchent souvent leurs vacances. Pour éviter ces douloureux désagréments, il faut commencer à traiter les pieds deux semaines avant de partir. Chaque soir, tamponnez-les abondamment à l'alcool de friction et laissez sécher. Si des ampoules se forment malgré tout, badigeonnez-les à la teinture d'iode et recouvrez-les d'un pansement adhésif élastique. Il ne faut jamais crever les ampoules.

Pour les longues promenades, portez des bottes ou des chaussures confortables et bien ajustées. Le port de deux paires de chaussettes réduira grandement le phénomène de frottement sur le pied : soit une paire en coton fin au contact de la peau et, par-dessus, une paire en laine, qui ne doit pas serrer.

Tous les jours, changez de chaussettes et lavez-vous les pieds. Lavez-les à l'eau tiède et rincez-les à l'eau froide. Séchez-les soigneusement et, ensuite, poudrez-les, surtout entre les orteils, avec du talc. Répandez également un peu de talc dans les chaussettes propres, en les secouant avant de les enfiler. *Voir* PHLYCTÈNE.

Instruments nécessaires aux soins des pieds

BROSSE A ONGLES. *Les fibres dures en nylon conviennent au nettoyage des doigts et des ongles de pieds.*

LE CARTON ÉMERISÉ. *Il permet de limer les ongles en douceur.*

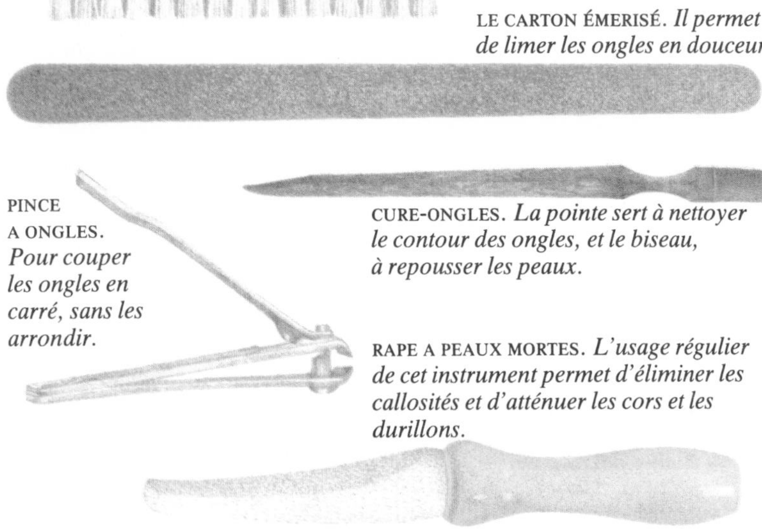

PINCE A ONGLES. *Pour couper les ongles en carré, sans les arrondir.*

CURE-ONGLES. *La pointe sert à nettoyer le contour des ongles, et le biseau, à repousser les peaux.*

RAPE A PEAUX MORTES. *L'usage régulier de cet instrument permet d'éliminer les callosités et d'atténuer les cors et les durillons.*

LA TRANSPIRATION

De nombreuses personnes souffrent d'une excessive transpiration des pieds, par temps froid comme par temps chaud, surtout si elles travaillent dans des usines ou des bureaux mal aérés. Pour y remédier, il faut se laver les pieds matin et soir. Trempez les pieds dans de l'eau froide. Séchez-les soigneusement avec une serviette rugueuse, puis appliquez un astringent soit en pulvérisations, soit en poudre. D'abondantes applications d'alcool de friction sont également efficaces. Lorsque l'alcool ou l'astringent a séché, poudrez légèrement les pieds de talc.

Changez de chaussettes au moins deux fois par jour, et, le soir, chez vous, portez des sandales ou des pantoufles légères.

Ce sont les bactéries, toujours présentes sur la peau, qui provoquent l'odeur désagréable associée à la sudation des pieds, désagrément que vient empirer le port de chaussures fermées, surtout si l'empeigne est en plastique ou en caoutchouc. En été, des sandales découpées sont une bonne solution. Des semelles traitées, glissées dans les chaussures habituelles, ont une action désodorisante, et des semelles contenant du charbon activé absorbent les odeurs.

QUELQUES AFFECTIONS

Engelures. Taches enflammées dues au froid, causant de vives démangeaisons. Ne les grattez pas. Elles disparaissent en général au bout de trois semaines. Pour les prévenir, gardez les pieds au chaud et au sec. *Voir* ENGELURES.

Verrues plantaires. Souvent douloureuses et très contagieuses, elles peuvent se contracter dans les piscines. Elles apparaissent souvent sur les orteils ou sur la plante des pieds. Parfois, elles disparaissent au bout de quelques mois. Au cas où elles persisteraient, un médecin peut les enlever. Il ne faut pas propager l'infection en marchant pieds nus. *Voir* VERRUES.

Le pied d'athlète. Cette infection fongique se manifeste surtout par des fendillements et des démangeaisons entre les orteils et sur la plante. Comme la transpiration l'aggrave, il faut garder le pied aussi propre et sec que possible. Portez des chaussettes en fibres naturelles qui assurent une bonne aération. Utilisez aussi une poudre spéciale antifongique. *Voir* PIED D'ATHLÈTE.

LES PERSONNES AGÉES

Celles-ci doivent prendre un soin tout particulier de leurs pieds, spécialement les personnes dont les pieds sont prédisposés aux cors, durillons et oignons, et aux déformations des orteils et des ongles. Des chaussures avachies, même appréciées pour leur confort, peuvent être nocives, car les pieds âgés ont besoin de soutien.

Toutes les affections des pieds des personnes âgées doivent être traitées par un podiatre diplômé.

LES ENFANTS

Les pieds des enfants grandissent vite, et il ne sert à rien d'acheter des chaussures coûteuses. Préférez des chaussures bon marché, remplacées à peu de frais dès qu'elles deviennent trop petites. Les os jeunes, malléables, se déforment facilement dans des chaussures mal adaptées. Vérifier fréquemment la pointure de l'enfant.

Pour choisir à coup sûr la pointure voulue, mesurez auparavant le pied de l'enfant, en le plaçant debout sur deux bandes de papier de 13 millimètres de large. Coupez les bandes à l'exacte longueur de chaque pied et marquez-les « droit » et « gauche ». Dans le magasin, glissez chaque bande jusqu'à la pointe de la chaussure correspondante; assurez-vous qu'il reste environ 18 millimètres de jeu entre l'extrémité de la bande et le contrefort de la chaussure.

N'achetez jamais de chaussures sans que l'enfant soit présent, et ne lui achetez pas de chaussures « habillées », qui deviendront trop petites bien avant d'être usées.

Pour l'été, choisissez de préférence des sandales à bout ouvert, avec de solides lanières. Laissez l'enfant pieds nus sur la moquette, la pelouse ou la plage.

N'oubliez pas que les pieds d'un bébé peuvent souffrir dans une combinaison trop petite ou des chaussettes trop courtes.

Exercices pour fortifier les pieds

Pour conserver des pieds souples et résistants, pratiquez les exercices suivants deux ou trois fois par semaine. Portez une tenue — short ou maillot — qui n'entrave pas la liberté des mouvements de jambes.

ÉLÉVATION DU PIED. *Position debout, pieds nus, au bord d'une marche, au bas d'un escalier. Tenez-vous à la rampe.*

1. *Abaissez lentement les talons; gardez cette position.*

2. *Relevez lentement le pied; tenez-vous sur la pointe.*

ROTATION DU PIED. *Position assise, sur une chaise. Croisez une jambe par-dessus l'autre.*

1. *Sans bouger la jambe supérieure, allongez le pied.*

2. *Décrivez dans l'air de larges cercles avec le pied.*

EXTENSION DES JAMBES. *Position assise, sur le sol, pieds nus. Prenez appui sur la paume des mains.*

1. *Écartez les genoux; réunissez les plantes des pieds.*

2. *Les plantes l'une contre l'autre, allongez les jambes sur le sol.*

3. *Étirez les jambes le plus loin possible.*

PLEURÉSIE

Les poumons sont séparés de la paroi thoracique par la plèvre — une membrane fragile lubrifiée par un léger film de fluide. Elle permet aux poumons de se remplir d'air et de se rétracter doucement au cours de la respiration. La pleurésie revêt deux formes : la pleurésie sèche, où la plèvre devient inflammatoire, et la pleurésie avec épanchement de liquide entre les poumons et la cage thoracique. Les deux types de pleurésie ont les mêmes symptômes et sont habituellement la complication d'autres maladies.

Symptômes

- Douleur vive ou lancinante dans la poitrine lors des mouvements respiratoires.
- Douleur plus aiguë dans les pleurésies sèches.
- Toux sèche.
- De la fièvre, habituellement. Il peut y avoir d'autres symptômes dus à une autre maladie sous-jacente.

Causes

- Infection virale ou bactérienne.
- PNEUMONIE.
- CANCER.
- Traumatisme sur la cage thoracique, lors d'accidents de la route par exemple.
- Parfois, il n'y a aucune cause apparente.

Traitement à domicile

- Se reposer au lit et prendre des analgésiques aux doses recommandées. *Voir* MÉDICAMENTS, n° 22.

Quand consulter le médecin

- A l'apparition des symptômes ci-dessus.

Rôle du médecin

- Examiner le patient à la recherche d'une cause.

Pronostic

- Il dépend de la maladie sous-jacente.

Voir SYSTÈME RESPIRATOIRE, *page 42*

PNEUMOCONIOSES

Ensemble de maladies pulmonaires dues à l'accumulation de particules minérales dans les poumons. Les principales sont l'ASBESTOSE, due aux fibres d'amiante, et la SILICOSE, due à la silice (sable). Mais tous les métaux peuvent provoquer une pneumoconiose.

Voir RISQUES PROFESSIONNELS ET LIÉS A L'ENVIRONNEMENT

PNEUMONIE

C'est une inflammation aiguë des poumons, due à une infection virale ou bactérienne. Les pneumonies bactériennes risquent de se développer rapidement dans des poumons sains. Elles peuvent aussi compliquer une opération chirurgicale en cas d'accident anesthésique, ou une infection antérieure (BRONCHITE).

Symptômes

- Toux sèche et durable.
- Fièvre élevée, avec respiration rapide.
- Douleur thoracique unilatérale, augmentée par les mouvements respiratoires et par la toux. Cette douleur révèle souvent une PLEURÉSIE et survient rarement lors de pneumonies virales.
- L'état du malade s'aggrave très rapidement.
- Les crachats sont peu abondants, mais striés de filets de sang rougeâtres.
- Chez les nouveau-nés et les jeunes enfants, les symptômes de la pneumonie sont parfois trompeurs. La toux peut être modérée ou absente. Les seuls signes de cette maladie grave peuvent se résumer à une fièvre élevée, à une respiration rapide et superficielle, et à un teint gris. Cet état exige un avis médical immédiat.

Durée

- Une pneumonie bactérienne traitée avec des antibiotiques adaptés ne dure pas plus de sept à dix jours.
- Une pneumonie virale est moins sérieuse et guérit sans traitement en une semaine.
- Les deux types de pneumonie justifient une convalescence de deux ou trois semaines.

Causes

- Bactéries (pneumocoques ou staphylocoques).
- La FIÈVRE Q et la PSITTACOSE peuvent provoquer des pneumonies virales.
- Extension aux poumons d'infections bactériennes des voies respiratoires supérieures.

Complications

- Depuis la découverte des antibiotiques, les complications sont rares. Des récidives peuvent survenir.

Traitement à domicile

- Rester au lit. Boire beaucoup. Appeler le médecin.

Quand consulter le médecin

- Si les symptômes mentionnés apparaissent. En cas d'aggravation d'une infection respiratoire.

Rôle du médecin

- Confirmer le diagnostic par l'examen.
- Demander une radiographie pulmonaire.
- Prescrire un antibiotique s'il suspecte une infection bactérienne. *Voir* MÉDICAMENTS, n° 25.
- Prescrire une nouvelle radiographie à la fin du traitement pour confirmer la guérison. Cet examen est très important pour les enfants sujets aux complications et pour les patients de plus de quarante ans, chez qui un CANCER DES POUMONS peut être découvert.

Prévention

- Chez les enfants et les personnes âgées, si les refroidissements et les toux sont bien soignés, les récidives sont moindres.

Pronostic

- Avec un traitement, il est bon quel que soit l'âge.

PNEUMOTHORAX

Normalement, la membrane qui recouvre les poumons est en contact étroit avec la surface interne de la cage thoracique : un film liquide très fin les sépare. Lors d'un pneumothorax, l'air s'insinue entre les deux parois et provoque une rétraction des poumons.

Symptômes

- Douleur extrêmement vive et brutale dans la poitrine, accentuée lors des respirations profondes et de la toux.
- Parfois, une douleur apparaît dans les épaules.
- Respiration superficielle. Signe majeur dans les cas sévères, inexistant dans les cas moins graves.

Durée

- Jusqu'à ce que l'air situé à l'extérieur des poumons se résorbe (une à quatre semaines).

Causes

- La formation et la rupture — pour une raison inconnue — de petites bulles d'air à la surface des poumons. C'est un phénomène fréquent chez les jeunes adultes, surtout chez les hommes.
- Une fracture de côte transperçant les poumons.
- Un traumatisme qui endommage la cage thoracique.

Traitement à domicile

- Le pneumothorax est une urgence. Le patient doit rester au lit en attendant le médecin.

Quand consulter le médecin

- Immédiatement si l'on suspecte un pneumothorax.

Rôle du médecin

- Demander une radiographie pulmonaire ou l'admission à l'hôpital.
- Le patient reste en observation jusqu'à ce que le danger d'une rétraction pulmonaire disparaisse.

Prévention

- Aucune.

Pronostic

- Bon, mais avec parfois des récidives.

POIDS

Le poids peut donner des indications importantes sur l'état de santé d'un individu. Des changements rapides de poids (augmentation ou diminution), sans explication évidente (comme une grossesse ou un changement d'alimentation), peuvent témoigner d'une maladie et doivent donc être signalés au médecin.

Chacun de nous a un « poids idéal », qui correspond au poids lui permettant d'être en bonne santé et de se sentir bien dans sa peau. Il est très difficile de le définir. Il existe bien sûr des tables de « poids idéal », qui ont été établies par les compagnies d'assurances. Un exemple de ces tables est fourni ci-contre. Il est très important de ne pas prendre les indications fournies par ces tables à la lettre. Chacun de nous, en fonction de son squelette, de sa constitution, de sa taille, de son âge, de son activité, a son propre « poids idéal ». Ce tableau indique donc une valeur moyenne.

Pour se faire une idée de son poids idéal, on peut se référer au poids que l'on pèse vers vingt, trente ans, au poids où l'on se « sent bien », et accessoirement au poids indiqué par les tables.

On parle d'OBÉSITÉ quand le poids dépasse 20 pour 100 du poids idéal chez l'homme et 30 pour 100 chez la femme. L'obésité favorise un certain nombre de maladies, en particulier le DIABÈTE, l'HYPERTENSION ARTÉRIELLE, l'excès de CHOLESTÉROL, l'insuffisance respiratoire, les problèmes de RHUMATISMES. L'obésité peut aggraver les symptômes de certaines maladies, comme les maladies cardiaques et respiratoires.

L'excès inverse, c'est-à-dire la maigreur excessive, comporte aussi des risques. Elle rend l'organisme plus fragile aux infections, aux agressions, à la chirurgie. Une maigreur excessive peut être due à une alimentation insuffisante, à une mauvaise assimilation de la nourriture, à des pertes (diarrhée, troubles urinaires).

L'amaigrissement spontané (c'est-à-dire celui qui n'est pas le résultat d'une restriction volontaire de l'alimentation) doit toujours être pris au sérieux, en particulier si d'autres symptômes sont présents qui font penser à une maladie.

Le poids idéal se situe en définitive dans une fourchette de poids assez large, évitant les deux extrêmes qui sont l'obésité et la maigreur. Ce poids est obtenu grâce à une alimentation équilibrée, qui sait mettre en balance les apports (aliments) et les dépenses (exercices) d'énergie.

Voir ATHÉROME, NUTRITION, OBÉSITÉ

POINT DE COTÉ

Douleur aiguë dans l'abdomen, qui survient pendant un exercice physique vigoureux comme la course à pied, et en général peu de temps après un repas. La douleur, ressentie le plus souvent dans le côté gauche, est due à la brusque contraction d'un muscle. Elle est sans danger.

Voir SYSTÈME DIGESTIF, *page 44*

POLIOMYÉLITE

Maladie infectieuse épidémique et contagieuse, d'origine virale. Elle atteint surtout les jeunes enfants, mais aussi parfois l'adulte jeune. Elle survient par petites épidémies saisonnières durant l'été et l'automne. Depuis les vaccinations, la poliomyélite est devenue rare en Amérique du Nord et en Europe, mais reste encore très fréquente en Afrique et en Asie. Le virus est présent dans le tube digestif et il est éliminé par les

Poids souhaitable chez l'homme et la femme

Les poids, indiqués en kilos, sont donnés en fonction de la taille et du type d'ossature chez des hommes et des femmes de vingt-cinq ans et plus. Le poids comprend les habits d'intérieur. Pour les poids nus, déduire 2 à 3 kilos pour l'homme et 1 à 2 kilos pour la femme. Pour les femmes âgées de dix-huit à vingt-cinq ans, il faut réduire de 0,5 kg par année en dessous de vingt-cinq ans.

HOMMES

TAILLE (cm)	POIDS (kg)		
	SQUELETTE		
cm	Léger	Moyen	Lourd
158	58.3-61.0	59.6-64.2	62.8-68.3
160	59.0-61.7	60.3-64.9	63.5-69.4
162	59.7-62.4	61.0-65.6	64.2-70.5
164	60.4-63.1	61.7-66.5	64.9-71.8
166	61.1-63.8	62.4-67.6	65.6-73.2
168	61.8-64.6	63.2-68.7	66.4-74.7
170	62.5-65.7	64.3-69.8	67.5-76.1
172	63.2-66.7	65.4-70.8	68.5-77.5
174	63.9-67.8	66.4-71.9	69.6-78.9
176	64.7-68.9	67.5-73.0	70.7-80.3
178	65.4-70.0	68.6-74.0	71.8-81.8
180	66.1-71.0	69.7-75.1	72.8-83.3
182	67.1-72.1	70.7-76.5	73.9-84.7
184	68.2-73.4	71.8-77.9	75.2-86.1
186	69.2-74.8	73.0-79.3	76.6-87.6
188	70.3-76.2	74.4-80.7	78.0-89.4

FEMMES

TAILLE (cm)	POIDS (kg)		
	SQUELETTE		
cm	Léger	Moyen	Lourd
148	46.4-50.6	49.6-55.1	53.7-59.8
150	46.7-51.3	50.3-55.9	54.4-60.9
152	47.1-52.1	51.1-57.0	55.2-61.9
154	47.8-53.0	51.9-58.0	56.2-63.0
156	48.5-54.1	52.7-59.1	57.3-64.1
158	49.3-55.2	53.8-60.2	58.4-65.3
160	50.3-56.2	54.9-61.2	59.4-66.7
162	51.4-57.3	55.9-62.3	60.5-68.1
164	52.5-58.4	57.0-63.4	61.5-69.5
166	53.6-59.5	58.1-64.5	62.6-70.9
168	54.6-60.5	59.2-65.5	63.7-72.4
170	55.7-61.6	60.2-66.6	64.8-73.8
172	56.8-62.6	61.3-67.6	65.8-75.2
174	57.8-63.7	62.3-68.7	66.9-76.4
176	58.9-64.8	63.4-69.8	68.0-77.5
178	60.0-65.9	64.5-70.9	69.0-78.6

selles. La contagion se fait par voie digestive, par transmission directe au contact d'un malade (mains sales) ou indirecte, par l'eau ou les aliments pollués.

Le virus prolifère dans l'intestin, où il reste localisé sans diffuser au reste de l'organisme dans la grande majorité des cas : il s'agit alors d'une infection inapparente, sans aucun signe clinique. Mais ces sujets porteurs de virus sont contagieux pour les autres durant quelques semaines. Dans certains cas, le virus franchit la barrière intestinale, passe dans le sang et donne lieu à des symptômes bénins ressemblant à ceux de la grippe : il s'agit de la forme atténuée de la poliomyélite. Dans un petit nombre de cas, enfin, le virus est capable de franchir la barrière des méninges, et il se fixe alors sur le système nerveux où il provoque des paralysies. Au total, les formes inapparentes représentent 95 pour 100 des cas, les formes atténuées 5 pour 100, et les formes paralytiques moins de 1 pour 100.

Symptômes

- Les symptômes de la forme atténuée consistent en une fièvre, des maux de tête, une angine et des troubles digestifs qui durent quelques jours.
- Dans la forme paralytique apparaissent des signes de méningite et des douleurs musculaires.
- Puis s'installent les paralysies. Elles peuvent être massives, réalisant une quadriplégie, ou plus limitées, asymétriques, touchant les membres et accompagnées d'une fonte musculaire rapide.
- Il existe un risque d'atteinte des muscles respiratoires pouvant conduire à la mort par asphyxie.

Période d'incubation

- Variable : de quelques jours à un mois.

Durée

- Quelques jours pour la forme atténuée.
- Les symptômes de la forme paralytique commencent à régresser quelques semaines après le début de la maladie et durent un à deux ans. Cette régression est souvent incomplète, laissant des séquelles.

Causes

- Poliovirus, dont il existe trois types.

Traitement à domicile

- Aucun.

Rôle du médecin

- Si le diagnostic de poliomyélite est établi, une hospitalisation s'impose avec repos et surveillance.
- Comme dans la plupart des maladies virales, il n'existe aucun traitement spécifique.
- La rééducation motrice par un kinésithérapeute doit être entreprise rapidement.

Prévention

- Elle repose sur la vaccination. Il existe actuellement deux types de vaccins : un vaccin à virus tué, qui s'administre par injection; un vaccin à virus vivant atténué, qui s'administre par voie orale. Ces vaccins sont l'un et l'autre très efficaces.

Pronostic

- Dans la forme paralytique, les séquelles sont permanentes et le handicap dépend de l'étendue et de la localisation des paralysies.

POLYARTHRITE RHUMATOÏDE

Gonflement progressif, lentement destructeur, de plusieurs articulations. Au début, la maladie frappe le plus souvent les articulations des doigts, les poignets et les pieds. Elle a ensuite souvent tendance à s'étendre aux genoux, aux épaules, aux chevilles, aux coudes. C'est une maladie surtout féminine (quatre fois sur cinq), commençant le plus souvent entre les âges de vingt-cinq et cinquante-cinq ans. Il existe aussi des formes particulières aux vieillards.

Symptômes

- Articulations gonflées.
- Raideur et douleur des articulations atteintes, souvent plus pénibles en début de matinée.
- Peau rouge et luisante au niveau des articulations.
- Sensation de raideur générale.
- Limitation des mouvements.
- Parfois, syndrome du CANAL CARPIEN précoce.
- Amaigrissement, petite fièvre, fatigue générale, perte de l'appétit peuvent inaugurer la maladie.
- Dans les formes sévères, les articulations atteintes, en particulier celles des mains, peuvent se déformer, se détruire et perdre une bonne part de leur fonction.

Durée

- Le plus souvent longue, étalée sur des années.

Causes

- Inconnues. Probable rencontre d'un virus et d'un terrain génétiquement prédisposé.

Complications

- Une ANÉMIE se développe fréquemment.
- Quelquefois, il y a une atteinte des yeux (œil sec), des poumons, du cœur, des artères, des reins, mais le plus souvent la maladie reste uniquement articulaire.

Traitement à domicile

- Prendre des médicaments contre la douleur aux doses recommandées. *Voir* MÉDICAMENTS, n° 22.

Quand consulter le médecin

- Devant tout gonflement articulaire.

Rôle du médecin

- Faire des examens sanguins pour confirmer le diagnostic et vérifier que les symptômes ne sont pas causés par une maladie voisine mais différente.
- Radiographier toutes les articulations douloureuses.
- Prescrire des médicaments anti-inflammatoires pour soulager la douleur et ralentir les progrès de la maladie. *Voir* MÉDICAMENTS, n°s 32, 37.
- Certains traitements dits de fond, comme les sels d'or, sous surveillance suivie, peuvent fortement aider à freiner, ou même à guérir la maladie.
- Mettre les articulations les plus atteintes dans des attelles de contention.
- Physiothérapie très prudente et très douce.
- Certaines articulations détruites (doigts, hanches, genoux) peuvent relever d'une prothèse totale.
- Dans les cas sévères, réorganiser la vie professionnelle, la vie à la maison, les activités quotidiennes.

Prévention

- Inconnue.

Pronostic

- La majorité des cas de polyarthrite rhumatoïde ont une longue évolution, faite d'attaques articulaires alternant avec des périodes de rémission. Les destructions articulaires graves peuvent grandement bénéficier des progrès de l'orthopédie (prothèses totales).
- La maladie peut disparaître rapidement ou après de nombreuses attaques.

Voir illustration, page 367.

POLYNÉVRITE

C'est une atteinte des nerfs périphériques (qui relient le cerveau aux différentes parties du corps). Elle est appelée névrite lorsqu'un seul nerf est atteint. Ses causes sont multiples : toxiques, infectieuses, etc.

Symptômes

- Les muscles s'affaiblissent et commencent à s'atrophier. Les premiers symptômes apparaissent au niveau des mains et des pieds, dont les muscles sont innervés par les plus longs trajets nerveux reliés au cerveau.
- Il y a apparition de douleurs, puis la peau perd sa sensibilité et paraît anesthésiée, phénomène qui débute également au niveau des mains et des pieds.
- Les réflexes sont abolis lorsque l'on frappe sur les tendons de la rotule ou de la cheville.

Durée

- L'affection est souvent réversible avec le traitement.

Causes

- Un déficit en vitamine B_1 (thiamine).

• Une intoxication par les métaux lourds (plomb, mercure ou arsenic).
• L'ALCOOLISME.
• De nombreuses maladies, comme le DIABÈTE, la DIPHTÉRIE, le syndrome de GUILLAIN ET BARRÉ, la LÈPRE et diverses infections virales.
• Certains produits chimiques (trichloréthylène, benzène, tétrachlorure de carbone, etc.).

Traitement à domicile
• Aucun. Consulter le médecin.
• Si une paralysie des membres persiste, la physiothérapie et des soins à domicile sont indispensables.

Quand consulter le médecin
• Dès que les symptômes apparaissent.

Rôle du médecin
• Réaliser un examen complet du système nerveux, notamment un test des réflexes.
• Mesurer la vitesse de l'influx nerveux en plaçant des aiguilles sous la peau.
• Demander des examens de sang pour rechercher un déficit vitaminique, une intoxication, un alcoolisme ou un diabète.
• Le traitement dépendra de la cause.

Prévention
• C'est celle de la cause.
• Un régime riche en céréales, par exemple avec du pain complet, prévient un déficit en vitamine B_1.
• Une consommation modérée d'alcool.
• Éviter le contact avec les produits toxiques.

Pronostic
• La polynévrite est souvent due à une autre maladie; elle disparaît si cette dernière est curable.

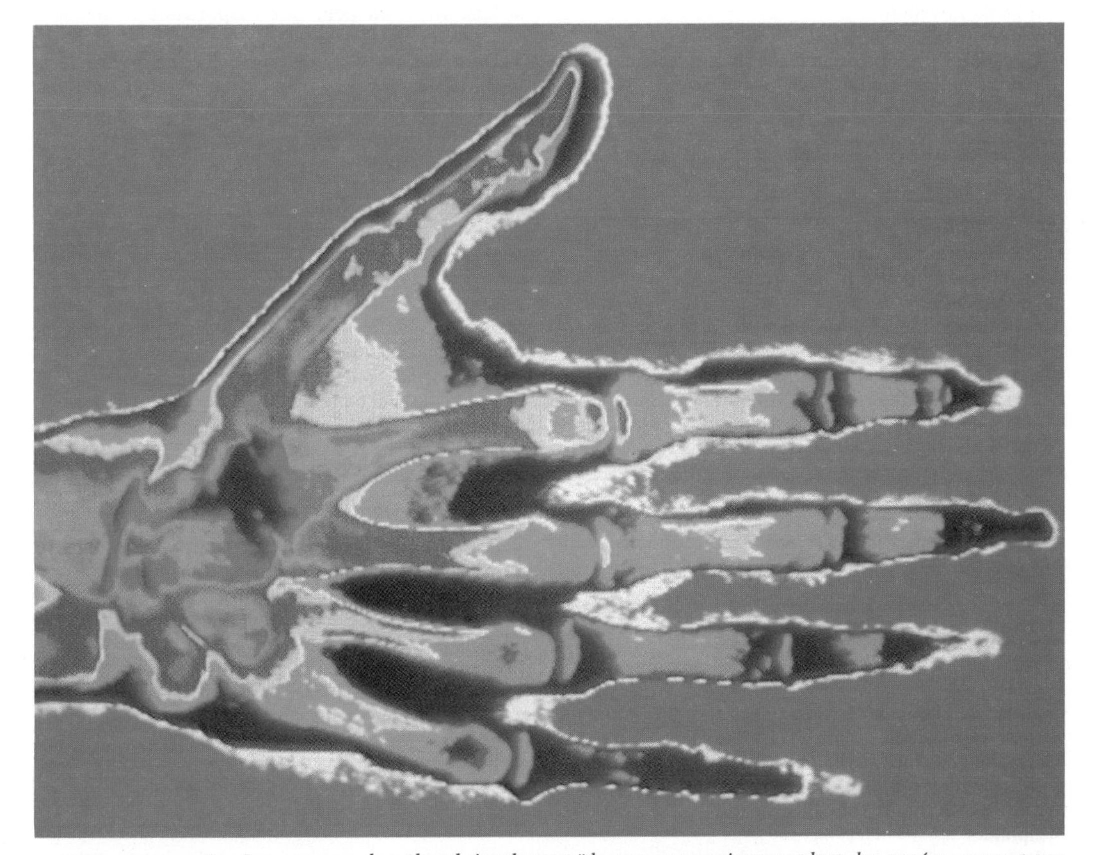

ARTHRITE EN POUSSÉE. *Les attaques de polyarthrite rhumatoïde peuvent persister pendant des années, causant une inflammation des articulations. L'examen thermographique informatisé d'une main atteinte de polyarthrite révèle une gamme de couleurs (rouge, orangé, jaune, vert, bleu, violet) représentant les différents degrés de chaleur locale causée par l'inflammation. Il y a un degré de température de différence entre chacune des couleurs : les parties les plus chaudes et les plus atteintes sont en rouge, les parties les plus froides et les moins atteintes sont en violet.*

POLYPE

Tuméfaction non cancéreuse se formant à la surface des membranes muqueuses, dans l'intestin, l'utérus, le vagin ou les fosses nasales. Unique ou multiple, il a une base courte et large ou un pédicule long et fin.

POLYPE NASAL

D'aspect brillant et disposés en grappes, les polypes nasaux peuvent gêner le passage de l'air à travers les fosses nasales. Excroissances de la membrane muqueuse du nez, ils contiennent du mucus. Ils ne sont pas cancéreux.

Symptômes
• Obstacle au passage de l'air dans la narine atteinte. Les polypes siègent habituellement dans les deux narines et sont souvent multiples. Se moucher n'apporte pas de soulagement.
• Ils peuvent gêner l'odorat et le goût.
• En cas d'extension aux sinus, ils peuvent être responsables de SINUSITES et de maux de tête.
• Parfois, écoulement nasal persistant.
• Signes d'ALLERGIE (démangeaisons à l'intérieur du nez, éternuements et RHINITE).

Durée
• Les polypes non traités persistent pendant des années.

Causes
• Habituellement, une allergie. La cause de l'allergie peut être évidente ou non.

Traitement à domicile
• Aucun. Consulter un médecin.

Quand consulter le médecin
• En cas d'obstruction nasale d'une durée supérieure à un mois.
• Si la disparition de l'odorat n'est pas due à un rhume.

• Si les maux de tête sont de plus en plus violents et aggravés lorsqu'on se baisse. Si les sécrétions nasales sont verdâtres et jaunes en raison de la sinusite.
• En cas d'obstruction nasale d'un seul côté, qui persiste plus de deux semaines sans être associée à un rhume.

Rôle du médecin
• Examiner les fosses nasales et le fond de la gorge avec un petit miroir.
• Proposer une ablation des polypes sous anesthésie locale ou générale.

Prévention
• En cas d'allergie, éviter l'exposition aux produits responsables.

Pronostic
• Certains petits polypes disparaissent spontanément, mais ce n'est pas la règle générale.
• Les polypes ont tendance à récidiver si l'allergie n'est pas traitée.

POLYPOSE COLIQUE

Si les polypes sont situés dans le gros intestin, il s'agit d'une polypose colique.

Symptômes
• Hémorragies.
• Sécrétion de mucus par le rectum et l'anus.
• Petites diarrhées.

Causes
• Un polype unique ou plusieurs petits polypes apparaissent en cas de dysfonctionnement des cellules glandulaires de la muqueuse intestinale.
• Une variété de cette affection, la polypose adénomateuse familiale, est souvent héréditaire. Les polypes se forment à l'adolescence, mais ne se révèlent qu'à la trentaine par des sécrétions de mucus.
• Diverses maladies inflammatoires telles que la COLITE ULCÉREUSE, la maladie de CROHN, l'ILÉITE RÉGIONALE ou l'AMIBIASE, peuvent aboutir à la formation de polypes intestinaux.

Complications
• Le cas est rare, mais les polypes peuvent se cancériser. C'est pourquoi il est recommandé de les enlever systématiquement.

Traitement à domicile
• Aucun.

Quand consulter le médecin
• Si le transit intestinal est anormal ou encore si la sécrétion de sang ou de glaires persiste au-delà de deux semaines.

Rôle du médecin
• Demander l'avis d'un spécialiste, qui prescrira probablement des radiographies et une endoscopie à l'aide d'un tube introduit dans le côlon pour confirmer l'existence des polypes et faire le bilan de l'extension de la polypose colique. Les polypes intestinaux bas situés peuvent être enlevés lors de l'examen.
• Les polypes haut situés, multiples et extensifs doivent parfois faire l'objet d'une intervention chirurgicale de la portion d'intestin atteinte.
• En cas de polypose familiale, le médecin conseillera un examen des proches du malade pour dépister une éventuelle affection.

Pronostic
• Il est possible d'obtenir une guérison complète, si le risque de survenue d'un cancer a été écarté par une chirurgie appropriée.

PORPHYRIE

On désigne sous ce terme un certain nombre d'affections rares et héréditaires, caractérisées par un trouble du métabolisme des porphyrines, pigments entrant dans la composition du sang humain. La maladie peut toucher le foie, la moelle épinière ou les deux organes. Les symptômes de ces affections associent une coloration acajou des urines, une sensibilité à l'exposition solaire, qui entraîne une éruption bulleuse, des douleurs abdominales, des désordres mentaux et une NÉVRITE. Il n'existe aucun traitement spécifique, mais il faut éviter la prise de certains médicaments.

POUX

Les poux sont des parasites qui se nourrissent de sang. L'irritation cutanée dont ils sont responsables est appelée pédiculose. Il existe trois variétés de poux parasites de l'homme : les poux de corps, les poux de tête et les poux du pubis, ou MORPIONS.

Les poux de corps ont la taille d'une tête d'épingle; ils déposent leurs œufs sur les vêtements. Les poux de tête et les morpions sont plus petits.

Symptômes
• Démangeaisons intenses au niveau de la région infestée. Le grattage, qui est fréquent, provoque une infection secondaire proche de l'IMPÉTIGO. Parfois des plaies, des marques jaunâtres, des croûtes, qui sont des stries dues au grattage.
• En cas d'infestation de la tête, il existe des lentes. Ce sont des œufs de couleur grise accrochés à la racine des cheveux. Ils sont parfaitement visibles à la loupe.

Durée
• L'infestation persiste en l'absence de traitement.
• Les œufs mettent neuf jours à éclore, et leurs larves arrivent à maturité en neuf jours également.

Causes
• Les poux se transmettent d'une personne à l'autre lors d'un contact étroit. La mauvaise hygiène et la promiscuité favorisent leur développement.

Complications
• Une irritation peut être responsable d'infections secondaires de la peau.
• Dans certaines conditions d'hygiène particulièrement misérables, le TYPHUS peut se développer par l'intermédiaire des poux de corps.

Traitement à domicile
• Se laver souvent et à grande eau (chaude et savonneuse). Se laver les cheveux, puis les peigner.
• Des préparations spéciales, avec leur mode d'emploi, sont disponibles chez le pharmacien.
• Des insecticides appropriés doivent être répandus sur la literie et les vêtements avant lavage; si cela s'avérait insuffisant, il faudrait s'en débarrasser totalement. Les meubles doivent être également traités.

Quand consulter le médecin
• Si une plaie sale et inflammatoire apparaît.
• En cas de mal de tête et de fièvre, de saignements, d'éruption cutanée ou de troubles mentaux.
• Si le traitement à domicile échoue.

Rôle du médecin
• La plupart du temps, conseiller le traitement à domicile décrit ci-dessus.
• Prescrire une lotion antiparasitaire et un antibiotique en cas d'infection cutanée secondaire.

Prévention
• Observer des règles d'hygiène soigneuses, surtout si l'on vit en communauté.

Pronostic
• Bon, toutefois l'infestation peut récidiver en cas de vie peu hygiénique ou communautaire.

PRESBYTIE

Difficulté à distinguer les objets rapprochés. Elle est liée à une diminution de l'accommodation, apparaît vers l'âge de quarante-cinq ans et évolue jusqu'à la soixantaine. Le port de lunettes adaptées au besoin de chacun en permet la correction.

PRIAPISME

Érection prolongée, violente, douloureuse, et souvent sans rapport avec l'activité sexuelle. L'érection nocturne spontanée est normale. En dehors du sommeil et de l'activité sexuelle, une érection prolongée et douloureuse exige une consultation médicale.

PROCTITE

C'est l'inflammation du rectum.

Symptômes
- Gêne dans le rectum.
- Envie pressante et répétée de vider le rectum. Elle est appelée ténesme.
- Diarrhée accompagnée parfois de sang, de mucus ou de pus.
- Douleur à l'émission des selles, suivie de contractions musculaires involontaires et douloureuses de l'anus, et d'une envie de pousser à nouveau.

Durée
- Elle dépend de la cause de la proctite.

Causes
- La proctite peut compliquer à la fois une COLITE ULCÉREUSE et une ILÉITE RÉGIONALE.
- Des infections comme l'AMIBIASE et la BLENNORRAGIE risquent d'atteindre le rectum.
- Une irradiation (traitement par exemple pour un cancer des organes avoisinants), certains médicaments ou traumatismes peuvent occasionner de tels symptômes.

Complications
- Rétrécissement du rectum.
- Fissures et fistules de la paroi rectale.
- HÉMORROÏDES.

Traitement à domicile
- Prendre des médicaments antidiarrhéiques et des antispasmodiques, afin de soulager les symptômes mineurs. *Voir* MÉDICAMENTS, n°s 1, 2.
- Un laxatif local facilitera l'évacuation des selles. *Voir* MÉDICAMENTS, n° 3.

Quand consulter le médecin
- En cas de diarrhées prolongées.
- Si du sang, du pus ou du mucus apparaissent dans les selles.

Rôle du médecin
- Rechercher la cause et la traiter.
- Prescrire des suppositoires ou des lavements à base de stéroïdes à introduire dans le rectum et à conserver durant la nuit. *Voir* MÉDICAMENTS, n° 32.
- Donner des antispasmodiques.
- Prescrire un sulfamide. *Voir* MÉDICAMENTS, n° 25.

Prévention
- On peut éviter les récidives, une fois la cause de la proctite identifiée.

Pronostic
- Il dépend de la cause de la proctite.

PROLAPSUS

Glissement d'un organe, en partie ou en totalité, à cause du relâchement des ligaments qui le fixent. Les plus fréquents sont les prolapsus de l'utérus, du rectum et de la vessie.

PROLAPSUS DU RECTUM

C'est la saillie de la paroi du rectum hors de l'anus.

Symptômes
- Anneau de muqueuse rose ou rouge, saillant par l'anus et source d'inconfort.

Durée
- Cet état dure tant qu'il n'est pas traité.

Causes
- La membrane muqueuse bordant le rectum peut être distendue lors d'efforts de poussée intenses ou prolongés durant la défécation. C'est la cause la plus fréquente chez les enfants.
- Chez l'enfant, accès de toux prolongés.
- Chez l'adulte, le prolapsus rectal est souvent associé avec des hémorroïdes.

Traitement à domicile
- Repos allongé et détente.
- Les tissus qui saillent et éventuellement les HÉMORROÏDES externes peuvent être repoussés doucement avec les doigts ou une éponge chaude et humide.

Quand consulter le médecin
- S'il est impossible de repousser le prolapsus, même après plusieurs heures de repos.

Rôle du médecin
- Tenter de réduire la saillie par des manipulations douces.
- Prescrire des suppositoires. *Voir* MÉDICAMENTS, n° 4.
- Chez l'enfant, tout peut rentrer dans l'ordre en une semaine, même à domicile.
- Dans les cas sévères et récidivants de l'adulte, surtout en association avec des hémorroïdes, la chirurgie sera nécessaire.

Prévention
- Éviter les efforts de poussée et la CONSTIPATION.
- Empêcher les enfants de pousser trop fort ou trop longtemps pour évacuer les selles.

Pronostic
- La chirurgie donne généralement de bons résultats.

PROLAPSUS UTÉRIN

La descente de l'utérus de sa position habituelle résulte de l'extrême distension des ligaments qui retiennent à sa place l'utérus, la vessie et le rectum. La vessie peut repousser la paroi vaginale antérieure et se présenter à la vulve comme une petite tuméfaction (cystocèle), entraînant une incontinence d'urine. De même pour le rectum, qui peut refouler vers le bas la paroi vaginale postérieure et créer une rectocèle. Dans les cas sévères, c'est l'utérus lui-même qui descend dans la cavité vaginale.

Symptômes
- Sensation très désagréable de descente de la matrice dans la cavité vaginale.
- Perception de douleurs dans le bas-ventre, et quelquefois dans le bas du dos.
- Incontinence d'urine à la toux.
- Apparition du col de l'utérus à la vulve, à travers les petites lèvres.

Durée
- Non traité, le prolapsus s'accentue avec le temps.

Causes
- Les naissances nombreuses et difficiles.

Complications
- Elles sont rares, hormis le risque d'incontinence d'urine ou d'infection du col de la matrice.

Traitement à domicile
- Quelle que soit son importance, un prolapsus sera toujours temporairement amélioré par la position couchée.

Quand consulter le médecin
- Devant la gêne que constitue l'incontinence d'urine.
- Si le prolapsus finit par perturber la vie quotidienne.

Rôle du médecin
- Pratiquer un examen gynécologique.
- Proposer la pose d'un pessaire, qui peut dans quelques cas aider de très vieilles dames.
- Adresser la patiente à un centre chirurgical pour y envisager l'intervention indispensable.

Prévention
- Réparation très minutieuse des déchirures vaginales après la naissance.
- Rééducation musculaire dans les suites de couches.

Pronostic
- Il est excellent grâce au traitement.

Puériculture

COMMENT COMPRENDRE BÉBÉ, ALLÉGER VOS TACHES QUOTIDIENNES — ET DEVENIR UNE MÈRE AVERTIE

Dès sa naissance, un bébé est capable d'agir et de réagir d'instinct. Mais il a beaucoup à apprendre, et la qualité de ses premiers acquis dépendra de ce que lui apportera sa famille, et en particulier sa mère. Un bébé apprend par imitation, mais aussi par expérience. Parmi tous les bonheurs que procure l'état de parents, il en est un plus merveilleux que les autres : voir se développer le corps et l'esprit de son enfant. Au début, un nouveau-né ne peut que regarder et écouter le monde qui l'entoure, puis il tend les bras vers lui, et enfin il part l'explorer, debout sur ses jambes. Sa personnalité s'affirme, il acquiert de nouvelles aptitudes qu'il exerce pour maîtriser son environnement.

Toutes ces joies ne vont certes pas sans soucis de toutes sortes. Les diverses étapes du développement de l'enfant, expliquées ci-après, attirent l'attention sur les problèmes, importants ou non, vrais ou faux, qui peuvent surgir dans la vie quotidienne. En faisant de vous des parents avertis, les pages suivantes vous aideront à profiter au maximum de la plus enrichissante de toutes les relations humaines.

1. PREMIERS JOURS

Faites connaissance avec bébé

Si l'accouchement se passe bien, l'infirmière débarrasse le nez et la bouche du bébé du mucus qui les encombre. Puis elle l'essuie, fixe à son poignet ou à sa cheville un bracelet d'identité et pince l'extrémité du cordon ombilical. Il arrive que dès la naissance on laisse le bébé

CE QU'UN NOUVEAU-NÉ PEUT FAIRE DÈS SA NAISSANCE. *Il peut fixer et suivre des yeux un objet qui bouge, et il montre souvent une préférence pour les visages. Il peut chercher à imiter les mouvements des lèvres ou de la langue, surtout ceux du visage maternel. Lorsque quelqu'un lui parle, il paraît écouter. Il peut tourner les yeux vers un bruit — mais pas la tête — et distinguer les odeurs : en moins d'une semaine, il sait reconnaître celle de sa mère. Il communique par cris (sa première étape vers le langage). En le tenant contre votre épaule, vous l'incitez à regarder et à écouter ce qui l'entoure.*

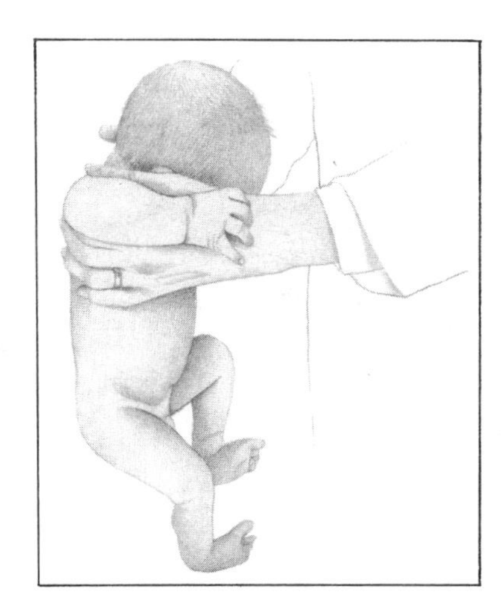

LES « AUTOMATISMES PRIMAIRES ». *Un nouveau-né tenu debout ébauche une marche. Il agrippe fermement le doigt qu'on lui tend. Ces mouvements ne sont pas volontaires. Ils sont du même ordre que notre clignement de paupières provoqué par l'approche brusque d'un objet.*

quelques minutes à sa mère, mais le plus souvent, celle-ci doit attendre que les premiers soins aient été donnés. S'il a froid, le bébé peut être immédiatement placé dans un berceau chauffé.

Si la naissance se déroule sans problèmes particuliers, le bébé est tout de suite placé dans un berceau à côté de vous. En cas de césarienne, donc d'anesthésie générale, vous ne verrez l'enfant qu'au réveil dans votre chambre.

Si vous avez décidé de nourrir votre bébé au sein (*voir page 382*), l'infirmière ou la sage-femme vous suggérera de faire un essai la toute première fois où vous le prendrez dans vos bras.

QUE FAIRE QUAND, A LA NAISSANCE, UN BÉBÉ NE RESPIRE PAS ?
Un bébé qui ne respire pas dès que son nez et sa bouche sont nettoyés est aussitôt placé sur un chariot de réanimation. On lui administre de l'oxygène à l'aide d'un masque, tandis qu'un médecin surveille son cœur au stéthoscope. Pour accélérer le processus, un assistant peut comprimer rythmiquement un ballon de caoutchouc relié au masque. Si, au bout d'une minute, le bébé ne respire toujours pas, le médecin l'intube : par la bouche ou le nez, il glisse un mince tuyau de plastique qui alimentera poumons et bronches en oxygène indispensable.

Comment soulever un bébé

Un nourrisson paraît très fragile, mais vous n'avez aucune inquiétude à avoir si vous le prenez avec des gestes doux, précis, et sans lui faire peur, car il se sentira en sécurité. Soutenez-lui toujours bien la tête, car il ne peut la tenir seul avant au moins trois mois. Il peut pleurer — en signe de protestation — s'il ne la sent pas assez soutenue.

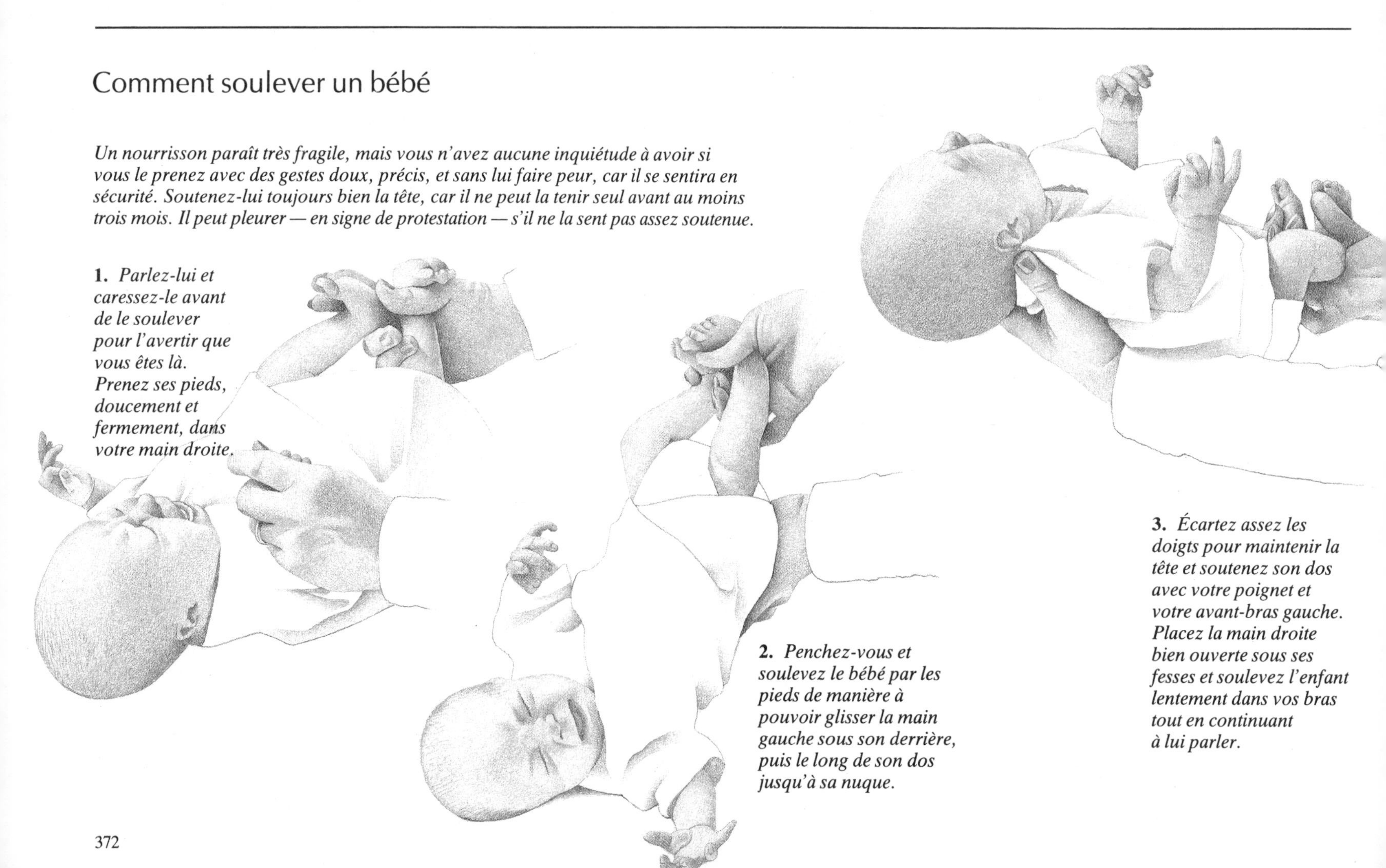

1. *Parlez-lui et caressez-le avant de le soulever pour l'avertir que vous êtes là. Prenez ses pieds, doucement et fermement, dans votre main droite.*

2. *Penchez-vous et soulevez le bébé par les pieds de manière à pouvoir glisser la main gauche sous son derrière, puis le long de son dos jusqu'à sa nuque.*

3. *Écartez assez les doigts pour maintenir la tête et soutenez son dos avec votre poignet et votre avant-bras gauche. Placez la main droite bien ouverte sous ses fesses et soulevez l'enfant lentement dans vos bras tout en continuant à lui parler.*

Comment tenir un bébé

Tenez-le de la manière qui vous est la plus commode, et surtout qui ne vous gêne pas. Plus vous êtes à l'aise, plus il se sent en sécurité. Plus vous le tenez près de vous, plus il est heureux, blotti contre votre épaule ou bercé dans vos bras. S'il est bien calé sur un bras, vous pouvez libérer l'autre.

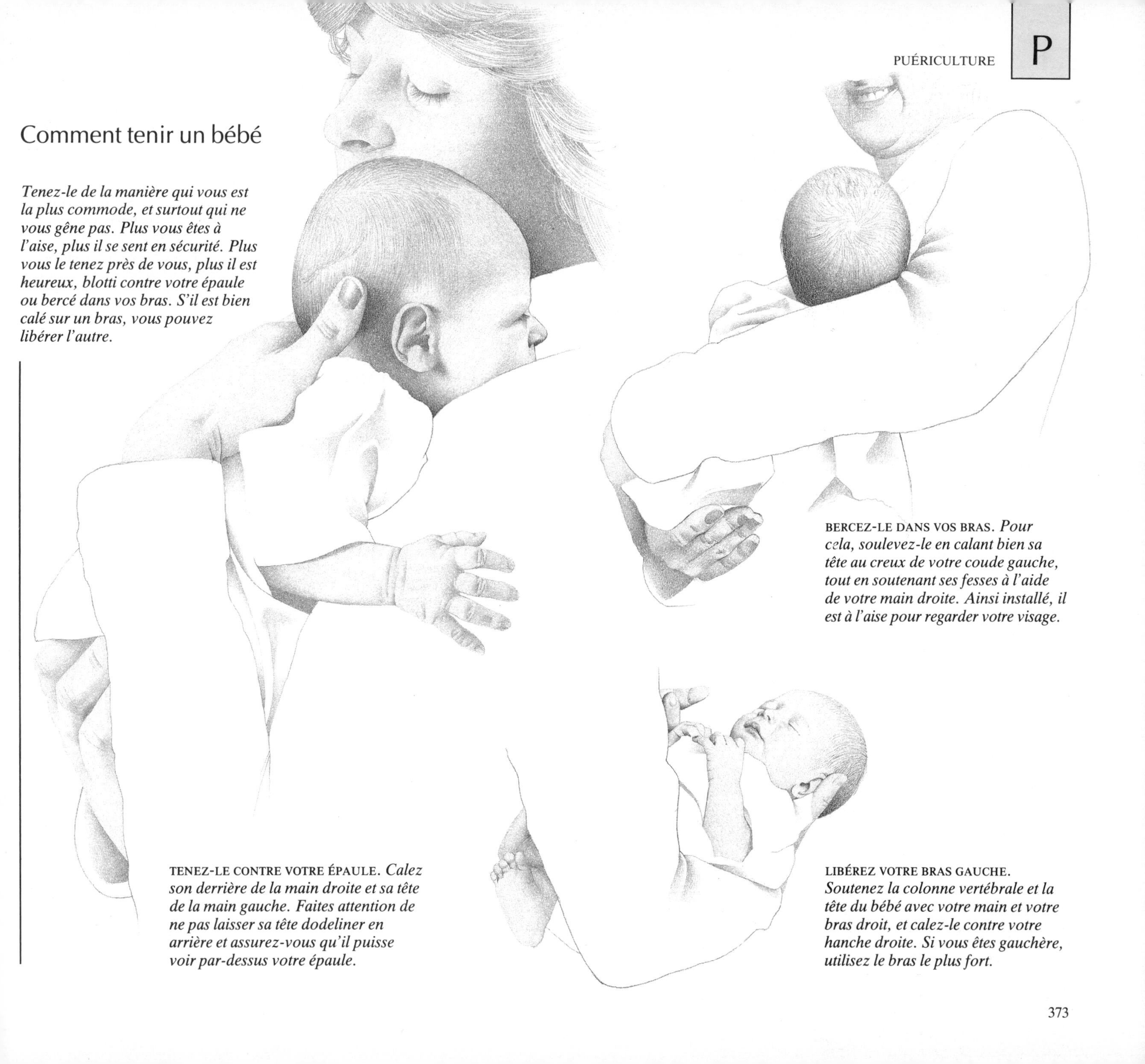

BERCEZ-LE DANS VOS BRAS. *Pour cela, soulevez-le en calant bien sa tête au creux de votre coude gauche, tout en soutenant ses fesses à l'aide de votre main droite. Ainsi installé, il est à l'aise pour regarder votre visage.*

TENEZ-LE CONTRE VOTRE ÉPAULE. *Calez son derrière de la main droite et sa tête de la main gauche. Faites attention de ne pas laisser sa tête dodeliner en arrière et assurez-vous qu'il puisse voir par-dessus votre épaule.*

LIBÉREZ VOTRE BRAS GAUCHE. *Soutenez la colonne vertébrale et la tête du bébé avec votre main et votre bras droit, et calez-le contre votre hanche droite. Si vous êtes gauchère, utilisez le bras le plus fort.*

LE NOUVEAU-NÉ NORMAL

La première question que se pose une mère n'est pas : « Fille ou garçon ? » (si l'échographie ne l'a pas déjà révélé, le médecin l'annonce tout de suite), mais : « Mon enfant est-il normal ? » Un bref examen lors de la première toilette suffit à rassurer, mais une petite imperfection comme une marque de naissance ou une légère malformation d'un doigt peut passer inaperçue. Si vous remarquez un détail qui vous inquiète, n'hésitez pas à en faire part au médecin ou à l'infirmière. Un examen médical approfondi est de toute façon toujours effectué au cours de la première semaine.

LE POIDS DE NAISSANCE

Le poids d'un enfant à la naissance dépend de nombreux facteurs : son sexe, la taille des deux parents, leur race, la date de l'accouchement (un prématuré pèse d'autant moins qu'il naît plus loin du terme), le fait que la mère fume ou ne fume pas.

La plupart des nouveau-nés canadiens nés à la quarantième semaine de grossesse pèsent entre 2,5 et 4,2 kg. Les filles pesant moins de 2,5 kg et les garçons pesant moins de 2,9 kg sont dits hypotrophiques. Les chiffres sont différents quand la naissance survient après ou avant ce terme.

L'hypotrophie d'un nouveau-né peut signifier qu'il restera toute sa vie un « poids léger ». Cependant,

Comment poser et envelopper un bébé dans un châle

Quand vous voulez le poser, parlez-lui pour le rassurer, car un bébé peut s'affoler s'il se sent brusquement lâché. Que vos gestes soient doux et lents. Si vous voulez l'envelopper, préparez le châle d'avance, plié en triangle, pointe vers le bas, bien à plat devant vous. Posez le bébé dessus.

1. *Abaissez le bébé doucement de façon que le dos de votre avant-bras gauche, qui supporte sa tête et son dos, soit sur le milieu du châle, la nuque reposant sur le bord du tissu. Libérez vos mains sans gestes brusques.*

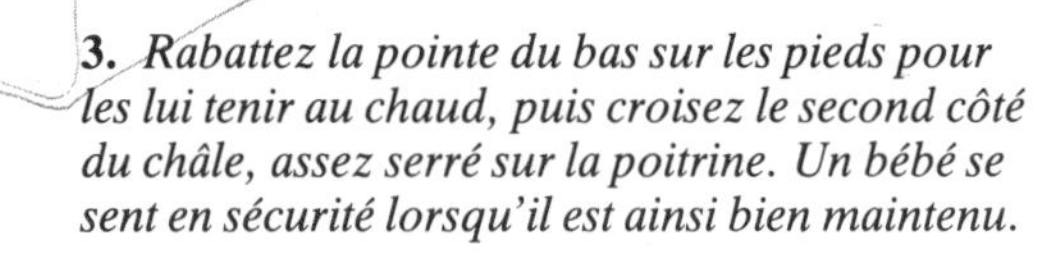

3. *Rabattez la pointe du bas sur les pieds pour les lui tenir au chaud, puis croisez le second côté du châle, assez serré sur la poitrine. Un bébé se sent en sécurité lorsqu'il est ainsi bien maintenu.*

2. *Repliez un côté du châle par-devant en laissant son bras libre si vous voulez le coucher sur le ventre; mais si vous voulez lui donner une tétée ou le coucher sur le côté, couvrez-lui aussi les bras.*

sa croissance peut ensuite être normale, son petit poids de naissance étant dû à un développement insuffisant dans l'utérus, si par exemple le placenta n'a pas rempli entièrement son rôle nourricier : le fœtus, qui a dû vivre alors sur ses réserves propres, **manquera de sucre** pendant les deux **premiers** jours. On lui administrera **de l'eau sucrée** ou du lait en **supplément**, surtout si la mère veut **le nourrir au sein**, et l'on surveillera **son taux de sucre** sanguin en **prélevant** de petits échantillons de **sang** à intervalles réguliers.

LES SOINS QUOTIDIENS

Les infirmières et les puéricultrices apprennent aux jeunes mères à s'occuper de leurs bébés, à les **prendre**, les tenir, les poser, à les **habiller**, à les changer. Comme un **nouveau-né** ne tient pas sa tête seul, **il faut** s'exercer à la soutenir d'une **main** ou à la caler contre l'épaule. Si, **une** fois, sa tête a basculé, il ne **faut** pas s'affoler : il aura eu plus **peur** que mal.

Les infirmières enseignent aussi à **faire** la toilette du bébé. Pour le **baigner**, vérifiez la température de **l'eau** en y trempant le coude, puis **immergez** l'enfant progressivement **en soutenant** sa tête et son dos de la **main** et de l'avant-bras. Ne laissez **que** son visage hors de l'eau. Utilisez un savon spécial.

Si vous entendez votre bébé **pleurer** dans son berceau, allez voir

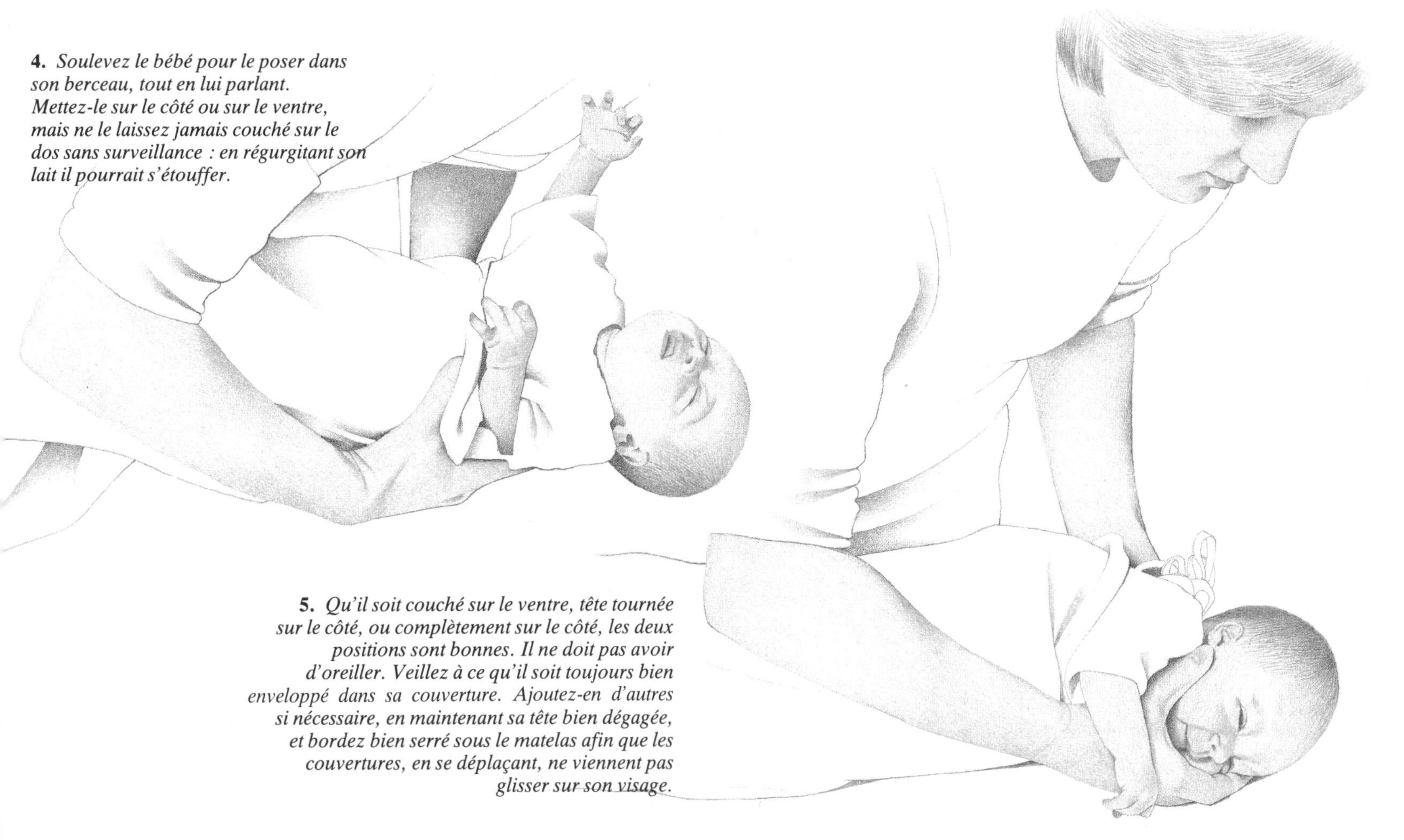

4. *Soulevez le bébé pour le poser dans son berceau, tout en lui parlant. Mettez-le sur le côté ou sur le ventre, mais ne le laissez jamais couché sur le dos sans surveillance : en régurgitant son lait il pourrait s'étouffer.*

5. *Qu'il soit couché sur le ventre, tête tournée sur le côté, ou complètement sur le côté, les deux positions sont bonnes. Il ne doit pas avoir d'oreiller. Veillez à ce qu'il soit toujours bien enveloppé dans sa couverture. Ajoutez-en d'autres si nécessaire, en maintenant sa tête bien dégagée, et bordez bien serré sous le matelas afin que les couvertures, en se déplaçant, ne viennent pas glisser sur son visage.*

immédiatement, car il peut être gêné, mal installé, il peut avoir faim ou soif. S'il est simplement en train d'uriner, ses cris sont normaux.

Il existe deux catégories de nourrissons : ceux qui sont pris dans les bras dès qu'ils pleurent et les autres... De sérieuses études ont démontré que les premiers pleurent moins souvent et moins longtemps. Aussi, n'hésitez pas, vous ne risquez pas de lui donner de mauvaises habitudes.

Les mères se demandent souvent quelle est la meilleure position du bébé dans son berceau. Cela se discute. Certains pédiatres pensent qu'il vaut mieux le coucher sur le ventre pour éviter tout risque d'étouffement par rejet de lait. D'autres disent que, sur le dos, un bébé voit mieux ce qui l'entoure et s'éveille plus vite.

LA CIRCONCISION

Dois-je faire circoncire mon fils ? Il peut s'agir d'une coutume ou d'une marque d'appartenance à telle ou telle religion.

Il n'existe pas d'indication strictement médicale qui nécessite une circoncision (petite intervention chirurgicale qui peut poser des problèmes, infection, hémorragie, etc.).

Il n'est pas indiqué de demander à la mère de décalotter son enfant. Demandez au pédiatre de le faire. Vous éviterez un souci inutile et des déboires (blessure, saignements, douleurs).

La toilette par petits morceaux

Un nourrisson devrait être baigné tous les jours; si ce n'est-pas possible, il suffit de faire la toilette « du haut » et « du bas ». Préparez de l'eau tiède, du coton, un savon doux ou une lotion pour bébé, une crème et des couches propres. Allongez l'enfant nu sur une serviette propre.

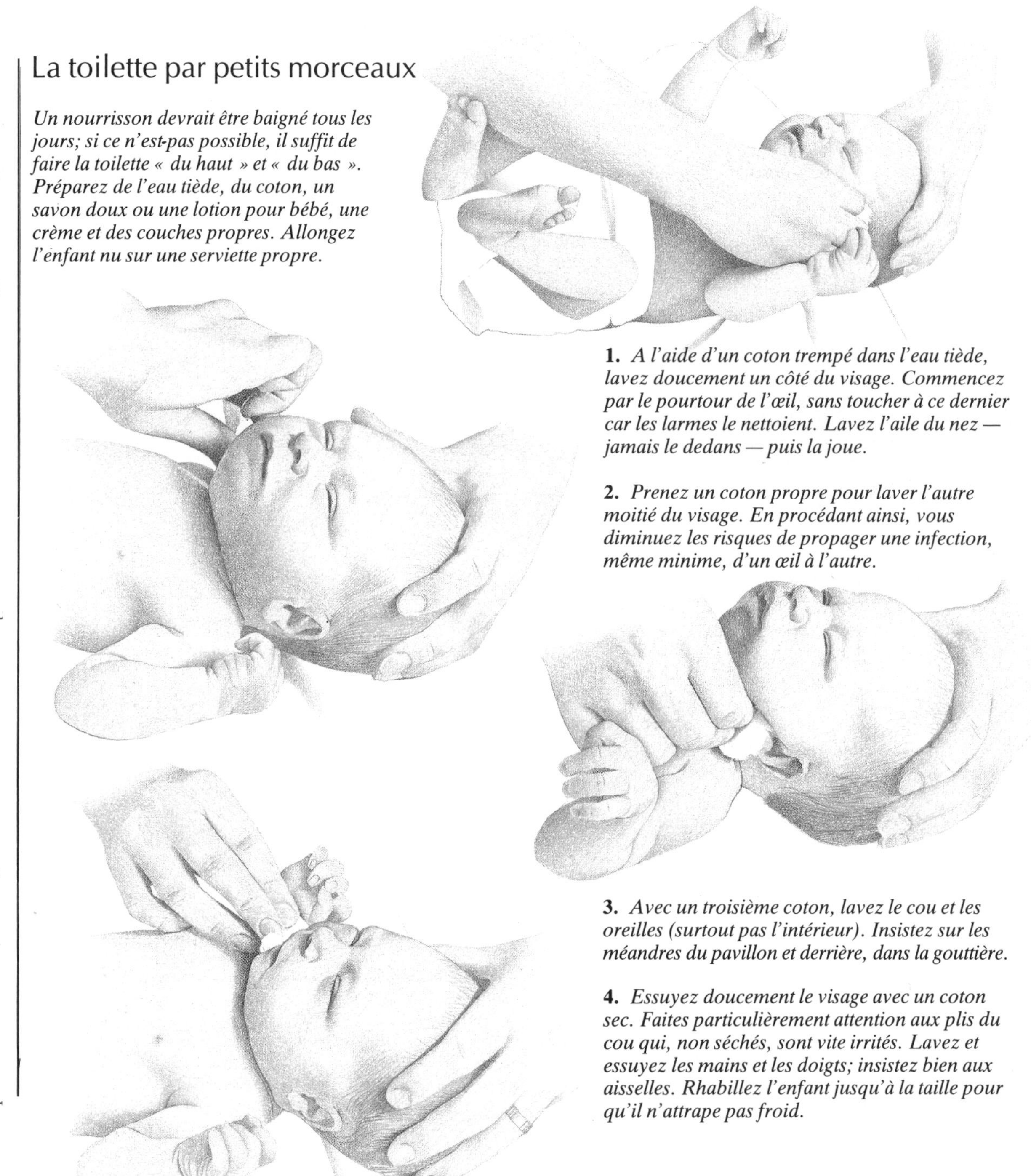

1. *A l'aide d'un coton trempé dans l'eau tiède, lavez doucement un côté du visage. Commencez par le pourtour de l'œil, sans toucher à ce dernier car les larmes le nettoient. Lavez l'aile du nez — jamais le dedans — puis la joue.*

2. *Prenez un coton propre pour laver l'autre moitié du visage. En procédant ainsi, vous diminuez les risques de propager une infection, même minime, d'un œil à l'autre.*

3. *Avec un troisième coton, lavez le cou et les oreilles (surtout pas l'intérieur). Insistez sur les méandres du pavillon et derrière, dans la gouttière.*

4. *Essuyez doucement le visage avec un coton sec. Faites particulièrement attention aux plis du cou qui, non séchés, sont vite irrités. Lavez et essuyez les mains et les doigts; insistez bien aux aisselles. Rhabillez l'enfant jusqu'à la taille pour qu'il n'attrape pas froid.*

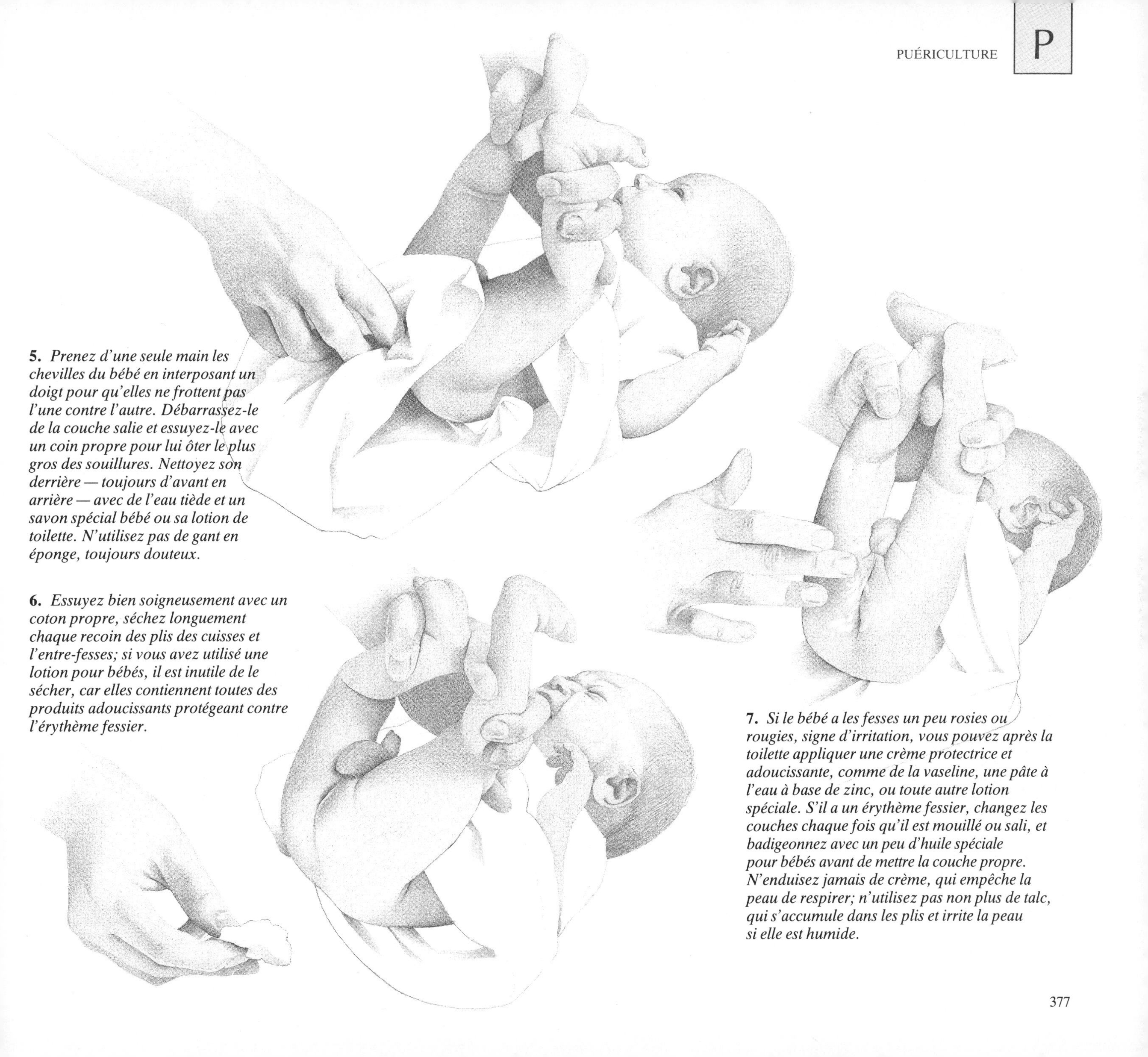

5. *Prenez d'une seule main les chevilles du bébé en interposant un doigt pour qu'elles ne frottent pas l'une contre l'autre. Débarrassez-le de la couche salie et essuyez-le avec un coin propre pour lui ôter le plus gros des souillures. Nettoyez son derrière — toujours d'avant en arrière — avec de l'eau tiède et un savon spécial bébé ou sa lotion de toilette. N'utilisez pas de gant en éponge, toujours douteux.*

6. *Essuyez bien soigneusement avec un coton propre, séchez longuement chaque recoin des plis des cuisses et l'entre-fesses; si vous avez utilisé une lotion pour bébés, il est inutile de le sécher, car elles contiennent toutes des produits adoucissants protégeant contre l'érythème fessier.*

7. *Si le bébé a les fesses un peu rosies ou rougies, signe d'irritation, vous pouvez après la toilette appliquer une crème protectrice et adoucissante, comme de la vaseline, une pâte à l'eau à base de zinc, ou toute autre lotion spéciale. S'il a un érythème fessier, changez les couches chaque fois qu'il est mouillé ou sali, et badigeonnez avec un peu d'huile spéciale pour bébés avant de mettre la couche propre. N'enduisez jamais de crème, qui empêche la peau de respirer; n'utilisez pas non plus de talc, qui s'accumule dans les plis et irrite la peau si elle est humide.*

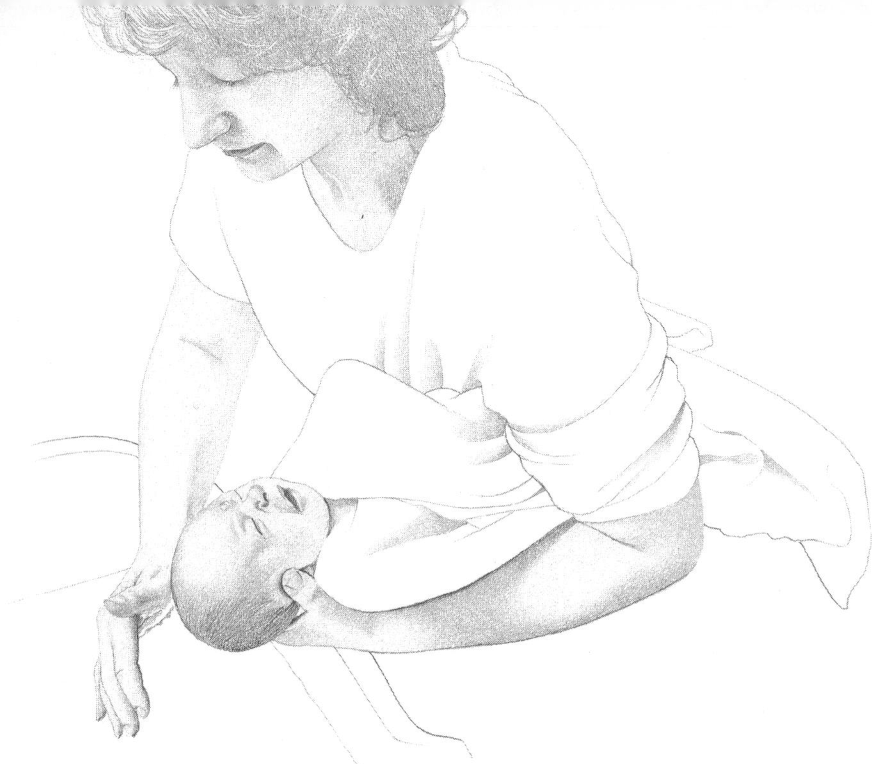

Le bain

Baignez le nourrisson dans une pièce bien chauffée. Lavez-vous d'abord les mains et mettez à votre portée du coton, du savon (spécial bébé) ou une lotion de toilette, une grande serviette ou un tablier de tissu-éponge à étaler sur vos genoux et une seconde grande serviette pour envelopper le bébé, une couche propre, ses vêtements propres, sa crème. Versez 7 à 8 centimètres d'eau froide d'abord dans la baignoire (surtout si elle est métallique). Versez ensuite l'eau chaude. Vérifiez la température en y plongeant le coude ou l'intérieur du poignet; le bain ne doit paraître ni chaud ni froid. Si vous utilisez un savon liquide ou tout autre produit de bain, ajoutez-le à l'eau en suivant scrupuleusement les indications du fabricant. Déshabillez le bébé en le tenant sur vos genoux. Laissez-lui ses couches et enveloppez-le dans une serviette.

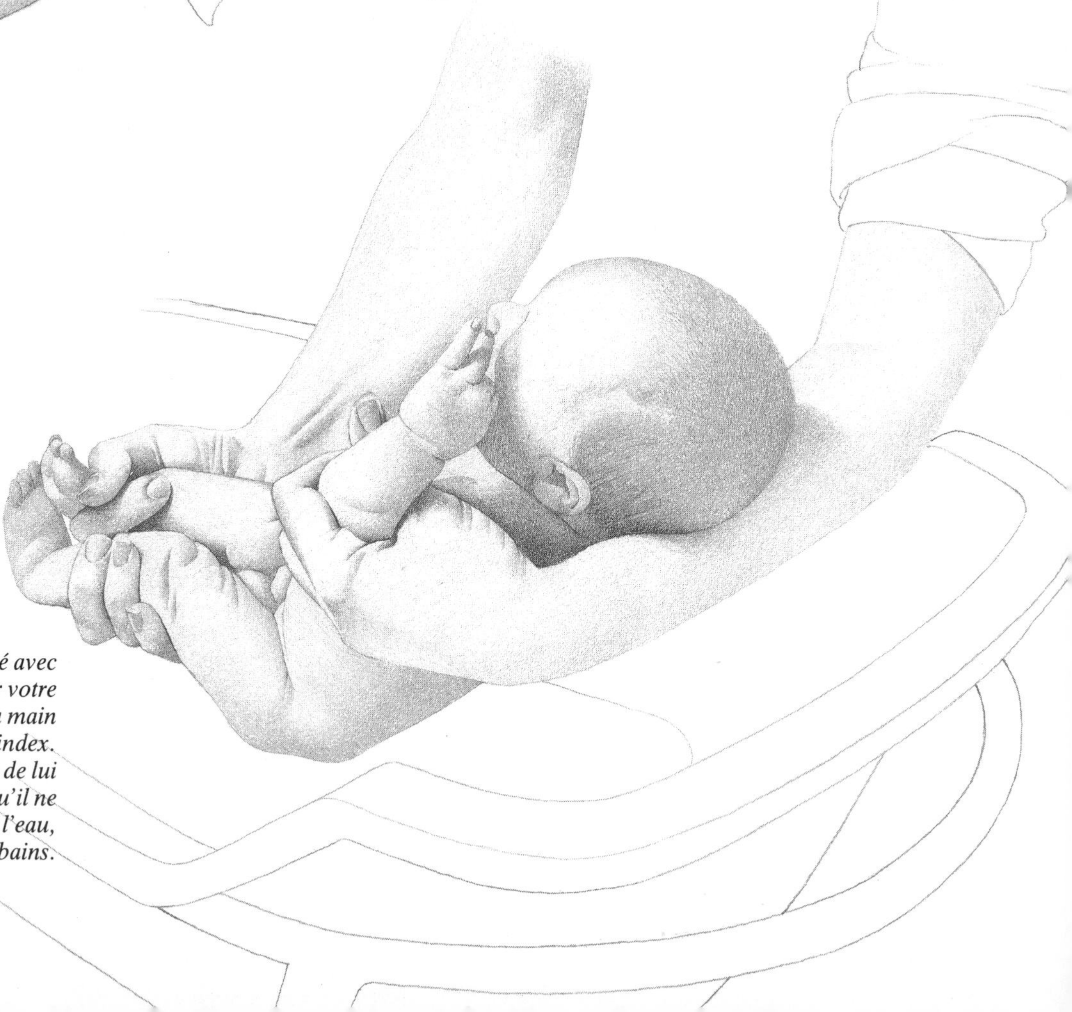

1. *Avant de le plonger dans le bain, coincez-le sous votre bras gauche et lavez-lui le visage avec un coton trempé dans l'eau. Avec trois cotons différents, lavez chaque côté du visage, les oreilles et le cou. Puis, avec un autre coton propre, essuyez le tout. Savonnez-lui la tête, rincez et séchez. Otez la couche, nettoyez-lui le derrière — de l'avant vers l'arrière — avec un coton savonneux ou plongé dans le bain mêlé de savon liquide. Savonnez la poitrine, les bras et les jambes, et retournez-le pour lui savonner le dos. Pour faire tout cela dans le bain, attendez qu'il soit plus grand. Inutile de savonner l'enfant si son savon de bain est liquide. Essuyez bien vos mains avant de le manipuler et assurez-vous qu'elles sont chaudes.*

2. *Tenez fermement le bras gauche du bébé avec votre main gauche en lui calant la tête sur votre avant-bras gauche. Attrapez ses jambes de la main droite en séparant les chevilles avec l'index. Plongez-le doucement dans l'eau sans cesser de lui parler. Ne desserrez pas la main droite tant qu'il ne s'est pas habitué au contact de l'eau, surtout lors des premiers bains.*

3. *Ne lâchez jamais un bébé dans son bain : ne pouvant se tenir lui-même, il pourrait glisser sous l'eau. Pour rincer le buste, soutenez-le de la main gauche et arrosez-le de la main droite. Bien soutenu, il ne peut pas vous échapper.*

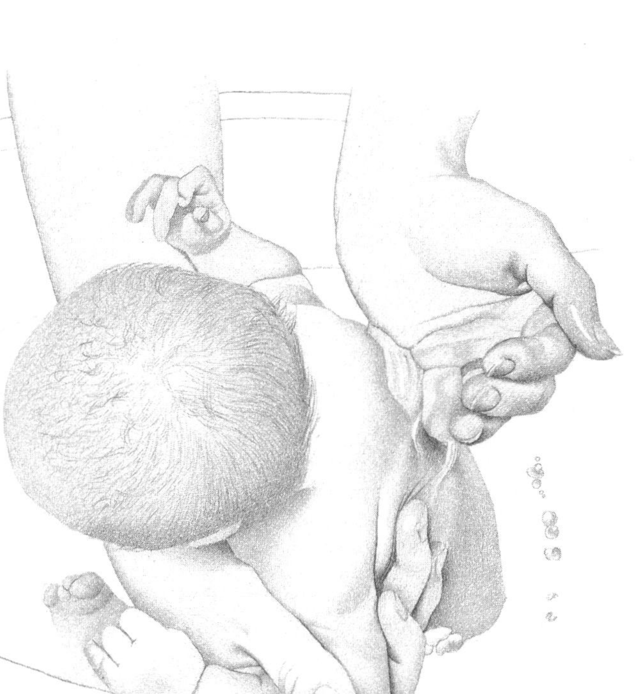

4. *Pour rincer le dos, changez de main. De la main droite, tenez son bras gauche de façon qu'il s'appuie sur votre poignet. Une fois que le bébé est rincé, ne le laissez pas dans le bain : il pourrait attraper froid.*

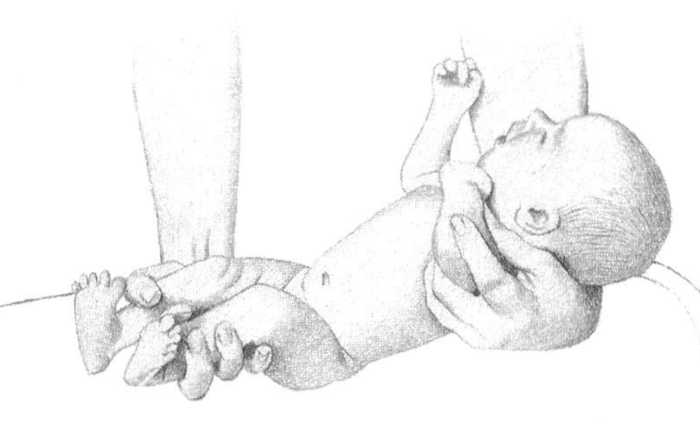

5. *Sortez-le de l'eau en le tenant comme pour l'y mettre. Attention : mouillé, il glisse. Enveloppez-le vite dans une serviette bien sèche.*

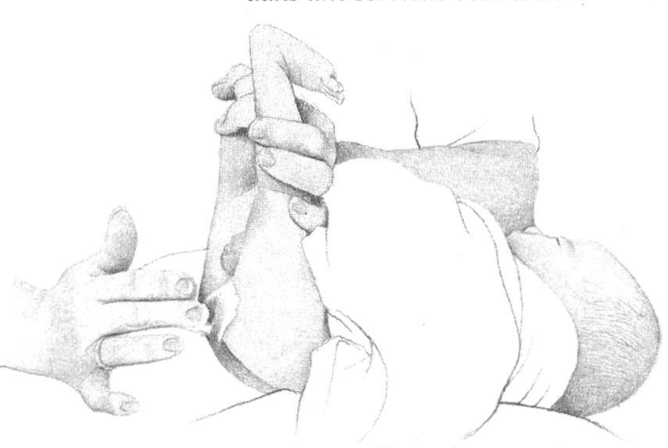

6. *Séchez bien le derrière en insistant dans les plis. Passez de la vaseline ou de l'huile d'amande douce. Mettez-lui une couche propre.*

7. *Essuyez bien son dos et sa poitrine. Mettez-lui des vêtements propres. Le talc est inutile. Ne l'asseyez plus sur une serviette humide !*

LA MÈRE ET SON NOUVEAU-NÉ
Chez certains animaux, la femelle à qui l'on a ôté son petit à la naissance et à qui on le présente vingt-quatre heures plus tard le rejette, et même cherche à lui faire mal. Les animaux nouveau-nés s'attachent et suivent la créature qui a pris soin d'eux dans les premières heures de la vie, même si elle appartient à une espèce différente.

Le lien entre le nouveau-né et sa mère existe aussi chez les humains, mais on ne sait ni en combien de temps il s'établit, ni à quel point une séparation peut le rompre. Si l'établissement de ce lien est perturbé, l'enfant en souffrira-t-il plus tard ? Ce que l'on sait, c'est que certaines mères éloignées de leur enfant dès les premiers jours ou les premières semaines deviennent souvent par la suite des « mères à problèmes »; d'autres, en revanche, très nombreuses, séparées de leur bébé à la naissance pour diverses raisons, sont par la suite aussi tendres et aimantes que les autres. Il est toutefois souhaitable que les mères vivent le plus près possible de leur bébé les jours suivant la naissance; aussi les berceaux sont-ils le plus souvent placés à côté du lit de l'accouchée et non au pied. La mère peut ainsi voir et toucher son enfant, tandis que ce dernier prend conscience de sa présence. Afin que la jeune mère puisse avoir son compte de sommeil à l'hôpital, le berceau est emmené la nuit à la pouponnière. A la maison, il doit être placé dans une pièce voisine, mais à portée de voix quand même.

Ne vous inquiétez pas si, après l'accouchement, vous n'éprouvez pas l'élan d'amour que vous imaginiez devoir ressentir. La fatigue, le manque de sommeil et l'inconfort physique sont souvent responsables de cette réaction très fréquente et normale, qui ne persiste pas en général au-delà de quelques semaines.

LES CONFLITS

Et le père, qu'éprouve-t-il ?
Si le nouveau-né éveille des sentiments confus chez de nombreuses mères, bien des pères réagissent aussi de façon inattendue. Ils peuvent, bien sûr, être fous de joie et d'orgueil et se montrer fiers d'avoir assisté sans défaillance à la naissance. Mais ils peuvent également se montrer agacés, irritables et soucieux, surtout s'ils ont mal supporté le spectacle de l'accouchement et si l'arrivée du bébé est susceptible de créer des problèmes domestiques et financiers.

Les pères ont parfois du mal à s'attacher à leur bébé, peut-être parce qu'ils souffrent de voir leur compagne si totalement accaparée par le nouveau venu. Ils se sentent négligés, exclus, et sont souvent jaloux. Généralement, plus le bébé grandit, plus ce ressentiment s'apaise, et plus son père s'attache à lui. Certains couples trouvent que l'allaitement artificiel, qui permet au père de donner le biberon, facilite le développement de cet attachement.

Si vous avez l'impression que l'arrivée de votre bébé a dégradé les relations harmonieuses qui existaient jusque-là entre votre mari et vous, ou aggravé des rapports déjà difficiles, n'hésitez surtout pas à en parler à votre médecin ou à votre assistante sociale qui pourront vous adresser à un conseiller conjugal.

LES EXAMENS DE SANG DU NOUVEAU-NÉ
Avant la fin de la première semaine, on prélève quelques gouttes de sang, en général au talon du bébé, afin de dépister un éventuel trouble du métabolisme des protéines (hyperphénylalaninémie) qui, plus tard, serait responsable d'une maladie grave : la phénylcétonurie. Elle provoque des troubles cérébraux et hépatiques, mais le traitement qui consiste à modifier l'alimentation du bébé est efficace à condition qu'il soit entrepris très tôt.

D'autres analyses sanguines peuvent être faites. On peut, par exemple, déceler précocement un trouble de la glande thyroïde qui, sans traitement approprié, provoquerait plus tard un retard mental. Si le nouveau-né est très jaune, on peut doser son taux de bilirubine (pigment circulant dans le sang); s'il est pâle, on peut soupçonner une anémie. S'il est trop petit ou si la mère est diabétique, on dose son glucose sanguin. S'il est hypernerveux, on cherche si son sang ne contient pas certaines substances connues pour provoquer cette nervosité.

Quoi qu'il en soit, si votre bébé subit des analyses sanguines, demandez toujours pourquoi. N'hésitez surtout pas à poser au médecin toutes les questions qui vous inquiètent.

2. PREMIÈRES SEMAINES

Les besoins du nourrisson

Dès votre retour à la maison, le bébé vous occupera à plein temps. Cependant, vous aurez aussi besoin de retrouver votre vie de couple. Vous ne devez sous aucun prétexte négliger votre santé ou votre silhouette.

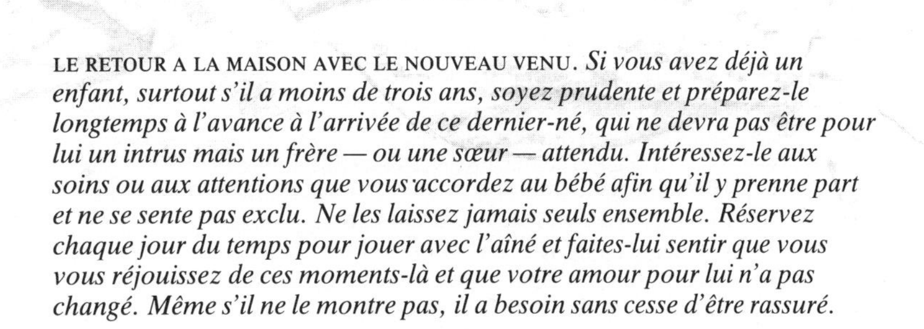

LE RETOUR A LA MAISON AVEC LE NOUVEAU VENU. *Si vous avez déjà un enfant, surtout s'il a moins de trois ans, soyez prudente et préparez-le longtemps à l'avance à l'arrivée de ce dernier-né, qui ne devra pas être pour lui un intrus mais un frère — ou une sœur — attendu. Intéressez-le aux soins ou aux attentions que vous accordez au bébé afin qu'il y prenne part et ne se sente pas exclu. Ne les laissez jamais seuls ensemble. Réservez chaque jour du temps pour jouer avec l'aîné et faites-lui sentir que vous vous réjouissez de ces moments-là et que votre amour pour lui n'a pas changé. Même s'il ne le montre pas, il a besoin sans cesse d'être rassuré.*

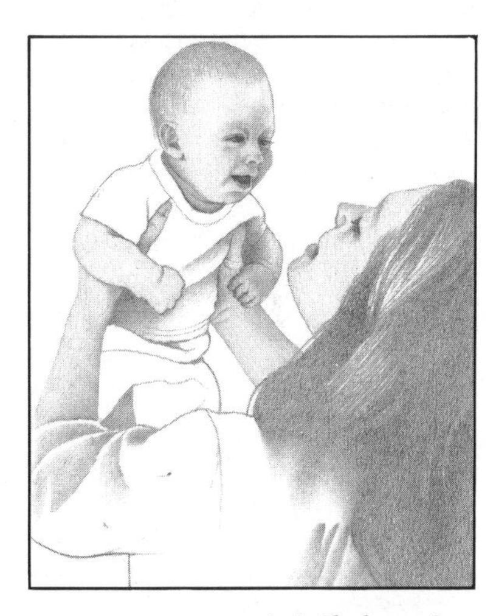

JOUEZ AVEC VOTRE BÉBÉ. *Il pleure ? N'hésitez pas : prenez-le et consolez-le. Ne craignez pas de le rendre capricieux. S'il paraît bien éveillé dans son berceau et désireux de jouer, jouez avec lui si vous en avez envie. S'il a sommeil ou regarde autour de lui sans rien demander, laissez-le tranquille.*

Alimentation au sein, alimentation au biberon

LE LAIT MATERNEL

Protides, lipides, glucides
Idéalement adapté, il est presque totalement digéré.

Sels minéraux
Dosage parfait en sodium, potassium, calcium, fer...

Concentration des éléments nutritifs
Elle varie en fonction de différents facteurs (climat, alimentation de la mère, besoins de l'enfant...).

Qualité nutritionnelle
Parfaite. Toutefois, certaines mères n'ont pas assez de lait et leurs bébés prennent peu de poids.

Protection contre les infections
Les anticorps du lait maternel protègent l'enfant contre les infections, intestinales et respiratoires notamment.

Protection contre d'autres maladies
Il se peut que le lait maternel protège l'enfant contre l'asthme et l'eczéma.

Contamination du lait
Impossible, sauf en cas d'abcès du sein.

Commodité
Parfaite : le bébé peut être nourri n'importe quand et n'importe où. Moins fatigant également la nuit.
Inconvénient : personne ne peut remplacer la mère, sauf si elle tire son lait et le conserve au réfrigérateur pour être versé en biberons stérilisés.

Quantité
Peut diminuer si la mère est fatiguée, malade ou malheureuse ou si l'enfant cesse de boire.

Sentiments du bébé
Il semble apprécier cette intimité partagée.

Vos sentiments
Le plaisir des tétées est réel. Il suscite un profond sentiment d'amour et d'intimité.

Votre santé
Les crevasses du mamelon ou les abcès du sein sont rares. Allaiter provoque la sécrétion d'une hormone qui favorise le retour de l'utérus à son volume normal.

LE LAIT INDUSTRIEL

Protides, lipides, glucides
Un peu moins absorbé par le système digestif.

Sels minéraux
Autrefois, l'excès de phosphore du lait pouvait causer des convulsions, et l'excès de sodium certains désordres cérébraux. Ces troubles sont exceptionnels de nos jours si les quantités sont respectées et correctement diluées.

Concentration des éléments nutritifs
Constante. Seule la quantité est modifiable.

Qualité nutritionnelle
L'erreur de suralimentation est fréquente. Le bébé prend trop de lait et de poids.

Protection contre les infections
Aucune.

Protection contre d'autres maladies
Aucune, mais sept bébés sur mille ont la diarrhée, des éruptions cutanées, des problèmes respiratoires.

Contamination
Possible, sauf si les biberons sont parfaitement lavés et ébouillantés, surtout lorsqu'il fait chaud; la poudre de lait peut être contaminée par des bactéries et causer des gastro-entérites.

Commodité
Nécessité d'un matériel considérable à stériliser chaque jour. Avantage : n'importe qui peut donner la tétée.

Quantité
Selon nécessité. Elle n'est affectée ni par un état physique déficient ni par un moral dépressif.

Sentiments du bébé
Un biberon administré avec tendresse donne au bébé autant de satisfaction qu'une tétée au sein.

Vos sentiments
Il est très agréable de donner le biberon, et ce plaisir peut être partagé avec père, frères et sœurs.

Votre santé
Inchangée.

ALLAITEMENT MATERNEL, ALLAITEMENT ARTIFICIEL

Depuis quelques dizaines d'années, des laits industriels sans danger sont dans le commerce à la disposition des mères qui ne désirent pas allaiter. Ces laits, très variés, s'utilisent tous en ajoutant de l'eau à une poudre à base de lait de vache ou de soja. Parfois enrichie en huiles végétales, en fer ou en vitamines, ces poudres sont diluées au moment de l'emploi selon des indications très précises. Les avantages et les inconvénients des deux méthodes d'allaitement sont exposés dans le tableau ci-contre. Ainsi qu'on peut le constater, l'allaitement au sein, alimentation plus équilibrée protégeant la santé, convient mieux à la plupart des bébés. Ces derniers, ainsi nourris, ont moins de troubles respiratoires et digestifs que les autres. Cela dit, des milliards d'enfants dans le monde ont été élevés au biberon sans problèmes.

LES DÉBUTS DE L'ALLAITEMENT AU SEIN

Certaines mères se sentent gênées de devoir dénuder leur poitrine devant toute la famille pour allaiter, sans doute parce qu'elles considèrent leurs seins davantage comme organes sexuels que comme organes de nutrition. Si tel est votre cas, installez-vous dans une pièce isolée ou cachez votre sein sous un coin de châle.

Durant les vingt-quatre ou quarante-huit heures qui suivent l'accouchement, les seins produisent un liquide laiteux, le colostrum, excellent pour le nourrisson. S'il n'existe pas de contre-indication à l'allaitement, et si vous n'êtes pas tuberculeuse, ce colostrum lui convient parfaitement.

Quand il tète, un bébé n'aspire pas vraiment le lait. Il appuie avec ses gencives sur l'aréole (zone foncée entourant le mamelon), et le lait lui jaillit dans la bouche. S'il appuie trop, il peut faire mal. Votre médecin vous indiquera comment tenir l'enfant pour le nourrir facilement.

BESOINS EN LAIT

Combien de tétées par jour ?
Nourrissez le bébé lorsqu'il réclame. Pendant les deux premières semaines, il réclamera environ dix fois par vingt-quatre heures. Ensuite, dans la plupart des cas, sa demande diminuera pour se stabiliser à une tétée toutes les trois ou quatre heures environ. Toutefois, certains bébés continuent longtemps à avoir faim plus souvent. Si vous ne pouvez le nourrir à la demande, établissez un rythme assez souple, d'une grande tétée toutes les quatre heures par exemple.

Si, la nuit, le bébé dort dans un berceau placé à côté de votre lit, vous pouvez lui donner le sein, à demi endormie, lorsqu'il le demande.

Le lait maternel est pauvre en vitamine D; aussi le médecin en prescrira-t-il sans doute. Un prématuré a souvent besoin d'un supplément de fer. Certains médecins prescrivent aussi du fluor pour que l'enfant ait des dents bien saines plus tard. La durée d'une tétée n'est pas fixée; c'est au bébé de décider. Quand le premier sein est vide, changez de sein.

LE BÉBÉ PREND-IL ASSEZ ?
Une mère expérimentée « sait » si son bébé prend ce qu'il lui faut, mais pour un premier enfant, il vaut mieux noter les quelques points de repère suivants : si l'enfant est gai, vif, satisfait, c'est qu'il boit en quantité suffisante. Pesez-le méticuleusement et suivez sur plusieurs jours la progression de sa courbe de poids. S'il ne grossit pas assez, sans doute est-il sous-alimenté.

Sachez qu'un enfant insuffisamment nourri, loin de s'agiter et de crier sa faim, est souvent calme et plutôt indifférent au monde qui l'entoure. Si vous avez l'impression d'avoir de moins en moins de lait, parlez-en à votre médecin, qui vous conseillera peut-être de compléter la ration du bébé avec un ou plusieurs biberons (donné en plus de la tétée, le biberon est dit « complémentaire », à la place de cette dernière, il est « supplémentaire »).

Toutefois, la glande mammaire sécrétant d'autant plus abondamment qu'elle est plus sollicitée, le fait de donner des biberons de lait artificiel accentuera encore la diminution du lait de la mère et amorcera un processus selon lequel le lait industriel deviendra nécessaire en quantité de plus en plus importante.

Dans 95 pour 100 des cas, les mères allaitent sans aucun problème. Si vous rencontrez la moindre difficulté, bavardez avec d'autres mères et, surtout, demandez conseil au médecin qui suit votre bébé.

CONTRE-INDICATIONS

L'allaitement au sein peut-il être contre-indiqué ?
Oui, dans le cas où la mère souffre de certaines maladies ou prend certains médicaments; aussi, si vous suivez un traitement dont le pédiatre n'a pas connaissance ou si vous éprouvez le moindre doute, demandez-lui impérativement conseil avant de commencer à allaiter votre enfant.

Si vous allaitez et souffrez d'une crevasse au sein, interrompez les tétées et exprimez votre lait vous-même jusqu'à guérison. Si, en tétant, le bébé vous fait mal, voyez le médecin d'urgence. Évitez d'utiliser les rondelles de protection pour les mamelons, elles sont plus nuisibles qu'utiles.

Nourrir jumeaux et triplés

☐ Il est tout à fait possible de nourrir des jumeaux au sein. Mais il faut savoir que cela prend beaucoup de temps. En revanche, il y a rarement un problème de quantité.

☐ Une mère peut nourrir ses jumeaux en même temps, un à chaque sein, calés par des coussins. Il n'est pas toujours facile de trouver une position commode, surtout si les bébés bougent beaucoup. S'ils tètent à une vitesse très différente, il vaut mieux les nourrir l'un après l'autre, en donnant à chacun un sein différent.

☐ Il est très difficile de nourrir des jumeaux à la demande s'ils ne réclament pas en même temps. N'hésitez pas à les réveiller et nourrissez-les l'un après l'autre. En général, cela se passe très bien.

☐ Des jumeaux au biberon ne peuvent être nourris ensemble, car on ne peut pas tenir correctement deux nourrissons et deux biberons. A un biberon calé — et non tenu —, l'enfant tète autant d'air que de lait. A moins que l'on vous aide, vous ne pouvez pas nourrir des jumeaux au biberon à la demande non plus, car cela vous prendrait tout votre temps.

☐ S'il est réveillé, on peut toujours donner une « sucette » (tétine) au jumeau qui attend son tour, pour le faire patienter.

☐ Pour 7 000 grossesses, il naît une fois des triplés. Les nourrir soi-même n'est pas impossible, mais fatigant. L'allaitement artificiel est plus simple puisque quelqu'un d'autre que la mère peut préparer les biberons et les donner.

L'allaitement au sein

Installez-vous confortablement et tenez le bébé de manière qu'il soit bien à l'aise. Le mieux est de vous asseoir sur une chaise basse en vous carrant contre le dossier, pieds à plat par terre. Vous pouvez caler votre dos avec un coussin et poser un oreiller sur vos genoux pour placer le bébé à la bonne hauteur. Vous gagnerez du temps en portant un soutien-gorge et des vêtements qui s'ouvrent sur le devant.

1. *Calez la tête du bébé contre votre avant-bras et le creux de votre coude de façon que sa bouche soit au niveau du mamelon. Caressez-lui doucement la joue du côté du sein pour l'avertir.*

2. *Il tournera son visage vers le sein, arrondira les lèvres, les avancera vers le mamelon qu'il prendra à pleine bouche; il faut en effet qu'il saisisse non seulement le mamelon, mais tout le bout du sein, aréole comprise, sur laquelle il appuiera pour commencer à téter. S'il ne prend que le mamelon, il fermera les orifices et ne tirera pas de lait.*

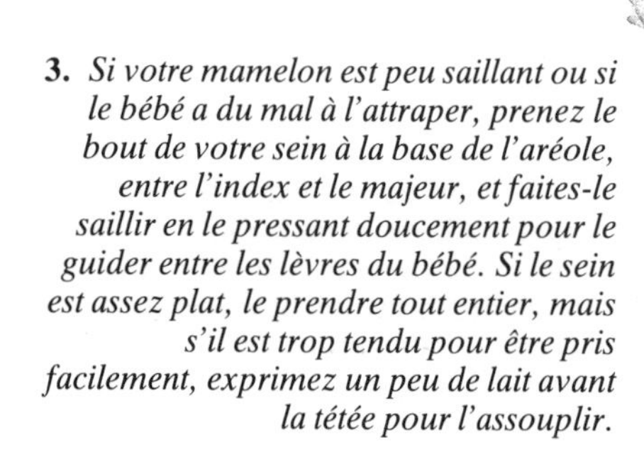

3. *Si votre mamelon est peu saillant ou si le bébé a du mal à l'attraper, prenez le bout de votre sein à la base de l'aréole, entre l'index et le majeur, et faites-le saillir en le pressant doucement pour le guider entre les lèvres du bébé. Si le sein est assez plat, le prendre tout entier, mais s'il est trop tendu pour être pris facilement, exprimez un peu de lait avant la tétée pour l'assouplir.*

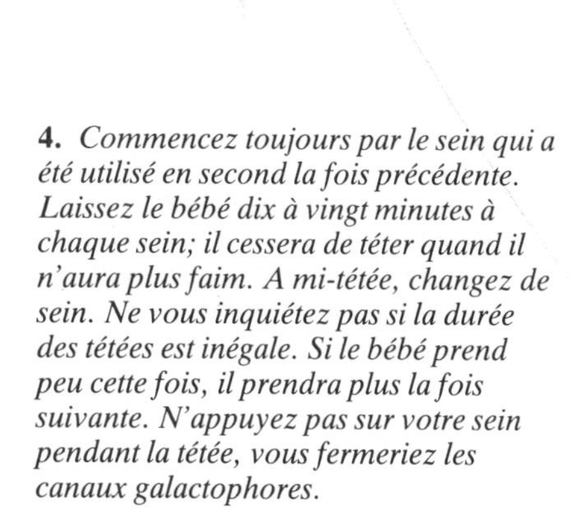

4. *Commencez toujours par le sein qui a été utilisé en second la fois précédente. Laissez le bébé dix à vingt minutes à chaque sein; il cessera de téter quand il n'aura plus faim. A mi-tétée, changez de sein. Ne vous inquiétez pas si la durée des tétées est inégale. Si le bébé prend peu cette fois, il prendra plus la fois suivante. N'appuyez pas sur votre sein pendant la tétée, vous fermeriez les canaux galactophores.*

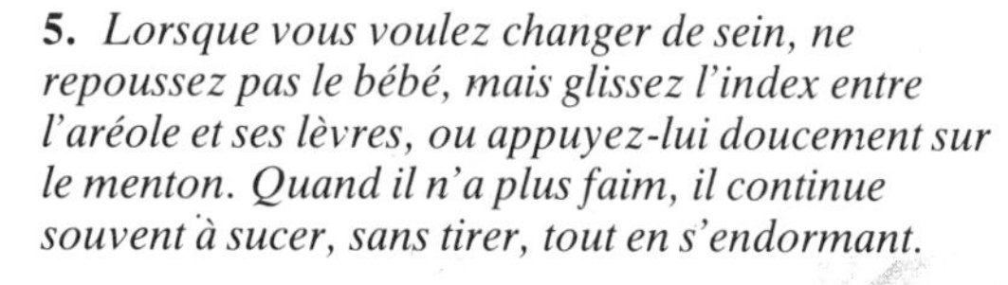

5. *Lorsque vous voulez changer de sein, ne repoussez pas le bébé, mais glissez l'index entre l'aréole et ses lèvres, ou appuyez-lui doucement sur le menton. Quand il n'a plus faim, il continue souvent à sucer, sans tirer, tout en s'endormant.*

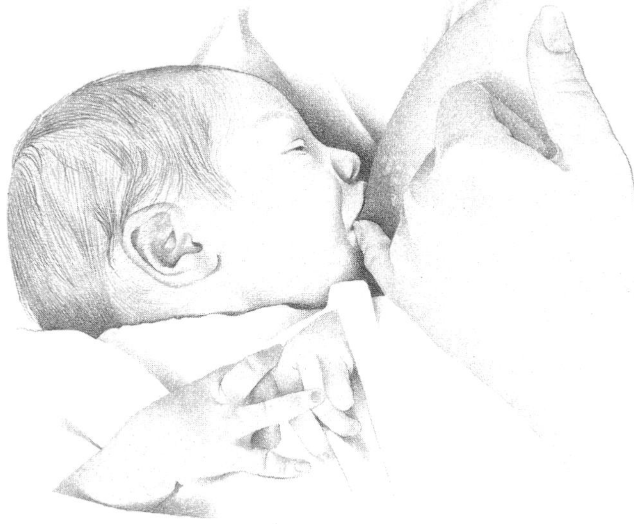

Tirer le lait à la main

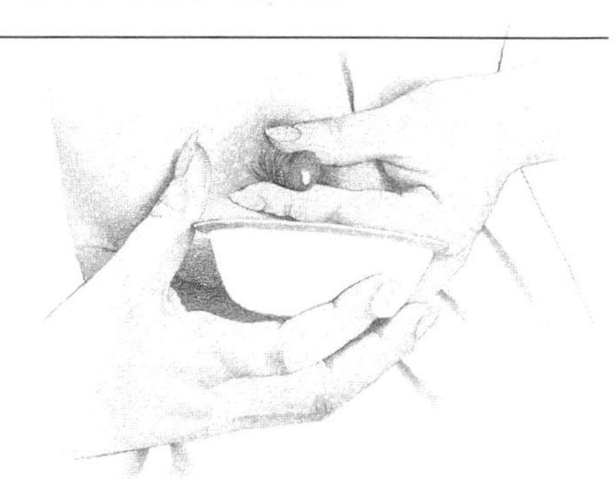

On peut avoir besoin d'exprimer son lait à la main. Pour cela, prendre l'aréole entre le pouce et l'index et presser, tout en appuyant l'ensemble du sein sur la cage thoracique.

L'alimentation au biberon

Asseyez-vous sur une chaise basse, le dos calé par un oreiller si nécessaire, et les pieds bien à plat par terre. Installez le bébé dans vos bras de façon que sa bouche soit plus haute que son estomac et que vous puissiez aisément lui présenter le biberon. Ne lui donnez pas dans son berceau en le lui faisant tenir, il pourrait s'étouffer et, de plus, vous le priveriez du sentiment de sécurité qu'éprouve un bébé à être blotti contre sa mère.

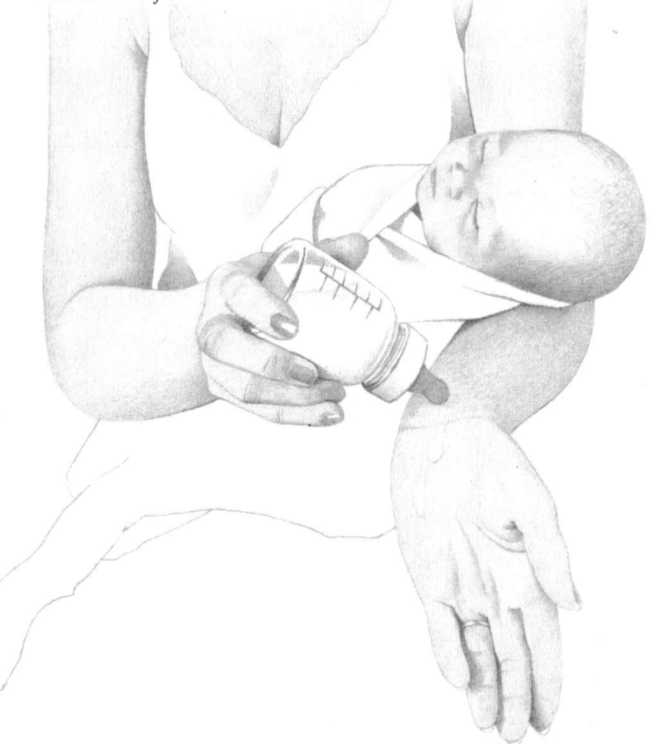

1. *Si le lait froid ne lui fait pas de mal, contrairement au lait trop chaud, le bébé préférera un lait tiédi à température du corps. Chauffez le biberon pendant cinq minutes. Testez sur l'intérieur de votre poignet : le lait ne doit être ni chaud ni froid.*

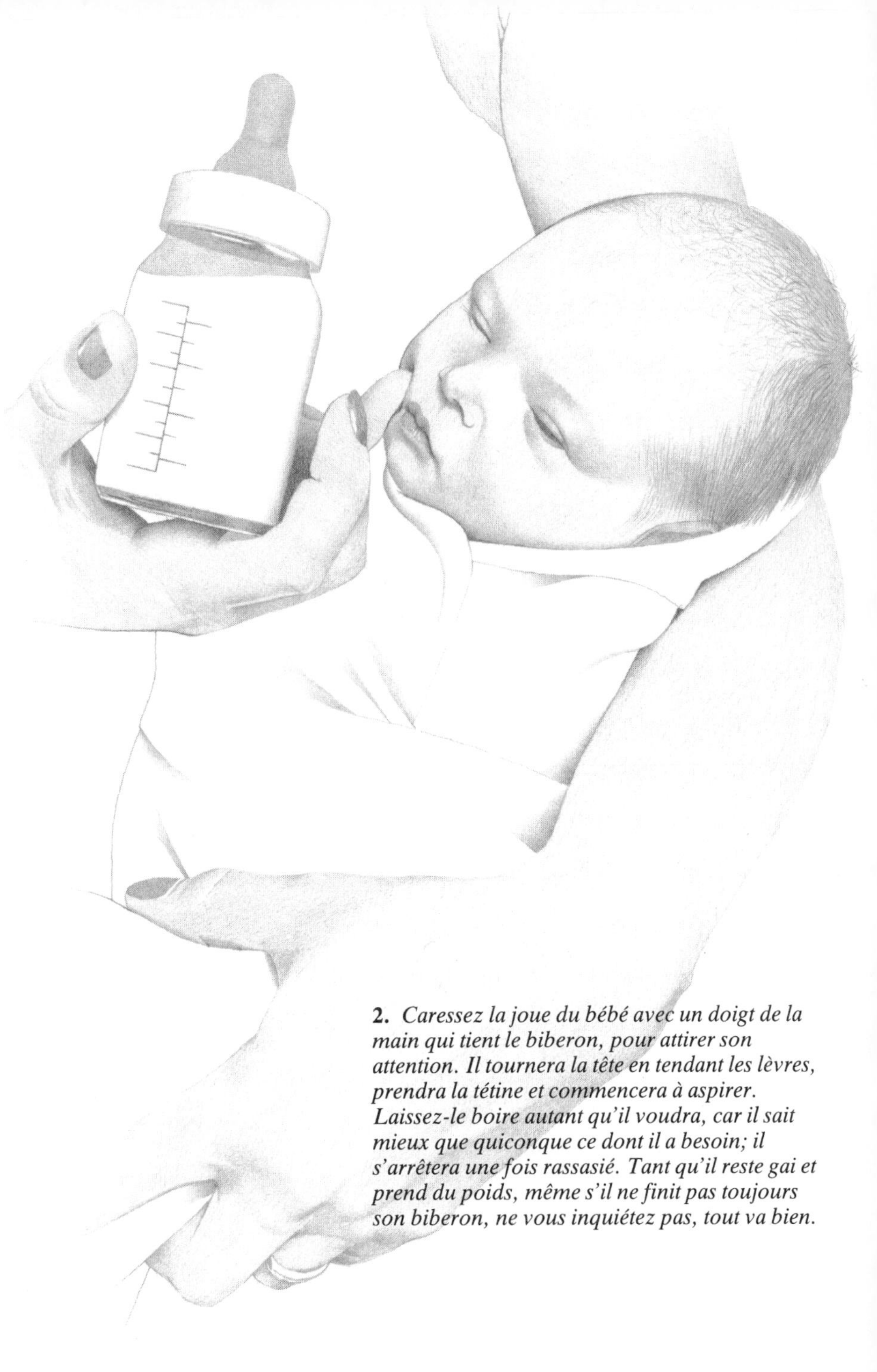

2. *Caressez la joue du bébé avec un doigt de la main qui tient le biberon, pour attirer son attention. Il tournera la tête en tendant les lèvres, prendra la tétine et commencera à aspirer. Laissez-le boire autant qu'il voudra, car il sait mieux que quiconque ce dont il a besoin; il s'arrêtera une fois rassasié. Tant qu'il reste gai et prend du poids, même s'il ne finit pas toujours son biberon, ne vous inquiétez pas, tout va bien.*

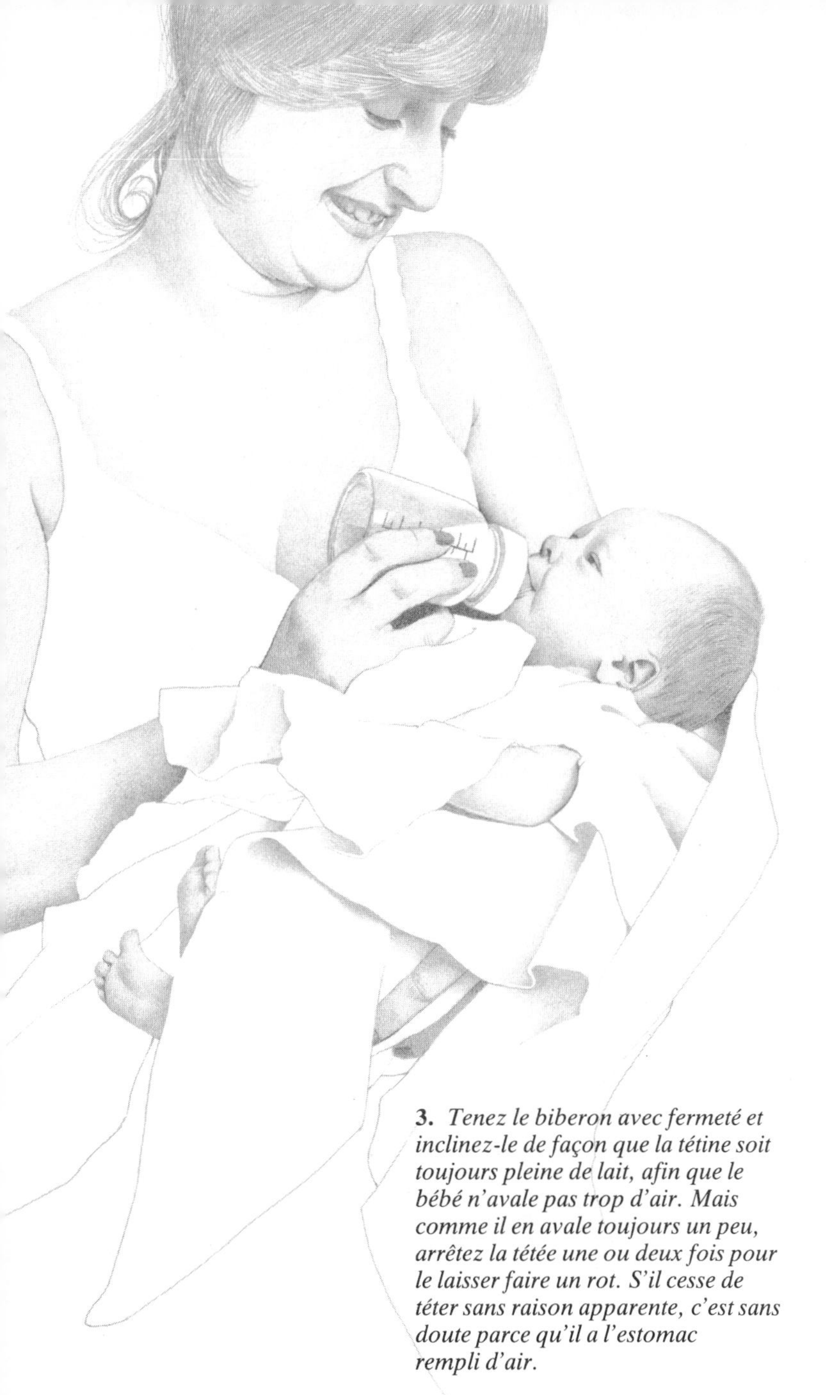

3. Tenez le biberon avec fermeté et inclinez-le de façon que la tétine soit toujours pleine de lait, afin que le bébé n'avale pas trop d'air. Mais comme il en avale toujours un peu, arrêtez la tétée une ou deux fois pour le laisser faire un rot. S'il cesse de téter sans raison apparente, c'est sans doute parce qu'il a l'estomac rempli d'air.

LE BIBERON ET SES USTENSILES

Pour alimenter un bébé artificiellement, il faut compter au minimum deux biberons, quatre tétines, deux couvre-tétines, une brosse pour nettoyer les biberons, un stérilisateur ou un récipient spécial, des réserves de lait et une mesure, généralement fournie avec les boîtes de lait en poudre.

Pour faire un biberon, ajoutez le lait en poudre à l'eau bouillie tiède. Pour le choix du lait et les quantités — dans les premières semaines surtout —, suivez les conseils médicaux. Si votre mari ou vous-même êtes asthmatique ou si vous avez de l'eczéma, le médecin peut vous conseiller d'utiliser un lait à base de soja ou d'amandes, à la place de la poudre de lait de vache qui, parfois, provoque eczéma ou asthme chez certains enfants prédisposés.

Très important : stérilisez tous les ustensiles dont vous vous servez pour faire les biberons, car durant les premiers mois, les bébés sont mal immunisés contre germes et virus.

Lavez-vous les mains avant de toucher aux biberons. Avant d'être rangés, biberons, tétines et couvre-tétines doivent être débarrassés des restes de lait, bien lavés avec un détergent à vaisselle, brossés et rincés.
Stérilisez-les ensuite en les faisant bouillir dans de l'eau pendant trois minutes.

BIEN CALCULER LES QUANTITÉS DE LAIT

Par vingt-quatre heures, il faut donner au bébé entre 120 et 180 millilitres de lait par kilo de poids. Ainsi, un bébé de 4 kilos recevra de 480 à 720 millilitres de lait. Chacun, cependant, a ses propres besoins. Celui-ci, menu pour son âge, manifestera un appétit féroce, tandis que celui-là, gros, n'aura qu'un petit appétit. En général, on donne un repas toutes les quatre heures. Pour les bébés nourris au sein, les horaires sont beaucoup plus souples. Les prématurés et les bébés très menus peuvent avoir besoin, au début, d'un biberon toutes les trois heures.

Ne pas s'inquiéter si le bébé ne termine pas un biberon ou s'il ne réclame pas de la nuit. Surveillez la courbe de poids. Si elle paraît fléchir, voyez le médecin.

LES SUCETTES

Puis-je donner une tétine à mon bébé ?

Oui, car mieux vaut un nourrisson calme avec sa sucette qu'un bébé qui hurle sans arrêt. Mais une fois cette habitude acquise, il sera difficile de la lui faire perdre. Cependant, les bébés qui n'ont pas eu de sucettes deviennent souvent de fervents suceurs de pouce, autre habitude plus difficile à perdre encore...

ATTENDRE LE ROT

Tous les nourrissons avalent de l'air en tétant. Votre bébé en avalera moins si vous tenez le biberon comme indiqué à gauche. L'air, plus léger que le lait, remonte dans l'estomac et s'échappe par l'œsophage si l'enfant est bien incliné. Lui tapoter le dos l'aide, mais n'est pas indispensable.

Faites-lui faire son rot à mi-tétée, mais si rien ne vient au bout d'une à deux minutes, rendez-lui le biberon pour éviter de le faire hurler de fureur et avaler encore plus d'air ! Certains bébés ont du mal à faire leur rot (*voir* COLIQUE).

QUAND CHANGER UN BÉBÉ ?
Les couches sont mouillées à chaque tétée et doivent être changées, mais la fréquence des selles varient selon les bébés. Certains ont une selle après chaque repas (c'est souvent le cas des bébés nourris au biberon), d'autres n'en ont qu'une par jour, comme beaucoup de bébés nourris au sein. Les selles des bébés nourris au lait uniquement sont molles et offrent une consistance de moutarde. Consultez le pédiatre si elles sont trop liquides et fréquentes. La couleur des selles varie du vert au jaune d'or en passant par toutes les nuances; elle n'a guère d'importance, en général.

CHOISIR LES COUCHES

Couches à jeter ou couches de tissu ?
C'est une affaire de goût. Les couches de tissu, qu'il faut laver, coûtent moins cher. Prenez garde à ne pas vous débarrasser des couches à jeter n'importe où et, notamment, dans les toilettes débouchant sur ne fosse septique. Quant au problème de l'érythème fessier, il est le même avec les deux types de couches, car, contrairement à ce que pensent de nombreuses mamans, il dépend uniquement du bébé.

Les changes

Il existe plusieurs sortes de couches de tissu : carrées, à double épaisseur, triangulaires à centre éponge, et couches-culottes en coton. Voici deux méthodes de pliage des couches carrées : le pliage cerf-volant et le pliage à la chinoise.

Le pliage cerf-volant

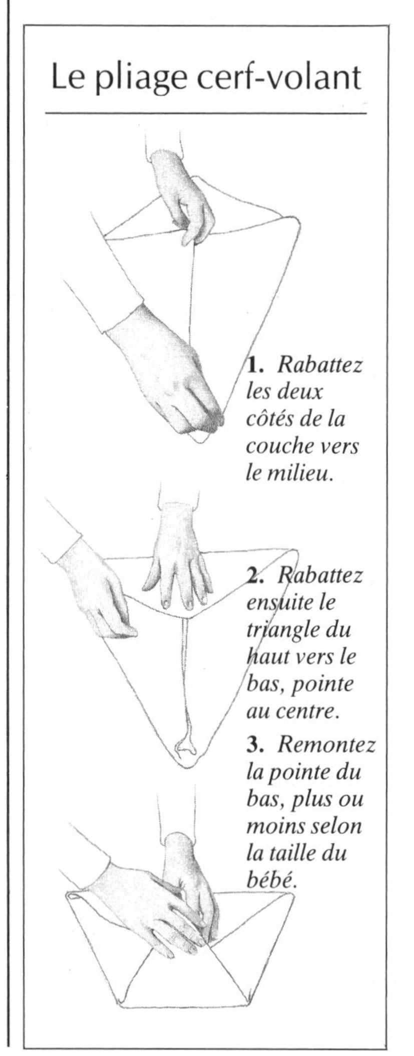

1. *Rabattez les deux côtés de la couche vers le milieu.*

2. *Rabattez ensuite le triangle du haut vers le bas, pointe au centre.*

3. *Remontez la pointe du bas, plus ou moins selon la taille du bébé.*

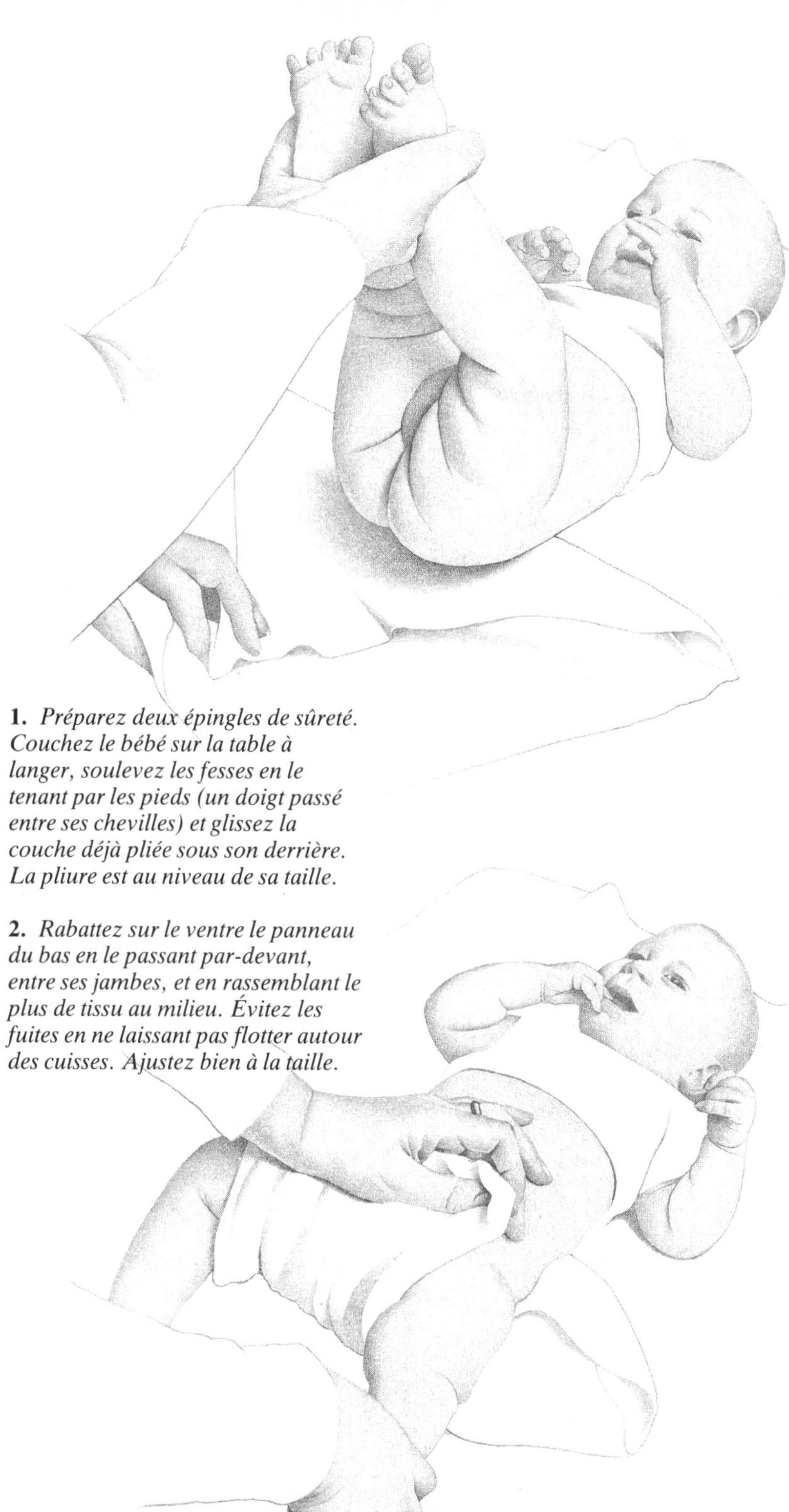

1. *Préparez deux épingles de sûreté. Couchez le bébé sur la table à langer, soulevez les fesses en le tenant par les pieds (un doigt passé entre ses chevilles) et glissez la couche déjà pliée sous son derrière. La pliure est au niveau de sa taille.*

2. *Rabattez sur le ventre le panneau du bas en le passant par-devant, entre ses jambes, et en rassemblant le plus de tissu au milieu. Évitez les fuites en ne laissant pas flotter autour des cuisses. Ajustez bien à la taille.*

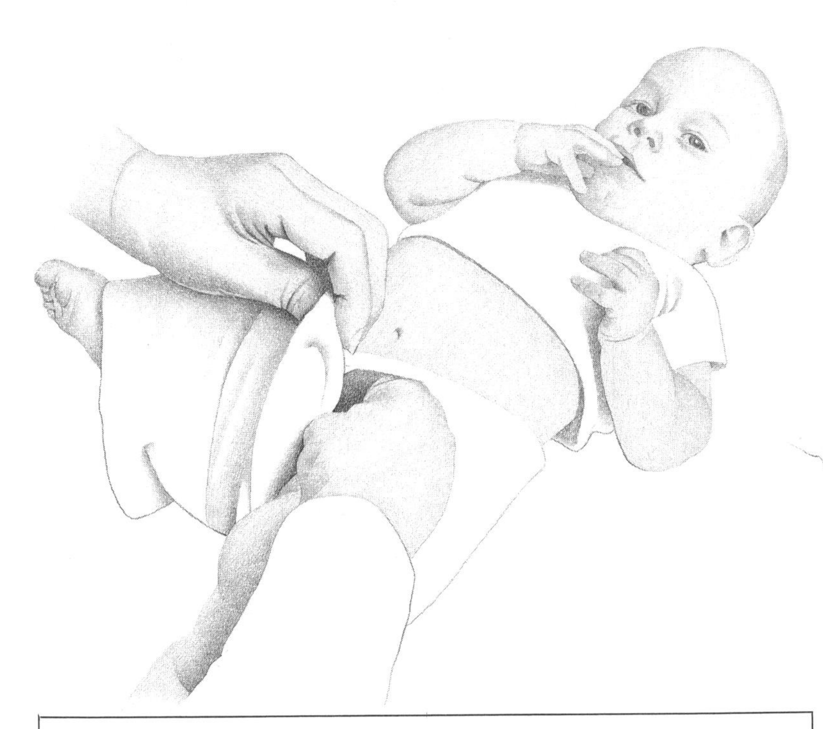

3. *Rabattez le côté droit, glissé, serré sans excès, sous le panneau de devant. Faites de même pour le côté gauche, de manière à bien envelopper l'enfant. Ajustez.*

Bien mettre la culotte en plastique

Culottes et autres protections en plastique fermées par élastiques, velcros ou nouées, protègent des fuites mais gardent l'urine contre la peau : elles provoquent des irritations. S'en passer si possible.

1. *Couchez le bébé sur le carré de plastique, nouez devant les coins de derrière. Retournez-le et faites l'inverse.*

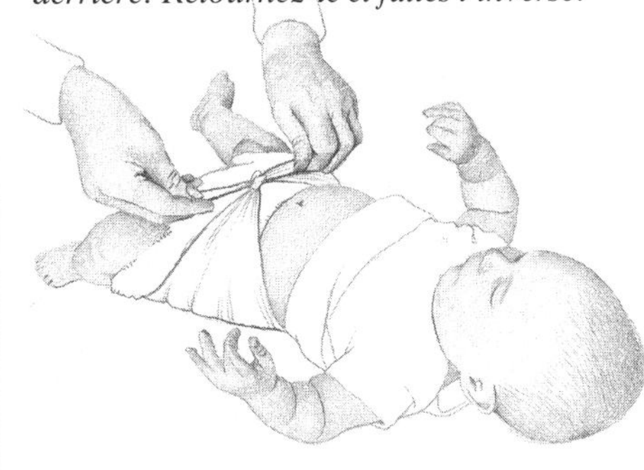

2. *Rentrez bien les bords tout autour des cuisses pour éviter les fuites. Ainsi noué, un carré tient parfaitement.*

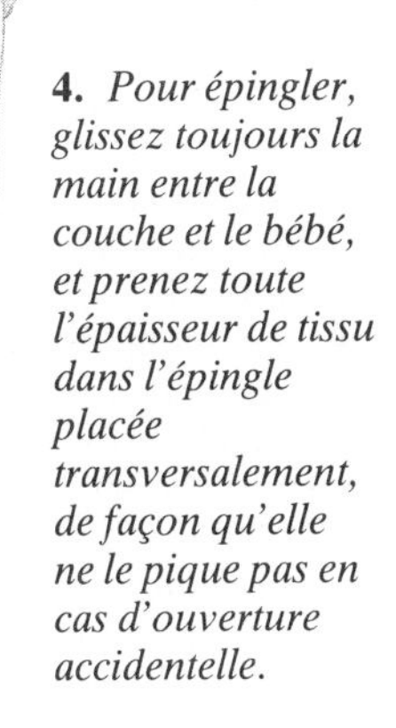

4. *Pour épingler, glissez toujours la main entre la couche et le bébé, et prenez toute l'épaisseur de tissu dans l'épingle placée transversalement, de façon qu'elle ne le pique pas en cas d'ouverture accidentelle.*

LE LAVAGE DES COUCHES
Enlevez le plus gros en passant la couche sous l'eau chaude courante, puis lavez les couches à la machine ou à la main, toujours à l'eau très chaude et en utilisant un savon doux pour bébés. N'employez jamais de détergent. Trempez ensuite ces couches dans une solution stérilisante, puis rincez-les très soigneusement à l'eau claire et faites-les bien sécher. Repassez-les avec un fer très chaud.

LES CULOTTES EN PLASTIQUE
Chaque fois que vous ôtez une couche salie, lavez le derrière du bébé avec un coton trempé dans l'eau tiède et un savon pour bébé s'il est très sale. Essuyez-le bien et appliquez une crème achetée en pharmacie. Ne lui mettez de culotte en plastique que si c'est absolument nécessaire. Cette culotte, lavée à l'eau tiède, est trempée dans une solution stérilisante, puis suspendue à l'air libre, si possible, jusqu'à ce qu'elle soit bien sèche. Jetez-la dès que le plastique durcit et risque d'écorcher le bébé.

LE BAIN DU BÉBÉ
Les nourrissons ont une odeur forte; aussi vaut-il mieux les baigner — ou les laver — le soir, après l'agitation du jour.

Utilisez un savon spécial-bébé, car savons ordinaires et bains moussants irritent leur peau. Ne leur mettez pas de savon dans les yeux. Durant la toilette, ne touchez jamais au reliquat de cordon ombilical; laissez-le tomber tout seul. Dès qu'il sera tombé, vous pourrez tremper votre bébé entièrement dans son bain.

Couches à la chinoise

Convient particulièrement aux bébés menus. Le maximum d'épaisseur de tissu se trouve rassemblé là où cela est le plus utile, au milieu de l'entre-jambe, laissant juste ce qu'il faut sur les côtés. Une seule épingle suffit.

1. *Couchez le bébé sur le dos, taille au centre du grand côté de la couche, coussinet placé contre la peau. Rabattez la pointe sur le ventre en la passant entre les jambes.*

Le pliage à la chinoise

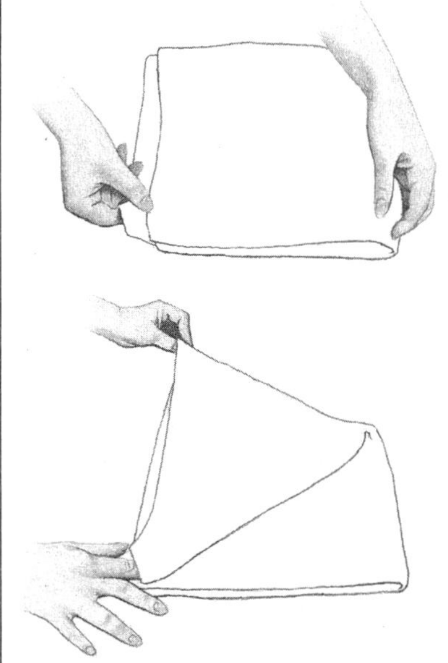

1. *Pliez la couche carrée en quatre. Placez bien à plat devant vous le carré ainsi obtenu de manière que la pliure soit à gauche et en bas, les quatre coins libres étant à droite et en haut.*

2. *Prenez l'épaisseur du dessus de la main gauche et tirez — à gauche — en maintenant tous les coins et les épaisseurs de dessous de la main droite.*

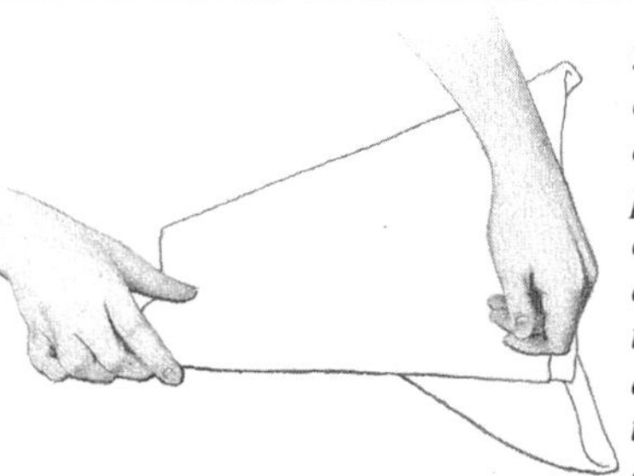

3. *Retournez complètement la couche pour placer l'angle droit à votre droite. Repliez le tiers de droite sans déranger le triangle du dessous.*

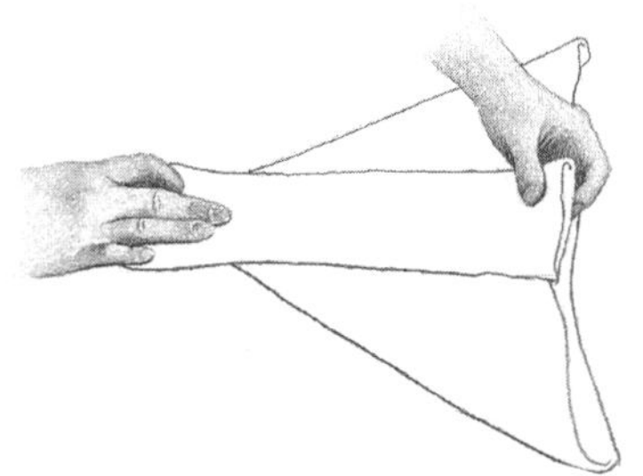

4. *Repliez encore dans le sens de la longueur, ce qui vous permet d'obtenir un long coussinet épais au beau milieu et sur toute la hauteur du triangle.*

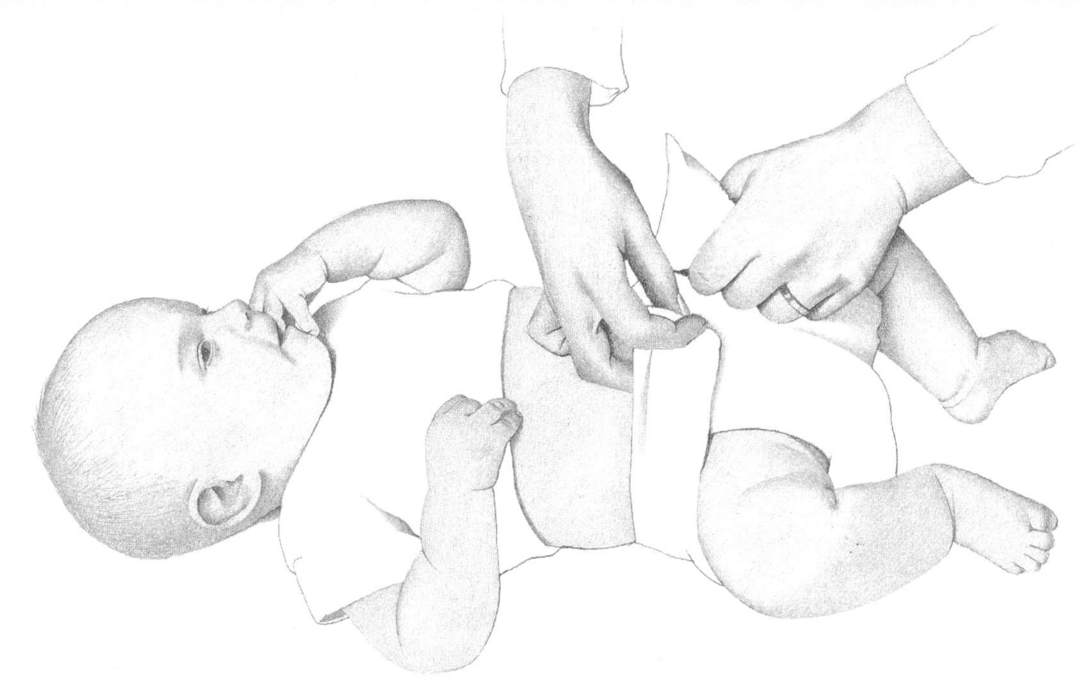

2. *Tenez le panneau rabattu de la main gauche en glissant les doigts entre les épaisseurs de tissu de façon à laisser une épaisseur libre au contact de la peau. Croisez les deux côtés par-dessus en maintenant bien le bébé, sans trop serrer.*

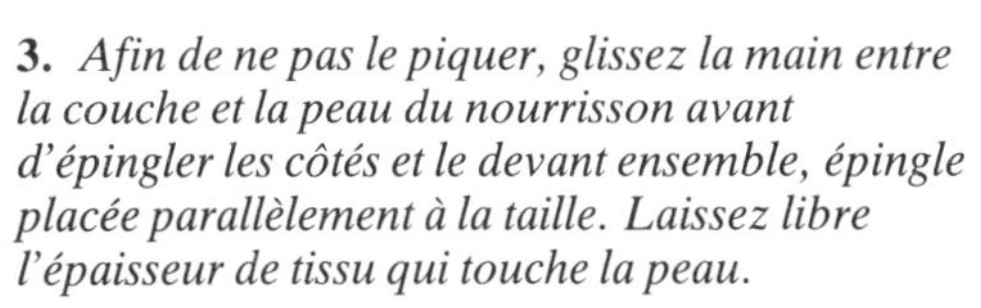

3. *Afin de ne pas le piquer, glissez la main entre la couche et la peau du nourrisson avant d'épingler les côtés et le devant ensemble, épingle placée parallèlement à la taille. Laissez libre l'épaisseur de tissu qui touche la peau.*

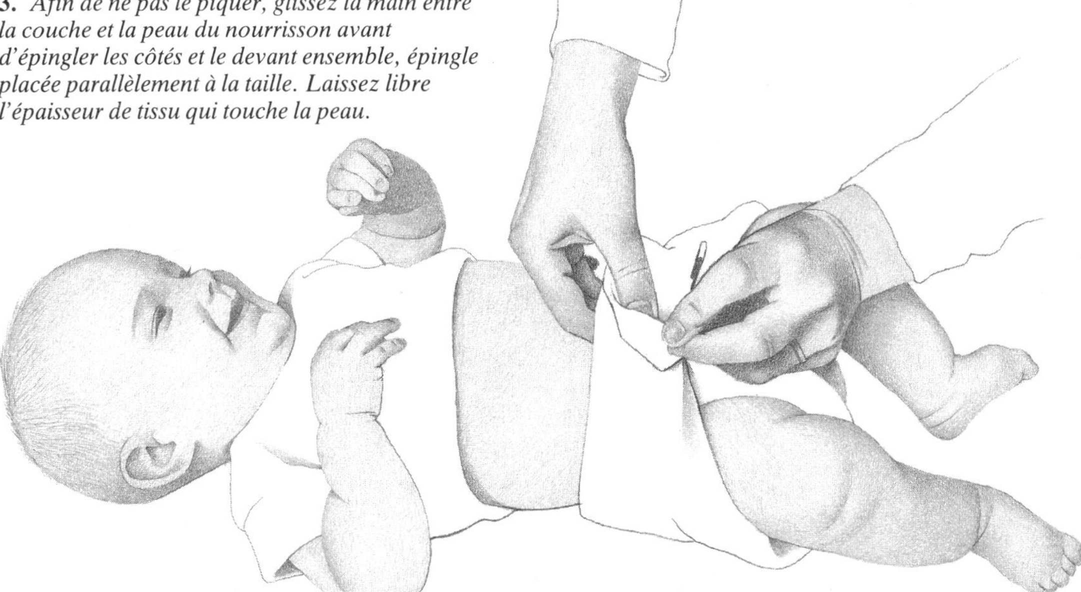

LA LAYETTE
Voici, au minimum, ce que vous devez préparer avant la naissance :
4 grenouillères (dormeuses)
5 brassières attachées sur le côté ou derrière
24 couches lavables
1 boîte de couches de protection
6 culottes en plastique
6 bavoirs
1 bonnet de toile

L'hiver, vous pouvez ajouter un bonnet, des chaussons et des mitaines de laine. N'achetez ni camisoles, ni barboteuses, ni pyjamas d'avance, car ces pièces de layette sont généralement offertes par les proches et amis, et pour les premiers mois il se peut que vous en ayez plus que nécessaire. Si ce n'est pas le cas ,n'hésitez pas à demander autour de vous de la layette à emprunter ou à acheter d'occasion, car les nourrissons grandissent vite et n'ont pas le temps de l'user.

COMMENT COUVRIR BÉBÉ ?

Les nouveau-nés sont-ils trop couverts ?
Généralement oui, car on s'imagine qu'ils ont besoin de plusieurs camisoles pour être au chaud. Si le visage du vôtre est rouge et humide de transpiration, ôtez-lui un vêtement. En revanche, si sa chambre se refroidit beaucoup la nuit, couvrez-le suffisamment, y compris les mains.

LE SOMMEIL
Les bébés savent manifester leur envie de dormir, et vous apprendrez vite à reconnaître les signes avant-coureurs du sommeil du vôtre qui, sans doute, comme beaucoup se montrera grognon. Quelle que soit l'heure, tant qu'un enfant reste vif et gai, c'est qu'il n'a pas sommeil.

Si, en attendant votre enfant, vous rêvez de le voir dans un berceau, essayez d'en emprunter un plutôt que de l'acheter, car il ne servira que six mois. Comme premier lit, un porte-bébé ou la nacelle amovible d'une poussette font l'affaire. Prévoyez deux ou trois couvertures et des draps de coton.

Plus qu'inutile, un oreiller est dangereux. Protégez le matelas avec une alèse; il en faut une seconde pour le landau.

Ne laissez pas la température de sa chambre se refroidir trop la nuit. Elle ne doit en aucun cas descendre en dessous de 13 °C et doit être plus élevée que la normale pour un prématuré ou un bébé de moins de 2,7 kg. Demandez conseil au pédiatre.

LES OBJETS FÉTICHES

Sont-ils nécessaires ?
Lorsqu'ils sont fatigués ou chagrins, la plupart des jeunes enfants cherchent le contact d'un objet doux (jouet en peluche, coin de couverture, couche) qu'ils affectionnent. Certains sucent leurs doigts. Laissez-les faire et ne vous moquez surtout pas d'eux.

L'habillage

Couchez le bébé sur sa table à langer, dans son berceau ou sur vos genoux. Ne le posez ni sur une table ni sur un lit, d'où il pourrait vous échapper et tomber.

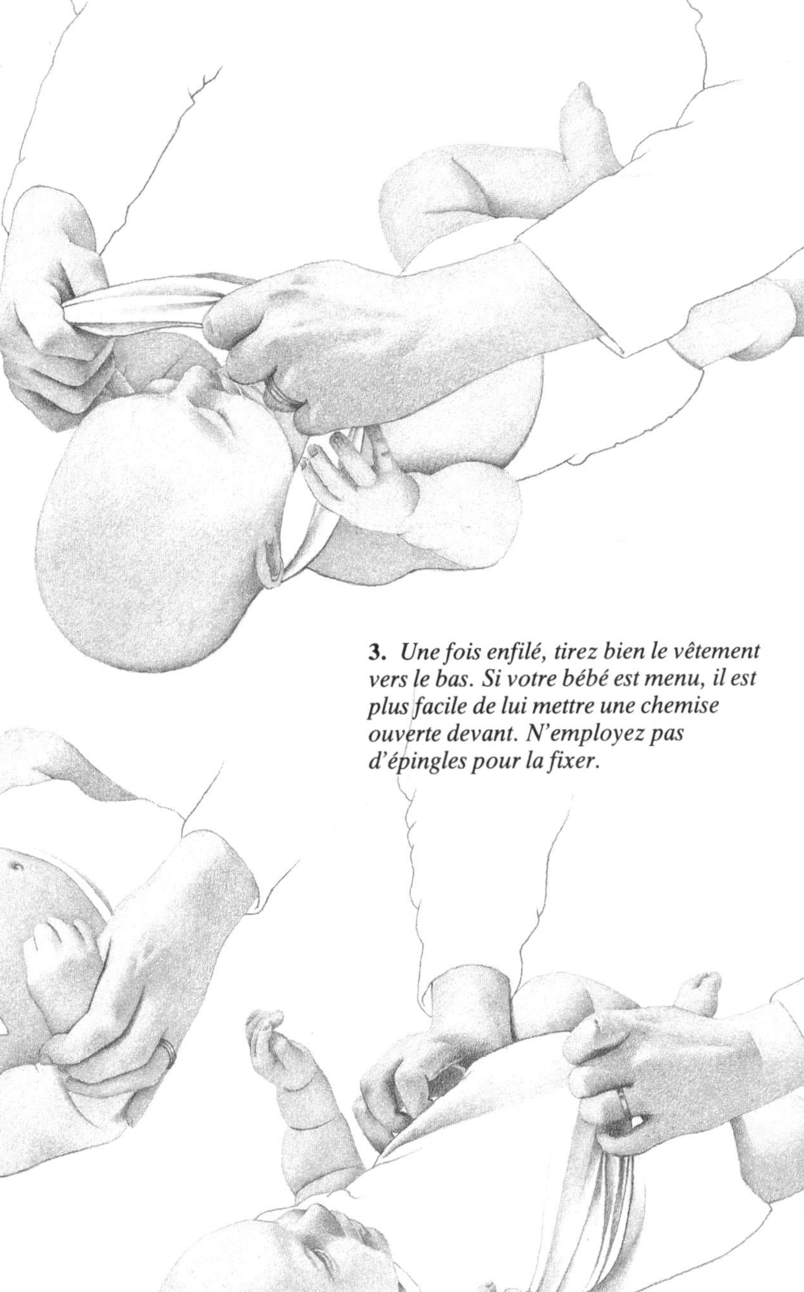

1. *Étirez l'encolure du vêtement pour l'enfiler par-dessus sa tête. Ne lui accrochez pas au passage le nez ou les oreilles, et ne lui basculez pas la tête.*

2. *Distendez la manche avec le pouce et l'index, et allez chercher sa main pour faire glisser la manche sur le bras. Opérez de même de l'autre côté.*

3. *Une fois enfilé, tirez bien le vêtement vers le bas. Si votre bébé est menu, il est plus facile de lui mettre une chemise ouverte devant. N'employez pas d'épingles pour la fixer.*

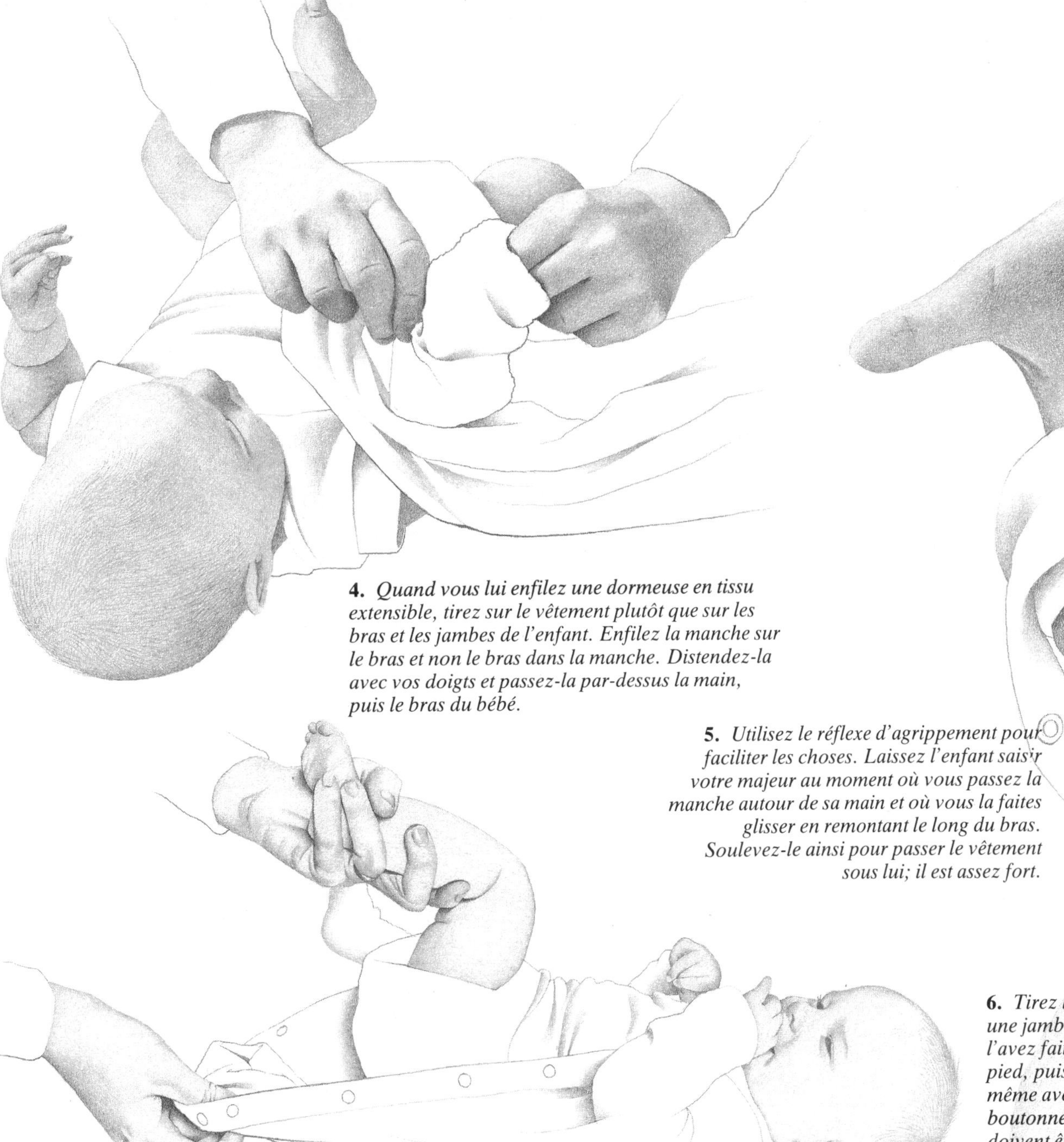

4. *Quand vous lui enfilez une dormeuse en tissu extensible, tirez sur le vêtement plutôt que sur les bras et les jambes de l'enfant. Enfilez la manche sur le bras et non le bras dans la manche. Distendez-la avec vos doigts et passez-la par-dessus la main, puis le bras du bébé.*

5. *Utilisez le réflexe d'agrippement pour faciliter les choses. Laissez l'enfant saisir votre majeur au moment où vous passez la manche autour de sa main et où vous la faites glisser en remontant le long du bras. Soulevez-le ainsi pour passer le vêtement sous lui; il est assez fort.*

6. *Tirez le vêtement vers le bas, roulez une jambe dans la main comme vous l'avez fait des manches et enfilez-la sur le pied, puis sur la jambe du bébé. Faites de même avec l'autre jambe. Ensuite, boutonnez. Les jambes de la dormeuse doivent être trop longues; si les pieds de l'enfant sont au bout, c'est qu'elle est trop petite. Ne la lui mettez plus.*

LE PREMIER CHANGEMENT DE LIT
Ne laissez pas dans un berceau ou un porte-bébé trop instable un enfant qui se tient assis. Il lui faut alors un vrai lit muni d'un système de sécurité. Si vous avez acheté un lit d'occasion, repeignez-le avec une peinture garantie non toxique, spéciale pour jouets.

Prévoyez un matelas, une alèse, des draps et plusieurs couvertures légères, à moins que vous ne préfériez le faire dormir dans un sur-pyjama.

N'utilisez de capitonnage protecteur que si votre bébé prend l'habitude de se cogner la tête contre les barreaux (*voir page 414*).

UN SOMMEIL AGITÉ

La nuit d'un bébé est-elle calme ?
Non. Un bébé s'agite, grogne, soupire, renifle, geint et donne des coups de pied. Si ces divers bruits vous empêchent de dormir, mettez l'enfant dans une autre pièce, assez proche toutefois pour qu'en cas de besoin vous l'entendiez pleurer. Si vous avez de la place, attribuez-lui une chambre pour lui seul.

PROMENADES ET SORTIES
Un landau coûte cher et est encombrant. Une poussette avec nacelle transformable en porte-bébé fait très bien l'affaire, mais avant l'achat, vérifiez les sécurités : la nacelle ne doit pas bouger quand vous montez ou descendez d'un trottoir.

Si vous laissez l'enfant dehors dans le landau, attachez un tulle protecteur. Ne laissez jamais chiens et chats le lécher ou se coucher près de lui.

LES RAPPORTS SEXUELS

Quand pourrai-je reprendre une vie sexuelle ?
Quand vous voudrez, mais il se peut que vous n'en ayez aucune envie durant plusieurs semaines après la naissance. Signalez à votre gynécologue toute douleur ou gêne persistante, et confiez-vous à lui très simplement si, deux mois après l'accouchement, votre vie sexuelle n'est pas redevenue normale.

Le fait d'allaiter me protège-t-il d'une grossesse ?
Non.

Avant le retour des règles, suis-je à l'abri d'une autre grossesse ?
Non.

ALLÉGER LES TACHES QUOTIDIENNES
Durant les premiers temps, vous serez accablée de travail et les jours n'auront, pour vous, pas assez d'heures. N'hésitez pas à demander de l'aide à tous et à toutes : amies, voisines, parents et aides familiales. Prenez garde à votre mère, si elle vous aide... Par leurs gâteries, les grand-mères donnent souvent de mauvaises habitudes à leurs petits-enfants. Mais si vous êtes toutes deux d'accord sur la méthode d'éducation, elle sera sans aucun doute pour vous l'aide idéale, et, pour votre enfant, la meilleure des nurses !

ALIMENTS ET BOISSONS

Dois-je « manger pour deux » si j'allaite ?
Non. Mais votre appétit augmentera et vous éprouverez le besoin de boire plus.

COMMENT RETROUVER VOTRE SILHOUETTE D'« AVANT » ?
Cela ne se fera pas en un jour, mais si vous ne mangez pas trop, votre ligne s'affinera rapidement et sans efforts. Un problème réel cependant : votre paroi abdominale distendue peut désormais manquer d'élasticité et de muscles. Ne vous désespérez surtout pas, car ces derniers, à la longue, retrouveront leur tonus, mais une gymnastique abdominale appropriée, et quotidienne si possible, hâtera leur remise en forme (*voir* GYMNASTIQUE, *page 228*).

LA DÉPRESSION DU POST-PARTUM
Après l'accouchement, la majorité des femmes traversent une brève période de désarroi, marquée souvent de crises de larmes et de découragement. Heureusement, la plupart du temps, cette réaction banale ne dure pas. Quand elle se prolonge et s'aggrave, les médecins l'appellent « dépression du post-partum ». Épuisée, comme malade, la mère ne peut s'occuper de son bébé. Conjoint, famille, amis sont impuissants. Si vous êtes très déprimée, surtout ne le gardez pas pour vous, confiez-vous sans attendre à votre médecin.

3. PREMIERS MOIS

Le développement du bébé

On ne peut suivre au jour le jour le poids d'un bébé, car il n'augmente pas quotidiennement d'un nombre fixe de grammes, même s'il boit la même quantité de lait. La courbe de poids n'est pas une droite régulièrement ascendante : elle

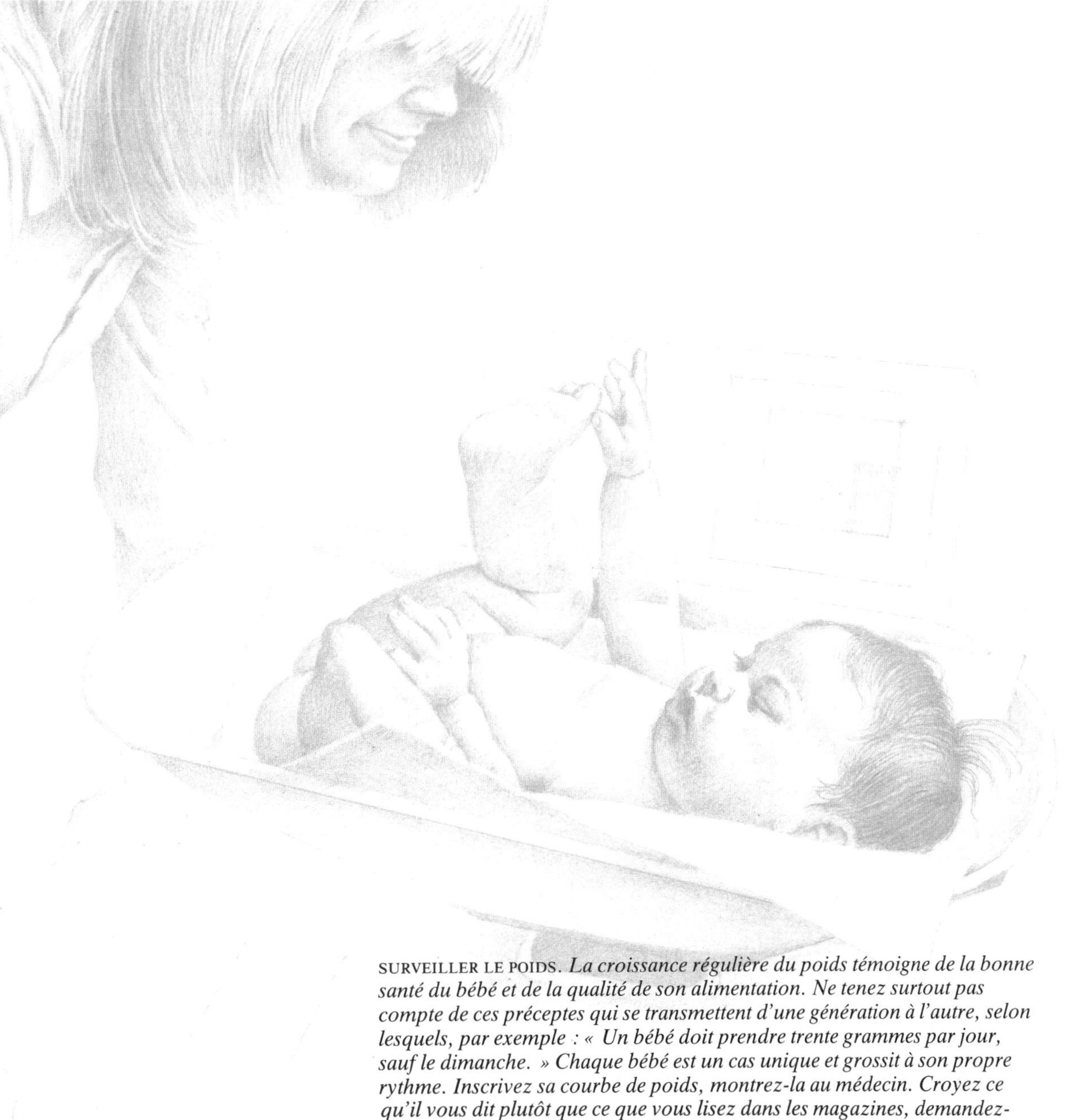

SURVEILLER LE POIDS. *La croissance régulière du poids témoigne de la bonne santé du bébé et de la qualité de son alimentation. Ne tenez surtout pas compte de ces préceptes qui se transmettent d'une génération à l'autre, selon lesquels, par exemple : « Un bébé doit prendre trente grammes par jour, sauf le dimanche. » Chaque bébé est un cas unique et grossit à son propre rythme. Inscrivez sa courbe de poids, montrez-la au médecin. Croyez ce qu'il vous dit plutôt que ce que vous lisez dans les magazines, demandez-lui son avis si vous avez un doute sur un conseil que l'on vous a donné.*

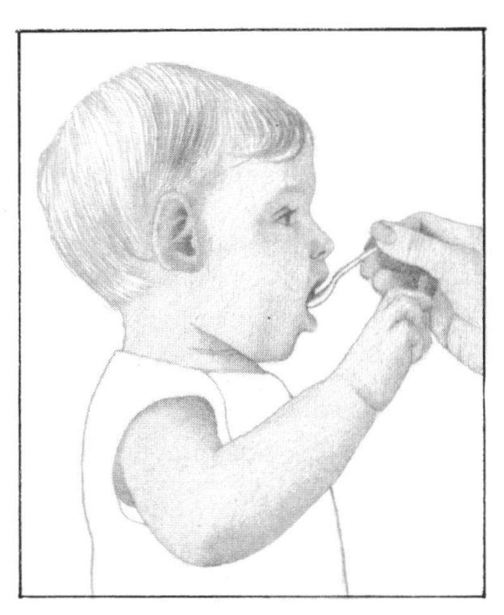

L'USAGE DE LA CUILLÈRE. *Si vous permettez à votre bébé d'utiliser une cuillère, il apprendra plus tôt et plus rapidement, mais il fera beaucoup de saletés. Cela dit, lui donner à manger vous-même peut constituer un jeu pour tous les deux. Faites-le donc les jours où vous êtes pressée.*

dessine des paliers. Par ailleurs, certains nouveau-nés, lourds à la naissance, peuvent ensuite grossir relativement peu durant les trois premiers mois. L'inverse se produit aussi. Il n'y a donc pas lieu de s'inquiéter de l'irrégularité de la courbe de poids, pourvu qu'elle reste ascendante. En revanche, si elle décroît ou forme des dents de scie, montrez-la au médecin.

Les pesées doivent être hebdomadaires pendant les six premières semaines, puis tous les quinze jours jusqu'à trois mois. Ensuite, une fois par mois peut éventuellement suffire.

L'APPÉTIT

Quand augmenter la quantité de nourriture ?
Quand le bébé manifeste sa faim. Également après chaque augmentation de poids, réajustez les quantités pour lui donner ses 150 millilitres de lait par kilo. Proposez-lui plus, et s'il le prend, c'est qu'il en a besoin.

LE SEVRAGE
Un bébé peut se contenter de lait pendant un an et plus, mais dès qu'il perce ses dents, il faut lui proposer des aliments solides. S'il porte des objets à sa bouche, donnez-lui à mâchonner un gâteau sec ou une biscotte. Pendant les tout premiers mois, les aliments solides ne sont pas indiqués, car ils peuvent faire trop grossir l'enfant.

Le mieux est de commencer le sevrage entre quatre et six mois, mais si le bébé supporte mal le lait, il vaut mieux le faire avant. Suivez les conseils du médecin.

Pour sevrer, introduisez les aliments solides un par un, afin de voir ce qu'il ne supporterait pas. Commencez par les farines, puis les fruits, les œufs, le pain, le beurre, les légumes-racines, le fromage, la viande et le poisson. La plupart des aliments en pots pour bébés sont excellents. Vérifiez les ingrédients, car ceux qui contiennent beaucoup de farine, de sucre, de poudre de lait ou de lactose peuvent être trop nourrissants. Écrasez bien en purée les aliments que vous préparez vous-même.

Offrez d'abord les aliments solides, puis le lait; plus l'enfant mangera de solides, moins il boira de lait. Une fois sevré, il se contentera d'un demi-litre par jour. S'il le refuse totalement, ne vous inquiétez pas, et surtout ne le forcez pas.

Dès l'âge de six mois, un bébé peut boire du lait de vache ordinaire. Il est alors inutile de stériliser les divers ustensiles : une vaisselle soigneuse suffit.

LES DENTS DE LAIT

Puis-je laisser un biberon de lait à mon bébé dans son berceau ?
Non, car le lait contient trop de sucre, et le sucre forme avec les bactéries présentes dans la bouche un milieu favorable aux caries dentaires. De plus, la nuit, la salivation est beaucoup moins importante que dans la journée et laisse la bouche moins propre. S'il boit et s'endort, les restes de lait stagneront autour des dents.

L'ÉVEIL PSYCHOMOTEUR

Ce tableau donne quelques repères de l'éveil de l'enfant selon l'âge.

NOTA. Si votre enfant est prématuré, comptez son âge à partir du jour où il aurait dû naître normalement. Considérez ce tableau comme un guide et non comme une référence absolue. En effet, les bébés ne se développent pas tous selon le même schéma : certains se tiennent debout avant de savoir s'asseoir, et d'autres, prenant l'habitude de se traîner sur le derrière, peuvent ne pas essayer de marcher avant deux ans ou plus. Si quelque chose vous inquiète, vous paraît anormal, demandez au médecin qui examinera l'enfant, mais sachez que les tests physiques ne sont jamais appréciés isolément par rapport au comportement général. Ainsi, même si certaines étapes vous semblent en retard, elles peuvent être jugées par le pédiatre comme étant dans la norme.

DÉVELOPPEMENT MUSCULAIRE

☐ **Peut tenir sa tête quand vous l'asseyez**
Précoce : 6 semaines. *Moyen* : 10 semaines. *Tardif (mais normal)* : 17 semaines.

☐ **Roule de côté dans son berceau**
Précoce : 2 mois. *Moyen* : 10 semaines. *Tardif (mais normal)* : 17 semaines.

☐ **Supporte d'être tenu debout**
Précoce : 3 mois. *Moyen* : 4 mois 1/2. *Tardif (mais normal)* : 7 mois 1/2.

☐ **Se tient assis un moment sans support**
Précoce : 5 mois. *Moyen* : 5 mois 1/2. *Tardif (mais normal)* : 8 mois.

☐ **S'agrippe aux meubles**
Précoce : 7 mois 1/2. *Moyen* : 9 mois. *Tardif (mais normal)* : 13 mois.

☐ **Marche sans être tenu**
Précoce : 11 mois. *Moyen* : 12 mois. *Tardif (mais normal)* : 14 mois.

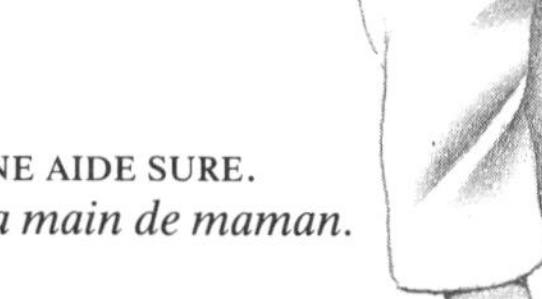

UNE AIDE SURE. *La main de maman.*

COORDINATION SENSORI-MOTRICE (L'ŒIL ET LE GESTE)

☐ **Suit un objet des yeux latéralement (180°)**
Précoce : 7 semaines. *Moyen* : 2 mois. *Tardif (mais normal)* : 4 mois.

☐ **Rassemble ses mains**
Précoce : 5 semaines. *Moyen* : 2 mois. *Tardif (mais normal)* : 3 mois 1/2.

☐ **Tend la main vers un objet**
Précoce : 2 mois 1/2. *Moyen* : 3 mois 1/2. *Tardif (mais normal)* : 4 mois.

☐ **Prend et tient deux cubes**
Précoce : 5 mois. *Moyen* : 6 mois. *Tardif (mais normal)* : 7 mois 1/2.

☐ **Cogne deux cubes ensemble**
Précoce : 7 mois. *Moyen* : 8 mois 1/2. *Tardif (mais normal)* : 12 mois.

☐ **Saisit entre pouce et index (préhension fine)**
Précoce : 9 mois. *Moyen* : 10 mois 1/2. *Tardif (mais normal)* : 14 mois.

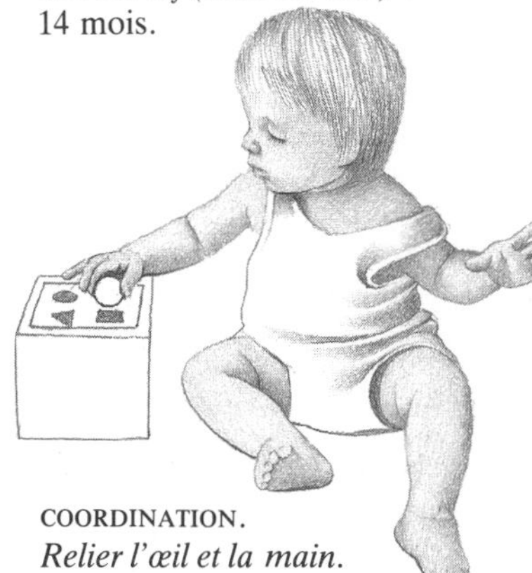

COORDINATION. *Relier l'œil et la main.*

LA PAROLE ET L'AUDITION

☐ **Rit**
Précoce : 6 semaines. *Moyen* : 7 semaines. *Tardif (mais normal)* : 3 mois 1/2.

☐ **Tourne la tête vers une voix**
Précoce : 3 mois 1/2. *Moyen* : 5 mois 1/2. *Tardif (mais normal)* : 8 mois 1/2.

☐ **Imite les sons des mots**
Précoce : 5 mois 1/2. *Moyen* : 7 mois. *Tardif (mais normal)* : 11 mois 1/2.

☐ **Répète « mama », « papa »**
Précoce : 5 mois 1/2. *Moyen* : 7 mois. *Tardif (mais normal)* : 10 mois.

☐ **S'adresse à « mama », « papa »**
Précoce : 9 mois. *Moyen* : 10 mois. *Tardif (mais normal)* : 13 mois.

L'HEURE DES HISTOIRES. *Le même livre, encore et encore.*

RÉPONSES ET JEU

☐ **Sourit spontanément**
Précoce : 6 semaines. *Moyen* : 8 semaines. *Tardif (mais normal)* : 5 mois.

☐ **Mange une biscotte tout seul**
Précoce : 4 mois 1/2. *Moyen* : 5 mois 1/2. *Tardif (mais normal)* : 8 mois.

☐ **Joue à faire « coucou »**
Précoce : 6 mois. *Moyen* : 6 mois 1/2. *Tardif (mais normal)* : 9 mois 1/2.

☐ **Joue à applaudir**
Précoce : 7 mois. *Moyen* : 9 mois 1/2. *Tardif (mais normal)* : 13 mois.

☐ **Devient timide avec les étrangers**
Précoce : 5 mois 1/2. *Moyen* : 9 mois 1/2. *Tardif (mais normal)* : 10 mois.

☐ **Montre ce qu'il veut sans crier**
Précoce : 10 mois 1/2. *Moyen* : 12 mois 1/2. *Tardif (mais normal)* : 14 mois 1/2.

☐ **Joue avec une balle**
Précoce : 10 mois. *Moyen* : 11 mois 1/2. *Tardif (mais normal)* : 16 mois.

L'EXPÉRIENCE. *Avec sa bouche, il explore les objets.*

Voir le médecin sans hésiter

Il faut absolument voir un médecin si votre bébé présente l'un des signes suivants.

Signe	*Quand consulter*
☐ Désintérêt de tout	Aussitôt
☐ Il paraît ne pas voir	Aussitôt
☐ Il paraît ne pas entendre	Aussitôt
☐ Sur le ventre, il ne redresse pas la tête	A 4 mois
☐ Il émet peu ou pas de sons	A 5 mois
☐ Il louche	Aussitôt
☐ Il ne peut pas attraper ses jouets	A 7 mois
☐ Il tient mal assis	A 9 mois
☐ Indifférent aux voix	A 9 mois
☐ Debout, il s'effondre	A 12 mois

COMMENT FACILITER LE DÉVELOPPEMENT DU BÉBÉ

Il est des aptitudes que l'enfant acquiert seul. N'essayez pas de le « pousser ». Ainsi, un bébé ne peut pas marcher tant que sa musculature et son système nerveux ne le lui permettent pas. En revanche, aidez-le à s'éveiller en lui lisant des histoires, en lui désignant des objets, en lui parlant, en jouant avec lui : il parlera plus tôt et sera plus déluré.

LA MARCHE

Dois-je acheter un chariot de marche ou un trotteur ?

L'un ou l'autre l'amuseront mais ne le feront pas marcher plus tôt. S'il a pris l'habitude de se traîner sur le derrière, un chariot de marche pourrait retarder le moment où il aura envie de se tenir debout et de marcher seul, sans appui.

L'APPARITION DES DENTS DE LAIT

Le tableau ci-dessous donne une indication de l'âge moyen d'apparition des dents, âge variant largement suivant les bébés.

Incisives centrales du bas
5 à 10 mois

Incisives centrales du haut
8 à 12 mois

Incisives latérales du bas
12 à 14 mois

Prémolaires
12 à 14 mois

Canines
16 à 22 mois

Molaires
24 à 30 mois

L'apparition des dents de lait est susceptible d'agacer, mais c'est à tort que l'on accuse les percées dentaires de nombreux méfaits, car elles n'en sont, en général, pas responsables. Jamais diarrhée, fièvre ou érythème fessier n'ont été causés par l'éruption d'une dent. De même, une percée dentaire ne provoque jamais de convulsions. Aussi, ne vous croyez jamais dispensée d'appeler le médecin si votre enfant souffre de l'un de ces symptômes, sous le prétexte qu'il « fait ses dents ». Et si votre bébé semble souffrir vraiment des gencives, s'il est particulièrement irritable, appelez aussi le médecin. Il lui prescrira sans doute un calmant doux.

JOUER SEUL. *Vers la fin de sa première année ou au début de la seconde, l'enfant commence à imaginer des jeux. Loin d'être gratuits, ces jeux sont très importants, car en manipulant ses jouets, il transpose les situations qu'il observe autour de lui.*

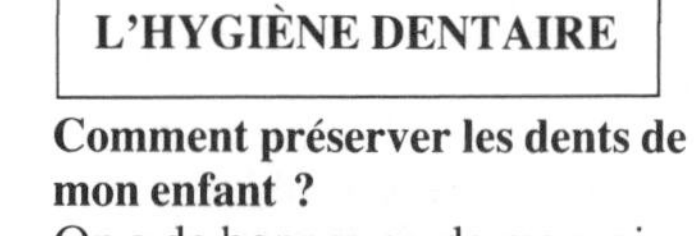

L'HYGIÈNE DENTAIRE

Comment préserver les dents de mon enfant ?

On a de bonnes ou de mauvaises dents, comme ses parents : c'est un caractère héréditaire. Aussi, si vous-même ou votre mari avez des dents peu solides (nous n'appelons pas ainsi de bonnes dents gâtées faute de soins), surveillez celles de votre enfant et ne lui donnez ni sucreries ni biberons de lait entre les repas. L'administration de fluor peut protéger la formation des dents alors même qu'elles ne sont pas encore apparentes. Demandez conseil au pédiatre ou à votre dentiste.

LES VACCINATIONS

Au cours des deux premières années, tout enfant devra être vacciné contre certaines maladies très graves, ou généralement anodines, mais perturbant fâcheusement la vie des parents. De plus, certains vaccins exigent des rappels jusqu'à l'âge adulte.

Des vaccins sont obligatoires de par la loi du pays concerné. Ces lois diffèrent d'un pays à l'autre et, par ailleurs, varient au cours du temps.

Certains vaccins ont supprimé telle ou telle maladie ou diminué très fortement la fréquence de telle autre maladie.

Il semble sage que les parents consultent un pédiatre afin d'établir le type de vaccin et l'âge auquel il sera administré.

D'une façon générale, il est recommandé de pratiquer les vaccins tétanos, coqueluche et diphtérie avant l'âge de sept mois, de vacciner contre la poliomyélite avant dix-huit mois, et de vacciner contre la rougeole, la rubéole et les oreillons à partir de l'âge d'un an. Le B.C.G. (contre la tuberculose) n'est pas obligatoire dans tous les pays. Il a néanmoins réduit considérablement la fréquence et la gravité de cette maladie.

Calendrier théorique des vaccinations (il peut varier d'un médecin à l'autre) :

A l'âge de trois mois : première injection (intramusculaire) d'un vaccin combiné antitétanos, diphtérie et coqueluche. De plus, on administre par la bouche un premier vaccin antipolio.

A l'âge de quatre mois : deuxième injection (I.M.) contre le tétanos, la diphtérie et la coqueluche. On administre en plus le deuxième vaccin oral contre la polio.

A l'âge de cinq mois : troisième vaccin antitétanos, diphtérie et coqueluche.

Dès l'âge d'un an : administration d'un vaccin triple antirougeole, rubéole et oreillons, à l'aide d'une injection sous-cutanée.

On donnera une troisième dose — de rappel — antipoliomyélitique entre le quatorzième et le dix-huitième mois de vie.

On fera un rappel vis-à-vis du tétanos, de la diphtérie, de la coqueluche vers dix-huit mois.

A l'âge de six ans, on fera un deuxième rappel contre le tétanos, la diphtérie et la coqueluche.

Par ailleurs, les enfants qui partent outre-mer reçoivent un vaccin — et cela pour les législations en vigueur — contre la variole, le choléra, la fièvre jaune, etc.

On ne vaccine que des enfants en bonne santé et ne recevant pas par ailleurs un traitement médical lourd, fait par exemple d'immunosuppresseurs et de corticoïdes. Dans ces cas, les médecins de l'enfant apprécieront et trancheront cas par cas.

Les réactions postvaccinales sont, dans la majorité des cas, bénignes,

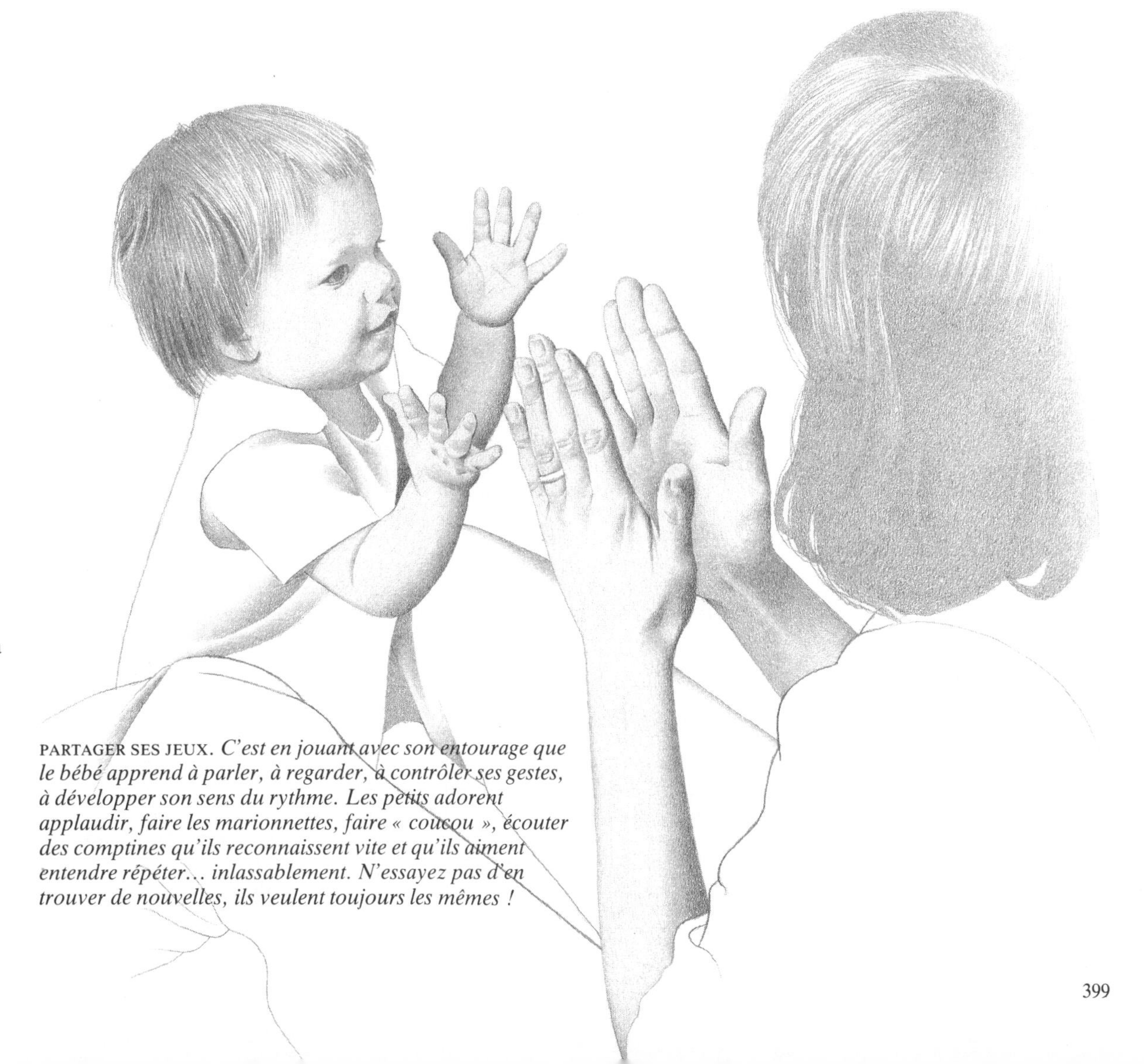

PARTAGER SES JEUX. *C'est en jouant avec son entourage que le bébé apprend à parler, à regarder, à contrôler ses gestes, à développer son sens du rythme. Les petits adorent applaudir, faire les marionnettes, faire « coucou », écouter des comptines qu'ils reconnaissent vite et qu'ils aiment entendre répéter... inlassablement. N'essayez pas d'en trouver de nouvelles, ils veulent toujours les mêmes !*

dérisoires par rapport à la gravité et au coût psychosocial de ces différentes maladies tant pour la famille des enfants concernés que pour la société en général.

Le refus des vaccins s'inscrit généralement dans un cadre sentimental, étranger à toute approche rationnelle de la question.

Précisons pour terminer ce chapitre que les vaccins antigrippaux dont nous disposons actuellement sont généralement réservés aux adultes et aux vieillards. La preuve de leur efficacité en médecine pédiatrique ne paraît pas avoir été établie.

Le vaccin anticoquelucheux, accusé de causer parfois des troubles cérébraux, immunise contre une maladie habituellement longue, pénible, et toujours plus dangereuse que le vaccin, du fait des risques de mort subite ou de pneumonie.

LES DANGERS DE LA MAISON

Les enfants sont curieux. Ils furètent et portent à la bouche les objets qui les intéressent; aussi les accidents sont-ils très fréquents.

Mettez hors de portée tous les objets dangereux : pour ce faire, accroupissez-vous pour voir ce qui est à leur niveau et faites place nette.

Fermez à clé garage et cabane à outils, placards contenant les produits ménagers (encaustique, déboucheurs, décapants, eau de Javel, aérosols, etc.).

Placez une barrière en haut et en bas des escaliers, et ne laissez pas de fenêtres ouvertes à l'étage. Ne laissez jamais non plus d'enfants seuls dans une pièce chauffée par un poêle à pétrole; prévoyez des pare-feu. Bloquez l'eau chaude à moins de 50 °C.

Ne laissez pas traîner de sacs en plastique. Percez de deux trous ceux que vous gardez.

Utilisez des casseroles stables. Éliminez tous les ustensiles de cuisine dont les manches ou poignées « tournent ».

Équipez votre cuisinière de dispositifs de sécurité.

Placez les médicaments dans une armoire inaccessible aux enfants et fermée à clé.

Verrouillez porte d'appartement ou portail de jardin.

En voiture, attachez l'enfant à l'arrière, dans son siège de sécurité.

Dites « non » à bon escient si vous voulez qu'il tienne toujours compte de vos interdictions.

A faire, à ne pas faire

Suivez ces quelques conseils et votre bébé se portera bien.

☐ Évitez de lui donner à grignoter croûtons de pain et sucreries, qui le feraient grossir.

☐ A peine sevré, habituez-le aux fruits et aux légumes en purée, puis en petits morceaux.

☐ Dès qu'elles sortent, lavez-lui les dents avec une pâte au fluor, d'abord avec le bout de l'index, puis avec une petite brosse molle. Demandez au dentiste s'il faut lui donner quelques gouttes d'une solution au fluor.

☐ Faites-lui partager, pour qu'il ne s'ennuie pas, certaines de vos occupations.

☐ Emmenez-le chaque jour faire une promenade avec vous, au grand air si possible.

☐ Placez des pare-feu devant tous les feux. Ne mettez pas sur les tables des nappes sur lesquelles il peut tirer.

☐ Ne lui donnez pas le goût des sucreries, difficile à perdre ensuite.

☐ Ne calmez pas colères et chagrins avec des bonbons.

☐ N'achetez ni suppléments vitaminés ni suppléments spécialement énergétiques sans avoir demandé l'avis du médecin.

☐ Ne fumez pas. Les enfants qui respirent une atmosphère enfumée s'enrhument plus facilement et sont plus fragiles des bronches et des poumons que les enfants des non-fumeurs.

☐ Ne laissez jamais votre bébé toucher aux médicaments, aux produits ménagers et autres poisons, aux fils électriques, aux prises de courant, aux excréments de chien ou de chat.

4. EN CAS DE PROBLÈME

Les services médicaux

Lors de la déclaration de la naissance du bébé à l'hôtel de ville de votre municipalité, un carnet de santé vous a été remis gratuitement, dans lequel seront consignés les observations, symptômes, évolution de ses premières maladies.

LES JEUX-TESTS. *Le médecin de famille ou le pédiatre qui s'occupe de votre enfant ne se contente pas de le soigner quand il est malade. Son rôle est beaucoup plus général, car il surveille aussi sa croissance et son développement psychomoteur et psychosensoriel. Cette surveillance est facilitée par des tests qui permettent, par exemple, de déceler très tôt les handicaps ou les retards, et donc de les prendre en charge ou de les corriger avant qu'ils aient pu affecter définitivement le développement du bébé. Ces tests peuvent lui être présentés comme des jeux. Soumettez-le de bonne grâce à ces examens utiles.*

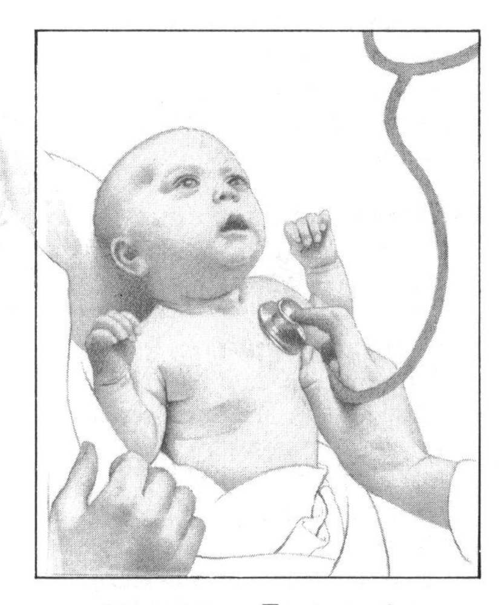

LA CONSULTATION. *Tout ce qui concerne les enfants se déroule rapidement. Les maladies ne font pas exception. Elles se déclarent brusquement et évoluent vite. N'attendez jamais pour voir le médecin. Par bonheur, la plupart des maladies infantiles disparaissent aussi vite qu'elles sont venues.*

On y trouvera les traitements médicaux et chirurgicaux, les radiographies effectuées, etc., selon les modes et usages, variables d'un médecin à l'autre.
N'oubliez pas de le présenter lors de chaque visite. Emmenez-le toujours en voyage.

CHOISIR UN MÉDECIN
Dès que vous rentrez chez vous avec le bébé, choisissez un médecin à proximité de votre demeure et présentez-le à sa consultation pour prendre contact.

Ayez aussi à portée de la main l'adresse de l'hôpital pour enfants et du service d'urgence le plus proche.

Si vous demandez rendez-vous à un médecin non pédiatre, précisez-lui bien qu'il s'agit d'un bébé afin qu'il ne soit pas surpris. N'inventez jamais de fausse urgence. N'acceptez pas non plus de rendez-vous trop lointain, sauf s'il s'agit d'examens systématiques dont les dates peuvent être fixées longtemps à l'avance (*voir* VOTRE MÉDECIN ET VOUS, *page 306*).

Les visites à domicile sont rares, mais si l'enfant vous paraît trop malade pour sortir, tâchez d'appeler avant 10 heures le matin pour permettre au médecin d'organiser ses visites.

La nuit, le dimanche et les jours de fête, il y a toujours des médecins de garde.

En cas d'urgence, menez l'enfant au centre hospitalier le plus proche.

LES SERVICES D'URGENCE DES HOPITAUX
Ils fonctionnent vingt-quatre heures sur vingt-quatre. Si votre enfant est grièvement blessé, s'il s'est brûlé ou a perdu connaissance, précipitez-vous à l'hôpital le plus proche.

S'il vous paraît brusquement très malade, n'hésitez pas non plus, mais n'utilisez jamais un service d'urgence comme une consultation hospitalière banale.

QUAND APPELER UNE AMBULANCE
Si vous pensez que l'enfant s'est fracturé un bras ou une jambe.

S'il saigne abondamment ou s'il est évanoui.

S'il vous paraît soudain très malade et que, faute de moyen, vous ne pouvez le transporter vous-même.

L'enfant à l'hôpital

Chaque année, un enfant sur quinze fait un séjour à l'hôpital. Cela représente pour lui une épreuve très cruelle, sachez-le. Si votre enfant, trop jeune pour comprendre vos explications, est admis d'urgence, il sera terrorisé, même s'il ne souffre pas et ne subit aucun traitement ni examen douloureux. Certains enfants sont naturellement plus sensibles que d'autres, mais entre neuf mois et quatre ans, les hospitalisations sont dans tous les cas très dures à supporter.

Évitez-lui le désespoir
La meilleure solution : rester avec lui. De nombreux services hospitaliers acceptent la présence permanente de la mère; ils sont organisés en conséquence. S'il vous est impossible d'en bénéficier, ne mentez pas à l'enfant en lui racontant que vous sortez de sa chambre juste pour quelques minutes lorsque vous partez. Laissez-lui un objet à vous, afin qu'il soit sûr que vous reviendrez le chercher. Organisez-vous pour que, chaque jour, quelqu'un de la famille vienne le voir si vous ne le pouvez pas vous-même. Indiquez à l'infirmière ses habitudes de langage ou de gestes, les tendresses qu'il aime. Si le séjour est prévu de longue date, préparez-le à l'avance en lui parlant de l'hôpital. Jouez au docteur avec lui et racontez-lui l'histoire du « petit enfant qui avait besoin d'aller à l'hôpital ». Si possible, emmenez-le une ou deux fois visiter les lieux.

Les conséquences de l'hospitalisation
A son retour à la maison, vous le trouverez sûrement changé. Il s'accrochera sans doute à vous, refusera de rester seul, mouillera peut-être son lit, se réveillera en pleine nuit en hurlant, se plaindra de maux de tête ou de ventre. Il s'agit du contrecoup de la séparation, cela passera. Si tous les enfants ne réagissent pas ainsi, ces symptômes sont fréquents. Aussi, pesez bien le pour et le contre d'une opération non indispensable ou d'une hospitalisation « en observation ».

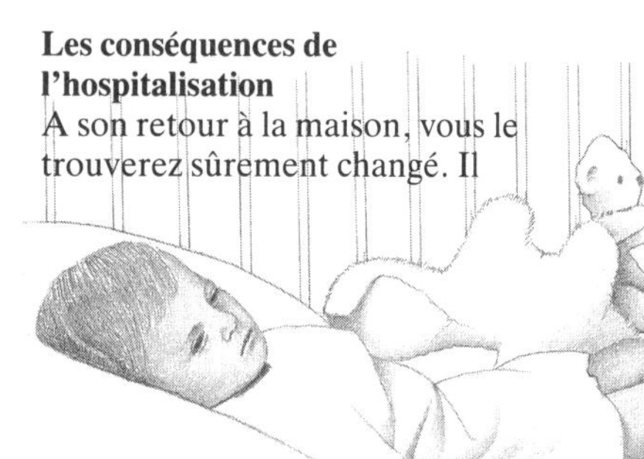

A L'HOPITAL.
Si vous restez, vous pouvez prendre soin de lui, jouer avec lui, ranger sa chambre.

Les consultations en urgence

(CHEZ LE BÉBÉ DE MOINS DE UN AN)

Emmenez immédiatement l'enfant chez le docteur si :

☐ Il est somnolent ou à demi inconscient.

☐ Il a des convulsions (*voir page 408*).

☐ Il a le visage et les lèvres bleus en permanence ou par intermittence.

☐ Sa respiration est difficile ou sifflante.

☐ Vous voyez soudain apparaître sous sa peau une enflure qui ressemble à un épanchement de sang.

☐ Vous avez failli le battre et vous craignez de ne pas pouvoir vous en empêcher la fois prochaine.

☐ *Au moindre doute, téléphonez à votre médecin. Si vous ne parveniez pas à le joindre, menez l'enfant au service d'urgence de l'hôpital le plus proche.*

Appelez le médecin si :

☐ Les circonstances énumérées ci-dessus se produisent en dehors des heures de consultation.

☐ L'enfant présente au moins deux des symptômes suivants : fièvre élevée, agitation ou somnolence, cris inhabituels, diarrhée, vomissements, sécheresse de la bouche et de la langue, yeux creux et cernés, éruption.

☐ Il n'est pas bien, et vous soupçonnez une ROUGEOLE ou une VARICELLE.

☐ Sa respiration est bruyante (*voir* LARYNGITE).

Les autres raisons de consulter

(CHEZ LE BÉBÉ DE MOINS DE UN AN)

Prenez rendez-vous pour le jour même si vous constatez :

☐ Une respiration sifflante, bruyante, anormale.

☐ Une diarrhée et/ou des vomissements durant plus de six heures.

☐ Des pleurs ou des hurlements prolongés.

☐ Un refus total de s'alimenter ou un désintérêt soudain pour la nourriture.

☐ Une douleur aux oreilles.

☐ Une fièvre chez un bébé de moins de six mois.

☐ Une fièvre de vingt-quatre heures chez un enfant de plus de six mois.

☐ Un mal au ventre constant ou empirant, et durant plus de quatre heures.

☐ Un mal de tête se prolongeant plus d'une ou deux heures.

Prenez rendez-vous pour le lendemain ou le surlendemain si votre enfant :

☐ A mal à la gorge.

☐ Est enrhumé ou tousse, et semble gêné pour respirer.

☐ Se plaint d'avoir de temps à autre mal à la tête.

☐ A un peu de diarrhée et/ou vomit même légèrement.

☐ Présente une éruption sans fièvre.

Signalez au médecin lors de l'examen mensuel du bébé si :

☐ Il ne prend pas assez de poids.

☐ Il a un tout petit appétit.

☐ Il dort mal.

☐ Il a des coliques.

☐ Il est constipé.

☐ Il régurgite beaucoup de lait.

☐ Il a souvent les paupières collées.

☐ Il a les fesses rouges.

☐ Il est triste et pleure beaucoup.

☐ Vous êtes déprimée et trouvez très dur de vous occuper de lui.

Nota. Si vous avez une voiture et habitez une région rurale, vous perdrez moins de temps en emmenant vous-même l'enfant à l'hôpital.

LES SPÉCIALISTES
N'allez pas directement chez un spécialiste sans avoir consulté votre médecin traitant, qu'il soit généraliste ou pédiatre. En effet, il connaît le cas de votre enfant et sait mieux que vous où l'adresser. Même si cela ne lui semble pas nécessaire, s'il vous sait inquiète, il ne refusera pas de vous envoyer chez un confrère pour avoir son avis sur un point précis. Suggérez-le-lui s'il ne vous le propose pas (*voir* VOTRE MÉDECIN ET VOUS, *page 306*).

LES TRAVAILLEURS SOCIAUX
Les travailleurs sociaux évoluent dans plusieurs milieux publics et privés. On peut faire appel à leurs services par l'entremise des associations d'entraide.

LES CENTRES HOSPITALIERS POUR ENFANTS
L'équipe de ces centres comprend des médecins et infirmiers pour soigner, des éducateurs pour rassurer, des travailleurs sociaux pour distraire et des enseignants à la disposition de tout enfant d'âge scolaire hospitalisé pour deux semaines et plus.

LE PÉDIATRE
Vous pouvez confier la surveillance médicale de votre bébé à votre médecin de famille ou à un pédiatre, ce spécialiste de médecine générale infantile. L'un et l'autre sont compétents. Votre médecin de famille présente l'avantage évident de vous connaître tous, et de situer l'enfant dans son contexte pour le soigner.

LES CONSULTATIONS DE NÉONATOLOGIE-PRÉMATURÉS
Si votre bébé est prématuré, il est en général hospitalisé dans un service spécialisé (en néonatologie). Le nourrisson est rendu à sa famille lorsqu'il ne court plus aucun risque : son poids est suffisant, il s'alimente normalement et ne nécessite pas de traitement médical majeur. Il faut ensuite le faire examiner régulièrement et suivre scrupuleusement les indications du médecin qui prendra le relais.

LES CONSULTATIONS DE PÉDIATRIE-NOURRISSONS
Certains hôpitaux disposent d'un service d'obstétrique et d'une consultation de nourrissons, éventuellement adjointe à un service de pédiatrie permettant l'hospitalisation des enfants en cas de besoin. Il se peut donc qu'une mère suivie durant toute sa grossesse et son accouchement, ramène son bébé pour examens ou consultations dans le même hôpital. Le dossier de santé alors constitué est très complet. Mère et enfant sont suivis par des médecins qui les connaissent. En cas de grossesse ultérieure, et d'accouchement dans le même établissement, la surveillance de la mère sera facilitée.

LES ASSOCIATIONS D'ENTRAIDE
Elles peuvent vous être utiles dans bien des cas : aide ménagère, garde d'enfants, accueil des mères célibataires, accueil des mères dont les enfants sont hospitalisés loin de chez eux. Ces associations, comme les centres de services sociaux communautaires, les YWCA, etc., sont aussi à la disposition des mères désemparées, donnent des renseignements et des adresses, mettent en rapport les mères entre elles.

LES GROUPES DE QUARTIER
S'il existe déjà un groupe proche de chez vous, allez vous présenter; s'il y a une place libre, on vous acceptera. Sinon, fondez votre propre groupe. Comment ? Faites connaissance avec d'autres mères, au parc, au centre de loisirs municipal, etc.
Au diable la timidité ! Vous serez surprise de l'enrichissement de ces rencontres, de l'aide matérielle et des facilités qu'elles procurent à toutes, par exemple en organisant régulièrement des gardes d'enfants à tour de rôle.

LES VOYAGES
Les mères qui voyagent avec des bébés bénéficient de différentes facilités dans les gares, les aéroports, les relais autoroutiers. En Europe, certains trains réservent des espaces de jeux et mettent à la disposition des mères tables à langer et chauffe-biberons. Pour les vacances, renseignez-vous sur les organisations, les chaînes hôtelières, les clubs-hôtels et les paquebots qui proposent aux parents aménagements spécialisés et surtout personnel compétent qui s'occupera de votre enfant.

5. LES MALADIES INFANTILES

Signes d'alarme et fausses alertes

Dans cette partie sont traités l'enfant maussade, les problèmes de croissance, les troubles du sommeil, les affections de la peau, les problèmes de comportement.

Affections infantiles

Les maladies énumérées ci-dessous sont traitées dans le dictionnaire médical :

APPENDICITE
ARTHRITE
ASTHME
BRONCHIOLITE
BRONCHITE
CONJONCTIVITE
COQUELUCHE
CROUP
DIPHTÉRIE
ÉPILEPSIE
FURONCLES
HANCHE (LUXATION CONGÉNITALE DE LA)
HERNIE
IMPÉTIGO
MALADIE CŒLIAQUE
MUCOVISCIDOSE
OREILLONS
OSTÉOMYÉLITE
PIEDS PLATS
POLIOMYÉLITE
POUX
RHUMATISME ARTICULAIRE AIGU
RHUME DES FOINS
ROUGEOLE
RUBÉOLE
SCARLATINE
STÉNOSE DU PYLORE
URTICAIRE
VARICELLE
VÉGÉTATIONS ADÉNOÏDES

LE BÉBÉ FACE A LA MALADIE. *Jusqu'à l'âge de six mois, et surtout s'il est nourri au sein, un enfant est immunisé contre certaines maladies. C'est généralement ensuite qu'il attrape chaque année diverses affections, surtout lorsqu'il commence à fréquenter la garde du jour, le jardin public ou l'école. La plupart des maladies infantiles sont bénignes et n'exigent des mères qu'un surplus de dévouement et d'amour. La difficulté consiste à savoir distinguer l'enfant simplement grognon ou maussade de l'enfant vraiment malade.*

Mon bébé pleure : pourquoi ?

Cause	**Il a faim**
Parce que	La dernière tétée remonte à plusieurs heures, ou il a très peu bu
Remède	Donnez-lui une tétée
Cause	**Il a soif**
Parce que	Il fait chaud, il est fiévreux, il transpire
Remède	Donnez-lui de l'eau
Cause	**Il est mal à l'aise**
Parce que	Il a de l'érythème fessier, de l'eczéma, des couches mouillées, il a froid
Remède	Soignez-le, changez-le, réchauffez-le
Cause	**Il s'agite, remonte les genoux, pleure, se calme**
Parce que	Il a des coliques
Remède	Bercez-le un peu dans vos bras ou dans son berceau. S'il est nourri au biberon, vérifiez l'orifice de la tétine. Parlez-en au médecin
Cause	**Il pleure, mais cesse dès que vous vous approchez**
Parce que	Il se sent seul, s'ennuie
Remède	Prenez-le avec vous, installez-le de façon qu'il voie la famille s'activer autour de lui
Cause	**Il pleure le soir ou la nuit**
Parce que	Presque tous les bébés pleurent entre cinq et onze heures du soir, sans raison apparente. C'est « l'angoisse du soir »
Remède	Prenez-le dans vos bras et cajolez-le Voir aussi TROUBLES DU SOMMEIL (page 411)
Cause	**Il fait ses dents**
Parce que	Il a mal, mais ce n'est pas toujours la raison
Remède	Cherchez d'abord une autre cause, celle-ci n'est pas valable Parlez-en au médecin
Cause	**Il est fatigué**
Parce que	Il n'a pas fait la sieste; depuis, il geint et pleurniche
Remède	Installez-le pour qu'il s'endorme
Cause	**Il est d'un tempérament geignard**
Parce que	Vous ne trouvez aucune autre raison
Remède	Si cela vous inquiète, parlez-en au médecin tout de même
Cause	**Il est malade**
Parce que	Il n'a pas d'appétit. Il a de la fièvre, le nez qui coule, les yeux larmoyants. Il tire sur le lobe de son oreille. Il vomit, il a la diarrhée, il hurle, se calme, recommence. Il est pâle, il remonte ses genoux vers son ventre
Remède	Appelez le médecin

L'ENFANT MAUSSADE

Le bébé est pâlot, abattu, il ne vous semble pas dans son assiette, mais vous ne constatez aucun signe particulier : le malaise est en général bénin et, en un jour ou deux, tout rentrera dans l'ordre. Toutefois, surveillez-le bien pour ne pas le laisser sans soins, s'il couvait quelque chose de plus grave.

PLEURS ET CRIS

Un bébé en bonne santé pleure quand il a faim ou mal, quand il est seul, en colère, mouillé, mal installé, et il cesse de crier dès que cesse la cause. A deux semaines, un nourrisson pleure deux heures par jour environ. Entre un et trois mois, certains bébés pleurent tous les soirs; sans doute souffrent-ils de coliques (*voir plus loin*). A un an, un enfant sur cinq crie ou pleure quand on le met au lit.

Apprenez à reconnaître le sens des divers cris de votre nourrisson. Ne pas oublier : certains bébés pleurent sans raison apparente.

Traitement à domicile

- Consultez le tableau présenté ici et voyez si vous découvrez une cause et un remède.
- Si vous traversez une période de nervosité, l'humeur du bébé peut en pâtir; aussi, tâchez de rester calme.
- Reposez-vous, faites-vous aider par votre entourage. Pendant quelque temps, ne recevez pas, négligez un peu les tâches ménagères.
- Si vous vous sentez déprimée, découragée, excédée par les cris, contactez une association d'entraide (*voir page 404*).

Quand consulter le médecin

- Si le bébé a de la fièvre, paraît malade, refuse de téter, semble souffrir ou présente les signes énumérés page 403.
- Si vous êtes à bout de forces.

Rôle du médecin

- Trouver ce qu'a l'enfant, le soigner.
- Administrer un médicament antispasmodique s'il soupçonne des coliques.
- Administrer un sédatif.
- Prêter l'oreille aux soucis que vous lui confiez.
- Vous mettre en rapport avec un service social ou une association privée qui vous déchargera d'une partie de vos tâches.
- Faire admettre le bébé en observation à l'hôpital s'il faut des examens plus poussés.

LES COLIQUES

Les coliques du nourrisson sont probablement provoquées par des spasmes de l'intestin qui n'est pas encore parfaitement adapté à sa fonction. L'organe se contracte irrégulièrement, enfermant des gaz intestinaux et de l'air avalé qui le distendent. Pour une raison inconnue, les coliques surviennent en général le soir entre 5 et 10 heures. Elles disparaissent quand le bébé atteint trois mois.

Traitement à domicile

- Si vous nourrissez le bébé au biberon, tenez celui-ci correctement et vérifiez l'orifice de la tétine (*voir pages 386 et 387*).
- Si vous avez commencé à lui donner des aliments solides, cessez, car il peut s'agir d'une allergie.

• Ne changez pas de lait. Ne donnez pas d'aliments solides. Le lait de soja convient à certains bébés allergiques au lait de vache.
• Bercez-le, poussez-le dans son landau, faites-lui faire une petite promenade.

Quand consulter le médecin

• Si aucun des remèdes simples ci-dessus ne donne de résultats; si vous croyez le bébé très malheureux ou si vous êtes à bout.
• Si vous constatez d'autres symptômes plus graves que ceux-là tels que : vomissements, diarrhée, sang dans les selles.

Rôle du médecin

• Prescrire un antispasmodique intestinal, souvent très efficace.
• Prescrire un sédatif ou, rarement, une hospitalisation pendant quelques jours.

AUTRES PROBLÈMES NUTRITIONNELS

Si la courbe de poids du bébé est normale (*voir page 395*), c'est qu'il prend assez de lait, même si d'après vos calculs il absorbe moins de 150 millilitres par kilo de poids.
• S'il ne grossit pas assez, les quantités de lait que vous lui donnez sont peut-être insuffisantes pour lui. A-t-il la diarrhée ? Vomit-il ? Si vous ne découvrez rien d'anormal, attendez une semaine pour le peser de nouveau.

Quand consulter le médecin

• Si vous avez l'impression que l'enfant dépérit.
• Si la courbe de poids reste anormale.
• Si d'autres signes apparaissent.
• Si vous êtes à bout de forces.

Rôle du médecin

• Chercher la cause.
• Proposer un changement de régime, mais seulement si cela s'avère indispensable.
• Demander à une infirmière de passer voir l'enfant régulièrement.
• Soigner les coliques ou toute autre cause.
• Vous aider à surmonter votre angoisse.

LES VOMISSEMENTS

Chez un bébé, on observe trois types de vomissements :
Les régurgitations : rejets de petites quantités de lait coagulé et d'air, qui ne constituent pas de véritables vomissements. Il n'y a pas lieu de s'inquiéter.
Les vomissements modérés : ils sont susceptibles de se répéter souvent. Ils peuvent être dus à une HERNIE HIATALE, à un cardiospasme (ACHALASIE DU CARDIA).
Les vomissements abondants : l'enfant rend tout son repas en jet. Il peut alors souffrir d'une STÉNOSE du pylore, d'une infection de l'appareil urinaire ou d'une anomalie plus rare, de l'appareil digestif.

Traitement à domicile

• En cas de vomissements modérés, asseyez le bébé bien droit dans sa chaise, et ne le secouez pas trop vigoureusement pour lui faire faire son rot.
• Épaississez ses repas au moyen d'un gel spécial, mais n'oubliez pas d'agrandir l'orifice de la tétine.

Quand consulter le médecin

• Si le bébé ne prend pas de poids.
• Si les vomissements s'accompagnent de diarrhée, de fièvre, de douleur manifeste.
• Si les vomissements sont très abondants.

Rôle du médecin

• Examiner le bébé et établir un diagnostic compte tenu de ce que vous lui dites; faire pratiquer une analyse d'urine.
• Prescrire des médicaments si les vomissements sont modérés, ce qui est rarement nécessaire.
• Faire hospitaliser le bébé si les vomissements sont importants. La sténose du pylore s'opère.

LA CONSTIPATION DE L'ENFANT JUSQU'A DEUX ANS ET DEMI

On ne parle de constipation que lorsque les selles sont dures, sèches, et si la défécation est difficile et douloureuse. Il n'y a pas lieu de s'inquiéter pour un enfant qui ne va pas à la selle tous les jours. Tant que ses matières restent molles, il n'est pas constipé.

Comme le lait maternel est pour lui l'aliment parfait, un bébé nourri au sein n'est presque jamais constipé. Si ses selles sont peu fréquentes et peu abondantes, c'est parce que le lait maternel est presque totalement assimilé et laisse peu de déchets. Un bébé nourri au biberon peut être constipé si son alimentation ne lui fournit pas assez de liquides et de sucres. Plus tard, une fois sevré, la constipation pourra être due au manque de « fibres » (la cellulose) et de fruits, ainsi qu'au fait que l'enfant se retient lorsqu'il ressent le besoin d'aller à la selle afin de ne pas interrompre son jeu, ou parce qu'il a compris que le moyen est bon pour manifester sa révolte contre la propreté que vous voulez lui inculquer. Les maladies qui provoquent les occlusions intestinales sont rares chez l'enfant. Voyez aussi l'article CONSTIPATION du dictionnaire.

Traitement à domicile

• Donner plus de liquides (eau et jus de fruits) au bébé.
• Vérifier qu'il n'est pas sous-alimenté. Si c'est le cas, ajoutez un peu de sucre à chaque biberon jusqu'à ce que les selles soient redevenues normales.
• Plus grand, consomme-t-il assez de fibres ? Donnez-lui beaucoup de fruits et du son.

Quand consulter le médecin

• Si la défécation est pénible, douloureuse, ou si vous constatez la présence de sang dans les selles, ce qui peut indiquer une FISSURE ANALE.
• S'il a mal au ventre et vomit.
• S'il recommence à se salir alors qu'il était propre.
• Si vous avez l'impression qu'il a besoin d'un laxatif (ne le lui administrez jamais sans avoir demandé conseil au médecin).

Rôle du médecin

• Hospitaliser le bébé s'il a le ventre gonflé ou s'il vomit, car ce peut être une occlusion.
• Prescrire un changement d'alimentation ou un laxatif. Certains enfants, constipés chroniques, doivent prendre chaque jour un laxatif durant des mois. Il arrive qu'il faille les hospitaliser pour évacuer les matières bloquées dans le rectum (FÉCALOME).

LES DIARRHÉES DE L'ENFANT JUSQU'A DEUX ANS ET DEMI

L'émission de selles malodorantes et liquides peut être due, chez le bébé, à une maladie de l'intestin, d'un autre organe, à une intolérance au sucre, au gluten (MALADIE CŒLIAQUE), aux laxatifs ou aux antibiotiques.

Chez l'enfant plus âgé, une crise de diarrhée peut suivre une période de constipation opiniâtre. Une allergie alimentaire, une maladie infectieuse ou même une contrariété peuvent déclencher une diarrhée. Un syndrome très bénin et fréquent, le syndrome du COLON IRRITABLE, consiste en un transit intestinal plus rapide que d'ordinaire, sans raison décelable. *Voir aussi* GASTRO-ENTÉRITE.

Traitement à domicile

- Vérifiez que son alimentation — ou la vôtre si vous allaitez — n'est pas irritante. Évitez plats épicés, poivre, curry, oignons, tomates, piments, rhubarbe.
- Si l'enfant n'est pas sevré, supprimez lait et sucre et donnez-lui de l'eau à boire et une soupe de carottes : faites cuire pendant deux heures 1 livre de carottes épluchées dans 1 litre d'eau avec une pincée de sel. Mixez le tout, puis ramenez à un litre en complétant avec de l'eau bouillie.
- Attendez qu'il n'ait plus de diarrhée pour lui redonner du lait, largement coupé d'eau durant deux ou trois jours.
- Si l'enfant a plus d'un an, donnez-lui des aliments solides exempts de lait.
- Les diarrhées peuvent être infectieuses; aussi, lavez-vous les mains après avoir soigné l'enfant. Lavez son linge à part, désinfectez-le pour ne pas contaminer toute la maisonnée.

Quand consulter le médecin

- Si le bébé a moins de six mois, et si la diarrhée dure plus d'une demi-journée.
- Si le bébé vous paraît déshydraté, c'est-à-dire s'il a la bouche sèche, les yeux creux et cernés, la fontanelle déprimée, le teint pâle et sans éclat, s'il mouille ses couches moins souvent.
- Si la diarrhée s'accompagne de vomissements, de sang dans les selles, de signes de douleur, de stagnation ou de chute de poids.
- Si le bébé a de la fièvre, paraît malade, somnolent, sans forces.
- S'il ne paraît pas très malade mais si la diarrhée persiste.

Rôle du médecin

- Modifier l'alimentation; notamment, changer de lait pour quelque temps en prescrivant, par exemple, un lait sans lactose. Établir un régime à base de carottes et de riz. Prescrire certains solutés buvables qui se présentent en poudre à diluer dans l'eau.
- Prescrire des substances qui ralentissent le transit intestinal.
- Prescrire des analyses de selles afin de trouver l'éventuelle bactérie, cause des troubles (*voir* GASTRO-ENTÉRITE).
- Il peut aussi vous adresser à un spécialiste pour avis.

TOUX ET RHUMES

Un enfant attrape en moyenne six rhumes annuels entre un mois et un an. « En moyenne » signifie que certains enfants attrapent un rhume annuel et que d'autres toussent, ont le nez qui coule presque à longueur d'année... Si tel est le cas de votre enfant, peut-être a-t-il une allergie. *Voir* ASTHME, RHINITE ALLERGIQUE, RHUME.

Traitement à domicile

- S'il ne se sent pas bien, gardez-le à la maison, au calme et au chaud, pour éviter la surinfection et la propagation de l'affection à tout le système respiratoire.
- Soignez la fièvre, les maux de tête, la gorge rouge, avec une préparation d'aspirine spécialement dosée pour les enfants, ou du paracétamol, en vous conformant également au dosage infantile.
- Donnez-lui à boire, ne le forcez pas à manger.

Quand consulter le médecin

- Si le bébé a mal aux oreilles.
- Si la toux ne disparaît pas en trois ou quatre jours.
- Si la toux survient par accès (il a peut-être la coqueluche).
- Si sa respiration est sifflante, s'il inspire bruyamment, s'il vomit, s'il a mal quand il tousse.
- S'il est fatigué ou si vous n'en pouvez plus après plusieurs nuits sans sommeil.
- S'il est sujet aux affections respiratoires, ou s'il souffre d'ASTHME chronique, de DIABÈTE, d'une MALADIE CŒLIAQUE ou de MUCOVISCIDOSE.

Rôle du médecin

- Examiner l'enfant pour déceler le siège de l'infection : gorge, oreilles, trachée, bronches ou poumons.
- Traiter toutes les causes susceptibles d'être à l'origine des symptômes observés, c'est-à-dire : OTITE, ANGINE, LARYNGITE, BRONCHITE, BRONCHIOLITE.
- Comme les calmants de la toux ne sont pas toujours très efficaces ou très indiqués, prescrire un sédatif doux (aspirine pour enfants) ou un médicament antihistaminique.
- Si l'affection est d'origine bactérienne, s'il existe un risque de surinfection microbienne, si l'enfant est fragile ou vulnérable à certaines affections, administrer des antibiotiques. Il faut savoir que ces derniers n'ont aucune action sur les maladies à virus.

LA FIÈVRE

La température normale de l'être humain est de 37°, qu'elle soit prise dans la bouche ou dans le rectum. Lorsqu'elle est prise à l'aisselle (sous le bras), on compte un demi-degré de moins (36,5°). Ces chiffres ne sont pas absolus; certains enfants ont une température normale de 37,3°. Quelques dixièmes de plus ne doivent pas inquiéter s'ils font suite à un jeu endiablé, à une crise de larmes ou... à l'absorption d'une boisson chaude.

Quand un enfant est vraiment fiévreux, il n'est pas nécessaire pour le savoir de lui prendre sa température : cela se voit. Vérifiez toutes les quatre heures la température d'un enfant sujet aux convulsions, pour empêcher la fièvre de s'élever.

Déshabillez l'enfant fiévreux, ôtez quelques couvertures de son lit et maintenez la température de la pièce à 20°, afin de le garder dans une relative fraîcheur.

LES CONVULSIONS FÉBRILES

Ces convulsions, dites hyperpyrétiques, se produisent chez certains enfants qui ont de la fièvre.

Symptômes

- Le malade est fiévreux. Soudain, son regard devient vague, son corps se raidit, puis s'agite par secousses; ses membres se contractent par saccades.
- La réaction est éprouvante pour

l'entourage, mais sans gravité. Ne vous inquiétez pas, l'enfant n'est pas en danger de mort.
- La crise s'estompe vite. Ensuite, l'enfant s'endort ou somnole.

Durée
- Dans 90 pour 100 des cas, moins d'un quart d'heure.
- Ce type de convulsions survient entre six mois et cinq ans.
- Les convulsions fébriles frappent au moins une fois un enfant sur quatre (25 pour 100).
- Parmi les enfants qui ont eu ces convulsions, un sur trois récidivera une fois, un sur dix davantage.

Causes
- Chez les enfants, presque toutes les maladies sont fébriles; celles à virus (pharyngite, rougeole, oreillons, varicelle) sont les plus souvent responsables.

Traitement à domicile
- Gardez votre calme, la crise s'apaisera d'elle-même. Allongez l'enfant sur le flanc et assurez-vous que rien ne gêne sa respiration (oreiller, écharpe).
- N'essayez ni de desserrer les mâchoires ni de maîtriser ses mouvements.
- Déshabillez-le, aérez la pièce, rafraîchissez-le au moyen d'une éponge imbibée d'eau tiède.

Quand consulter le médecin
- Si c'est la première fois, appelez immédiatement médecin ou ambulance, même si la crise, très rapide, est déjà terminée.

Rôle du médecin
- Administrer un anticonvulsivant si la crise se prolonge.
- Surtout si l'enfant a moins de dix-huit mois, le faire hospitaliser pour pratiquer une ponction lombaire, afin d'être certain qu'il ne s'agit pas d'une méningite.
- Vous conseiller de bien surveiller l'enfant et de le rafraîchir lorsqu'il fait des poussées de fièvre afin que la crise ne recommence pas.
- Prescrire, s'il le juge utile, des médicaments anticonvulsivants, quand l'enfant commence une maladie fébrile.

Prévention
- Ne laissez pas un enfant fiévreux devenir brûlant. Faites baisser sa fièvre en le rafraîchissant, en lui administrant des boissons froides, en ne le couvrant pas trop.
- Déshabillez-le, découvrez-le.
- Aérez la pièce.
- Ne surchauffez pas sa chambre.
- Passez-lui une éponge imbibée d'eau tiède sur tout le corps.
- Administrez-lui un médicament (sirop, poudre à diluer ou suppositoire) pour faire baisser la fièvre.

Pronostic
- L'enfant se rétablit vite et bien.
- La plupart du temps, il n'y a aucune séquelle.
- Faites attention cependant, car cette convulsion peut être la première manifestation d'une épilepsie. En général, la crise a lieu avant un an et dure plus d'un quart d'heure. Il y a certainement eu d'autres cas dans la famille. L'examen électroencéphalographique révèle un tracé caractéristique.
- En suivant un traitement approprié à base d'anticonvulsivants, un enfant épileptique mène une vie normale.

LES DOULEURS ABDOMINALES

Tous les enfants, un jour ou l'autre, ont mal au ventre. C'est en général bénin, mais comme ce peut être aussi le symptôme d'une affection plus grave, telle l'appendicite qui, non diagnostiquée, risque d'être fâcheuse, il ne faut jamais négliger un enfant qui semble souffrir de douleurs abdominales.

Quand consulter le médecin
- Si la douleur dure plus de quatre heures malgré repos au lit et diète liquide.
- Si la douleur a réveillé l'enfant et le tient éveillé.
- Si cette douleur s'accompagne de vomissements, de perte de selles, de sang dans les selles.
- Si vous constatez que les urines sont anormales.
- Si l'enfant a déjà eu des crises similaires inexpliquées.
- Si vous craignez une APPENDICITE.
- Bien souvent, le médecin ne trouve rien de grave; encore faut-il s'en assurer et soigner l'affection, aussi bénigne soit-elle... fût-ce une phobie de l'école chez un enfant d'âge scolaire.

LES MAUX DE TÊTE

Comme les adultes, les enfants ont souvent mal à la tête. Les causes en sont rarement graves. Si, au-dessous de quatre ans, ils ne s'en plaignent pas, c'est probablement parce qu'ils ne savent pas comment l'exprimer.

Les maux de tête de l'enfant se classent en deux groupes :

Groupe 1. *Les maux de tête qui durent plusieurs heures*

La douleur survient brusquement et persiste plusieurs heures. L'enfant se sent mal, apathique, sans appétit.

Causes
- Chez un enfant de moins de quatre ans, tout mal de tête prolongé est en général un signe avant-coureur de maladie et précède de douze à vingt-quatre heures l'apparition de la fièvre et des autres symptômes. Ces maladies sont variées : affections générales (ROUGEOLE, VARICELLE, GRIPPE), respiratoires (PHARYNGITE, LARYNGITE, BRONCHITE), rénales (PYÉLONÉPHRITE) et urinaires (CYSTITE), digestives (GASTRO-ENTÉRITE) ou cérébro-méningées (MÉNINGITE, ENCÉPHALITE).

Traitement à domicile
- Prenez la température de l'enfant.
- Couchez-le, donnez-lui à boire, administrez-lui de l'aspirine (dosage enfant).
- Le mal de tête ne disparaît pas complètement mais s'apaise dans la majorité des cas lors de l'apparition des autres symptômes (fièvre, etc.).
- Ces autres symptômes permettent de diagnostiquer la cause du mal de tête. *Voir* LISTE DES SYMPTOMES.

Quand consulter le médecin
- Si d'autres symptômes apparaissent, car il est alors évident qu'un traitement médical s'impose.
- Si le mal de tête est violent, ne cède pas à l'aspirine en deux ou trois heures ou s'accompagne de nausées, de convulsions, de raideur des membres, de la nuque ou du dos, de somnolence ou de perte de connaissance, il y a urgence.

Rôle du médecin
- Chercher et soigner la cause.

Groupe 2. *Les maux de tête passagers qui disparaissent en moins d'une heure*

Le mal de tête, fugace, disparaît en une heure, mais pour mieux revenir deux jours ou une ou deux semaines plus tard, sans s'accompagner d'autres manifestations le plus souvent. Les parents — et parfois le médecin — peuvent se demander s'il s'agit vraiment d'un mal de tête ou si l'enfant fabule.

Causes

- Les problèmes d'insertion de l'enfant dans son milieu scolaire ne sont souvent pas étrangers à l'affaire. Il peut être inquiet parce qu'il a peur d'une institutrice ou de camarades batailleurs, mais il peut aussi s'inventer un mal de tête pour se faire câliner ou pour échapper à quelque chose qui lui déplaît.

La faim, la fatigue, l'ennui peuvent déclencher un mal de tête.

- Les voyages, le mal des transports.
- La migraine et les phénomènes assimilés. Les véritables manifestations de la migraine apparaissent plus tard, souvent chez un enfant qui souffre depuis plusieurs années de maux de tête et de nausées.
- Les affections graves, comme les tumeurs cérébrales, sont rares. Les maux de tête qu'elles provoquent s'accompagnent de symptômes immédiatement identifiables.
- Bien que souvent évoquées, sinusite et fatigue oculaire sont rarement responsables de maux de tête chez l'enfant.

Traitement à domicile

- Prendre la température pour voir s'il couve une maladie (*voir* **Groupe 1**).
- Se montrer attentive, mais non inquiète.
- Lui poser quelques questions sur ce qui pourrait l'angoisser.
- Lui donner un léger analgésique.
- Lui demander s'il a envie de vomir. Si oui, c'est une migraine.
- L'inciter à poursuivre ses activités normalement.

Quand consulter le médecin

- Si les maux de tête s'aggravent, se multiplient, gênent l'enfant au point de l'empêcher de jouer.
- Si d'autres symptômes vous font soupçonner une migraine.
- Si au mal de tête s'associe douleur abdominale ou syncope. S'il survient à la suite d'une blessure ou d'un choc à la tête.

Rôle du médecin

- Chercher la cause qui peut être difficile à trouver. E.E.G. (électroencéphalogramme) ou hospitalisation sont parfois utilement requis.
- Traiter la cause.

LES ALLERGIES ALIMENTAIRES

Elles sont parfois évidentes, comme l'allergie au lait de vache ou, pour les plus âgés, aux fraises.

Symptômes

Vous pouvez observer un ou plusieurs des signes suivants :

- Une éruption de taches rouges sur la peau.
- Une enflure de la bouche et de la langue.
- Une fièvre modérée.
- Une diarrhée sanglante.
- Des douleurs abdominales.

Durée

- Quelques heures dans les cas bénins. Une journée dans les cas sérieux.

Traitement à domicile

- Supprimer l'aliment responsable et le réintroduire en petite quantité lorsque l'enfant va mieux, pour voir si les symptômes réapparaissent. Recommencer une ou deux fois pour confirmer.

Quand consulter le médecin

- Si la suppression de l'aliment soupçonné n'aboutit à rien.
- Si l'enfant a besoin d'un lait de remplacement.

Rôle du médecin

- Si l'allergie provient du lait, prescrire un lait anallergique (à base de soja ou d'amandes).
- Établir un traitement.

Prévention

- Évitez les aliments responsables. Lisez avec attention sur les boîtes la composition du contenu.

LES RÉACTIONS AUX MÉDICAMENTS

Les enfants présentent parfois une intolérance à certains médicaments.

Symptômes

- Éruption.
- Vomissements.
- Diarrhée.
- Douleurs articulaires.
- Urticaire.

Durée

- De quelques heures à quelques jours.

Traitement à domicile

- Aucun.

Quand consulter le médecin

- Si vous pensez que ces réactions sont dues à un médicament.

Rôle du médecin

- Décider — ou non — l'administration du médicament.
- Prescrire un antihistaminique afin de combattre l'allergie.

Prévention

- Si votre enfant est allergique à un certain médicament, n'omettez pas de prévenir tous les médecins et pharmaciens auxquels vous avez affaire afin qu'ils ne lui en prescrivent plus.

PROBLÈMES DE DÉVELOPPEMENT

Les enfants présentent rarement de graves troubles de développement. De nos jours, le plus courant est l'obésité, qui se soigne à la maison suivant les conseils du médecin.

L'ENFANT TROP GROS

Un enfant est obèse quand son poids excède de 20 pour 100 le poids normal pour sa taille. L'obésité peut être héréditaire ou être due à une suralimentation durant les premières semaines de vie. Elle est plus rarement liée à un dérèglement thyroïdien. *Voir* OBÉSITÉ.

Traitement à domicile

- Ne donnez jamais à manger à un enfant entre les repas.
- En guise de récompense, ne lui donnez jamais « quelque chose qui se mange ».
- Ne l'habituez pas aux gâteaux, et autres friandises, mais aux fruits, aux légumes, au pain complet.
- Encouragez les enfants plus grands à jouer et à se dépenser.

Quand consulter le médecin

- Si les conseils donnés ci-dessus ont échoué ou si vous tenez à une surveillance médicale précise.

Rôle du médecin

- Lui prescrire un régime alimentaire.
- Peser l'enfant régulièrement.

L'ENFANT PETIT

Il n'est guère aisé de savoir si un enfant est naturellement petit, ou s'il l'est du fait d'une déficience. Parmi les enfants que les mères amènent aux spécialistes parce qu'elles les trouvent trop petits, il n'y en a pas un sur dix dont le cas relève de la médecine.

Causes

- Les parents, la famille sont petits.
- L'enfant était très menu à la naissance (moins de 2 kg).
- Sa croissance est lente. Certains enfants grandissent moins vite que d'autres.
- Leur puberté est plus tardive, mais ils continuent à grandir plus longtemps pour atteindre une taille normale.
- L'enfant souffre d'une maladie chronique.
- Il souffre d'une anomalie endocrinienne ou génétique.

Traitement à domicile

- Appliquez la formule suivante, elle donne la taille moyenne d'un enfant entre un et douze ans : (âge en années × 6) + 77 cm.

Quand consulter le médecin

- Si vous êtes anxieuse.

Rôle du médecin

- Comparer les mensurations de l'enfant avec les normes de croissance staturo-pondérales, différentes selon le sexe.
- Exiger radiographies, examens de sang et d'urines.
- Voir s'il n'y a pas de problèmes entre vous et l'enfant (cela peut gêner sa croissance).

LES JAMBES ARQUÉES

Les petits enfants ont souvent les jambes arquées. Cette déformation tend à disparaître dans la plupart des cas.

Causes

- Les os des cuisses (fémurs) sont tournés un peu trop en dehors au niveau de l'articulation de la hanche.
- Le rachitisme est parfois en cause. Il frappe surtout les gens à peau colorée, vivant sous des climats peu ensoleillés.

Traitement à domicile

- Aucun.

Quand consulter le médecin

- Si vous êtes inquiète, si vous trouvez que la déformation est importante ou qu'elle s'accentue; si l'enfant se plaint de douleurs osseuses, a des convulsions, une maladie pulmonaire grave.

Rôle du médecin

- Vous rassurer.
- Faire faire radiographies et analyses.

Pronostic

- Le rachitisme se soigne au moyen de vitamine D.
- En général, les autres déformations ont tendance à s'améliorer sans traitement.

LES GENOUX QUI SE TOUCHENT

Debout, les genoux de l'enfant se touchent tandis que ses pieds sont écartés. Cela se corrige souvent sans traitement.

Durée

- Entre dix-huit mois et trois ans, de nombreux enfants présentent cette déformation.

Causes

- Les fémurs sont tournés vers l'intérieur à l'articulation de la hanche.

Traitement à domicile

- Aucun.

Quand consulter le médecin

- Si, à l'âge de sept ans, la déformation est toujours visible.
- Si, pour un enfant plus jeune, l'écart entre les deux chevilles dépasse 75 millimètres lorsqu'il est debout, genoux joints.
- Si un seul des genoux présente cette déformation.

Rôle du médecin

- Vous adresser à un orthopédiste, qui décidera du port éventuel d'un appareil orthopédique durant la nuit, de chaussures spéciales ou d'une intervention chirurgicale (ce qui est plus rare).

LES BOITERIES DE L'ENFANT

Un enfant peut boiter passagèrement à cause d'une écorchure, d'une ampoule, d'un furoncle, d'un coup, d'une entorse. Il sait alors désigner l'endroit qui lui fait mal, et vous n'avez pas à vous inquiéter : il suffit de porter remède à la cause évidente. Mais si le boitement dure plus de deux jours sans que vous parveniez à trouver la cause, voyez le médecin.

Causes

- Toute blessure d'un membre inférieur (cuisse, genou, jambe, cheville, pied).
- Crampe musculaire, courbature après un exercice intense.
- Simulation pour attirer l'attention.
- Maladie ou blessure de la hanche ou d'une autre articulation (*voir* ARTHRITE, maladie de LEGG-PERTHES-CALVÉ, qui sont des affections rares).
- Maladie osseuse (OSTÉOMYÉLITE).
- Malformation existant dès la naissance (luxation congénitale de la HANCHE) ou déficience musculaire d'un membre inférieur.
- La boiterie disparaît souvent spontanément sans qu'on lui ait trouvé de cause.

Traitement à domicile

- Si la cause est bénigne et évidente, attendez la guérison.
- Si, à première vue, vous ne découvrez rien, cherchez une cause peu visible : ongle abîmé, ampoule, coupure...

Quand consulter le médecin

- Si vous ne découvrez aucune cause plausible.
- Si la boiterie persiste plus de deux jours.
- Si une douleur « sans cause » persiste plus de un jour.
- Si, au niveau d'un os ou d'une articulation, vous constatez une enflure, une rougeur douloureuse.

Rôle du médecin

- Examiner l'enfant.
- Demander des radiographies.
- Vous envoyer voir un spécialiste.

LE SOMMEIL ET SES TROUBLES

Il en va des bébés comme des adultes : certains dorment plus que d'autres. En moyenne, par vingt-quatre heures, un enfant dort :

Les premières semaines : 14 à 18 heures.
Les premiers mois : 12 à 16 heures.
A un an : 10 à 13 heures.
A trois ans : 9 à 12 heures.
A sept ans : 8 à 11 heures.

Chaque enfant possède son rythme propre et ses besoins, auxquels les parents doivent se plier. Le nouveau-né demande normalement un repas pendant la nuit. Il cesse parfois de se réveiller vers six semaines, mais certains nourrissons continuent à réclamer cette tétée pendant plusieurs mois. Vers dix-huit mois, six enfants sur dix dorment leur nuit complète. Un sur quatre se réveille au moins une fois presque toutes les nuits.

L'INSOMNIE

On ignore pourquoi certains bébés dorment moins bien que d'autres. Cela n'a aucun rapport avec le sexe de l'enfant, ni avec le fait qu'il soit ou non nourri au sein, ni avec son comportement diurne, et encore moins avec le fait que ses parents le prennent ou non dans leur lit.

Traitement à domicile

- Pour l'aider à s'endormir, pendant les premières semaines et après chaque tétée, changez-le très doucement et couchez-le.
- Plus tard, empêchez-le de s'agiter quand l'heure du coucher approche.
- S'il s'éveille en pleurant la nuit, attendez, il se rendormira peut-être. Sinon, bercez-le un peu ou chantez-lui une chanson douce. Certes, s'il prend cette habitude, il ne la perdra pas facilement !
- S'il s'éveille souvent et si vous passez la nuit beaucoup de temps avec lui, rattrapez votre sommeil le jour, pendant qu'il dort. N'hésitez pas à faire la sieste.
- Souvent, quand un enfant petit refuse d'aller se coucher, c'est tout simplement parce qu'il n'a pas sommeil. Organisez ses journées pour qu'il se fatigue davantage.
- Refuser de s'occuper d'un enfant qui pleure la nuit n'est pas toujours une méthode de dissuasion efficace.
- Essayez de modifier la routine du bain et du repas du soir. Laissez une veilleuse allumée dans le couloir ou dans la pièce voisine de sa chambre.
- Lisez-lui une histoire.
- Quand un bébé qui dormait bien jusqu'alors se réveille plusieurs nuits de suite, cherchez d'abord les causes simples (par exemple, un bruit nouveau provenant de la rue ou d'un appartement voisin) avant d'imaginer des raisons compliquées. Peut-être a-t-il le nez bouché ou des démangeaisons.

Quand consulter le médecin

- Si vous êtes épuisée par manque de sommeil, incapable de faire face, déprimée ou irritée contre l'enfant.

Rôle du médecin

- Administrer temporairement un sédatif léger au bébé.
- S'il vous trouve épuisée, trop déprimée, il peut le faire admettre temporairement dans une pouponnière pour vous permettre de prendre un peu de repos.

LE SOMNAMBULISME

Il arrive qu'un enfant marche en dormant. Ne vous en inquiétez pas.

Causes

- C'est parfois un signe d'angoisse.

Traitement à domicile

- Ramenez-le doucement vers son lit sans le réveiller. Mais s'il s'éveille, contrairement à ce que l'on raconte, cela n'a aucune importance.

Quand consulter le médecin

- Si vous êtes inquiet.

LES TERREURS NOCTURNES

Les jeunes enfants s'éveillent parfois en pleine nuit, en proie à une profonde terreur. Ils hurlent, sanglotent, disent des mots incohérents en vous regardant sans vous voir.

Causes

- Inconnues. Un choc parfois, de la fièvre, une peur violente au cours de la journée précédente.
- L'angoisse d'être séparé de ses parents.

Traitement à domicile

- Rester calme.
- Réconforter l'enfant, le rassurer sur la raison de son angoisse.
- Le ramener dans le présent s'il est hébété.

Quand consulter le médecin

- Si les accès d'angoisse sont si fréquents que l'enfant perd le sommeil.
- Si la crise de terreur s'accompagne d'autres troubles, comme vomissements, maux de tête, mouvements convulsifs des bras et des jambes.

Rôle du médecin

- Prescrire un sédatif.
- S'il a d'autres troubles, demander un électroencéphalogramme.

Prévention

- Aucune.

Pronostic

- Elles disparaissent après un certain temps.

LES AFFECTIONS DE LA PEAU

Rares sont les nouveau-nés dotés d'un teint de lys et de rose. Ils naissent en général constellés de taches rouges ou bleues, de marques semblables à des piqûres d'insectes ou à de l'urticaire. Parfois, leur peau devient jaune et le reste plusieurs jours. Tout cela est normal et s'effacera rapidement.

Le visage des nouveau-nés présente parfois des petits points blancs (kystes de sébum). Il s'agit d'une MILIAIRE SÉBACÉE du nouveau-né, qui disparaît toute seule par la suite. Au cours de la deuxième semaine, on peut voir apparaître de petites bulles blanches à l'orifice des glandes sudoripares des joues.

La peau d'un bébé est fragile et sensible. La sueur l'irrite, de même que le frottement des vêtements. Ne vous inquiétez pas, ne « soignez » pas ce qui n'a pas à être soigné.

L'ÉRYTHÈME FESSIER

Il s'agit d'une irritation de l'épiderme, causée par l'ammoniaque des urines, qui s'infecte parfois du fait de la présence de champignons microscopiques ou de bactéries vivant habituellement sur les peaux moites et existant dans les selles ou dans les couches non stérilisées (*voir* CANDIDOSE). L'enfant souffre parfois, en plus, d'allergie cutanée ou d'eczéma.

Traitement à domicile

- Changez le bébé aussi souvent que possible : dans la journée, dès qu'il est mouillé, et au moins une fois pendant la nuit. Employez des couches de protection jetables qui isolent la peau de l'urine.
- Laissez-lui le derrière nu le plus souvent possible.
- Évitez absolument de lui mettre des culottes en plastique.
- Changez de système de couches : si vous utilisiez des couches de tissu, essayez les couches à jeter et vice versa.
- Lavez les couches avec du savon doux pour bébé.

Rincez-les avec soin. Avant le lavage, faites-les tremper dans une solution stérilisante.

- Appliquez sur les fesses une pommade de protection au zinc; ne les nettoyer qu'à l'huile spéciale pour bébé.

Quand consulter le médecin

- Quand vous avez tout essayé sans succès.

Rôle du médecin

- Identifier l'agent infectieux en examinant la peau, bien sûr, et parfois en prélevant des suppurations à l'aide d'un coton, envoyé au laboratoire d'analyses. Prescrire une pommade efficace, antiseptique, antifongique ou antibiotique.
- Vous indiquer une solution spéciale pour badigeonner les fesses du bébé.
- Rassurer la mère et lui conseiller de sécher soigneusement les fesses du bébé après la toilette, parfois au sèche-cheveux (pas trop chaud).
- Parfois prescrire des gouttes antifongiques à prendre par la bouche.

A ne pas faire : utiliser sans avis médical une pommade que vous gardez dans votre pharmacie et qui a servi pour un membre de votre famille.

L'ECZÉMA

Un eczéma se traduit chez le bébé par l'apparition de taches rouges qui peuvent suinter et se recouvrir de croûtes. Ensuite, la peau se dessèche et s'épaissit. L'enfant se gratte beaucoup, si bien que l'affection, qui atteint de préférence fesses et visage, peut s'étendre sur tout le corps. Chez les enfants plus âgés, elle affecte souvent le creux du coude, l'arrière des genoux et les poignets. Cette affection dure plusieurs années, n'apparaissant que par poussées. Parfois, elle s'améliore après quelques mois.

Traitement à domicile

- En cas d'érythème fessier associé, traiter comme indiqué page 412.
- Si l'éruption est apparue quelques jours ou quelques semaines après la prise d'un nouveau médicament, signalez-le au médecin pour avis.
- Ne lavez plus l'enfant avec du savon.
- Revêtez-le de vêtements en coton. Ne mettez ni laine ni Nylon au contact de sa peau.
- Il se peut que le bébé soit allergique au lait de vache : supprimez-le pendant quelques semaines.
- Coupez ses ongles très courts pour qu'il ne s'écorche pas.
- Maintenez sa chambre dans une propreté méticuleuse.
- Lavez sa layette avec du savon doux, sans aucun détergent, et rincez abondamment.

Quand consulter le médecin

- Si toutes ces mesures ont échoué.

Rôle du médecin

- D'abord, il ne pourra vous donner la certitude de guérir l'eczéma rapidement.
- Il peut prescrire une pommade aux corticoïdes, mais jamais en traitement au long cours.
- Sur l'eczéma aigu, il peut vous montrer comment pulvériser eau distillée et colorants en solution aqueuse. Pour un eczéma chronique, il prescrira des antibiotiques par voie générale en cas de surinfection.
- Il vous montrera comment envelopper bras et jambes de l'enfant la nuit, avec des pansements médicinaux.
- Il prescrira des sédatifs pour calmer les démangeaisons et faciliter le sommeil.
- Même si l'enfant ne souffre en apparence d'aucune allergie alimentaire, il prescrira parfois un régime, à modifier selon résultats.

LES CROUTES DE LAIT

Elles se présentent sous la forme de squames beige-brun qui adhèrent au crâne du bébé.

Traitement à domicile

- Lavez-lui la tête deux fois par semaine en éliminant doucement les croûtes et en prenant bien garde à ses yeux. Parlez-en au médecin, qui prescrira ce qui convient.

LES PIQURES DE PUCES

Les puces de chiens et de chats vivent aussi dans les tapis sur lesquels se traînent les enfants en bas âge et qu'elles peuvent piquer.

Symptômes

- Des petites taches roses, persistant deux ou trois jours, apparaissent sur bras et jambes. L'enfant se gratte. Il peut n'y avoir qu'une seule piqûre et en n'importe quel endroit du corps.

Causes

- L'enfant cajole l'animal parasité.
- Il se traîne sur les tapis et moquettes infestés.

Traitement à domicile

- Débarrassez les animaux de leurs puces. Pulvérisez un insecticide sur tapis et moquettes. Passez l'aspirateur.

Prévention

- Mettez au chien ou au chat un collier antipuces.

PROBLÈMES DE COMPORTEMENT

Au cours de leurs premières années, la plupart des enfants présentent quelques problèmes de comportement, généralement déclenchés par une cause affective sous-jacente. Les choses s'arrangent toutes seules, sans l'intervention du médecin.

L'ÉNURÉSIE

En principe, et sauf accident, un enfant de cinq ans ne doit plus mouiller son lit la nuit. Pourtant, un enfant sur sept continue à « faire pipi au lit ».

Symptômes

- Le lit est trempé. Parfois, l'enfant cherche à dissimuler le fait en cachant draps et pyjama mouillés.

Durée

- Parmi les enfants qui se mouillent encore à cinq ans, 15 pour 100 se corrigeront chaque année. A dix-huit ans, cela arrive de temps à autre à 1 pour 100 des adolescents.

Causes

- Le plus souvent, aucune. On présume une immaturité des nerfs contrôlant la vessie.
- L'angoisse déclenchée par un déménagement, des problèmes familiaux, une séparation (séjour à l'hôpital, par exemple).
- Des exigences de propreté trop sévères.
- Un apprentissage du pot trop précoce.
- Une punition, un châtiment trop durs.

• Une infection urinaire.

Traitement à domicile

• N'essayez pas d'apprendre à un enfant à être propre trop tôt en attirant son attention sur ses envies ou en lui disant de demander le pot.
• Ne le punissez jamais s'il se mouille ou se salit.
• Ne lui faites jamais honte : vous aggraveriez les choses.
• Quand son lit est resté sec une nuit, félicitez-le chaleureusement.
• Récompensez-le par de petits cadeaux.

Quand consulter le médecin

• Si la famille traverse une crise (conjugale ou autre) ou si l'enfant vous paraît bizarrement malheureux ou anxieux. Sinon, attendez qu'il ait cinq ou six ans.

Rôle du médecin

• Demander une analyse d'urine pour dépister toute infection.
• Instaurer un jeu entre l'enfant et vous, avec « bons points » pour les nuits sèches.
• Prescrire un médicament.
• Vous faire réduire les boissons au repas du soir.
• Vous adresser à un spécialiste, si nécessaire.

SPASMES DU SANGLOT

Si un enfant de dix-huit mois à cinq ans fait une colère, tombe ou a peur, il peut se mettre à hurler, en expiration forcée, jusqu'à devenir bleu. Parfois ses yeux se révulsent, tandis qu'il présente des mouvements convulsifs, ce qui peut être spectaculaire.

Causes

• Presque toujours une crise de colère.

Complications

• Aucune, semble-t-il.

Traitement à domicile

• Coucher l'enfant sur le côté et attendre qu'il se remette.
• **S'il est inconscient, lui donner une légère claque. Une seule.**

Quand consulter le médecin

• Si vous ne pouvez distinguer ce spasme du sanglot d'une vraie crise de convulsions : ne prenez pas de risques.

Rôle du médecin

• Établir son diagnostic pour constater le spasme du sanglot avec certitude, en éliminant toute possibilité d'ÉPILEPSIE.

Pronostic

• C'est impressionnant pour l'entourage, mais bénin pour l'enfant, et les crises disparaissent généralement vers l'âge de quatre ou cinq ans.

PERCUSSION DE LA TÊTE

L'enfant en bas âge s'agite et se cogne volontairement front ou occiput en cadence, contre les barreaux de son lit ou contre le mur.

Causes

• Une crise familiale ou une atmosphère quotidienne angoissante, mais il peut n'y avoir pas de raison.
• Parfois, et tout simplement, l'enfant aime beaucoup le rythme du mouvement.

Traitement à domicile

• Capitonner le lit.

Quand consulter le médecin

• Si cela dure, si vous êtes inquiète ou si le bruit vous empêche de dormir.
• Si l'enfant se blesse.

Rôle du médecin

• Vous interroger sur les causes possibles.
• Vous conseiller de ne pas prêter attention à l'enfant pour le déshabituer.
• Prescrire un sédatif, s'il entrevoit un problème réel.
• Vous adresser à un pédiatre ou à un spécialiste des troubles du comportement.

LES COLÈRES

Ce sont des explosions de rage, quasiment inévitables entre deux et quatre ans. Emporté par sa fureur, l'enfant peut se lancer contre murs et meubles, et se blesser.

Causes

• A un âge où il sait ce qu'il veut, l'enfant n'est pas encore capable de l'exprimer ou s'en voit empêché. Les frustrations accumulées aboutissent à des scènes soudaines pendant lesquelles, hors de lui, il est inaccessible aux raisonnements.

Traitement à domicile

• Ne pas raisonner, ne pas discuter, ne pas le punir.
• Rester calme, quitter la pièce s'il le faut.
• Ne pas être gênée s'il fait une scène en public. Quelle que soit sa violence, garder son sang-froid, et surtout ne pas le frapper. L'opinion d'autrui est sans importance.

Quand consulter le médecin

• Si vous ne pouvez plus dominer vos propres réactions.
• Si ses crises de rage vous irritent tellement que vous n'avez plus envie de vous occuper de lui.

Rôle du médecin

• Vous écouter et vous rassurer; ce n'est qu'un mauvais moment à passer.

Pronostic

• Ces colères disparaissent vers l'âge de quatre ou cinq ans.

LES TICS

Ce sont des mouvements brusques et involontaires de la bouche, des paupières, de la tête, que l'enfant semble ne pas pouvoir contrôler.

Durée

• Passagère et sans récidive si l'enfant est traité avec compréhension, calme, gentillesse.

Causes

• Angoisse.
• Un choc ou un bouleversement.
• Un sentiment d'insécurité.

Traitement à domicile

• Ne faites pas attention au tic, ne vous moquez pas de l'enfant, ce qui serait loin d'améliorer la chose.
• Cherchez d'où vient son sentiment d'insécurité et rassurez-le.

Quand consulter le médecin

• Si l'enfant est malheureux.
• S'il paraît incapable de contrôler son tic. Pensez à la possibilité d'une DANSE DE SAINT-GUY (chorée de Sydenham).

Rôle du médecin

• Vérifier qu'il ne s'agit pas d'une chorée de Sydenham.
• Vous écouter, vous et l'enfant, pour vous aider à trouver la cause.

Pronostic

• La plupart des tics disparaissent en un ou deux mois, mais certains persistent jusqu'à l'âge adulte.

6. LE MÉTIER DE PARENTS

Surveillance et éducation

Le tableau de la page 417 vous indique à quels âges les enfants acquièrent telle ou telle aptitude. Les chiffres donnés ne sont que des repères généraux. Aussi, ne vous inquiétez pas si votre enfant ne suit pas exactement ce schéma.

VIVRE ENSEMBLE. *Il se peut que vous considériez les tâches de la vie quotidienne comme une routine fatigante et ennuyeuse, mais vous pouvez aussi, en les partageant avec vos enfants, en faire des expériences enrichissantes et, notamment, retrouver à cette occasion des souvenirs oubliés de votre propre enfance. Vous pourrez même leur éviter des phases inutiles qui vous semblaient désagréables alors. Réservez-leur des moments privilégiés, le soir par exemple, quand les travaux ménagers sont terminés et la télévision enfin éteinte. C'est à ces moments-là que vous serez récompensée : vous sentant toute à eux, ils se confieront.*

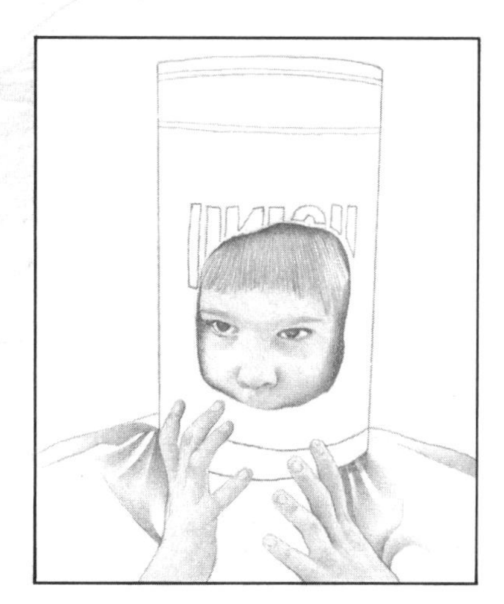

JOUETS IMPROVISÉS. *Boîtes en carton, tubes de papier-toilette, pots de yaourt vides, papier collant, papier d'aluminium, sont bien moins coûteux et aussi amusants que les jouets manufacturés. L'imagination de l'enfant est d'une richesse inépuisable qui vous conduira de surprise en surprise.*

LES RETARDS DE LA PAROLE
Beaucoup d'enfants commencent à parler tard, ce qui, en général, n'a aucune importance. Posez-vous trois questions : Comprend-il ? Entend-il bien ? Se développe-t-il normalement par ailleurs ? Si vous répondez « oui » sans hésiter, n'ayez aucune inquiétude. Si vous répondez « non » ou si vous hésitez, parlez-en à votre médecin.

LE BAFOUILLAGE
Tous les enfants d'âge préscolaire traversent une période durant laquelle ils redoublent mots et syllabes, ne trouvent pas leurs mots, en avalent d'autres. C'est tout à fait normal jusqu'à six ou sept ans, car les pensées d'un enfant vont plus vite que ses possibilités d'élocution. Ne le corrigez pas, ne l'obligez pas à se répéter plus lentement, vous ne feriez qu'aggraver les choses et constituer un vrai bégaiement. Si votre enfant bégaie, s'en rend compte et en souffre, parlez-en au médecin.

LE ZÉZAIEMENT
C'est un défaut d'élocution qui donne aux « j », aux « g » doux et aux « ch », un son de « z » et de « s ». La plupart des jeunes enfants le font pendant quelque temps. Si ce défaut persiste, parlez-en à votre médecin qui vous adressera à un spécialiste ou à un orthophoniste (rééducateur de la parole).

LES RETARDS DE LA MARCHE
Neuf enfants sur dix marchent bien à quinze mois, tout en se dandinant, en trébuchant et en tournant souvent les pieds en dedans. La plupart des bébés commencent par rouler sur eux-mêmes, puis s'asseyent, rampent, et enfin marchent. Certains, au lieu de se tenir debout, préfèrent se déplacer — et parfois très vite — en se traînant sur le derrière. Quand on les soulève pour les aider à se redresser, ils restent « assis en l'air » sans chercher à poser les pieds par terre. Cela tient souvent de famille; les bébés marchent tard, mais tous sont parfaitement normaux.

Sauf si votre enfant appartient aux « derrières par terre », consultez le médecin s'il ne se tient pas debout à dix-huit mois ou ne marche pas bien à deux ans.

LES LAMBINS
Votre enfant vous paraît en retard sur les autres : il ne mange pas seul, ne s'habille pas seul, ne cherche à utiliser ni son peigne ni sa brosse à dents, ne répète pas inlassablement le nom des objets. Surtout, ne prenez les repères d'âges que comme des indications moyennes. Votre enfant est probablement parfaitement normal, mais si vous êtes inquiète, parlez-en au médecin.

QUE FAIRE QUAND UN ENFANT SEMBLE SE DÉVELOPPER LENTEMENT ?
Parlez-lui beaucoup, montrez-lui des livres, désignez-lui les objets, les gens qui l'entourent. Jouez avec lui, laissez-le explorer, fureter, découvrir. Permettez-lui de se débrouiller seul, à sa façon, à son rythme, même si, en le faisant à sa place, vous iriez plus vite et ce serait mieux fait.

ROLE DU MÉDECIN
Il peut vous conseiller de faire passer à l'enfant une série de tests qui, au moyen de cubes, de jouets et d'images, permettent d'obtenir des réponses précises, donc de vous rassurer si tout va bien, ou, s'il y a un problème, de prendre des mesures immédiates. Cependant, il ne faut pas se fier aveuglément aux tests : le jour où il les passe, l'enfant peut être intimidé, de mauvaise humeur, fatigué... Le médecin peut alors demander des tests de contrôle.

Si les tests ont révélé un problème précis, l'enfant sera pris en charge par des spécialistes : un orthophoniste (troubles du langage), un audiologiste, un audio-prothésiste ou un rééducateur (troubles de l'audition), un psychologue.

L'ÉDUCATION DE LA PROPRETÉ
Les mères, pour la plupart, s'imaginent qu'un enfant, vers deux ans, doit être propre le jour, et, vers deux ans et demi, ne plus se mouiller la nuit. En réalité, il en va ainsi pour 50 pour 100 des enfants et, pour les autres, il faut ajouter un an à ces âges. S'efforcer de rendre propre un enfant physiquement incapable de le faire serait aussi ridicule que s'acharner à faire parler un nourrisson.

Si vous asseyez sur le pot un bébé de quelques semaines, vous obtiendrez un résultat, car vous tirerez parti d'un réflexe viscéral qui n'a rien d'éducatif. Ce réflexe s'atténue vers un an.

Il ne faut mettre un enfant sur le pot que quand il est capable de comprendre ce qui se passe, vers deux ans, juste avant que survienne la période des colères et des « non » systématiques.

Félicitez-le après tout résultat positif et ne faites aucune réflexion en cas d'échec, car toute réaction de votre part — gronderie ou déception — lui donnerait barre sur vous en lui faisant prendre conscience de son pouvoir. Ne vous laissez pas obséder par cette histoire de pot : la majorité des enfants que l'on mène chez le médecin pour ce genre de problèmes sont harcelés par leurs mères et soumis à des exigences féroces.

Si votre tout-petit ne s'intéresse pas à vos efforts éducatifs, n'insistez pas : rangez le pot dans un placard et attendez un mois avant de faire de nouveaux essais. Vous pouvez aussi lui supprimer ses couches. Ni moquerie ni dérision surtout : cela ne ferait qu'aggraver les choses.

LES SORTIES ET LES PROMENADES
Les enfants d'âge préscolaire adorent se promener, traîner dans les magasins, jouer au jardin public.

Dès l'âge de six mois, vous pouvez l'emmener à la piscine, mais ne le laissez pas jouer avec d'autres enfants sur une aire de jeux ou dans un bac à sable avant un an : les accidents sont fréquents.

Certaines bibliothèques accueillent les enfants à partir de deux ans, mais vous devrez attendre, pour l'emmener au musée, au concert ou au théâtre pour enfants, qu'il soit un peu plus âgé. De un à trois ans, les enfants que l'on emmène dans les supermarchés saisissent des paquets sur les présentoirs et les sucreries près des caisses. Ne vous croyez surtout pas forcée de les acheter, mais remettez-les tout simplement à leur place.

REPÈRES DU DÉVELOPPEMENT PSYCHOMOTEUR

DÉVELOPPEMENT MUSCULAIRE

☐ **Parodie les travaux ménagers**
Précoce : 12 mois
En moyenne : 14 mois
Tardif : 20 mois

☐ **Utilise bien sa cuillère**
Précoce : 13 mois
En moyenne : 14 mois
Tardif : 2 ans

☐ **S'habille en partie**
Précoce : 20 mois
En moyenne : 23 mois
Tardif : 3 ans

☐ **Se lave et s'essuie les mains**
Précoce : 19 mois
En moyenne : 23 mois
Tardif : 3 ans

☐ **Boutonne ses habits**
Précoce : 2 ans 1/2
En moyenne : 3 ans
Tardif : 4 ans 1/2

☐ **S'habille tout seul**
Précoce : 2 ans 1/2
En moyenne : 3 ans 1/2
Tardif : 5 ans 1/2

LA RÉUSSITE. *Félicitez-le quand il se débrouille tout seul.*

COORDINATION SENSORI-MOTRICE (L'ŒIL ET LE GESTE)

☐ **Gribouillages**
Précoce : 12 mois
En moyenne : 14 mois
Tardif : 2 ans

☐ **Empile 4 cubes pour faire une tour**
Précoce : 15 mois
En moyenne : 18 mois
Tardif : 2 ans

☐ **Copie une ligne droite**
Précoce : 19 mois
En moyenne : 22 mois
Tardif : 3 ans

☐ **Copie un rond**
Précoce : 2 ans 3 mois
En moyenne : 2 ans 1/2
Tardif : 3 ans 3 mois

☐ **Dessine un bonhomme (en 3 parties)**
Précoce : 3 ans 3 mois
En moyenne : 4 ans
Tardif : 5 ans 1/2

LES CONSTRUCTIONS. *Savoir construire une tour.*

LA PAROLE ET L'AUDITION

☐ **Prononce trois mots** (en plus de papa-maman)
Précoce : 11 mois
En moyenne : 13 mois
Tardif : 21 mois

☐ **Associe deux mots**
Précoce : 14 mois
En moyenne : 20 mois
Tardif : 2 ans 3 mois

☐ **Désigne une image**
Précoce : 16 mois
En moyenne : 20 mois
Tardif : 2 ans 1/2

☐ **Connaît, donne son nom complet**
Précoce : 2 ans
En moyenne : 2 ans 1/2
Tardif : 3 ans 1/2

PREMIÈRE ÉTAPE. *D'abord par cœur. Il lira plus tard.*

RÉPONSES ET JEUX

☐ **Grimpe des marches**
Précoce : 14 mois
En moyenne : 17 mois
Tardif : 22 mois

☐ **Fait du tricycle**
Précoce : 21 mois
En moyenne : 2 ans
Tardif : 3 ans

☐ **Saute à cloche-pied**
Précoce : 3 ans
En moyenne : 3 ans 1/2
Tardif : 5 ans

☐ **Attrape une balle (2 fois sur 3)**
Précoce : 3 ans 1/2
En moyenne : 4 ans
Tardif : 5 ans 1/2

UN TRICYCLE. *Un jouet merveilleux et utile.*

L'ÉDUCATION DES ENFANTS

Tous les enfants étant différents, il n'existe pas de méthode absolue pour les élever. Une remarque s'impose cependant : l'éducation est aujourd'hui moins sévère qu'il y a cinquante ans. Les parents ayant tendance à élever leurs enfants comme ils l'ont été eux-mêmes, réfléchissez et interdisez-vous, dès le début, d'appliquer des principes dont le bien-fondé vous semble contestable.

DOIS-JE ÊTRE STRICTE OU TOLÉRANTE ?

A chaque conflit, demandez-vous pour quelle raison vous voudriez tant qu'il obéisse, et vous saurez quand céder et quand tenir bon. Vos raisons seront variées.

1. Vous voulez le protéger contre un danger. Dès qu'il commence à explorer la maison, éloignez-le, par exemple, des prises de courant, en lui disant « non » doucement mais fermement. Ce n'est que vers quinze à dix-huit mois qu'il devient capable de réfréner sa curiosité. Tôt ou tard, il désobéira : c'est normal. Grondez-le : c'est normal.

2. Vous voulez lui apprendre ce qui est bien et ce qui est mal. Attention : ce qui est bien ou mal pour vous n'a aucun sens pour lui. Il ne voit rien de mal à être sale ou à uriner sur le trottoir.

C'est par l'observation qu'il apprendra à la longue ce que les adultes approuvent ou désapprouvent. Ne le punissez surtout pas.

3. Il vous agace, il vous fâche. Ses harcèlements vous ont exaspérée et vous avez besoin d'exploser un peu. Pourquoi ne pas vous laisser aller, juste pour lui montrer les limites à ne pas transgresser ? Criez si vous voulez, mais ne lui dites jamais de choses cruelles. Ne le frappez sous aucun prétexte.

4. Il agace les autres. Empêchez-le, mais faites-lui clairement comprendre que vous restreignez sa liberté pour autrui.

5. Il fait quelque chose de choquant. Posez-vous la question : Pourquoi est-ce choquant ? Pour qui ? Un adulte qui piétine le jouet d'un bébé agit de façon choquante, pas l'enfant qui fait de même. Et l'enfant qui tripote ses organes génitaux ne fait rien de choquant... En revanche, manifestez nettement votre désapprobation lorsque l'enfant se montre brutal, méchant, cruel. Plus tard, lorsqu'il pourra comprendre, désapprouvez le mensonge, la fourberie, le vol, la malhonnêteté.

Ne portez jamais de jugement sans vous rappeler son âge. Personne ne punit un enfant de dix-huit mois parce qu'il ne marche pas; et pourtant, nombreux sont les parents qui punissent leur enfant de quatre ans parce qu'il fait pipi au lit, alors que dans les deux cas, seul son corps immature est responsable.

COMMENT MAINTENIR LE JUSTE ÉQUILIBRE ?

Imaginez que vous êtes votre enfant. Vous l'avez puni; la punition était-elle méritée ? Mettez-vous à sa place et demandez-vous si cette punition vous aurait permis de vous améliorer.

Il existe de nombreuses façons de corriger sans blesser. On ne peut évidemment pas laisser les enfants agir librement, et ils comprennent très vite qu'il existe des limites, que les parents ont besoin de temps pour eux, de pièces à eux, d'un emploi du temps organisé (avec des heures de repas fixes, par exemple). Trop d'interdiction ou, pire, des interdictions sans cesse modifiées peuvent, malgré une apparente soumission, révolter un bambin qui, souvent, déviera son ressentiment sur quelqu'un d'autre. Les enfants apprenant par l'exemple, celui que l'on fait beaucoup souffrir fera sans doute souffrir à son tour plus tard.

L'OPPOSITION : LE STADE DU « NON »

Vers deux ans, le comportement des enfants change : alors qu'ils semblaient avoir accepté un certain nombre de restrictions et s'en accommoder, ils s'opposent, se révoltent, deviennent parfois odieux. Ils ont des crises de rage et disent « non » systématiquement et à tout bout de champ.

Votre petit bonhomme n'est pas devenu « méchant » ou « vilain » d'un seul coup, rassurez-vous, mais il vient de se rendre compte qu'il est une personne à part entière et qu'il peut exprimer ses goûts et ses dégoûts. Il n'est pas encore rompu aux pratiques des adultes qui, lorsqu'ils ne sont pas d'accord, emploient des périphrases ou le font sentir avec le sourire. Il ne sait pas ce qu'est un compromis. Il exprime sa volonté et s'affirme avec les moyens qu'il connaît.

QUE FAIRE DANS CE CAS ?

Vous résigner, ne pas regretter le bébé facile d'antan, et vous accommoder de cette nouvelle personne. Quand il aura compris que vous tenez compte de lui, il se calmera. Évitez les conflits ouverts et amenez-le à son insu à agir selon votre volonté. S'il se bloque sur une idée, s'il refuse un aliment, par exemple, ne le suivez surtout pas sur ce terrain. En général, si un enfant refuse de manger, c'est qu'on le force. De toute façon, il ne se laissera jamais mourir de faim et vous vous seriez inquiétée inutilement. Ne pas vous occuper de lui, c'est la meilleure façon de désamorcer son entêtement.

LA SÉVÉRITÉ PATERNELLE

Les pères croient souvent qu'il leur faut être plus stricts que les mères. Quand les parents ne sont pas d'accord sur la conduite à tenir, qu'ils se dépêchent de régler leurs différends... loin des oreilles enfantines, bien sûr.

CONQUÉRIR L'INDÉPENDANCE

Peut-on s'occuper « trop » d'un enfant ?

Oui. Un enfant doit apprendre par lui-même; il ne faut pas faire les choses à sa place. Si, à deux ans, vous ne le lâchez pas d'une semelle, vous entravez son développement. Laisse-le manger seul (et faire des saletés), décapiter son œuf à la coque (même s'il mange ensuite cet œuf gluant et froid). De temps à autre, les enfants vivent dans un monde à part. Ils imaginent des personnages, des situations, des rituels compliqués : ne les dérangez surtout pas. Mais si votre tout-petit s'accroche à vos jupes ou à l'air de s'ennuyer, c'est peut-être parce qu'il a besoin que vous lui suggériez, ou organisiez un jeu de cubes, ou que vous l'aidiez à s'installer avec des peintures, sa pâte à modeler ou ses crayons.

EN QUOI LE JEU EST-IL PLUS IMPORTANT QU'UN PASSE-TEMPS ?

C'est par le jeu que l'enfant acquiert la maîtrise de son corps. Le bébé qui tend la main vers le mobile suspendu en travers de son berceau commence à coordonner l'œil et le geste; un enfant de quinze mois qui joue à « Coucou, le voilà ! » découvre qu'un objet qu'il ne voit pas n'a pas forcément disparu.

Plus tard, les jeux physiques lui permettront d'améliorer force et équilibre. C'est aussi en jouant qu'un enfant développe son imagination. A trois ans, il joue avec ses animaux en peluche, leur parle longuement, sérieusement. Il ne « rêve » pas, il « imagine », il expérimente des situations réelles. Enfin, le jeu favorise son raisonnement, exalte sa curiosité. Un petit bonhomme de quatre ans qui construit une « maison » ou une « machine » avec des cartons d'épicerie ou des barils de lessive vides est très naturellement en train de découvrir le monde.

JOUETS ET LIVRES

Les enfants transforment en jouets la plupart des ustensiles ménagers, les boîtes en carton. Les jouets qu'ils préfèrent sont ceux à usages multiples : les poupées, les fermes, les garages, les cubes, la pâte à modeler. Ils délaissent vite les jouets à une seule destination, qui ne laissent aucun rôle à l'imagination. Ils aiment presque tous les livres, et il n'est jamais trop tôt pour leur en donner. Pour les tout-petits, choisissez les livres en tissu, indéchirables. Pour ceux qui ne lisent pas encore, choisissez des livres à grandes illustrations colorées, pas trop compliquées.

LES BONNES MANIÈRES

Le plus souvent, les parents n'obligent les petits enfants à bien se tenir à table que par peur des critiques d'autrui. Si l'on peut forcer un enfant de deux ans à attendre entre chaque plat, on ne peut lui demander qu'il l'accepte de bon gré.

S'HABILLER TOUT SEUL

Dès que l'enfant essaie de s'habiller seul, laissez-le faire. Le résultat est souvent un mélange bizarre d'envers et d'endroits et de devants-derrières... Peu importe. Il est fier de lui, à juste titre. Félicitez-le sans critiquer ses erreurs. Attendez un moment avant de trouver un prétexte pour le rhabiller correctement.

RANGER SA CHAMBRE

Dès l'âge de trois ans, un enfant peut ranger ses jouets avec votre aide, car seul, il se décourage vite. Cela peut devenir un jeu pour lui; aussi, n'en faites pas une corvée. Laissez-lui un coin où son désordre ne sera touché qu'une fois par jour : ranger sans cesse derrière lui étouffe imagination et capacités d'apprentissage.

LA TÉLÉVISION

Remarquable moyen éducatif, la télévision peut aussi être très nocive en inculquant aux enfants des idées de violence dont il faut les préserver. De plus, les parents utilisent malheureusement trop souvent le petit écran comme substitut à des activités plus dynamiques, ou pour faire tenir l'enfant tranquille sans avoir besoin de lui parler ou de jouer avec lui.

Vous-même, comment utilisez-vous la télévision ? Un enfant qui va à l'école primaire n'a pas besoin de regarder d'autres émissions que les émissions enfantines. Quand il sera plus grand, vous pourrez lui permettre

LES JEUX CRÉATIFS. *Si leurs peintures et dessins ne peuvent être exposés sur les murs du salon, ces œuvres sont leur création, de bons souvenirs dont ils sont fiers. Réservez un mur dans leur chambre, dans la vôtre, ou dans la cuisine. La peinture à l'eau dans les cheveux part au lavage.*

de rester de temps en temps le soir, pourvu qu'il ait son temps de sommeil et qu'il ait terminé son travail scolaire. Ne l'écoutez pas s'il essaie de vous fléchir en vous racontant que tous les autres élèves de sa classe auront vu le film le lendemain.

BIENTOT L'ÉCOLE
Vous pouvez préparer l'enfant à cette nouvelle étape en lui parlant de l'école, des institutrices, des nouveaux camarades. Montrez-lui des livres sous un jour intéressant, un lieu où se déroulent des activités passionnantes. Emmenez-le, avant la rentrée, visiter l'établissement dans lequel il sera. Si vous lui présentez la scolarité avec gaieté et bonne humeur, il partagera votre enthousiasme, mais s'il vous sent réticente et soucieuse, il s'inquiétera lui aussi et sera inutilement malheureux.

LA TÉLÉVISION. *Comme l'adulte après le travail, l'enfant après l'école a besoin de se distraire et, comme lui, risque de regarder n'importe quoi sur le petit écran. Il y a pourtant bien des choses plus intéressantes à faire : lire, construire des modèles réduits… Rendez-lui ce service : imposez-les lui.*

LES MÈRES QUI TRAVAILLENT

Mon enfant souffrira-t-il d'être séparé de moi ?
Avant l'âge de l'école, c'est à la maison, et avec sa mère, que l'enfant est le mieux. Lorsqu'elle travaille, la séparation se fait pourtant souvent plus tôt. Or, entre six mois et deux ans, il peut être très malheureux d'être privé de sa mère, se montrer triste, se replier sur lui-même, mouiller son lit, avoir mal au ventre ou à la tête et manquer d'appétit.

La personnalité de la garde qui s'occupe de l'enfant à l'extérieur ou au sein de la famille est très importante : si elle le choie et l'aime, il peut se sentir aussi en sécurité avec elle qu'avec sa mère.

QUI PRENDRA SOIN DE L'ENFANT ?
La mère qui travaille doit faire garder son bébé, et la solution idéale dans ce cas, car elle permet à l'enfant de rester dans son cadre familier, est d'avoir recours à une gardienne à domicile.

Jusqu'à huit ou neuf mois, le bébé accepte très bien la présence d'une étrangère à la famille, pourvu qu'elle soit gentille. Il devient ensuite plus exigeant, n'aime pas quitter sa mère, déteste les étrangers. Cela passe généralement vers l'âge de trois ans, mais ce peut être plus long pour certains qui acceptent mal la séparation quotidienne. Fort heureusement, la plupart des enfants réagissent bien s'ils doivent passer quelques heures par jour avec une garde.

LE GOÛT DU RISQUE. *Filles et garçons aiment exercer leurs aptitudes physiques. Mais ils peuvent se blesser. Aussi est-ce à vous de connaître leurs limites sans les couver. Petits, restez près d'eux. Plus grands, surveillez — de loin — leurs évolutions sur les aires de jeux. Résignez-vous d'avance aux genoux couronnés.*

LES GARDES D'ENFANTS
Pour trouver une bonne garde, commencez à chercher avant la naissance. Les personnes de qualité se découvrent par le « bouche à oreille », les recommandations, les petites annonces placées chez les commerçants. Il existe également des gardes agréées, recrutées par les services communautaires. Renseignez-vous. Vous pouvez bénéficier d'une allocation dans certains pays. Prenez à l'avance tous renseignements utiles. Allez visiter son appartement ou sa maison. Les pièces sont-elles propres, aérées, vastes, bien chauffées ? La garde vous paraît-elle gentille ? Combien garde-t-elle d'enfants ? Les toilettes sont-elles propres ? Les enfants disposent-ils de jouets et de livres ? Y a-t-il un jardin ? Une cour ? Un parc ou un square à proximité ? Évitez les gardes qui semblent occuper les enfants, en dehors des repas et de la sieste, uniquement à regarder la télévision.

LES GARDERIES
Il existe au Canada un service de garde de jour pour les enfants dont les mères travaillent. Les provinces et les territoires accordent une aide financière aux services de garde de jour par le biais de subventions, d'allocations et de barèmes fixes, conformément aux lignes directrices sur le partage des frais du Régime d'assistance publique du Canada. En plus des garderies à but non lucratif, certaines provinces subventionnent également les garderies à but lucratif, et même la garde en milieu familial. Les garderies privées à but non lucratif sont surtout dirigées par un conseil représentant la collectivité locale et

les coopératives mises sur pied par les parents.

En plus des exigences provinciales, toutes les garderies doivent se conformer aux directives de Santé et Bien-Être social du Canada quant à l'alimentation des enfants à leur charge, l'espace requis et les proportions minimales personnel/enfant.

L'ÉCOLE MATERNELLE
L'école maternelle garde les jeunes enfants jusqu'à ce qu'ils entrent à l'école primaire, c'est-à-dire à l'âge de six ans. Ce n'est pas une école obligatoire. Si vous avez l'intention de mettre votre tout-petit à l'école du quartier, pensez à l'inscrire longtemps à l'avance, car les demandes sont nombreuses. Rendez visite à la directrice de l'établissement pour savoir quelles formalités accomplir. Une fois sur la liste d'attente, l'enfant aura des chances d'obtenir une place.

L'alimentation des petits y est très surveillée, et les plus jeunes dorment une heure l'après-midi. Si votre enfant est handicapé, il peut être accepté dans une école spéciale pour garçons et filles souffrant du même handicap. N'hésitez pas à vous renseigner auprès des services compétents qui sauront vous orienter vers l'établissement adéquat.

LES GARDERIES DE JOUR. *La plupart d'entre elles acceptent les enfants à partir de trois ans. Alors que certains pourraient y participer plus tôt, d'autres ne sont pas prêts. Si votre enfant ne paraît pas heureux, retirez-le.*

LES JARDINS D'ENFANT
Ces établissements sont parfois privés. Certains coûtent cher, car ils offrent des activités que n'offrent pas les maternelles, comme l'apprentissage d'une langue étrangère, ou une pédagogie particulière. Là aussi, les listes d'attente sont longues, et il est vivement recommandé d'y inscrire l'enfant dès sa naissance.

LES VACANCES AVEC UN BÉBÉ
Le rythme de vie d'un bébé ou d'un jeune enfant ne change pas pendant les vacances : ses repas, composés comme d'habitude, doivent être pris aux heures normales. Il doit être changé, il doit dormir sans être dérangé. N'allez pas vous imaginer qu'il s'adaptera miraculeusement à des projets fantaisistes. Même si vous êtes à l'hôtel et bien servie, les premières vacances avec un nourrisson peuvent se révéler assez éprouvantes. Pensez-y.

Louer une maison l'été est une très bonne formule à cela près que vous aurez tout le travail à faire, à moins que quelqu'un de votre famille soit susceptible de vous aider, sinon les courses, la cuisine, le ménage vous occuperont autant que d'habitude. Beaucoup de jeunes couples préfèrent camper dans des parcs spécialisés. Ils trouvent cela plus sympathique que l'hôtel et moins coûteux que la location. Cela leur permet des contacts plus chaleureux avec les voisins. Mais si votre bébé dort mal la nuit, camper en sa compagnie peut être cauchemardesque.

Les vacances à l'étranger sont toujours coûteuses, malgré les tarifs familiaux spéciaux consentis sur trains et avions. Sur ces derniers, l'excédent de bagages est loin d'être gratuit, et il faut aux bébés de nombreuses valises...

Si vous devez prendre l'avion avec lui, prévenez la compagnie lors de l'achat du billet; il sera installé spécialement. Prévoyez de nombreuses couches et biberons, car les retards d'horaires sont fréquents aux périodes de pointe. Pour un voyage sous les tropiques, pensez aux vaccinations obligatoires et parlez-en à l'avance à votre médecin (*voir* VACANCES ET VOYAGES).

LES VOYAGES EN VOITURE
N'installez jamais les enfants à l'avant dans une automobile, car ils peuvent gêner le conducteur et, en cas d'accident, seraient très exposés. Un bébé doit être calé dans sa nacelle portative arrimée au siège par des sangles de sécurité. Un enfant plus grand doit être attaché dans un siège spécial. Emportez livres, jouets, papiers et crayons pour le trajet. Ne lui donnez pas de bonbons, mais une pomme : cela n'écœure pas (*voir* MAL DES TRANSPORTS).

Être mère : une nouvelle vie

Lors de l'arrivée d'un nouveau-né, la vie d'une femme change complètement. L'enfant apporte une joie immense, mais, pour une mère, le fait d'assumer la responsabilité entière d'un autre être humain peut se révéler épuisant et démoralisant au début. Un bébé se réveille tôt et ampute souvent deux bonnes heures de sommeil à sa mère. Et puis, il faut le changer, l'habiller, le nourrir, s'occuper sans cesse de lui alors que, par ailleurs, les tâches quotidiennes ne sont pas allégées. Dans la journée, toutes les activités de la maison tournent autour du nouveau venu, de son sommeil, de ses repas. Une simple promenade prend des allures d'expédition, parce qu'il faut l'habiller de pied en cap en étant sûr qu'il n'ait ni froid ni trop chaud, garnir le landau ou la poussette.

Si le bébé dort peu, ce n'est pas le soir qu'il laissera du temps à sa mère... dont les traits tirés et la fatigue irritent le mari. La vie sexuelle du couple peut en être affectée, comme l'équilibre financier de la maisonnée si la femme a abandonné son travail pour la naissance.

Que faire ?

Comme vous ne pouvez pas tout faire « comme avant » et en plus vous occuper du bébé, il faut changer vos habitudes et vous organiser un nouveau mode de vie. Pour vous reposer, par exemple, faites une sieste pendant qu'il dort l'après-midi. Faites aussi un bilan des priorités : autrefois, vous aviez une maison impeccable, vous receviez beaucoup, vous sortiez le soir. Est-ce toujours aussi important pour vous ? Laissez de côté ce qui ne l'est plus, ou ce qui l'est moins.

Parlez avec d'autres mères, faites leur connaissance au parc municipal, à la buanderie de votre immeuble ou chez le pédiatre qui suit votre bébé. Leurs réflexions vous aideront à mieux comprendre vos problèmes, et donc à mieux les résoudre.

Parlez avec votre mari, sans vous plaindre ni récriminer. Il n'est pas étranger à la présence de l'enfant, aussi est-ce de lui que peut venir l'aide la plus efficace.

Cherchez une gardienne de confiance afin de vous réserver quelques heures de liberté de temps à autre.

Les sentiments de colère

Il n'est de mère qui, à un moment ou à un autre, n'éprouve de colère envers ses enfants. Nos petits ont de folles exigences pour une femme souvent fatiguée, parfois accablée, en plus de soucis financiers ou conjugaux. Quoi d'étonnant à ce qu'elle se sente incapable parfois d'en supporter davantage ? Si tel est votre cas, confiez-vous à une amie, à votre médecin, à une écoute téléphonique. Si l'envie vous prend de frapper le bébé, sortez de la pièce sur-le-champ. Calmez-vous, tâchez de réfléchir à la véritable raison de votre colère : est-ce parce qu'il porte encore des couches ? Parce qu'il mouille encore son lit ? Parce qu'il fait trop de saletés en mangeant ? Ou parce que vous êtes épuisée ?

Ne comparez jamais votre enfant aux autres. Chacun se développe à son propre rythme, à sa façon. Il n'a pas de modèle : il est unique.

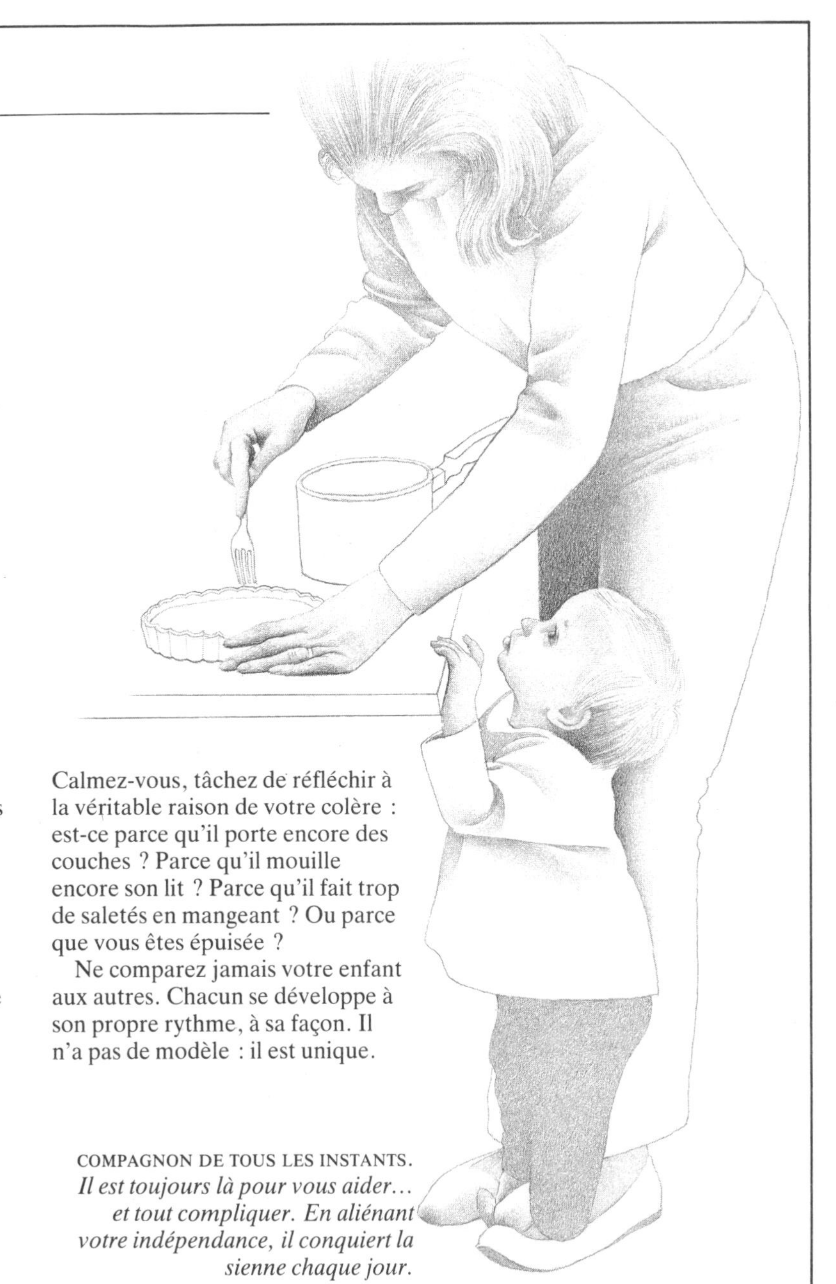

COMPAGNON DE TOUS LES INSTANTS. *Il est toujours là pour vous aider... et tout compliquer. En aliénant votre indépendance, il conquiert la sienne chaque jour.*

PROPHYLAXIE

Mesure destinée à prévenir une maladie. Par exemple, les vaccinations contre différentes maladies ou le détartrage des dents pour empêcher les affections des gencives sont des mesures prophylactiques.

PROPRETÉ (APPRENTISSAGE DE LA)

Les règles d'hygiène doivent être inculquées à l'enfant dès le plus jeune âge : le brossage régulier des dents et le bain du soir sont indispensables. L'énurésie et l'encoprésie ne doivent pas inquiéter avant l'âge de trois ou quatre ans : la contrainte et les punitions ne sont jamais une méthode efficace.

PROSTAGLANDINES

Substances qui sont contenues dans différents tissus ou liquides de l'organisme, y compris le cerveau, l'utérus et le sperme, et qui ont un grand nombre de fonctions. Par exemple, celle de modifier le flux du sang à travers les reins et celle de stimuler les contractions de l'utérus durant les règles. Les médecins utilisent maintenant couramment les prostaglandines en vue de déclencher un avortement ou un accouchement.

PROSTATITE

Inflammation aiguë ou chronique de la prostate. Les symptômes et le traitement de la prostatite aiguë ou chronique sont les mêmes. Chronique, elle dure plus longtemps et est moins sensible au traitement.

Symptômes

- Douleur (brûlure) au niveau des organes génitaux en urinant.
- Douleur du bas de l'abdomen pendant et après le passage des urines.
- Besoin d'uriner fréquent, le jour et la nuit, et soudain, avec difficultés à se retenir.
- Urines sales, parfois sanglantes et nauséabondes.
- Fièvre.
- Sensation pénible (douleur ou pesanteur) en avant de l'anus, derrière le scrotum.
- Absence de symptômes : la maladie est découverte par un examen d'urine.
- Mauvais état général.

Durée

- En l'absence de traitement, la prostatite aiguë peut durer une semaine ou plus.
- La prostatite chronique peut durer des mois.

Causes

- Habituellement, la prostatite est due à un germe provenant de l'intestin, qui atteint l'urètre (canal au travers duquel passe l'urine) et remonte vers la vessie et la prostate.
- Irritation de la vessie et de la prostate par des petits traumatismes (sport).
- CONSTIPATION.
- La prostatite chronique est souvent secondaire à une prostatite aiguë.
- Sondage urinaire.
- Anomalie de l'arbre urinaire : CALCUL, rétrécissement, anomalie de naissance.

Complications

- Sans traitement, l'infection peut s'étendre aux testicules.
- CYSTITE.
- PYÉLONÉPHRITE (rare).

Traitement à domicile

- Repos au lit.
- Boire abondamment et supprimer l'alcool.

Quand consulter le médecin

- Devant l'un des symptômes décrits. Quand les symptômes sont sévères ou les urines sanglantes, consulter un médecin immédiatement.

Rôle du médecin

- Faire pratiquer un examen d'urine à la recherche d'un germe dont on doit tester la sensibilité aux antibiotiques.
- Faire un toucher rectal pour examiner la prostate.
- Prescrire des antibiotiques. *Voir* MÉDICAMENTS, n° 25.
- Adresser les cas graves à un spécialiste.

Prévention

- Éviter la constipation.
- Boire abondamment.

Pronostic

- La prostatite aiguë guérit habituellement en une semaine sous traitement.
- Le traitement de la prostatite chronique est parfois plus difficile, et des récidives ne sont pas rares.

Voir ORGANES GÉNITAUX MASCULINS, *page 50*

PROTHÈSES DENTAIRES

Fausses dents. La prothèse peut être totale ou partielle, fixée (couronne, bridge) ou amovible (dentiers). Les matériaux utilisés sont : la résine (synthétique), le moins cher mais le moins solide, les métaux précieux (or) ou non précieux (différents alliages à base de nickel et de chrome) et la céramique (sorte de pâte de verre à base de silice, cuite au four). *Voir* DENTS (SOINS DES).

PRURIT

Le prurit, ou démangeaison, est une sensation conduisant au désir de se gratter. C'est un symptôme fréquent qui accompagne de nombreuses affections cutanées, particulièrement la GALE, l'ECZÉMA, les MYCOSES. Parfois, le prurit survient en l'absence de cause apparente. On en distingue quatre types : le prurit généralisé, le prurit anal (plus fréquent chez les hommes), le prurit vulvaire, c'est-à-dire touchant les organes génitaux de la femme, et la névrodermite, qui est l'irritation chronique d'une petite zone de peau accessible aux mains comme la nuque ou les jambes.

PRURIT GÉNÉRALISÉ

Symptômes

- Démangeaisons sur tout le corps. La chaleur peut exacerber ce prurit, qui prédomine alors la nuit.

Durée

- Elle peut être indéfinie si une cause n'a pas été trouvée.

Causes

- Une intolérance médicamenteuse : le prurit peut être le seul symptôme de l'allergie à un médicament (barbituriques, pénicilline, sels d'or), mais il peut parfois annoncer une éruption plus grave.
- Le prurit généralisé peut être un signe précoce de DIABÈTE, ICTÈRE par rétention, ou d'autres désordres.
- Certaines grossesses par ailleurs normales s'accompagnent d'un prurit qui cesse après la délivrance.
- Le vieillissement de la peau peut donner naissance chez les personnes âgées à un prurit dit sénile, provoqué par la sécheresse cutanée due au tarissement des glandes sébacées.
- La BOURBOUILLE, l'ECZÉMA, l'URTICAIRE et d'autres dermatoses.
- Le prurit est parfois d'origine psychoaffective.

Traitement à domicile
• Évitez si possible la chaleur et l'anxiété, qui peuvent aggraver les démangeaisons.
• Coupez-vous les ongles et ne grattez pas trop fort (il vaut mieux frotter), car le grattage peut provoquer des lésions cutanées susceptibles de s'infecter ou augmenter la sensation de prurit.
• Prenez des médicaments antihistaminiques, mais sachez qu'ils peuvent entraîner une somnolence. Ils sont à éviter chez la femme enceinte.
• Appliquez une crème adoucissante ou une lotion à la calamine. *Voir* MÉDICAMENTS, n° 43.
Quand consulter le médecin
• Dès que possible si le prurit persiste plus de trois jours : il peut signaler une affection sous-jacente.
Rôle du médecin
• Faire pratiquer une prise de sang pour dépister une maladie latente.
• Prescrire un médicament ou une préparation locale pour apaiser le prurit.
Prévention
• Elle se résume à la prévention de la sécheresse cutanée si celle-ci est en cause, comme dans le prurit sénile ou l'eczéma.
Pronostic
• Le prurit disparaîtra si sa cause est découverte et soignée. Sinon, il pourra persister des années.
• Chez les personnes âgées, le prurit tend à devenir chronique, avec des poussées et des rémissions.

PRURIT ANAL
Symptômes
• Sensation persistante de démangeaison autour de l'anus, augmentée à la chaleur et lors des périodes d'inactivité, souvent responsable d'insomnie.
• La peau devient enflammée et humide. Plus le patient se gratte, plus l'irritation est intense. Des érosions, un saignement sont possibles.
Durée
• Si aucune cause n'est découverte, le trouble peut durer des années.
Causes
• Irritation due à une mauvaise hygiène locale, ou au contraire à un excès de soins mal adaptés : savons, poudres et pommades irritantes.
• Allergie à des pommades antibiotiques ou anesthésiques.
• Une infection locale (CANDIDOSE).
• Une FISSURE ANALE ou des HÉMORROÏDES.
• De nombreuses autres affections peuvent être responsables. Souvent, aucune cause n'est trouvée et le prurit est alors dit d'origine psychologique. Il est nettement accentué par les soucis, la sueur et la chaleur.
Traitement à domicile
• Lavez l'anus deux fois par jour.
• Utilisez du papier hygiénique doux, ou éventuellement un coton humide si l'anus est très douloureux.
• Changez fréquemment de slip et évitez les pantalons trop serrés.
• Supprimez les épices, l'alcool, le café, le thé.
Quand consulter le médecin
• Si le prurit ne cède pas aux mesures ci-dessus.
• S'il existe un saignement.
Rôle du médecin
• Examiner l'anus et, éventuellement, faire pratiquer des examens pour découvrir une cause sous-jacente.
• Prescrire des soins locaux pour soulager le prurit. *Voir* MÉDICAMENTS, n° 43.
Prévention
• Évitez de prendre trop de poids, car l'obésité creuse les plis cutanés et augmente la sudation.
• Si vous êtes obèse, essayez de maigrir.
Pronostic
• Le traitement d'une cause sous-jacente guérira rapidement le trouble. Si aucune cause n'est découverte, le problème peut persister des années.

PRURIT VULVAIRE
Symptômes
• Prurit persistant de la vulve, qui peut aussi toucher le vagin et s'étendre à l'anus et à la face interne de la racine des cuisses.
Durée
• Le trouble peut durer des années si la cause n'est pas trouvée.
Causes
• Identiques à celles du prurit anal.
• En plus des troubles énumérés dans la LISTE DES SYMPTOMES, la cause du prurit peut être une des suivantes :
• Sécheresse et atrophie de la région génitale, qui suit la ménopause.
• Les soucis, qui peuvent provenir de problèmes sexuels (insatisfaction sexuelle). *Voir* SEXOLOGIE.
• Une réaction allergique à des produits contraceptifs locaux (ovules) ou à des tampons.
Traitement à domicile
• Si un tampon est responsable, utilisez une autre marque.
• N'abusez pas de produits antiseptiques, qui sont souvent détergents et irritants.
• Lavez la vulve deux fois par jour, mais n'utilisez pas de produits antiseptiques sans avis médical.
Quand consulter le médecin
• Devant un prurit persistant, surtout s'il s'accompagne de pertes ou de saignements vaginaux, et devant tout prurit chronique chez la femme ménopausée.
Rôle du médecin
• Examiner la région atteinte, demander un examen des urines et prélever un échantillon de pertes vaginales, le cas échéant, pour dépister une cause infectieuse.
• Si la contraception locale est mal tolérée, conseiller une autre méthode.
• Prescrire soins et traitements locaux.
Prévention
• Impossible.
Pronostic
• Il est lié au traitement de la cause.

NÉVRODERMITE
Affection cutanée bénigne, mais gênante, dans laquelle une irritation chronique conduit à un grattage chronique, qui lui-même rend la peau rugueuse, épaisse et parcourue de sillons souvent profonds et disgracieux. La cause n'est pas connue, mais si le cercle vicieux de l'irritation et du grattage peut être rompu, la peau revient à l'état normal. La zone touchée est toujours accessible à la main, et sa taille est rarement grande. La nuque et les jambes en sont le site habituel, chez les femmes plus souvent que chez les hommes.

Voir LA PEAU, *page 52*
LISTE DES SYMPTOMES — PEAU (ANOMALIES DE LA)

PSEUDO-POLYARTHRITE RHIZOMÉLIQUE

C'est une maladie rhumatismale qui atteint surtout les personnes âgées (neuf fois sur dix une femme) de plus de soixante ans. Elle débute brusquement et elle est souvent négligée par les patientes qui considèrent que les symptômes sont dus à l'âge ou à des rhumatismes.
Symptômes
• Douleur et raideur, surtout dans les muscles du cou et des épaules, et dans ceux du bassin et des hanches.
• Faiblesse musculaire.
• Fièvre légère, fatigue intense, amaigrissement.
Durée
• Un an à six ans.

Complications
• L'artérite temporale (inflammation de l'artère temporale), avec rougeur, migraine, menace de cécité.
Traitement à domicile
• Aucun traitement avant avis médical.
Quand consulter le médecin
• Dès l'instant qu'apparaît, chez une personne âgée, une douleur vive du cou, des épaules, de la tête.
Rôle du médecin
• Faire des tests sanguins pour affirmer le diagnostic.
• Prescrire des médicaments contre la douleur. *Voir* MÉDICAMENTS, n° 22.
• Faire pratiquer une biopsie de l'artère temporale, et débuter sans tarder un traitement cortisonique. *Voir* MÉDICAMENTS, n° 32.
Prévention
• Inconnue.
Pronostic
• Bon si le diagnostic et le traitement sont immédiats.
• La récupération est habituellement complète, mais les récidives sont fréquentes et obligent à une diminution très progressive des cortisoniques par le médecin.

PSITTACOSE

Maladie infectieuse touchant les oiseaux, particulièrement les perroquets et les perruches, due à une bactérie du genre chlamydia et transmissible à l'homme. La contamination se fait en respirant des germes présents dans les plumes ou les déjections d'oiseaux. Les sujets travaillant avec des oiseaux sont les plus souvent touchés. Les symptômes ressemblent à ceux d'une PNEUMONIE grave et apparaissent après une période d'incubation de sept à quatorze jours. Le diagnostic est confirmé par la mise en évidence dans le sang d'anticorps spécifiques. Cette maladie se traite par les tétracyclines (antibiotiques). *Voir* MÉDICAMENTS, n° 25.

Voir MALADIES INFECTIEUSES, *page 32*
CHLAMYDIA (INFECTIONS A)

PSORIASIS

Le psoriasis est une affection squameuse récidivante de la peau. Il peut débuter à n'importe quel âge, mais plus souvent entre cinq et vingt-cinq ans. C'est une affection non contagieuse et habituellement bénigne.

Symptômes
• Taches ou plaques rouges, de taille variable (1 à 10 cm ou plus), recouvertes de squames épaisses, blanchâtres, brillantes, qui partent quand on les gratte.
• Les plaques peuvent être arrondies ou de forme variable. Parfois, le centre guérit et les lésions prennent une forme annulaire.
• Environ un tiers des patients se plaignent de démangeaisons.
• Le cuir chevelu est fréquemment touché, mais il n'y a pas de chute de cheveux. Le visage est rarement atteint.
• Parfois, spécialement chez les enfants, le début est soudain, avec de nombreuses petites plaques rouges et rondes; c'est le psoriasis en gouttes (guttata).
• Les ongles peuvent être touchés de façon variable (ongles ponctués en dé à coudre, ongles qui se désagrègent peu à peu).
• Les lésions se forment souvent sur des zones traumatisées, des cicatrices.
• Des arthrites peuvent parfois apparaître comme complication du psoriasis.
Durée
• Souvent chronique pendant des années ou toute la vie, avec des poussées et des améliorations. Une guérison prolongée ou parfois définitive est possible.
Causes
• Inconnues. L'affection est souvent familiale.
• Certains facteurs, comme des médicaments, les soucis, une infection, peuvent favoriser ou aggraver une poussée.
Complications
• Chez 5 pour 100 des patients atteints de psoriasis, il existe des arthrites qui ressemblent beaucoup à la POLYARTHRITE RHUMATOÏDE.
Traitement à domicile
• Il n'y a pas de traitement efficace sans avis médical.
Quand consulter le médecin
• Lors des premiers signes du psoriasis.
• Au cours d'une nouvelle poussée, si son aspect est plus sévère ou si elle ne répond pas au traitement prescrit la première fois.
• Si un traitement prescrit est mal toléré.
Rôle du médecin
• Expliquer la maladie et son traitement pour que le patient apprenne à se prendre en charge.
• Prescrire localement du coaltar, du dioxyanthranol (Dithranol); ces traitements efficaces salissent les vêtements et les draps. *Voir* MÉDICAMENTS, n° 43.
• Les crèmes corticoïdes sont indiscutablement efficaces et d'emploi plus facile, car elles ne sont pas salissantes. La maladie tend à rechuter après l'arrêt du traitement. Les effets secondaires des corticoïdes imposent leur utilisation sous contrôle médical strict.
• Parfois, hospitaliser le patient si les lésions sont très étendues ou sévères.
• Conseiller dans certains cas une thérapeutique par les rayons ultraviolets, mais avec un petit risque à long terme de cancers cutanés.
Prévention
• On n'en connaît aucune.
Pronostic
• Bien que quelques plaques puissent rester rebelles au traitement, la plupart des patients arrivent à se soigner de façon satisfaisante.

Voir LA PEAU, *page 52*

PSYCHANALYSE

Doctrine psychologique née à la fin du XIXe siècle, qui repose principalement sur les écrits de Freud. La théorie psychanalytique postule le rôle fondamental de la sexualité infantile (stades oral, anal, phallique; périodes œdipienne et de latence) dans le développement de la personnalité et des maladies mentales. La cure psychanalytique propose la mise à jour progressive des traumatismes affectifs inconscients vécus dans l'enfance. La psychanalyse voit aujourd'hui sa théorie contestée et sa pratique supplantée par des méthodes de traitement beaucoup plus efficaces.

PSYCHIATRIE

Spécialité médicale qui traite des maladies mentales et des troubles psychiques. Le psychiatre est donc un médecin qui applique des techniques psychothérapiques (utilisation de la relation du malade avec son médecin ou avec son environnement), des traitements chimiothérapiques (médicaments). L'association de la psychothérapie et de la chimiothérapie permet d'obtenir certains résultats.

PSYCHOPATHIE

Le déséquilibre psychopathique se traduit par une inadaptation aux normes de la vie sociale. La personnalité est dominée par l'instabilité et l'impulsivité, avec un refus des contraintes et de fréquentes réactions agressives. Son existence mouvementée (scolarité perturbée, fréquents changements professionnels, risque de délinquance, vie affective instable) camoufle une tendance à l'ennui et à la tristesse, que le psychopathe ressent souvent mais exprime rarement.

PSYCHOSE

Le terme de psychose s'oppose à celui de névrose. Cette distinction, schématique et partiellement exacte, est utile en pratique. La psychose (délire, hallucinations...) est une maladie plus grave que la névrose (anxiété, phobie, obsessions...), car le psychotique n'a pas toujours conscience de la nature pathologique de ses troubles : il est donc incapable de faire la critique de son état et de reconnaître la nécessité de soins. En revanche, le névrosé a conscience de ses troubles, parfois très lucidement et souvent douloureusement.

PSYCHOSE MANIACO-DÉPRESSIVE

Cette maladie concerne environ 1 pour 100 de la population et se caractérise par la survenue soit d'accès mélancoliques, soit d'accès maniaques, le malade retrouvant son état normal entre les accès.

La manie (ou accès maniaque) associe une exaltation euphorique, des propos gais, des idées et des activités désordonnées. Cette agitation est vécue avec plaisir par le malade mais tolérée difficilement par l'entourage : tapage nocturne, dépenses inconsidérées, projets insensés, extravagance sexuelle...

La mélancolie (ou accès mélancolique) est la forme la plus grave de la dépression; elle associe une profonde douleur morale, une inhibition psychique et physique. Le risque suicidaire est très important. Le mélancolique exprime souvent des idées d'incurabilité, de culpabilité (auto-accusation) et le désir de subir un châtiment jugé mérité.

Les épisodes maniaques ou mélancoliques durent environ six mois, mais sont réduits à un mois sous traitement. L'hospitalisation, toujours nécessaire, permet la mise en place d'un traitement sédatif (pour l'accès maniaque) ou antidépresseur (pour l'accès mélancolique). La prévention de ces accès est efficacement réalisée par les sels de lithium.

PSYCHOTHÉRAPIE

C'est l'ensemble des moyens très divers par lesquels il est possible d'agir sur l'esprit malade ou le corps malade par la communication, principalement verbale (écoute, conseil, encouragement, soutien, suggestion, déconditionnement, analyse du présent et du passé, des sentiments et des émotions, du conscient et de l'inconscient).

PUÉRICULTURE
Voir page 370

PURPURA

Le purpura est une tache cutanée rouge pourpre qui devient violette, puis brunâtre ou jaunâtre en vieillissant. Les taches, en nombre variable, peuvent être arrondies et très petites : ce sont les pétéchies; ou bien elles réalisent des nappes de grande dimension : les ecchymoses.

Le purpura correspond à une hémorragie cutanée par la sortie de globules rouges à l'extérieur des vaisseaux, dans le derme. Elle peut être secondaire à une anomalie d'un composant du sang circulant, ou à des altérations de la paroi des vaisseaux, survenant au cours de maladies très variées.

PYÉLONÉPHRITE

C'est une inflammation et une infection d'un ou de deux reins. Il en existe deux types : la pyélonéphrite aiguë, qui dure quelques jours, et la pyélonéphrite chronique qui, non traitée, peut durer plusieurs années et parfois provoquer une altération du fonctionnement rénal. Cette dernière peut être fatale.

Ces infections risquent d'être favorisées par d'autres maladies, telles que la cystite ou des malformations congénitales.

PYÉLONÉPHRITE AIGUË

Symptômes
- Douleur brutale dans le dos et sur les côtés, au niveau de la taille, et parfois dans la partie basse de l'abdomen.
- Envie fréquente d'uriner.
- Température souvent élevée, parfois précédée de frissons.
- Les nouveau-nés et les enfants en bas âge ont de la fièvre, éprouvent des malaises et sont pâles.
- Les adultes peuvent présenter des signes de CYSTITE.
- Les femmes enceintes n'ont parfois aucun symptôme, et la maladie est alors découverte durant un examen prénatal.

Durée
- Les antibiotiques permettent la guérison en quatorze jours.

Causes
- Une infection bactérienne, souvent causée par une autre maladie : par exemple une hypertrophie de la PROSTATE, une CYSTITE ou une malformation des voies urinaires présente à la naissance.

Traitement à domicile
- Boire beaucoup.
- Se reposer en restant allongé.
- Soulager la douleur par des analgésiques aux doses recommandées (*voir* MÉDICAMENTS, n° 22). Au lit, surélever les jambes de 15 centimètres.

Quand consulter le médecin
- Si les symptômes mentionnés sont présents.

Rôle du médecin
- Examiner les urines.
- Prescrire des antibiotiques. *Voir* MÉDICAMENTS, n° 25.
- Demander une radiographie des reins et adresser le malade à un spécialiste s'il suspecte une autre maladie.

Prévention
- Traiter les cystites et les autres causes.

Pronostic
- Un traitement à base d'antibiotiques permet la guérison en quelques jours. Lorsque les bactéries résistent aux antibiotiques ou lorsqu'il existe une malformation des voies urinaires, la maladie devient parfois chronique. Les urines seront systématiquement contrôlées en fin de traitement pour s'assurer de la disparition des bactéries.

PYÉLONÉPHRITE CHRONIQUE

Symptômes
Identiques à ceux de la forme aiguë.
- Parfois, une élévation de la tension artérielle ou un mauvais fonctionnement rénal.
- Les nouveau-nés et les jeunes enfants se sentent souvent mal et ne prennent plus de poids.

Durée
- La maladie persiste en général en l'absence de traitement.

Causes
• Les mêmes que celles de la pyélonéphrite aiguë.
• La pyélonéphrite aiguë peut devenir chronique, notamment chez les personnes âgées.
Complications
• Altération des reins chez les personnes jeunes.
• Formation de CALCULS URINAIRES.
Traitement à domicile
• Identique à celui de la pyélonéphrite aiguë.
Quand consulter le médecin
• Si les symptômes réapparaissent ou persistent après deux ou trois semaines de traitement.
Rôle du médecin
• Vérifier la tension artérielle et demander des examens d'urines.
• Demander des radiographies rénales et adresser le patient à un spécialiste pour investigation approfondie.
• Prescrire un régime pauvre en protéines.
Prévention
• S'assurer qu'on a demandé un antibiogramme avec les examens d'urines pour vérifier que le traitement est efficace en cas de CYSTITE ou de pyélonéphrite aiguë.
Pronostic
• Il est généralement bon si les examens d'urines sont bien faits et si le traitement est suivi correctement. Le pronostic est moins bon chez les personnes âgées, si les germes infectants sont résistants aux antibiotiques ou s'il existe des malformations congénitales.

Voir SYSTÈME URINAIRE, *page 46*

QUINCKE (ŒDÈME DE)

Forme d'urticaire ou de réaction allergique : la langue, la gorge, les lèvres et le visage sont tuméfiés. Une injection immédiate d'adrénaline est nécessaire en cas d'œdème grave. La cause est habituellement une piqûre d'abeille, un aliment ou un médicament.

Voir ALLERGIE

QUOTIENT INTELLECTUEL (Q.I.)

Le quotient intellectuel mesure le rapport entre *l'âge mental* (ensemble de tests notés selon le degré de réussite) et *l'âge réel* du sujet. Un Q.I. égal à 100 correspond à la moyenne (ou plus précisément à la médiane). La répartition est la suivante : Q.I. de moins de 70 (débilité, 2 pour 100 de la population); de 70 à 90 (intelligence faible, 23 pour 100); de 90 à 110 (intelligence normale, 50 pour 100); de 110 à 130 (intelligence supérieure, 23 pour 100); de plus de 130 (intelligence exceptionnelle, 2 pour 100).

RACHITISME

Maladie de l'enfant caractérisée par des anomalies de la croissance osseuse : les os sont mous, fragiles et déformés. Le rachitisme est dû à une carence en vitamine D, responsable d'un défaut de calcification des os. Cette maladie est devenue rare en Europe grâce à la qualité actuelle de la nutrition. Elle reste fréquente dans les pays pauvres.
Symptômes
• L'enfant est en mauvais état de santé : fatigue, douleurs osseuses.
• Bosse frontale.
• Déformation des os : jambes arquées, genoux noueux.
• Aspect bossu.
• Bassin déformé.
• Tuméfaction des os, en particulier des côtes (ce que l'on appelle le « chapelet costal »).
• Fractures fréquentes.
• Retard de la première dentition.
Durée
• Le rachitisme persiste tant que de la vitamine D n'est pas prescrite.
Causes
• Alimentation carencée en vitamine D.
• Exposition au soleil insuffisante. Les ultraviolets sont nécessaires à la fabrication de la vitamine D au niveau de la peau.
• Troubles digestifs empêchant l'absorption des aliments contenant de la vitamine D (MALADIE CŒLIAQUE).
Complications
• Déformations osseuses définitives : jambes arquées, gros genoux, dos bossu, thorax déformé.
• Chez la fille, des déformations du bassin peuvent avoir pour conséquences, à l'âge adulte, des difficultés à l'accouchement, le bébé ne pouvant passer dans le pelvis déformé.
Traitement à domicile
• Aucun. Si vous suspectez un rachitisme chez votre enfant, consultez votre médecin.
Quand consulter le médecin
• Si les os des poignets, des genoux, des chevilles sont douloureux.
• Si les jambes et les genoux paraissent déformés, tordus. Ces déformations ne sont pas forcément dues au rachitisme, mais doivent inciter à consulter le médecin.
Rôle du médecin
• Faire pratiquer une radiographie des os et des articulations, et des dosages sanguins pour confirmer le diagnostic.
• Prescrire de la vitamine D.
• Prescrire un régime alimentaire équilibré.
• Adresser l'enfant à l'hôpital pour la rééducation.
Prévention
• Elle doit être systématique : tout enfant doit recevoir une quantité suffisante de vitamine D.
• L'alimentation doit être parfaitement équilibrée et apporter du lait, des matières grasses et de la vitamine D.
• Les enfants qui ont vécu dans des pays ensoleillés ou en sont issus et qui arrivent dans un pays tempéré ou nordique où le soleil manque ont un risque élevé de devenir rachitiques et doivent recevoir des suppléments de vitamine D.
Pronostic
• Le pronostic est bon si le diagnostic est établi suffisamment tôt et le traitement par la vitamine D immédiatement entrepris. Sinon, des déformations peuvent persister.

Voir SYSTÈME DIGESTIF, *page 44*
ALIMENTATION SAINE

RADIESTHÉSIE

Art de détecter — en utilisant des baguettes de noisetier — les sources d'eau souterraines. Bien qu'inexpliquée, la radiesthésie a été pratiquée pendant des siècles. Elle s'est développée en Europe au début des années 1900 pour tenter de diagnostiquer des maladies.

Les praticiens utilisent un pendule, plutôt qu'une baguette de noisetier, au-dessus d'une mèche de cheveux, de morceaux d'ongles, ou de sang du malade. Les mouvements du pendule indiqueraient la nature et la localisation de la maladie, et suggéreraient les remèdes possibles.

Quelques médecins utilisent la radiesthésie, mais cette pratique est désapprouvée par le corps médical.

RAGE

Infection dangereuse, due à un virus transmis par morsure d'animaux infectés, en particulier les chiens et les renards. Le virus de la rage gagne le cerveau, où il provoque une ENCÉPHALITE. Plus la morsure est proche du cerveau (sur le visage ou sur le cou, par exemple), plus rapide doit être le traitement pour prévenir la maladie. Avant l'apparition des symptômes, la morsure guérit habituellement mais demeure rouge et inflammatoire. Une fois les symptômes installés, le traitement est inefficace et le patient meurt en quatre jours. La rage existe dans la plupart des régions du monde, à l'exception de la Grande-Bretagne, la Scandinavie, l'Australie, le Japon et l'Antarctique. Environ 15 000 cas sont recensés chaque année.

Symptômes

- Fièvre, mal de tête, de gorge, douleurs musculaires, suivis de douleur ou d'engourdissement de la région atteinte.
- Un à quatre jours plus tard, le patient devient agité.
- Confusion mentale et hallucinations apparaissent alors.
- Spasmes musculaires, raideur du cou et du dos, convulsions des régions paralysées.
- Salivation très abondante avec difficultés à avaler, pouvant provoquer l'apparition d'écume dans la bouche.
- Spasme douloureux de la gorge, avec réaction de terreur lorsqu'on essaye d'avaler des liquides.

Période d'incubation

- Dix jours à un an, mais habituellement vingt à quatre-vingt-dix jours.
- Le délai est plus court quand la personne est mordue au visage (enfants par exemple).

Causes

- Le virus de la rage.

Quand consulter le médecin

- Immédiatement en cas de morsure par un animal présumé enragé.

Rôle du médecin

- Le traitement dépend du risque de la rage. Si la maladie est signalée dans la région, toute personne mordue doit consulter un vétérinaire ou un médecin.
- Une série d'injections seront nécessaires avant le développement des symptômes, le plus rapidement possible, si le risque de rage est confirmé et si l'animal n'était pas vacciné.

Prévention

- Elle passe par la vaccination, avec un rappel chaque année, de tous les animaux domestiques (chevaux, vaches, moutons, chèvres, chats, chiens) vivant en zone dangereuse. Dans certains pays, la législation exige d'abattre tout animal errant non vacciné.
- Les personnes exposées au risque de la rage, les vétérinaires par exemple, devraient être vaccinés.

RAYNAUD (SYNDROME DE)

Affection des mains, des doigts et des pieds, qui frappe des personnes anormalement sensibles au froid.

Symptômes

- Les mains, les doigts, et parfois les pieds, deviennent blancs puis bleu violacé. Quand la circulation revient, la peau rougit.
- Fourmillements, douleur parfois vive.

Durée

- Environ 15 à 30 minutes.

Causes

- Spasmes des petites artères apportant le sang aux mains; rôle essentiel du froid, rôle accessoire de l'effort (serrer, porter des objets).
- On peut découvrir des désordres sous-jacents : CÔTE CERVICALE comprimant une artère du cou; artères enflammées par une autre maladie; paralysie nerveuse; utilisation d'appareils à vibrations; médicaments contre l'hypertension; usage du tabac.

Complications

- En cas de maladie sous-jacente associée, les extrémités des doigts peuvent s'ulcérer, s'atrophier, et même présenter une GANGRÈNE.

Traitement à domicile

- Réchauffer les mains, les pieds, le corps tout entier.
- Laisser pendre les mains.

Quand consulter le médecin

- Quand les mains deviennent blanches, bleues, rouges au froid.

Rôle du médecin

- Faire des tests sanguins pour dépister une maladie sous-jacente; demander des radiographies.
- Prescrire des médicaments provoquant une dilatation des vaisseaux. *Voir* MÉDICAMENTS, n° 8.

Prévention

- Éviter l'exposition au froid, porter des gants de laine et des bottines fourrées en hiver, éviter le tabac.

Pronostic

- S'il n'y a pas de maladie sous-jacente, l'affection a une évolution anodine, mais tenace.

Voir SYSTÈME CIRCULATOIRE, *page 40*

RÉANIMATION
Voir page 430

RÉGIME

Ensemble des aliments consommés par une personne. Un régime équilibré contient les différents aliments nécessaires pour le maintien d'une bonne santé.

RÉGIME MACROBIOTIQUE

Alimentation basée sur les principes du bouddhisme zen et du taoïsme. L'un des objectifs du régime macrobiotique est de libérer l'esprit de l'individu pour qu'il se consacre aux seules « lumières de l'esprit ». L'autre objectif est d'équilibrer dans la nourriture les « forces de vie positives et négatives », *yin* et *yang*, auxquelles croient les taoïstes.

L'alimentation macrobiotique repose sur des blés complets, des céréales, des pousses, des sauces de soja. La viande est limitée ou supprimée, de même que les aliments traités.

Poussés à l'extrême, ces régimes non équilibrés créent des déficits graves en vitamines, en particulier en vitamines B12 et C.

RÉGIME VÉGÉTARIEN

Les végétariens justifient leurs habitudes alimentaires de la façon suivante : d'abord parce qu'il n'est pas moral de consommer de la viande animale que l'on obtient en étant cruel à l'égard de créatures vivantes; ensuite parce que la viande ne fait pas partie de l'alimentation naturelle et qu'elle peut être nocive. Ils justifient ce dernier argument par les études de certains anthropologues, qui ont constaté que pendant la plus grande partie de son évolution l'homme s'est nourri de fruits et de végétaux.

Le régime végétarien est parfois justifié par des constatations scientifiques : la nourriture moderne, riche en graisses animales, en cholestérol et pauvre en fibres végétales, a favorisé un certain nombre de maladies, en particulier les maladies cardiaques et les cancers du tube digestif, alors que les régimes végétariens sont pauvres en cholestérol et riches en fibres.

La plupart des végétariens s'abstiennent de consommer de la viande et du poisson mais s'autorisent des produits d'origine animale : œufs, lait, fromage et beurre. Ces produits contiennent suffisamment de protéines, de calcium et de vitamine B pour que le régime soit équilibré.

Les végétaliens, qui excluent tout produit d'origine animale de leur alimentation, manquent de vitamines et de minéraux, à moins qu'ils ne consomment suffisamment de noix, de céréales complètes et de légumes.

Voir ALIMENTATION SAINE

RÉGURGITATION

C'est le reflux d'aliments de l'estomac vers l'œsophage, provoquant une inflammation.

Symptômes

- Sensation de brûlure derrière le sternum, pouvant remonter jusqu'au fond de la gorge, accompagnée d'une éructation (un rot) et d'un reflux acide, et parfois de débris alimentaires.

Durée

- Sans traitement, les symptômes persistent.

Causes

- Un relâchement des muscles de la portion inférieure de l'œsophage. Ils ne peuvent plus empêcher le reflux acide d'origine gastrique.
- Un excès alimentaire ou de boissons alcoolisées.
- Le port de corsets ou de ceintures serrés.
- Se pencher en avant ou rester allongé entraîne une pression sur l'estomac vers l'œsophage.

Complications

- ŒSOPHAGITE peptique ou avec reflux. La muqueuse de l'œsophage devient inflammatoire et ulcérée sous l'action du suc gastrique.
- Un rétrécissement de l'œsophage peut survenir.
- Des petites hémorragies peuvent entraîner une ANÉMIE.

Traitement à domicile

- Ne pas porter des vêtements trop serrés et éviter de se pencher en avant. Essayer plutôt de s'accroupir.
- Prendre des repas légers et garder le corps droit.
- Éviter un excès de poids.
- Prendre des boissons lactées et antiacides, et des médicaments antiacides. *Voir* MÉDICAMENTS, n° 1.

Rôle du médecin

- Prescrire des antiacides. Si les symptômes persistent, adresser le patient à l'hôpital pour un examen radiologique de l'œsophage et de l'estomac, avec ingestion d'un liquide baryté afin de localiser la lésion.

Prévention

- Éviter de trop manger, de boire trop d'alcool.
- Ne pas porter de vêtements serrés.

Voir SYSTÈME DIGESTIF, *page 44*

LA RÉANIMATION

Comment fonctionne une unité de soins intensifs

Un traumatisme sévère, une opération chirurgicale majeure ou une maladie grave peuvent soumettre le malade à une surveillance médicale de tous les instants, jour et nuit. C'est à l'unité de soins intensifs de procurer cette surveillance. Chaque patient de l'unité est relié à une batterie d'appareils électroniques qui mesurent les fonctions vitales et éventuellement les assistent. Une infirmière assure une permanence pour contrôler les appareils, surveiller le malade et intervenir si nécessaire.

Les appareils utilisés dans une unité de soins intensifs varient d'un hôpital à l'autre et en fonction de l'état du patient, mais deux appareils se retrouvent dans la plupart des cas : l'électrocardioscope et le ventilateur artificiel. L'électrocardioscope donne une information continue sur le rythme et la fréquence cardiaques. Au cas où survient une anomalie, l'infirmière peut, à l'aide d'une sonnette d'alarme, appeler le médecin afin qu'il entreprenne le traitement approprié. Parfois, le médecin pourra se servir d'un défibrillateur — appareil avec lequel on va redonner au cœur une contraction régulière en lui envoyant une décharge électrique contrôlée. Le ventilateur artificiel aide le patient à respirer en insufflant de manière intermittente un mélange d'air et d'oxygène dans les poumons.

En outre, la plupart des unités possèdent des appareils pour enregistrer en permanence la pression sanguine artérielle ou veineuse. Ils sont connectés à de petits tuyaux insérés dans les vaisseaux, en général au poignet pour une artère, au cou ou dans le thorax pour une veine. On utilise des perfusions pour remplacer les pertes en sang ou en liquides ou pour nourrir le malade par voie intraveineuse. Le liquide gastrique peut être drainé hors de l'estomac par un tube introduit dans la narine, et les sécrétions pulmonaires sont retirées à l'aide d'une sonde introduite de temps à autre dans la trachée.

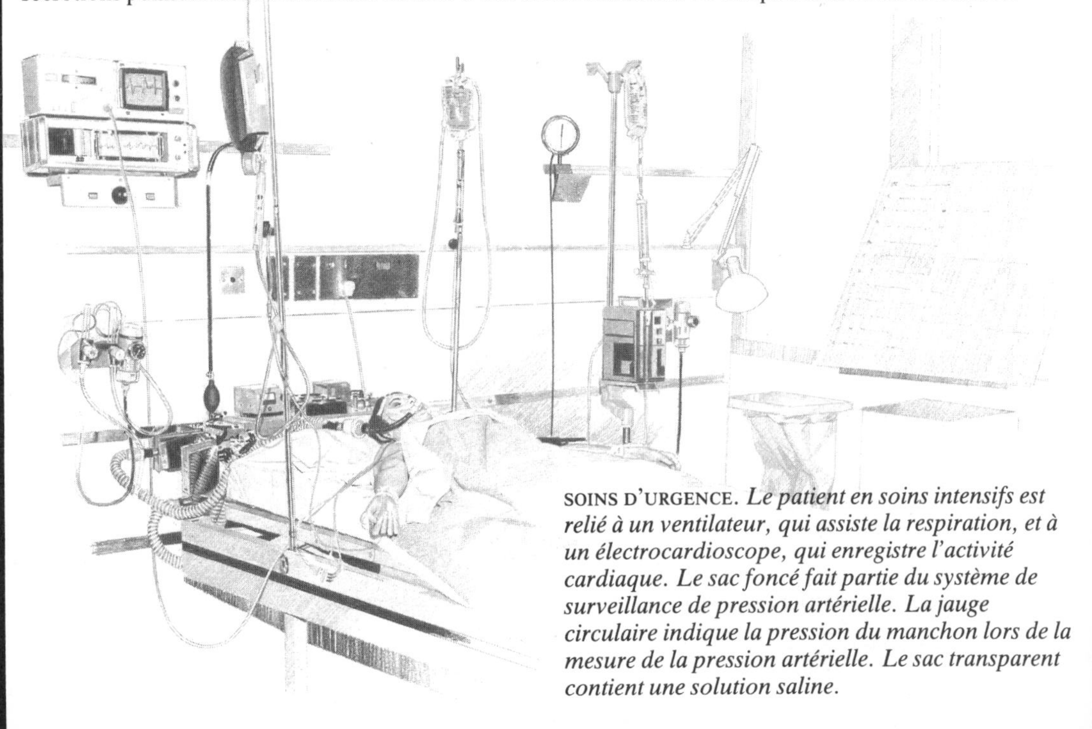

SOINS D'URGENCE. *Le patient en soins intensifs est relié à un ventilateur, qui assiste la respiration, et à un électrocardioscope, qui enregistre l'activité cardiaque. Le sac foncé fait partie du système de surveillance de pression artérielle. La jauge circulaire indique la pression du manchon lors de la mesure de la pression artérielle. Le sac transparent contient une solution saline.*

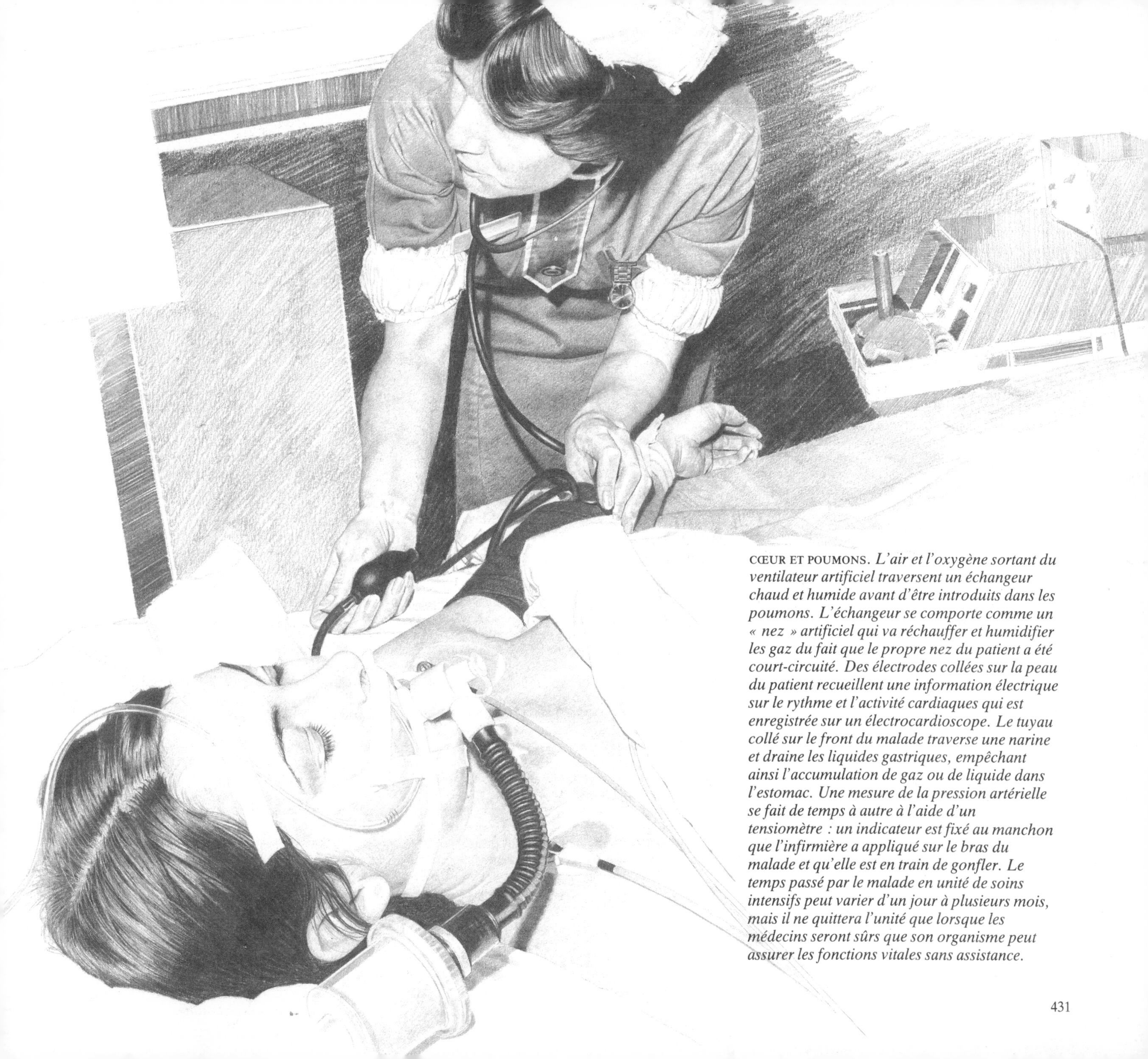

CŒUR ET POUMONS. *L'air et l'oxygène sortant du ventilateur artificiel traversent un échangeur chaud et humide avant d'être introduits dans les poumons. L'échangeur se comporte comme un « nez » artificiel qui va réchauffer et humidifier les gaz du fait que le propre nez du patient a été court-circuité. Des électrodes collées sur la peau du patient recueillent une information électrique sur le rythme et l'activité cardiaques qui est enregistrée sur un électrocardioscope. Le tuyau collé sur le front du malade traverse une narine et draine les liquides gastriques, empêchant ainsi l'accumulation de gaz ou de liquide dans l'estomac. Une mesure de la pression artérielle se fait de temps à autre à l'aide d'un tensiomètre : un indicateur est fixé au manchon que l'infirmière a appliqué sur le bras du malade et qu'elle est en train de gonfler. Le temps passé par le malade en unité de soins intensifs peut varier d'un jour à plusieurs mois, mais il ne quittera l'unité que lorsque les médecins seront sûrs que son organisme peut assurer les fonctions vitales sans assistance.*

RESPIRATION (TROUBLES DE LA)

La respiration peut subir différentes modifications, chacune étant le symptôme d'une maladie. Elle peut être courte ou superficielle (ANXIÉTÉ), douloureuse (EMBOLIE PULMONAIRE) ou bruyante (ASTHME).

RESPIRATION SUPERFICIELLE
Le terme médical en est l'« hyperventilation ». Il s'agit d'une respiration haletée ou d'une impression de manquer d'air. Les personnes sujettes à l'ANXIÉTÉ ont toujours tendance à hyperventiler, ce qui peut entraîner des perturbations chimiques du sang, suffisantes pour produire des symptômes durables.

Le patient ne comprend pas toujours la relation entre l'hyperventilation et les symptômes, mais la démonstration peut être apportée par l'exercice suivant : le médecin lui demande de respirer profondément et rapidement pendant plusieurs minutes. Si les mêmes symptômes surviennent au cours de cet exercice, le diagnostic est confirmé, et la cause de l'hyperventilation est évidente. Certains individus sont particulièrement vulnérables. Les symptômes peuvent débuter par une douleur, une anxiété importante ou une modification brusque de l'humeur. Un cercle vicieux s'installe, car l'anxiété est exacerbée par l'apparition des symptômes de l'hyperventilation. Une personne seule ne devrait pas hyperventiler de façon délibérée; toutefois, les plongeurs sous-marins expérimentés le font avant d'aller sous l'eau.

Symptômes
- Une sensation d'ébriété, un léger mal de tête et une difficulté à se concentrer.
- Une fatigue et un manque d'énergie.
- Des picotements ou un engourdissement dans les mains, les pieds et sur le visage. Dans les cas sévères, les muscles se raidissent automatiquement, particulièrement ceux du visage, des avant-bras et des mains.
- Une prise de conscience du battement cardiaque, qui est parfois accéléré.
- Un bâillement, des soupirs et une bouche sèche.
- Une impression de difficulté à respirer (un « manque d'air »), alors que le patient, au contraire, respire trop profondément et trop vite.
- Si l'hyperventilation persiste, le patient peut s'écrouler et paraître très malade.

Durée
- Une anxiété persistante peut créer des symptômes pendant plusieurs mois, voire plusieurs années.

Causes
- Une douleur vive, notamment une lombalgie. *Voir* DOS (DOULEURS DU). Des douleurs menstruelles.
- Anxiété ou choc brutal.

Traitement à domicile
- Essayer de calmer le patient.
- Le faire inspirer et expirer dans un sac en papier.

Quand consulter le médecin
- Lorsque les symptômes s'aggravent.

Rôle du médecin
- Examiner le cœur et les poumons, et vérifier l'absence de pathologie.
- Prescrire des tranquillisants légers.
- Essayer de comprendre la cause de l'anxiété ou de la douleur favorisant l'hyperventilation. Encourager le patient à contrôler lui-même sa respiration.

Pronostic
- L'hyperventilation n'est pas dangereuse à long terme. Le patient doit pouvoir guérir complètement.

Voir SYSTÈME RESPIRATOIRE, *page 42*
LISTE DES SYMPTOMES (RESPIRATION)

RÉTRÉCISSEMENT AORTIQUE

Rétrécissement ou sténose de la valvule sigmoïde aortique (entre le ventricule gauche et l'aorte). Dans le rétrécissement aortique, les valves deviennent fibreuses ou calcifiées et ont tendance à se souder entre elles. Les conséquences sont une diminution du débit sanguin, des troubles de la circulation cérébrale et coronaire en particulier, et la situation évolue vers l'INSUFFISANCE CARDIAQUE.

Le rétrécissement aortique peut être congénital, mais le plus souvent il est acquis : consécutif au RHUMATISME ARTICULAIRE AIGU ou à l'ATHÉROME. Le rétrécissement aortique peut être associé à une INSUFFISANCE AORTIQUE ou à une autre valvulopathie.

Symptômes
- ANGINE DE POITRINE.
- Difficultés à respirer (DYSPNÉE) pour des efforts importants au début, puis pour des efforts de plus en plus minimes. Risque d'œdème aigu du poumon.
- Sensations vertigineuses, troubles visuels ou syncopes à l'effort (par chute du débit sanguin cérébral).
- Souffle cardiaque systolique à l'auscultation.

Durée
- Non traités, les symptômes persistent et peuvent s'aggraver.

Causes
- Anomalie congénitale (rare).
- Rhumatisme articulaire aigu de l'enfance (un cas sur deux environ).
- Athérome.

Traitement à domicile
- Éviter les efforts violents.
- Prudence aux changements de position.

Quand consulter le médecin
- En cas de douleurs thoraciques, de difficultés à respirer ou de malaises au cours d'un effort.
- Si le rétrécissement aortique est déjà connu, en cas de modification des symptômes, par exemple devant l'apparition d'une angine de poitrine ou l'aggravation d'une dyspnée, d'une syncope.

Rôle du médecin
- Affirmer l'existence de la valvulopathie et apprécier sa sévérité. Cela requiert un certain nombre d'examens complémentaires (radiologiques, électrocardiographiques, échographiques, etc.).
- La chirurgie est le seul traitement radical. Elle consiste en un remplacement valvulaire par bioprothèse ou prothèse métallique (à bille ou à disque). C'est une chirurgie délicate, à cœur ouvert et sous circulation extracorporelle. Ses indications doivent être soigneusement pesées.
- Les porteurs de rétrécissement aortique sont exposés au risque d'ENDOCARDITE. D'où la nécessité d'un traitement antibiotique en cas d'agression infectieuse (extraction dentaire, par exemple).

Pronostic
- Un rétrécissement aortique peu important peut être bien toléré pendant des années.
- Un rétrécissement plus serré (qui devient symptomatique) aboutit en quelques années à l'insuffisance cardiaque, avec risque permanent d'infarctus ou de mort subite par syncope. La chirurgie devient donc indispensable, en principe dès que les symptômes apparaissent.
- Une fois l'opération effectuée, l'évolution de la maladie est interrompue.

Voir SYSTÈME CIRCULATOIRE, *page 40*

RÉTRÉCISSEMENT MITRAL

Affection valvulaire cardiaque, qui consiste en une sténose de la valvule mitrale (entre l'oreillette et le ventricule gauches). Dans le rétrécissement mitral, l'orifice valvulaire se trouve considérablement réduit.

Du fait de cette sténose, le sang a tendance à stagner en amont, c'est-à-dire au niveau de l'oreillette gauche et des poumons. Il s'agit d'une maladie à prédominance féminine, qui se révèle dans la deuxième enfance ou à l'âge adulte. Elle est presque toujours due au RHUMATISME ARTICULAIRE AIGU.

Symptômes

- Difficultés à respirer principalement en cas d'effort (DYSPNÉE).
- Toux. Parfois hémoptysie (crachats contenant du sang d'origine pulmonaire).
- Surinfections bronchiques fréquentes.
- Œdème aigu du poumon, embolie pulmonaire.
- Douleurs thoraciques à l'effort (ANGINE DE POITRINE).
- Troubles du rythme cardiaque.

Durée

- Maladie permanente, d'aggravation progressive en l'absence de traitement.

Causes

- La maladie est habituellement due au rhumatisme articulaire aigu (mais parfois, celui-ci est passé inaperçu pendant l'enfance).
- La période de latence entre le rhumatisme articulaire et l'apparition des symptômes de rétrécissement mitral peut atteindre vingt ans.
- Le rétrécissement mitral est la valvulopathie la plus fréquente après un rhumatisme articulaire aigu. *Voir* INSUFFISANCE MITRALE.

Complications

- Troubles du rythme cardiaque (FIBRILLATION AURICULAIRE en particulier).
- EMBOLIES PULMONAIRES ou artérielles.
- ŒDÈME aigu du poumon.
- BRONCHITE chronique.
- INSUFFISANCE CARDIAQUE.
- ENDOCARDITE, comme dans toutes les valvulopathies.
- Le risque de complications est augmenté en cas de grossesse.

Traitement à domicile

- Aucun.

Quand consulter le médecin

- En cas de symptômes pulmonaires (toux, dyspnée, hémoptysies) inexpliqués.

Rôle du médecin

- Une fois le diagnostic affirmé, il faut évaluer l'importance du rétrécissement à l'aide de certains examens complémentaires (radiographies, électrocardiogramme, échographie, phonocardiogramme, cathétérisation cardiaque).
- En cas de rétrécissement mitral peu serré et bien toléré, un traitement médicamenteux et une surveillance peuvent suffire.
- En cas de rétrécissement mitral serré, une intervention chirurgicale s'impose.

Prévention

- Celle du rhumatisme articulaire aigu.

Pronostic

- Un rétrécissement mitral peu serré est compatible avec une survie sans gêne importante, et cela sans qu'une intervention soit nécessaire.
- Mais si le rétrécissement est plus serré, la chirurgie s'impose avant que n'apparaissent des complications graves. Le traitement chirurgical donne d'excellents résultats en général.

Voir SYSTÈME CIRCULATOIRE, *page 40*

RÉTRÉCISSEMENT TRICUSPIDIEN

Affection valvulaire qui consiste en une sténose de la valvule tricuspide. Celle-ci est située entre l'oreillette droite et le ventricule droit; elle est formée de trois valves. Dans le rétrécissement tricuspidien, l'orifice valvulaire se trouve considérablement réduit. De ce fait, le sang a tendance à stagner en amont, au niveau de l'oreillette droite et de la circulation veineuse.

Le rétrécissement tricuspidien est une valvulopathie rare. Elle est presque toujours due au RHUMATISME ARTICULAIRE AIGU. Dans la majorité des cas, elle s'associe à un RÉTRÉCISSEMENT MITRAL, parfois accompagné lui aussi d'un RÉTRÉCISSEMENT AORTIQUE.

Les symptômes du rétrécissement tricuspidien consistent en des œdèmes périphériques et des douleurs hépatiques à l'effort. Il existe un roulement diastolique à l'auscultation cardiaque.

Le traitement est chirurgical.

Voir SYSTÈME CIRCULATOIRE, *page 40*

RÉTROVERSION DE L'UTÉRUS

Le corps de l'utérus s'oriente en arrière alors qu'habituellement il est orienté vers l'avant. Cet état est fréquent (20 pour 100 des femmes) et apparaît dès la naissance. Il ne nécessite aucun traitement. Il n'est qu'exceptionnellement cause d'infertilité.

Durant les trois premiers mois de la grossesse, un utérus rétroversé peut poser de petits problèmes sans gravité.

Symptômes

- Il n'y a habituellement pas de troubles.
- Exceptionnellement sont signalées des douleurs du bas du dos, surtout au moment des règles.
- Au premier trimestre de la grossesse, difficultés à l'émission des urines.

Durée

- Cet état persiste durant toute la vie.

Causes

- Dans la majorité des cas (ceux qui apparaissent dès la naissance), il n'y a pas de causes connues à cette anomalie du développement de l'utérus.
- Dans quelques cas, une rétroversion peut apparaître après une grossesse ou une infection du petit bassin.

Traitement à domicile

- Il n'y en a pas de connu.

Quand consulter le médecin

- En cas de douleurs du bas du dos qui s'accentuent au moment des règles.
- Si, durant la grossesse, se manifestent des troubles urinaires, en particulier en cas de rétention d'urine.

Rôle du médecin

- Il pratique un examen gynécologique; dans certains cas, il envisagera d'essayer de replacer l'utérus en avant.
- S'il n'y arrive pas, ou si l'utérus une fois replacé retombe dans sa position postérieure, il conseillera une consultation auprès d'un gynécologue.
- Si le gynécologue pense que la rétroversion est la cause de la douleur ou de l'infertilité, une intervention pourra être envisagée.

Pronostic

- La plupart des femmes porteuses d'une rétroversion de l'utérus n'ont habituellement pas de problèmes.

Voir ORGANES GÉNITAUX FÉMININS, *page 48*

RHINITE

Inflammation du tissu de revêtement des fosses nasales. L'air inspiré étant sec et irritant, cette couche cellulaire a pour fonction de l'humidifier, et ainsi de protéger la gorge, la trachée et les bronches. Des petits poils situés à l'entrée des fosses nasales jouent le rôle de filtre. Mais des impuretés peuvent s'introduire; elles sont alors éliminées lorsque la personne se mouche. L'inflammation bouche le nez, qui coule et paraît tuméfié. L'excès de mucus produit s'écoule par le nez mais se déverse également dans l'arrière-gorge, provoquant un mal de gorge et une toux. La rhinite peut se révéler sous trois formes : aiguë (*voir* RHUME), chronique, et enfin allergique; cette dernière forme est aussi appelée « rhume des foins ».

RHINITE CHRONIQUE

L'inflammation est habituellement due à des substances irritantes comme la poussière et la fumée.

Symptômes
- Accès fréquents de toux.
- Écoulement nasal récidivant.
- Nez bouché. Au début, ce phénomène est intermittent, et il est aggravé quand la personne est couchée.
- Maux de tête.
- Respiration par la bouche et ronflement.
- Perte de l'odorat.

Durée
- Cette affection persiste tant que la substance irritante est présente

Causes
- L'alcool, même en quantité modérée.
- Certaines gouttes pour le nez.
- Exposition à la poussière, au pollen, aux vapeurs chimiques de l'atmosphère; certains cosmétiques, des fumées, notamment la fumée du tabac.
- Une atmosphère très sèche.

Complications
- La SINUSITE chronique est fréquente.

Traitement à domicile
- Des inhalations à base de cristal de menthol, d'eucalyptus ou de balsamine peuvent calmer.
- L'alcool peut aggraver l'affection.
- Ne pas employer des gouttes pour le nez, car un certain nombre d'entre elles contiennent des produits pouvant apparaître efficaces au début, mais aggravant les symptômes par la suite.
- Prendre des analgésiques aux doses recommandées. *Voir* MÉDICAMENTS, n° 22.

Quand consulter le médecin
- Si les analgésiques ne soulagent pas le mal de tête.
- Si les symptômes persistent lorsque l'exposition aux irritants a cessé, ou en cas de faiblesse.
- Si une narine est bouchée continuellement (signe éventuel de la présence d'un polype).
- Si une surdité apparaît.

Rôle du médecin
- Examiner le nez, les oreilles et la gorge, et conseiller un test de sensibilité allergique.
- En cas de POLYPE NASAL ou autre complication, envoyer le patient à un spécialiste.
- Prescrire des médicaments antihistaminiques, ou des stéroïdes, ou encore du cromoglycate. Ils doivent être pris sous contrôle médical. *Voir* MÉDICAMENTS, n°s 12, 13, 14, 41.

Prévention
- Au contact de substances irritantes, port d'un masque.
- Ne pas fumer et éviter les lieux enfumés.

Pronostic
- Bien que la rhinite chronique ne soit pas grave, elle peut être extrêmement gênante et tenace. Souvent, les symptômes apparaissent et disparaissent pendant plusieurs mois, voire plusieurs années.
- Les symptômes s'améliorent souvent avec l'âge.
- Un soulagement après une période d'anxiété est souvent suivi d'amélioration marquée des symptômes.
- Si le patient évite les substances irritantes, les symptômes s'améliorent.

RHINITE ALLERGIQUE

En dépit de son nom — « rhume des foins » —, cette affection n'est jamais due au contact avec le foin.

Symptômes
- La plupart des symptômes sont identiques à ceux de la rhinite chronique; toutefois, ils ont un caractère saisonnier (le printemps et l'été). En plus, il peut exister :
- Un éternuement.
- Une irritation et un écoulement oculaires.
- Un mal de gorge.
- D'autres affections allergiques associées, comme l'ECZÉMA ou l'ASTHME.
- Les symptômes peuvent s'aggraver la nuit à cause de la poussière de la literie.

Durée
- Les premiers symptômes apparaissent souvent à l'adolescence.
- La rhinite allergique saisonnière apparaît toujours à la même saison, chaque année.
- En contact permanent avec la substance allergène, le patient présente des symptômes toute l'année.

Causes
- Elle peut être familiale et héréditaire.
- Certaines herbes, graines et arbres, dont la pollinisation dépend des vents, envoient leur pollen dans l'air. L'ALLERGIE aux pollens se manifeste durant la saison pollinique : au printemps et au début de l'été.
- L'allergie aux poussières domestiques ou aux acariens (petits insectes présents dans chaque maison) provoque des symptômes durant toute l'année.
- Les animaux, les oiseaux, les moisissures, les plantes ou les produits chimiques peuvent également provoquer des allergies chez certaines personnes.
- Souvent, on ne trouve aucune cause.
- Une tension émotionnelle est un facteur d'aggravation de la rhinite allergique.

Traitement à domicile
- Des préparations antihistaminiques peuvent soulager. *Voir* MÉDICAMENTS, n° 14.
- Des bains oculaires peuvent soulager l'irritation des yeux.

Quand consulter le médecin
- Si les symptômes sont sévères au point d'entraver la vie scolaire ou professionnelle.
- Si une seule narine est bouchée.
- Si les symptômes sont saisonniers, il peut être utile de discuter avec le médecin de l'opportunité d'une désensibilisation.

Rôle du médecin
- Prescrire des antihistaminiques ou d'autres médicaments pour soulager (ils peuvent provoquer une somnolence).
- Prescrire aussi du cromoglycate en spray nasal, en inhalateur, ou des collyres oculaires pour tenter de prévenir les symptômes.
- Dans certaines circonstances, ordonner des tests cutanés pour déterminer les causes de l'allergie. Ces tests seront toujours suivis d'une série d'injections désensibilisantes.
- Administrer parfois des stéroïdes en spray nasal ou en inhalateur. *Voir* MÉDICAMENTS, n°s 14, 41.

Prévention
- Éviter l'exposition aux pollens ou aux substances allergènes, si elles sont connues.
- Enlever les meubles poussiéreux et moisis.
- Passer souvent l'aspirateur.
- Écarter les animaux domestiques du foyer.
- Éviter de couper l'herbe ou des fleurs durant la saison pollinique.
- Éviter les jouets qui amassent les poussières et ne peuvent être nettoyés.
- Éviter les fumées de tabac.
- Dans la chambre à coucher : utiliser des oreillers en mousse; ôter la poussière tous les deux jours; n'utiliser qu'un minimum de meubles.

Pronostic
- En évitant les substances allergènes connues, les symptômes peuvent disparaître.
- Les symptômes diminuent généralement avec l'âge (après vingt ans).

Voir SYSTÈME RESPIRATOIRE, *page 42*

RHINOPHYMA

Tuméfaction du nez, qui prend un aspect bosselé et violacé, et qui accompagne souvent l'acné ROSACÉE, une affection caractérisée par des rougeurs intermittentes. Il affecte surtout les hommes. En cas de défiguration importante, une CHIRURGIE PLASTIQUE est à envisager.

RHUMATISME ARTICULAIRE AIGU

Inflammation du cœur consécutive à une infection du pharynx ou des amygdales par un streptocoque. Le rhumatisme articulaire aigu est une maladie de l'enfant socialement défavorisé. Naguère fréquente, l'affection a presque disparu au Canada alors qu'elle sévit encore en Afrique du Nord, par exemple.

Symptômes
- Fièvre élevée.
- Fatigue générale intense.
- Gonflement très douloureux des articulations des membres. Concerne habituellement plus d'une articulation, mais pas nécessairement en même temps.
- Possibilité d'éruption cutanée et présence de nodules durs sur le tronc, les membres, et près des articulations.
- Une DANSE DE SAINT-GUY peut survenir chez certains enfants à une phase plus tardive.

Durée
- L'évolution pourrait être de plusieurs semaines, mais elle est immédiatement stoppée par le traitement.

Causes
- Le rhumatisme articulaire aigu fait suite, après un délai d'une ou deux semaines, à une infection négligée de la gorge (angine douloureuse) due à une bactérie, le streptocoque A. Il ne survient pas si cette angine est traitée rapidement par l'antibiotique approprié.

Complications
- Sans traitement : nouvelles attaques articulaires ou atteinte progressive des valves du cœur (ENDOCARDITE).

Traitement à domicile
- Appeler sans tarder le médecin devant toute angine rouge et fébrile d'un enfant.

Rôle du médecin
- Garder le jeune patient au lit.
- Donner des médicaments contre la douleur. *Voir* MÉDICAMENTS, n° 22.
- Faire des prélèvements de gorge et de sang.
- Commencer aussitôt un traitement antibiotique.
- Y associer un traitement corticostéroïde si l'attaque articulaire est déjà apparue.
- Hospitaliser l'enfant pendant quelque temps pour une surveillance du cœur lors de la phase aiguë.

Prévention
- Éviter les lieux surpeuplés à risque.
- Signaler les antécédents de rhumatisme articulaire avant tout traitement dentaire (extraction). Prendre des antibiotiques devant tout foyer infectieux, dentaire, rhinopharyngé ou amygdalien.
- Ne jamais négliger une douleur articulaire chez un enfant, surtout si l'articulation est un peu rouge.
- Ne pas parler à la légère de « douleurs de croissance ».

Pronostic
- Les articulations guérissent toujours vite.
- Le cœur peut rester atteint au niveau d'une ou plusieurs valves, mais la maladie valvulaire peut ne devenir apparente que de nombreuses années plus tard, notamment à l'occasion d'une grossesse.
- Une antibiothérapie de longue durée est recommandée.

RHUMATISMES

Terme général pour désigner la douleur, avec ou sans raideur, affectant les muscles et les articulations. Ces problèmes sont rares chez les enfants, mais à partir de l'âge de soixante-quinze ans, la plupart des gens en souffrent. Les rhumatismes englobent beaucoup de maladies, parmi lesquelles l'ARTHROSE, le DOS (DOULEURS DU), la HERNIE DISCALE, l'OSTÉOPOROSE, la POLYARTHRITE RHUMATOÏDE, etc.

RHUME

Infection virale hautement contagieuse, apparaissant toute l'année et plus fréquemment l'hiver. Elle peut être due à de nombreux virus, toujours différents. C'est pourquoi une immunité développée contre une infection donnée ne protège pas contre une autre infection. Certains groupes d'individus y sont particulièrement sensibles : les personnes fragiles et âgées, les bébés et les jeunes enfants. Le virus provoque une inflammation et un œdème des cloisons nasales, mais aussi de la gorge, et souvent des sinus et du larynx.

Le mucus du nez contient des virus, et l'air expiré au cours d'éternuements ou de toux peut infecter d'autres personnes de l'entourage.

Symptômes
- Gorge douloureuse, mal de tête.
- Écoulement nasal, clair et fluide au début, puis plus épais, de couleur verdâtre, bloquant les fosses nasales par la suite. Les éternuements sont fréquents.
- Toux parfois sèche et rauque.
- Manque d'appétit.
- Bien que le patient puisse se sentir fiévreux ou grelottant, la température est normale ou peu élevée.
- Malaise généralisé et fatigue.

Durée
- L'incubation est approximativement de deux jours.
- Les symptômes durent habituellement au moins trois jours et subsistent durant trois à sept jours.
- Le nez peut couler ou paraître bloqué pendant les trois semaines suivantes.

Rhume : le vrai et le faux

☐ *Vrai.* Médicaments et gouttes dans le nez peuvent atténuer l'inconfort.

☐ *Vrai.* Certains médicaments délivrés sans ordonnance sont généralement innoffensifs, mais quelques-uns sont dangereux en cas de diabète, hypertension, ulcère de l'estomac, maladie du cœur ou de la thyroïde.

☐ *Vrai.* Si vous prenez déjà des médicaments pour une autre cause, vérifiez qu'il n'y a pas contre-indication avec les remèdes contre le rhume.

☐ *Vrai.* Les inhalations d'air chaud et humide soulagent.

☐ *Faux.* Les médicaments guérissent un rhume ou raccourcissent sa durée.

☐ *Faux.* La vitamine C est à tout coup efficace pour prévenir ou guérir les rhumes.

Causes
• De nombreux virus.
• Les rhumes ne surviennent pas obligatoirement après une sortie sous la pluie. L'infection a plus de chances de se développer si la résistance du sujet est altérée par une maladie chronique ou une fatigue.
Complications
• Les rhumes peuvent favoriser les infections secondaires des poumons, des sinus ou des oreilles.
Traitement à domicile
• Maintenir la température du patient basse. Bien que le patient puisse ressentir un refroidissement, sa température peut être élevée.
• Ne pas s'emmitoufler avec des vêtements supplémentaires ou des couvertures; ne pas réchauffer la pièce ou rester assis devant un feu de cheminée. Au contraire, laisser le corps perdre l'excès de chaleur. Les bébés devraient rester dans une ambiance tempérée et modérément chauffée, et porter des vêtements aussi légers que possible afin d'éviter une déshydratation et des convulsions.
• Des compresses tièdes peuvent rafraîchir et calmer les enfants.
• Boire de grandes quantités de liquides, en particulier des boissons fraîches. Le manque de nourriture n'est pas important, mais la déshydratation peut renforcer le malaise et peut s'avérer dangereuse chez les bébés. Ceux-ci devraient recevoir de plus grandes quantités d'eau ou de jus de fruits dilués entre les biberons, pour mouiller trois couches au moins en vingt-quatre heures.
• Prendre des analgésiques aux doses recommandées (*voir* MÉDICAMENTS, n° 22).
• Un sirop peut calmer les symptômes d'une toux irritante. *Voir* MÉDICAMENTS, n° 16.
• Des inhalations peuvent aider. Prendre garde à ne pas brûler les enfants avec l'eau bouillante.
• Ne pas fumer, éviter les fumées du tabac.
• Ne pas utiliser de gouttes pour le nez, qui peuvent soulager sur le moment mais provoquent ultérieurement un blocage du nez.
• Une petite promenade peut soulager les symptômes.
• Le sommeil et le repos au lit favorisent la guérison.
Quand consulter le médecin
Les rhumes guérissent spontanément, les médecins ne les guérissent pas. Les antibiotiques (comme la pénicilline) sont sans effet, à moins de complications qui répondent à ces traitements. Mais le médecin devrait être consulté :
• En cas de maladie chronique des poumons, comme l'EMPHYSÈME.
• En cas d'expectoration verte ou jaune.
• Si la température persiste plus de trois jours.
• En cas de douleur ou d'écoulement de l'oreille.
• En cas de douleur quand on se penche en avant.
Pour les enfants, consulter le médecin :
• Si la température ne baisse pas.
• Si l'enfant devient apathique et sans réactions.
• Si l'enfant vomit plus de deux fois.
• Si la respiration devient difficile ou bruyante.
Rôle du médecin
• Rechercher des complications, en particulier pulmonaires, et, chez les enfants, des otites.
• En cas de complications, prescrire des antibiotiques. *Voir* MÉDICAMENTS, n° 25.
Prévention
• Exercice physique régulier.
• Arrêt du tabac.
• Certains recommandent la prise de vitamine C, mais son efficacité n'est pas scientifiquement démontrée.
Pronostic
• Aucun problème à long terme si les complications infectieuses secondaires peuvent être évitées.

Voir SYSTÈME RESPIRATOIRE, *page 42*

RISQUES PROFESSIONNELS ET LIÉS A L'ENVIRONNEMENT

Les maladies professionnelles sont connues depuis l'Antiquité. Certains textes anciens, grecs ou égyptiens, font état de maladies survenant avec prédominance chez les ouvriers (lors de la construction des pyramides, par exemple). Depuis des siècles, on sait que les personnes qui vivent ou travaillent dans certaines conditions sont sujettes à des maladies particulières. Mais les maladies professionnelles n'ont vraiment été reconnues qu'à la fin du XIXe siècle avec l'utilisation des rayons X, permettant de visualiser les lésions pulmonaires. Plus récemment encore, la recherche sur le CANCER a mis en évidence un certain nombre de tumeurs malignes en différents endroits du corps, qui ne s'observent que dans certains métiers précis et en contact avec des substances particulières. Par exemple, le cancer du scrotum survenant chez les ramoneurs (dû à l'action cancérigène des goudrons de la suie) a été décrit au XIXe siècle par un médecin anglais, Percival Pott.

Actuellement, de nombreuses recherches ont mis en évidence de multiples facteurs nocifs d'environnement, tels certains métaux (plomb, mercure, cadmium), des gaz, des insecticides, et même le bruit.

MALADIES DE LA PEAU

Dans l'industrie, de nombreuses substances utilisées sont susceptibles de provoquer une irritation ou une inflammation de la peau pouvant aller jusqu'à l'ALLERGIE (eczéma), ou même l'ulcération. Ces lésions surviennent aussi bien chez les ouvriers qui les fabriquent que chez les utilisateurs. Certains produits agissent par irritation et créent des lésions de la peau (les lessives et détergents, par exemple). D'autres créent une sensibilisation cutanée, et à chaque contact se déclenche une réaction allergique. C'est le cas de certains métaux comme le chrome ou le nickel, qui sont extrêmement allergisants. De nombreux cas d'allergies au ciment (eczéma des mains) chez les maçons sont dus à la présence de petites quantités de ces métaux dans les ciments. Une troisième catégorie de substances est responsable de CANCERS DE LA PEAU, comme par exemple la houille, les goudrons, les radiations ionisantes, et même les rayons ultraviolets.
Lésions cutanées. Certains produits chimiques (incluant les acides forts, les bases, les sels de chrome, d'arsenic ou de mercure) peuvent endommager la peau comme si elle avait été brûlée ou ébouillantée.

Si les couches superficielles de la peau sont seules atteintes, des ampoules (PHLYCTÈNES) apparaissent en quelques heures, mais les lésions sont plus graves si les tissus sous-jacents ont été touchés.

Ce sont les ouvriers qui manipulent des acides (sulfurique, phosphorique, fluorique) ou des bases, comme la soude caustique ou la chaux, qui sont au contact des produits chimiques les plus dangereux pour la peau.
Eczéma de contact. Après une période de contact qui varie selon les gens entre quelques mois et plusieurs années, une petite proportion de gens travaillant dans la fabrication de peintures, de produits chimiques ou pharmaceutiques présente une sensibilisation aux produits manipulés. Le symptôme est une inflammation cutanée appelée eczéma de contact, ainsi nommé car il survient après un contact avec un produit antigénique, comme le nickel. Seule la région de la peau qui touche l'objet responsable est abîmée. Ces problèmes peuvent également se rencontrer dans la vie de tous les jours. Par exemple, des boucles d'oreille fantaisie, des bracelets ou une boucle de ceinture en nickel peuvent

déclencher un eczéma de contact qui cessera quand on aura écarté l'objet responsable.

En principe, tout produit chimique responsable d'asthme professionnel (dont les produits utilisés dans la fabrication des détergents et matières plastiques) peut également causer un eczéma de contact s'il est manipulé.

Certains médicaments, par exemple les antipaludéens (*voir* MÉDICAMENTS, n° 28), peuvent rendre la peau plus sensible à l'action des rayons ultraviolets. Les patients suivant de tels traitements doivent éviter de s'exposer au soleil, car ils risquent de présenter une allergie ou des brûlures. Voir PHOTOSENSIBILISATION.

Cancers de la peau. N'importe quelle substance chimique créant une irritation prolongée de la peau peut à long terme être responsable d'un cancer cutané. Par exemple, les ramoneurs exposés à la suie durant de nombreuses années risquent de développer un cancer du scrotum.

Certains produits chimiques, appelés carcinogènes, sont connus pour créer plus rapidement que d'autres des cancers de la peau. Parmi eux, le bitume, la houille, le goudron auxquels sont exposés les ouvriers qui construisent les routes; et les sels de chrome utilisés dans l'industrie de la galvanoplastie (éléments chromés).

LEUCÉMIES ET AUTRES CANCERS

Le cancer peut être une maladie professionnelle et atteindre différentes régions du corps.

Les dérivés du pétrole, particulièrement le benzène, sont accusés de déclencher des LEUCÉMIES (cancers du sang). Les personnes travaillant dans les raffineries de pétrole, dans les garages, les pompistes, certains peintres sont exposés au benzène.

Le cadmium est un métal très résistant utilisé par l'industrie aérospatiale dans certains procédés de soudure ou en alliage avec le zinc. Les personnes en contact avec le cadmium ont un risque plus élevé de CANCER DE LA PROSTATE.

Les ouvriers travaillant dans l'industrie des colorants (comme l'aniline et ses dérivés) sont particulièrement exposés au cancer de la vessie. Les fibres d'amiante sont responsables de CANCERS DES POUMONS, de la plèvre (mésothéliome pleural), du péritoine, et même du péricarde (membrane qui entoure le cœur).

Les personnes régulièrement exposées aux radiations ionisantes dans les milieux médicaux, dans certaines industries où sont utilisés les rayons X (radiographies des soudures, stérilisation des denrées alimentaires par les rayons, etc.), ont un risque accru de cancers du sang et du système lymphatique.

INTOXICATION PAR LES MÉTAUX LOURDS

Les métaux lourds — le plomb et le mercure — sont présents et utilisés dans de nombreuses industries et procédés de fabrication. Ils prennent souvent la forme, dangereuse car inapparente, de vapeur ou de petites particules en suspension dans l'air et sont ainsi facilement inhalés par les poumons et absorbés dans l'organisme après être passés dans la circulation sanguine. Ils peuvent créer de la sorte de graves lésions des organes et s'accumuler en certains endroits du corps, d'où ils s'éliminent très difficilement. C'est pourquoi ces métaux ne sont pas seulement dangereux pour les gens qui les utilisent dans leur travail, mais également pour le public.

Intoxication par le plomb, ou saturnisme. Le plomb absorbé par l'organisme est responsable de lésions graves du système nerveux. Chez l'enfant de moins de deux ans, il peut causer une déficience mentale, car il se fixe préférentiellement dans les tissus nerveux et le cerveau. Chez un adulte, seuls les nerfs sont touchés avec apparition d'une POLYNÉVRITE (faiblesse dans les jambes, difficultés à la marche).

La fréquence de l'intoxication professionnelle au plomb a beaucoup diminué du fait de l'efficacité des mesures de prévention instaurées dans les professions à risque. Les métiers qui exposent à cette intoxication sont nombreux : fonderie et métallurgie du plomb; travaux de démolition dans les chantiers navals; soudures et étamage à l'aide d'alliages contenant du plomb; préparation et application de peintures, vernis, laques, émaux à base de plomb; découpage au chalumeau de tôles recouvertes de peinture au plomb. Les vapeurs de plomb sont inhalées par voie respiratoire et passent dans la circulation sanguine.

Dans le passé, une des causes principales de l'intoxication saturnine était l'ingestion de peinture au plomb. Les enfants s'intoxiquaient en suçant des jouets peints avec de la céruse. On n'utilise plus de tels produits. En milieu domestique, les peintures au plomb sont actuellement remplacées par des peintures au polyuréthanne.

La pollution de l'environnement par le plomb est la conséquence de l'utilisation de plomb tétraéthyle dans l'essence, ce qui permet une légère économie de carburant. Il est maintenant bien prouvé que les enfants nés et élevés en zone urbaine très polluée par les gaz d'échappement des voitures travaillent moins bien à l'école que leurs camarades venant de la campagne où l'air est plus pur.

Intoxication au mercure. Comme le plomb, le mercure s'accumule dans l'organisme. La plupart des intoxications résultent de l'inhalation de vapeurs de mercure au cours de certaines activités professionnelles : extraction et distillation du mercure; fabrication et réparation d'instruments scientifiques de précision contenant du mercure — comme les thermomètres, baromètres et manomètres; le mercure est également employé dans l'industrie chimique et électrique.

L'intoxication mercurielle provoque des lésions des reins et du système nerveux, avec un tremblement des membres et une perte des facultés mentales. Une inflammation de la bouche (STOMATITE) peut exister.

A une époque, des dentifrices en poudre contenaient du mercure, ce qui occasionna chez les enfants une maladie avec rougeur de la peau des joues et des fesses. Au XIXe siècle, le nitrate de mercure était utilisé pour peindre le feutre des chapeaux. Les chapeliers léchaient leurs doigts de façon répétitive, puis les appliquaient sur le feutre avant le repassage, avalant ainsi le mercure, ce qui provoquait chez certains des désordres mentaux.

Plus récemment, l'attention du public a été attirée sur la pollution de l'environnement par le mercure quand, en 1958, de nombreux Japonais ont été intoxiqués en mangeant du thon, mets local recherché. L'origine de la maladie fut trouvée dans la pollution industrielle des rivières par des usines de raffinage de mercure. Les micro-organismes de l'eau absorbaient le mercure et étaient avalés par des petits poissons qui à leur tour étaient mangés par les thons.

PATHOLOGIE AUDITIVE LIÉE AU BRUIT

L'intensité du son est mesurée en unités appelées décibels (dB). Le bruit de fond d'une nuit calme à la campagne est d'environ 20 dB; le bruit au-dessous d'un avion à réaction qui décolle atteint 120 dB.

Une diminution permanente de l'audition apparaît après une exposition prolongée à un niveau sonore supérieur à 88 dB. Dans une discothèque, l'intensité du bruit peut atteindre 120 dB, si bien qu'il existe un risque pour la clientèle, et encore plus pour les employés (barmen, disquaires). La capacité d'audition des sons aigus est la première touchée; au début, le sujet ne s'aperçoit donc de rien, car il entend normalement les conversations. Le dépistage peut se faire à ce stade de début par un examen appelé audiogramme. Si le sujet n'est pas retiré du milieu bruyant, le déficit auditif va s'accentuant et le sujet devient sourd au quart supérieur, ou plus, des notes les plus aiguës, normalement perceptibles à l'oreille humaine.

Les travailleurs exposés au bruit, comme ceux qui utilisent des outils vibrants à air comprimé (110 dB ou plus), devraient se protéger du bruit en portant un casque ou des bouchons d'oreilles. En fait, peu de travailleurs suivent ces consignes de prévention. Le niveau sonore dans la cabine de pilotage d'un avion militaire dépasse souvent 100 dB, ce qui peut provoquer une surdité aux sons aigus et de la fatigue. *Voir* TRAUMATISME SONORE.

MALADIES PROFESSIONNELLES PULMONAIRES

Elles représentent la majeure partie des maladies professionnelles. Cela s'explique par le fait qu'une des fonctions du poumon est de filtrer les impuretés de l'air inhalé. Ces corps étrangers se déposent dans les poumons, où ils peuvent provoquer des lésions.

Les maladies professionnelles pulmonaires se divisent en deux groupes : les PNEUMOCONIOSES, où les lésions sont créées directement par la poussière des matériaux inhalés, comme les métaux, la pierre, le charbon ou l'amiante, et les maladies allergiques, où les particules inhalées exercent leur action nocive par un mécanisme indirect, responsable d'une ALLERGIE.

PATHOLOGIE PULMONAIRE DUE AUX POUSSIÈRES

Les particules nocives de poussière que respirent les mineurs et d'autres travailleurs créent de petites zones d'inflammation dans les poumons et finissent par s'accumuler en formant une masse solide visible à la radiographie pulmonaire. Ces petits nodules indiquent la présence de l'affection appelée pneumoconiose. Le tissu pulmonaire s'épaissit et perd sa souplesse. On parle alors de fibrose. La conséquence en est que, progressivement, le patient respire avec de plus en plus de difficulté et développe une toux persistante.

Une fois la maladie installée depuis un certain temps, elle continue d'évoluer, et la destruction des tissus du poumon se poursuit même si l'exposition à la poussière a cessé. Finalement, le patient devient tellement handicapé qu'il finit par ne plus pouvoir quitter son domicile.

Selon la gravité de son état, dans certains pays, le patient aura droit à différentes indemnisations, ou à une rente d'invalidité. En cas d'arrêt de travail dû à une complication de la maladie, des indemnités journalières sont versées au travailleur.

La radiographie pulmonaire donne des indications sur la nature des particules responsables; en effet, la taille, la forme et la distribution des lésions varient selon l'affection en cause. Les différentes pneumoconioses doivent leur nom aux particules qui en sont responsables. La plus courante est la silicose, qui est due aux poussières de silice contenues dans des roches comme le quartz. L'asbestose est due à l'inhalation de poussières d'amiante, et la pneumoconiose du houilleur est due aux poussières de charbon.

Silicose. La silice est très répandue : elle se trouve dans le quartz (sable, granit, grès, ardoise), le silex, la pierre meulière. Par conséquent, les professions exposées sont nombreuses, par exemple les travailleurs qui creusent les roches dures comme dans les mines, les carrières, les travaux en galerie, les professions du bâtiment et des travaux publics, les ravaleurs de façade, les céramistes et les prothésistes dentaires. Les patients souffrant de silicose sont beaucoup plus vulnérables que les autres à l'infection des poumons par la TUBERCULOSE.

Asbestose. L'amiante, ou asbeste, est un matériau fibreux largement utilisé dans l'industrie comme corps résistant à la chaleur et comme isolant électrique. Son emploi est multiple dans l'industrie textile, l'industrie du bâtiment et de la construction navale, la fabrication de ciment, de garnitures de freins, de fours thermiques. L'asbeste pose également un problème de pollution générale de l'atmosphère. Les particules poussiéreuses d'amiante — faites de cristaux en forme d'aiguilles — attaquent les poumons. La plèvre est également touchée : elle s'épaissit, et des calcifications s'y développent. L'asbestose survient parfois de nombreuses années après que la cause a disparu, et le sujet ne se souvient même pas avoir été en contact avec de l'amiante.

L'exposition aux poussières d'amiante augmente beaucoup le risque de CANCER DU POUMON et de la plèvre, cela d'autant plus que le patient est un fumeur.

Pneumoconiose du houilleur. Cette affection est due à l'inhalation pendant de nombreuses années (dix ou quinze ans) de grandes quantités de poussière de charbon. Elle n'existe que chez les mineurs de charbon. Comme pour la silicose, le risque de contracter une TUBERCULOSE est majoré par rapport à la population générale.

Diagnostic et traitement des pneumoconioses. Si la maladie est diagnostiquée suffisamment tôt avant l'installation de dégâts définitifs, elle peut être enrayée. Le diagnostic est établi sur les radiographies thoraciques, qui doivent être pratiquées une fois par an. Ce sont les radios qui donnent le diagnostic de la poussière responsable. Les symptômes cliniques (difficulté à respirer, toux, expectoration, douleurs) donnent une idée de la sévérité de la maladie.

Le traitement consiste à arrêter le travail qui expose la patient aux particules nocives avant que la maladie ne s'installe définitivement. L'état de la respiration sera amélioré si le patient peut se persuader d'arrêter le TABAC. Les possibles complications des pneumoconioses — tuberculose et cancer pulmonaire — seront traitées par des spécialistes en pneumologie.

De nos jours, le trempage dans l'eau des instruments d'abattage et les autres mesures de contrôle de l'empoussiérage ont considérablement diminué le risque de pneumoconiose dans les mines. Des masques sont disponibles pour les sableurs, évitant la pénétration des particules les plus petites dans les poumons.

MALADIES ALLERGIQUES PULMONAIRES

Les patients souffrant de maladies allergiques des poumons produisent des anticorps contre des poussières, des gaz irritants et des substances animales ou végétales. Ces anticorps — protéines sanguines qui font partie du système de défense de l'organisme contre les corps étrangers — attaquent les éléments étrangers, mais en même temps provoquent les symptômes de la maladie allergique.

Asthme professionnel. Au cours d'une crise d'asthme, les patients ont des difficultés à respirer, mais surtout à expirer : leur respiration est sifflante, ils manquent d'air et toussent. L'asthme professionnel est une affection allergique due à l'inhalation au cours du travail de substances chimiques, animales ou végétales. Il peut s'écouler des mois ou des années avant que l'exposition aux matériaux allergisants ne provoque l'apparition d'un asthme. Mais une fois que la maladie s'est installée, une infime quantité de substance incriminée peut suffire à déclencher la crise d'asthme; en d'autres termes, le patient devient sensibilisé à cette substance, c'est-à-dire qu'en présence de celle-ci il présente une réaction immédiate.

Les principaux produits responsables de l'asthme professionnel sont au nombre de sept :

Les isocyanates organiques, qui sont utilisés dans la préparation de mousses polyuréthannes servant à la fabrication de mobilier, à l'isolation acoustique murale et au capitonnage des voitures. Ils sont aussi employés pour la synthèse de matières plastiques et dans des laques et vernis au polyuréthanne. L'asthme survient habituellement après un intervalle sans troubles de deux ou trois ans.

Parfois, il survient beaucoup plus tôt si l'exposition a été très intense, par exemple après un renversement accidentel de produits chimiques ou un incendie au cours duquel des mousses plastiques ont brûlé. Dans de telles situations, les pompiers appelés à porter secours peuvent aussi s'intoxiquer. Le nombre de travailleurs en contact avec les isocyanates est très important, et 25 pour 100 d'entre eux peuvent souffrir d'un asthme professionnel.

Les résines époxydiques, qui sont employées dans certains vernis, colles et peintures, sont beaucoup plus susceptibles que les isocyanates de provoquer un asthme. Les symptômes se développent quelques semaines ou même quelques jours après l'exposition. Un tiers ou plus des sujets régulièrement exposés à ces substances peuvent devenir asthmatiques.

Les sels de platine obtenus lors du raffinement du minerai sont responsables d'asthme parmi les travailleurs. Les raffineurs de platine déjà atteints d'autres symptômes allergiques ont deux à trois fois plus de risques de voir se développer un asthme que les autres employés indemnes de tout antécédent allergique.

Les détergents biologiques contiennent des enzymes — protéines capables de digérer d'autres protéines. Les employés de ces usines peuvent présenter des allergies aux enzymes.

La colophane est un constituant de la sève naturellement produite par les pins. Quand la sève a été distillée, le liquide restant constitue la térébenthine dont le résidu solide est la colophane. Elle est très largement utilisée dans les soudures claires pour aider la fusion. Elle est aussi incorporée dans la colle dont se servent les lutteurs, danseurs, haltérophiles et violonistes pour ne pas glisser sur le sol ou pour garder une bonne prise sur les haltères ou les cordes du violon. Quand elle est froide, la résine de colophane peut être responsable d'eczéma; quand elle est chaude (comme dans les soudures), elle se transforme en vapeur qui est inhalée et peut donner un asthme. Cela est surtout gênant dans l'industrie électronique, où les soudures claires sont très largement employées pour assembler les composants. Dans cette industrie, un membre du personnel sur cinq peut être atteint d'asthme professionnel.

Des animaux de laboratoire, comme les rats, les souris, les cochons d'Inde, les lapins et les cochons domestiques, peuvent déterminer un asthme chez les employés qui les manipulent. Les chercheurs ont découvert que la cause la plus puissante de cet asthme était une protéine de l'urine des animaux. Leur fourrure peut également occasionner des troubles, probablement parce qu'elle est contaminée par les urines. Les personnes exposées sont deux à trois fois plus susceptibles de présenter un asthme s'ils souffrent en outre d'autres affections allergiques, comme le RHUME DES FOINS ou l'ECZÉMA. Dix à quinze pour cent des employés de laboratoire manipulant ces animaux peuvent contracter un asthme professionnel.

La poussière créée par la récolte et le broyage des grains d'orge, d'avoine, de blé et de seigle peut occasionner un asthme chez les exploitants et travailleurs agricoles. La cause de l'affection peut être la poussière elle-même ou sa contamination par les spores d'un champignon qui pousse sur les grains ou sur les fèces d'acariens, insectes qui vivent dans les céréales stockées.

Diagnostic et traitement de l'asthme professionnel. Il est difficile de prouver que l'asthme provient de l'exposition à une nuisance professionnelle et non d'une allergie à des substances domestiques. Les médecins font habituellement le diagnostic en notant scrupuleusement l'histoire de la maladie. Les troubles ont-ils tendance à s'améliorer quand le patient est à la maison, pendant les week-ends et les vacances ? Si c'est le cas, les substances nuisibles proviennent vraisemblablement de l'environnement professionnel. Pour être certain du diagnostic, on pratique des épreuves fonctionnelles respiratoires, qui visent à reproduire la crise d'asthme par la manipulation de produits connus, en s'efforçant de se rapprocher le plus fidèlement des conditions de travail du salarié : par exemple, en demandant au patient de vaporiser une bombe de peinture, ou en soulevant délibérément de la poussière. Ces tests de provocation bronchique sont pratiqués par une équipe expérimentée, en milieu hospitalier.

L'asthme professionnel ne peut guérir que par l'éradication de l'agent causal au cours du travail. Si cela est impossible, il faut alors envisager un changement de poste, voire un reclassement professionnel. Si le sujet cesse suffisamment tôt l'exposition à la substance antigénique, l'asthme disparaîtra. Au contraire, s'il ne s'éloigne pas du milieu nocif, les crises d'asthme vont devenir plus fréquentes et persister au repos, la guérison devenant alors aléatoire.

Un certain nombre d'asthmes professionnels sont considérés comme des maladies professionnelles indemnisables dans quelques pays. C'est au médecin du travail qu'incombe le devoir d'en faire la déclaration à l'organisme compétent.

POUMON DE FERMIER ET MALADIE DES ÉLEVEURS D'OISEAUX

Ces affections associent un asthme allergique à une fibrose des poumons, et sont groupées sous le nom d'alvéolite allergique. La plus commune est la maladie du poumon de fermier, qui est une allergie aux spores d'un champignon poussant sur le foin et la paille moisis. Le champignon aime les endroits très chauds, et la paille pourrie lui fournit un milieu idéal. Ces dernières années, les fermiers ont commencé à empaqueter le foin et la paille en gros ballots à la place des petits ballots de naguère. Il s'ensuit une extension de la maladie du poumon de fermier à cause de l'élévation de la température au centre des grands ballots, qui favorise la croissance du champignon.

Les symptômes typiques sont une toux, une accélération de la respiration et un épisode pseudo-grippal. Ils apparaissent quatre à huit heures après la manipulation de foin moisi ou de fumier par l'ouvrier agricole, en automne ou en hiver. Des accès identiques surviennent de façon stéréotypée à chaque nouvelle exposition, et deviennent progressivement de plus en plus sévères, finissant par entraîner une invalidité. Les patients ont droit, comme pour les pneumoconioses, à une réparation par indemnisation ou rente.

Une autre forme d'alvéolite moins courante est la maladie des éleveurs d'oiseaux. Elle est liée à une allergie aux excréments d'oiseaux domestiques. Les symptômes ressemblent beaucoup à ceux de la maladie du poumon de fermier. La substance responsable est une protéine sanguine présente dans les déjections des oiseaux. Lorsque ces déjections se dessèchent, elles forment une poussière qui sera inhalée par l'éleveur, surtout au moment où il nettoie les cages. Le traitement de toutes les pneumopathies allergiques (ou alvéolites) est avant tout préventif et repose sur l'éradication de l'antigène responsable.

FIÈVRE DU LUNDI

Une petite proportion de sujets exposés au cours de leur travail à la poussière de coton, de lin, de chanvre ou de sisal va développer une byssinose, affection connue aussi sous le nom de « fièvre du lundi », car les symptômes pseudo-grippaux apparaissent typiquement le lundi, lors du retour au travail après un week-end sans exposition à la poussière. Les symptômes de la byssinose ressemblent beaucoup à ceux de la BRONCHITE chronique (toux persistante et expectoration). Ils régressent si le patient est retiré du milieu poussiéreux nocif. La byssinose étant classée dans les maladies professionnelles, des prestations peuvent être accordées à la victime.

BRONCHITE

L'exposition prolongée aux poussières et fumées de toutes origines provoque une bronchite. Par exemple, l'inhalation de fumée de cigarette par les fumeurs est une cause essentielle de bronchite chronique. Un mineur exposé à la poussière de charbon est beaucoup plus susceptible de souffrir de bronchite chronique, s'il est un grand fumeur, qu'un sujet fumant la même quantité de tabac, mais non exposé dans sa vie professionnelle à des poussières nocives. Comme il est difficile de prouver que la bronchite résulte de l'exposition professionnelle à la poussière plutôt qu'à d'autres causes comme la fumée de tabac, il n'y a pas d'indemnisation pour les travailleurs souffrant de bronchite chronique. La bronchite, comme l'alvéolite, se traite par l'éviction de la cause, par exemple l'arrêt du tabac ou le transfert à un poste de travail moins exposé à la poussière.

ACCIDENTS DE DÉCOMPRESSION

Le développement de l'exploration sous-marine pétrolière a augmenté le nombre de sujets exposés aux risques du travail à l'air comprimé (scaphandriers et plongeurs respirant de l'air sous pression, tubistes travaillant à sec dans des enceintes métalliques). En mer du Nord, la profondeur de travail se situe entre 150 et 300 mètres au-dessous du niveau de la mer. La pression atmosphérique au niveau du sol est égale à 1 atmosphère. Chaque fois que l'on descend de 10 mètres au-dessous de ce niveau, la pression augmente de 1 atmosphère. L'oxygène et autres gaz respiratoires (azote et hélium) inhalés par le plongeur deviennent liquides, se dissolvent d'autant plus facilement dans le sang que la pression est plus élevée, et diffusent dans les tissus de l'organisme. Si la pression est brusquement abaissée — par le plongeur remontant rapidement à la surface — ils redeviennent gazeux et des bulles apparaissent dans ses tissus et dans son sang, comme les bulles de champagne quand la pression est brutalement relâchée au moment où le bouchon saute. Ces bulles sont responsables d'accidents de décompression dont les symptômes les plus fréquents sont des douleurs articulaires, des démangeaisons de la peau et une toux.

Pour éviter cette maladie de décompression, le plongeur entre dans une chambre de décompression submersible et remonte à la surface à une vitesse fixe lente (environ 28 ou 29 mètres par jour). Cette vitesse dépend de la durée pendant laquelle le plongeur est resté sous l'eau et de la profondeur à laquelle il a travaillé. Un plongeur qui est resté plus de sept heures à une profondeur de 300 mètres devra rester au moins dix jours en chambre de décompression.

Les symptômes peuvent apparaître dans les quatre heures qui suivent la remontée en surface ou survenir vingt-quatre heures plus tard. Ils sont d'autant plus sévères que des bulles se seront formées dans les artères irriguant le cerveau et la moelle épinière. Les bulles interfèrent avec l'apport de sang au cerveau, d'où des troubles de la vision et une perte partielle de conscience, une confusion mentale, un engourdissement et des fourmillements ou une paralysie des membres.

Si le plongeur a travaillé sous une forte pression, ses poumons peuvent se rompre quand il remonte en surface. En conséquence, de grandes quantités d'air pénètrent brusquement dans ses artères. Au cours de cet accident (barotraumatisme pulmonaire), les symptômes sont les mêmes que ceux précédemment décrits mais surviennent beaucoup plus rapidement.

La maladie de décompression peut aussi être la conséquence de compressions et de décompressions répétées. Les preuves s'accumulent selon lesquelles ces passages multiples d'un état de compression à un état de décompression pourraient à la longue être responsables de lésions des os et du cerveau, sans qu'il y ait eu auparavant d'accident de décompression.

Traitement de la maladie de décompression. Les douleurs articulaires, la toux et le prurit ne nécessitent pas de traitement mais attirent l'attention et doivent faire prévenir des accidents plus graves. Les victimes d'accidents neurologiques cervicaux ou spinaux doivent être immédiatement replacés à une pression proche de celle de leur travail dans un caisson de décompression. Les bulles gazeuses se dissolvent à nouveau, et la circulation sanguine sera restaurée. Ils pourront alors être prudemment décompressés.

Dans le cas d'un barotraumatisme pulmonaire, le traitement est le même. La décompression prend plusieurs semaines, temps pendant lequel les poumons guérissent d'eux-mêmes.

ROSACÉE

Affection fréquente qui touche surtout la femme entre trente et cinquante ans. Chez l'homme, la rosacée est plus rare mais plus grave.

Symptômes

- Rougeur du visage touchant principalement le nez et les joues : elle est d'abord passagère avec des poussées (repas, émotions), puis permanente.
- Papules et pustules se développent sur les plaques rouges.
- Dans des cas sévères chez l'homme, le nez devient hypertrophique, violacé, déformé par des saillies en « grappe de raisins » : c'est le RHINOPHYMA.
- Certaines rosacées se localisent de préférence au pourtour de la bouche, chez les femmes jeunes : c'est la DERMITE périorale.

Durée

- Après une période de poussées et de régressions, la dermatose devient progressivement permanente.

Causes

- La cause est inconnue, mais on discute le rôle de facteurs digestifs, psycho-affectifs, hormonaux ou infectieux.
- L'affection survient le plus souvent sur une peau fine, sèche et fragile, ou parfois grasse et épaisse.

Complications

- Une CONJONCTIVITE peut apparaître.

Traitement à domicile

- Éviter l'exposition du visage aux intempéries, aux changements brusques de température et au soleil.
- Ne pas prendre des repas rapides et copieux, d'alcool et d'épices.
- Ne pas utiliser de crèmes corticoïdes, car elles donnent au début une impression de guérison rapide mais elles entraînent très vite un état de dépendance et une aggravation secondaire des lésions qui est difficile à guérir.

Quand consulter le médecin

- Si l'affection cause un préjudice esthétique.
- S'il apparaît une inflammation des yeux.

Rôle du médecin

- Confirmer le diagnostic de rosacée.
- Prescrire des antibiotiques (*Voir* MÉDICAMENTS, n° 25) et des tranquillisants si l'anxiété est importante et s'accompagne d'accès de rougeurs. *Voir* MÉDICAMENTS, n° 17.
- Adresser le patient atteint de rhinophyma à un chirurgien plasticien et à un ophtalmologiste s'il existe une atteinte oculaire.

Prévention

- Aucune mesure préventive n'est connue. Éviter simplement les facteurs d'aggravation cités ci-dessus.

Pronostic

- Malgré la tendance à la chronicité, des rémissions spontanées sont observées. Les traitements locaux et généraux donnent souvent des améliorations notables.

Voir LA PEAU, *page 52.*

ROSÉOLE INFANTILE

Maladie bénigne qui touche les enfants de moins de trois ans. Elle se traduit par la survenue brutale d'une température élevée (39 à 41°), qui disparaît en quatre jours. Des convulsions (brusques contractions involontaires de tout le corps) peuvent survenir. L'apparition d'une éruption cutanée de taches rosées sur tout le corps coïncide avec la disparition de la fièvre. L'origine est probablement virale. Le médecin prescrira du repos et des médicaments contre les convulsions et contre la fièvre. La guérison est rapide et totale.

ROUGEOLE

Maladie infectieuse, hautement contagieuse, survenant le plus souvent durant l'enfance. Elle est due à un virus transmis après contact direct ou par l'air expiré par un sujet atteint. C'est l'une des maladies les plus répandues dans le monde, bien que des programmes de vaccination et d'immunisation en aient considérablement réduit le nombre et les complications. Dans la majorité des cas, la guérison est totale, mais parfois surviennent des complications pouvant être graves, comme une ENCÉPHALITE. C'est pour cette raison que l'on tente actuellement d'éradiquer cette maladie par la vaccination, pratiquée entre un et deux ans. Durant la première année, les bébés ont généralement une immunité naturelle venant de la mère.

Symptômes

- Éruption de petites taches brun rosé, disséminées, débutant derrière les oreilles pour s'étendre à tout le corps en quatre jours.
- Toux sèche d'irritation précédant l'éruption.
- Augmentation de la température avant l'éruption.
- Les yeux peuvent être rouges, larmoyants ou gonflés quelques jours avant l'éruption.
- Le signe de Koplik (amas de petits points blancs à l'intérieur des joues) survient environ vingt-quatre heures avant l'éruption.
- L'enfant se sent mal deux jours avant l'éruption.

Durée

- La période d'incubation, habituellement de douze jours, peut varier entre huit et quinze jours.
- La maladie dure cinq à sept jours après la première apparition de l'éruption. L'enfant se sent étourdi.

Causes

- Le virus de la rougeole.

Complications

- OTITE moyenne.
- PNEUMONIE.
- ENCÉPHALITE. Complication rare, survenant dans un cas sur mille. Le plus souvent, les patients guérissent sans séquelles, mais des lésions cérébrales définitives surviennent parfois.

Traitement à domicile

- Garder l'enfant au lit, lui donner beaucoup de boissons fraîches pour faire baisser la température. Si le malade boit suffisamment, il peut ne pas manger.
- Tant que l'enfant est malade et fiévreux, le maintenir au repos et assurer sa tranquillité.
- Si nécessaire, donner un médicament pour faire tomber la fièvre. *Voir* MÉDICAMENTS, n° 22.

Quand consulter le médecin

- Dès que vous pensez que votre enfant a la rougeole.

Rôle du médecin

- Examiner le malade et rechercher d'éventuelles complications (otite moyenne, pneumonie...), pour lesquelles il pourra prescrire des antibiotiques. En dehors de certaines complications, les antibiotiques sont inefficaces dans le traitement de la rougeole. *Voir* MÉDICAMENTS, n° 25.

Prévention

- L'immunisation par la vaccination, pratiquée entre un et deux ans, est efficace dans 95 pour 100 des cas (*voir* PUÉRICULTURE) et réalise la meilleure protection contre cette maladie, bien qu'elle puisse, comme la rougeole elle-même, créer certaines complications.
- Le huitième jour après l'injection du vaccin peuvent apparaître une légère fièvre, une éruption, un mal de gorge et « des yeux qui piquent ». C'est une réaction banale à l'immunisation.
- Si vous avez des antécédents d'ALLERGIE ou de convulsions dans la famille, parlez-en au médecin avant toute vaccination.
- Un enfant atteint d'une affection grave (LEUCÉMIE ou maladie de HODGKIN), de fièvre, d'une allergie aux œufs ou à la néomycine (antibiotique), ou traité par les stéroïdes ou autres médicaments similaires, ne doit pas être vacciné sans avis médical.

Pronostic

- La guérison est généralement complète.

Voir MALADIES INFECTIEUSES, *page 32*

RUBÉOLE

Maladie infectieuse très répandue, contagieuse, due à un virus (myxovirus), et dont la contamination se fait au contact d'un sujet atteint. Cette affection est bénigne en elle-même, mais peut avoir de graves conséquences pour le fœtus si elle touche la femme enceinte durant les seize premières semaines de grossesse. Un enfant atteint de rubéole congénitale peut naître aveugle, sourd, porteur de malformations cardiaques (CARDIOPATHIE CONGÉNITALE), ou même mort-né. Environ 25 pour 100 des enfants dont la mère a contracté la rubéole durant les seize premières semaines de gestation sont atteints de malformations et, durant les toutes premières semaines, le risque s'élève à 60 pour 100.

Symptômes

- Éruption caractéristique de petites taches rosées, légèrement saillantes, débutant derrière les oreilles ou sur le visage, puis s'étendant au reste du corps.
- Gonflement des ganglions derrière les oreilles.
- Douleurs articulaires, surtout chez la femme jeune.
- Le sujet peut se sentir indisposé pendant quelques jours avant l'apparition de l'éruption.

Durée

- La période d'incubation est de quatorze à vingt et un jours.
- L'éruption dure de un à cinq jours.
- Les douleurs peuvent persister quatorze jours.
- Le malade est contagieux cinq jours avant l'éruption et jusqu'à quatre jours après.

Traitement à domicile

- Rester chez soi pendant quatre jours après l'apparition de l'éruption.
- Ne pas s'approcher d'une femme enceinte.
- Prendre des analgésiques, si nécessaire.

Quand consulter le médecin

- Si les douleurs articulaires sont très importantes.
- En cas de doute sur le diagnostic et s'il y a un risque de contagion, surtout pour des adultes.
- En cas de suspicion de rubéole chez une femme en début de grossesse et non immunisée (des examens de sang permettent de savoir si elle est immunisée).
- Si le patient devient somnolent, si la température s'élève ou si des maux de tête sévères apparaissent.

Rôle du médecin

- Demander des examens de sang.
- Si la rubéole est confirmée en début de grossesse, il informera la patiente du risque de malformations pour l'enfant.

Prévention

- La vaccination des fillettes.
- Les femmes en âge d'avoir des enfants et n'ayant pas eu la rubéole devraient être également vaccinées. La vaccination peut présenter les mêmes dangers pour le fœtus que la maladie; c'est pourquoi une contraception efficace doit être suivie pendant deux mois après la vaccination.
- On vaccine généralement les fillettes de treize ans n'ayant jamais eu cette maladie.
- Les femmes plus âgées peuvent, par un examen de sang, savoir si elles sont immunisées ou non, car cette affection passe souvent inaperçue.
- On propose souvent la vaccination, après la naissance, aux femmes n'ayant pas d'immunité.

Pronostic

- L'immunité obtenue par cette maladie protège généralement durant toute la vie.

Voir MALADIES INFECTIEUSES, *page 32*

SAIGNEMENT

L'apparition d'une augmentation d'abondance des règles, ou d'un saignement en dehors de ces dernières, peut avoir de graves conséquences. De même l'apparition d'un saignement à n'importe quel moment d'une grossesse. Consulter aussitôt le médecin.

SALPINGITE

Infection de la trompe, organe qui relie l'ovaire à l'utérus. Cette infection peut être aiguë ou chronique.

SALPINGITE AIGUË

Symptômes
- Douleurs du bas-ventre d'intensité variable, permanente ou à type de coliques (intermittentes).
- Pertes blanches.
- Fièvre.
- Parfois vomissements, rapports douloureux.

Durée
- Habituellement, les troubles régressent après quelques jours de traitement approprié.

Causes
- La salpingite peut être consécutive à différentes infections bactériennes, y compris les maladies vénériennes, parmi lesquelles la BLENNORRAGIE.
- Exceptionnellement à la suite d'un avortement, ou après un accouchement difficile.

Complications
- L'infection risque d'évoluer vers la chronicité et d'entraîner l'obturation des trompes et l'infertilité.

Traitement à domicile
- Repos au lit.
- Utiliser des calmants sur prescription médicale.
- Éviter les rapports.

Quand consulter le médecin
- Dès qu'apparaissent les symptômes décrits. Dans le cas particulier de l'atteinte de la trompe droite, le risque est grand de méconnaître une APPENDICITE.

Rôle du médecin
- Examiner l'abdomen par la palpation.
- Pratiquer un examen gynécologique.
- Vous adresser au laboratoire pour une étude microscopique des pertes blanches.
- Commencer le traitement, essentiellement à base d'antibiotiques sous surveillance attentive.
- En cas de difficulté diagnostique ou thérapeutique, il vous adressera à un gynécologue qui envisagera une CŒLIOSCOPIE pour confirmer le diagnostic.

Prévention
- Éviter la multiplication des partenaires.

Pronostic
- Habituellement bon si le traitement est précoce.

SALPINGITE CHRONIQUE

Symptômes
- Persistance ou réapparition des douleurs.
- Persistance des pertes blanches.
- Apparition de douleurs au moment des rapports.
- Irrégularité des règles, quelquefois plus abondantes.

Durée
- Cet état peut durer de nombreux mois, et son diagnostic n'est pas toujours simple.

Causes
- Une infection aiguë salpingienne mal traitée.
- La tuberculose.
- Dans de nombreux cas, aucune cause précise n'est trouvée. Il faut signaler que les stérilets accroissent les risques statistiques d'infection tubaire.

Complications
- L'infertilité, si les deux trompes sont atteintes.

Traitement à domicile
- Identique à celui d'une salpingite aiguë.

Quand consulter le médecin
- Dès l'apparition des symptômes décrits.

Rôle du médecin
- Comme pour une salpingite aiguë.
- S'adresser au gynécologue à toutes fins utiles.

Pronostic
- Malgré le traitement, les symptômes risquent de persister longtemps.

Voir ORGANES GÉNITAUX FÉMININS, *page 48*

SANG

Toutes les cellules du corps humain dépendent de la circulation du sang. Celui-ci se comporte comme un système de transport en amenant de l'oxygène, des vitamines et des nutriments aux tissus, et comme un moyen de défense en luttant contre l'infection. L'arrêt circulatoire entraîne la mort en quelques minutes.

Le sang est composé de cellules en suspension dans un liquide jaune pâle nommé plasma, agent vecteur de nombreuses cellules plus ou moins spécialisées, ainsi que de substrats chimiques. Quand on laisse reposer une éprouvette de sang pendant quelques minutes, le plasma monte à la surface tandis que les structures solides se déposent au fond.

LES ÉLÉMENTS SANGUINS ET LEUR FONCTION

Chaque élément sanguin possède une fonction spécifique. Les globules rouges, ou érythrocytes, qui proviennent de la moelle osseuse, véhiculent l'oxygène dans tout le corps grâce à l'hémoglobine, substance chimique responsable de la couleur rouge du sang et qui forme avec l'oxygène qu'elle extrait des poumons l'oxyhémoglobine. Lors de son passage dans les tissus, le sang libère, au niveau des cellules elles-mêmes, l'oxygène, source énergétique. Mais le dioxyde de carbone, ou gaz carbonique, déchet métabolique, est à son tour dissous dans le flux sanguin qui le ramène jusqu'aux poumons où il est expiré. La chaleur dégagée par ces réactions se répand dans tout le corps, par l'intermédiaire de la circulation, et permet de maintenir la température corporelle.

On compte environ 500 globules rouges pour un globule blanc. Les globules blancs, ou leucocytes, concourent à la défense de l'organisme. On en distingue cinq types, la plupart d'entre eux étant produits par la moelle osseuse. A chaque type correspond une fonction précise : certains absorbent puis digèrent les microbes et corps étrangers, d'autres contiennent des substances chimiques comme l'héparine (anticoagulant circulant) ou l'histamine, qui est libérée en présence de certains allergènes, dans des conditions telles que le rhume des foins ou l'ASTHME, et provoque des réactions d'allergie. Enfin, un autre type de leucocyte, l'éosinophile, produit un antihistaminique qui contrôle les réactions allergiques en inhibant certains effets de l'histamine.

Le sang, grâce à son pouvoir de coagulation, permet aussi l'arrêt des HÉMORRAGIES. Il y a 250 000 plaquettes par millimètre cube de sang. Lors de la rupture d'un vaisseau sanguin, les plaquettes affluent au siège de la blessure et interagissent avec des substances plasmatiques appelées « facteurs de coagulation ». A la suite d'une série de réactions chimiques, le sang passe de l'état liquide à l'état solide. Mais en cas de déficit de l'un de ces facteurs, la coagulation est ralentie et le sujet peut subir une hémorragie prolongée.

Vecteur d'oxygène et de chaleur, agent cicatrisant et de lutte contre l'infection, le sang amène aussi des nutriments aux cellules. Après avoir été digérés dans le tube digestif, les aliments sont charriés par le sang sous diverses formes : petites particules globuleuses pour les lipides, glucose pour les hydrates de carbone, acides aminés pour les protéines, enfin vitamines. Ainsi, ces matières premières concourent à la libération d'énergie, à l'édification et au maintien des structures tissulaires.

Enfin, le sang véhicule des hormones, véritables messagers chimiques issus des glandes endocrines, qui contrôlent la plupart des fonctions corporelles.

Après un traumatisme grave ou lors d'une intervention chirurgicale, il peut s'avérer nécessaire de pratiquer une transfusion afin de restaurer ou de maintenir le volume sanguin circulant, qui est d'environ 5 litres pour un adulte. L'organisme peut supporter une hémorragie d'un demi-litre (10 pour 100), mais au-delà, un traitement d'urgence s'impose. Lors de certaines maladies du sang, comme la MALADIE HÉMOLYTIQUE DU NOUVEAU-NÉ, il peut être nécessaire de pratiquer une « EXSANGUINO-TRANSFUSION », c'est-à-dire de changer la totalité du sang du malade.

La transfusion directe du donneur au receveur est rarement pratiquée en raison de la variété extrême des groupes sanguins, dont beaucoup sont incompatibles entre eux. En effet, le sang humain n'est pas identique d'un individu à l'autre. On compte quatre groupes sanguins principaux dont la compatibilité doit être respectée lors d'une transfusion. C'est une notion essentielle : il s'agit des groupes A, B, AB et O. 46 pour 100 de la population occidentale est du groupe O, 42 pour 100 A, 9 pour 100 B, enfin 3 pour 100 AB. On définit les groupes selon la présence ou non des agglutinogènes A et B. Le sang du groupe A contient des anticorps, ou agglutinines, qui peuvent réagir contre des agglutinogènes du groupe B. Ainsi, le mélange de deux groupes coagulerait, ce qui en pratique rend impossible la transfusion d'un sujet du groupe A avec du sang B, et vice versa.

LES MÉCANISMES DE COAGULATION SANGUINE. *Le sang protège l'organisme en assurant l'arrêt des hémorragies. Il s'agit d'une réaction en chaîne : les plaquettes s'agglutinent d'abord au niveau de la blessure, puis les globules rouges forment des caillots. Sur cette photographie réalisée en microscopie électronique et grossie plusieurs milliers de fois, on distingue un globule rouge en train de former un caillot. Les filaments qui l'entourent vont l'englober dans le caillot; ils sont formés de fibrine, molécule protidique du sang capable de se solidifier lors d'une blessure. La fibrine emprisonne les globules rouges dans une sorte de gelée qui se dessèche et laisse une croûte sur la blessure.*

Symptômes des maladies du sang

Toutes les maladies envisagées comme causes de ces symptômes font l'objet d'un article du dictionnaire, où elles sont détaillées et où la conduite à tenir est explicitée.

☐ **Diarrhée**
Cause possible : ANÉMIE (pernicieuse)

☐ **Douleurs abdominales**
Causes possibles : PURPURA, ANÉMIE (falciforme)

☐ **Douleurs musculaires, fièvre**
Principale cause : MONONUCLÉOSE INFECTIEUSE

☐ **Douleurs thoraciques**
Cause possible : ANÉMIE (carence en fer)

☐ **Essoufflement à l'effort**
Principale cause : ANÉMIE (carence en fer, pernicieuse ou mégaloblastique)

☐ **Fatigue**
Principales causes : ANÉMIE (carence en fer, pernicieuse ou mégaloblastique), MONONUCLÉOSE INFECTIEUSE
Autres causes possibles : LYMPHOME, maladie de HODGKIN, LEUCÉMIE (aiguë ou chronique), ANÉMIE falciforme

☐ **Ganglions hypertrophiés**
Principale cause : MONONUCLÉOSE INFECTIEUSE
Autres causes possibles : LYMPHOME, maladie de HODGKIN, LEUCÉMIE (aiguë ou chronique)

☐ **Langue douloureuse**
Principale cause : ANÉMIE (carence en fer, pernicieuse ou mégaloblastique)
Autre cause possible : LEUCÉMIE

☐ **Maux de gorge**
Principale cause : MONONUCLÉOSE INFECTIEUSE

☐ **Maux de tête, insomnie, troubles de la vue**
Cause possible : ANÉMIE (carence en fer, pernicieuse ou mégaloblastique)

☐ **Œdème des chevilles**
Principale cause : ANÉMIE (carence en fer)

☐ **Pâleur**
Principale cause : ANÉMIE

☐ **Perte d'appétit, troubles de la digestion**
Cause possible : ANÉMIE (carence en fer)
Autres causes possibles : LYMPHOME, maladie de HODGKIN, LEUCÉMIE (aiguë ou chronique), ANÉMIE (falciforme)

☐ **Vertiges**
Principales causes : ANÉMIE (carence en fer, pernicieuse ou mégaloblastique), MONONUCLÉOSE INFECTIEUSE
Autres causes possibles : LYMPHOME, maladie de HODGKIN, LEUCÉMIE (aiguë ou chronique), ANÉMIE (falciforme)

Le tableau suivant résume la compatibilité transfusionnelle entre les quatre groupes sanguins.

Groupe sanguin du sujet	Groupe donneur potentiel	Groupe des receveurs potentiels
A	A, O	A, AB
B	B, O	B, AB
AB	A, B, AB, O	AB
O	O	A, B, AB, O

Ce système est universel et le principal parmi d'autres classifications, dont le système rhésus. Comme le système A, B, AB et O, le système rhésus repose sur la présence ou non d'agglutinogènes du facteur rhésus. 85 pour 100 de la population possèdent le facteur rhésus et sont appelés rhésus positif; les 15 pour 100 restants en sont dépourvus et sont donc rhésus négatif. L'incompatibilité de ces deux groupes est responsable des réactions au cours des transfusions, et aussi de la maladie hémolytique du nouveau-né. En conséquence, il faut vérifier le groupe sanguin du donneur et du receveur avant toute transfusion.

Le sang destiné à la transfusion est généralement conservé dans des banques de sang. Le don du sang n'est ni douloureux ni dangereux. On peut donner 500 centimètres cubes de sang à la fois et renouveler ce don tous les trois mois. Si vous désirez faire don de votre sang, vous pouvez vous adresser au centre de transfusion sanguine de votre région, dont l'adresse et le numéro de téléphone figurent dans votre annuaire.

Les analyses de sang effectuées en laboratoire permettent de tester les nombreuses fonctions du sang : par exemple, le taux d'hémoglobine renseigne sur la capacité du sang à transporter l'oxygène, le taux d'urée sanguine sur les capacités rénales à éliminer les déchets métaboliques.

SARCOME

Tumeur maligne (cancéreuse) du tissu conjonctif, qui comprend les os, le cartilage, les muscles, les tendons et les ligaments.

Voir CANCER

LE SCANNER

L'exploration profonde du corps humain

Associant la technologie des rayons X à celle des ordinateurs, le tomodensitomètre, ou scanner, donne des images précises et détaillées des organes situés profondément dans le corps. L'image tomodensitométrique est obtenue par l'analyse dans un ordinateur des milliers de mesures différentes d'un étroit rayon X à ses points de sortie successifs après qu'il a traversé le corps du patient. Chaque coupe dure quelques secondes et donne l'image d'une tranche de 10 millimètres environ d'épaisseur du corps du patient. Cette image est construite par l'ordinateur à partir des mesures de rayons X qu'il reproduit sous la forme de petits carrés sur l'écran d'un tube cathodique. Des organes de densité très voisine peuvent être distingués les uns des autres avec une précision impossible à obtenir en radiologie classique, et l'on voit réellement une section transversale du corps humain. Pour obtenir des informations encore plus détaillées, on injecte dans le système circulatoire des solutions sans danger, ayant la propriété d'intensifier les images tomodensitométriques.

Le scanner peut détecter les caillots sanguins, les kystes, les tumeurs, et de nombreuses maladies ou anomalies des organes profonds sans plus de risques que les autres méthodes radiologiques. Jusqu'à l'apparition du scanner, les médecins devaient explorer les organes par les interventions chirurgicales ou en faisant pénétrer des tubes, des caméras et divers instruments à l'intérieur du corps des patients, ce qui était toujours désagréable et parfois dangereux.

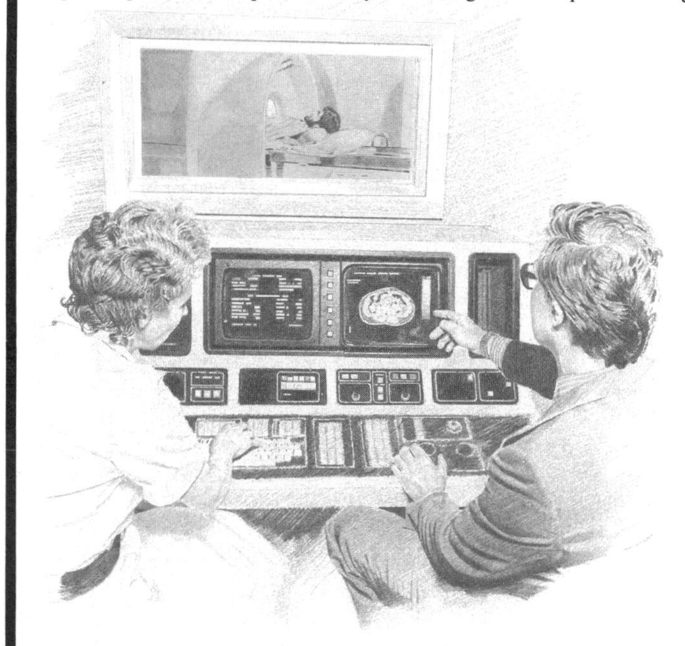

FAIRE UNE COUPE. *Le rayon X du scanner agit à l'entrée du tunnel et donne l'image de la tranche du corps qui se trouve dans le cercle de cette ouverture. Les déplacements dans le tunnel et toutes les opérations de tomodensitométrie sont sous le contrôle permanent du médecin et du radiologue. Ils donnent les instructions à l'appareil par le clavier, tandis que l'écran de gauche les enregistre. L'écran de droite montre l'image d'une tranche épaisse de 10 millimètres du corps du patient. L'image est donnée en noir, blanc et plusieurs nuances de gris, mais elle peut être colorée si nécessaire.*

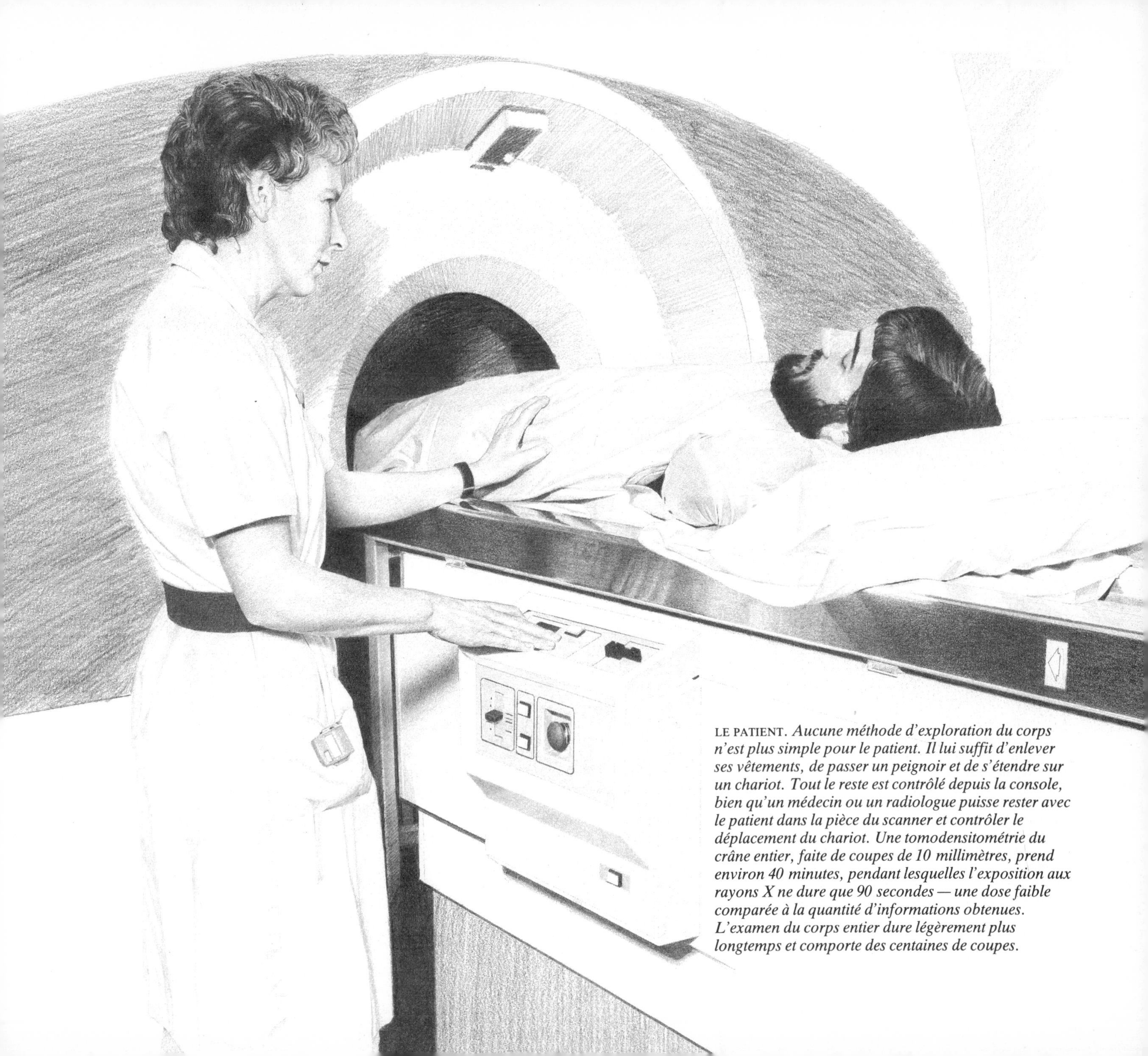

LE PATIENT. *Aucune méthode d'exploration du corps n'est plus simple pour le patient. Il lui suffit d'enlever ses vêtements, de passer un peignoir et de s'étendre sur un chariot. Tout le reste est contrôlé depuis la console, bien qu'un médecin ou un radiologue puisse rester avec le patient dans la pièce du scanner et contrôler le déplacement du chariot. Une tomodensitométrie du crâne entier, faite de coupes de 10 millimètres, prend environ 40 minutes, pendant lesquelles l'exposition aux rayons X ne dure que 90 secondes — une dose faible comparée à la quantité d'informations obtenues. L'examen du corps entier dure légèrement plus longtemps et comporte des centaines de coupes.*

SCARLATINE

Maladie infectieuse, très contagieuse, due à une bactérie également responsable d'angines, de pharyngites et d'impétigo. La contagion s'effectue par contact, et surtout par l'air expiré. La plupart des patients guérissent sans problèmes, mais des complications graves peuvent survenir. Les malades doivent être isolés durant sept jours à partir du début de la maladie.

Symptômes
- Mal de gorge, angine.
- Éruption de petites taches rouges qui s'effacent à la pression; d'abord sur le cou, elle s'étend à tout le corps.
- Fièvre à 40°, avec malaise général et frissons.
- Vomissements.
- Visage rouge, congestionné.
- Langue couverte d'un enduit blanc, qui disparaît progressivement, laissant des zones rouge vif.
- Quand l'éruption disparaît, la peau pèle (desquamation).

Durée
- L'incubation est de deux à quatre jours.
- L'éruption dure généralement quatre ou cinq jours.
- Le malade guérit en une à deux semaines.

Causes
- Une bactérie : le streptocoque hémolytique.

Complications
- RHUMATISME ARTICULAIRE AIGU.
- OTITE moyenne.
- NÉPHRITE (inflammation des reins).

Traitement à domicile
- Se reposer au lit et boire beaucoup de boissons fraîches.
- Prendre des médicaments faisant baisser la fièvre.

Quand consulter le médecin
- Dès que vous suspectez la scarlatine.

Rôle du médecin
- Prescrire des antibiotiques. Le traitement doit être entrepris dans les neufs jours suivant le début de l'angine. *Voir* MÉDICAMENTS, n° 25.

Prévention
- Il n'y a pas d'immunisation efficace contre la scarlatine.

Pronostic
- La plupart des patients guérissent sans complications.

Voir MALADIES INFECTIEUSES, *page 32*

SCHISTOSOMIASE

Maladie parasitaire, également appelée BILHARZIOSE, due à des vers trématodes qui vivent dans le sang de l'homme et des animaux des régions tropicales et subtropicales. Ces parasites pondent des œufs qui sont excrétés dans les selles ou les urines des personnes infectées. Dans l'eau, l'œuf après éclosion libère un embryon de larve qui s'introduit dans un mollusque vivant en milieu aquatique pour y finir sa maturation. Les larves matures quittent alors le mollusque et pénètrent à travers la peau des hommes ou des animaux se baignant dans les eaux infestées.

Environ 200 millions de personnes dans plus de 70 pays sont touchées par cette maladie. Les vaisseaux sanguins des intestins, de la vessie, de la rate, du foie, des poumons et du cerveau peuvent être atteints, ce qui explique la grande diversité des symptômes : DIARRHÉE, douleurs abdominales, infections urinaires, fièvre, sang dans les selles et dans les urines, etc.

Le traitement, qui est efficace, comporte différents médicaments, dont certains sont des dérivés de l'antimoine. Mais les mesures prophylactiques sont essentielles et associent : traitement des malades, hygiène rigoureuse, séparation des égouts des irrigations de cultures, destruction des mollusques et abstention des bains en eaux douces.

Voir MALADIES INFECTIEUSES, *page 32*

SCHIZOPHRÉNIE

Ce terme comprend un groupe de psychoses qui se caractérisent par l'incohérence de la vie psychique. Le schizophrène vit dans son monde intérieur et perd le contact vital avec la réalité. Cette maladie débute habituellement chez l'adolescent ou chez l'adulte jeune, et concerne environ une personne sur cent.

Symptômes
- Troubles de la communication : propos étranges, utilisation de mots inconnus, réponses à côté.
- Troubles de l'affectivité : désintérêt apparent pour la vie amicale et amoureuse.
- Troubles du comportement : activités diminuées (parfois, le schizophrène « garde la chambre » pendant des mois); actes cocasses, absurdes, imprévisibles; inertie et docilité, ou au contraire mutisme et colères immotivées; négligence des petits faits pratiques.
- Le délire paranoïde est caractéristique de la schizophrénie. C'est un délire flou, associant, sans liens logiques, plusieurs thèmes (mysticisme, persécution, érotomanie...).

Durée
- La schizophrénie est une maladie chronique, mais les traitements actuels permettent une stabilisation.

Causes
- Beaucoup de théories proposent une « explication » de la schizophrénie (agressions sociales, oppression familiale, perturbation précoce de la communication mère-enfant, bouleversements culturels...), mais aucune n'a été démontrée rigoureusement.
- En revanche, le rôle de la génétique est un fait établi pour certaines schizophrénies.

Traitement à domicile
- Il est mieux de le commencer en milieu hospitalier.
- Le schizophrène exprime de l'ambivalence à l'égard de ses proches (mélange simultanément de sentiments d'amour et d'hostilité). Ce fait, et bien d'autres, impose l'hospitalisation pour préserver la famille.

Quand consulter le médecin
- Certaines schizophrénies ont un début progressif marqué par un désintérêt pour les activités de loisirs, une tendance à l'isolement, une chute des résultats scolaires, des propos secrets ou mystiques... qui peuvent être confondus avec la « crise de l'adolescence ».

Rôle du médecin
- Il proposera souvent de consulter un spécialiste.

SCIATIQUE

C'est une des formes les plus habituelles du mal de dos. Elle peut résulter de toute compression anormale du nerf sciatique. Une telle compression survient le plus habituellement au niveau des racines du nerf, par une HERNIE DISCALE. La douleur peut débuter brusquement, après avoir soulevé quelque chose de lourd ou s'être relevé d'une position penchée en avant. La douleur peut commencer comme un LUMBAGO et se transformer en sciatique. *Voir* DOS (DOULEURS DU).

SCLÉROSE EN PLAQUES

La maladie est due à la lésion des gaines entourant les cellules nerveuses. Les nerfs ne fonctionnent pas de façon normale et provoquent des troubles de la vision, de la sensibilité et du contrôle musculaire. La sclérose en plaques atteint une personne sur deux mille. L'âge moyen de l'apparition des symptômes est de trente ans et les femmes sont plus touchées que les hommes. Les symptômes sont variables d'un patient à l'autre.

Symptômes

- Environ 40 pour 100 des cas débutent par une sorte de désordre visuel. La vue peut être obscurcie ou voilée (un ou deux yeux atteints). Une douleur ou une gêne en arrière des yeux peut apparaître, de même qu'une vision double.
- Avec ou sans désordre visuel, le malade peut ressentir aussi une faiblesse ou une perte de contrôle d'un ou plusieurs membres. Certains gestes ne sont que maladroitement accomplis. C'est l'ATAXIE.
- Le malade peut être incontinent.
- Ces symptômes physiques s'accompagnent souvent d'une modification de l'humeur. Les patients peuvent être déprimés mais sont le plus souvent euphoriques et ne semblent pas affectés par la maladie.

Durée

- Les symptômes apparaissent en général en plusieurs heures ou plusieurs jours, puis disparaissent progressivement durant les deux à huit semaines qui suivent. Néanmoins, une rechute peut survenir après des semaines, des mois ou des années et les séquelles de chaque rechute vont peu à peu entraîner une infirmité. Parfois, la sclérose en plaques peut s'avérer fatale, mais beaucoup de patients survivent trente à quarante ans après l'apparition du premier symptôme. Dans les cas graves, la mort peut survenir dans les deux ans. La durée moyenne est de vingt ans.

Causes

- La cause n'est pas connue de façon certaine et fait l'objet de nombreuses recherches. Il est possible que cette maladie soit une réaction à une infection virale.
- La sclérose en plaques est plus fréquente dans certaines familles mais rien n'indique qu'existe une transmission héréditaire. Le jumeau d'un malade n'a, par exemple, aucun risque particulier.

Complications

- Des infections des reins, de la vessie et des poumons peuvent survenir.

Traitement à domicile

- Aucun qui soit possible.

Quand consulter le médecin

- A la moindre perte de vision ou faiblesse musculaire, si l'engourdissement d'un membre persiste.

Rôle du médecin

- Pratiquer un examen pour rechercher la sclérose en plaques. Cela nécessitera souvent une ponction lombaire : on prélève à l'aide d'une aiguille un peu du liquide qui entoure la moelle épinière.
- Si la sclérose en plaques est confirmée, le médecin peut prescrire des injections d'ACTH, substance stimulant les glandes surrénales et semblant diminuer les lésions lors des accès de la maladie.
- A long terme, le médecin recommandera le repos tant que les symptômes sont présents. Pendant les périodes de rémission, il proposera des exercices pour renforcer les muscles et les garder actifs.
- Le médecin conseillera un ergothérapeute ou un kinésithérapeute pour suppléer aux infirmités que peut causer la maladie. Des associations regroupant des patients et leurs familles peuvent aussi apporter une aide, car il y a beaucoup à faire pour diminuer les effets handicapants de la maladie.

Prévention

- Aucune qui soit connue.

Pronostic

- Il n'y a pas actuellement de traitement de la sclérose en plaques. Les symptômes sont cause de frustration et de désespoir. Néanmoins, un malade peut vivre longtemps, de façon active, au prix d'une grande volonté personnelle et avec l'aide des professionnels de la santé.

SCOLAIRES (PROBLÈMES)

Le premier signe de l'échec scolaire est habituellement l'annonce d'un redoublement. Il est souvent accompagné pour l'enfant et pour les parents d'un sentiment de déshonneur et de culpabilité. En réalité, il faut savoir qu'un enfant sur deux redouble une classe primaire.

Il ne faut pas confondre un fléchissement scolaire passager avec un réel échec scolaire; ce n'est que dans cette dernière éventualité qu'il convient de s'inquiéter auprès du maître et de demander une consultation médico-psychologique soit dans l'école elle-même, soit hors de l'école.

Les causes d'échec scolaire sont multiples; nous ne citerons que les principales :

Le refus scolaire, qui se manifeste par un comportement d'opposition (agressivité ou passivité), correspond souvent à un trouble affectif ou caractériel.

La phobie scolaire s'observe chez des enfants qui, pour des raisons mal exprimées, refusent totalement ou partiellement d'aller à l'école. La contrainte est tout à fait inutile et entraîne chez l'enfant des réactions d'anxiété ou de panique très intenses. La phobie scolaire témoigne souvent d'un état dépressif qui justifie toujours une consultation médicale spécialisée. Il faut distinguer la phobie scolaire de l'angoisse de séparation du petit enfant en début d'année, qui est le plus souvent de courte durée.

Les déficiences intellectuelles, qui sont peu fréquentes mais qui doivent cependant être dépistées tôt, par la mesure du quotient intellectuel.

Les déficits sensoriels (troubles de la vision et de l'audition) ne sont découverts parfois qu'après plusieurs années d'échec scolaire. Au moindre doute, il convient de demander des examens médicaux.

Les difficultés scolaires spécifiques, touchant l'apprentissage de la lecture, de l'orthographe et du calcul, peuvent bénéficier très largement d'une prise en charge spécialisée.

L'instabilité psychomotrice, qui associe des difficultés d'attention, une agitation constante et un contact très familier, est parfois un obstacle à une bonne intégration scolaire.

Enfin, signalons l'« échec scolaire » dû à l'ennui des enfants surdoués; le passage dans une classe supérieure améliore souvent les résultats.

L'échec scolaire peut être lié à des causes diverses (sociales, médicales, pédagogiques, psychologiques). En toutes circonstances, il convient de réagir le plus tôt possible, afin de ne pas enfermer l'enfant dans l'habitude de l'échec.

SCOLIOSE

Incurvation de la colonne vertébrale sur le côté. La scoliose de l'enfance ou de l'adolescence peut s'accentuer jusqu'à la fin de la croissance. Elle peut être au contraire provisoire chez l'adulte, une HERNIE DISCALE entraînant une mauvaise attitude qui disparaît à la guérison. La POLIOMYÉLITE était jadis une cause fréquente de scoliose, avant la vaccination obligatoire. La scoliose de l'enfant s'améliore avec une gymnastique appropriée. Seuls quelques cas graves peuvent nécessiter le port d'un corset ou une intervention chirurgicale.

SCORBUT

Maladie due à une carence en vitamine. Le scorbut est lié à un manque de vitamine C (acide ascorbique) dans l'alimentation. La vitamine C est présente dans les fruits frais, en particulier les oranges, pamplemousses et citrons, ainsi que dans des légumes comme le chou et les pommes de terre. La vitamine C est détruite par la cuisson. Les sujets exposés au déficit en vitamine C sont les alcooliques, les gens défavorisés, les bébés mal nourris, les sujets âgés vivant seuls.

La vitamine C est nécessaire au maintien des structures de la peau, du muscle et de la paroi des vaisseaux. En l'absence de vitamine C, la paroi des vaisseaux est fine et devient fragile : cela explique qu'en cas de carence apparaissent des hémorragies au niveau de la peau et des gencives, et que les infections soient fréquentes. Une anémie n'est pas rare. Le pronostic est mauvais chez l'enfant et l'adulte.

Le scorbut peut être évité par une alimentation équilibrée comportant des fruits et des légumes frais non cuits. Le scorbut est une maladie extrêmement rare en Occident. C'était une maladie courante chez les marins effectuant de longues traversées sans alimentation fraîche. Cette affection a disparu depuis que les marins consomment des jus de fruits frais.

Le scorbut se traite par de fortes doses de vitamine C. Une rechute doit être évitée en prescrivant en permanence de la vitamine C chez les sujets atteints.

Voir ALIMENTATION SAINE

SÉBORRHÉE

Production excessive de sécrétion grasse (sébum) par les glandes sébacées de la peau. Elle ne nécessite aucun traitement médical, mais peut s'accompagner d'ACNÉ, d'ECZÉMA SÉBORRHÉIQUE, de PELLICULES.

Symptômes

- La peau devient grasse et luisante à la puberté.

Durée

- C'est généralement une affection de longue durée, parfois de toute une vie.

Causes

- Elles sont inconnues. Les hormones sexuelles mâles activent les glandes sébacées mais ne sont pas directement responsables.

Traitement à domicile

- Toilettes fréquentes avec des savons doux. Une lotion asséchante peut être utile.
- Évitez les produits cosmétiques gras.

Quand consulter le médecin

- Seulement si la séborrhée s'accompagne d'autres troubles, comme une acné ou un eczéma séborrhéique.

Prévention

- Il n'y a pas de prévention efficace.

Voir LA PEAU, *page 52*

SEPTICÉMIE

C'est la dissémination de microbes (virus ou bactéries) ou de micro-organismes (champignons, candida) dans le sang, à partir d'un foyer infectieux initial (ABCÈS, ANGINE, etc.). Cet état s'accompagne de manifestations générales graves (fièvre très élevée, pâleur, fatigue intense...) et peut conduire à l'apparition de foyers secondaires (par fixation des germes en d'autres endroits de l'organisme). C'est le cas de l'ENDOCARDITE ou de l'ABCÈS du cerveau, par exemple.

SÉROLOGIE

C'est l'étude du sérum du sang et de ses composants. Elle est utilisée pour le diagnostic des maladies infectieuses et pour apporter à l'organisme une protection contre ces maladies (sérum antitétanique par exemple).

SEXOLOGIE

Le comportement de la société vis-à-vis de la sexualité a évolué considérablement depuis la fin des années 50. Autrefois, c'était un sujet plutôt tabou; aujourd'hui, il est largement abordé dans les médias.

Les méthodes modernes du contrôle des naissances ont considérablement réduit la crainte d'avoir des rapports sexuels prénuptiaux ou extra-conjugaux. Mais si ces changements ont permis incontestablement une certaine amélioration de la condition féminine, par la suppression de certains tabous, ils ont également des inconvénients.

1° Les nombreuses publications et les nombreuses émissions de radio et de télévision qui se sont imposées par la demande potentielle du public ont créé une image telle de la sexualité, et particulièrement de la satisfaction sexuelle, qu'il finit par y avoir comme une sorte de droit à une bonne sexualité pour chacun, celle-ci étant envisagée comme une performance. Ces messages sont si trompeurs qu'un échec à l'aboutissement d'un orgasme peut être considéré comme une faute d'un des partenaires dans sa façon de faire l'amour. En insistant sur le côté purement physique de la sexualité, on entraîne ainsi une perte de confiance en soi.

2° Ce changement d'état d'esprit vis-à-vis des rapports sexuels extra-conjugaux, par exemple, est tel que ceux qui ne s'y livrent pas peuvent être considérés comme ridicules. Ils se sentent alors obligés de rompre avec leur propre code moral pour ne pas détonner par rapport à leurs amis, leurs collègues ou tout simplement parce que c'est à la mode.

3° La pudeur moindre envers les problèmes sexuels a encouragé certains à discuter de leurs anxiétés, de leurs préoccupations, qu'ils tenaient jusque-là secrètes. Ce comportement est incontestablement bénéfique, mais risque aussi de créer parfois une attente irréaliste de ce que peut apporter la sexualité.

Il arrive très souvent que certaines expériences sexuelles se terminent par un échec. Cela est habituellement transitoire et ne doit en rien affecter le futur.

LE DÉSIR

Bien que les hommes et les femmes soient différents, et plus particulièrement dans leur sexualité, les modifications corporelles qui apparaissent dans les deux sexes à l'occasion du désir sont strictement identiques. Elles se déroulent en deux étapes :

La première étape. Il y a un accroissement du flux sanguin dans les organes sexuels, le pénis chez l'homme, le clitoris et la cavité vaginale chez la femme. Le pénis est entouré d'une capsule qui n'est pas élastique. Le sang qui arrive ne peut ressortir, car des valvules bloquent temporairement les veines de sortie. Cet organe va augmenter de volume, s'agrandir et se durcir dans une érection. Le vagin, de même, tend à se congestionner, mais reste mou parce qu'il n'est pas enclos dans une membrane rigide. Le clitoris, équivalent féminin du pénis, se met en érection, et sa sensibilité s'accroît particulièrement, débordant sur toute la surface de la vulve environnante. Les parois vaginales augmentent de longueur, deviennent turgescentes et déchargent le fluide lubrificateur qui finit par s'écouler par l'orifice de la vulve.

Dans les deux sexes, la peau qui entoure les zones génitales et même l'anus sont particulièrement excitables. Le rythme cardiaque et respiratoire s'accélère, les pupilles se dilatent. Les seins de la femme peuvent devenir également sensibles, habituellement d'une manière agréable, et se tendre sous l'effet du désir.

Cette période est décrite comme la phase congestive. Elle est sous le contrôle d'un double mécanisme hormonal et nerveux identique dans les deux sexes.

La deuxième étape. L'achèvement naturel de l'acte sexuel est l'orgasme, mais il ne suit pas toujours la première étape.

Dans les deux sexes, il y a une augmentation du

niveau du désir qui entraîne une série de contractions musculaires spontanées survenant régulièrement tous les huit dixièmes de seconde, aussi bien au niveau du pénis que du vagin, et s'accompagnant de sensations érotiques extrêmement agréables.

Chez l'homme, ces contractions finissent par entraîner l'éjaculation, c'est-à-dire l'émission de sperme dans une série de secousses.

Ce sperme, ainsi déposé près du col de l'utérus, peut entraîner une fécondation.

Il n'y a pas d'émission similaire chez la femme.

L'orgasme est suivi chez l'homme par une période de récupération au cours de laquelle le pénis se ramollit. La durée de cette période avant une autre érection varie d'un individu à un autre, et chez une même personne d'une fois à l'autre, de quelques minutes à plusieurs heures, voire plusieurs jours. Inversement la femme peut rester encore excitée après l'orgasme et être capable d'une série d'orgasmes.

LES INFLUENCES PSYCHOLOGIQUES

Le désir sexuel est accentué par le contact corporel et la stimulation physique des organes sexuels, mais la cause profonde est cérébrale. De nombreuses composantes psychologiques accentuent le désir et modifient l'appétit sexuel.

Les goûts sexuels sont des plus divers. Il n'y a pas de critères précis pour définir une femme désirable ou un homme attirant. Le désir sexuel peut être modifié par toute une série de facteurs, tels que la personnalité, l'allure, l'intelligence, l'habillement, la propreté, l'éducation, le niveau culturel et les possibilités physiques. Les odeurs jouent un rôle important comme stimulants. L'être humain a créé une vaste industrie de parfums agréables, mais ils effacent les odeurs naturelles de l'homme et de la femme qui sont parfois les parfums les plus excitants.

Les goûts sexuels et la fréquence des rapports dépendent souvent de la profondeur des relations.

LA CONDUITE SEXUELLE

Notre époque d'émancipation de la femme a permis de ne plus tenir compte du mythe des stéréotypes masculins et féminins. Le mythe de l'homme lascif, en état permanent de désir sexuel, qui exploite la femme souffrant de sa brutalité, mais parfois comblée de ses caresses, a disparu.

En fait, de grandes variations existent entre les individus (les hommes comme les femmes) quant au désir sexuel. Cette libido est considérablement accentuée ou ralentie par des facteurs aussi bien psychologiques et sociaux que physiques. Ainsi une lumière tamisée, une musique douce favoriseront les meilleures conditions d'épanouissement sexuel.

L'orgasme et le désir s'entretiennent l'un l'autre. Ainsi un désir satisfait stimulera davantage le désir, inversement un désenchantement diminuera le désir.

Malgré les différences dans la libido et dans le comportement sexuel des individus, de nombreux couples arrivent à une entente harmonieuse. Ils découvrent comment s'exciter l'un l'autre, quelles sont les conditions pour une bonne activité sexuelle.

LES TYPES DE DÉFAILLANCE SEXUELLE

L'érection. Le désir sexuel entraîne habituellement chez l'homme une érection. Mais cette progression naturelle est quelquefois interrompue; c'est une cause fréquente d'échec sexuel.

Cet échec peut entraîner de l'anxiété et même une angoisse allant parfois jusqu'à la panique; en particulier lorsqu'on craint une répétition de l'échec la fois suivante. Cet échec apparaît souvent parce que l'anxiété bloque le mécanisme de l'érection.

Les difficultés peuvent s'accentuer et la sexualité cesse d'entraîner joie, émotion et détente; les sentiments érotiques sont remplacés par la crainte de l'échec. L'homme finit par éviter tout rapport et devient impuissant.

Ces problèmes d'érection sont parfois la conséquence d'une ou deux défaillances surprenantes. Cela peut arriver s'il existe une crise dans le couple ou si l'homme est surmené, s'il a trop bu ou pour toute autre raison mineure. Les causes médicales sont rares. Ces défaillances sont le plus souvent transitoires.

Pourquoi y a-t-il alors des difficultés chez certains ? La réponse se trouve dans la personnalité de l'homme ou dans la relation qu'entretient le couple.

Le besoin de réussir à tout prix peut quelquefois aggraver les effets de l'anxiété et empêcher une érection. Le même phénomène se produira si le couple ne s'entend pas.

Cette défaillance masculine est parfois accentuée par la réaction de la femme qui craint d'être moins attirante. Pourra-t-elle toujours susciter le désir de son mari ? Elle se sentira négligée, voire rejetée. Il peut en résulter un certain ressentiment ou même une hostilité. Ainsi, les relations sexuelles dans le couple finiront par devenir impossibles.

La lubrification. Les mécanismes qui interviennent dans la lubrification du vagin sont les mêmes que ceux qui contrôlent l'érection, avec cependant quelques différences. Sans une érection masculine, les rapports sont impossibles, alors que l'absence d'érection clitoridienne n'empêche pas les rapports. D'autre part, l'anxiété concernant les capacités sexuelles affecte également l'homme et la femme, mais le retentissement sera plus important chez l'homme.

L'origine de ce trouble, un accouchement par exemple, inquiète la femme. Mais son anxiété est beaucoup moins clairement définie et beaucoup plus sensible que celle de l'homme. Elle est un mélange d'idées, souvent préconçues, sur la manière dont elle est constituée en tant que femme. Par exemple la taille, le volume, la forme, la direction, la texture de son vagin, le fait qu'il soit plus ou moins bloqué, la préoccupent ainsi que son attitude amoureuse.

Les troubles de la lubrification vaginale ne sont pas les seuls symptômes des difficultés sexuelles de la femme, mais un des signes de son manque de désir. C'est en général une composante mineure d'un problème plus sérieux. Même si une femme voit diminuer sa lubrification vaginale, elle peut cependant avoir des rapports sexuels, certes moins confortables, voire douloureux. Cette déficience de lubrification est d'ailleurs la cause la plus commune de la dyspareunie (douleurs au moment des rapports). Il peut arriver que ces douleurs soient accompagnées de troubles beaucoup plus sérieux, comme le spasme vaginal qui, dans certains cas, entraîne le vaginisme; celui-ci crée une véritable barrière qui empêche toute pénétration. Un tel phénomène est habituellement la réponse inconsciente à la peur d'être blessée ou encore une forme de culpabilité vis-à-vis de la sexualité.

Il arrive exceptionnellement que chez certaines femmes l'hymen soit particulièrement rugueux, dense et difficilement franchissable, nécessitant une intervention chirurgicale.

L'éjaculation. La plus fréquente des défaillances dans ce domaine est l'éjaculation précoce. L'éjaculation survient dans ce cas immédiatement après la pénétration ou même avant. A l'extrême on peut avoir l'érection suivie instantanément de l'éjaculation. Ce n'est pas une anomalie physique mais elle peut finir par démoraliser l'homme comme sa partenaire.

Ce trouble peut s'entretenir lui-même dès que l'on craint sa réapparition lors d'expériences ultérieures. Dans la majorité des cas, cette éjaculation précoce n'est pas durable. Elle est souvent déclenchée par des difficultés dans l'existence, des émotions, des soucis, des troubles relationnels dans le couple et parfois par les premiers rapports sexuels.

L'habitude d'avoir des rapports rapides peut également favoriser ces éjaculations prématurées; de même, des rapports irréguliers avec des prostituées ou des rapports qui n'ont pour but que de soulager cette tension sexuelle. Dans ces cas, avec le temps et l'amélioration des conditions relationnelles, tout rentre habituellement dans l'ordre.

L'absence d'éjaculation est un trouble beaucoup plus rare. Pour y remédier certains sont obligés de terminer l'acte par une masturbation ou certaines caresses. Les relations sont habituellement bonnes au début de la vie du couple, menant à la satisfaction des deux partenaires, particulièrement de la femme avec obtention d'orgasme. Les problèmes ont tendance à apparaître quand le couple envisage la création d'une famille. La femme peut alors se sentir prise au piège, source de modifications de l'activité sexuelle et d'une certaine anxiété chez l'homme. Il peut en résulter des troubles de l'érection. Parfois la pratique délibérée du retrait à la fin du rapport comme méthode de contraception finit par entraîner des troubles.

L'absence d'éjaculation survient habituellement chez des personnes qui ont déjà des problèmes.

L'orgasme féminin. La qualité de l'orgasme et la façon de l'obtenir varient d'une femme à l'autre et, pour la même femme, d'un partenaire à l'autre.

Chez l'homme, l'orgasme se termine par l'éjaculation. Chez la femme, il se traduit par une onde voluptueuse secouant tout le corps bien au-delà de la région génitale. Pour certaines un orgasme peut succéder à un autre plus ou moins rapidement, mais cela varie selon les personnes et varie chez la même personne d'une fois à l'autre. Certaines femmes n'achèvent leur orgasme que rarement et attendent longtemps avant qu'il ne se reproduise.

Les meilleures conditions d'obtention de l'orgasme surviennent habituellement chez l'homme autour de la vingtième année et auraient tendance ensuite à diminuer progressivement. Chez la femme il n'en va pas tout à fait de même; il faut souvent attendre qu'elle atteigne au moins la trentaine pour obtenir l'épanouissement complet.

Les difficultés à obtenir l'orgasme ont de nombreuses raisons. Certaines femmes sont incapables de s'abandonner à leurs émotions sentimentales, d'autres considèrent que les rapports n'excitent pas suffisamment leurs sensations érotiques, d'autres encore sont victimes d'une technique amoureuse limitée. Enfin, les troubles dans la relation du couple interviennent grandement. Certaines femmes ne peuvent obtenir l'orgasme que par la masturbation.

L'expérience démontre que beaucoup de femmes n'atteignent jamais l'orgasme, mais retirent des joies de leurs expériences sexuelles. Inversement, d'autres manquent d'expérience sexuelle, mais peuvent provoquer en elles l'orgasme; cela leur procure un sentiment de satisfaction sexuelle.

LES CAUSES DE DÉFAILLANCE SEXUELLE

L'anxiété. Certains ont un tempérament soucieux, avec une vie sexuelle normale; mais si les problèmes apparaissent dans le couple, ce tempérament anxieux favorisera l'apparition de difficultés sexuelles.

L'anxiété peut prendre différents aspects. Ainsi, certains hommes sont préoccupés parce qu'ils craignent que leur pénis soit trop petit ou que leur érection n'ait pas la tension suffisante. Certaines femmes craignent que leur vagin soit bloqué. D'autres personnes se fixent un modèle de sexualité et s'efforcent d'obtenir à tout prix les mêmes performances. Il n'en faut pas plus pour accentuer les difficultés d'expression sexuelle et entretenir l'anxiété.

Certaines situations sont génératrices d'anxiété, comme la hantise d'une grossesse non désirée ou la possibilité de ne pas être à la hauteur.

En fait, le risque majeur de ce type d'attitude est qu'elle s'entretient elle-même. Ce qui n'était qu'une difficulté passagère finit par devenir un obstacle majeur à la vie quotidienne et un véritable blocage vis-à-vis de la sexualité.

L'éducation. Nous sommes tous modelés par l'hérédité et l'environnement. L'éducation influence pour une grande part notre comportement personnel en tout domaine, dans les problèmes de sexe et de relation émotionnelle en particulier.

L'inquiétude des parents vis-à-vis de la sexualité, notamment quand elle s'exprime avec rudesse ou par des interdits, intervient grandement dans le comportement de l'enfant. Une personne élevée dans une famille où l'on tient le sexe pour quelque chose de secret ou de condamnable le considérera inévitablement comme un sujet de crainte et même de honte. Cela peut avoir des conséquences néfastes sur la première expérience sexuelle. La politique parentale qui consiste à « ne rien dire devant les enfants » entraîne généralement les enfants à se promettre de « ne rien faire devant les parents ».

Cette anxiété est souvent entretenue par un climat d'insécurité. C'est le cas chez les parents qui ont un comportement agressif, qui sont alcooliques ou qui menacent de se séparer. Ils devraient avoir conscience qu'ils perturbent considérablement le développement de la personnalité de leurs enfants. Cette absence d'amour, d'émotion dans la famille entraînera chez l'enfant des difficultés pour exprimer son enthousiasme, ses désirs, ses émotions.

L'ignorance. La société permissive actuelle a supprimé tout le secret qui entourait la sexualité. Il est naturel d'être au courant aujourd'hui de tout ce qui concerne les organes sexuels et leur fonctionnement. La plupart des enfants ont acquis un grand nombre de connaissances dans ce domaine avant l'âge de quinze ans. D'une manière générale, la méconnaissance de ces problèmes favorise des désordres sexuels et peut entraîner une anxiété, voire une insatisfaction.

La simple connaissance des mécanismes de la sexualité et de tout ce qui l'environne ne suffit pas néanmoins à expliquer l'émotion qu'elle entraîne. Mais l'incertitude dans ce domaine conduit à l'anxiété.

Certains ont peur de leur propre sexualité sans pouvoir se l'expliquer. Ils sont dans l'incapacité de venir à bout de leurs sentiments, qu'ils ne parviennent pas toujours à dominer.

D'autres pensent qu'il est anormal et même dangereux de ne pas aboutir à l'orgasme. Cela aussi bien chez l'homme que chez la femme. Il importe de tempérer un tel comportement, car l'orgasme peut effectivement ne pas toujours survenir, et son absence ne signifie pas forcément un échec.

Les gens pensent à tort que leur comportement sexuel doit toujours être le même. Il n'en est rien. Ce comportement évolue pour toutes sortes de raisons, comme la fatigue, les soucis et aussi la disponibilité du partenaire. Il est démontré que lorsqu'il y a diminution importante de l'activité sexuelle, l'homme comme la femme se comportent de telle façon qu'ils paraissent moins attirants ou désirables que dans le cas contraire.

Le désir sexuel va et vient, et son intensité est variable. Cela ne doit en aucun cas être alarmant.

Qu'on le veuille ou non, l'âge intervient en ce domaine aussi, et l'individu ne doit pas penser qu'arrivé au milieu de sa vie son activité sexuelle va forcément s'achever. Bien sûr, les pulsions sont moindres que durant la jeunesse, et la sexualité n'a peut-être plus le charme et la nouveauté de l'aventure. Elle n'en permet pas moins l'obtention de satisfactions très profondes et d'échanges affectifs durables.

Les conflits. Quand des discussions ou d'autres facteurs de conflit interviennent dans la relation du couple, l'activité sexuelle s'en ressent.

Il peut arriver que ce conflit prenne une forme très subtile, véritable sorte de sabotage sexuel. Un des deux partenaires se fait aussi peu attirant que possible et accuse l'autre de ne plus le désirer. Une autre forme « d'agression négative » consiste à tout faire pour attirer l'autre, pour adopter ensuite une attitude de rejet. Ainsi, par exemple, au moment des prémices, l'un ou l'autre des deux partenaires s'interrompt brusquement et s'adonne à une tâche ménagère. Une telle attitude finit par retentir sur l'autre partenaire qui est alors blâmé pour sa froideur.

A la place d'une existence sans soucis, le mariage

peut donner à certains un tel sens des responsabilités qu'il intervient dans le comportement sexuel. Ce qui était une joie peut devenir une obligation. Une discussion franche est encore le meilleur moyen d'éliminer les risques de conflit sexuel. Ainsi, un homme qui a tendance à poursuivre sa vie de célibataire « en passant la nuit dehors avec des copains », sans se soucier de ce que sa femme en pense, va droit vers une situation conflictuelle.

Pour la femme en particulier, la vie familiale entraîne des contraintes liées à l'éducation des enfants. Il en résulte des difficultés quand le mari n'apprécie pas ou ne comprend pas un tel comportement.

Une autre source de conflit est individuelle et plus profonde. C'est le conflit habituel entre l'instinct et la raison, véritable combat entre deux personnalités, celle qui désire les plaisirs sexuels et celle qui en a honte et se culpabilise. Pour certains la sexualité et la fécondité sont étroitement liées. Envisager des rapports sans chance de conception est pour eux intolérable. D'autres sont incapables d'envisager des rapports sexuels autrement que dans l'obscurité ou quand ils ont surmonté leurs inhibitions grâce à l'alcool. Au pire ce sentiment de culpabilité peut chez certains entraîner une véritable répulsion vis-à-vis de tout ce qui touche à la sexualité et la rendre finalement impossible.

TRAITEMENT DES PROBLÈMES SEXUELS

Communication. Le manque de communication dans un couple est à l'origine de beaucoup de problèmes sexuels. « Si seulement on m'avait dit », « je ne savais pas », ce sont les phrases que l'on entend le plus souvent à la suite d'échecs qui auraient pu être évités si les deux partenaires avaient parlé simplement de leurs sentiments et de leurs besoins.

Une explication est encore le meilleur moyen d'améliorer les conditions relationnelles et de supprimer l'anxiété au sujet de la sexualité. Vouloir améliorer à tout prix ses performances sexuelles n'est pas la bonne méthode. Une meilleure compréhension mutuelle sera d'un plus grand secours.

Un homme qui a des problèmes d'érection verra s'accentuer son anxiété et finira par éviter toute relation sexuelle, donnant ainsi l'impression à sa partenaire d'un certain rejet. La colère et la critique finiront par conduire au déséquilibre dans le couple, alors que la communication pourrait résoudre le problème. Ainsi la femme doit comprendre qu'elle n'est pas rejetée par son mari, bien au contraire.

Une jeune mariée pourra ressentir de telles difficultés, en particulier si son mari conserve ses habitudes de célibataire. Il en résultera pour elle une désaffection de la sexualité, alors qu'un échange franc avec son époux pourrait clarifier la situation.

Le même problème se rencontre chez une femme qui désire ardemment une maternité mais qui, pour des raisons économiques, doit encore attendre. Ce désenchantement doit être ressenti par son mari, qui s'efforcera de comprendre les besoins de son épouse.

Certains couples ne sont pas capables de communiquer entre eux sans une aide extérieure, cela peut les amener à consulter un médecin ou un spécialiste.

Thérapie. Habituellement l'action thérapeutique impose de supprimer les anxiétés qui sont à la racine de la défaillance sexuelle. La cure peut faire jouer davantage le sentiment amoureux, mais peut-être en limitant la pratique sexuelle, dans le but justement d'obtenir de meilleurs rapports.

Cette thérapie est la base du traitement proposé par Masters et Johnson, les médecins américains, pionniers des explorations et des traitements des problèmes de la sexualité. Cette thérapie commence par interdire pour quelques semaines toute activité sexuelle.

Le couple est alors encouragé à redécouvrir les sentiments érotiques. Cette forme de thérapeutique consiste en des caresses et en l'exploration par chaque conjoint du corps de son partenaire, dans une progression régulière du niveau de leur intimité. Cela commence par l'exploration du corps en général puis, progressivement, des organes sexuels. Mais il ne faut pas que ces attouchements se terminent par un rapport sexuel, l'objectif étant d'éprouver dans un premier temps un désir sexuel normal.

Cette thérapeutique est hautement bénéfique dans la mesure où elle est engagée après une consultation auprès d'un médecin ou d'un psychologue qui suivra la relation du couple d'un point de vue global et tentera d'identifier les difficultés et les résistances.

Une forme particulière de thérapie qui donne de grands succès est celle qui combat l'éjaculation précoce. C'est une pression ferme du bout du gland immédiatement avant que n'apparaisse le besoin de l'éjaculation. En répétant cet exercice pendant de nombreuses semaines, on voit progressivement s'allonger le temps qui sépare la montée du désir et l'éjaculation chez l'homme.

Le vaginisme, c'est-à-dire cette forme particulière de spasmes du vagin chez la femme qui bloque complètement la pénétration et donc les rapports, pourrait être traité par l'intéressée elle-même, par auto-examen et auto-pénétration douce du vagin. Mais il est préférable d'envisager une consultation médicale dans le but de montrer, examens à l'appui, que les fantasmes ne sont pas fondés et que la pénétration est possible.

Assistance sexuelle. Il y a plusieurs manières d'aider la sexualité, aussi bien chez l'homme que chez la femme. Les produits mis en vente sur le marché donnent peut-être d'excellents résultats pour les fabricants mais de bien petits bénéfices pour ceux qui les achètent et les utilisent. Plusieurs drogues et extraits de plantes sont vendus comme des produits aux vertus aphrodisiaques, mais sans aucun effet. Dans ce domaine une consultation médicale est beaucoup plus bénéfique.

Des gelées lubrifiantes peuvent partiellement résoudre le problème de la douleur au cours des rapports, due au manque de lubrification.

DIFFÉRENTS TYPES DE SEXUALITÉ

Nous sommes différents les uns des autres, aussi bien dans nos apparences que dans notre comportement sexuel. Nombreux sont les éléments qui favorisent le type d'orientation sexuelle propre à chacun. Il est peut-être impossible de dire qu'un être humain est cent pour cent homme ou femme.

La plupart des gens ont un comportement hétérosexuel, c'est-à-dire une attirance naturelle vers le sexe opposé. Pourtant certains adolescents, qui plus tard auront un comportement hétérosexuel, connaissent à cet âge une tendance à l'homosexualité, c'est-à-dire une attirance pour une personne de leur sexe. Quelques-uns ne sortent pas de cette phase et demeureront homosexuels soit sous forme passive, soit sous forme active toute leur vie durant. D'autres sont prédestinés avant même leur naissance à devenir homosexuels, bien que cela puisse ne pas être apparent durant leur enfance.

Il y a des degrés dans l'homosexualité. Il y a ceux qui, hommes ou femmes, sont en permanence homosexuels, n'étant attirés que par des personnes de leur sexe. D'autres au contraire ont une sexualité ambivalente; ils peuvent osciller d'un sexe à l'autre. Ainsi des hommes comme des femmes mariés peuvent avoir en plus de relations hétérosexuelles normales des désirs envers des individus de leur sexe.

Il peut arriver que pour des raisons très particulières les seules occasions de rapports sexuels soient des rapports homosexuels; ainsi chez certains marins ou chez les prisonniers. Cela peut également expliquer les tendances homosexuelles de certains enfants qui vivent enfermés dans des écoles rigides où la mixité n'est pas encore admise. Toutefois, même dans des circonstances particulières, la plupart des gens ne sont pas attirés par des personnes de leur sexe.

Il y a beaucoup de théories concernant l'origine de l'homosexualité. Des mères dominatrices pourraient inconsciemment favoriser cette tendance chez leurs fils; de même si le père possède un comportement agressif. Mais l'expérience démontre que ces attitudes parentales excessives ne sont en réalité qu'une cause mineure. En fait, il faut davantage tenir compte du tempérament individuel et des fréquentations qu'ont les jeunes dans cette période critique de leur vie qu'est l'adolescence.

Actuellement la tendance évolue vers le libéralisme. Pourtant il y a encore de nombreuses personnes qui sont heurtées par la pensée que des gens du même sexe peuvent faire l'amour entre eux. Selon les pays les attitudes évoluent vis-à-vis de l'homosexualité.

L'homosexualité est la déviation sexuelle la plus fréquente. Néanmoins on ne doit pas ignorer les tendances qu'ont certains individus à se travestir ou à envisager un changement de sexe (transsexualité). Le travesti est celui ou celle qui a tendance à s'habiller avec des vêtements du sexe opposé et cela est particulièrement fréquent chez les jeunes adolescents. La plupart du temps cette habitude est sans importance. Durant la croissance, tout rentre habituellement dans l'ordre sans qu'il soit nécessaire d'intervenir d'une manière ou d'une autre. Il n'y a pas de traitement spécifique de cette tendance; dans les cas exceptionnels, une thérapie simple du comportement donne d'excellents résultats.

Le transsexualisme, c'est la conviction chez un individu qu'il est né avec le sexe qui ne lui convient pas. A partir de ce moment-là, il fera tout pour mettre en accord le sexe anatomique et le sexe psychologique, ce qui finit par devenir une véritable obsession. En général, ces personnes envisagent alors des interventions en vue de réaliser anatomiquement ce changement de sexe.

LE SEXE, QUE DIRE A VOTRE ENFANT ?

Comment les parents peuvent-ils apprendre à leurs enfants que la sexualité fait partie de la vie familiale ? La première chose qu'il faut retenir, c'est que les enfants ont tendance à copier leurs parents et que si les problèmes concernant la sexualité ne sont pas abordés avec eux, il est peu probable qu'ils puissent entrevoir clairement le problème. Si l'on désire obtenir une bonne approche de ce thème il importe de les renseigner. Si inversement les parents laissent entendre que tout ce qui concerne la sexualité est faux, pour ne pas dire malpropre, les enfants risquent de voir se développer des sentiments d'inhibition. Un enfant a besoin de savoir que la sexualité est une partie de l'amour, des relations affectueuses et bénéfiques qui doivent se créer entre les uns et les autres.

LA PREMIÈRE PRISE DE CONSCIENCE

C'est très tôt dans leur vie que les enfants découvrent leur sexe. Ainsi, pendant la toilette de son fils, une mère constatera qu'il se réjouit en ayant une érection et en tenant son pénis. De la même façon elle constatera que sa petite fille a tendance à s'asseoir en plaçant ses mains entre ses cuisses. Le plaisir résultant de la stimulation des organes sexuels est obtenu dès l'âge de deux ou trois ans, quand bien des parents grondent les enfants quand ils les voient toucher leur sexe. Il arrive même qu'on leur laisse entendre que toucher ses régions génitales est dangereux et malsain.

La meilleure des choses est encore d'ignorer ce à quoi l'enfant s'occupe et d'essayer de le distraire en lui proposant une quelconque activité. Cette première phase de stimulation sexuelle apporte à l'enfant une sensation de plaisir qui disparaît souvent aux environs de quatre ou cinq ans.

LE DÉSIR DE SAVOIR

Dans ses toutes premières années, un enfant sera très intéressé par son anatomie et par le fait qu'il est différent soit de ses frères, soit de ses sœurs. Il désirera savoir d'où il est venu et, d'une manière précise, comment se réalise la naissance des enfants.

Un garçon désirera savoir à quoi correspondent ses organes génitaux et pourquoi les petites filles n'en possèdent pas d'identiques. De même il voudra savoir pourquoi il n'a pas de seins comme sa mère. Cette période d'auto-examen est très propice pour enseigner aux enfants ce qu'ils doivent exactement savoir. Les légendes de cigognes qui apportent les bébés sont peut-être plus dangereuses que bénéfiques, car elles risquent d'entraîner une certaine confusion chez les jeunes enfants quand ils entendront d'autres versions de la part de leurs amis ou de leurs enseignants.

Le bon moment pour améliorer cette approche anatomique est encore le moment du bain, et tout particulièrement si les parents se baignent avec les enfants. Les similitudes et les différences peuvent ainsi être expliquées. Le garçon découvrira qu'il a un petit trou à travers lequel passent les urines. Il prendra conscience également qu'il est porteur de petits testicules mais il n'en réalise pas l'importance. Il n'est pas inutile de lui expliquer que ses testicules contiennent par exemple des graines qui, quand il grandira, lui permettront de fabriquer des enfants.

Les petites filles découvrent peut-être moins facilement leur anatomie. Elles apprendront progressivement que ce sont les femmes qui portent les enfants et qu'un jour, cette éventualité peut les concerner. C'est à ce moment qu'elles parviennent à comprendre l'ensemble de leur anatomie et particulièrement de leur vagin, reconnu alors comme l'orifice à travers lequel l'enfant sort du ventre maternel. Ayant découvert leur vagin, les petites filles peuvent l'explorer et quelquefois même y introduire des objets; une infection génitale peut en résulter.

Quand ils apprennent que pour introduire dans le ventre maternel la petite graine, futur bébé, il est nécessaire que le pénis masculin pénètre le vagin féminin, certains petits garçons comme certaines petites filles jugent cela ridicule.

D'OU SUIS-JE VENU ?

Les enfants éprouvent des difficultés à considérer que le monde existait avant eux. Au cours de conversations familiales, au sujet d'événements qui ont précédé leur naissance, ils posent souvent la question : « Où étais-je à ce moment-là ? »

Il est souhaitable à cette période d'essayer par exemple de leur présenter une amie enceinte ou tout simplement un nouveau-né. Cela est encore plus facile si leur propre mère attend un bébé.

Les enfants des campagnes ont l'avantage d'être mieux informés parce qu'ils assistent souvent aux accouplements et aux naissances des animaux. Les enfants des villes, qui n'ont pas cette chance, devraient bénéficier d'excursions à la campagne. Surveiller la croissance de fleurs en pot sur le rebord d'une fenêtre est un excellent moyen pour leur montrer comment une plante peut grandir et comment une toute petite graine produit des fleurs merveilleuses.

La plupart des écoles ont introduit dans leur emploi du temps des cours concernant la reproduction. L'inconvénient est alors que bien souvent les enfants iront plutôt auprès de leur maître quand ils auront des problèmes. Mais si le sexe se limite à une explication biologique, dans un contexte qui n'est pas familial, il est dépouillé de toutes les émotions qui l'accompagnent.

Les enfants se passionnent facilement pour tout ce qui touche à la sexualité dans les discussions avec leurs amis à l'école. Ils échangent les informations et s'interrogent sur ce qui est vrai ou faux. Ils enjolivent bien souvent ce qu'ils entendent pour faire en sorte que ce qu'ils décrivent soit encore plus fantastique. C'est ainsi que ce créent des mythes qui se transmettent de bouche à oreille. S'ils constatent que leurs parents sont réceptifs à de tels problèmes, les enfants en parleront aisément à la maison au retour de l'école. C'est peut-être le moment favorable pour essayer de dissiper les craintes et connaître l'attitude de leurs enfants vis-à-vis de la sexualité.

LES PREMIÈRES RÈGLES
L'âge de la puberté varie d'une fille à l'autre, de neuf ans à seize ans. Le premier signe en est le développement des seins et l'apparition des poils sur le pubis et aux aisselles.

Les premières règles apparaissent habituellement un an après ce premier signe. Si la petite fille n'en est pas avertie, l'apparition des règles risque d'être très mal vécue. C'est pourquoi il est prudent de l'en avertir dès les premiers indices. Même si elle y est préparée, ces premières règles peuvent entraîner chez la petite fille un sentiment de déchirure avec le passé et une image d'elle-même tout à fait différente. Elle constate qu'elle n'est plus une enfant et que, brutalement, tout ce qui a trait aux garçons, au sexe et aux enfants peut la concerner directement. Quand débute cette puberté, la petite fille devrait théoriquement être au maximum de sa forme. Malheureusement, au lieu de cela, elle donne, bien souvent, l'image d'une petite femme boulotte et boutonneuse qui rougit à la moindre allusion la concernant de la part des garçons, et qui est toute prête à fondre en larmes à la moindre provocation. Elle essaie de changer de vêtements mais pas toujours avec succès, elle va même jusqu'à essayer de porter un soutien-gorge. Elle se sent toute gauche, mal dans sa peau, et quand apparaissent les règles souvent douloureuses, elle craint que par son comportement les gens s'en rendent compte.

A cette occasion sa famille doit l'aider, la prendre davantage en considération, tout en évitant de lui donner l'impression qu'elle est devenue malade. Sa mère l'aidera par exemple en lui achetant les serviettes ou tampons hygiéniques nécessaires car elle est souvent embarrassée pour le faire toute seule. Quant à son père, plutôt que de la gêner encore davantage à cette occasion, il est préférable qu'il lui offre des fleurs ou un petit souvenir pour marquer l'importance de l'événement.

POURQUOI LES FILLES SONT-ELLES RÉGLÉES ?
Les règles apparaissent chaque mois pour la raison suivante : à partir de la puberté une femme produit régulièrement un ovule qui représente la première étape dans la formation du futur enfant. Cet ovule va se déplacer de l'ovaire vers l'utérus dans la trompe, où il devra être fécondé par un spermatozoïde pour que cet enfant en formation puisse se développer dans l'utérus. S'il n'y a pas fécondation, l'ovule non fécondé sera évacué par l'utérus. La muqueuse utérine, qui s'était épaissie en vue de recevoir cet enfant, devenant inutile va s'éliminer par les voies naturelles, en petits fragments au milieu d'un écoulement sanguin. Cet ensemble de sang et de muqueuse qui s'éliminent représente les règles.

Quelques jours avant que ne débutent les règles il peut arriver que les femmes prennent du poids, ressentent des douleurs au niveau de leurs seins qui augmentent de volume, de même que la partie basse de leur abdomen et leurs chevilles. Elles peuvent durant cette période être particulièrement irritables. *Voir* SYNDROME PRÉMENSTRUEL.

A l'âge adulte les règles apparaissent régulièrement tous les vingt-huit jours. Mais il faut un certain temps pour que le cycle atteigne cette régularité : l'apparition des règles peut ainsi ne survenir que trois à quatre fois la première année. Il peut même arriver qu'elles s'interrompent pour les causes les plus variées comme un changement de résidence, un voyage, une émotion.

SERVIETTES HYGIÉNIQUES OU TAMPONS ?
Beaucoup de médecins considèrent que le port de tampons risque de favoriser par la rétention sanguine une infection vaginale. Pourtant ils présentent de multiples avantages. Posés en un instant, ils sont invisibles et provoquent si peu de gêne qu'ils s'oublient. Confortables pour la pratique des sports.

Il peut arriver que dans certains cas l'hymen soit tellement serré que la pose de ces tampons soit difficile, pour ne pas dire inconfortable. Quant au risque de déchirure de l'hymen à l'occasion de leur insertion, il est plus qu'hypothétique. Devant ces difficultés, il faut envisager de se reporter aux serviettes hygiéniques. Dans cette éducation le rôle de la mère est des plus importants.

UNE PETITE QUANTITÉ DE SANG
Beaucoup de jeunes filles sont effrayées à l'idée de perdre toute cette quantité de sang. Elles ont peur que ces saignements ne s'arrêtent pas. Il n'est pas inhabituel de perdre des caillots durant les deux premiers jours des règles, mais dans l'ensemble la quantité de sang perdu est très minime. Il est difficile de se prononcer pour chaque femme, mais généralement on peut considérer que la perte sanguine représente un dixième de la quantité de sang prélevée chez un donneur dans une séance. Cela pour rassurer celles qui craignent, en perdant beaucoup de sang, de devenir anémiques. En fait ces pertes sanguines sont physiologiques et nécessaires au maintien de l'équilibre de l'organisme.

LES RÈGLES DOULOUREUSES
Il y a aussi celles qui craignent l'apparition des règles à cause des douleurs qu'elles provoquent parfois. Ces douleurs risquent de les empêcher d'aller à l'école quand s'y ajoutent des vomissements et même des diarrhées. La moindre des consolations est encore de leur expliquer qu'elles vont aller en s'atténuant avec l'âge et qu'habituellement elles disparaissent après la première grossesse.

Le meilleur moyen de prévenir cette douleur est de faire de l'exercice dans les jours qui précèdent l'apparition des règles.

Certaines évitent de pratiquer un sport le premier jour des règles. Il faut au contraire les encourager à avoir une certaine activité plutôt que de rester couchées au lit avec une bouillotte. Il existe pour les règles douloureuses de nombreux calmants et sédatifs qui n'ont pas d'effets secondaires.

LES PRÉJUGÉS
On entend souvent dire qu'une femme ne doit pas se baigner, ou nager, ou même laver ses cheveux pendant ses règles. Il n'y a aucune raison à cela, au contraire. Dès lors, si certaines pensent qu'elles risquent de sentir mauvais pendant les règles, il ne faut pas qu'elles craignent de poursuivre leur toilette intime. Se laver les cheveux n'a jamais entraîné aucun trouble durant cette période. De même en ce qui concerne la natation, sauf peut-être pour les femmes qui perdent beaucoup de sang; c'est dans ces cas que le port de tampons est commode.

Les jeunes filles devraient accepter leurs règles comme une véritable fonction physiologique grâce à laquelle elles auront le privilège dans les années à venir de porter un enfant.

LES PROBLÈMES DU GARÇON
Les garçons ont eux aussi des problèmes durant leur puberté. Ils atteignent habituellement leur maturité sexuelle vers les treize ans, mais ils souffrent terriblement de leur timidité, de leur acné, du changement de leur voix et de leur démarche souvent gauche. Il peut arriver que les adolescents se retirent dans leur chambre pendant quelques heures, donnant l'impression qu'ils ne font rien. Il est prudent de ne pas les déranger quand ils désirent s'isoler.

Ils concentrent leur attention sur leurs organes génitaux, à la différence des filles qui abordent la sexualité en termes plus romantiques.

Les garçons, eux, sont davantage concernés par la taille de leur pénis, particulièrement quand il est en érection. Cette érection peut leur poser un problème car elle survient souvent dans la journée et ils craignent à ce moment-là que cet état se voie à travers leur pantalon. Ils peuvent avoir des pollutions nocturnes.

Ils comprennent difficilement que les filles se préoccupent moins de l'acte sexuel qu'eux.

Les filles, d'ailleurs, les invitent à des petites fêtes, portent souvent des vêtements très aguichants, tentent de les attirer en les embrassant et ensuite les rejettent plus ou moins brutalement. Ce comportement les irrite profondément, d'autant que les garçons sont plus rapidement et plus facilement excitables et ne sont heureux que quand ils atteignent leur but, alors que les filles ne voient encore dans tout cela qu'un jeu.

LA MASTURBATION

Un des moyens de soulager la tension sexuelle est la masturbation (production d'un orgasme par stimulation des organes sexuels). Malgré les mythes qui entourent la masturbation (comme celui qui consiste à dire qu'elle rend aveugle), cette dernière n'a en aucune façon d'effets secondaires. Non seulement elle réduit les tensions sexuelles, mais elle aide les garçons et les filles à mieux comprendre les réactions de leurs organismes. La pratique amoureuse sera, de plus, considérablement améliorée grâce à la connaissance des zones de leur corps particulièrement sensibles. Beaucoup de personnes considèrent qu'une telle pratique est dangereuse, pour ne pas dire fautive. D'autres au contraire considèrent qu'elle favorise dans l'ensemble les joies sexuelles.

L'HOMOSEXUALITÉ

Du fait de la précocité de leurs pulsions sexuelles, il n'est pas rare que des garçons aient une expérience homosexuelle. C'est la raison pour laquelle leur père devrait aborder le problème dans le cadre d'une discussion avec eux. Cela arrive notamment lorsque les enfants sont pensionnaires et un garçon qui n'y est pas préparé peut être perturbé. En effet, pour de nombreux garçons, une expérience homosexuelle est bien souvent la première expérience sexuelle. Il arrive que certains garçons, particulièrement attirés par ce type d'expérience et désirant capter l'attention de leurs camarades, en parlent d'une manière un peu exagérée. Certains pensent qu'ils doivent partager leurs pulsions sexuelles. Ces expériences, pour communes qu'elles soient, ne sont que passagères. Les relations hétérosexuelles sont possibles ultérieurement et deviendront la coutume chez la plupart d'entre eux.

Ce type d'expérience homosexuelle est plus rare chez les filles, bien que certaines aient une attirance pour une amie plus âgée qu'elles à l'école.

Les jeunes gens et les jeunes filles qui ont eu des expériences homosexuelles peuvent avoir ensuite des difficultés dans l'approche de leur sexualité. Ils sont déchirés entre l'attirance pour leur sexe et les pressions sociales qui les incitent à se diriger vers le sexe opposé. Il peut même arriver que ces jeunes gens ne retirent aucun plaisir des expériences qu'ils partagent avec une femme. Dans ce cas il ne faut pas hésiter à aborder le sujet très directement en famille ou, si nécessaire, avec le médecin. Les sentiments de culpabilité au sujet de l'homosexualité sont très dangereux.

Il n'est pas inopportun de parler aux enfants dès leur adolescence de tout ce qui touche à la sexualité. En effet, en grandissant, ils vont être amenés à regarder des pièces de théâtre ou des films à la télévision et à lire des livres et des magazines. Il leur arrivera de voir en famille, par exemple à la télévision au moment des nouvelles, des scènes de violences sexuelles. Il peut même arriver qu'ils voient des films sur l'homosexualité. Il est alors facile pour les membres de la famille de leur expliquer le comportement des uns et des autres en abordant le problème en termes généraux; ce qui les aidera considérablement à mieux comprendre ce qu'ils voient, ce qu'ils lisent.

S.I.D.A.

Le S.I.D.A. (syndrome immuno-déficitaire acquis) est une affection très grave, d'identification récente, caractérisée par une déficience acquise du système immunologique. Elle provoque un mauvais fonctionnement des lymphocytes du thymus, responsables de l'immunité cellulaire. Des infections graves et multiples peuvent être la première manifestation de la maladie et toucher tous les organes : poumons, système nerveux central, système gastro-intestinal.

Symptômes

- Période d'incubation longue, atteignant cinq ans.
- DIARRHÉE, DYSPNÉE, fièvre.
- Grande fatigue, amaigrissement, sueurs nocturnes.
- Gonflement des ganglions.
- Diffusion de taches bleues, violacées ou brunâtres, principalement sur les membres inférieurs (PURPURA).
- Muguet buccal (CANDIDOSE).
- Apparition d'un cancer de la peau, appelé sarcome de Kaposi, au stade terminal de la maladie.

Causes

- La cause présumée est un rétrovirus dont l'origine serait africaine.

Modes de transmission

- Contact sexuel intime.
- Inoculation ou transfusion de sang ou de produits sanguins.
- Transmission de la mère à son enfant.

Groupes à risques

- Les homoxesuels et les personnes ayant des partenaires multiples.
- Les drogués se faisant des injections intraveineuses.
- Certains Haïtiens, certains Africains.
- Les hémophiles qui reçoivent le facteur VIII, ou les patients ayant été transfusés de nombreuses fois.
- Les bébés nés de parents « à risques ».

Traitement à domicile

- Aucun.

Rôle du médecin

- Il n'existe aucun traitement spécifique du S.I.D.A. Le médecin traite les diverses infections.

Prévention

La cause du S.I.D.A. n'étant pas connue avec certitude, il n'existe pas de mesures spécifiques de prévention. Il n'y a que des recommandations à donner :

- Pas de contact sexuel avec un sujet atteint.
- Ne pas donner ou prendre de sang à une personne atteinte de S.I.D.A. ou appartenant à un groupe à risques.
- Éviter les partenaires sexuels multiples.
- Pas d'inoculations percutanées ou intraveineuses avec des seringues et des aiguilles non stérilisées.

Pronostic

- Très mauvais.
- Moins de 14 pour 100 des malades survivent trois ans après le début de la maladie.

SILICOSE

Maladie professionnelle du poumon due à l'inhalation de poussières de silice contenues dans le quartz ou le silex. Les sujets à risques sont surtout ceux qui creusent les roches dures des mines ou des carrières.

Voir RISQUES PROFESSIONNELS ET LIÉS A L'ENVIRONNEMENT

SINUSITE

Inflammation de la muqueuse des sinus — cavités osseuses communiquant avec le nez. Beaucoup de gens souffrent des sinus de temps en temps, en particulier à l'occasion de RHUME ou de RHINITE chronique. La douleur est due à l'obstruction temporaire et à la congestion des petites ouvertures des sinus. Si les sinus s'infectent, les symptômes sont plus graves et l'affection s'appelle alors sinusite. Les sinus du front et des joues sont les plus souvent touchés. Si les petits enfants peuvent avoir une inflammation des sinus maxillaires (ceux des joues), leurs sinus frontaux n'apparaissent pas avant quatre ou cinq ans et par conséquent ne peuvent pas être touchés.

La sinusite peut être soit aiguë, soit chronique.

SINUSITE AIGUË

Inflammation des sinus survenant en général trois à dix jours après un rhume ou lorsqu'une rhinite chronique subit une poussée aiguë.

Symptômes

- Douleur persistante dans le front ou les joues aggravée par le fait de se pencher en avant, de se coucher, de tousser ou par les changements de pression.
- Écoulement nasal parfois strié de sang et qui continue à être vert ou jaune durant une dizaine de jours.
- Nez bouché du côté atteint et diminution de l'odorat et du goût.
- Fièvre.
- Pesanteur des yeux qui sont larmoyants.
- Rougeur et gonflement du visage au niveau du sinus.
- Douleur à la pression de l'os au niveau du sinus.
- Douleurs dentaires.

Durée

- La sinusite aiguë s'efface en général dans les trois jours.

Causes

- Infection d'un rhume s'étendant à travers les petits orifices qui font communiquer le nez avec les sinus.
- Infection des dents du haut s'étendant au sinus maxillaire.

Complications

- Infection chronique du sinus.

Traitement à domicile

- Repos si vous avez de la fièvre.
- Prenez des analgésiques aux doses habituelles pour soulager la douleur.
- Des inhalations de vapeur, surtout additionnées de cristaux de menthol et d'eucalyptus, ou des inhalations appropriées peuvent hâter la guérison. La vapeur humidifie l'air et la chaleur peut fluidifier le mucus, lui permettant de s'écouler librement. Attention à l'eau bouillante à proximité des enfants.
- Des médicaments anticongestifs peuvent améliorer les symptômes et souvent hâter la guérison.

Quand consulter le médecin

- Si on a essayé pendant quarante-huit heures le traitement à domicile et que le malade continue de souffrir.

Rôle du médecin

- Rechercher la sensibilité de la région des sinus en appuyant sur le front et les joues.
- Éclairer les cavités des sinus (transillumination). La présence d'une opacité indique une sinusite.
- Recommander un traitement dentaire si l'infection provient des dents.
- Prescrire un traitement antibiotique en recommandant en même temps la poursuite du traitement à domicile. *Voir* MÉDICAMENTS, n° 25.
- Procéder à une radiographie des sinus en cas de diagnostic douteux ou de soupçon d'une sinusite chronique en évolution.
- Parfois il est nécessaire de laver les sinus et pour cela de les drainer, en pratiquant dans le nez un nouvel orifice. Cette intervention s'effectue avec une aiguille qui perfore la paroi du sinus, provoquant généralement une amélioration spectaculaire.

Prévention

- Éviter la fumée qui irrite les muqueuses.
- Ne pas se moucher trop vigoureusement au cours des RHUMES. Cela peut pousser l'infection vers les sinus.

Pronostic

- La sinusite répond bien au traitement mais les rechutes sont fréquentes et ne peuvent être évitées.

SINUSITE CHRONIQUE

Inflammation tenace des sinus. Beaucoup de gens souffrent de congestions répétées des sinus sans qu'on puisse parler d'une inflammation chronique telle que celle de la sinusite chronique.

Symptômes

- Nez bouché de façon persistante et écoulement par une ou deux narines.
- Douleur persistante du visage et du front, s'aggravant en position couchée, en se penchant en avant ou en toussant.
- Goût et odorat diminués.

Durée

- Chez certains, la sinusite réapparaît tous les ans à la même époque lors de l'exposition à des antigènes ou des irritants. Cela peut durer des années ou disparaître spontanément.

Causes

- RHINITE chronique (inflammation de la muqueuse nasale).
- Exposition aux poussières et aux irritants, en particulier à la fumée de tabac.

Complications

- L'écoulement continu dans l'arrière-gorge peut entraîner une infection et des lésions des poumons chez l'enfant.

Traitement à domicile

- Éviter les allergènes.
- Traiter les épisodes de sinusite aiguë.
- Ne pas utiliser de vaporisations ou de gouttes sauf sur prescription médicale. Certains de ces produits pourraient aggraver l'affection.

Quand consulter le médecin

- Si l'on suspecte une sinusite chronique.
- Si apparaît une fièvre ou une douleur violente, appelez le médecin dans les quarante-huit heures.

Rôle du médecin

- Demander des radiographies.
- Prescrire des antibiotiques. Le traitement doit surtout être complet pour éviter les rechutes. *Voir* MÉDICAMENTS, n° 25.
- Parfois une opération est nécessaire pour ouvrir le sinus infecté dans le nez ou la bouche. Cela permet le drainage du pus et la disparition des symptômes.

Prévention

- Ne pas fumer.
- Éviter l'exposition aux poussières et aux irritants.

Pronostic

- Les symptômes peuvent durer des années, surtout si les conseils de prévention ne sont pas suivis.

Voir SYSTÈME RESPIRATOIRE, *page 42*

SODOKU

Maladie due à la morsure d'une souris ou d'un rat infecté. La fièvre apparaît un à vingt-huit jours après la morsure et peut s'accompagner d'un gonflement des ganglions lymphatiques, de douleurs des articulations, de mal de tête et de vomissements. Il y a parfois une éruption. On le traite par les antibiotiques.

SOMNAMBULISME

Il ne concerne pratiquement que les enfants et n'est que rarement inquiétant.

Voir PUÉRICULTURE (MALADIES INFANTILES)

Soins infirmiers à domicile

GUIDE DES SOINS A DONNER A UN MALADE, AFIN D'ASSURER SON CONFORT PHYSIQUE ET MORAL

9

2

La plupart des malades préfèrent être soignés chez eux plutôt qu'hospitalisés. Les médecins reconnaissent qu'un malade se sent mieux dans son environnement familier, où il peut, quand il le souhaite, recevoir la visite de ses proches et de ses amis. La présence d'un malade dans un foyer impose toutefois à son entourage une fatigue et une tension qu'on ne peut totalement éliminer, mais que l'observation de quelques règles parvient à réduire au minimum.

A faire et à ne pas faire

Observez ces cinq règles avec un malade à domicile.

☐ Encouragez-le à être indépendant et à faire seul tout ce dont il est capable. Une sollicitude excessive annihile son esprit d'initiative et peut retarder son retour à une existence normale.

☐ Veillez à ce qu'il ait un aspect soigné et à ce que ses vêtements et ses draps soient changés fréquemment.

☐ Veillez à ce qu'il suive bien son traitement.

☐ Surveillez l'évolution de la maladie. Notez le pouls du malade, sa température matin et soir, et notez ses réactions diverses au traitement. Si quelque chose paraît anormal, appelez votre médecin.

☐ Ne faites rien qui soit susceptible d'accroître son anxiété ou sa nervosité. Aidez-le à se distraire.

CHOIX DE LA CHAMBRE
Toute personne souffrant d'autre chose que d'une affection bénigne doit être soignée dans une chambre spéciale, assez grande pour que le lit soit accessible des deux côtés, bien aérée, bien éclairée et au calme. La température ambiante sera de 16 °C (18 °C pour les jeunes enfants et les personnes âgées ou atteintes d'une affection respiratoire).

Si la maladie est prévue de courte durée et le patient valide, sa chambre personnelle est tout indiquée. En revanche, si la maladie s'annonce de longue durée et si le patient se déplace difficilement, elle peut ne pas convenir. Les couloirs de certains appartements et les escaliers des maisons constituent une barrière matérielle et psychologique. Relégué dans sa chambre, le malade se sent coupé du reste de la famille, et la personne qui le soigne risque de s'épuiser en allées et venues.

Si le patient est atteint de troubles cardiaques ou respiratoires sérieux, ou bien s'il ne peut marcher, il est

Meubler la chambre du malade
1. *Lit accessible des deux côtés.*
2. *Fauteuil réservé au patient.*
3. *Deux chaises pour les visiteurs.*
4. *Commode pour ranger le linge.*
5. *Surface pour objets de toilette.*
6. *Table de chevet pour livres, radio, carafe d'eau, lampe et sonnette.*
7. *Table à pied latéral pour repas.*
8. *Tableaux, fleurs et plantes.*
9. *Penderie.*
10. *Moquette pour réchauffer le sol.*
11. *Fenêtres, assez basses pour donner une vue au malade, mais aux joints bien calfeutrés.*

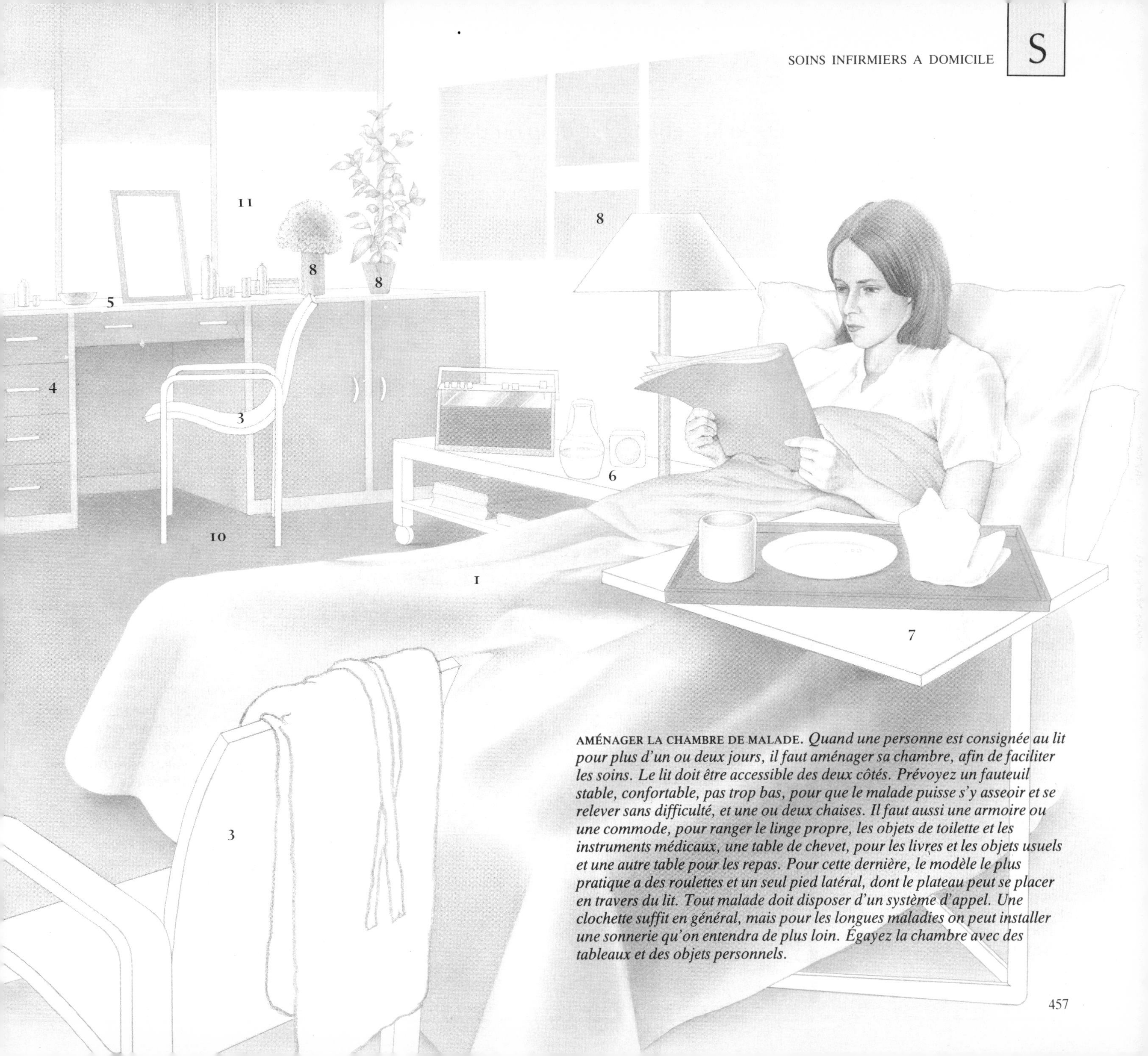

AMÉNAGER LA CHAMBRE DE MALADE. *Quand une personne est consignée au lit pour plus d'un ou deux jours, il faut aménager sa chambre, afin de faciliter les soins. Le lit doit être accessible des deux côtés. Prévoyez un fauteuil stable, confortable, pas trop bas, pour que le malade puisse s'y asseoir et se relever sans difficulté, et une ou deux chaises. Il faut aussi une armoire ou une commode, pour ranger le linge propre, les objets de toilette et les instruments médicaux, une table de chevet, pour les livres et les objets usuels et une autre table pour les repas. Pour cette dernière, le modèle le plus pratique a des roulettes et un seul pied latéral, dont le plateau peut se placer en travers du lit. Tout malade doit disposer d'un système d'appel. Une clochette suffit en général, mais pour les longues maladies on peut installer une sonnerie qu'on entendra de plus loin. Égayez la chambre avec des tableaux et des objets personnels.*

préférable de l'installer dans une pièce voisine des activités familiales, en transformant, par exemple, la salle à manger — si c'est une pièce séparée — en chambre provisoire. Cette pièce doit se trouver à proximité des toilettes. Si cela n'est pas possible et que le malade demeure partiellement valide, il peut être nécessaire d'installer une chaise roulante percée.

Si le patient exige nuit et jour une surveillance ou des soins fréquents, la personne qui en a la charge aura avantage à dormir dans une pièce contiguë.

SYSTÈMES D'APPEL

Toute personne alitée doit disposer d'un système d'appel en cas de besoin. En général, une simple clochette suffit. Mais en cas de longue maladie, une sonnerie peut se révéler utile.

En cas d'affection relativement bénigne, le patient pourra dormir la nuit dans sa propre chambre et disposer, le jour, d'un lieu de repos installé dans une pièce commune, que ce soit un canapé confortable ou encore une chaise longue de jardin, à condition qu'elle soit bien stable. C'est une solution pratique pour les mères, qui doivent s'occuper constamment de leur jeune enfant afin de le distraire.

AMÉNAGER UNE CHAMBRE DE MALADE

La chambre du malade sera, autant que possible, fonctionnelle, sans évoquer pour autant une chambre d'hôpital. Égayez-la de tableaux et d'objets personnels.

On ne doit pas placer les médicaments à portée de la main

Faire le lit : changer le drap du dessous

Au pied du lit, placez deux chaises dos à dos pour y déposer draps et couvertures. Pliez le dessus-de-lit en trois : sur le lit, amenez la partie du bas aux deux tiers vers le haut, et rabattez la partie du haut au niveau du premier pli. Posez-le sur les chaises. Débordez le lit tout autour. Sur ces illustrations, les draps propres figurent en foncé.

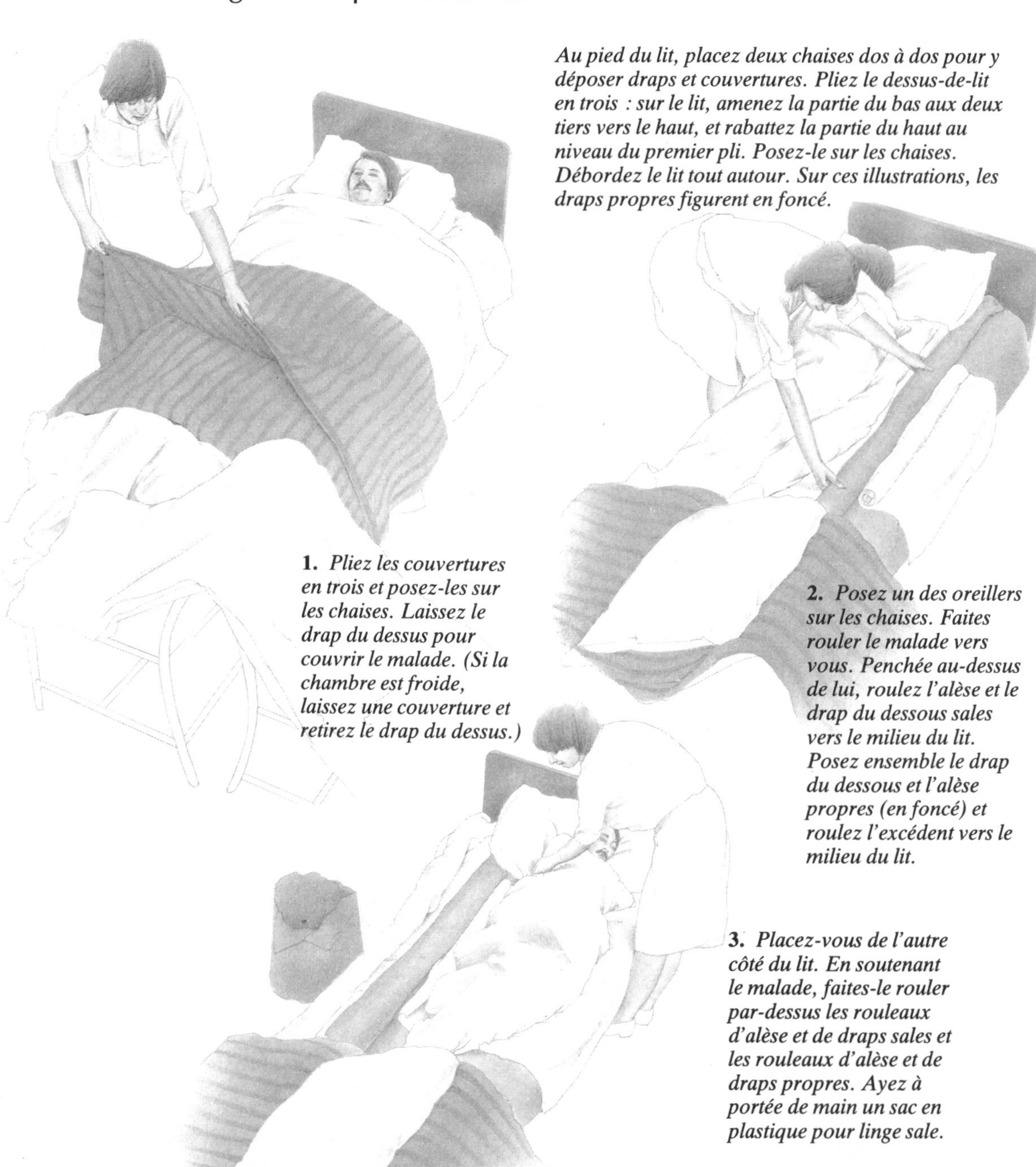

1. *Pliez les couvertures en trois et posez-les sur les chaises. Laissez le drap du dessus pour couvrir le malade. (Si la chambre est froide, laissez une couverture et retirez le drap du dessus.)*

2. *Posez un des oreillers sur les chaises. Faites rouler le malade vers vous. Penchée au-dessus de lui, roulez l'alèse et le drap du dessous sales vers le milieu du lit. Posez ensemble le drap du dessous et l'alèse propres (en foncé) et roulez l'excédent vers le milieu du lit.*

3. *Placez-vous de l'autre côté du lit. En soutenant le malade, faites-le rouler par-dessus les rouleaux d'alèse et de draps sales et les rouleaux d'alèse et de draps propres. Ayez à portée de main un sac en plastique pour linge sale.*

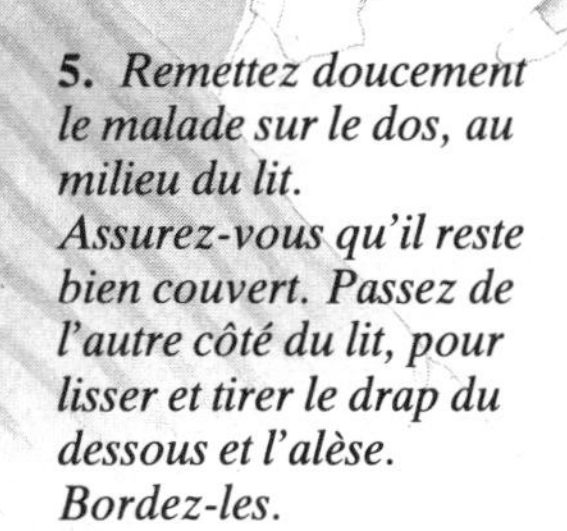

5. *Remettez doucement le malade sur le dos, au milieu du lit. Assurez-vous qu'il reste bien couvert. Passez de l'autre côté du lit, pour lisser et tirer le drap du dessous et l'alèse. Bordez-les.*

4. *Allez de l'autre côté du lit. Enlevez l'alèse et le drap du dessous sales, et mettez-les dans le sac en plastique. Déroulez le reste du drap et de l'alèse propres. Tirez-les bien, sans border.*

6. *Allez maintenant de l'autre côté. Bordez l'alèse et le drap. C'est cette alèse que vous changerez si le malade se salit.*

sur la table de chevet. Les personnes âgées ou distraites pourraient en absorber par mégarde des doses excessives, ce qui pourrait entraîner de graves conséquences. Gardez les médicaments dans l'armoire à pharmacie et ne les en sortez que pour les administrer au moment spécifié par le médecin.

FLEURS ET PLANTES
Décorez la chambre du patient selon ses goûts, de manière agréable et reposante. Donnez-lui de quoi se divertir et s'occuper : livres, musique, papier à lettres... et, si son état le permet, du matériel pour des travaux manuels. Des fleurs et des plantes pourront égayer la chambre, mais il faut les retirer la nuit. Et n'en mettez jamais si le malade a une affection respiratoire.

LIT, DRAPS ET COUVERTURES
Le lit idéal a un matelas ferme et une hauteur de 70 centimètres. S'il est plus haut, le malade aura de la peine à y entrer et à en sortir. S'il est plus bas, il sera difficile à faire. Souvent, il est préférable de louer un lit d'hôpital qui facilitera les mouvements du malade et ceux du soignant. Si c'est nécessaire, en cas de hernie discale, par exemple, on peut rendre le lit plus ferme en intercalant une planche entre le sommier et le matelas.

Draps et couvertures doivent être confortables et d'un entretien facile. Les draps et taies d'oreiller en coton sont conseillés pour éviter la transpiration. Utilisez de préférence deux couvertures légères : elles pèsent moins sur le corps du patient. Vous pouvez également utiliser un édredon léger, si le malade n'est pas sujet aux allergies.

Faire le lit : changer le drap du dessus

Il est très important de ne jamais laisser le malade découvert plus d'un court moment. Il doit toujours avoir au moins un oreiller pour lui soutenir la tête. Si le lit est garni d'une couette à la place du drap du dessus et des couvertures, mettez-lui une petite couverture ou une robe de chambre pendant que vous changez l'enveloppe de la couette.

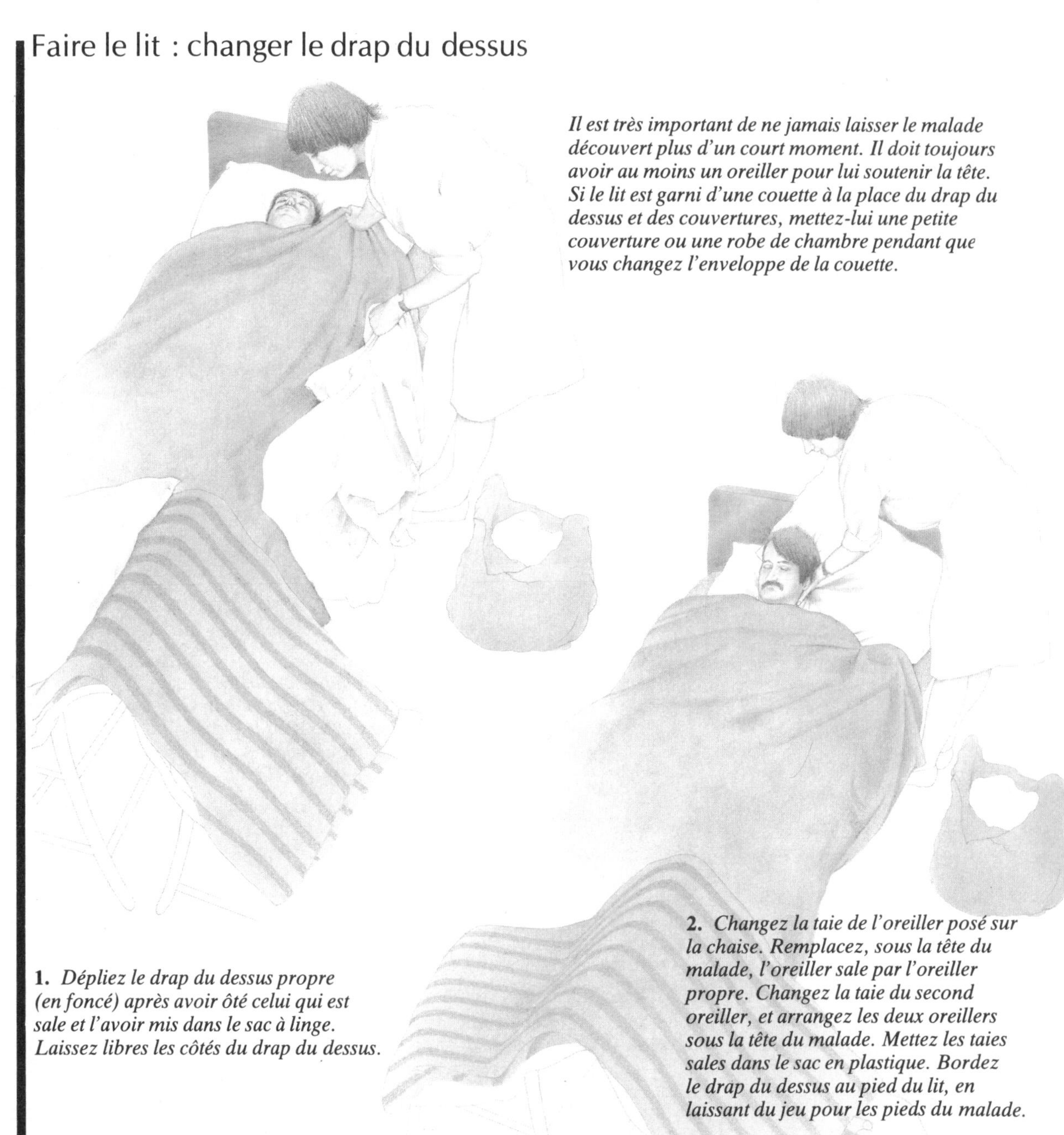

1. *Dépliez le drap du dessus propre (en foncé) après avoir ôté celui qui est sale et l'avoir mis dans le sac à linge. Laissez libres les côtés du drap du dessus.*

2. *Changez la taie de l'oreiller posé sur la chaise. Remplacez, sous la tête du malade, l'oreiller sale par l'oreiller propre. Changez la taie du second oreiller, et arrangez les deux oreillers sous la tête du malade. Mettez les taies sales dans le sac en plastique. Bordez le drap du dessus au pied du lit, en laissant du jeu pour les pieds du malade.*

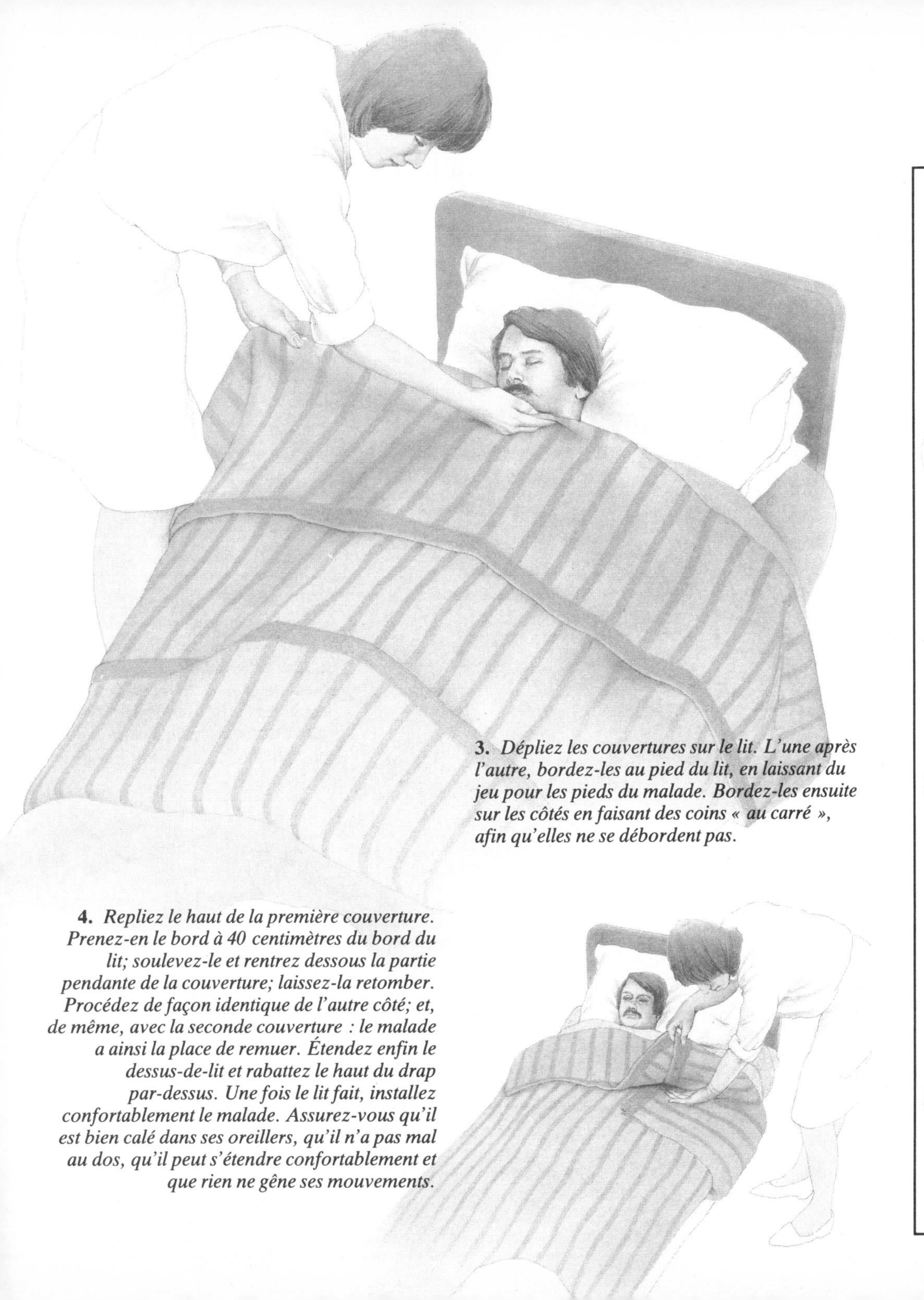

3. Dépliez les couvertures sur le lit. L'une après l'autre, bordez-les au pied du lit, en laissant du jeu pour les pieds du malade. Bordez-les ensuite sur les côtés en faisant des coins « au carré », afin qu'elles ne se débordent pas.

4. Repliez le haut de la première couverture. Prenez-en le bord à 40 centimètres du bord du lit; soulevez-le et rentrez dessous la partie pendante de la couverture; laissez-la retomber. Procédez de façon identique de l'autre côté; et, de même, avec la seconde couverture : le malade a ainsi la place de remuer. Étendez enfin le dessus-de-lit et rabattez le haut du drap par-dessus. Une fois le lit fait, installez confortablement le malade. Assurez-vous qu'il est bien calé dans ses oreillers, qu'il n'a pas mal au dos, qu'il peut s'étendre confortablement et que rien ne gêne ses mouvements.

Comment faire des coins « au carré »

A mesure que vous les bordez au pied, faites des coins « au carré » avec les draps et les couvertures.

1. Bordez la couverture sous le matelas, tout le long du pied du lit.

2. Soulevez le bord de la couverture à 40 centimètres du pied du lit. Bordez la partie pendante entre le pied du lit et votre main.

3. Bordez le côté de la couverture de façon à faire un coin « au carré ».

S'il est incontinent ou présente des plaies nécessitant de fréquents changements de pansements qui risquent de tacher le lit, isolez le matelas à l'aide d'une alèse imperméable spéciale ou d'une feuille de plastique. Étendez le premier drap habituel par-dessus. Ensuite, disposez en travers du lit, sous le bassin du patient, une alèse plastifiée ou caoutchoutée, de 1 mètre de large environ, que vous borderez des deux côtés. Pour finir, couvrez cette alèse imperméable d'une autre alèse en tissu de même largeur.

L'alèse supérieure peut être faite soit d'un drap ordinaire plié à la bonne largeur, soit d'un drap que vous aurez coupé en deux sur sa longueur. Si vous vous servez simplement d'un drap plié, assurez-vous que son épaisseur ne risque pas de gêner le malade. La peau de celui-ci ne doit jamais être en contact avec le caoutchouc, car cela pourrait provoquer des irritations, voire des escarres. Pour ceux qui sont longtemps alités, ou qui ont besoin de soins multiples, il existe des alèses jetables (en pharmacie) qui facilitent le maintien au sec du malade, indispensable pour sa santé.

VÊTEMENTS DE LIT

Pyjamas et chemises de nuit doivent être chauds, légers et suffisamment amples pour pouvoir être mis et ôtés facilement et ne pas comprimer le corps du malade. Il faut éviter les vêtements ayant des coutures épaisses, car elles sont source d'irritation.

Un aspect propre et soigné aide le patient à conserver sa dignité. Ayez donc toujours en réserve des

Soulever un malade quand il est couché sur le dos

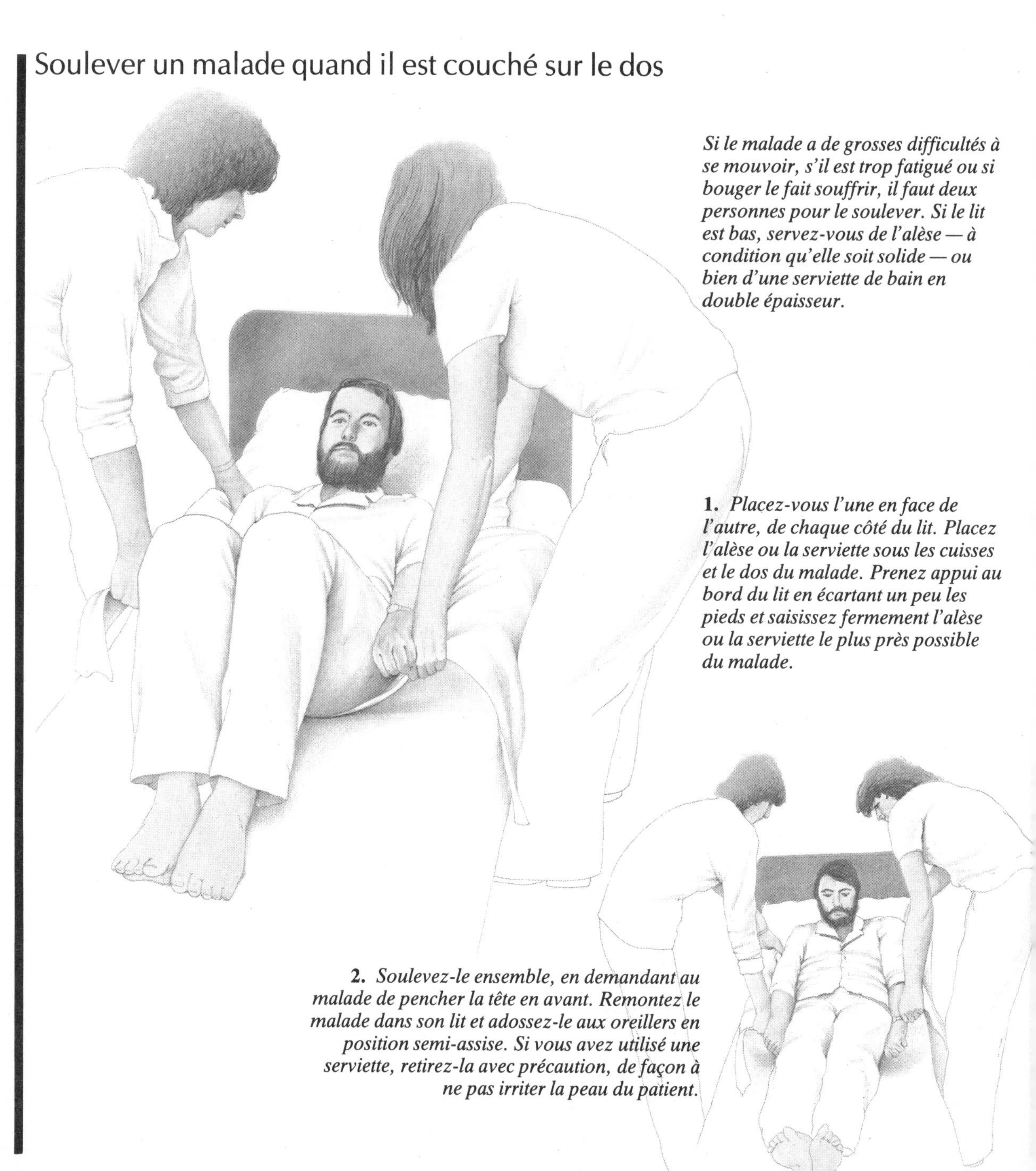

Si le malade a de grosses difficultés à se mouvoir, s'il est trop fatigué ou si bouger le fait souffrir, il faut deux personnes pour le soulever. Si le lit est bas, servez-vous de l'alèse — à condition qu'elle soit solide — ou bien d'une serviette de bain en double épaisseur.

1. *Placez-vous l'une en face de l'autre, de chaque côté du lit. Placez l'alèse ou la serviette sous les cuisses et le dos du malade. Prenez appui au bord du lit en écartant un peu les pieds et saisissez fermement l'alèse ou la serviette le plus près possible du malade.*

2. *Soulevez-le ensemble, en demandant au malade de pencher la tête en avant. Remontez le malade dans son lit et adossez-le aux oreillers en position semi-assise. Si vous avez utilisé une serviette, retirez-la avec précaution, de façon à ne pas irriter la peau du patient.*

Soulever un malade quand il est assis

Pour soulever un malade déjà en position assise, il existe une autre méthode, qui a l'avantage de laisser à chacune des aides une main libre pour prendre un point d'appui, si nécessaire. Il faut aller très doucement avec les malades atteints d'affections cardiaques ou respiratoires. Deux aides se tiennent de chaque côté du lit, tournées vers la tête du lit, les pieds écartés de 30 centimètres et les genoux fléchis.

1. *Chacune de vous place sa main ou son avant-bras sous l'aisselle du malade. Prenez appui, une jambe pliée sur le matelas s'il est très lourd, sinon au bord du lit. Demandez au malade de rentrer la tête en avant.*

2. *En faisant porter l'effort sur les jambes le plus possible, soulevez et redressez le patient. Veillez à ce que les fesses du malade ne soient plus en contact avec le matelas et le drap du dessous, afin d'éviter une irritation par frottement. Remontez le patient dans le lit et adossez-le confortablement contre ses oreillers.*

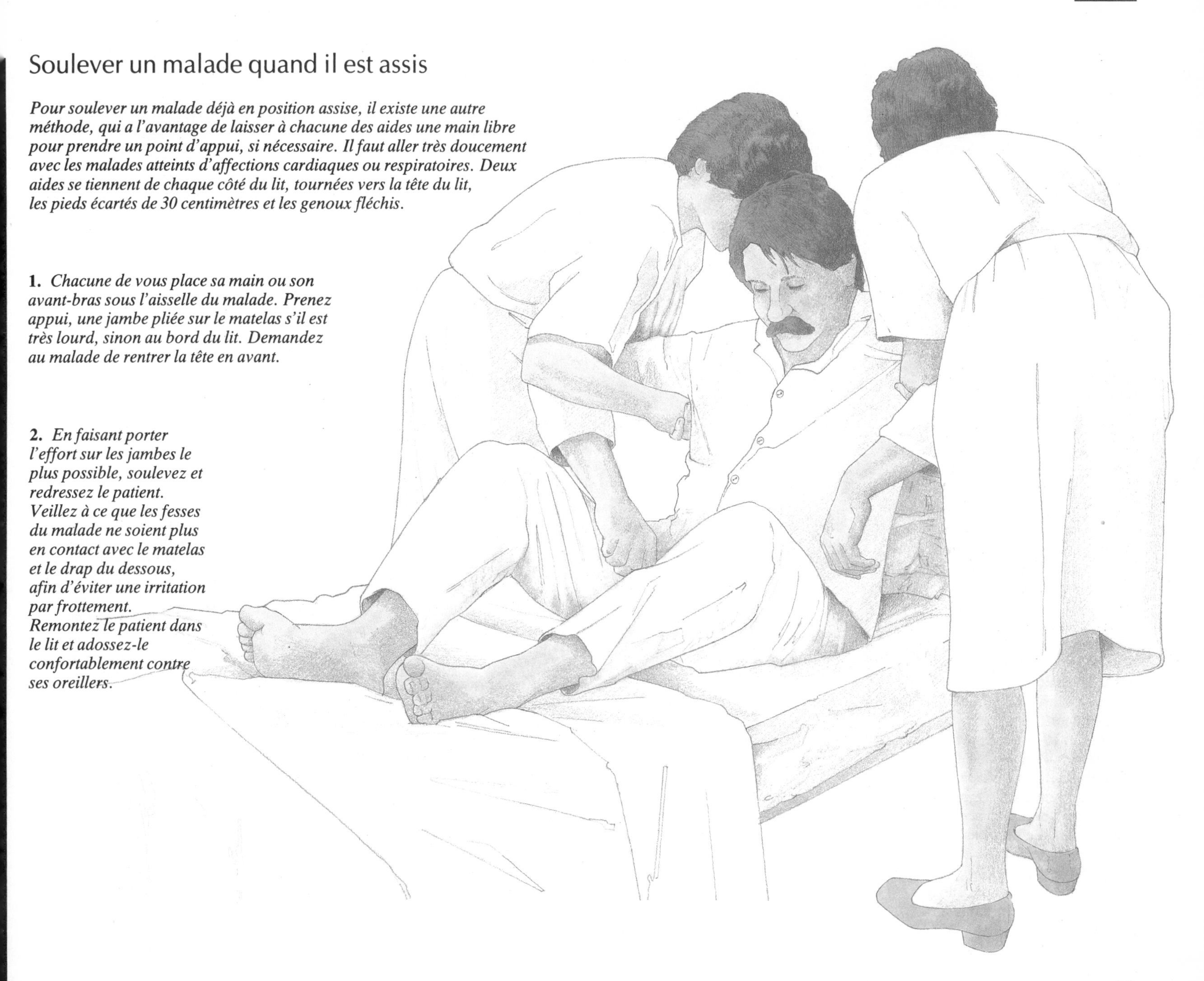

vêtements de lit qui vous permettront de changer le malade, dès que ceux qu'il porte sont salis ou moites de transpiration.

Si le patient ne se lève guère, prévoyez une robe de chambre, des pantoufles et, si nécessaire, une couverture pour les jambes. Mais dès qu'il peut rester levé plus-longtemps, il faut l'encourager à abandonner sa tenue de malade, car pour des raisons psychologiques, son retour à la vie normale s'en trouvera facilité.

COMMENT PRÉVENIR LES ESCARRES

Une personne obligée de rester au lit ou sur un fauteuil plus de quelques jours court le risque de souffrir d'escarres, plaques douloureuses où la peau se fendille et suinte. Les causes principales en sont :

- La compression et le frottement contre une surface dure (le lit), ce qui entrave l'irrigation sanguine de la peau. Les points les plus vulnérables sont ceux où les os se trouvent au voisinage de la peau : fesses, sacrum, hanches, genoux, chevilles, talons, coudes, épaules, haut de la colonne vertébrale, partie postérieure de la tête.
- L'irritation de la peau causée par le frottement.
- La friction de deux surfaces de peau (entre les chevilles, par exemple).

Moins le patient bouge et plus il est sujet aux escarres, surtout si sa peau est déjà en mauvais état à cause de l'âge ou d'une alimentation défectueuse. Peuvent aggraver les risques : l'incontinence, une transpiration très abondante, des soins d'hygiène insuffisants, une

Retourner un malade très affaibli

Si le malade est incapable de bouger seul, il faut le retourner dans son lit au moins toutes les deux heures, afin de le changer de position et d'éviter la formation d'escarres. Il vous faudra également le retourner pour pouvoir faire le lit.

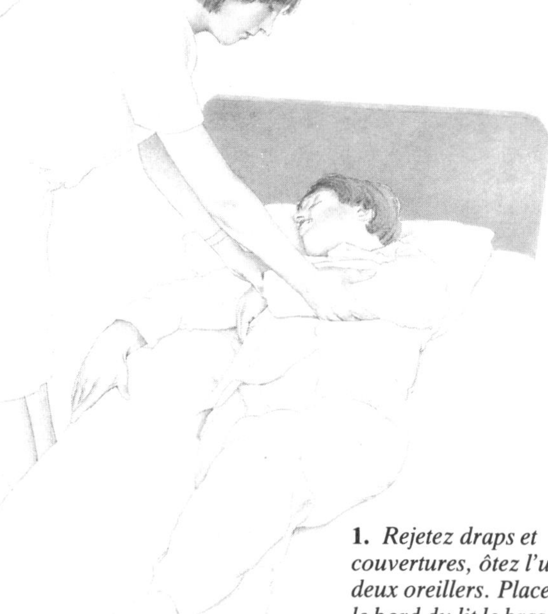

1. *Rejetez draps et couvertures, ôtez l'un des deux oreillers. Placez sur le bord du lit le bras du malade se trouvant de votre côté, l'épaule légèrement fléchie. Tournez sa tête vers vous. Amenez son autre bras en travers de son torse. Croisez la jambe située du même côté par-dessus la jambe qui est la plus proche de vous.*

2. *Du côté du malade le plus éloigné de vous, placez une de vos mains sous son épaule et l'autre sous sa fesse. Faites doucement rouler le malade vers vous, de façon qu'il se trouve confortablement couché sur le côté. Si nécessaire, calez-lui le dos avec un oreiller pour l'empêcher de rouler de nouveau sur le dos.*

Transporter un malade du lit au fauteuil

Un patient alité, suivant son état, doit passer au moins une partie de la journée dans un fauteuil. Placez le siège au niveau du milieu du lit, selon un angle de 45 degrés avec le bord du lit. Les mains sous son bassin, aidez-le à glisser le plus près du bord du lit.

1. *Placez un bras derrière la nuque, l'autre sous les genoux, et faites-le pivoter de manière à amener ses jambes au bord du lit, jusqu'à ce qu'il se trouve assis. Une fois ses pieds en contact avec le sol, mettez-lui sa robe de chambre et ses pantoufles. Placez un de vos pieds devant les siens, à angle droit, en guise de cale, pour empêcher le malade de glisser.*

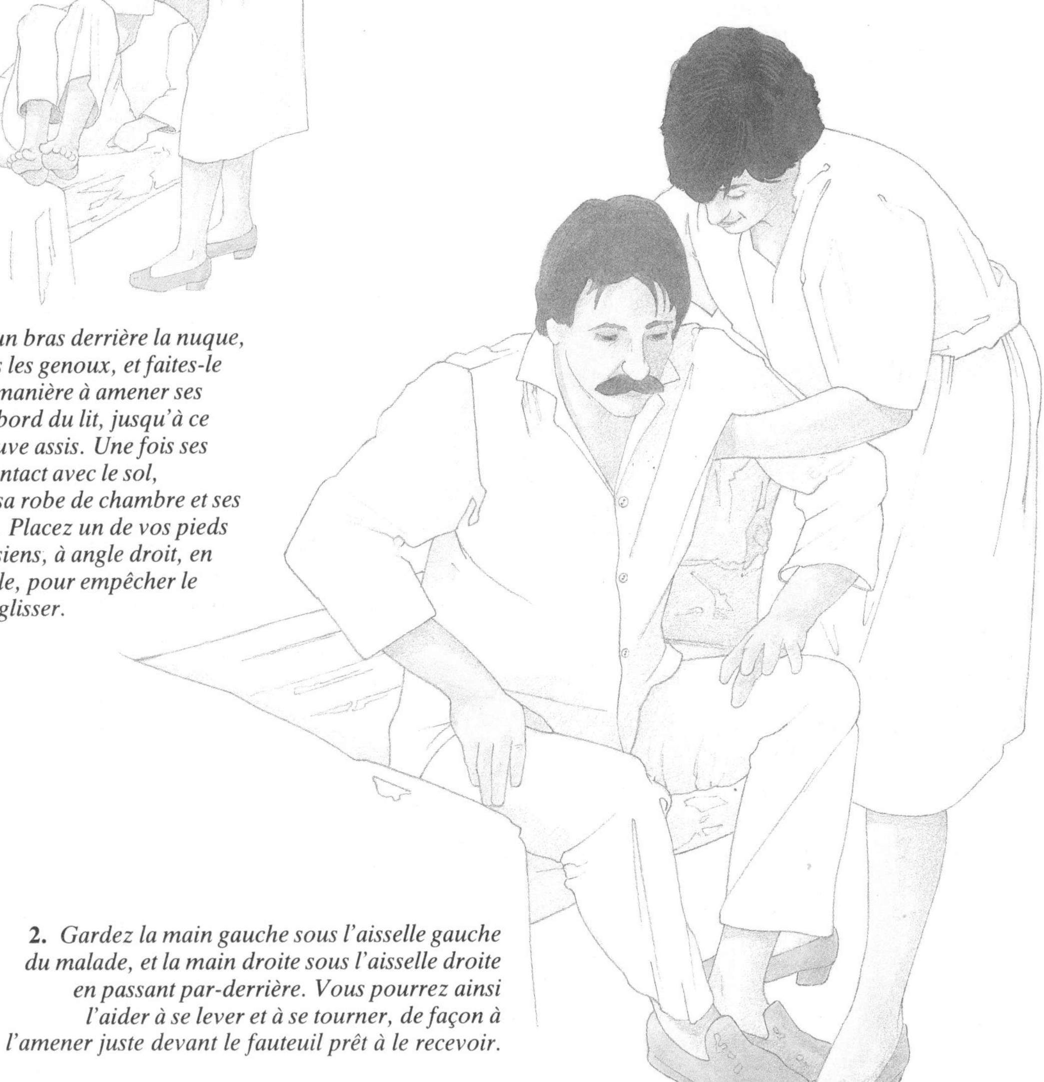

2. *Gardez la main gauche sous l'aisselle gauche du malade, et la main droite sous l'aisselle droite en passant par-derrière. Vous pourrez ainsi l'aider à se lever et à se tourner, de façon à l'amener juste devant le fauteuil prêt à le recevoir.*

3. *Faites doucement asseoir le malade dans le fauteuil. Mettez un oreiller derrière sa tête et un plaid sur ses genoux. Pour sortir le malade de son fauteuil et le remettre au lit, suivez la même méthode, mais inversée. Soulevez-le, vos bras passés sous ses aisselles et votre pied calant les siens; tournez-le pour l'asseoir au bord du lit, puis soulevez ses jambes pour l'étendre, en lui tenant la tête.*

mauvaise circulation ou des agents externes tels que des miettes de pain tombées dans le lit.

Pour réduire les possibilités d'escarres, veillez à :

- Changer le malade de position au moins toutes les deux heures.
- Masser les parties vulnérables du corps avec du désinfectant asséchant pour favoriser la circulation, et sécher ensuite. Le faire au moins matin et soir, plus si c'est nécessaire.
- Maintenir la peau et le linge propres et secs.
- Ne pas égratigner la peau avec les ongles en manipulant le bassin de façon maladroite.
- Donner au patient une alimentation convenable, et éventuellement beaucoup de liquides. *Voir* ALIMENTATION SAINE.
- Encourager de fréquentes visites aux toilettes, ou l'utilisation du bassin, afin que les draps ne soient jamais mouillés.
- Ne jamais mettre d'antiseptique coloré, qui masquerait l'évolution d'une rougeur ou d'une crevasse.
- Pour prévenir les escarres, il existe aussi des moyens de protection.

MOYENS DE PROTECTION

Les peaux de mouton, faciles à se procurer dans le commerce, offrent des surfaces douces et moelleuses sur lesquelles le patient peut s'allonger ou s'asseoir. Des petits coussins « faits maison » peuvent être placés par exemple sous les chevilles pour éviter que les talons ne touchent le lit.

Il est possible de louer, dans des maisons spécialisées, des matelas anti-escarres. Ils sont faits de boudins d'air qui se gonflent et se

La grande toilette

Pour faire, au lit, la grande toilette d'une malade, il vous faudra : du savon et beaucoup d'eau chaude, trois débarbouillettes, une pour le visage, une pour le corps, une pour la région génitale, et trois serviettes, pour les mêmes usages. Mettez une serviette de bain sous la malade, dénudez le haut du corps, couvrez-la avec une serviette. Vous lui laissserez faire tout ce qu'elle peut faire elle-même.

2. *Lavez, rincez et séchez chaque bras, des doigts aux aisselles, en gardant couvert le reste du corps. La malade se sentira rafraîchie si elle laisse sa main tremper dans la cuvette.*

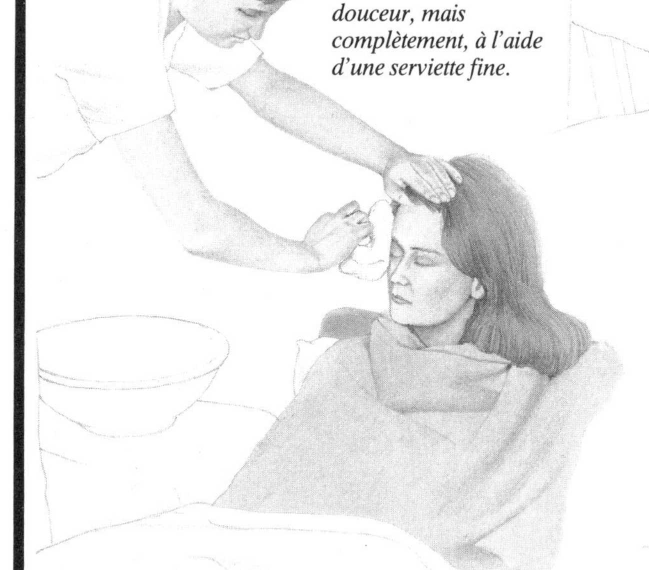

1. *Essorez la débarbouillette. Lavez le visage, le cou et les oreilles. Séchez avec douceur, mais complètement, à l'aide d'une serviette fine.*

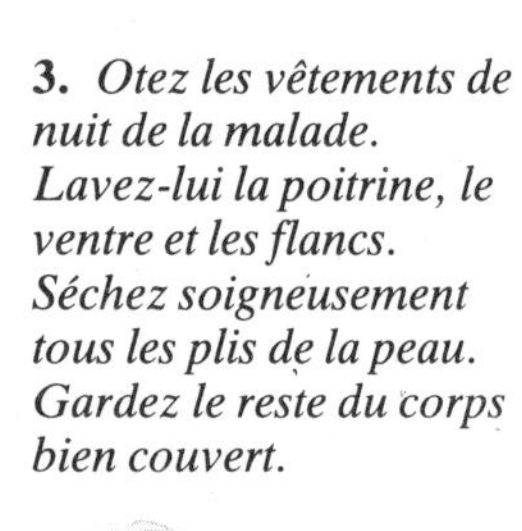

3. *Otez les vêtements de nuit de la malade. Lavez-lui la poitrine, le ventre et les flancs. Séchez soigneusement tous les plis de la peau. Gardez le reste du corps bien couvert.*

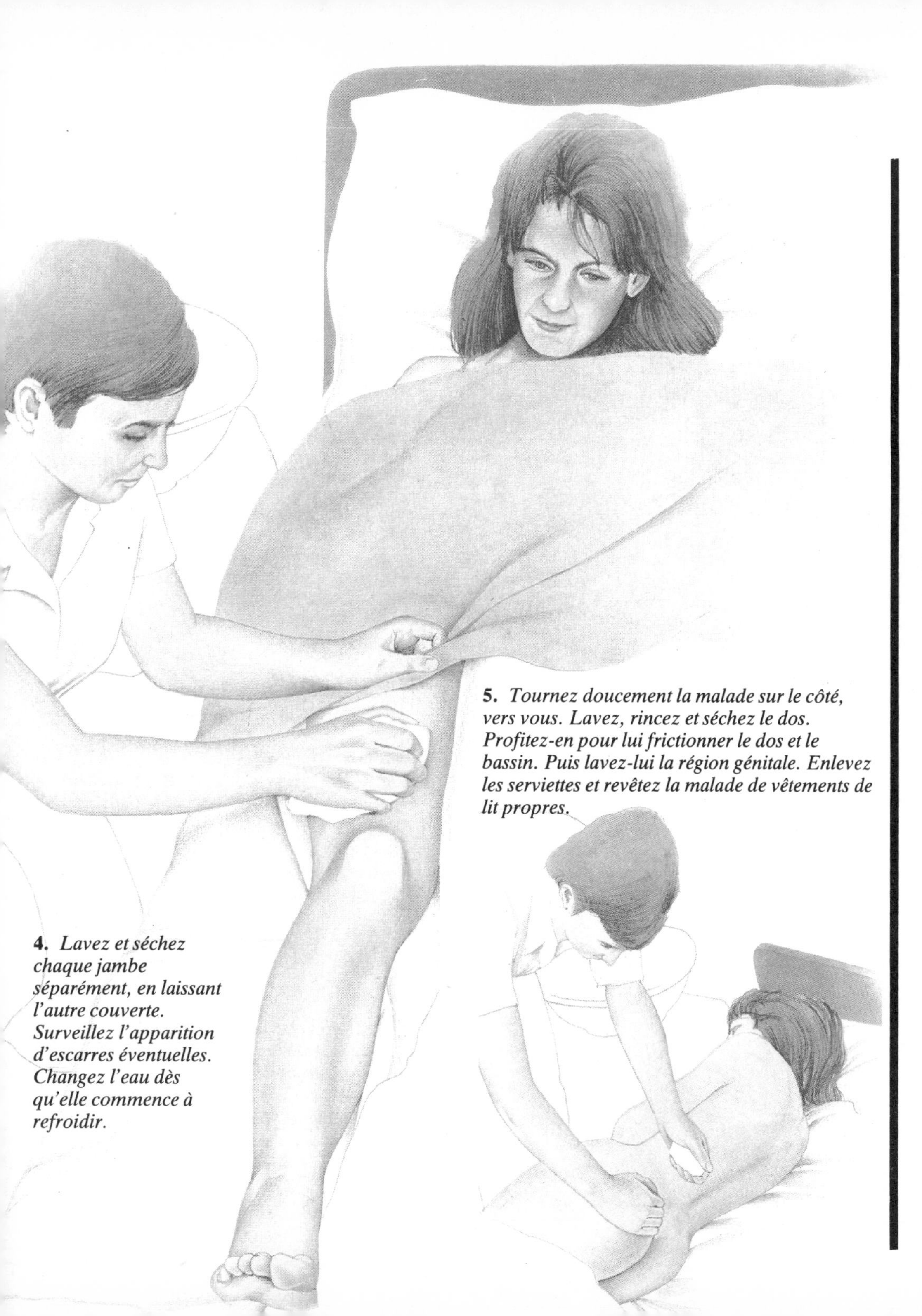

4. *Lavez et séchez chaque jambe séparément, en laissant l'autre couverte. Surveillez l'apparition d'escarres éventuelles. Changez l'eau dès qu'elle commence à refroidir.*

5. *Tournez doucement la malade sur le côté, vers vous. Lavez, rincez et séchez le dos. Profitez-en pour lui frictionner le dos et le bassin. Puis lavez-lui la région génitale. Enlevez les serviettes et revêtez la malade de vêtements de lit propres.*

Nettoyer les dents et gencives

La malade doit se laver les dents au moins deux fois par jour. Si elle ne peut se rendre à la salle de bains, donnez-lui une cuvette, une brosse à dents, un verre d'eau, du dentifrice et une serviette. Au besoin, brossez-lui les dents vous-même.

Dans certaines maladies, la bouche est sèche et pâteuse. Si tel est le cas, nettoyez l'intérieur de la bouche de la malade avec des cotons-tiges trempés dans une solution spéciale. La malade se rincera ensuite la bouche à l'eau pure, au-dessus d'une cuvette.

dégonflent alternativement. Pour qu'ils soient efficaces, il faut qu'il y ait une seule épaisseur de drap entre le patient et le matelas. On doit vérifier leur fonctionnement régulièrement. Ils sont à déconseiller pour les gens obèses.

Le poids des draps et couvertures peut restreindre considérablement la liberté de mouvement du malade, surtout s'il est bordé trop serré. Un cerceau spécial remédie à ce désagrément : on peut en improviser un avec un tabouret ou un pare-feu.

COMMENT FAIRE LE LIT D'UN MALADE

Si le malade ne peut quitter son lit, suivez point par point la méthode en usage dans les hôpitaux.

Les différentes opérations décrites pages 458 à 461 comprennent tous les principes de base de la pratique hospitalière, mais leur ordre peut varier légèrement, à la fois selon les éléments dont se compose le lit (draps, alèses et couvertures), et selon que le malade est capable ou non de s'asseoir et de se mouvoir tout seul.

COMMENT PLIER LES COUVERTURES

Si le patient est incontinent, il sera changé chaque fois que son état l'exige. On nettoiera l'alèse en caoutchouc et l'on changera l'alèse du dessus. On en profitera pour retaper le lit.

Il est plus facile de faire un lit quand les draps et les couvertures ont été correctement pliés après lavage, séchage et repassage. Amenez un des côtés longs de la couverture ou du drap aux deux

Soins des cheveux

Une personne alitée a facilement les cheveux tombants et collés. Si ses cheveux sont propres et bien coiffés, elle se sentira plus à l'aise. Les femmes qui ont les cheveux longs peuvent les natter et les attacher sur le haut de la tête.

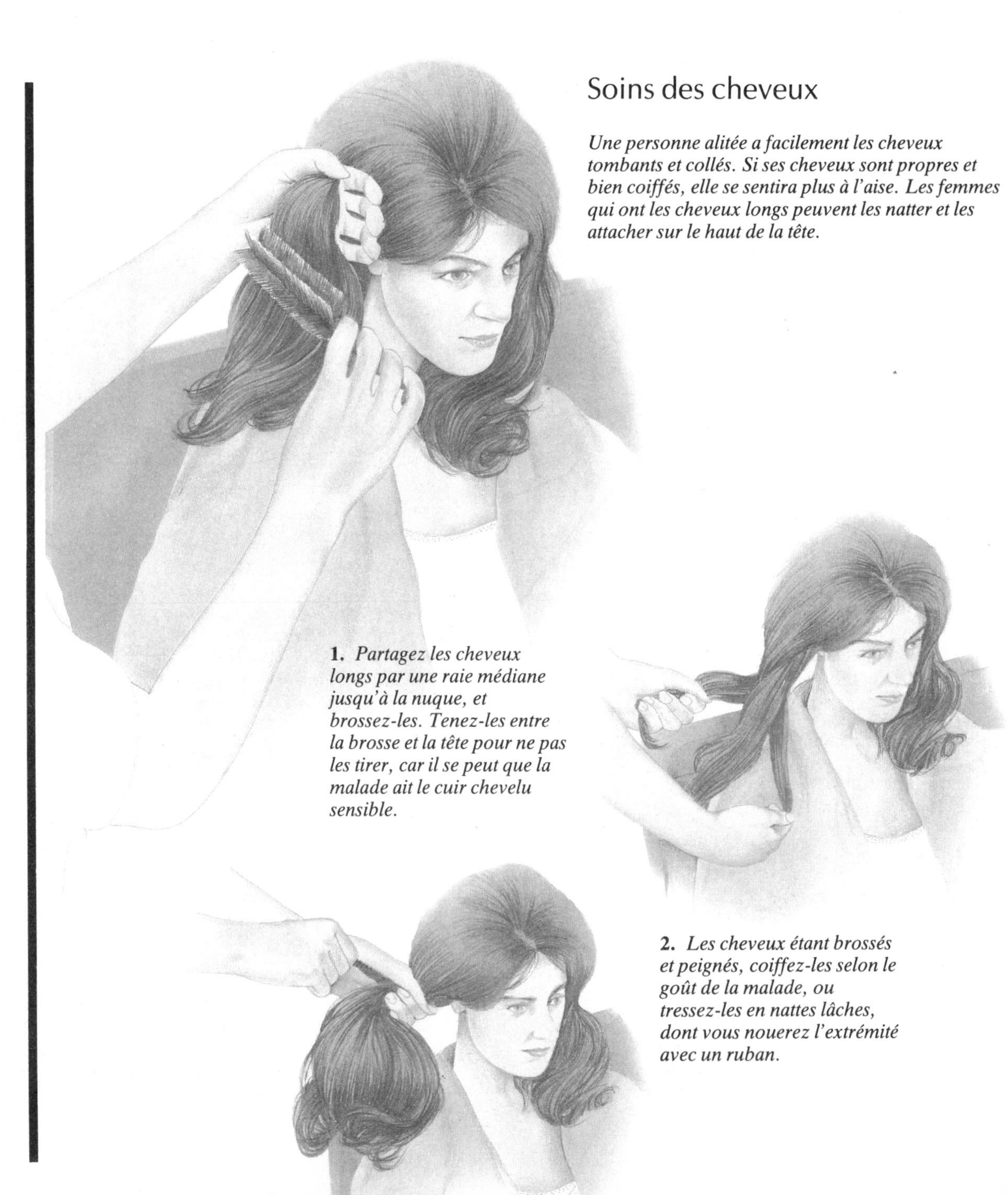

1. *Partagez les cheveux longs par une raie médiane jusqu'à la nuque, et brossez-les. Tenez-les entre la brosse et la tête pour ne pas les tirer, car il se peut que la malade ait le cuir chevelu sensible.*

2. *Les cheveux étant brossés et peignés, coiffez-les selon le goût de la malade, ou tressez-les en nattes lâches, dont vous nouerez l'extrémité avec un ruban.*

tiers de la largeur, et rabattez l'autre côté au niveau du premier pli. Pliez-les de nouveau en trois, cette fois de haut en bas.

COMMENT DÉPLACER UN MALADE DE SON LIT A SON FAUTEUIL

Le patient qui ne se sent pas trop mal doit passer au moins une partie de la journée assis dans un fauteuil. Il faut l'inciter à exercer ses muscles et ses articulations, de manière à favoriser la circulation, diminuer les risques d'escarres et d'infections pulmonaires. C'est également important pour son moral.

Si le malade ne peut se déplacer ni atteindre son fauteuil sans aide, approchez le siège de façon que l'extrémité de l'accoudoir forme un angle de 45 degrés avec le lit. Tout d'abord, aidez le malade à se mettre le plus près possible du bord du lit. Puis placez un bras derrière sa nuque, l'autre sous ses genoux, et faites-le pivoter de manière à l'asseoir au bord du lit. Quand ses pieds touchent le sol, placez l'un des vôtres devant, à angle droit, en guise de cale, pour empêcher le malade de glisser.

Gardez l'avant-bras droit sous l'aisselle droite du malade, et la main gauche sous l'aisselle gauche en passant par-derrière. Vous pourrez ainsi l'aider à se tourner et à s'asseoir dans le fauteuil qui se trouve derrière lui.

Pour ramener le malade de son siège jusqu'à son lit, suivez la même technique : passez les bras sous les aisselles pour le soulever, un de vos pieds calant les siens au moment où vous le tournez pour le faire asseoir sur le lit de façon qu'il ne glisse pas en avant.

Laver les cheveux d'une malade

Lavez les cheveux de la malade au moins une fois par semaine. Étendez à mi-hauteur une alèse imperméable couverte d'une serviette. Mettez-lui une serviette autour du cou, et posez la cuvette à la place de l'oreiller. La malade s'étendra sur le dos, la nuque sur le bord de la cuvette.

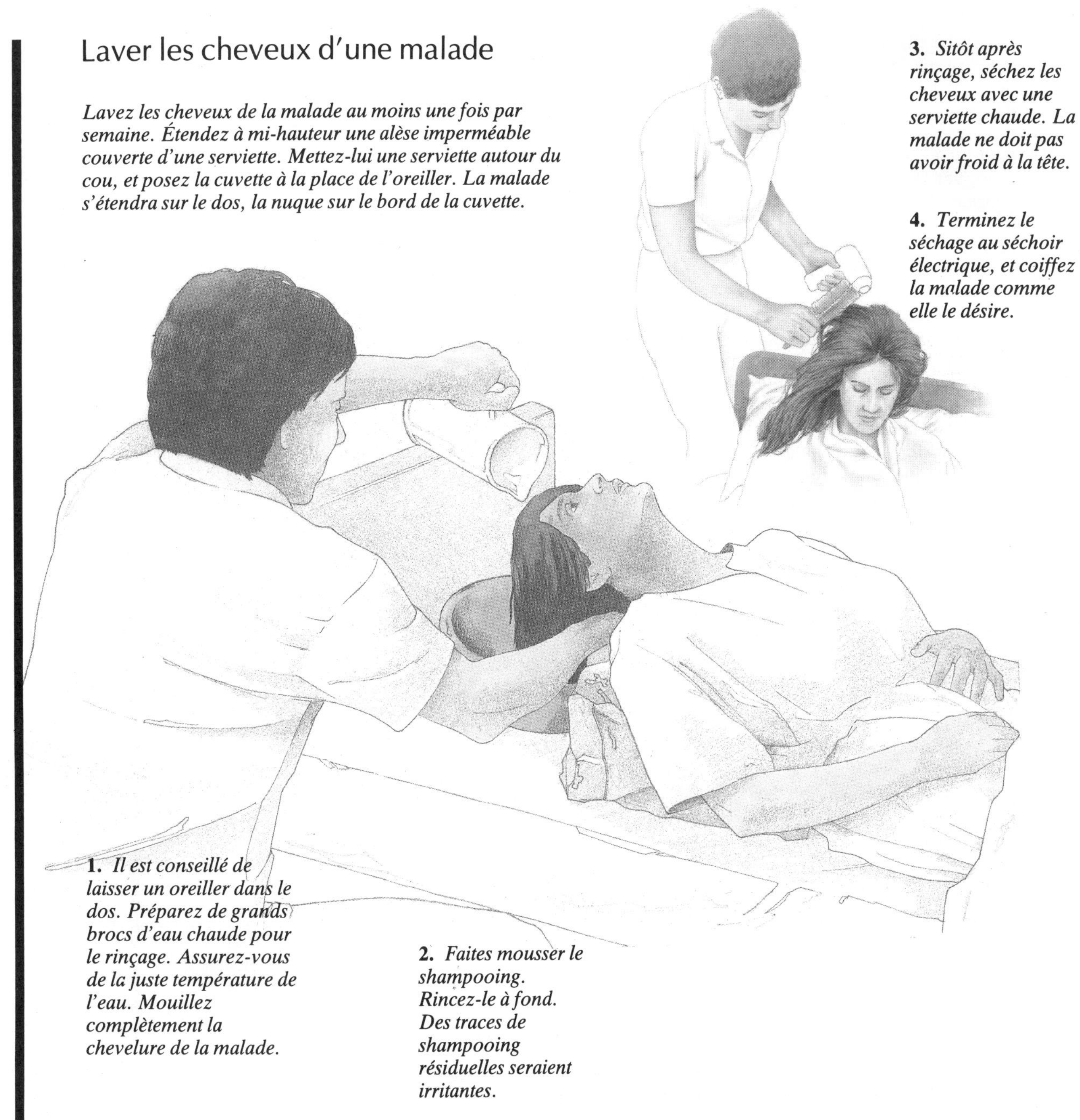

1. *Il est conseillé de laisser un oreiller dans le dos. Préparez de grands brocs d'eau chaude pour le rinçage. Assurez-vous de la juste température de l'eau. Mouillez complètement la chevelure de la malade.*

2. *Faites mousser le shampooing. Rincez-le à fond. Des traces de shampooing résiduelles seraient irritantes.*

3. *Sitôt après rinçage, séchez les cheveux avec une serviette chaude. La malade ne doit pas avoir froid à la tête.*

4. *Terminez le séchage au séchoir électrique, et coiffez la malade comme elle le désire.*

CHAISES PERCÉES ET BASSINS
A moins que le malade ne soit dans la totale incapacité physique de se déplacer, encouragez-le à aller aux toilettes. Ce sera plus confortable pour lui, et cet effort contribuera à préserver sa dignité tout en allégeant la tâche de ceux qui le soignent. Le fait de se lever et de marcher est aussi un excellent exercice qui stimule le processus de guérison.

Si le patient n'est que partiellement valide, mais peut se lever sans aide, procurez-lui une chaise percée. Si vous ne voulez pas faire cet achat, louez-en une dans un magasin spécialisé.

Il en existe plusieurs modèles, mais, quel que soit votre choix, assurez-vous qu'elle est stable, avec une base large et, de préférence, munie d'un dossier et d'accoudoirs. Elle doit être également facile à nettoyer. Vous pouvez utiliser aussi un fauteuil roulant qui fasse en même temps office de chaise percée. Cela vous permettra de déplacer le malade plus facilement d'une pièce à l'autre.

Au moment de l'utilisation, approchez la chaise percée du lit et aidez le malade à s'y asseoir. Procédez de la même façon que pour l'asseoir dans son fauteuil, selon la technique décrite précédemment.

Enfin, si le malade ne peut quitter le lit, il faudra vous procurer un bassin. Vous en trouverez sans difficulté dans les pharmacies.

Quand vous mettez le malade sur le bassin, faites bien attention : c'est une surface dure, provoquant une compression qui peut entraîner des escarres.

Il ne faut pas le laisser en place

Administrer les médicaments

Rangez tous les médicaments hors de portée du malade s'il est gravement atteint, très jeune ou très âgé. Les médicaments seront administrés par la personne chargée des soins, à la dose et au moment prescrits. En cas d'oubli, ne doublez pas la dose à la prise suivante. Relisez toujours, d'abord, le mode d'emploi.

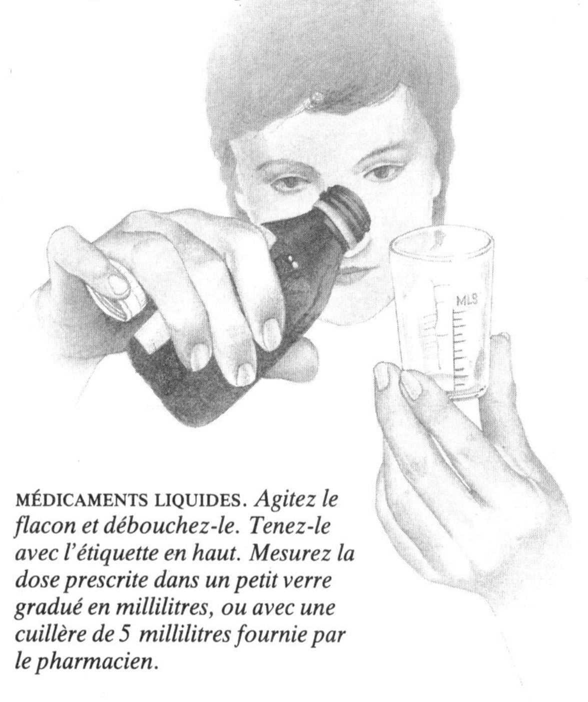

MÉDICAMENTS LIQUIDES. *Agitez le flacon et débouchez-le. Tenez-le avec l'étiquette en haut. Mesurez la dose prescrite dans un petit verre gradué en millilitres, ou avec une cuillère de 5 millilitres fournie par le pharmacien.*

PILULES ET COMPRIMÉS. *Faites-les tomber du flacon dans une cuillère ou un petit verre, que vous présentez au malade avec un verre d'eau. Assurez-vous qu'il prend bien ses médicaments et que le malade ne fait pas d'intolérance au traitement.*

Prendre la température et le pouls

La température et le pouls sont, pour le médecin, des indications précieuses de l'état du malade. Prenez-les deux fois par jour : matin et soir, de préférence après un moment de repos.

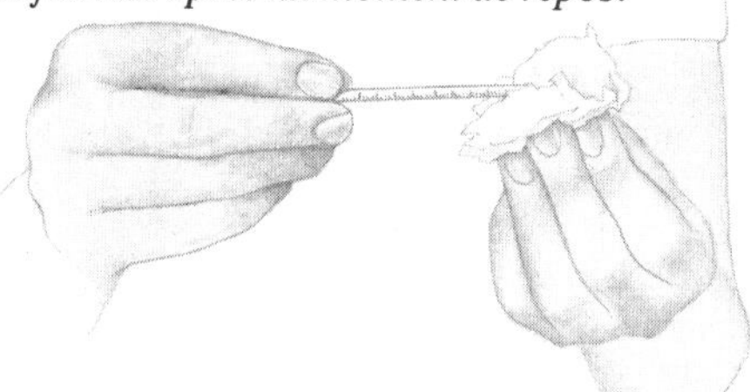

1. *Sortez le thermomètre de son étui. Rincez-le sous l'eau froide. Séchez-le avec un mouchoir en papier.*

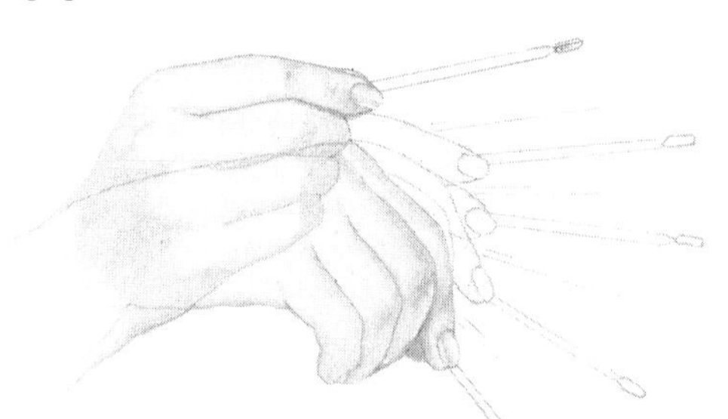

2. *Tenez le thermomètre par le haut et secouez-le deux ou trois fois, à coups secs, pour faire descendre le mercure.*

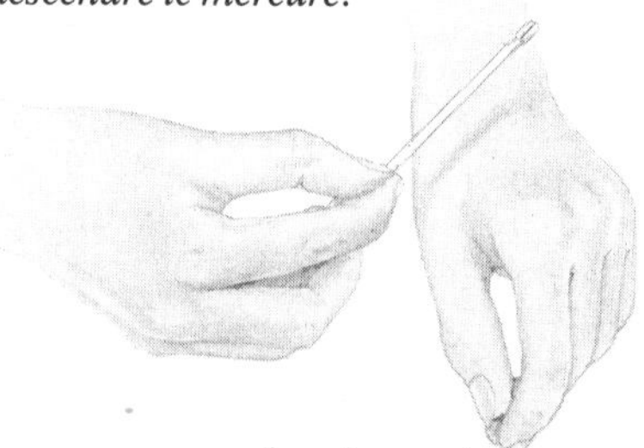

3. *Assurez-vous que la colonne de mercure se trouve au-dessous de 35°. Pour bien voir le niveau du mercure, tenez le thermomètre au-dessus du dos de votre main.*

4. *Placez l'ampoule du thermomètre dans l'anus du malade en lui demandant de serrer légèrement les fesses. Attendez deux minutes. Otez le thermomètre et notez la température. Pendant ce temps, vous aurez pris le pouls du malade. Croisez un de ses avant-bras sur sa poitrine. Placez votre pouce sous son poignet et les trois doigts suivants sur la ligne de l'artère du poignet. A l'aide d'une montre munie d'une trotteuse, comptez les pulsations pendant trente secondes. Multipliez ce chiffre par deux et inscrivez-le.*

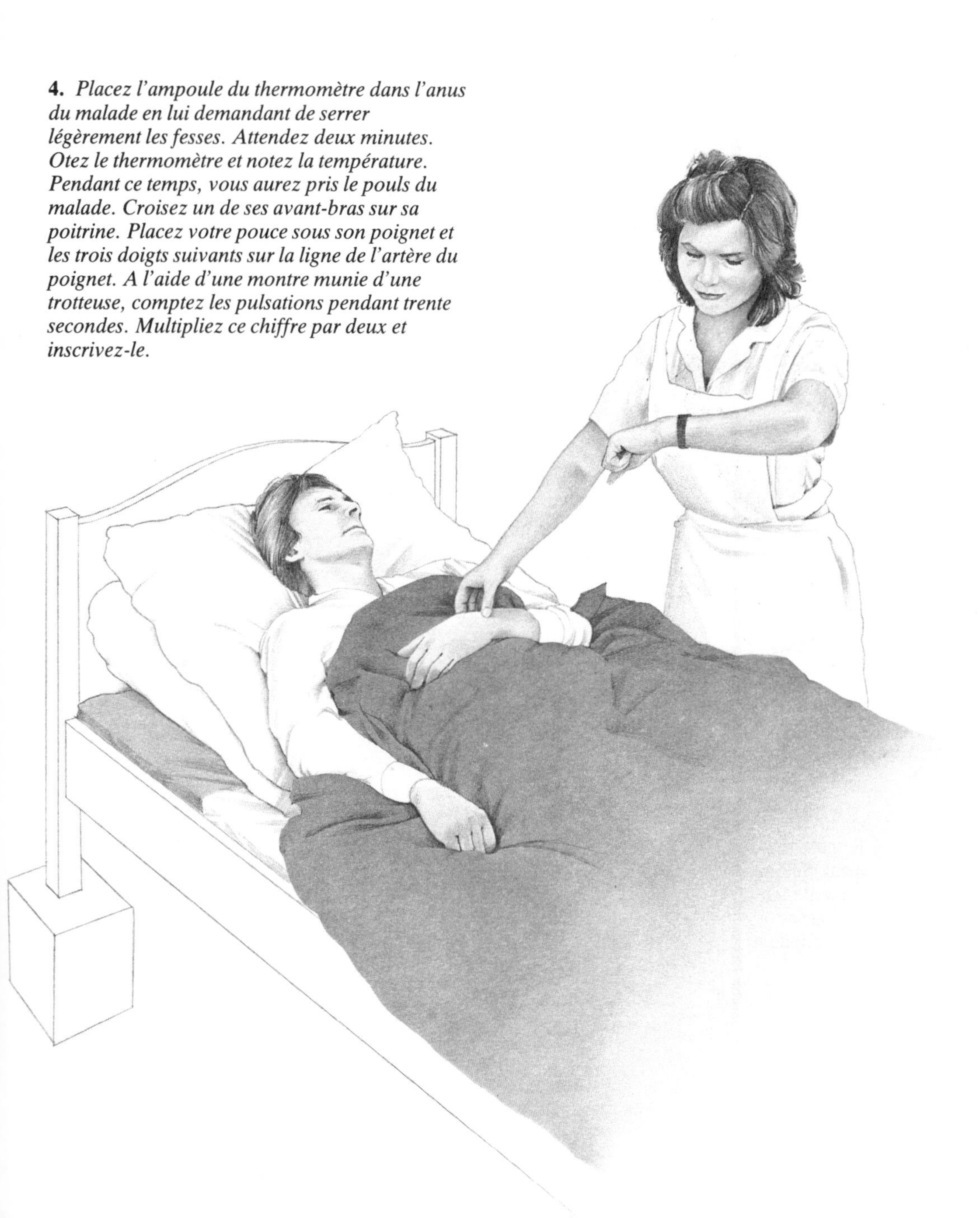

Prendre la température sous le bras

Si le malade a du mal à se mouvoir, s'il est trop fatigué ou s'il a des pansements très délicats, il est préférable de prendre sa température sous le bras.

Rincez, séchez et vérifiez le thermomètre. Placez l'ampoule de mercure sous l'aisselle de la malade et repliez son bras en travers de sa poitrine, afin que le thermomètre soit en contact total avec la peau. Attendez cinq minutes et inscrivez la température, en y ajoutant 5°.

plus longtemps que nécessaire. Avant usage, tiédissez le bassin en le passant sous l'eau chaude et essuyez-le très soigneusement.

Pour mettre le bassin en place, demandez au patient de plier les genoux et de prendre appui sur les talons pour soulever ses fesses. Vous lui faciliterez l'opération en mettant une main sous ses hanches et glisserez alors le bassin sans mouvement brusque.

Les malades hommes ont besoin d'un urinal. Choisissez-en un en plastique : ils sont légers, faciles à nettoyer, d'un contact tiède à la peau, peu fragiles et relativement peu coûteux.

En cas de souillures (urine, pansement sale, etc.), le malade sera changé régulièrement pour éviter les irritations (escarres), et aussi pour empêcher les odeurs de se répandre dans la pièce, ce qui est malsain pour le malade. On fera de même avec le bassin ou la chaise percée, qui devront être nettoyés soigneusement et cela quotidiennement.

TOILETTE DU MALADE

Incitez et aidez le malade à prendre un bain au moins deux ou trois fois par semaine, ou plus souvent s'il en est capable. Un tapis antidérapant mis au fond de la baignoire et de solides barres d'appui fixées sur les bords ou sur le mur assureront sa sécurité. Pour les grands invalides, il existe plusieurs moyens permettant de les transférer d'un fauteuil à la baignoire. *Voir* LES HANDICAPÉS, *page 232.*

Dans tous les cas, faites-lui faire sa toilette tous les jours. C'est pour lui une occasion de se mouvoir et d'être stimulé. Toutefois, s'il ne peut bouger ou s'il est trop fatigué, aidez-le ou faites-la vous-même. Assurez-vous au préalable que la chambre est suffisamment chaude et que vous avez sous la main tout le matériel nécessaire.

Veillez à couper régulièrement les ongles des mains et des pieds du malade, à ce qu'il ait les dents brossées et les cheveux propres et coiffés. Les hommes doivent se raser. Souvent, ils préfèrent le faire eux-mêmes. Si le malade dont vous vous occupez en est incapable, rasez-le prudemment avec un rasoir électrique ou manuel.

Lavez fréquemment le visage et les mains du malade, à l'aide d'une cuvette d'eau chaude, de savon et d'un gant de toilette. Mais vous devez l'encourager à le faire seul s'il en est capable. Il se sentira alors plus indépendant.

SOINS DE LA BOUCHE ET DES DENTS

Les appareils dentaires seront mis à tremper toute la nuit, dans de l'eau ou dans un nettoyant spécial. *Voir* DENTS (SOINS DES).

ALIMENTATION DU MALADE

Le médecin vous dira si le malade doit suivre un régime spécial. Sinon, veillez à ce que ses repas soient bien équilibrés et riches en fibres (son, céréales, fruits et légumes), afin de prévenir la constipation. Assurez-vous également que les plats soient aussi appétissants et variés que possible. A défaut d'instructions particulières concernant les liquides, donnez à boire au malade à volonté du moment que ce ne sont pas des boissons alcoolisées. *Voir* ALIMENTATION SAINE.

Instiller des gouttes dans le nez et les oreilles

N'administrez que les gouttes prescrites par le médecin. Ne dépassez jamais la dose indiquée, et ne mettez pas d'autres médicaments dans les oreilles : ce pourrait être dangereux. On prescrit parfois des gouttes nasales au chlorure de sodium pour soulager la congestion du nez, car elles contribuent à liquéfier les sécrétions de mucus. Les gouttes auriculaires sont destinées à soigner des infections locales.

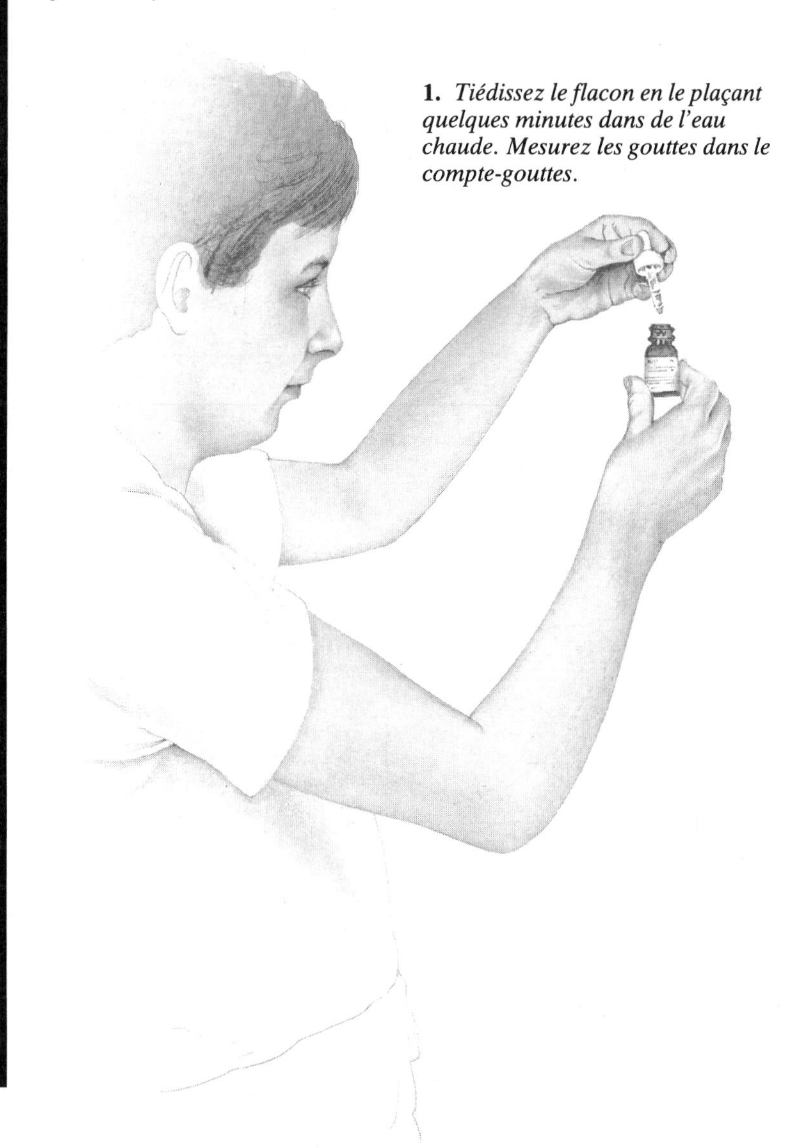

1. *Tiédissez le flacon en le plaçant quelques minutes dans de l'eau chaude. Mesurez les gouttes dans le compte-gouttes.*

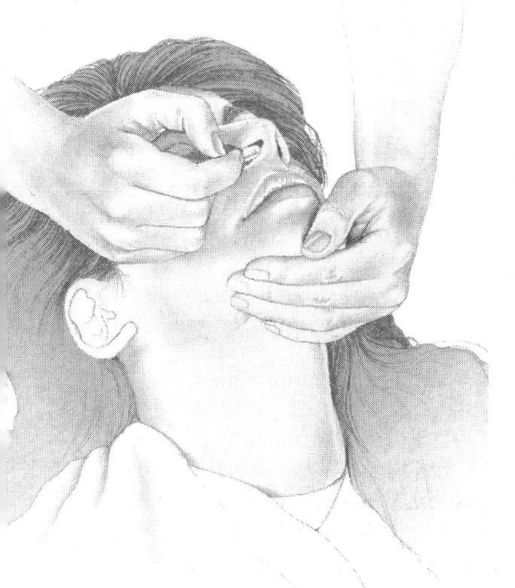

2. Pour les gouttes dans le nez : faites asseoir la malade la tête en arrière. Mettez-lui une serviette sous le menton. Placez-vous derrière elle et instillez les gouttes.

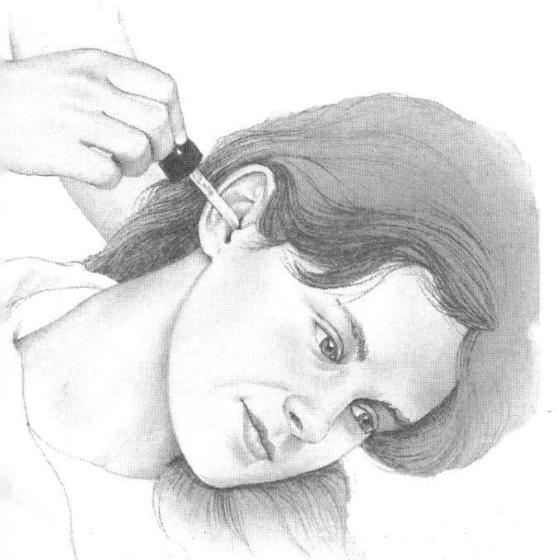

3. Pour les gouttes dans les oreilles : penchez de côté la tête de la malade, presque à l'horizontale. Mettez-lui une serviette sur l'épaule. Instillez les gouttes. Laissez-la quelques minutes dans cette position pour que les gouttes pénètrent en profondeur. Posez un petit coton.

Comment soigner un enfant malade

La plupart des principes qui régissent les soins infirmiers sont valables pour les enfants et les autres groupes d'âge. Mais des gens bien intentionnés donnent souvent aux parents des conseils totalement faux. Par exemple :

□ **Un enfant fiévreux doit être chaudement emmitouflé**
Faux. En cas de forte fièvre, découvrez l'enfant et baignez-le fréquemment. Le bain sera d'abord préparé à la température de l'enfant, puis refroidi progressivement. Donnez-lui de l'aspirine pour enfant. Ne vous affolez pas et surveillez bien les signes accompagnateurs de la fièvre, qui sont parfois plus importants que la fièvre elle-même : diarrhée, bronchite... La fièvre est une réaction de défense de l'organisme, qui peut parfois durer deux jours et disparaître. Cependant, si malgré ce traitement elle persiste, appelez le médecin. En attendant, surveillez bien l'enfant, car il peut faire des convulsions. Si c'est le cas, n'essayez pas de le maîtriser et ne lui donnez rien à absorber par la bouche. Mettez-le sur le côté et notez bien ses réactions. *Voir* PUÉRICULTURE, *page 370.*

□ **Un enfant malade doit être gardé au lit**
Faux. Il sera plus heureux près de ses parents qu'isolé dans une chambre. Installez-le, le jour, sur un canapé ou un fauteuil. Pendant une maladie, les très jeunes enfants perdent parfois des capacités récemment acquises (contrôle de la vessie, usage d'un verre normal, etc.). L'enfant, guéri, réapprend vite.

□ **Un enfant doit être laissé dans l'ignorance de sa maladie**
Faux. N'essayez pas de le tromper. Beaucoup de médicaments ont un goût désagréable : il perdra toute confiance en vous si vous lui faites croire le contraire.

Expliquez-lui, de façon simple, la nature de sa maladie et donnez-lui une idée de sa durée — qui est prévisible pour nombre de maladies infantiles — en lui faisant espérer la réalisation d'un projet. Les jeunes enfants ne comprennent pas pourquoi ils sont malades et peuvent s'imaginer qu'ils sont punis pour une faute réelle ou imaginaire. Rassurez l'enfant, et ne vous chagrinez pas s'il manifeste une agressivité inhabituelle.

S'il doit être hospitalisé, expliquez-lui pourquoi en termes simples, et rassurez-le. *Voir* PUÉRICULTURE, *page 370.*

JOUER AU DOCTEUR
Pour que votre enfant n'appréhende pas la visite du médecin, donnez-lui un stéthoscope de panoplie d'infirmière, ou faites semblant de prendre le pouls de son ours ou de sa poupée.

SPHYGMOMANOMÈTRE

Instrument permettant la mesure de la pression artérielle. On entoure la partie supérieure du bras d'un coussin de caoutchouc large et plat que l'on gonfle pour arrêter la circulation sanguine dans une grosse artère. En vidant lentement le coussin de son air, on permet à la circulation de se rétablir dans l'artère, et la mesure de la pression dans le coussin est alors égale à celle du sang. Elle se lit sur un cadran ou une colonne de mercure reliée au coussin.

SPINA-BIFIDA

Spina-bifida signifie « échine fendue ». Les os et tous les tissus entourant la moelle épinière sont malformés, laissant à découvert les membranes et fibres nerveuses. L'affection apparaît au cours de la vie fœtale et existe à la naissance. On rencontre tous les degrés de gravité. Le spina-bifida occulta, par exemple, est un petit défaut des os qui n'a aucune conséquence pratique par ailleurs. Par contre les formes graves peuvent entraîner un handicap intellectuel ou physique, même si elles sont traitées dès la naissance.

Symptômes

• Les cas bénins de spina-bifida occulta ne produisent aucun symptôme, même si les radiographies mettent en évidence ce défaut osseux.

• Dans les formes les plus graves de spina-bifida, une sorte de sac peut saillir au milieu du dos, contenant les membranes et les fibres nerveuses de la moelle épinière.

• Des paralysies des muscles et une absence de contrôle sur la vessie et le rectum accompagnent les formes graves de spina-bifida.

• Des lésions cérébrales et une hydrocéphalie associée peuvent entraîner un handicap mental chez l'enfant, à moins d'un traitement rapide à la naissance.

Durée

• Sans traitement, les symptômes durent toute la vie.

• Les cas graves peuvent être mortels.

Causes

• La raison pour laquelle les os de la colonne vertébrale ne se développent pas normalement est inconnue. Mais une prédisposition familiale semble exister. Une femme ayant donné naissance à un enfant frappé de spina-bifida aura une chance sur vingt d'avoir un autre enfant atteint de cette anomalie.

Complications

• Sans traitement, un enfant atteint de spina-bifida grave contractera presque toujours une MÉNINGITE.

Traitement à domicile

• Aucun.

Quand consulter le médecin

• Le spina-bifida est habituellement découvert dès la naissance ou même avant.

Rôle du médecin

• Dans les formes les plus bénignes, il n'est besoin d'aucun traitement.

• Dans les formes plus graves, le médecin peut préconiser une opération pour protéger la moelle épinière. Cette intervention est réalisée juste après la naissance et peut sauver la vie de l'enfant, mais elle ne peut empêcher que les lésions déjà présentes entraînent un handicap physique ou intellectuel.

• Les enfants handicapés par un spina-bifida ont besoin d'une éducation spéciale. Le médecin peut faciliter leur admission dans un centre ou une école spécialisée. Les associations de parents d'enfants atteints de cette maladie peuvent apporter une aide.

Prévention

• Il n'y a pas de moyen absolu d'empêcher le spina-bifida de survenir chez l'enfant avant la naissance. Néanmoins des examens réussissent parfois à le dépister entre quatorze et seize semaines de grossesse et révèlent habituellement toutes les formes graves de la maladie. Ce sont l'ÉCHOGRAPHIE et l'AMNIOCENTÈSE. Dans les formes graves, une protéine particulière, l'alphafœtoprotéine, sera habituellement retrouvée à des taux très élevés dans le liquide amniotique. Associée à l'échographie, l'amniocentèse fait partie du bilan chez la mère d'un enfant déjà atteint et permet de proposer une interruption de la grossesse en cas de récidive.

Pronostic

• Le spina-bifida peut être une maladie très grave, mais son traitement chirurgical dès la naissance peut empêcher l'apparition de lésions supplémentaires.

Voir SYSTÈME NERVEUX, *page 34*

SPONDYLARTHRITE ANKYLOSANTE

Maladie articulaire atteignant surtout des hommes jeunes, âgés de vingt à quarante ans, les articulations de la colonne vertébrale ayant tendance à fusionner entre elles par un processus très particulier de construction osseuse.

Symptômes

• Le début des symptômes est progressif, s'étalant sur des mois ou des années.

• Attaques répétées de mal de dos chez des hommes bien portants, âgés de vingt à quarante ans.

• Douleur matinale du bas du dos, malgré une nuit de repos, cette douleur lombaire pouvant irradier à l'une ou l'autre jambe.

• Raideur croissante de la colonne lombaire, révélée par la difficulté à se pencher en avant pour toucher la pointe de ses pieds.

• La capacité thoracique (mesurée par l'inspiration et l'expiration forcées) peut être diminuée.

• La colonne lombaire, puis dorsale, enfin cervicale peut être atteinte, et dans quelques cas les hanches, les épaules, les genoux.

Durée

• Souvent longue et lentement progressive, mais une stabilisation est fréquente.

Causes

• La maladie est très souvent associée à un antigène héréditaire appelé HLA B 27. Il existe quelques formes familiales.

Complications

• Maladies associées, plutôt que véritables complications : PSORIASIS, ILÉITE RÉGIONALE, COLITE ULCÉREUSE, INSUFFISANCE AORTIQUE.

• Une IRITIS (inflammation de l'iris de l'œil) peut survenir. Si un œil est rouge et douloureux, consulter immédiatement un spécialiste.

• Dans certains cas, une évolution prolongée peut entraîner une raideur vertébrale complète, avec le dos courbé, le cou et la tête rejetés en avant, cause de grande invalidité.

Quand consulter le médecin

• Devant toute lombalgie persistant plus de quelques jours, surtout si elle est nocturne ou du petit matin.

Rôle du médecin

• Il fera radiographier la colonne lombaire et le bassin, et demandera des examens de sang.

• Des analgésiques et anti-inflammatoires seront prescrits. *Voir* MÉDICAMENTS, n°s 22, 37.

• Une kinésithérapie active et régulière sera organisée pour renforcer les muscles de la colonne et mobiliser les articulations.

• La radiothérapie est envisagée dans les cas sévères, mais c'est un traitement très discuté.

Prévention

• Dans les cas familiaux, le bilan, le diagnostic, le traitement peuvent être plus précoces.

Pronostic
• Dans les cas traités tôt par les anti-inflammatoires et la gymnastique, le pronostic est habituellement bon. Ces traitements restent également valables pour les cas vus plus tardivement. Quinze à trente minutes d'exercices vertébraux actifs tous les jours, voilà le secret du bon traitement d'une spondylarthrite.

Voir LE SQUELETTE, *page 54*

SPONDYLARTHROSE CERVICALE

Communément appelée ARTHROSE cervicale, cette affection produit des douleurs et une limitation des mouvements du cou au niveau de la colonne cervicale. Elle frappe surtout les gens âgés de plus de quarante ans. Elle s'accompagne rarement d'une HERNIE DISCALE cervicale.
Symptômes
• Douleurs du bas du cou, ou bien de la région postérieure de l'épaule (omoplate). Elle est souvent aggravée par certaines positions, par exemple la position couchée, la tête relevée par plusieurs oreillers.
• En cas de névralgie brachiale associée, une douleur, des picotements, un engourdissement peuvent atteindre le bout de certains doigts.
Durée
• Sous traitement, la guérison est assurée habituellement en une à trois semaines.
• L'âge avancé crée des lésions irréversibles de la colonne cervicale, mais elles ne sont pas toujours continuellement douloureuses.
• Un traumatisme cervical (« coup du lapin » lors d'une collision de voitures) peut déclencher la douleur.
Complications
• Une rotation brusque de la tête ou une extension du cou peuvent entraîner un vertige ou une syncope.
Traitement à domicile
• Prendre des médicaments analgésiques aux doses conseillées pour soulager la douleur. *Voir* MÉDICAMENTS, n° 22.
Quand consulter le médecin
• Si une douleur, un engourdissement, une faiblesse s'étendent jusqu'à un doigt ou à la main tout entière.
• Si un vertige ou une syncope brève surviennent lors d'une rotation de la tête et du cou.
Rôle du médecin
• Interroger le patient pour savoir si un traumatisme récent ou un changement de voiture ou de siège a pu jouer un rôle favorisant.
• Examiner le cou, la sensibilité, la force musculaire, les réflexes des membres.
• Dans les cas sévères, il prescrira des analgésiques, des anti-inflammatoires, et éventuellement une kinésithérapie.
• Dans les cas plus graves, il conseillera le port d'un collier cervical pour immobiliser momentanément le cou pendant les périodes les plus douloureuses.
Prévention
• Éviter les postures qui fatiguent le cou et le haut du cou.
Pronostic
• La douleur de l'arthrose cervicale évolue par poussées plus ou moins espacées, entrecoupées de rémissions souvent longues.

Voir LE SQUELETTE, *page 54*

SPORT (ACCIDENTS LIÉS AU)

Rester mince et en bonne santé est une des motivations principales qui poussent les adultes à pratiquer une discipline sportive, mais une blessure de sport peut aussi clouer sur un lit d'hôpital un adulte bien portant.

Le risque d'accident lié au sport dépend dans une large mesure du sport lui-même, mais aussi de la préparation du sportif à pratiquer la discipline choisie.

Parmi les sports très répandus, le plus dangereux est le rugby. Il occasionne un taux de blessures bien supérieur à celui du football et un bien plus grand nombre de fractures et de blessures du visage. Les blessures du football affectent surtout les jambes.

Au base-ball, balle dure ou molle, c'est la balle frappant durement la tête d'un joueur qui est la plus grande cause de blessure.

Le tennis, le squash et le badminton — avec moins de contact entre les joueurs et des balles moins dures — ont un taux de blessures beaucoup plus faible. Les élongations musculaires et les entorses sont les causes d'ennui les plus fréquentes, mais les blessures oculaires aussi sont habituelles au tennis et au squash.

Lorsque la mort survient, elle est en général le résultat d'une blessure à la tête ou de la colonne vertébrale, et elle peut être due à un accident de moto ou à une chute au cours d'une escalade. La natation non surveillée dans la mer, les lacs et les rivières est responsable de beaucoup plus de morts que n'importe quelle autre activité sportive. En revanche, la natation dans des piscines surveillées est un sport sûr. Les règles ayant pour but de protéger les sportifs doivent être rigoureusement respectées. C'est le rôle de l'arbitre dans le football, par exemple, et de l'autodiscipline dans l'escalade.

Ceux qui commencent un sport devraient apprendre d'un instructeur les techniques de base. Monter à cheval sans un apprentissage suffisant peut aboutir à une chute grave et à des blessures sérieuses. Un instructeur n'apprendra pas seulement au débutant l'équitation, il lui fera aussi porter la bombe d'équitation, qui protège la tête des cavaliers.

Un apprentissage complet est essentiel pour les sports sous-marins ou aériens, comme la plongée avec tuba ou le planeur. Des accidents dus au mauvais usage du matériel ou à la non-observation des règles de sécurité entraînent des blessures graves ou la mort.

Des accidents dus à la sottise surviennent dans presque tous les sports. Des gens sont morts après avoir été bousculés sur un plongeoir très élevé ou après avoir fait des acrobaties folles sur un trampoline et être tombés sur le sol.

Certaines blessures de sport ne peuvent pas être évitées, car elles dépendent de facteurs que l'individu ne contrôle pas (sol gelé ou rupture imprévisible du matériel). Mais la plupart des blessures peuvent être évitées par une préparation attentive. Ensuite, un traitement précoce permettra une guérison plus rapide.

La prévention se fait en deux étapes : d'abord, une prévention à long terme par un entraînement correct, et ensuite une préparation juste avant chaque match ou chaque exercice par un échauffement.

PRÉVENTION PAR L'ENTRAINEMENT
Un bon entraînement est la combinaison de quatre éléments : la force, la résistance, l'habileté et la souplesse. Plus le sportif est entraîné, moins il risque de se blesser. *Voir* GYMNASTIQUE.

L'entraînement renforce les muscles, et probablement aussi les tendons. Des muscles et des tendons solides supporteront des efforts plus intenses sans se déchirer. Ils protégeront aussi des endroits vulnérables comme le dos contre les étirements et les déchirures. Il est important d'équilibrer le développement musculaire des deux côtés du corps, de même qu'il faut faire travailler les muscles usuels, mais aussi ceux qui seront utilisés dans les situations difficiles. Il ne sert à rien de soulever des poids et des haltères énormes pour renforcer vos épaules et vos bras si vous vous entraînez pour le marathon. Le fait de soulever des poids peut être utile pour renforcer certains muscles, mais pas sans l'avis d'un instructeur.

La résistance est la capacité de soutenir un effort pendant une longue période de temps. Elle est liée à l'aptitude du cœur et des poumons à transporter l'oxygène aux cellules musculaires, et à celle du sang à apporter du glucose aux muscles. Plus sa résistance est grande, plus le sportif pourra nager, courir, pédaler ou jouer au tennis avec des performances soutenues. La résistance évite aussi des blessures, car l'accident survient souvent lorsque les gens sont fatigués.

Le sportif entraîné court moins de risque de se blesser que le débutant. En premier lieu, il est capable de contrôler et de coordonner ses actions et n'exerce pas d'efforts inutiles sur ses muscles et ses articulations. Le skieur entraîné, par exemple, non seulement s'arrête et tourne avec une plus grande sûreté, mais il est aussi capable de regarder loin en avant, d'identifier un changement de consistance de la neige.

Prenez des leçons pour apprendre la bonne manière de faire les choses lorsque vous êtes débutant. Les mauvaises habitudes, qui peuvent entraîner des blessures, sont plus difficiles à perdre lorsqu'elles sont installées depuis longtemps. C'est par exemple le cas d'un swing de golf maladroit, ou d'un mauvais mouvement au tennis.

Souvenez-vous aussi que l'habileté acquise sur un terrain d'entraînement — un gymnase ou une pente de ski artificielle — n'est pas toujours suffisante quand on passe à la pratique en terrain découvert. Les débutants devraient toujours se préparer à pratiquer « en situation », même si leur apprentissage se fait en salle de gymnastique.

Améliorer sa souplesse est un aspect de l'entraînement qui est le plus souvent négligé et qui est pourtant un facteur primordial dans la prévention des blessures. Souvent les gens se concentrent sur la force, la résistance et l'habileté, et ne travaillent pas assez pour garder à leurs muscles et leurs articulations la souplesse de leur enfance. Une certaine raideur survient inévitablement lorsqu'on vieillit, mais elle résulte plutôt d'un mode de vie que d'une évolution liée à l'âge. Les adultes doivent continuer à faire de l'exercice s'ils ne veulent pas s'ankyloser. C'est la raison pour laquelle l'entretien physique doit être quotidien et régulier, et non pas réservé au samedi après-midi.

Le YOGA est un des meilleurs moyens de rester souple, et de nombreux sportifs ayant force, habileté et endurance pourraient encore diminuer le risque de se blesser en se concentrant sur la mobilité de leurs articulations au cours de séances de yoga.

PRÉVENTION DES BLESSURES PAR UNE PRÉPARATION CORRECTE

L'utilisation d'équipements bien adaptés réduit de façon manifeste le risque de blessures. Un équipement inadapté est plus dangereux dans certains sports : le choix d'un matériel de ski, en particulier des fixations, est plus important quant à la sécurité que celui d'un équipement de golf. Mais dans presque tous les sports, les bonnes chaussures évitent les problèmes de pied : des chaussures suffisamment larges pour le tennis, par exemple, ou des chaussures de jogging qui amortissent les chocs, évitant ainsi les problèmes de dos.

L'avis d'un vendeur spécialisé et expérimenté sera nécessaire pour le choix d'un matériel de sport présentant toutes les conditions de sécurité.

Les sportifs ont tous une idée personnelle de l'« échauffement », mais tous les exercices qui préparent les muscles à l'effort réduiront le risque de blessures. Si les muscles qui vont être sollicités sont assouplis par des extensions douces et progressives à dix ou vingt reprises avant l'effort, les fibres musculaires auront moins de risques de se déchirer.

Les muscles les plus souvent touchés sont ceux de l'arrière de la cuisse, le quadriceps au-dessus du genou, ceux du mollet et de l'aine. Ce sont ces muscles qui subissent souvent des déchirures lorsqu'on court. Pour étirer les muscles des cuisses, posez un pied sur une table ou un appui à peu près à la hauteur de la ceinture; ensuite, tout en gardant la jambe tendue, essayez très lentement et très doucement d'atteindre avec la main opposée les orteils du pied appuyé sur la table. Vous sentirez les muscles de la partie arrière de la cuisse s'étirer. Laissez-les se relâcher en vous redressant, et renouvelez cet exercice dix fois de suite. Cet échauffement peut aussi se faire en cherchant à toucher ses orteils lentement et en douceur. Dans ce cas, gardez le dos droit et inclinez-vous, jambes tendues, jusqu'à ce que la tension des muscles de l'arrière des cuisses soit perceptible : il n'est alors pas nécessaire d'aller jusqu'à toucher le bout des pieds.

Pour échauffer le muscle quadriceps, repliez une jambe jusqu'à ce que le talon touche votre fesse; prenez ce pied dans la main du même côté et tirez-le doucement en arrière et vers le haut jusqu'à ce que vous sentiez la tension en avant de la cuisse; tirez doucement et relâchez.

Pour échauffer les muscles du mollet, mettez-vous en position de fente, c'est-à-dire un pied nettement en avant de l'autre sur une même ligne; gardez bien à plat le pied arrière et pliez doucement le genou avant jusqu'à sentir l'étirement des muscles du mollet arrière. Pliez un tout petit peu plus et lâchez.

Pour échauffer les muscles de l'aine, asseyez-vous les fesses sur les talons et inclinez le tronc et la tête sur les côtés et en arrière.

PRINCIPES DE TRAITEMENT

Il existe de nombreux types d'accidents de sport, depuis la tendinite jusqu'à la rupture ligamentaire, mais deux groupes principaux ressortent : ceux qui sont dus à un surmenage (accidents chroniques) et ceux qui sont dus à un choc ou à un mouvement soudain et imprévu (accidents aigus ou traumatiques).

Accidents de surmenage. L'exercice régulier implique souvent un usage intensif et répétitif de la même partie du corps, et ce phénomène peut entraîner l'apparition progressive de lésions douloureuses comme celles du coude du joueur de tennis, de l'épaule du joueur de golf et du genou du hockeyeur. Au début, une partie du corps, le genou ou le coude par exemple, fait mal un petit moment vers la fin d'une séance d'entraînement, et redevient douloureuse plus tard. Ensuite, les dégâts s'aggravent, la douleur dure plus longtemps après l'exercice et peut survenir à d'autres occasions (en conduisant, ou même au lit).

Ce type de blessure nécessite des soins qualifiés. La première étape en sera une période de repos, mais si cela ne suffit pas, consultez le médecin. Certains praticiens connaissent bien le traitement des douleurs chroniques des articulations et des muscles. En cas de douleur chronique du dos ou du cou, consultez un physiothérapeute diplômé si votre médecin n'est pas à même de la supprimer. De même, un podologue peut être consulté pour des douleurs du pied ou du talon. En cas d'échec, revoyez votre médecin traitant.

Les qualifications officielles des personnes qui prétendent s'occuper de ces types de douleur doivent toujours êtres soigneusement vérifiées.

Blessures traumatiques. Deux types de blessures accidentelles sont plus fréquentes dans l'exercice musculaire que dans la vie de tous les jours. Ce sont les déchirures musculaires et les lésions articulaires. Dans les deux cas, les dégâts sont semblables : le tissu est déchiré et un saignement survient à la suite de la rupture de petits vaisseaux sanguins. Ces vaisseaux se rompent en même temps que les fibres musculaires et les ligaments, et le saignement entraîne un gonflement, une douleur, agrandissant encore un peu plus la lésion des tissus.

Si ce type de blessure survient, arrêtez immédiatement de jouer. Si le joueur peut bouger la partie blessée au bout de cinq minutes sans aucune douleur, il peut continuer à jouer en toute sécurité. Si, au contraire, la douleur persiste, il doit cesser tout mouvement. On devra suspecter une FRACTURE et l'on devra emmener le blessé chez le médecin si :

- La partie touchée ne peut être mobilisée par le blessé.
- Cette zone blessée gonfle rapidement.
- La douleur persiste de façon intense.

Si la douleur reste modérée et que le gonflement n'augmente que lentement, il est en général peu dangereux de traiter la blessure sans aide qualifiée. Les quatre principes de ce traitement sur place peuvent être mémorisés par le sigle G.C.R.S. :

- Glace.
- Compression.
- Repos.
- Surélévation.

Rafraîchir la partie blessée à l'aide de glaçons dans un sac plastique, une bouteille remplie de glace pilée ou une poche à glace : cela contracte les vaisseaux et diminue le courant sanguin. La glace peut brûler la peau; on aura donc soin d'interposer une protection, une serviette de toilette par exemple. Une application de glace ne doit pas dépasser 20 à 30 minutes.

La compression ferme aussi les vaisseaux et ralentit le courant sanguin. La pression du sac de glace ou d'un coussin essoré humecté d'eau glacée exerce une force suffisante sur la partie blessée. Il ne faut pas comprimer cette zone trop fort.

La surélévation ralentit également le courant circulatoire en vidant les vaisseaux surélevés. C'est le meilleur moyen de diminuer un saignement dans les premières vingt-quatre heures qui suivent la blessure.

Après que le froid et la compression auront été utilisés, la partie blessée sera élevée au-dessus du niveau du cœur pendant trente à soixante minutes. Ensuite, cette surélévation sera maintenue pendant encore vingt-quatre heures.

Des analgésiques aux doses habituelles peuvent devenir nécessaires pour permettre le sommeil pendant la première nuit après la blessure, mais ils ne doivent jamais être utilisés pour reprendre l'exercice ou le jeu : la douleur est un utile avertissement.

Lorsque la partie blessée est indolore depuis dix jours, on peut reprendre l'exercice, mais très progressivement au début. L'exercice poussé ne sera repris que lorsque tous les mouvements seront indolores et faciles, et que la partie blessée sera aussi résistante qu'avant l'accident. Si la guérison est particulièrement lente ou si les rechutes sont fréquentes, demandez l'avis d'un médecin.

Crampes. Personne ne sait exactement ce qui provoque les crampes musculaires, mais il est probable qu'une des causes est la présence de toutes petites déchirures musculaires. Pendant un effort, la pression sanguine s'élève dans les vaisseaux du muscle, et un peu du liquide transportant les cellules sanguines peut alors sortir du vaisseau et entraîner un épanchement minuscule entre les fibres musculaires, ce qui provoque des crampes. Le meilleur est un effort progressif, comme une natation lente, qui permet la réabsorption du liquide; mais il vaut mieux prévenir que guérir.

Les crampes sont une des conséquences du manque d'entraînement, et la meilleure des préventions est de s'entraîner. Un échauffement soigneux diminue les crampes, tout comme une respiration profonde pendant l'effort. Après un effort violent, n'arrêtez pas tout de suite; faites quelques exercices modérés. Évitez les bains chauds et préférez une bonne douche tiède.

Le message est clair : il est bon de faire du sport pour garder la forme physique, mais il est aussi important d'être en forme pour réussir dans le sport.

Que faire devant les accidents de sport ?

☐ Retournez immédiatement un joueur qui a perdu connaissance pour le mettre en position de sécurité. *Voir* LES URGENCES.

☐ Enlevez tout corps étranger (gomme à mâcher, dents cassées, appareil dentaire, terre) de la bouche d'un joueur ayant perdu connaissance.

☐ Ne laissez pas une personne évanouie face contre terre.

☐ Soutenez la zone blessée avec un bandage ou une attelle.

☐ N'essayez pas de manipuler quelqu'un qui a un os brisé ou déboîté.

☐ Asseyez droit la personne et mettez de la glace sur un « œil au beurre noir » — qui est dû à l'épanchement de sang autour du globe oculaire.

☐ Ne perdez ni temps ni argent en mettant une escalope sur un « œil au beurre noir ». Cela n'est pas plus efficace qu'une poche de glace.

☐ Traitez les saignements de nez en comprimant la partie molle du nez entre pouce et index, et en respirant par la bouche pendant quinze minutes.

☐ Arrêtez le traitement si le nez continue de saigner au bout de trente minutes. Appelez votre médecin ou allez aux urgences de l'hôpital.

☐ Aspergez votre visage d'eau si vous avez de la boue ou une poussière dans les yeux.

☐ N'ajoutez pas d'antiseptique à l'eau utilisée pour laver un œil blessé.

☐ Nettoyez avec soin et désinfectez après une éraflure de la peau sur une surface dure.

☐ N'utilisez pas les vieilles crèmes, pâtes ou lotions désinfectantes sur les blessures; elles peuvent infecter la plaie ou détruire les tissus.

☐ Voyez un médecin si des impuretés restent dans une plaie après nettoyage. Une plaie incomplètement nettoyée peut aboutir à une mauvaise cicatrice, surtout sur le visage.

☐ Assurez-vous que vous êtes protégé contre le tétanos — qui peut survenir après une simple éraflure — par des injections antitétaniques. Des rappels sont nécessaires tous les dix ans pour assurer une protection totale.

☐ Lavez et séchez soigneusement vos pieds après le sport pour prévenir le PIED D'ATHLÈTE — un champignon dont l'apparition est favorisée par la transpiration de la peau.

☐ Ne vous lavez pas les pieds dans une eau trop chaude.

☐ Prenez un bain ou une douche chaude suivie d'une douche froide pour soulager une crampe. Un peu d'exercice est également utile.

☐ Ne restez pas trop longtemps dans l'eau chaude après le sport ou l'exercice.

SPRUE

Maladie dans laquelle les aliments essentiels sont mal absorbés par l'intestin. La paroi de l'intestin grêle présente une inflammation chez les patients atteints, qui souffrent de flatulences après les repas, de douleurs abdominales et de diarrhée. Plusieurs affections sont dues au manque de vitamines qu'entraîne cette mauvaise absorption. La sprue est fréquente sous les tropiques mais guérit souvent d'elle-même lorsque le patient quitte la région tropicale. Le traitement par antibiotiques et suppléments vitaminiques est en général efficace.

STÉATORRHÉE

Émission de selles abondantes, pâles, grasses, d'odeur fétide, qui peuvent flotter dans l'eau des cabinets. Consultez votre médecin si cette affection dure plus de deux semaines.

La cause principale de stéatorrhée est la MALADIE CŒLIAQUE mais peut aussi être la SPRUE, l'ICTÈRE de type obstructif, la PANCRÉATITE chronique et certaines interventions sur l'estomac comme la GASTRECTOMIE. En effet ces affections diminuent l'absorption des graisses et des vitamines par l'intestin.

STÉNOSE

C'est un rétrécissement pouvant toucher un vaisseau sanguin, une valve cardiaque, ou n'importe quel autre conduit ou orifice du corps (œsophage, pylore, urètre, trachée, etc.). La sténose des valves aortiques ou mitrales constitue le RÉTRÉCISSEMENT AORTIQUE ou MITRAL.

STÉNOSE DU PYLORE

Le pylore est une valve musculaire puissante située à la sortie de l'estomac. Il contrôle le passage des aliments dans le duodénum et l'intestin grêle. La sténose du pylore est une obstruction de cet anneau musculaire. Chez le nouveau-né, on trouve une forme particulière de cette obstruction.

Symptômes
- Douleurs abdominales spasmodiques.
- Crampes douloureuses, avec vomissements abondants et en jets puissants des déchets alimentaires partiellement digérés et ingérés parfois quelques jours auparavant.
- Amaigrissement et déshydratation.
- Antécédent d'ulcère duodénal.

Causes
- Inflammation autour d'un ulcère évolutif duodénal à proximité du pylore. Un ulcère rebelle qui a fini par cicatriser peut aussi en être l'origine.

Complications
- Les déperditions acides ou les vomissements peuvent provoquer des crises aiguës de tétanie par déficit de calcium dans le sang.

Traitement à domicile
- Petits repas fréquents, à l'exclusion des aliments gras, épicés ou acides. Le pain et les biscuits trempés dans du lait chaud sont sédatifs.
- Les médications antiacides peuvent guérir l'ulcère et réduire les phénomènes inflammatoires. *Voir* MÉDICAMENTS, n° 1.

Quand consulter le médecin
- En cas de persistance de vomissements en jets.
- En cas de douleurs gastriques rebelles.

Rôle du médecin
- Prescription d'antiacides et d'antispasmodiques. *Voir* MÉDICAMENTS, n° 1.
- Prescrire un examen radiographique, le transit œsogastroduodénal : l'ingestion d'un liquide opaque aux rayons X permet l'opacification du pylore.
- Enfin, une fibroscopie permettra de visualiser directement l'estomac grâce à un appareil optique introduit par la bouche.
- Conseiller l'intervention dans les formes sévères.

STÉNOSE DU PYLORE DU NOUVEAU-NÉ

Elle atteint préférentiellement les garçons, particulièrement les premiers-nés (quatre fois plus souvent que les filles). *Voir* PUÉRICULTURE (MALADIES INFANTILES).

Symptômes
- Vomissements débutant entre la deuxième et la sixième semaine de la vie, et ayant tendance à s'aggraver et à survenir en jets après chaque repas.
- Les vomissements ne sont jamais colorés naturellement en jaune-vert par la bile.
- Absence de prise de poids.
- Tendance à la constipation.

Durée
- Persiste jusqu'au traitement.

Causes
- Hypertrophie du sphincter inférieur de l'estomac (pylore). Cette affection peut atteindre certaines familles pour des raisons non élucidées.

Complications
- En l'absence de traitement, le nouveau-né peut gravement souffrir du jeûne et de la déshydratation.

Traitement à domicile
- Déconseillé.

Quand consulter le médecin
- En cas de vomissements récidivants ou en jets.

Rôle du médecin
- Mettre en évidence l'hypertrophie pathologique du pylore grâce à la palpation abdominale sur le rebord costal droit.
- A la moindre suspicion de sténose du pylore, le médecin conseille l'hospitalisation pour exploration complémentaire. Si le diagnostic est confirmé, l'intervention est nécessaire.

Prévention
- Aucune.

Pronostic
- L'intervention apporte habituellement la guérison.

STÉNOSE DE L'ŒSOPHAGE

Pour l'œsophage, il s'agit habituellement d'une sténose cicatricielle liée à un traumatisme ou à une infection évoluant depuis de longs mois ou années.

Symptômes
- Vomissement des aliments solides peu après leur ingestion.
- Plus tardivement, intolérance alimentaire globale aux solides et aux liquides.

Durée
- Persiste jusqu'au traitement.

Causes
- Généralement, RÉGURGITATION ou ŒSOPHAGITE (inflammation de l'œsophage) évoluant depuis quelques mois ou années.
- Œsophagites liées à l'absorption de liquides caustiques.
- Tumeur de l'œsophage.

Complications
- Impossibilité de s'alimenter en l'absence de traitement.

Traitement à domicile
- Déconseillé. Il faut consulter un médecin.

Quand consulter le médecin
- En cas de sensation de blocage après ingestion d'aliments solides, ou en cas de régurgitation.

Rôle du médecin
- Conseiller un régime liquide ou constitué d'aliments passés au mixeur (par exemple, des petits pots pour bébé, des boissons lactées ou des potages).
- Prévoir une radiographie (transit œsogastroduodénal) de l'œsophage.

• Diriger le malade vers un chirurgien pour une exploration plus complète et le traitement.
• Le chirurgien peut proposer des dilatations de l'œsophage à l'aide d'instruments, une intervention plastique ou l'ablation d'une tumeur s'il y a lieu.

Prévention
• Impossible.

Pronostic
• Bon après traitement, sauf si le cancer en est la cause.

Voir SYSTÈME DIGESTIF, *page 44*

STÉRILITÉ

Incapacité chez l'homme ou chez la femme d'avoir un enfant. La stérilité peut être due à une infertilité naturelle, ou provoquée par une opération telle que la vasectomie ou l'hystérectomie.

Voir INFERTILITÉ, CONTRACEPTION

STIMULATEUR CARDIAQUE

Dans un cœur normal et sain, les impulsions électriques qui provoquent les contractions, donc les battements cardiaques, démarrent dans une zone particulière située dans la paroi de l'oreillette droite. En cas de BLOC DE BRANCHE, un stimulateur artificiel (pacemaker) peut être implanté lorsque les médicaments ne contrôlent plus la maladie.

STOMATITE

Terme général désignant une inflammation de la bouche dont les causes sont variables. Elle peut toucher la muqueuse des joues, le plancher de la bouche, le palais, les gencives et la langue.

Symptômes
• Ils sont variables selon la cause et l'intensité de l'affection.
• Rougeur, gonflement, érosions, dépôts blanchâtres, douleur, sécheresse de la bouche ou hypersalivation.

Causes
• Poussée dentaire chez l'enfant; ulcérations dues à un traumatisme par des dents cariées ou fracturées, ou par une prothèse dentaire qui s'avère défectueuse.
• ECZÉMA allergique de contact à un médicament, un dentifrice, un aliment.
• La SYPHILIS ou la SCARLATINE.
• Infection virale, telle que la ROUGEOLE, l'HERPÈS, la MONONUCLÉOSE INFECTIEUSE.
• Une infection mycosique : le muguet buccal dû à une CANDIDOSE.
• Une intolérance à un médicament.
• Une affection sanguine, comme une LEUCÉMIE, une ANÉMIE, une AGRANULOCYTOSE.
• La localisation à la bouche d'une affection bulleuse, comme le PEMPHIGUS, la PEMPHIGOÏDE BULLEUSE.
• Une brûlure par boissons ou par ingestion accidentelle de produits caustiques.

Durée
• Elle dépend de la cause, de même que le pronostic.

Voir APHTES, ECZÉMA, HERPÈS

STRABISME

Un strabisme est plus qu'une imperfection du regard ou une gêne : il nécessite d'être pris au sérieux, car il peut entraîner la perte de l'utilisation d'un œil.

STIMULATEUR ARTIFICIEL. *Appareil électrique miniaturisé, implanté dans la paroi thoracique, destiné à relayer une stimulation naturelle défaillante.*

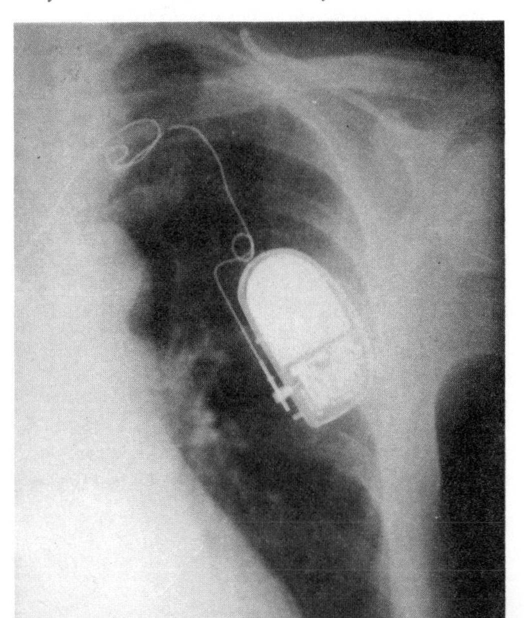

Symptômes
• La vision double, qui fait percevoir deux images au lieu d'une dans certaines directions du regard, n'est pas acceptée par le cerveau. Le cerveau « supprime » alors cette image et, en l'absence de traitement médical, cela peut aboutir à la perte de l'utilisation d'un œil.
• Chez le bébé, chez le jeune enfant qui n'explique pas ce qu'il voit, le strabisme peut être détecté par un défaut de parallélisme du regard dans certaines directions.

Causes
• Chez le bébé ou le jeune enfant, le strabisme résulte d'une difficulté dans le développement normal de la vision binoculaire. Souvent, cela est dû à une hypermétropie qui entraîne une gêne à voir nette l'image et donc une difficulté, surtout pour voir de près. Dans ces cas, le strabisme peut n'apparaître qu'à l'âge de trois ou quatre ans, quand l'enfant commence à regarder des images et des livres avec des périodes d'efforts de concentration plus intenses que lorsqu'il était bébé.
• Chez l'enfant plus âgé et l'adulte, le strabisme peut être causé par des blessures, une infection grave, un problème de circulation, d'hypertension artérielle, une affection nerveuse atteignant les muscles qui assurent la mobilité oculaire.

Traitement à domicile
• Il n'y en a pas. Toute suspicion de strabisme au-delà de l'âge de six mois doit conduire à une consultation ophtalmologique. Jusqu'à l'âge de six mois, il peut y avoir un déséquilibre, car une bonne vision nette s'établit progressivement dans les premiers mois de la vie. Des bébés plus âgés peuvent encore loucher pour la même raison ou donner cette impression, car la racine du nez est chez eux particulièrement large, mais il est préférable de ne prendre aucun risque. En effet, s'il s'agit d'un réel strabisme, qui ne peut être détecté que par le spécialiste, les choses ne s'arrangeront pas avec le temps. Un des yeux risque d'être définitivement inutilisable.

Rôle du médecin
• Le médecin appréciera les mouvements oculaires en observant comment les deux yeux suivent un objet au fur et à mesure qu'il se déplace d'un côté et de l'autre, vers le haut et vers le bas. Il demandera aussi au patient de regarder un objet avec un œil pendant que l'autre est caché. Une fois la vision arrêtée, il découvrira l'œil caché et verra en un instant si le second œil regarde bien dans la même direction que le premier. L'ophtalmologiste appréciera la vision des yeux chez le tout-petit en les cachant alternativement et en observant si cela entraîne une gêne différente suivant l'œil caché. Il pourra également mesurer la

vision à l'aide de tests appropriés à l'âge de l'enfant.
● Le spécialiste pratiquera des examens : mesure de la taille de l'œil et examen du fond de l'œil après dilatation de la pupille grâce à un collyre.
● Si le strabisme se confirme, on adressera le patient à un ophtalmologue (spécialiste de la rééducation musculaire des yeux) qui, au besoin, prescrira des exercices oculaires. L'enfant devra parfois porter des lunettes spéciales, et dans certains cas cacher un œil. La coopération du jeune enfant est parfois difficile à obtenir pour un traitement qui peut se révéler fastidieux, mais il lui faudra faire preuve de patience.
● Chez l'enfant plus âgé et l'adulte, on procède à une autre série d'examens comportant un bilan sanguin, des radiographies, pour chercher la cause du strabisme; une intervention chirurgicale peut être nécessaire.

Prévention

● Bien qu'il ne soit pas possible d'empêcher un strabisme de se développer, il faut être vigilant et faire examiner tout enfant qui semble strabique, de façon intermittente ou permanente, après l'âge de six mois.
● Une fois le strabisme diagnostiqué, la mauvaise vision d'un œil pourra être évitée en suivant strictement le traitement prescrit.

Pronostic

● Pourvu que l'on s'attaque au strabisme assez tôt — de préférence avant quatre ans, avant six ans au plus tard —, l'évolution est favorable en ce qui concerne la récupération de la vision. La vision de l'œil paresseux ne peut être restaurée si l'on attend trop longtemps, mais une intervention peut être pratiquée pour améliorer l'aspect esthétique.
● L'évolution des strabismes dus à d'autres causes qu'une mauvaise vision binoculaire dépend de la cause déterminante.

Voir L'ŒIL, *page 36*

SUICIDE

Le suicide est l'acte de se donner soi-même la mort. Il concerne 2 à 3 pour 100 de l'ensemble des décès. Le taux de suicide paraît plus élevé dans les pays développés et prospères; il augmente également avec l'âge (le taux triple entre vingt et quarante ans et entre quarante-cinq et soixante-quinze ans). Il varie selon le sexe (deux fois plus de suicides chez l'homme), le statut conjugal (il augmente chez les hommes célibataires et diminue chez les femmes célibataires); le mariage protège donc les hommes et semble desservir les femmes et le groupe professionnel (plus élevé chez les agriculteurs).

Toutes ces données permettent de préciser les facteurs de risque du suicide : isolement affectif et social, dénuement matériel, sentiment d'échec, maladies douloureuses ou invalidantes. Ce type de suicide, qualifié par certains de « rationnel », représente une issue pour fuir une situation insupportable.

Mais il faut savoir que, bien souvent, le suicide est un symptôme s'inscrivant dans une maladie psychiatrique : la dépression, et plus précisément la psychose maniaco-dépressive (le suicide mélancolique est souvent très résolu et violent dans le choix des moyens); les troubles de la personnalité (le suicide représentant ici un appel à l'autre plus qu'un désir de mort); la psychopathie (le suicide correspond à un passage à l'acte impulsif, parfois facilité par l'alcool). La fréquence suicidaire est également plus élevée chez les alcooliques et les toxicomanes. Le suicide du schizophrène paraît souvent imprévisible et incompréhensible; les motivations sont délirantes ou correspondent à des moments dépressifs succédant à une phase d'atténuation du délire.

On estime qu'il se produit dix fois plus de tentatives que de suicides accomplis. Elles concernent environ deux femmes pour un homme et s'observent surtout chez l'adolescent(e) et chez l'adulte jeune. Les méthodes sont habituellement l'intoxication médicamenteuse ou la phlébotomie (ouverture des veines du poignet).

La tentative de suicide est un appel au secours, une quête d'amour et de considération. Cette attitude est peu culpabilisée, car elle est presque systématiquement médicalisée. La tentative de suicide doit cependant être toujours prise au sérieux, en effet il faut savoir qu'environ 10 pour 100 des sujets ayant fait une tentative de suicide meurent un jour par suicide.

L'appréciation du risque suicidaire concerne les patients qui expriment à un médecin (ou à leurs proches) l'intention de se suicider ou de récidiver (après une première tentative). Quand ce risque paraît important (isolement du patient, fréquentes tentatives antérieures, symptômes dépressifs...), le médecin doit proposer une hospitalisation pour éviter tout passage à l'acte, résoudre la crise en milieu protégé en apportant aide et compréhension au sujet, mais également à sa famille.

Conseils pratiques

● La majorité des tentatives de suicide s'effectuent par ingestion de médicaments; il importe de connaître leur nom et leur composition afin de faciliter les premiers gestes de réanimation des secours d'urgence ou de l'équipe hospitalière.
● Lorsqu'il s'agit d'ingestion de produits caustiques (soude, eau de Javel, produits d'entretien...), il est inutile, et même dangereux, de faire vomir.

Voir MALADIES MENTALES, *page 33*

SURDOSAGE

Consommation excessive, volontaire ou involontaire, de médicaments. Les médecins considèrent généralement qu'il révèle chez l'adulte un appel à l'aide ou une tentative délibérée de suicide.

Voir MALADIES MENTALES, *page 33*
INTOXICATION MÉDICAMENTEUSE, TOXICOMANIE

SYCOSIS

Infection des follicules pileux (petites invaginations de la peau par où poussent les poils) de la barbe et de la moustache chez l'homme.

Symptômes

● De nombreuses papules rouges et pustules sont disséminées sur le visage.
● La peau sous-jacente peut être rouge, tuméfiée.
● Le suintement du pus sèche en formant des croûtes.
● Le rasage devient difficile et douloureux, et l'éruption est disgracieuse.

Durée

● L'infection persiste sans traitement.

Causes

● Une bactérie. La contamination peut se faire par l'intermédiaire de serviettes sales ou d'un rasoir infecté. Une fois installée, l'infection s'étend d'un follicule pileux à l'autre.

Complications

● Aucune.

Traitement à domicile

● Laver le visage avec de l'eau savonneuse.
● S'abstenir de se raser jusqu'à la guérison et couper les poils courts aux ciseaux.

Quand consulter le médecin

● Devant un sycosis de la barbe.

Rôle du médecin

● Prescrire un traitement local antiseptique et un antibiotique. *Voir* MÉDICAMENTS, n° 25.

Prévention
• Désinfecter son rasoir; avoir une bonne hygiène.
Pronostic
• L'affection est souvent difficile à guérir, mais elle ne s'accompagne pas de complications. Une rhinite (infection du nez) peut être à l'origine d'une nouvelle poussée de sycosis et doit donc être soignée.

Voir LA PEAU, *page 52*

SYNCOPE AVEC PERTE DE CONNAISSANCE

Malaise comportant une perte de connaissance brutale, liée à un manque d'oxygénation brutal du cerveau.
Symptômes
• La syncope peut être instantanée, sans signes précurseurs. Elle peut provoquer une chute avec des conséquences traumatiques. Il peut y avoir émission d'urines si la perte de conscience est très profonde.
• Mais, le plus souvent, le malaise (lipothymie) s'installe progressivement; il est précédé de signes annonciateurs : bâillements, nausées, sueurs froides, vertiges, brouillard devant les yeux, palpitations. Le patient peut alors s'allonger avant de perdre connaissance.
Durée
• De quelques secondes à quelques minutes.
Causes
• La syncope banale, aussi appelée malaise vagal, est la cause la plus fréquente de la perte de connaissance. Elle est due à une vasodilatation généralisée, qui provoque une chute temporaire du débit sanguin cérébral. Il s'agit d'une syncope déclenchée par des émotions fortes ou par une station debout prolongée (en particulier dans une atmosphère chaude et confinée). Elle dure peu de temps (moins de trois minutes).
• La syncope liée à une hypotension orthostatique, qui est déclenchée par le passage à la position debout. Elle survient en général chez des patients soumis à certains traitements médicamenteux (diurétiques, antihypertenseurs, psychotropes).
• Les syncopes d'origine cardiaque, potentiellement graves, ont des causes variées : bloc auriculo-ventriculaire paroxystique, responsable d'une pause cardiaque; troubles du rythme (fibrillation ventriculaire en particulier); syncope d'effort au cours d'une cardiopathie, telle qu'un rétrécissement aortique; syncope liée à un infarctus du myocarde.
• Dans d'autres cas, les pertes de connaissance peuvent correspondre à des crises d'épilepsie, qui comportent certains signes particuliers : convulsions, morsure de langue, perte d'urines, amnésie de l'épisode qui dure en général plus de cinq minutes.
• Ictus laryngé : syncope à la suite d'une crise de toux.
• Crise de spasmophilie : entraîne exceptionnellement une perte de connaissance.
Traitement à domicile
• En cas de signes annonciateurs, s'allonger pour éviter la chute.
• Si on assiste à une syncope, allonger le sujet. Surtout ne pas tenter de le lever ou l'asseoir.
• Être sûr qu'il respire et que son cœur bat : si le pouls radial n'est pas perçu au niveau du poignet, rechercher le pouls carotidien, plus facile à trouver.
• Surveiller et attendre la reprise de conscience, qui doit survenir en quelques minutes.
• Si la ventilation ne se fait pas, il faut démarrer les manœuvres de ventilation artificielle.
• De même, si les pouls ne sont pas perçus, il faut entreprendre un massage cardiaque externe.
Quand consulter le médecin
• Si le malaise a été sérieux et qu'il y a eu perte de connaissance.
Rôle du médecin
• Déterminer le type de malaise présenté.
• Diagnostiquer la cause et prescrire un traitement.
Prévention
• Un patient qui présente une hypotension orthostatique doit éviter les brusques changements de position.
Pronostic
• Il dépend de la cause.

Voir SYSTÈME CIRCULATOIRE, *page 40*

SYNDROME

Association de plusieurs symptômes qui, combinés, vont constituer une affection particulière, comme le syndrome de CUSHING ou le syndrome de RAYNAUD.

SYNDROME POSTCOMMOTIONNEL

La commotion originelle est un traumatisme crânien. Il est diagnostiqué après un traumatisme avec perte de connaissance ou avec une amnésie des faits précédant ou suivant immédiatement l'accident. Ainsi peut s'installer un syndrome postcommotionnel, quoique la victime n'ait pas nécessairement conscience de son origine traumatique.
Symptômes
• Perte de mémoire des événement ayant immédiatement précédé ou suivi le traumatisme crânien.
• CÉPHALÉE inexpliquée et irritabilité.
• Confusion mentale et pseudo-ébriété durant quelques heures suivant le traumatisme.
• Fatigabilité. Tous ces symptômes sont aggravés par la fatigue.
• DÉPRESSION parfois sévère. On devra prévenir le malade de cet état temporaire.
• Accroissement des effets provoqués par l'absorption d'alcool et de sédatifs.
Durée
• Généralement plusieurs jours, mais si la perte de connaissance initiale a été supérieure à quelques secondes, les symptômes peuvent s'étendre sur une ou deux semaines.
Causes
• La nature traumatique de l'atteinte cérébrale n'est pas certaine.
Complications
• Les traumatismes répétés des boxeurs ou des joueurs de rugby peuvent occasionner des lésions cérébrales définitives.
• Le traumatisme peut être associé à une fracture du crâne ou une hémorragie intra-crânienne (*Voir* HÉMATOME SOUS-DURAL et HÉMATOME EXTRADURAL). Le malade accentue encore les effets du traumatisme en essayant de vaquer à ses occupations habituelles ou en s'adonnant à la boisson.
Traitement à domicile
• Arrêt de toute activité physique, y compris la conduite automobile. Repos absolu jusqu'à la consultation du médecin.
Quand consulter le médecin
• Immédiatement après un traumatisme crânien avec perte de connaissance.
Rôle du médecin
• S'assurer de l'absence de fracture sous-jacente ou d'hémorragie interne.
• Prescrire une période de repos absolu au lit.
• Revoir le patient pour s'assurer de la guérison, particulièrement de la dépression.
Prévention
• Port d'un casque protecteur pour la conduite des véhicules à deux roues et l'équitation.
• Éviter les activités occasionnant des traumatismes crâniens fréquents.

Pronostic
- Moyennant un repos approprié, le pronostic est excellent sous réserve de l'absence de complications, perte de connaissance prolongée et incidents répétés.

SYNDROME PRÉMENSTRUEL

Série de symptômes sans gravité qui affectent certaines femmes dans les jours précédant les règles.

Symptômes
- Sautes d'humeur, irritabilité, crises de larmes.
- Apathie.
- Maux de tête, fatigue, mauvaise humeur.
- Douleurs mammaires, vertébrales.
- Légère prise de poids, gêne abdominale.

Durée
- Cette tension dure entre deux et sept jours.

Cause
- Modifications de l'équilibre hormonal féminin.

Traitement à domicile
- Tâcher de se détendre.
- Quelques femmes pensent qu'en faisant de l'exercice ou du yoga, elles pourraient mieux supporter cette tension.

Quand consulter le médecin
- Si les symptômes deviennent intolérables ou finissent par entraver l'activité habituelle.

Rôle du médecin
- Prescrire des hormones afin de rétablir l'équilibre.
- Prescrire des neurosédatifs et, parfois, des diurétiques à toutes petites doses. *Voir* MÉDICAMENTS, n° 6.

Pronostic
- Cet état peut disparaître au bout de quelques années ou après une grossesse.

Voir ORGANES GÉNITAUX FÉMININS, *page 48*

SYNDROME DE REYE

Maladie grave qui affecte le foie et le cerveau, et attaque des enfants des deux sexes, entre les âges de six et quatorze ans, et qui étaient en bonne santé générale.

Symptômes
- Nausées et vomissements.
- Hyperactivité suivie, après quelques jours, voire quelques heures, par de la somnolence, un manque de réaction, des convulsions et parfois le coma.

Causes
- Elles ne sont toujours pas connues.
- Dans plusieurs cas, la maladie se déclare chez l'enfant après une simple infection virale, une varicelle ou même une influenza de type A ou B.

Traitement à domicile
- Aucun. L'enfant doit être transporté d'urgence à l'hôpital le plus proche.

Rôle du médecin
- Admettre l'enfant aux soins intensifs, même si celui-ci est éveillé et réagit encore.
- Insérer une sonde dans la vessie.
- Injecter des fluides intraveineusement.
- Insérer un tube dans l'estomac à travers le nez.
- Faire des prises de sang pour vérifier les fonctions du foie.
- Vérifier le degré de formation des gouttelettes de graisse dans le foie.
- Mesurer la pression du cerveau pour en vérifier la tuméfaction.
- Dans certains cas, donner des médicaments tels que des antibiotiques, de la vitamine K ou des hypnotiques.

Prévention
- Aucune.

Pronostic
- Presque 70 pour 100 des cas connus et diagnostiqués comme tels, pendant les dix dernières années, n'ont pas survécu à la maladie.

SYNOVITE

Inflammation d'une articulation, le plus souvent genou, cheville ou doigt, survenant après un traumatisme (mouvement forcé).

Symptômes
- Gonflement et raideur de l'articulation.
- Douleur en bougeant l'articulation.

Durée
- De quelques jours à quelques semaines.

Causes
- Traumatisme articulaire, qui peut être associé à une ENTORSE d'un ligament.

Traitement à domicile
- Repos de l'articulation et prise d'analgésiques. *Voir* MÉDICAMENTS, n° 22.

Quand consulter le médecin
- Devant toute inflammation ou douleur articulaire.

Rôle du médecin
- Demander des radiographies.
- Prescrire des anti-inflammatoires ou pratiquer, si nécessaire, une infiltration cortisonique locale.

Pronostic
- La plupart des cas guérissent rapidement.

Voir LE SQUELETTE, *page 54*

SYPHILIS

Maladie infectieuse vénérienne, sexuellement transmissible, qui peut être responsable tardivement de graves lésions de nombreux organes. Un traitement précoce par la pénicilline prévient ces effets tardifs graves mais son efficacité n'a pas fait diminuer le nombre de patients initialement contaminés et la syphilis est en nette recrudescence dans les pays développés.

Symptômes

La maladie évolue en trois phases distinctes entre lesquelles les symptômes peuvent disparaître, et le patient peut négliger de se soigner, croyant être guéri.
- Période primaire : localisée à l'endroit de l'inoculation. Deux à quatre semaines après des rapports sexuels avec un partenaire infecté apparaît un petit bouton dur et indolore sur le pénis ou à côté, sur la vulve ou le col de l'utérus, ou à tout endroit du corps mis en contact avec la zone infectée, comme les lèvres ou les doigts. Ce nodule de la taille d'un pois se rompt pour former un petit ulcère indolore appelé chancre. Parfois, particulièrement chez les femmes, le chancre peut passer inaperçu. Les ganglions lymphatiques qui drainent la région (ceux de l'aine) se gonflent, mais restent souvent indolores. Cet ulcère ouvert est contagieux et guérit en deux à six semaines.
- Période secondaire : elle touche le corps entier et survient un à douze mois après le chancre. Une rougeur cutanée ressemblant à une éruption médicamenteuse ou à la rougeole apparaît. Son apparence et son extension sont variables et elle ne démange pas; des papules fermes, rouge sombre peuvent être recouvertes de squames ou de croûtes. La bouche est souvent touchée. Les lésions sont très contagieuses mais peuvent être très discrètes et ne pas inquiéter le patient. Elles disparaissent en un à trois mois et la maladie n'est plus contagieuse, ou faiblement.
- Période tardive ou tertiaire : après une période de latence de un à trente ans sans manifestation survient une réactivation responsable des dommages suivants :
- Abcès cutanés ou muqueux d'évolution lente, appelés gommes (très rare).

• Atteinte cardiaque et artérielle (voir ANÉVRISME et INSUFFISANCE AORTIQUE).
• Atteinte du cerveau (*voir* PARALYSIE GÉNÉRALE page suivante).
• Atteinte de la moelle épinière (*voir* TABÈS page suivante).

Durée
• Toute la vie si la maladie n'est pas traitée.

Causes
• Une bactérie en forme de spirale appelée tréponème pâle, transmise par rapports sexuels ou contact physique intime (dont les rapports bucco-génitaux).

Complications
• Une des manifestations du stade tardif tertiaire.

Traitement à domicile
• Déconseillé.

Quand consulter le médecin
• Si une maladie vénérienne est crainte ou suspectée.
• Si un nodule ou une érosion apparaît sur ou près des organes génitaux, des lèvres, de l'anus ou de la poitrine.
• Devant une autre maladie vénérienne comme une BLENNORRAGIE ou une URÉTRITE, des POUX ou une GALE.
• Devant toute éruption inexpliquée chez un adulte.

Rôle du médecin
• Demander une analyse de sang, qui généralement devient positive et le reste environ deux semaines après la contamination.
• Adresser le patient à un spécialiste ou un centre spécialisé au moindre doute.

Prévention
• Éviter la promiscuité; utiliser des préservatifs.
• Un traitement strictement suivi évite l'apparition des complications tardives de la maladie.
• Le traitement des partenaires sexuels est indispensable pour prévenir la dissémination de la maladie.

Pronostic
• Excellent si la maladie est diagnostiquée de façon précoce et que le patient suit consciencieusement son traitement. Au stade tertiaire le traitement est souvent inefficace et la mort est possible.

PARALYSIE GÉNÉRALE

Cette complication est devenue très rare.

Symptômes
• Détérioration progressive et irréversible des fonctions mentales avec pertes de mémoire et perte de l'autonomie.
• Changements de la personnalité.
• Il peut exister une mégalomanie.
• Il s'y associe des signes neurologiques (tremblements, paralysies).

Durée
• En l'absence de traitement, elle évolue en quelques mois ou années vers la mort.

Complications
• Déchéance physique profonde et mort.

Traitement à domicile
• Aucun n'est conseillé.

Quand consulter le médecin
• Dès l'apparition des premiers signes.

Rôle du médecin
• Hospitaliser le malade pour exploration et soins.

Prévention
• C'est celle de la syphilis.

Pronostic
• Dépend de la précocité du traitement avant l'installation de séquelles définitives.

TABÈS

Parfois appelée ataxie locomotrice, cette affection est due à la destruction des nerfs dorsaux de la moelle épinière par le micro-organisme de la syphilis.

Symptômes
• Douleurs fulgurantes des membres inférieurs, comparables à des piqûres par des aiguilles brûlantes.
• ATAXIE : c'est une instabilité à la marche. Elle est aggravée dans l'obscurité et à la fermeture des yeux. Le patient a une démarche trépignante et ses jambes sont plus écartées que normalement.
• Parfois impotence, difficultés à uriner ou douleurs abdominales.
• D'autres symptômes de syphilis tardive peuvent être associés.

Durée
• Une fois présents, les symptômes persistent et s'aggravent progressivement pendant des mois ou des années malgré le traitement.

Complications
• Des infections urinaires, une atteinte de l'état général ne sont pas rares. Des ARTHRITES souvent sévères peuvent toucher les grosses articulations.

Traitement à domicile
• Une aide considérable est souvent demandée à l'entourage une fois que le diagnostic a été établi.

Rôle du médecin
• Faire pratiquer un bilan complet puis traiter.

Prévention
• Le traitement correct de la syphilis primaire ou secondaire évite le passage aux complications de la syphilis tertiaire.

Pronostic
• Une fois les symptômes installés, le traitement antibiotique est souvent inefficace.

SYPHILIS CONGÉNITALE

Si une femme enceinte est atteinte d'une syphilis récente non ou mal traitée, l'enfant à naître risque de présenter de graves lésions. C'est pourquoi la législation des pays développés impose à toute femme enceinte une analyse de sang pour dépister la syphilis. Un traitement antibiotique commencé précocement évitera la contamination du fœtus.

Symptômes
• Fausses couches.
• Naissance d'un enfant mort-né.
• Si l'enfant est vivant à la naissance, il peut être atteint de nombreuses anomalies de développement des os, de la peau, des yeux, cheveux, dents et autres organes.

Prévention
• Les analyses sanguines systématiques de toutes les femmes enceintes, avant le troisième mois de grossesse, ont rendu très rares les cas de syphilis congénitale grâce au traitement. Il existe malheureusement certaines femmes qui échappent à ce dépistage : grossesses non suivies par un obstétricien ou déclarées trop tard pour le dépistage et l'application du traitement approprié, syphilis contractée pendant la grossesse après la prise de sang.

SYSTÈME ENDOCRINE

Les glandes endocrines fabriquent des hormones (substances chimiques jouant un rôle essentiel dans le fonctionnement de nombreux organes du corps, et donc indispensables pour la vie). Les glandes déversent les hormones dans la circulation, qui les distribue vers les organes et les tissus où elles vont agir.

L'hypophyse est la pièce maîtresse du système des glandes endocrines. Elle assure la croissance osseuse et produit des hormones qui commandent à d'autres glandes endocrines la fabrication de leurs propres hormones. Par exemple, l'une de ces hormones fabriquée par l'hypophyse stimule la production des hormones fournies par la thyroïde, qui jouent un rôle primordial de régulation du métabolisme de l'organisme (c'est-à-dire des réactions chimiques d'utilisation de l'énergie). Les hormones thyroïdiennes sont nécessaires au développement psychologique et physique. D'autres hormones de l'hypophyse stimulent les glandes sexuelles (ovaires, testicules), qui sont elles-mêmes responsables du développement sexuel et de la production du sperme et des ovules. Une hormone hypophysaire contrôle la sécrétion des corticostéroïdes (cortisone) par la glande surrénale. Les corticostéroïdes permettent, entre autres fonctions, l'assimilation des aliments et la réaction aux agressions (le stress).

Toutes les glandes de l'organisme ne sont pas sous contrôle de l'hypophyse. Ainsi, les médullo-surrénales, qui produisent l'adrénaline, ne sont pas stimulées par l'hypophyse. L'adrénaline est une hormone qui prépare l'organisme à se mettre en éveil, à réagir, en renforçant le travail cardiaque et musculaire et en repoussant la fatigue. Les parathyroïdes fabriquent des hormones qui règlent l'utilisation du calcium et du phosphore par l'organisme, dont dépend la calcification des os, le fonctionnement des nerfs et des muscles, et l'activité des cellules de l'organisme.

Le placenta est dans une certaine mesure une glande endocrine qui aide au déroulement de la grossesse.

Quand une glande endocrine est défaillante, il est nécessaire de la remplacer en administrant des hormones sous forme de médicament. Par exemple, lorsque le pancréas est incapable de fabriquer de l'insuline (hormone indispensable pour l'utilisation du sucre par les cellules) et qu'un diabète apparaît, il faut administrer de l'insuline. Quand les surrénales ne produisent plus de corticostéroïdes, on prescrit des comprimés de cortisone.

Le système endocrine est une pièce maîtresse du fonctionnement de l'organisme.

Voir MÉDICAMENTS, n° 30 à 34

SYSTOLE

Phase de contraction du muscle cardiaque. Elle alterne avec une période de repos appelée DIASTOLE. Chaque contraction, qui dure environ deux cinquièmes de seconde, propulse le sang dans le système circulatoire.

Voir EXTRASYSTOLES

TABAC (RISQUES LIÉS AU)

L'intoxication tabagique est, dans le monde entier, une des principales causes de mortalité. Ce fléau peut d'ailleurs être comparé à l'alcoolisme : tous deux entraînent des méfaits catastrophiques sur la santé. Les conséquences n'en sont d'ailleurs pas uniquement médicales, mais aussi socio-économiques. Le tabac provoque en effet des maladies cardiaques et pulmonaires qui, avant d'être mortelles, sont invalidantes, occasionnent des arrêts de travail, des reclassements professionnels, des handicaps de toute nature.

On estime qu'en moyenne un fumeur qui meurt des conséquences de son tabagisme a perdu quinze ans de vie. De même, les maladies coronaires (INFARCTUS DU MYOCARDE, ANGINE DE POITRINE), dont la principale cause favorisante est le tabac, raccourcissent l'espérance de vie de vingt ans : ainsi, pour un homme, elle n'est que de cinquante ans au lieu de soixante-dix ans dans nos pays industrialisés.

Quatre-vingt-dix pour cent des décès par cancer broncho-pulmonaire ou par bronchite chronique sont liés à un tabagisme excessif. Dans 50 pour 100 des cas, on ne relève aucune autre cause que le tabac dans la survenue des maladies coronariennes. On considère souvent à tort que cette relation entre la maladie et le tabagisme, certes troublante, pourrait être fortuite; en fait, elle est beaucoup trop étroite pour être le fruit du hasard, puisque le cancer du poumon ne se retrouve quasiment jamais chez les non-fumeurs. D'ailleurs, le cancer du poumon était rare au début du siècle car les fumeurs étaient peu nombreux...

De nombreuses statistiques rapportent l'accroissement du risque actuel du cancer du poumon, de la bronchite chronique ou d'une maladie de cœur chez les fumeurs comparativement à une population témoin non fumeur. Le risque de cancer du poumon serait multiplié au moins par dix par le tabac.

Pour les maladies du cœur, il est très délicat de chiffrer l'accentuation de ce risque, car le tabac est souvent imbriqué à d'autres facteurs favorisants. Mais malgré cette imprécision, les affections des artères coronaires constituent une menace encore plus grande pour les fumeurs que le cancer du poumon, en raison de leur actuelle fréquence.

Enfin, pour la bronchite chronique, l'abus du tabac est responsable d'une multiplication par un facteur 17 du risque de développement de ces lésions.

L'importance de la consommation n'est pas sans effet, et ce sont les gros fumeurs qui sont les plus exposés. On établit une distinction entre la consommation de cigarettes, de cigares ou l'usage de la pipe. Il semble que ce soit la cigarette qui est la plus nocive.

Certes, la pipe ou le cigare peuvent provoquer des cancers des lèvres ou de la bouche, mais le risque de cancer du poumon, de bronchite chronique ou de maladies de cœur est inférieur avec ces deux sortes de tabac. Cela est dû au fait que les fumeurs de cigares ou de pipe n'inhaleraient pas autant la fumée que les fumeurs de cigarettes.

On a établi une corrélation entre l'importance de la consommation tabagique et le risque d'apparition d'une maladie bronchique ou pulmonaire. En dessous de 15 cigarettes par jour, le risque de cancer du poumon est multiplié par 8, entre 15 et 25 cigarettes par jour, le risque est multiplié par 13. Enfin, pour une consommation de 25 cigarettes ou plus par jour, le risque est multiplié par 25.

Malheureusement, il n'est pas prouvé qu'en réduisant brutalement votre consommation de cigarettes vous puissiez également faire diminuer vos risques. En effet, de nombreux fumeurs ont tendance à inhaler davantage la fumée pour compenser. C'est la quantité globale de fumée parvenant aux poumons qui compte.

Il est encore un risque plus injuste du tabac : c'est celui qu'encourent les fœtus des mères qui continuent à fumer durant leur grossesse. Les nouveau-nés sont souvent prématurés et, même s'ils naissent à terme, sont plus petits et plus maigres (hypotrophie). Ils courent un risque accru de mort à la naissance ou durant les premières semaines de la vie.

Les risques de maladies diminuent très progressivement après l'arrêt du tabac, si les affections ne sont pas apparues avant. Ainsi estime-t-on qu'après dix ans de sevrage, les risques redeviennent identiques pour les anciens fumeurs que pour les non-fumeurs. Enfin, il est à noter que certains effets bénéfiques apparaissent dès l'arrêt du tabac, comme l'augmentation de la proportion d'oxygène et la diminution du monoxyde de carbone dans le sang.

TABAC ET ALCOOL

Nous voudrions insister sur l'association particulièrement nocive constituée par l'intoxication alcoolo-tabagique, car elle est la source de nombreuses maladies cancéreuses.

Il faut citer le cancer de l'œsophage, car le tabac et l'alcool influent tous deux pour irriter la muqueuse, mais aussi tous les cancers des voies aériennes et digestives supérieures et de la sphère oto-rhino-laryngologique. Il s'agit des cancers de la bouche, du larynx et du pharynx (gorge), du cancer de l'amygdale palatine, qui sont redoutables et souvent associés.

MÉTHODES DE SEVRAGE

On a décrit des centaines de méthodes de sevrage du tabac. Déjà, au XVIIe siècle, en Russie, on condamnait à mort les fumeurs et on les décapitait publiquement.

Aujourd'hui, heureusement, les méthodes sont plus humaines. L'hypnose a même été employée avec un certain succès; mais les chiffres publiés sont évidemment variables, situés entre 10 et 60 pour 100 de succès. Quelles que soient les sources de ces statistiques, l'hypnose est une méthode qui a démontré son efficacité chez certains malades, mais ne saurait être conseillée au premier abord. En cas d'échec des autres moyens, on pourra demander conseil à son médecin, qui jugera si l'hypnose lui semble adaptée.

On a également utilisé des méthodes de sevrage faisant appel à un dégoût progressif du tabac. On peut aussi faire renoncer un sujet à fumer par des thérapies électriques très particulières. Ces méthodes, efficaces dans l'immédiat, ne sont pas valables à long terme. De plus, on les considère actuellement comme non conformes à l'éthique médicale.

Des traitements à base de médicaments ont aussi été utilisés. On peut aider le sujet à s'arrêter de fumer en lui prescrivant des drogues comme des tranquillisants, mais on sait que la nicotine est un puissant excitant du système nerveux central, si bien que ces calmants restent souvent sans effet puisqu'ils sont en permanence contrecarrés par le tabac.

On peut également tenter de remplacer le tabac par une autre drogue stimulante. On a principalement utilisé la lobéline. Mais une voie de recherche beaucoup plus prometteuse est la mise au point par un médecin et un laboratoire pharmaceutique suédois d'un chewing-gum à la nicotine. Celle-ci passe dans le sang, où on la retrouve à des concentrations tout à fait similaires à celles des fumeurs. Une étude montre qu'un an après l'arrêt du traitement, près de 40 pour 100 des sujets ayant mâché ce chewing-gum ont cessé de fumer.

Actuellement, de nouvelles méthodes sont proposées, comme l'acupuncture. Il s'agit d'une thérapeutique non dangereuse, d'où son intérêt par rapport à toutes les autres précédemment citées, qui présentent toutes des risques. Ici, au contraire, le traitement fait appel soit à la pose d'un fil dans le lobe de l'oreille (le sujet n'a besoin de consacrer qu'une matinée pour cela), soit à une série de quelques séances (sur deux ou trois semaines). Des résultats très intéressants ont été obtenus, mais il faut garder à l'esprit qu'il ne s'agit en aucun cas d'un traitement miracle, car il n'empêche pas de fumer. Il aide simplement le fumeur à supporter l'arrêt du tabac quand il a pris sa décision et a déjà arrêté son intoxication.

En effet, la plupart des gros fumeurs ont simplement besoin d'être motivés pour arrêter de fumer. La motivation elle-même et l'aide extérieure peuvent être apportées par le médecin de famille, et il entre dans l'attribution des médecins de participer individuellement à la lutte contre le tabagisme en soutenant les fumeurs en cours de désintoxication.

De plus, la lutte contre le tabagisme passe par l'information, destinée principalement à la jeunesse. En effet, les jeunes fument de plus en plus tôt, souvent avant quinze ans, alors que les personnes ne fumant pas jusqu'à vingt ou vingt-cinq ans commencent rarement au-delà.

Enfin, on a lancé sur le marché de nombreux substituts du tabac, comme les cigarettes synthétiques ou les filtres, qui diminuent progressivement la dose de goudrons et de nicotine de la cigarette, ou encore les comprimés qui donnent un réel dégoût du tabac. Toutes ces méthodes peuvent apporter des résultats favorables selon les cas, mais il importe qu'elles soient bien adaptées au sujet, qui peut toujours demander conseil à son médecin.

VOULEZ-VOUS RÉELLEMENT ARRÊTER DE FUMER ?

Comment pouvez-vous réellement arrêter de fumer sans vous adresser à des cliniques spécialisées mais très coûteuses et sans prendre de médicaments ?

Avant de prendre votre décision, il est indispensable de faire votre propre examen de conscience et de vous demander si vous souhaitez vraiment arrêter de fumer et, si oui, quelles sont vos motivations. Vous devez de plus savoir que cela sera difficile et vous demandera beaucoup d'efforts, même si vous êtes très désireux d'arrêter.

Première étape : la décision. Attention, ce doit être *votre* décision et non pas celle de votre entourage, car c'est vous qui aurez à faire des efforts et ce sera pénible. Il n'est pas facile de prendre une telle décision, car le tabac fait souvent partie de votre vie depuis des années, et une habitude aussi ancrée ne se perd pas d'un jour à l'autre.

Si maintenant, après avoir mûrement réfléchi à tous ces problèmes, après avoir évoqué les raisons qui vous poussaient à fumer, c'est-à-dire le plaisir que vous en tiriez, vous décidez quand même d'arrêter, il faut alors mettre en application votre projet. Dès que votre décision est arrêtée, fixez une date et tenez-vous-y.

Deuxième étape : le sevrage. Les différentes méthodes que nous avons précédemment exposées ne jouent finalement qu'une part infime dans l'arrêt de la consommation du tabac, dès lors que vous avez décidé vous-même de stopper. C'est bien votre volonté qui est le plus important facteur de succès, parce que vos motivations sont votre aide la plus puissante.

A ce stade, vous pouvez donc décider vous-même quel type de traitement vous allez suivre. Mais là encore, l'essentiel est d'agir avec bon sens et discernement. Par exemple, n'allez pas commencer votre cure à un moment difficile de votre existence, où vous êtes psychologiquement vulnérable. Choisissez si possible une période calme, afin d'éviter tout stress.

Le but recherché est d'arrêter de fumer complètement dès le premier jour. Diminuer progressivement n'est sans doute pas à recommander, car vous pourriez ensuite, en fin de journée, vous rattraper et vider le paquet. De plus, cela n'assure pas l'arrêt définitif. En revanche, vous trouverez intérêt à vous entourer des conseils d'un spécialiste comme un physiothérapeute ou un professeur de yoga, par exemple.

Si vous sentez que vous avez besoin d'être soutenu par des encouragements permanents pour vous en tenir à votre décision, essayez d'organiser une confrontation mutuelle avec un ami ou un collègue de travail qui est dans le même cas que vous. Enfin, si vous pensez que tout cela risque d'être insuffisant et que vous avez encore besoin d'être soutenu, adressez-vous à une clinique ou un groupe antitabac. Mais même si cela vous semble très dur, n'arrêtez pas la lutte. Souvenez-vous que rien n'est possible si vous n'en avez pas la volonté ou les motivations indispensables, et que rien ne peut les remplacer.

La période difficile se situe entre une et trois semaines, et c'est là que vous devez vous souvenir combien il est important pour vous d'arrêter de fumer, car si vous ne désirez pas réellement arrêter, vous risquez d'abandonner. Une autre étape importante est celle du premier mois pour beaucoup de gens. Vous devrez ensuite rester vigilant, car vous serez vulnérable durant au moins six mois.

Enfin, une dernière mise au point : ne recommencez jamais à fumer, même après plusieurs mois, pour voir ce que ça fait ou pour vérifier que vous n'en avez plus besoin, ou parce que quelqu'un vous y presse en vous disant : « Allez, juste une petite. » Beaucoup de gens rechutent comme cela, et il est utile de savoir que beaucoup de vos amis essaieront de vous mettre à l'épreuve en vous offrant des cigarettes.

Si vous avez suffisamment de volonté pour arrêter de fumer et si vous suivez ces quelques principes généraux, vous réussirez. Des milliers de gens ont réussi avant vous.

OU TROUVER DE L'AIDE ?

- Auprès de votre médecin traitant, du médecin de famille ou d'un spécialiste.
- Auprès de Santé et Bien-être social, promotion de la santé, programmes du tabagisme.
- Au Conseil canadien sur le tabagisme et la santé, 725, avenue Churchill, 2e étage, Ottawa, Ontario K1Z 5G7. Tél. : (613) 722-3419.

TACHES MONGOLOÏDES

Nappes pigmentées bleu-gris, de grande taille (50 ou 75 millimètres de diamètre), de limite assez floue. Elles sont présentes à la naissance, siégeant principalement sur les lombes et les fesses. Elles sont fréquentes chez les Asiatiques, chez les Noirs, et occasionnellement chez les Occidentaux (race caucasienne).

Durée
- Les taches disparaissent dans les premières années.

Causes
- Accumulation de cellules pigmentaires dans la partie profonde de la peau (derme).

Traitement à domicile
- Aucun. Il n'y a pas de souci à se faire.

Quand consulter le médecin
- Si l'on n'est pas certain qu'il s'agit d'une tache mongoloïde (elle peut ressembler à une ecchymose).

Rôle du médecin
- Confirmer le diagnostic.

Prévention
- Aucune.

Pronostic
- La disparition des taches est définitive.

Voir LA PEAU, *page 53*

TACHES PIGMENTÉES

Modifications localisées de la pigmentation de la peau, qui prend une couleur plus foncée, brunâtre ou grisâtre. Les causes sont variées : il peut s'agir de l'accumulation de mélanine (pigment normal de la peau) ou de la présence anormale d'un autre pigment.

TACHES DE ROUSSEUR

Petites taches cutanées brun clair, encore appelées éphélides. Elles sont dues à une surproduction de pigment. Les cellules productrices de pigment sont stimulées par le soleil, de sorte que les taches de rousseur siègent sur la face, les avant-bras et les autres zones de peau exposées au soleil. Les éphélides touchent surtout les sujets roux ou blonds au teint clair, qui ont tendance à prendre facilement des coups de soleil.

TACHES RUBIS

Les taches rubis sont des papules (boutons) rouge vif ou pourpres, qui apparaissent sur la poitrine et le tronc des sujets âgés. Elles mesurent quelques millimètres de diamètre et sont formées de fins vaisseaux sanguins. On les appelle également angiomes séniles. Elles sont bénignes, indolores et ne dégénèrent jamais en cancer.

Symptômes
- Les taches rubis ne donnent aucun trouble mais peuvent saigner si elles subissent un traumatisme.

Causes
- On ne connaît pas la cause des taches rubis.

Traitement à domicile
- Il n'y a rien à faire.

Quand consulter le médecin
- Si vous êtes très inquiet au sujet de ces taches rubis.

Rôle du médecin
- Rassurer le patient sur la bénignité de ces lésions.

Pronostic
- Avec l'âge, les angiomes peuvent devenir plus nombreux, mais la taille de chaque élément ne grandira pas.

TACHYCARDIE PAROXYSTIQUE

Accélération des battements cardiaques, survenant par crises, à début et fin brusques. Elle touche surtout des adultes jeunes et ne témoigne habituellement d'aucune maladie du cœur, le sujet étant en bonne santé.

Symptômes
- Le patient sent son cœur battre très vite.
- Si la crise se prolonge, il apparaît un essoufflement et parfois une douleur dans la poitrine (ANGINE DE POITRINE) ou un évanouissement.

Durée
- Quelques minutes à plusieurs jours parfois.

Causes
- Le plus souvent, aucune cause n'est retrouvée (le cœur est indemne), et si un électrocardiogramme (E.C.G.) est pratiqué au moment de la crise, il ne montre pas d'anomalie caractéristique, en dehors de l'accélération du cœur.
- Parfois, causes cardiaques : affections valvulaires mitrales, hypertension artérielle...
- Causes endocriniennes : hyperthyroïdie.
- Causes métaboliques ou médicamenteuses (potassium, calcium).

Traitement à domicile
- Reposez-vous tant que dure la crise.
- Le médecin vous expliquera certaines petites manœuvres que vous pouvez pratiquer vous-même pour faire cesser la crise : efforts de vomissements, position tête basse, ou bien accroupie, ou encore hyperextension du tronc et des membres, déglutition rapide d'une bouchée de pain ou d'eau glacée.

Quand consulter le médecin
- Lors des premiers accès, pour confirmer le diagnostic.
- Si la crise dure plus de quinze minutes.
- S'il existe un essoufflement gênant, une douleur dans la poitrine, ou s'il se produit un évanouissement.
- Si les accès se reproduisent fréquemment.

Rôle du médecin
- Essayer de faire cesser la crise par les petits moyens décrits ci-dessus, ou en pratiquant lui-même certains gestes comme la compression de la carotide.
- Pratiquer un électrocardiogramme.
- Si, malgré tout, la crise se prolonge, injecter un antiarythmique. *Voir* MÉDICAMENTS, n° 5.
- Hospitaliser le patient si ces mesures restent inefficaces.

Prévention
- Réduire au minimum la consommation de café, d'alcool et de tabac.
- Éviter le surmenage et le manque de sommeil, qui sont des facteurs favorisants (de même que l'anxiété).

Pronostic
- Les crises récidivent à des intervalles très variables, parfois rarement, ou bien fréquemment.
- Le plus souvent, l'affection reste bénigne et n'entrave pas la vie du sujet.

Voir SYSTÈME CIRCULATOIRE, *page 40*

TATOUAGE

Il n'est pas seulement pratiqué délibérément par injection de pigment sous la peau, mais peut aussi résulter d'un accident au cours duquel de la poussière ou du charbon se dépose sous la peau. Un type particulier de cicatrice, appelé CHÉLOÏDE, peut se développer sur un tatouage, particulièrement chez les personnes à peau mate.

Durée
- Un tatouage est habituellement permanent.

Traitement à domicile

• Il ne faut pas essayer d'enlever soi-même le tatouage. En effet, cela risque non seulement d'être inefficace, mais encore de laisser des cicatrices.

Quand consulter le médecin

• Si le tatouage est ressenti comme un enlaidissement et si le sujet souhaite fortement s'en débarrasser. Toutefois, l'effacement risque de laisser une cicatrice, et cette perspective doit être envisagée avant la décision de traitement.

Rôle du médecin

• Faire pratiquer une dermabrasion (abrasion de la couche superficielle de la peau), dont les résultats sont le plus souvent excellents. Cette méthode, pratiquée par un spécialiste, utilise une meule abrasive à vitesse rotatoire rapide, après anesthésie locale.

• Dans certains cas de tatouages accidentels, une chirurgie plastique peut être nécessaire.

Prévention

• Aucune jeune personne ne devrait se faire tatouer, car les regrets tardifs sont courants.

Voir LA PEAU, *page 52*

TEIGNES

Infections contagieuses provoquées par des champignons microscopiques appelés dermatophytes. Elles forment des plaques arrondies qui s'étendent de façon centrifuge, formant des anneaux à bordure inflammatoire alors que le centre a tendance à redevenir normal.

Les teignes peuvent toucher n'importe quelle région des téguments (y compris le cuir chevelu et les ongles), à l'exception des muqueuses. Les régions des plis, comme l'aine, l'aisselle et les espaces inter-orteil, sont communément atteintes.

Les noms latins utilisés pour décrire cette mycose sont, selon les régions touchées : *Tinea capitis* pour le cuir chevelu, *Tinea corporis* pour le corps, *Tinea cruris* pour l'aine, *Tinea pedis* pour le pied (*voir* PIED D'ATHLÈTE).

Du fait de leur contagiosité, ces affections nécessitent d'être traitées efficacement.

TINEA CAPITIS, ou TEIGNE DU CUIR CHEVELU

Ce type atteint avant tout les enfants. La contamination peut se faire par des animaux domestiques infectés.

Symptômes

• Il peut n'y avoir qu'une légère irritation.

• Plaque enflammée recouverte de squames, avec chute des cheveux à ce niveau. La plaque grandit en quelques semaines, et d'autres plaques peuvent apparaître ailleurs sur le cuir chevelu.

• Les cheveux se cassent en laissant des fragments de quelques millimètres de long, donnant aux cheveux un aspect « mangé aux mites ».

• Les zones enflammées et squameuses peuvent se surinfecter et donner un impétigo.

Durée

• Sous traitement, l'affection guérit en quelques semaines.

• Non traitée, elle peut se poursuivre jusqu'à la puberté, période à laquelle le champignon s'éteint de lui-même.

Causes

• Des champignons qui ont une affinité pour la couche cornée de la peau, les ongles et les cheveux. Certains ont une prédilection plus marquée pour des sites comme la peau et les cheveux, d'autres touchent plus volontiers les zones de plis cutanés.

• Selon le type de champignon en cause, la teigne du cuir chevelu peut s'attraper au contact d'autres enfants atteints, d'animaux comme les chiens et les chats, ou même par l'intermédiaire du sol.

Traitement à domicile

• Une fois le traitement médical commencé, il est nécessaire d'éviter toute recontamination. Les draps et taies d'oreillers seront bouillis et changés fréquemment, et les peignes et brosses à cheveux seront remplacés.

Quand consulter le médecin

• Devant des plaques alopéciques et squameuses de la tête d'un enfant.

Rôle du médecin

• Prélever par raclage la plaque atteinte, et l'analyser au microscope pour identifier le type de champignon en cause.

• Prescrire un traitement local sur le cuir chevelu et un antibiotique en comprimés, appelé griséofulvine, qui sera poursuivi un ou deux mois. *Voir* MÉDICAMENTS, n°s 26, 43.

Prévention

• Faire traiter les animaux domestiques infectés, et faire examiner les autres enfants de la famille.

Pronostic

• Le cuir chevelu et les cheveux redeviennent le plus souvent normaux après la disparition du champignon si le traitement a été correctement effectué, mais les récidives sont possibles.

TINEA CORPORIS, ou HERPÈS CIRCINÉ

Symptômes

• L'infection commence par une tache rouge ou rosée qui s'étend par ses bords en guérissant au centre. Les taches peuvent être uniques ou multiples.

• Des démangeaisons et une légère desquamation sont habituelles.

• Les plaques enflammées peuvent être petites ou grandes et affecter n'importe quelle région du corps.

• Un type particulier atteint la barbe chez l'homme. La zone enflammée peut suppurer, surtout si l'infection est contractée au contact du bétail.

Durée

• L'extension se poursuit pendant des semaines ou des mois, puis l'infection se stabilise. Sans traitement, elle peut guérir en plusieurs mois ou années.

Causes

• Transmission de différents dermatophytes (champignons) par contact avec des personnes contaminées, des animaux domestiques ou du bétail. L'infection peut aussi s'étendre chez un même sujet, à partir d'une lésion des pieds, par exemple.

• Les climats chauds et humides favorisent l'infection.

Traitement à domicile

• Évitez d'échanger linge de corps, chaussures de tennis ou serviettes de toilette.

• Évitez les contacts physiques avec une personne indemne et pratiquez des toilettes fréquentes avec séchages soigneux. Faites examiner les autres membres de la famille.

Quand consulter le médecin

• Si vous pensez avoir une teigne.

Rôle du médecin

• Confirmer le diagnostic en prélevant les squames de la lésion et en les analysant au microscope.

• Prescrire des onctions antifongiques, et parfois de la griséofulvine, ainsi que des soins d'hygiène. *Voir* MÉDICAMENTS, n°s 26, 43.

Pronostic

• Guérison complète sous traitement bien suivi.

TINEA CRURIS, ou ECZÉMA MARGINÉ DE HEBRA

Localisation à la région de l'aine, fréquente chez les hommes.

Symptômes

• Des plaques rouges apparaissent à la partie interne de la racine de la cuisse. Elles se recouvrent de squames et sont entourées d'une bordure nette, un peu surélevée.

• L'éruption est souvent bilatérale et s'étend aux cuisses, à la région génitale et au pli interfessier.

• Les démangeaisons intenses sont très gênantes.
Durée
• Sans traitement, peut persister indéfiniment.
Causes
• Différents champignons contagieux.
• La transmission par des animaux domestiques est inhabituelle.
• L'infection est favorisée par un climat chaud et humide, et par le port de vêtements serrés.
Traitement à domicile
• Les meilleures mesures préventives sont des toilettes fréquentes avec séchages soigneux et, si besoin, talcages des aines, en évitant les vêtements trop serrés.
• Ayez vos propres serviettes de toilette et évitez d'échanger vêtements ou literie.
Pronostic
• Un traitement correct entraîne une guérison complète.

Voir LA PEAU, *page 52*
PIED D'ATHLÈTE

TEMPÉRATURE

L'élévation de la température, ou fièvre, est en général due à une infection. Une température inférieure à la normale (hypothermie) est également un symptôme anormal.

Voir LISTE DES SYMPTOMES — TEMPÉRATURE (AUGMENTATION DE LA)
SOINS INFIRMIERS A DOMICILE, *page 306*

TENDINITE

Inflammation d'un tendon, extrémité fibreuse d'un muscle qui l'attache à un os. Souvent, elle s'accompagne de TÉNOSYNOVITE, inflammation de la gaine qui entoure le tendon.

TENDON (RUPTURE DE)

Un tendon est un tissu résistant qui relie un muscle à un os, une sorte de câble par lequel la traction du muscle parvient à mobiliser l'os. Bien qu'ils soient très puissants, les tendons peuvent être rompus si la contraction du muscle est plus forte que la résistance du tendon. La rupture peut aussi intervenir lors d'efforts minimes si le tendon a été affaibli par une maladie telle que la POLYARTHRITE RHUMATOÏDE, ou, beaucoup plus souvent, par un âge avancé. A la main et au pied, un tendon peut également être lésé ou rompu par une blessure ouverte. Les tendons de l'épaule et du bras sont très souvent touchés par des traumatismes internes.
Symptômes
• Quand un tendon se rompt, une douleur particulière et immédiate survient au point de rupture.
• Une faiblesse, l'impression que quelque chose a cédé peuvent être également ressenties.
• Une entaille profonde de la peau, surtout au dos de la main et au poignet, peut mettre à nu un tendon coupé.
Durée
• De plusieurs semaines à plusieurs mois.
Causes
• Traumatisme, surmenage, et surtout, pour l'épaule, vieillissement naturel et progressif du tendon.
Complications
• Perte définitive de la fonction normale du muscle, causée par l'allongement du tendon pendant la cicatrisation. Par exemple, si le TENDON D'ACHILLE est rompu (à un talon), il peut s'ensuivre un manque de ressort dans la démarche.
Traitement à domicile
• Garder propre une plaie ouverte et la recouvrir d'un linge stérile.
• Repos jusqu'à la consultation médicale.
Quand consulter le médecin
• Dès que la lésion d'un tendon est suspectée.
Rôle du médecin
• Examiner le muscle et son degré de faiblesse pour confirmer le diagnostic.
• Envoyer le malade passer une radiographie pour éliminer une fracture osseuse associée.
• S'il y a une plaie ouverte, la réparation du tendon lésé doit être immédiatement réalisée par un chirurgien qualifié.
• Après réparation, le membre sera immobilisé en position de relâchement musculaire. La durée d'immobilisation est habituellement de trois semaines pour un bras et de six semaines pour une jambe.
• S'il n'y a pas de blessure ouverte, le tendon rompu peut être soit réparé chirurgicalement, soit simplement immobilisé dans un plâtre, en fonction du siège et de l'importance de la rupture (complète ou incomplète).
Prévention
• Les gens sans entraînement et les personnes âgées doivent être prudents en cas d'effort inhabituel.
Pronostic
• Bon si le diagnostic et le traitement de la rupture sont précoces.

Voir LE SQUELETTE, *page 54*

TENDON D'ACHILLE (RUPTURE DU)

Le tendon d'Achille est le tendon qui attache les muscles du mollet à l'arrière de la cheville. Quand une rupture survient, elle est souvent complète : le tendon se casse net en deux.
Symptômes
• Douleur brusque et vive à l'arrière de la cheville, souvent comme si elle avait reçu un coup.
• Sensibilité extrême au point de rupture.
• Incapacité de se tenir sur la pointe des pieds.
• La marche est possible, mais seulement en boitant.
Durée
• Avec un traitement correct, la rupture mettra environ six à huit semaines pour guérir.
Causes
• La rupture survient le plus souvent à l'âge moyen de la vie, après une activité sportive brusque. Par exemple, pendant la première partie de tennis de la saison.
Traitement à domicile
• Aucun.
Quand consulter le médecin
• Devant toute douleur vive et durable du tendon d'Achille.
Rôle du médecin
• Il enverra le malade dans le service d'urgence orthopédique le plus proche.
• A l'hôpital, la partie inférieure de la jambe sera radiographiée pour vérifier l'absence de fracture.
• Si le diagnostic de rupture est précoce, la jambe sera le plus souvent immobilisée dans le plâtre pendant six à huit semaines, en position de relâchement musculaire, puis le port d'une chaussure avec un talon surélevé ou un talon noyé dans le plâtre sera nécessaire durant quelques semaines.
• Si le diagnostic de rupture est tardif, le traitement dépendra de l'âge. S'il s'agit d'un adulte jeune, on préfère la réparation chirurgicale recousant ensemble les deux fragments du tendon rompu, avec un plâtre par-dessus.

• Certains préfèrent la chirurgie systématique chez le sujet jeune devant toute rupture du tendon d'Achille.

Prévention

• Éviter les activités sportives demandant des efforts brusques après une longue période d'inactivité.

Pronostic

• Si le traitement est entrepris tôt, la récupération sera complète en dix semaines environ.

• En cas de retard du traitement, la récupération demandera plus de temps.

Voir LE SQUELETTE, *page 54*

TÉNOSYNOVITE

Inflammation de la gaine entourant un tendon, qui est lui-même une corde fibreuse attachant le muscle à l'os. L'inflammation survient habituellement là où le tendon passe par-dessus une articulation ou s'attache à elle, en particulier au poignet, à l'épaule et à la cheville.

Symptômes

• Le tendon est douloureux à l'effort.

• On peut voir un gonflement localisé au dos du poignet ou du pied.

Causes

• Surmenage brutal ou prolongé du tendon atteint.

• Infection de la gaine du tendon (plaie ou piqûre).

• POLYARTHRITE RHUMATOÏDE.

Traitement à domicile

• Repos de l'articulation atteinte.

• Prendre des médicaments contre la douleur aux doses recommandées.

Quand consulter le médecin

• Devant toute douleur persistante ou tout gonflement localisé durable au voisinage d'une articulation.

Rôle du médecin

• Conseiller une prolongation du repos local.

• Injecter un produit cortisonique dans la région douloureuse. *Voir* MÉDICAMENTS, n°s 32, 37.

Prévention

• Aucune.

Pronostic

• La guérison survient souvent sous l'effet du repos et des infiltrations locales, mais il existe une certaine tendance à la récidive.

• En cas d'échec du traitement médical, la chirurgie (résection du tendon) sera envisagée.

Voir LE SQUELETTE, *page 54*

TENSION ARTÉRIELLE

La tension artérielle est la pression du sang dans les artères. La tension (ou pression) peut être trop élevée (hypertension) ou trop basse (hypotension). La confusion entre les termes tension et hypertension est courante.

Voir HYPERTENSION

TESTS PSYCHOLOGIQUES

Épreuves standardisées permettant de mesurer une caractéristique psychologique chez un individu donné. On distingue les tests d'intelligence, qui permettent la mesure du QUOTIENT INTELLECTUEL, et les tests de personnalité, qui se proposent de déterminer les traits de caractère et la structure de la personnalité. Ces tests permettent de compléter l'impression subjective d'un entretien par des données mesurables. Ils sont utilisés en psychiatrie, et parfois lors de la sélection d'embauche.

TÉTANIE (CRISE DE)

Manifestations dues à une baisse anormale de concentration du calcium dans le sang : spasmes et contractions musculaires, en particulier des mains, des pieds et de la face, avec parfois des convulsions. Très distincte du tétanos, bien qu'ayant des symptômes proches.

TÉTANOS

Maladie infectieuse provoquant une contracture aiguë des muscles, spécialement de la mâchoire ou du cou. Le spasme caractéristique des muscles de la mâchoire est appelé TRISMUS. Les risques sont liés à la toxicité d'une puissante toxine provenant d'une bactérie appelée *Clostridium tetani*. Cette bactérie existe sous forme de spores dans la terre et dans les excréments des animaux, et se développe exclusivement dans les milieux dépourvus d'oxygène, conditions qui sont également reproduites dans les tissus humains blessés, car mal vascularisés. Cette bactérie est à l'état latent mais peut se développer dans des milieux de culture appropriés, par exemple les plaies. Les piqûres, les brûlures, les morsures d'animaux, les accidents de la route, les accidents agricoles représentent un gros risque de tétanos.

Symptômes

• Au début, le patient ressent de discrets malaises; il est fatigué, souffre d'une certaine raideur douloureuse dans la mâchoire, éprouve des difficultés à avaler et présente de la fièvre, avec des maux de tête et des sueurs.

• La contracture peut s'étendre à d'autres muscles, et certains mouvements peuvent devenir douloureux, comme se pencher en avant ou tourner la tête.

• Des contractions musculaires brutales peuvent survenir si l'on touche le malade, ou lors d'un bruit.

Période d'incubation

• Habituellement six à quinze jours, mais elle peut s'étendre de un jour à plusieurs semaines.

• Une courte période d'incubation traduit la gravité de la maladie.

Durée

• Les contractures musculaires persistent habituellement jusqu'à la fin de la deuxième ou de la troisième semaine.

• Pour certains muscles, la contracture peut même se maintenir plus d'un mois.

Causes

• Bactériennes.

Complications

• Asphyxie.

• PNEUMONIE.

Traitement à domicile

• Aucun.

• L'hospitalisation est indispensable.

• Si vous suspectez qu'une blessure datant même de plusieurs semaines peut être infectée par le bacille du tétanos, allez directement à l'hôpital le plus proche.

Rôle du médecin

• Nettoyer et désinfecter soigneusement la plaie.

• Injecter du sérum pour neutraliser les toxines bactériennes circulantes.

• Prescrire des médicaments permettant de diminuer la contracture musculaire.

• En cas de défaillance respiratoire, il peut être nécessaire de recourir à une ventilation artificielle, par une intubation des voies respiratoires ou une TRACHÉOTOMIE.

Prévention

• La VACCINATION est la meilleure prévention, et elle doit être pratiquée dès l'enfance. Le vaccin antitétanique est souvent mélangé aux trois ou quatre autres

vaccins de routine : diphtérie, coqueluche, polio et typhoïde. On les fait généralement avant l'âge de un an, avec des rappels successifs. Les personnes âgées qui n'ont pas été vaccinées doivent subir une série de trois injections échelonnées sur quelques semaines.
• Il faut faire des rappels réguliers tous les dix ans.
• Chez le sujet non vacciné ou qui n'a pas eu de rappel depuis plus de dix ans, il faut injecter un sérum antitétanique après toute blessure ou brûlure. On préfère maintenant les gammaglobulines humaines plutôt que le sérum d'animal qui peut provoquer des réactions allergiques, de gravité moyenne le plus souvent. Le point d'injection est souvent douloureux durant quelques jours.
Pronostic
• La maladie est le plus souvent mortelle chez les sujets non vaccinés.

Voir MALADIES INFECTIEUSES, *page 32*

TÉTRALOGIE DE FALLOT

Malformation cardiaque congénitale qui associe quatre anomalies : une sténose de la voie artérielle pulmonaire, une communication entre le ventricule gauche et le ventricule droit, une hypertrophie du ventricule droit, une malposition de l'aorte, qui est située à droite au lieu d'être à gauche. C'est la plus fréquente des cardiopathies congénitales responsables de cyanose ou MALADIE BLEUE.

THALASSÉMIE MAJEURE

Cette maladie est un type d'ANÉMIE touchant les gens qui vivent ou sont originaires du pourtour méditerranéen. Elle se transmet des parents aux enfants et atteint également les deux sexes.
Symptômes
• Coloration jaune pâle de la peau et du blanc des yeux. *Voir* ICTÈRE.
• Accès de fièvre, fragilité et autres symptômes de l'ANÉMIE récidivant tout au long de l'enfance.
Durée
• La maladie est chronique et des accès surviendront en général pendant toute la vie du patient.
Causes
• Une anomalie héréditaire de l'hémoglobine, ce pigment rouge qui se trouve dans le sang et qui transporte l'oxygène des poumons aux tissus. Cette anomalie fragilise les globules rouges qui se détruisent.
Complications
• Sans traitement, la thalassémie majeure aboutit souvent à la mort au cours de l'enfance.
Traitement à domicile
• Aucun.
Quand consulter le médecin
• Au moindre symptôme de jaunisse avec fièvre, affaiblissement ou n'importe quel indice d'anémie.
Rôle du médecin
• Demander des analyses de sang pour rechercher l'existence d'une anomalie.
• En cas de diagnostic de thalassémie majeure, le médecin organisera une transfusion sanguine immédiate puis des transfusions régulières ensuite.
• Dans certains cas, une opération chirurgicale enlevant la rate peut être utile. Elle contribuera à diminuer le besoin de transfusions.
Prévention
• Elle n'est pas possible.
• Si vous êtes atteint de cette maladie et que vous envisagez de fonder une famille, il peut être utile d'en discuter avec votre médecin.
Pronostic
• Il n'y a pas pour le moment de traitement de la thalassémie majeure et les transfusions sont la seule solution d'attente offerte. Néanmoins, des recherches prometteuses étant en cours dans le monde entier, un traitement définitif est peut-être pour un avenir proche.

Voir ANÉMIE

THERMOGRAPHIE

C'est la mesure de la chaleur émise par différentes parties du corps. Elle est mise en évidence en radiographiant le corps avec des films sensibles aux rayons infrarouges. On l'utilise pour détecter kystes et tumeurs à un stade précoce.

THORAX EN BRÉCHET

C'est une proéminence anormale du sternum, souvent présente dès la naissance. Parfois, le thorax en bréchet est un signe de rachitisme. Il ne porte pas à conséquence et sa cause est inconnue.

THROMBO-ANGÉITE OBLITÉRANTE, OU MALADIE DE LEO BÜRGER

Il s'agit d'une oblitération sévère et progressive des petites artères, principalement des jambes et des pieds, plus rarement des bras et des mains. Cette maladie affecte principalement les hommes avant la quarantaine, surtout les gros fumeurs. Certains segments artériels deviennent inflammatoires et s'obstruent. De nouveaux vaisseaux se développent (néo-vascularisation), mais la situation se reproduit par poussées en quelques années.
Symptômes
• Douleurs dans les jambes et les pieds au repos ou à l'effort.
• Pieds froids, parfois décolorés, ou prenant des aspects rosés ou bleuâtres.
• Engourdissement des pieds.
• Brûlures et fourmillements dans les pieds.
• Aspect livide des pieds et des orteils.
• Crise douloureuse et inflammatoire à rechute dans les veines des jambes (THROMBOPHLÉBITE).
Durée
• En l'absence de traitement, les symptômes persistent et s'aggravent.
Causes
• La cause exacte est inconnue, mais la maladie est souvent favorisée par un tabagisme excessif.
Complications
• La GANGRÈNE peut nécessiter une amputation.
Traitement à domicile
• Arrêt du tabac.
• Réduction de l'obésité s'il y a lieu.
• Soins des pieds : couper soigneusement les ongles des orteils et porter des chaussures confortables.
Quand consulter le médecin
• En présence des symptômes décrits, suggérant une circulation défectueuse dans les jambes.
• Une fois le diagnostic établi, en cas de changement brutal de la circulation, en présence d'ulcération certaine, ou si le membre devient livide.
Rôle du médecin
• Entreprendre une exploration ultrasonographique (examen Doppler) et radiographique (artériographie, ou angiographie numérisée) de la circulation.
• Donner des conseils généraux, tels que l'arrêt du tabac.

• En cas de gangrène débutante ou installée, conseiller une intervention chirurgicale destinée à améliorer la circulation; par exemple, sympathectomie (section des fibres nerveuses du système sympathique contrôlant le tonus artériel).

Prévention

• Arrêt du tabac, seul facteur connu influençant la maladie.

Pronostic

• En l'absence de traitement, le pronostic est sombre. Les ulcérations peuvent s'accompagner de gangrène, conduisant à l'amputation. Après arrêt du tabac, le traitement peut avoir une certaine efficacité.

Voir SYSTÈME CIRCULATOIRE, *page 40*
TABAC

THROMBOPHLÉBITE

Inflammation d'un segment de veine, généralement à la jambe. Elle est associée à une THROMBOSE, caillot sanguin obstruant la veine. On la rencontre souvent chez les sujets porteurs de VARICES.

Symptômes

• ŒDÈME douloureux sur un trajet veineux.
• Rougeur et œdème de la peau en regard de la veine.
• Thrombose des veines profondes : il n'y a rien d'apparent mais la pression en regard est douloureuse, et un œdème de la cheville peut coexister.
• Dans les cas les plus sévères, lividité et œdème de la jambe.

Durée

• Une à quatre semaines.

Causes

• Varices.
• Traumatisme veineux.
• Sténose ou compression de la veine.
• Alitement postopératoire.
• Alitement après accouchement.
• Certaines pilules contraceptives.

Complications

• EMBOLIE PULMONAIRE qui se produit quand le caillot situé dans la veine atteinte se mobilise et migre jusqu'aux poumons.

Traitement à domicile

• Surélever la jambe en plaçant les pieds plus haut que les fesses : cela calme la douleur.
• Éviter toute compression des veines, qui gênerait la circulation sanguine (vêtements ou bottes serrées).
• Éviter les mouvements excessifs.
• Proscrire tout bandage élastique, qui aggraverait la maladie.

Quand consulter le médecin

• Dès le début des symptômes.

Rôle du médecin

• Tenter de préciser la cause de la thrombophlébite.
• Prescrire des médicaments contre la douleur et des anticoagulants. *Voir* MÉDICAMENTS, n° 10.

Prévention

• Entreprendre le traitement des varices.
• Ne pas serrer les jambes avec des jarretières ou des bandes élastiques.
• Éviter la pression directe et prolongée sur les jambes, spécialement pendant les voyages.
• Lever précoce après toute intervention ou accouchement.

Pronostic

• L'inflammation régresse généralement après quelques semaines de traitement. Cependant, la persistance des varices favorise la récidive.
• La thrombose définitive entraîne alors un œdème persistant.

Voir SYSTÈME CIRCULATOIRE, *page 40*

THROMBOSE

Obstruction d'un vaisseau sanguin par un caillot, ou thrombus, dans une artère ou une veine. La thrombose veineuse siège généralement dans les jambes ou le petit bassin. Mais la veine porte, qui irrigue le foie, peut aussi être atteinte. Enfin, la thrombose d'une artère coronaire est une des principales causes de décès dans les pays économiquement développés.

Voir THROMBOSE CORONARIENNE

THROMBOSE ARTÉRIELLE

Présence d'un caillot dans un segment artériel, où le flux sanguin est alors interrompu. Les artères du cœur, du cerveau et des membres inférieurs sont le plus souvent touchées (*voir* THROMBOSE CORONARIENNE), mais en fait toute artère peut être atteinte.

Symptômes

• Début brutal et douloureux, généralement dans la jambe, survenant au repos.
• Refroidissement et pâleur du membre atteint.

Causes

• Habituellement, ATHÉROME.

Traitement à domicile

• Aucun. Consulter le médecin en urgence.

Rôle du médecin

• Hospitalisation d'urgence en milieu chirurgical afin d'envisager une intervention.

Prévention

• Arrêt du tabac.
• Éviter la suralimentation et l'obésité.

Voir ATHÉROME.

Pronostic

• La chirurgie a permis d'améliorer considérablement le pronostic d'une thrombose artérielle, mais si la totalité de l'artère est atteinte et sténosée, la chirurgie, quand elle n'est pas impossible, n'offre que des résultats médiocres. La survie du membre est en jeu, et une amputation peut être nécessaire.

Voir SYSTÈME CIRCULATOIRE, *page 40*

THROMBOSE CORONARIENNE

Dans la majorité des pays industrialisés, la thrombose coronarienne est la cause la plus fréquente des crises cardiaques qui sont parmi les premières causes de mortalité. Lors d'une crise, il y a obstruction d'une artère nourricière du cœur. Les crises cardiaques, appelées aussi infarctus du myocarde, sont rares avant quarante ans et atteignent plus souvent les hommes que les femmes; elles surviennent chez les sujets atteints d'ANGINE DE POITRINE mais sont parfois inaugurales.

Symptômes

• Violentes douleurs constrictives, enserrant la poitrine comme dans un étau et irradiant souvent à un ou deux bras, au cou et à la mâchoire. La douleur débute brutalement, mais à la différence de la douleur angineuse banale, elle n'est pas liée à l'effort et ne cesse pas avec le repos.
• Les symptômes préliminaires (quelques semaines avant l'attaque) peuvent être une fatigue inexpliquée, un essoufflement, une digestion défectueuse.

Durée

• Sans traitement, la douleur, violente au début, dure quelques heures pour disparaître en un à deux jours.
• La cicatrisation des lésions s'effectue en quelques semaines.

Causes

• La principale cause est la présence d'un caillot, ou thrombus, généralement formé sur une plaque d'ATHÉROME.

• Cela entraîne un arrêt de l'apport sanguin au muscle cardiaque, aboutissant à sa nécrose.

• Le tabagisme, l'obésité, le diabète, l'hypertension artérielle, la sédentarité, les excès alimentaires et les antécédents familiaux sont autant de facteurs prédisposants.

Complications

• Mort par défaillance cardiaque.

Traitement à domicile

• Adopter une position assise ou semi-allongée, qui soulage le cœur.

Quand consulter le médecin

• Lors de toute suspicion de crise cardiaque.

• Devant toute douleur thoracique apparaissant brutalement, comme décrit précédemment.

• Devant toute crise prolongée ou grave chez un sujet atteint d'ANGINE DE POITRINE.

Rôle du médecin

• Administration d'antalgiques, tels que la morphine.

• Hospitalisation après un électrocardiogramme et éventuellement des examens complémentaires.

Prévention

• La meilleure prévention réside dans le maintien d'un poids corporel normal, l'arrêt du tabac, la pratique régulière du sport et le traitement d'un éventuel DIABÈTE ou d'une HYPERTENSION ARTÉRIELLE.

Pronostic

• En dehors des morts immédiates, on enregistre plus de 80 pour 100 de survie.

• A court terme, le pronostic est relativement bon, surtout si le sujet est jeune.

Conduite à tenir devant une thrombose coronarienne

☐ Appeler immédiatement un médecin ou une ambulance.

☐ Ne rien entreprendre avant l'arrivée du médecin ou des secours.

☐ Transport urgent et prudent, en évitant tout effort intempestif en dehors de la présence d'un médecin.

☐ Hospitalisation.

• La reprise du travail est possible, quoique l'activité physique intense doive souvent être réduite. En effet, dans certains cas, une angine de poitrine résiduelle s'installe à l'effort. A long terme, la prévention des récidives passe par le respect de certaines règles de vie : diététique, réduction du poids, arrêt du tabac, réduction des activités physiques.

Voir SYSTÈME CIRCULATOIRE, *page 40*

THYROTOXICOSE

Excès d'hormones thyroïdiennes (hyperthyroïdie) généralement dû à leur production trop importante par la glande thyroïde. Cet excès d'hormones entraîne un certain nombre de réactions toxiques dans l'organisme. La thyrotoxicose la plus fréquente s'appelle « maladie de Basedow ».

Symptômes

• Fatigue.

• Nervosité, irritabilité, anxiété, hyperactivité.

• Sueurs.

• Intolérance à la chaleur.

• Amaigrissement malgré un appétit conservé.

• Tremblement des mains.

• Accélération des pulsations cardiaques, palpitations.

• Augmentation du volume de la thyroïde en avant du cou.

• Diarrhée.

Durée

• Le traitement peut contrôler la maladie dans des délais variables.

Causes

• On ne connaît pas exactement l'origine de la maladie. L'excès de sécrétion d'hormone peut être dû à une anomalie de toute la glande thyroïde ou d'une partie seulement de celle-ci (adénome). Parfois, la thyrotoxicose survient pendant la prise de médicaments contenant des hormones thyroïdiennes.

Complications

• Troubles du rythme cardiaque, insuffisance cardiaque.

• Excès de température pouvant être grave.

• Troubles oculaires.

• Dépression.

• Altération de l'état général, infection.

Traitement à domicile

• Impossible.

Quand consulter le médecin

• Lorsque les symptômes apparaissent.

Rôle du médecin

• Faire pratiquer des dosages d'hormones thyroïdiennes, car il est difficile de distinguer les symptômes d'ANXIÉTÉ et de nervosité naturelles de ceux de la maladie.

• Le choix du traitement dépend de l'âge, de l'état général, de l'état de la thyroïde, du cœur.

• Des médicaments antithyroïdiens peuvent contrôler la sécrétion de la glande thyroïde. Il est parfois demandé de prendre ces médicaments pendant plusieurs mois, et des récidives sont possibles. *Voir* MÉDICAMENTS, n° 31.

• Une intervention chirurgicale enlevant les trois quarts de la thyroïde est parfois nécessaire. Le quart de thyroïde restant suffit en général pour fournir à l'organisme la thyroxine dont il a besoin. Sinon, un supplément de thyroxine sera fourni.

• Une dernière possibilité de traitement est l'administration d'iode radioactif. Celui-ci freine l'activité des cellules de la thyroïde. Si une dose correcte a été administrée, la thyroïde fonctionnera de nouveau normalement. Si la dose a été trop forte, après quelques mois ou années de traitement, la thyroïde peut devenir insuffisante, et l'on doit prescrire des hormones thyroïdiennes.

Prévention

• Il n'y a pas de prévention possible.

Pronostic

• Le pronostic est bon : l'hyperactivité de la glande thyroïde peut toujours être contrôlée par les médicaments, l'iode radioactif ou la chirurgie.

TICS

Le tic est un mouvement répété, anormal, involontaire et intempestif. Les tics de la face sont les plus fréquents (hochements de tête, clignements des paupières, mouvements du menton), mais il existe également des tics corporels (haussements d'épaules), des tics respiratoires (toux, soufflements, reniflements, bâillements...) et des tics phonatoires (grognements, cris, aboiements...).

Les tics s'observent habituellement dans l'enfance; ils sont souvent sans gravité et disparaissent spontanément. Mais les tics chroniques qui se prolongent chez le grand enfant ou chez l'adolescent peuvent prendre une forme plus intense et être plus invalidants.

Les tics disparaissent pendant le sommeil et diminuent au repos. En revanche, la fatigue et les émotions augmentent leur fréquence et leur intensité. Il est inutile d'adresser des reproches à un enfant; ils seraient injustifiés et pourraient aggraver les difficultés.

Contrairement à une idée trop largement répandue, les tics ne sont pas une maladie exclusivement psychologique, et il est possible d'obtenir des résultats rapides et souvent durables en utilisant certains médicaments.

Voir SYSTÈME NERVEUX, *page 34*

TORSION DU TESTICULE

Torsion du testicule, du canal déférent (conduit dans lequel passe le sperme) et de ses artères. La torsion des artères interrompt la vascularisation du testicule. Cet accident rare s'observe le plus souvent avant ou au début de la puberté. Il survient sur un testicule incomplètement descendu (*voir* ECTOPIE TESTICULAIRE).

Symptômes

- Douleur et sensibilité du testicule atteint. S'il est incomplètement descendu, la douleur peut se situer dans l'abdomen, ce qui rend difficile l'attribution des symptômes à une anomalie du testicule.
- Si le testicule est en place, la douleur est suivie d'un gonflement du scrotum et d'un retrait du testicule vers l'abdomen.

Durée

- Tant que le traitement n'a pas débuté.

Causes

- On ignore ce qui produit la torsion.

Traitement à domicile

- Aucun traitement n'est possible.

Quand consulter le médecin

- Dès que l'on suspecte une torsion.

Rôle du médecin

- Il peut essayer de manipuler le testicule pour le remettre en position normale.
- De toute façon, le patient doit être adressé à un chirurgien qui, le plus souvent, doit opérer.

Prévention

- Aucune.

Pronostic

- Le traitement, pour être totalement efficace, doit intervenir dans les premières heures qui suivent la torsion. Sinon, le testicule peut en souffrir et garder des séquelles : insuffisance hormonale et diminution de la production de sperme, réduisant la fertilité.

Voir ORGANES GÉNITAUX MASCULINS, *page 50*

TORTICOLIS

Déformation d'attitude dans laquelle la tête et le cou sont inclinés d'un côté, et la face tournée de l'autre. Fréquent et le plus souvent bénin et de courte durée chez l'adulte, il est parfois plus grave et permanent, notamment chez le jeune enfant de six mois à trois ans. La physiothérapie est toujours utile, la chirurgie quelquefois nécessaire.

TOUCHER PELVIEN

C'est ainsi que l'on dénomme un examen qui comporte le toucher vaginal, c'est-à-dire l'introduction de l'index et du médius de la main droite, combiné avec la palpation de la paroi abdominale à l'aide de la main gauche. La femme s'étend après avoir uriné, afin que la vessie soit vide. Ainsi, tous les organes pelviens peuvent être examinés. Cette manœuvre est habituellement indolore, surtout lorsque la patiente est détendue. Après ce toucher, le médecin peut introduire un spéculum dans le vagin afin de vérifier le col et les parois vaginales. Des FROTTIS CERVICAUX pourront être pratiqués à cette occasion.

Voir ORGANES GÉNITAUX FÉMININS, *page 48*

TOURNIOLE

Encore appelée périonyxis, c'est l'infection du pli cutané qui entoure l'ongle d'un doigt ou d'un orteil. Elle peut survenir sur un mode aigu ou chronique.

TOURNIOLE AIGUË

Symptômes

- Douleurs et élancements à la sertissure de l'ongle.
- La peau est rouge et gonflée, et du pus peut se former.
- Les jeunes bébés ont parfois de petites tournioles qui guérissent avec de simples nettoyages.

Durée

- L'affection, très douloureuse, se calme dès que le pus est évacué et que l'infection est jugulée.

Causes

- Infection bactérienne après une petite piqûre ou une autre blessure.
- Le virus de l'HERPÈS peut donner une tourniole très douloureuse mais sans pus.

Traitement à domicile

- Pratiquer des bains de doigts dans de l'eau additionnée de savon ou d'antiseptique.

Quand consulter le médecin

- Si vous avez une tourniole.

Rôle du médecin

- Prescrire des antibiotiques pour interrompre l'infection. *Voir* MÉDICAMENTS, n° 25.
- Percer l'abcès pour évacuer le pus et soulager la douleur.

Prévention

- Ne pas mordiller ou arracher la peau du pourtour de l'ongle.
- Port de gants protecteurs pour le personnel médical et paramédical, chaque fois que possible.

Pronostic

- Guérison complète.

TOURNIOLE CHRONIQUE

Elle est due surtout à une infection fongique et est particulièrement fréquente chez les diabétiques et les personnes dont les mains sont souvent dans l'eau, comme par exemple les ménagères, les cuisiniers ou les personnes travaillant dans une poissonnerie.

Symptômes

- Le pli de l'ongle est gonflé et rouge, ce qui a pour effet d'élargir l'espace entre l'ongle et son pourtour. L'accumulation de débris divers à cet endroit se trouve favorisée.
- L'ongle devient irrégulier, cannelé, parsemé de sillons.
- Une tache jaune, verte ou brune, témoin de l'infection, peut apparaître sous l'ongle.
- Un ou plusieurs doigts peuvent être touchés.
- Une douleur sévère est inhabituelle.

Durée

- Le périonyxis peut persister des années s'il n'est pas traité.

Causes

- Infection fongique (CANDIDOSE) ou bactérienne.
- Soins de manucure agressifs.

Complications

- Les récidives et les déformations de l'ongle sont courantes.

Traitement à domicile

- Gardez les mains sèches autant que possible.
- Si vous portez des gants de caoutchouc, ils doivent être doublés de coton pour que la sueur soit absorbée.
- Ne massez pas le pli de l'ongle avec des crèmes.
- Baignez quotidiennement les doigts infectés dans une

solution antiseptique, pendant cinq bonnes minutes.

Quand consulter le médecin

- Dès que possible, car plus le traitement aura débuté tôt, plus la guérison sera précoce.

Rôle du médecin

- Prescrire des onctions antifongiques.
- Prescrire des antibiotiques. *Voir* MÉDICAMENTS, n° 43.
- Faire un examen d'urines pour dépister un DIABÈTE.
- Examiner le patient pour rechercher une autre localisation de l'infection, par exemple aux fesses ou au vagin.

Prévention

- Gardez les mains sèches et évitez les traumatismes répétés du pourtour de l'ongle.

Pronostic

- La guérison nécessite habituellement plusieurs semaines. Des récidives sont possibles.

Voir LA PEAU, *page 52*

TOUX

La toux, quoique désagréable, est un moyen de défense des poumons pour se débarrasser des facteurs irritants. La toux peut être un symptôme secondaire de nombreuses affections.

Voir LISTE DES SYMPTOMES (TOUX)

TOXICOMANIE

Au sens large du terme, la drogue est une substance stupéfiante. Sur le plan médical, c'est un médicament pris dans un but thérapeutique. On peut abuser de presque tous les stimulants, et la plupart des gens en utilisent. Ils prennent de l'aspirine au moindre malaise, boivent du café pour terminer un travail sans dormir, boivent de l'alcool pour se détendre d'une dure journée. Ce n'est que dans des circonstances extrêmes qu'alcool et tabac sont considérés comme des abus.

Dans son sens habituel, la toxicomanie, c'est l'héroïnomanie, l'inhalation de colle, la prise de L.S.D. ou d'amphétamines, la fumée de chanvre, la cocaïne. Les toxicomanes sont généralement jeunes.

Toutefois certains adultes n'ayant jamais utilisé de drogue peuvent y avoir recours transitoirement. Ils utilisent alors tranquillisants, somnifères, alcool.

Les drogues les plus couramment utilisées se répartissent en cinq groupes :

Les stimulants, qui aiguisent l'activité mentale et psychique et empêchent le sommeil. Il s'agit de la cocaïne et des amphétamines (anorexigènes).

Les sédatifs qui calment l'anxiété, réduisent l'activité et induisent le sommeil. Pris en excès, ils peuvent conduire à une diminution de conscience, voire au coma. Il s'agit de l'héroïne, de la morphine, des barbituriques en tant que somnifères, des tranquillisants puissants.

Les hallucinogènes, qui créent le rêve, le « trip » (voyage) dans un monde coloré. L'exemple type est le L.S.D. et ses dérivés, ainsi que certains autres champignons.

Le chanvre indien, qui est surtout un sédatif, mais qui peut produire des hallucinations. On utilise soit la feuille sèche, soit la résine extraite de la plante.

Les solvants, enfin, sont imprévisibles. La plupart sont sédatifs mais certains sont stimulants, voire hallucinogènes. Colle, détachants et peinture en sont trois exemples.

Les drogues peuvent être associées entre elles pour, par exemple, renforcer l'effet du L.S.D. ou pour annuler un effet sédatif. Les associations, au hasard, de sédatifs et d'alcool sont particulièrement dangereuses, conduisant rapidement à des intoxications, des accidents, au coma, voire à la mort.

PORTRAIT D'UN DROGUÉ

Pour la plupart des jeunes gens, c'est la curiosité qui les pousse à essayer telle drogue à la mode. Les pressions extérieures, le désir de se marginaliser, de défier l'autorité, de contester, peuvent être des facteurs qui influencent la prise. La notion de danger est également un facteur attrayant pour le néophyte.

La première expérience est souvent décevante ou désagréable, et la plupart des jeunes drogués abandonnent rapidement.

Pour certains, cependant, jeunes ou vieux, la drogue comble un vide dans leur existence. Le chanvre indien et les sédatifs atténuent leur angoisse; les stimulants lèvent leurs inhibitions, et le L.S.D. dissipe leur ennui. Pour la majorité, la drogue est un moyen de se relaxer, un simple passe-temps, mais le véritable intoxiqué perd confiance en lui, perd ses amis, ses motivations, ses projets. A un stade initial, la drogue semble combler un vide, lui fournissant artificiellement une certaine place dans la société, ce dont il manquait.

L'évolution se fait spontanément vers l'augmentation des doses, de leur fréquence, vers le passage à la forme injectable, puis vers la dépendance physique.

L'intoxiqué est totalement inconscient — jusqu'à ce que sa dose lui manque — qu'il a franchi la barrière séparant le simple abus de l'intoxication. La dépendance physique apparaît lorsque le corps et le cerveau sont tellement imprégnés de drogues — héroïne, barbituriques, alcool — qu'ils ne peuvent fonctionner normalement quand ils en sont privés. Le fait de ne pouvoir se procurer une ou deux doses est généralement la cause dramatique du syndrome de manque, qui peut parfois entraîner la mort. A l'agitation et au rhume de cerveau succèdent des céphalées, des crampes, douleurs abdominales et vomissements, parfois accompagnés d'un orgasme ou de crises d'épilepsie. Cette phase peut durer trois jours en cas d'intoxication à l'héroïne.

A ce stade, il est extrêmement difficile à l'intoxiqué de renoncer à sa drogue : il doit faire face à l'état de manque et à un changement de sa façon de vivre. Il est seul face à son désir de se procurer sa drogue. De nombreux intoxiqués sont la proie de revendeurs, et les prix élevés les poussent souvent au vol, à la prostitution, à jouer le rôle de revendeurs eux-mêmes afin de faire de nouveaux adeptes.

Tous cependant ne suivent pas ce chemin. Les plus âgés ou ceux qui acquièrent une dépendance plus tardivement, tels les alcooliques, sont plus modérés et moins enclins à pousser leur entourage dans leur vice ou à aller jusqu'au crime.

Une faible proportion ne devient intoxiquée que par la seule insistance du revendeur. Pour certains, la dépendance peut se développer insidieusement, et ils ne s'en apercevront qu'au moment où ils voudront s'arrêter.

Certaines personnes habituées aux somnifères ou aux tranquillisants présenteront les symptômes du sevrage lorsqu'ils arrêteront d'en prendre. De la même manière, un individu qui utilise des tranquillisants ou des stimulants pour augmenter ses performances dans la journée trouvera difficile de s'en passer. Même si la dépendance physique ne se fait pas sentir, toutes les drogues induisent une dépendance psychologique.

COMMENT RECONNAÎTRE UN DROGUÉ

Il n'est pas facile de reconnaître un drogué à un stade précoce, car les signes sont légers et le drogué tente de masquer son état. Il est toujours dangereux de porter des conclusions hâtives et de faire passer un individu pour toxicomane alors qu'il ne l'est pas. Toutefois, un diagnostic précoce est vital. Si un signe vient attirer l'attention quel qu'en soit le stade, il faut tenter d'intervenir et d'en discuter soit directement avec l'intéressé, soit par l'intermédiaire d'un membre de la

famille, d'un ami ou d'une relation professionnelle.
Comportement. Souvent, le premier signe d'intoxication est une modification du comportement. Un changement dans les habitudes, les amis, la manière de s'habiller, les centres d'intérêt, les performances scolaires ou professionnelles, sont généralement l'indice d'un trouble.
Indices. Le chanvre indien peut revêtir différentes formes, telles que tablettes, capsules, poudre, graines, germes ou tabac brun verdâtre, et toutes doivent attirer l'attention. De même, l'utilisation de seringues hypodermiques est un indice. Cependant, il arrive que le drogué croie avoir acheté du chanvre indien ou de l'héroïne alors qu'en réalité il s'agit de plantes séchées ou de poudre blanche, pour le plus grand profit du vendeur.

Lorsqu'il est fumé, le chanvre indien produit une odeur, comme celle d'un feu de bois, qui imprègne vêtements, rideaux et linge dans une pièce mal aérée.
Aspect physique. Après la prise de stimulants, l'intoxiqué peut présenter une toux sèche, une légère desquamation autour des lèvres, et avoir soif.

L'abus de sédatifs peut se traduire par des troubles de l'équilibre, des tremblements, une confusion, voire un coma. L'intoxication par les sédatifs prend souvent l'aspect d'une ivresse. L'héroïne et la morphine, en plus de leurs effets sédatifs, mettent la pupille en myosis (contraction).

Les fumeurs de chanvre indien ont souvent l'air endormi; leurs yeux sont parfois rouges et leur appétit augmente.

Une personne ayant abusé de L.S.D. peut apparaître désorientée, ou riant sans raison et vivant dans son monde propre. Un intoxiqué vivant un « mauvais voyage » apparaîtra terrifié par des visions cauchemardesques.
Autres signes. Des petites marques de piqûres sur le pli du coude sont la preuve que le sujet se pique lui-même.

En général, le véritable drogué va devenir paresseux. On ne pourra compter sur lui. Il ira jusqu'à négliger sa nourriture, se négliger lui-même. Il donnera l'impression de se cacher, d'être dans un autre monde.

La toxicomanie est souvent associée à la criminalité. En effet, certains toxicomanes peuvent y avoir recours pour continuer à se procurer leur drogue.

TRAITEMENT ET RÉINSERTION

L'aspect le plus important du traitement d'un intoxiqué est le diagnostic précoce. Au début, la prise occasionnelle de drogue peut cesser d'elle-même ou se résoudre après discussions, changement d'amis, de lieu d'habitation, de lieu de travail. Pour le drogué confirmé, un traitement efficace est beaucoup plus difficile à réaliser. Il sera toujours le fait de spécialistes.

Un brusque arrêt d'une drogue chez un toxicomane peut être dangereux. Le sevrage devra toujours se faire sous surveillance médicale. Lorsque l'intoxiqué est décidé et coopératif, le sevrage se fera progressivement et sans trop de mal.

Qu'une drogue entraîne ou non une dépendance physique, il y a toujours le difficile problème de la dépendance psychique. Le fait de prendre une drogue de façon régulière est le signe d'une profonde détresse. Le drogué est incapable de s'en passer; il la ressent comme un besoin sans lequel il ne peut vivre. C'est seulement en l'aidant à retrouver sa dignité, à se dominer, que le désir de drogue et le risque de rechute seront éliminés.

LA VOLONTÉ DE « S'EN TIRER »

La réussite du traitement d'un drogué ne peut se faire sans sa coopération active. Malheureusement, la plupart des drogués ne viennent demander de l'aide que lorsqu'ils sont incapables de trouver leur drogue ou lorsqu'ils sont malades, et ils n'acceptent cette assistance que lorsque la crise est passée.

De plus, il n'existe pas de véritable traitement médical ou psychiatrique assurant une réussite totale de la cure de désintoxication.

La plupart des intoxiqués à l'héroïne qui acceptent une cure de désintoxication — et seule une minorité le fait — reçoivent des quantités limitées de méthadone. Il s'agit d'un dérivé synthétique de l'héroïne, considéré comme une drogue mais moins toxique, et qui sera pris toutes les vingt-quatre heures (au lieu de toutes les huit heures pour l'héroïne). Malheureusement, la méthadone ne permet que rarement une guérison absolument définitive.

Il existe quelques centres de réhabilitation dont le but est de réintégrer les drogués dans la société et de les traiter sur le plan psychiatrique.

COMMENT SONT PRISES LES DROGUES

La vitesse d'action et les effets des drogues dépendent de leur voie d'administration. Il existe différentes possibilités.
Par voie orale. La plupart des sédatifs, dopants et hallucinogènes (tel le L.S.D.) sont absorbés sous forme de comprimés ou de capsules. Après ingestion, l'absorption gastrique se fait en une demi-heure ou plus, et est plus ou moins complète. La drogue absorbée arrive au foie, où elle subit des modifications chimiques, avant d'être libérée dans la circulation sanguine. Ce délai est un verrou de sécurité mais parfois une certaine quantité de produit reste au niveau de l'estomac et sera absorbée tardivement, ce qui peut entraîner un coma, et même la mort en cas d'« overdose ». Dans ce cas, on effectuera un lavage d'estomac en urgence.
Par « sniffing » et inhalation. L'absorption nasale et pulmonaire est généralement plus complète que l'absorption par voie orale, car les drogues passent directement dans la circulation sanguine en évitant la barrière hépatique. La poudre de cocaïne (« neige ») ainsi que quelques amphétamines sont généralement prisées par le nez. Les solvants sont souvent à la fois prisés et inhalés, mais la fumée de tabac, de chanvre ou d'opium reste la forme la plus commune d'inhalation pulmonaire. Les drogues ainsi inhalées agissent presque immédiatement.
Par injection. Elle peut se faire soit en sous-cutanée, soit par voie intraveineuse. Ainsi, l'héroïne est d'abord prise sous forme de piqûre, mais de nombreux drogués passent directement à l'injection en intraveineuse. Barbituriques, morphine, cocaïne et amphétamines peuvent également être injectés.

L'injection directe dans la circulation sanguine produit l'effet le plus puissant, car toute la dose agit. Certaines drogues telles que les amphétamines sont considérées comme modérément dangereuses lorsqu'elles sont prises par voie orale, mais le deviennent, au même titre que l'héroïne, lorsqu'elles sont injectées.

Qualifier les drogues de « dures » ou « douces » n'a pas de sens, car tout dépend de la dose et de la voie d'administration. Dans l'évolution de la toxicomanie, le passage hasardeux de la voie orale à la voie injectable augmente la force du toxique ainsi que la puissance de la prise. Pire est l'injection de drogues intermédiaires qui ne se prêtent pas à cette voie d'administration. C'est le cas de l'héroïne impure, plus adaptée à être fumée ou ingérée; de poudres de barbituriques préparées en écrasant des comprimés, partiellement dissoutes, non stériles et agressives à l'injection. L'injection de drogues douteuses, souvent avec de l'eau non stérile, et sans précaution, peut conduire à une SEPTICÉMIE, une HÉPATITE virale ou d'autres infections. De même, les barbituriques incorrectement injectés peuvent brûler le derme et entraîner des ulcères profonds. Certains drogués semblent plus attirés par le fait de se piquer que par une drogue particulière. Ainsi, en cas de manque, ils s'injecteront de l'eau, voire de l'air.

LES DROGUES STIMULANTES

Les principaux stimulants utilisés sont les amphétamines (ainsi que d'autres anorexigènes), l'éphédrine et l'adrénaline (et des médicaments apparentés utilisés contre l'asthme), et la cocaïne (auparavant utilisée comme anesthésique local). Exceptionnellement, la strychnine, plus connue comme poison, peut être utilisée; mais elle peut être présente dans le L.S.D. à l'insu de l'utilisateur. La nicotine (du tabac), la caféine (dans le café, le thé et le coca-cola) sont également des stimulants pouvant entraîner une dépendance. Mais ces derniers ne sont pas utilisés comme des drogues à proprement parler, en partie parce qu'ils sont trop répandus.

Le terme anglais « speed » est parfois utilisé pour désigner les stimulants en général, ou certains types particuliers comme les amphétamines prises par voie injectable. Toutefois, les amphétamines sont normalement prises sous forme de comprimés ou de capsules.

Mode d'action des stimulants. Les stimulants ont la même action que l'adrénaline, une des hormones physiologiques, qui maintient le corps sous tension lors d'une action ponctuelle. Les stimulants augmentent l'activité, réduisent l'appétit (manger est peu important lors de l'effort). Ils apportent un bien-être et augmentent l'activité sexuelle. Ils augmentent également l'activité mentale et physique.

Tous les stimulants engendrent l'accoutumance. Cela est dû au fait que lorsque les effets de la drogue sont terminés, ils sont remplacés par un état dépressif et une grande fatigue. C'est ce que l'on appelle le phénomène de rebond. Le drogué va donc reprendre sa drogue non seulement pour retrouver son état initial d'euphorie, mais surtout pour combattre son état dépressif.

Un éventuel surdosage engendre un état mental où le drogué ne sait plus ce qu'il fait ni quelle est la portée de ses gestes. Cet état peut durer plusieurs jours et être à l'origine d'accidents et même de crimes. Cet effet est d'ailleurs recherché par certains jeunes délinquants afin de leur donner « du courage ».

Lors de l'administration répétée d'amphétamines, soit comme amaigrissant, soit comme drogue, les effets seront de moins en moins puissants. C'est ce que l'on appelle le phénomène de « tolérance », qui pousse à augmenter la quantité et la fréquence des doses pour obtenir les mêmes effets.

La cocaïne, plus connue sous le nom de « coco » ou de « coke », est extraite du coca poussant dans les Andes. La population locale mâche les feuilles pour obtenir la drogue, mais au niveau des « marchés noirs », on la trouve sous forme de poudre blanche, ou « neige ». La cocaïne est habituellement consommée en prises, mais peut également être injectée.

A faible dose, la cocaïne, comme les autres stimulants, procure un état de plaisir, de bien-être. A forte dose, elle agit comme un toxique produisant excitation, confusion mentale, et parfois convulsions.

Une prise régulière de cocaïne conduit à des modifications de personnalité, des pertes de sommeil et d'appétit avec amaigrissement, une tendance à la violence, aux hallucinations, en particulier tactiles, où le sujet croit sentir des insectes rampant sur son corps. Des « prises » continues de cocaïne provoquent des modifications de la circulation sanguine au niveau nasal. D'autres organes tels que le cerveau peuvent également être atteints.

LES SÉDATIFS

En cas d'abus, les sédatifs peuvent être des drogues très dangereuses. Ils engendrent une dépendance physique et peuvent conduire à la mort en cas de surdosage.

Les sédatifs sont répartis en trois groupes :

- Barbituriques, autres somnifères et tranquillisants.
- Opiacés (héroïne, morphine, codéine et méthadone).
- Alcool.

Mode d'action des sédatifs. Les sédatifs ont un mode d'action opposé à celui des stimulants, entraînant relaxation plutôt que stimulation. Cependant, stimulants et sédatifs ne neutralisent pas complètement leurs effets. Lorsqu'ils sont pris ensemble, ils cumulent leurs effets toxiques.

On prescrit à de nombreux patients sujets à l'angoisse ou aux troubles du sommeil des somnifères et des tranquillisants qui peuvent les rendre dépendants.

La tolérance peut également apparaître avec le besoin d'augmenter les doses pour avoir les mêmes effets en restant, toutefois, à des doses inférieures à celles de l'intoxication. Souvent, on ne peut remplacer de telles drogues car elles permettent aux patients d'être moins « stressés ». Peu de patients acquièrent une dépendance physique lorsqu'on leur prescrit des barbituriques, de la morphine ou de l'héroïne.

Les trois groupes de sédatifs ont de nombreux points communs. De faibles doses permettent un relâchement, une relaxation. De fortes doses de barbituriques et de tranquillisants conduisent à une intoxication, surtout s'ils sont associés à l'alcool, qui renforce leur action. Les accidents provoqués par leurs effets combinés (sur la route ou ailleurs) sont parmi les principaux risques liés à la consommation de drogues.

Tous les sédatifs entraînent une dépendance physique, certains plus que d'autres. Cette dépendance peut être surmontée assez vite par une diminution progressive de la drogue sur trois semaines environ, mais une surveillance constante est nécessaire. La dépendance psychologique est beaucoup plus difficile à vaincre.

L'intoxication par l'héroïne provoque souvent une disparition des menstruations chez les femmes. Néanmoins, une grossesse peut survenir, et les enfants nés de telles mères présentent également une intoxication, à l'héroïne ou aux barbituriques, à la naissance. Il faudra alors les traiter avec ces drogues, en diminuant progressivement les doses, pendant une à deux semaines. Une fois que cela est fait, il ne semble pas y avoir de conséquence grave sur le développement de l'enfant.

L'abus d'héroïne peut également provoquer, en cas de surdosage, des troubles respiratoires et un collapsus veineux, ainsi que des infections dues à l'utilisation de seringues et d'aiguilles non stériles. Comme les aiguilles sont souvent échangées entre les drogués, il existe un risque de transmission d'hépatite virale, et même de paludisme. Certains héroïnomanes sont dénutris et vivent dans de mauvaises conditions, ce qui réduit leur résistance aux infections et aux changements de temps.

Un surdosage, avec n'importe quels sédatifs, conduit à des troubles de conscience ou au coma, ce qui demande un traitement d'urgence. Ce traitement consiste essentiellement à dégager les voies aériennes supérieures pour permettre une bonne respiration. En cas d'arrêt respiratoire, tel que l'on peut l'observer avec l'héroïne ou les barbituriques, cela nécessite un bouche-à-bouche immédiat. *Voir* LES URGENCES.

Mode d'administration des sédatifs. Les barbituriques (et autres somnifères) et les tranquillisants sont des produits chimiques utilisés sous forme de comprimés ou de capsules colorées. Toutefois, certains se présentent sous une forme injectable.

Les opiacés comprennent l'héroïne, la morphine, la codéine, la méthadone, et les autres analgésiques puissants tels que la péthidine et la pentazocine. Certains sont encore extraits du pavot, d'autres sont synthétisés chimiquement. *Voir* MÉDICAMENTS, n° 22.

L'héroïne et la morphine, souvent présentées sous forme de poudre blanche à dissoudre dans l'eau, sont généralement injectées par les drogués. Elles peuvent également être prisées, mais l'effet sera moindre.

L'opium pur est généralement fumé, mais il peut également être ingéré. Certaines préparations médicamenteuses contre le rhume, la diarrhée, contiennent des opiacés.

L'alcool, qui est généralement considéré comme un stimulant social, est en fait un sédatif. Son effet stimulant, présent seulement au stade précoce de l'intoxication, se manifeste par une levée des inhibitions. *Voir* ALCOOLISME.

LES HALLUCINOGÈNES

Il existe deux sortes d'hallucinogènes : les synthétiques et ceux qui sont extraits des plantes.

Le L.S.D. (acide lysergique diéthylamide), le plus connu des hallucinogènes, est produit illégalement. A l'origine il dérive de l'ergot, un champignon du seigle et du froment. Il existe d'autres hallucinogènes synthétiques, tels que le D.M.T., le S.T.P. et le P.C.P.

Les chefs de file des hallucinogènes naturels sont la mescaline (isolée d'un cactus du sud-est des États-Unis et du Mexique), la psilocybine et la psilocine (issues de champignons mexicains). Mais il existe de nombreux autres hallucinogènes naturels.

Mode d'action des hallucinogènes. Les hallucinogènes produisent de nombreux effets. Ils sont généralement pris sous forme de comprimés ou de capsules. La puissance du L.S.D. est telle que l'on ne peut le trouver que sous forme de microdoses.

Tous les hallucinogènes produisent un « trip » (voyage) qui apparaît quarante minutes après une prise orale et dure plusieurs heures. Le « voyage » classique est décrit comme un singulier mélange de réalités décomposées, d'images colorées changeant sans cesse, avec alternance de rêves et de cauchemars. Le résultat consiste en un désordre mental provisoire :

Un « bon » voyage est excitant, coloré, donnant au drogué l'illusion de créativité et de perspicacité.

Un « mauvais » voyage est effrayant, plongeant le drogué dans d'affreux cauchemars, ce qui peut amener à prendre des mesures d'urgence. Toutefois, les ambulances équipées de gyrophares, avec des ambulanciers agités et pressés, ne font qu'accentuer ces cauchemars. Il est généralement préférable de maintenir le drogué calme, dans une chambre noire, et d'essayer de lui parler pour le ramener à un état plus serein. Si un traitement médical s'avère nécessaire, il faut aller au service d'urgence de l'hôpital le plus proche. Si le drogué devient violent, il faudra utiliser l'aide de plusieurs personnes pour s'occuper de lui. Les « voyages » durent rarement plus de quatre à cinq heures, puis le drogué s'endort.

Les accidents, lorsqu'ils surviennent, sont dus aux hallucinations. C'est le cas lorsque le drogué croit qu'il peut voler et saute d'une fenêtre, ou croit qu'il peut marcher sur l'eau et se noie.

La dépendance physique vis-à-vis des hallucinogènes se développe assez rapidement, réduisant l'intensité des « voyages ». Mais elle disparaît après quelques jours d'interruption de la drogue. Il n'y a pas de véritable toxicomanie aux hallucinogènes, ni de symptômes dramatiques après un usage prolongé. Des désordres mentaux persistants ont été notés après un « voyage », mais ils affectent essentiellement les personnes ayant des antécédents psychopathologiques.

Certains psychiatres ont comparé les effets des hallucinogènes à la schizophrénie. La strychnine, quelquefois employée pour intensifier les effets des hallucinogènes, représente un danger majeur, et des « flash-back » (visions ou hallucinations déjà ressenties) peuvent se produire plusieurs jours ou plusieurs semaines après un « voyage ». Il en est de même du chanvre lorsqu'il est fumé. La dose efficace de L.S.D. est très inférieure à la dose mortelle, ce qui explique qu'il y ait peu d'accidents de surdosage.

LE CHANVRE INDIEN (CANNABIS)

Le chanvre indien peut se présenter sous deux formes : sous forme d'herbe, il est connu sous le nom d'« herbe » ou de « marijuana » et résulte du séchage des feuilles et des bourgeons de la plante; sous forme de résine de cannabis, appelée « résine » ou « hasch », il est un concentré de la sève.

Il est importé soit sous la forme de petits bâtons noirs, soit sous celle d'extrait huileux. En effet, le cannabis peut se dissoudre dans de nombreuses huiles telles que l'huile de salade et l'huile de cuisson, dont le tabac de cigarette sera ensuite imprégné. Ces extraits huileux sont réalisés afin d'échapper le mieux possible à la surveillance de la douane et de la police.

Action du chanvre indien. Le principe actif des différentes formes de chanvre indien est le tétrahydrocannabinol (T.H.C.). Les différentes formes de présentation du chanvre indien sont de forces variables. Ainsi, l'herbe sèche entraîne rarement des intoxications, alors que la résine est beaucoup plus dangereuse, car elle contient cent fois plus de T.H.C. La force diffère en fonction de la préparation, mais aussi du climat du pays de provenance.

Dans les pays de climat froid, c'est un chanvre peu toxique qui pousse. Sa force est comparable au bhang, variété la plus faible de chanvre, provenant des Indes. La forme la plus puissante de chanvre indien est le haschisch préparé à partir de la résine. Le « Ghanja », préparé en Indes à partir des bourgeons, des tiges, des feuilles et des rameaux, contient moins de T.H.C. que le haschisch, mais reste une forme des plus puissantes. Le chanvre indien entre au Canada illégalement, venant d'Afrique du Nord, d'Extrême-Orient, du Moyen-Orient, ainsi que d'Afrique centrale et d'Afrique du Sud.

Le chanvre indien est généralement fumé. Les feuilles séchées ou la résine émiettée sont parfois mélangées lors de la préparation de cigarettes (appelées communément « joints »). On y adjoint un filtre pour refroidir la fumée, et la cigarette passe de fumeur en fumeur. Pour un drogué inexpérimenté, le cannabis apparaît comme très fort. Certaines préparations peu riches en T.H.C. rendent la fumée piquante, alors que la résine, beaucoup plus forte, l'adoucit.

Le T.H.C. est rapidement absorbé à partir de la fumée, mais le cannabis peut être également ingéré sous forme de bonbon ou de gâteau et, dans ce cas, l'absorption peut prendre plusieurs heures. Le T.H.C. est une des drogues à l'effet le plus durable, car étant insoluble dans l'eau il reste piégé dans l'organisme, et son élimination est faible. Par conséquent, les effets après une dose de chanvre indien s'éliminent lentement et, si l'on répète les doses, il y a un phénomène d'accumulation.

Le fumeur de cannabis se relaxe et somnole. Il peut présenter des modifications d'humeur (euphorie) avec une sociabilité accrue. Rarement la fumée de chanvre est suivie d'une impression de crainte et d'anxiété. Il y aura parfois une perte de la notion du temps et de l'espace. Les réflexes peuvent être ralentis et le fumeur sera alors maladroit. Il ressent une dépersonnalisation, un détachement, une perte du sens des réalités. Avec des fumeurs occasionnels et avec de fortes doses, il y aura parfois des hallucinations. Le haschisch produit des effets semblables à ceux du L.S.D.

Les principaux risques avec le cannabis sont les accidents de la route par erreur de jugement ou fausses manœuvres.

Aucune véritable toxicomanie ne se développe et il existe peu d'accidents lors du sevrage. Toutefois, il est souvent dur de s'arrêter, car les capacités de travail s'en trouvent diminuées. La somnolence observée lors d'une prise se traduit rarement par un coma, mais de fortes doses peuvent provoquer une crise mentale aiguë (avec confusion, somnolence, conduite irrationnelle). Les effets du chanvre peuvent se poursuivre plusieurs jours, car le T.H.C. est éliminé lentement.

Les fumeurs habituels de chanvre indien ont une résistance diminuée aux infections (par diminution de l'acidité gastrique et diminution de la production des anticorps). On observe également une diminution de la concentration sanguine en testostérone (hormone mâle). Les fumeurs habituels de cannabis encourent les mêmes risques de cancers pulmonaires et d'affections cardio-vasculaires que les fumeurs de tabac.

LE « SNIFFING » DES SOLVANTS
Le terme de « sniffing » est emprunté à la langue anglaise et désigne le « reniflage », en particulier de substances volatiles. Il est entré dans la langue courante du monde de la drogue.

Comment aider un jeune drogué

Si vous pensez que vos enfants prennent de la drogue, ne vous précipitez pas chez le médecin ou à la police. Il n'en est pas de même dans les cas d'urgence tels que le surdosage, le coma ou la mauvaise tolérance au L.S.D., où il est nécessaire d'agir rapidement. Normalement, il est bon de tenir compte d'un certain nombre de facteurs qui sont les suivants :

☐ Essayer d'obtenir la confiance de son enfant soit directement, soit par l'intermédiaire d'un ami, d'un parent.

☐ La prise de drogue peut ne pas être sérieuse, et adopter des mesures trop sévères pourrait faire plonger l'adolescent dans l'abîme.

☐ Le diagnostic d'un état sous-jacent de dépression ainsi que des conseils médicaux ou psychiatriques sur les effets des drogues peuvent être nécessaires. Si c'est le cas, un médecin devra être consulté.

☐ Dans d'autres cas, un soutien médical n'est pas obligatoire. La prise de drogue peut n'avoir été qu'une simple expérience qui est déjà terminée. Si l'intoxication se poursuit, elle peut être en relation avec les fréquentations de l'adolescent, un éloignement du domicile familial pendant quelque temps peut alors être un bon remède.

☐ Dans les cas plus difficiles, lorsque l'intoxication est bien installée, il y a peu de chances de la faire stopper, surtout en l'absence de motivations. La prévention par l'éducation des adolescents reste la meilleure arme.

Une grande variété de solvants, tels que le benzène, l'éther, le tétrachlorure de carbone, sont « sniffés » ou inhalés à partir de produits ménagers tels que détergents, colles, vernis à ongles, peintures. En effet, tous ces produits sont volatils. La plupart ont un effet sédatif; certains agissent comme des anesthésiques, d'autres sont stimulants et créent des hallucinations.

Ils engendrent souvent une angoisse physique et psychologique qui entrave la vie quotidienne, avec des troubles tels que double vision, bourdonnements d'oreilles, engourdissements, images mentales terrifiantes.

De nombreux solvants sont toxiques, non seulement parce qu'ils rendent le « sniffer » ivre, mais parce qu'ils présentent une véritable toxicité sur l'organisme, endommageant le cerveau, le foie, les reins et la production de globules rouges par la moelle osseuse. Certains solvants, comme l'essence, les gaz vecteurs des aérosols et des extincteurs, sont très dangereux, et la marge de sécurité entre la dose qui produit un effet et la dose toxique est très faible.

Le « sniffing » des solvants est une des formes de toxicomanie les plus dangereuses pour la vie, surtout s'il se fait à l'aide de sacs en matière plastique qui contiennent le solvant et qui sont posés de manière à englober à la fois le nez et la bouche. Le « sniffer » aspire alors et il obtient un maximum d'effet. Mais, dans ce cas, au danger de la drogue s'ajoute celui de l'asphyxie. Certains « sniffers » vont développer une accoutumance qui sera aussi difficile à perdre qu'avec les autres formes de toxicomanie.

ABUS DE DROGUES PAR LES ATHLÈTES
Deux types différents de drogues sont prises par certains athlètes et sportifs afin d'améliorer leurs performances : des stimulants tels que les amphétamines et des stéroïdes anabolisants.

Les stimulants, quelques heures après leur prise, permettent l'adaptation du corps à un effort supplémentaire tout en supprimant la fatigue. Ils sont pris juste avant un match, une compétition, une course.

Les stéroïdes anabolisants renforcent la musculature au cours d'une période d'entraînement de plusieurs semaines ou mois. Ils sont pris régulièrement, bien avant une compétition, et sont arrêtés quelques semaines à quelques jours avant celle-ci, afin d'échapper au contrôle.

Les stimulants et stéroïdes anabolisants ont été interdits par les responsables sportifs nationaux et internationaux. Leur utilisation ne représente pas seulement une infraction : c'est un réel danger pour les athlètes.

TOXOCAROSE

Infection due à des vers de la famille des nématodes (ASCARIS du chien). Elle est transmise à l'être humain par les chiens ou les chats. Les vers, *Toxocara canis* pour le chien et *Toxocara cati* pour le chat, pondent leurs œufs dans les selles des animaux et ces œufs vont incuber dans le sol. Si ces œufs bien incubés souillent les mains d'un être humain, en particulier d'un enfant, ils peuvent être portés à la bouche, se transformer en larves qui vont se répandre dans la circulation sanguine. Les jeunes enfants jouant dans les jardins publics sont particulièrement menacés par cette infection, car des analyses du sol ont montré qu'on y trouvait fréquemment ces vers. La toxocarose est en général une maladie bénigne. On estime que quatre pour cent des enfants qui jouent dans les jardins publics seront infectés, le plus souvent, sans s'en rendre compte. Dans des cas extrêmement rares, la toxocarose est la cause d'une atteinte grave des yeux pouvant conduire à la cécité.

Symptômes
- Souvent aucun symptôme.
- Comme il est en général impossible de différencier cette maladie des infections plus banales chez l'enfant, le diagnostic ne peut être envisagé que lorsque des signes supplémentaires apparaissent chez un enfant habitué des jardins publics : fièvre persistante, éruption cutanée, symptômes respiratoires ou cécité.

Causes
- Un ver parasite.

Quand consulter le médecin
- Si un des symptômes ci-dessus apparaît chez un enfant.

Rôle du médecin
- Faire des examens sanguins pour établir le diagnostic.

Prévention
- Empêcher les enfants de jouer dans une terre souillée par les déjections des chiens ou des chats.
- La prévention principale consiste à vermifuger régulièrement les animaux et à les empêcher d'aller sur les terrains de jeux des enfants. Les chiens et les chats doivent être vermifugés chaque mois jusqu'à six mois et chaque trimestre ensuite.

Pronostic
- La plupart des cas de toxocarose guérissent sans problème.

Voir MALADIES INFECTIEUSES, *page 32*

TOXOPLASMOSE

Affection parasitaire sévère, due au *Toxoplasma gondii*, et pouvant atteindre les mammifères, les oiseaux et les reptiles. Les hommes sont contaminés par l'absorption d'aliments mal cuits ou par le contact avec des excréments d'animaux, en particulier ceux des chats. La toxoplasmose touche le système nerveux central, les ganglions lymphatiques, la rate et les yeux. Tantôt elle passe inaperçue, ne provoquant aucun symptôme, tantôt, au contraire, elle simule la MONONUCLÉOSE INFECTIEUSE, avec une hypertrophie des ganglions lymphatiques. Chez la femme enceinte, elle peut provoquer un avortement ou un accouchement prématuré avec contamination de l'enfant (jaunisse, convulsions, encéphalite). Traitement antibiotique.

Voir MALADIES INFECTIEUSES, *page 32*

TRACHÉOTOMIE

Opération permettant l'arrivée d'air aux poumons sans passer par les voies aériennes supérieures, c'est-à-dire nez, bouche, pharynx, larynx. Par une incision verticale à la face antérieure du cou, sous la pomme d'Adam, un petit tube destiné à la respiration est introduit dans la trachée.

Cette intervention peut être réalisée en urgence en cas d'obstruction aérienne provoquée par un traumatisme facial grave, un corps étranger dans le pharynx, une paralysie des cordes vocales, une TUMEUR DU LARYNX ou un œdème de la glotte; de même après un traumatisme cervical ou thoracique, une intoxication médicamenteuse ou une ATTAQUE.

Après guérison, le tube est ôté et la plaie se referme; le patient reprend une respiration normale.

Voir SYSTÈME RESPIRATOIRE, *page 42*

TRACHOME

Maladie contagieuse grave affectant les yeux. Elle est fréquente dans les pays méditerranéens et en Extrême-Orient. Due à un virus, elle se répand facilement par les mains ou les linges souillés. Les paupières, en général des deux côtés, gonflent, deviennent enflammées et purulentes, et les yeux ne supportent plus la lumière vive.

Si l'affection n'est pas traitée à ce stade, la conjonctive, membrane délicate qui recouvre l'œil et l'intérieur de la paupière, est envahie par des boursouflures minuscules débutant sous la paupière supérieure. La cornée, zone transparente à l'avant de l'œil, peut s'épaissir. Les paupières et la cornée cicatrisent ensuite, mais les paupières se retournent en dedans et les cils vont griffer la cornée, entraînant des infections bactériennes répétées.

Si le traitement antibiotique est débuté tôt, la guérison est habituellement complète. Si la maladie est négligée, une cécité peut survenir.

TRANSPIRATION

Une transpiration excessive est une affection gênante mais bénigne. Elle peut toucher n'importe quelle partie du corps, mais surtout les paumes, plantes et aisselles. L'hypersudation généralisée peut être occasionnellement un symptôme de maladie générale : la THYROTOXICOSE, par exemple.

Symptômes
- Impression désagréable d'humidité sur la peau, et qui imprègne les vêtements.
- Une odeur désagréable est habituelle.

Durée
- Des années. Une atténuation est fréquente après quarante ans.

Causes
- Inconnues, mais il y a parfois une prédisposition familiale. Un exercice léger, la chaleur, les émotions ou l'obésité augmentent la sudation.

Traitement à domicile
- Des lavages fréquents, le changement des vêtements et l'utilisation d'antisudoraux suffisent souvent à contrôler l'affection.

Quand consulter le médecin
- Si les mesures simples décrites ne suffisent pas.

Rôle du médecin
- Exclure l'éventualité d'une maladie générale.
- Conseiller des antisudoraux et donner des conseils sur la nourriture, l'habillement.

Prévention
- Impossible.

Pronostic
- Le problème s'améliore habituellement avec l'âge.

Voir LA PEAU, *page 52*

TRAUMATISME SONORE

Lésions de l'oreille provoquées par le bruit. L'exposition répétée à des bruits intenses ou le choc soudain d'un son très puissant peuvent détruire les cellules fragiles de la cochlée, organe auditif de l'oreille interne.

Symptômes
- Une sensation de coton dans les oreilles est fréquente au début.
- Bourdonnements et sifflements d'oreilles.
- Déficit de l'audition portant d'abord sur certains sons de fréquence élevée. Plus tard, la surdité s'étend à tous les sons de haute fréquence, et tardivement l'audition de la voix peut être touchée.

Durée
- La surdité est irréversible.

Causes
- Bruit en milieu industriel, particulièrement dans l'aviation et les fonderies.
- Exposition prolongée à une musique très intense.
- Coups de feu et explosifs.

Quand consulter le médecin
- Dès l'apparition des premiers troubles.

Rôle du médecin
- Pratiquer un test de l'audition (audiogramme).
- Conseiller des mesures de protection comme des bouchons d'oreilles ou, mieux, un casque protecteur.

Prévention
- Port d'un casque protecteur en milieu bruyant.
- Dès la détection d'un déficit auditif, le travailleur devra être écarté du poste bruyant.

Pronostic
- La surdité installée est irréversible, mais les prothèses auditives peuvent être efficaces.

Voir L'OREILLE, *page 39*

TRICHOCÉPHALOSE

Parasitose due au trichocéphale. Elle sévit en Afrique tropicale et en Extrême-Orient, notamment dans les pays dépourvus de systèmes efficaces de tout-à-l'égout. L'homme se contamine en ingérant des aliments souillés par les œufs. Ceux-ci se développent au niveau intestinal pour devenir des vers qui produisent à leur tour des œufs éliminés dans les selles. Celles-ci souillent les aliments et l'eau (surtout en l'absence d'hygiène), et le cycle recommence.

Symptômes

- Souvent pas de symptômes.
- Diarrhées persistantes, parfois sanglantes.
- Douleurs abdominales.
- Syndrome anémique et malnutritionnel dans les formes chroniques.

Causes

- C'est le *Trichuris trichiura*, ou trichocéphale, vivant au niveau intestinal, qui en est l'agent.

Traitement

- Antiparasitaire. *Voir* MÉDICAMENTS, n° 29.
- Mesures hygiéniques dans les pays où l'infection est fréquente.

Voir MALADIES INFECTIEUSES, *page 32*

TRISMUS

Contracture involontaire et permanente des muscles de la mâchoire, qui peut être secondaire à une cause locale (ARTHRITE de la mâchoire, accidents des dents de sagesse, ANGINE), ou à une cause générale comme le TÉTANOS.

TRISOMIE 21

La trisomie 21, mieux connue sous le terme de MONGOLISME ou syndrome de Downes, est due à l'existence d'un chromosome supplémentaire : les sujets atteints de la maladie possèdent 47 chromosomes au lieu de 46 normalement. Cette affection est congénitale, c'est-à-dire qu'elle est présente dès la naissance. La fréquence du mongolisme est d'environ 1 cas pour 660 naissances. Ce taux augmente avec l'âge de la mère, particulièrement après trente-cinq ans. Un test récent, appelé amniocentèse, permet de détecter la maladie dès les stades précoces de la grossesse. Toute femme enceinte de plus de trente-cinq ans peut bénéficier de cet examen si elle le souhaite, de même qu'une femme ayant déjà donné naissance à un enfant mongolien. Si le test s'avère positif, les parents peuvent demander une interruption volontaire de grossesse, qui est tout à fait légitime dans cette situation. Les enfants sont reconnaissables par un certain nombre d'anomalies morphologiques. Ils sont dotés d'un naturel heureux et affectueux, et ils ont le sens de l'humour.

Symptômes

- La face est large et aplatie, avec des yeux bridés et un élargissement de l'arête nasale.
- L'écart entre les yeux est augmenté.
- La partie postérieure du crâne et la nuque sont aplaties. Le cou est court.
- Le nourrisson est flasque quand on le tient dans les bras, cela par diminution de son tonus musculaire.
- Les membres sont courts, ainsi que l'auriculaire, et il n'y a qu'un pli transversal à la paume de la main.
- Arriération mentale et retard de développement physique.

Durée

- Toute la vie.

Causes

- Anomalie des chromosomes qui touche toutes les cellules de l'organisme. Le risque d'avoir un enfant mongolien existe surtout pour les femmes de plus de trente-cinq ans et celles qui ont déjà eu un tel enfant.

Complications

- Beaucoup d'enfants trisomiques souffrent de malformations congénitales du cœur ou d'autres organes.

Traitement à domicile

- La plus grande aide que l'on puisse apporter à un enfant mongolien est le support parental et le maintien à domicile. Pour les parents qui doivent faire face à la douleur et aux problèmes posés par la naissance d'un bébé trisomique, les points suivants doivent être retenus :
- Le chagrin immédiat des parents et le sentiment d'échec sont considérables, particulièrement chez la mère. Si l'enfant doit vivre à la maison, les parents doivent ensemble faire face, le plus tôt possible après la naissance, à toutes les conséquences impliquées par ce choix dans les années à venir.
- Les enfants mongoliens sont affectueux. Souvent, en dépit des nombreux problèmes, ils contribuent à resserrer les liens familiaux et non l'inverse.
- Beaucoup concourent à la joie familiale, et certains peuvent même effectuer de petits travaux sous surveillance (ateliers protégés).
- Leur développement mental sera meilleur dans une famille heureuse que dans toute institution.
- Mais tous ne sont pas capables de rester dans leur milieu familial; de même, toutes les familles ne sont pas aptes à les garder et à les élever.

Quand consulter le médecin

- Le diagnostic est posé à la naissance ou peu après.

Rôle du médecin

- Aider les parents à tout moment, mais surtout au stade précoce de la décision de garder l'enfant à la maison.
- Donner des conseils sur la façon d'élever l'enfant et expliquer son développement.
- Réévaluer le problème du maintien à domicile si la charge parentale devient trop lourde.

Prévention

- Aucune, à part le diagnostic précoce pendant la grossesse et l'interruption de celle-ci dans les cas souhaités.

Pronostic

- Il n'y a pas de guérison, et l'espérance de vie est variable : beaucoup plus courte que la normale, bien qu'actuellement en progression. Dans une étude, il apparaît que plus de la moitié des enfants sont morts d'une maladie associée au cours des cinq premières années de vie. Si le bébé survit aux premières années critiques, l'espérance de vie est en moyenne de vingt-deux ans.
- Après la puberté, les garçons survivants restent stériles.
- Les filles peuvent avoir leurs règles et être capables d'enfanter.

Voir MALADIES MENTALES, *page 33*

TROMPE D'EUSTACHE (OBSTRUCTION DE LA)

La trompe d'Eustache est un conduit étroit reliant l'oreille moyenne à la gorge. Normalement, l'air la parcourt afin de maintenir des pressions égales de part et d'autre du tympan, permettant ainsi de capter plus efficacement les sons. Parfois, l'air crée une sensation de passage dans la trompe d'Eustache, particulièrement au cours de variations d'altitude, d'un voyage aérien, d'une plongée sous-marine plus ou moins profonde.

Lorsque le conduit est obstrué, la pression devient inégale, créant désagrément et parfois douleur. Le tympan ne peut alors fonctionner, ce qui entraîne une surdité partielle. Normalement, l'air est chassé du conduit vers l'oreille moyenne lors des mouvements de déglutition.

Symptômes

- Otalgie (douleurs d'oreille) ou sensation d'oreille bouchée.
- Surdité temporaire partielle d'une ou des deux oreilles.
- Lorsque l'obstruction est incomplète, apparaissant lors d'activités telles que vol aérien ou plongée, les

symptômes sont plus marqués au moment de la descente que de la montée.

- Les symptômes peuvent apparaître brutalement lors de variations d'altitude, mais ils seront plus progressifs quand un rhume de cerveau en est la cause.

Causes
- Rhume de cerveau.
- Rhinite chronique hypertrophique.
- Végétations.
- Variations d'altitude.

Traitement à domicile
- Expiration forcée, bouche et nez fermés.
- La déglutition, la mastication, les mouvements de la mâchoire peuvent aider.
- Ne pas utiliser de gouttes auriculaires.
- Inhalations, en évitant l'eau bouillante.

Quand consulter le médecin
- Si l'otalgie dure plus de vingt-quatre heures.
- Si la surdité dure plusieurs jours et est unilatérale.

Rôle du médecin
- Examiner bouche et oreilles.
- Tester l'ouïe à l'aide d'un diapason.
- Prescrire un traitement décongestionnant.

Prévention
- Éviter natation, plongée, voyages aériens.

Pronostic
- La plupart des obstructions sont transitoires. La persistance des signes peut révéler la formation d'un liquide dans l'oreille moyenne se transformant en une otite moyenne purulente.

Voir L'OREILLE, *page 38*

TROUBLES CIRCULATOIRES OCULAIRES

La vision peut être atteinte par des hémorragies ou des caillots qui interrompent la circulation des vaisseaux sanguins de la rétine. L'hypertension artérielle ou le diabète augmentent les risques de survenue de ces accidents.

Symptômes
- L'interruption de la circulation vers l'œil peut provoquer la perte indolore et brutale de la vision d'un œil. Si elle est totale, c'est probablement une artère qui est bloquée. Si c'est une veine qui est obturée, la perte de la vision a des chances d'être partielle. Si la circulation qui assure la nutrition de la rétine centrale devient insuffisante, ou s'il y a un saignement dans cette région, le patient ressentira une gêne progressivement plus intense pour lire, pour tricoter, pour faire un travail minutieux. De petites hémorragies, sans symptômes d'alerte, peuvent aussi se produire chez les hypertendus et les diabétiques.

Durée
- La rapidité et le degré de la guérison dépendent de la taille et du siège de l'atteinte rétinienne.
- Une amélioration partielle peut se produire au-delà de quelques semaines ou mois.

Causes
- Les petites hémorragies qui peuvent se produire chez le diabétique ou l'hypertendu font partie des troubles généraux de la circulation que ces maladies peuvent entraîner.

Quand consulter le médecin
- Immédiatement quand il y a une perte de vision, surtout si celle-ci est brutale.

Rôle du médecin
- Il testera la vision au moyen d'une échelle d'acuité, appréciera le champ visuel et examinera le fond d'œil.
- Si la chute de vision a été brutale, l'ophtalmologiste organisera une admission d'urgence dans un service hospitalier spécialisé. Là sera également établi un bilan général plus complet, en particulier portant sur l'état vasculaire.
- Quand une artère centrale de la rétine est oblitérée, de fortes doses de stéroïdes (cortisone) peuvent être nécessaires pour préserver la vue de l'autre œil. Si c'est une veine qui est atteinte, des examens et un traitement peuvent être nécessaires pour éviter le développement d'un GLAUCOME secondaire (*voir* MÉDICAMENTS, n° 39).

Prévention
- Ne pas fumer. Il est certain que le durcissement des artères, cause la plus fréquente des problèmes circulatoires oculaires, peut être associé à l'usage excessif du tabac.
- Si vous souffrez d'hypertension artérielle ou de diabète, il est vital de poursuivre une surveillance médicale.

Pronostic
- Même si la vision de l'œil atteint ne peut être récupérée, il est possible de s'adapter à ne voir qu'avec un œil.
- Si la vision centrale est atteinte, la lecture peut devenir impossible, bien que le patient ne devienne pas aveugle et reste capable de se diriger et d'effectuer de nombreuses tâches qui n'exigent pas une vision précise.

Voir L'ŒIL, *page 36*

TROUBLES DU LANGAGE

Le langage exprime la pensée par un système de symboles verbaux qui peuvent être énoncés par la parole ou rester en activité strictement mentale.

Un enfant commence à parler bien avant de dire son premier mot. Dès le troisième mois, il babille, vocalise et apprend à communiquer lorsqu'il découvre que pleurer ou crier attire l'attention de sa mère.

Avant de commencer à articuler lui-même quelques mots, l'enfant est capable de comprendre plusieurs mots chargés de signification.

Le langage est une faculté que les enfants acquièrent à des âges relativement distincts. Un enfant peut parler couramment à l'âge de dix-huit mois, tandis que d'autres, en particulier les garçons, ne possèdent que peu de mots à l'âge de deux ans. Les deux situations sont également normales.

Les enfants progressent parfois soudainement, après plusieurs semaines d'apparente stagnation pendant lesquelles, en réalité, ils absorbent de nouvelles informations et développent de nouvelles facultés.

COMMENT SE FORME LA PAROLE

Le premier stade de la mise en mots d'une idée est cérébral; les mots sont choisis et organisés en phrases. La voix est produite par le passage de l'air expiré sur les cordes vocales, dans le larynx. La production des sons correspond à la vibration des cordes vocales. Le son est amplifié dans le thorax, le cou et la tête, et transformé en parole par le palais, la langue et les lèvres. Le cerveau et le système nerveux contrôlent tous ces mouvements, et l'ouïe vérifie la sonorité, le rythme et l'intonation des mots. Une bonne audition est indispensable au développement normal du langage.

PRINCIPALES ÉTAPES DU LANGAGE CHEZ L'ENFANT

Le premier mot intentionnellement signifiant apparaît vers l'âge de un an. C'est habituellement une monosyllabe redoublée. Par exemple, l'enfant dit « mamama », et la mère répète « maman », offrant ainsi à l'enfant un premier modèle sonore.

Puis l'enfant utilise le « mot-phrase », terme qui désigne un mot utilisé pour exprimer un désir ou un sentiment. Par exemple, l'enfant dit « dodo » pour « je veux aller me coucher ». L'enfant peut utiliser un de « ses » mots pour désigner plusieurs objets. Par exemple, « ato » pour château et gâteau, car il n'est pas encore capable de prononcer distinctement certains mots voisins.

Le vocabulaire s'enrichit progressivement. A dix-huit mois, l'enfant utilise en moyenne dix mots. A deux ans, il en prononce cinquante à deux cents, mais il en comprend beaucoup plus (de 200 à 1 000 mots). La première phrase apparaît vers l'âge de deux ans; c'est la première association significative de deux mots. Par exemple, « manger gâteau » pour « je veux manger un gâteau ».

Vers l'âge de deux ans et demi, les verbes sont conjugués à l'infinitif (manger). L'enfant se nomme par son prénom (qui remplace le « je ») et utilise les premiers adjectifs (petit, grand). Vers l'âge de trois ans, il dénomme des objets courants ou des animaux sur image, utilise le « je » et le « moi »; il peut poser la première question « où ? » et accoler au verbe une forme négative réduite : « pas manger ». Vers trois ans et demi, les questions se multiplient : « quand ? » mais surtout « pourquoi ? ».

Vers quatre ans, la forme négative devient complète : « ne pas manger ». L'enfant peut à cet âge connaître deux mille mots, ce qui lui donne accès à la compréhension du langage courant et concret.

LE RETARD DE LANGAGE

Il est difficile à mettre en évidence avant l'âge de trois ans. Mais à cet âge, l'absence de l'apparition d'une phrase (association significative d'au moins deux mots) doit inciter à demander conseils et examens auprès d'un médecin ou d'un spécialiste du langage (orthophoniste) qui, dans la majorité des cas, constatera un simple retard de parole isolé. Il n'existe alors ni déficit intellectuel ni troubles auditifs, et une rééducation du langage commencée un peu tard, vers l'âge de quatre ans, permettra d'obtenir de réels progrès.

En effet, il faut savoir que les problèmes de langage peuvent survenir chez des enfants parfaitement normaux. Le problème le plus courant est un trouble de l'articulation, qui se définit par une impossibilité constante de prononcer certains mots, consonnes ou voyelles.

Ce sont les consonnes qui posent habituellement le plus de problèmes à l'enfant, qui remplace souvent une lettre difficile par une autre (« j » devient « z », « k » devient « t », etc.). Les substitutions sont normales chez le tout-petit, qui apprend progressivement à dire le son juste spontanément, mais ce processus est parfois difficile pour certains enfants qui peuvent alors bénéficier d'une aide extérieure (orthophonie).

Un autre problème est celui de la lenteur avec laquelle l'enfant parvient à comprendre les formulations complexes, telles que les mots en rapport avec la position d'un objet dans l'espace (devant, derrière, au-dessus, au-delà). Il peut également échouer dans l'utilisation de certains mots, tels que « est », « sont », « le » et « un ».

Tous ces problèmes peuvent être liés à un déficit temporaire de l'audition, provoqué souvent par les otites. Si ce déficit auditif ne se prolonge pas, l'enfant peut rattraper son retard, mais si rien n'est fait, l'apprentissage du langage nécessite une aide spécialisée (orthophonie).

Un jeune enfant possédant une audition normale peut éprouver des difficultés à distinguer et à reconnaître les sons des mots et des phrases, et à se rappeler leur ordre de succession. Des problèmes d'ordre émotionnel peuvent parfois limiter le développement du langage et provoquer chez l'enfant une régression à un stade de développement antérieur.

Il peut exister également un problème de coordination des muscles de la parole. L'orthophoniste pourra proposer des exercices aux enfants qui ont des difficultés à prononcer certains sons, et ainsi ces enfants pourront apprendre à développer le contrôle des muscles et à utiliser des phrases plus longues et plus complexes.

Les orthophonistes travaillent dans des centres médico-pédagogiques. Le rythme des séances est habituellement de une à deux par semaine, soit individuellement, soit en groupe pour des enfants du même âge ou présentant le même type de difficultés. On demande aux parents de poursuivre ce traitement à la maison. Chez les jeunes enfants, la majeure partie de ce travail prend l'aspect d'un jeu.

LE BÉGAIEMENT

Il faut distinguer le bégaiement clonique, caractérisé par la répétition d'une syllabe, le plus souvent en début de phrase, et le bégaiement tonique, qui correspond à une hésitation précédant l'articulation d'un mot. Le plus souvent ces deux formes sont associées, et l'on parle alors de bégaiement tonico-clonique.

Le bégaiement n'est jamais permanent; il peut être aggravé par l'émotion, la colère ou certaines situations (communications téléphoniques). Il diminue parfois lors de la lecture, du chant ou de l'usage d'une langue étrangère. Le bégaiement varie selon les périodes (influence de la fatigue, du surmenage professionnel ou des rythmes scolaires).

L'enfant bègue a une intelligence et une personnalité normales, mais l'attitude plus ou moins compréhensive des proches peut susciter l'agressivité et favoriser la pérennisation du trouble.

Lorsqu'il commence à parler, l'enfant peut hésiter sur un mot et répéter un son ou un mot plusieurs fois. C'est une phase normale de l'apprentissage de la parole, qui s'observe vers l'âge de trois ans et qui disparaît ensuite spontanément. Ce n'est que son maintien après cet âge ou son apparition ultérieure qui doivent inquiéter.

Le bégaiement a une origine partiellement génétique, mais il semble que d'autres facteurs interviennent également : l'existence d'un événement déclenchant, d'un traumatisme affectif ou d'une expérience angoissante, telle qu'une maladie grave; le rôle de l'entourage familial, et notamment l'excessive exigence des parents lors des premières acquisitions du langage, qui peuvent entraîner chez l'enfant des sentiments d'anxiété; l'entourage scolaire parfois intolérant : les contraintes verbales de l'école primaire et les moqueries des camarades. Mais le plus souvent, aucune cause ne peut être précisée (et il faut savoir que le bégaiement ne s'observe pas plus fréquemment chez les gauchers, contrariés ou non, contrairement à une croyance fort répandue).

Il n'existe pas de cure unique pour le bégaiement. Les différentes aides et techniques susceptibles d'améliorer ce trouble seront proposées par le spécialiste en orthophonie, en fonction de la disponibilité et de la personnalité de chaque patient.

Nous citerons les principales méthodes de traitement :

La rééducation orthophonique. Elle permet la régularisation du rythme de la parole et de la respiration.

La relaxation. Elle convient bien à l'adolescent et à l'adulte.

Le déconditionnement auditif. Il enseigne au sujet à parler sans s'écouter (à l'aide de casques).

La thérapie comportementale. Elle permet d'obtenir de bons résultats, mais les techniques sont très diverses : conditionnement progressif et systématique, ou traitement fondé sur un système contrôlé de récompenses et de punitions.

Lorsque le bégaiement semble lié directement à des troubles de la personnalité, il peut être souhaitable d'envisager une psychothérapie. Enfin, pour les formes graves de bégaiement, certains médicaments efficaces peuvent être prescrits, notamment les tranquillisants.

LA DYSPHONIE

Il s'agit d'une altération de la voix, d'origine laryngée, qui se manifeste principalement par un affaiblissement de la voix ou un enrouement persistant (et parfois douloureux).

Pour toute dysphonie persistant plus de dix jours, il est indispensable de consulter un médecin. Certaines causes sont courantes et banales : les laryngites infectieuses, qui s'accompagnent fréquemment d'un rhume et de toux, pourront bénéficier rapidement d'un traitement local avec ou sans antibiotiques; le malmenage vocal, soit par un enfant « criard », soit dans certains contextes émotionnels de toutes origines (problèmes familiaux, deuils...).

La dysphonie peut être une maladie professionnelle lorsque l'on force ou élève trop sa voix (chanteurs, prêtres, enseignants...). Les laryngites chroniques peuvent être infectieuses, mais également d'origine irritative (alcool, tabac, air ambiant).

D'autres causes sont plus rares, mais elles exigent des soins plus importants : chez l'enfant, en particulier, où toute modification persistante (en dehors d'une maladie infectieuse) doit toujours laisser craindre un corps étranger intra-laryngé et imposer un examen d'urgence. Certaines tumeurs bénignes peuvent être soignées chirurgicalement.

Enfin, les tumeurs cancéreuses du larynx exigent parfois une laryngectomie (ablation partielle ou totale du larynx). En l'absence de cordes vocales, le patient peut réapprendre à parler en faisant vibrer l'air inspiré à l'arrière de la gorge, ce qui produit un son proche de la parole normale. Cette technique demande un long et patient entraînement. Il existe également des vibrateurs mécaniques qui, placés près de la gorge, permettent l'émission d'une parole artificielle.

LA DYSARTHRIE

C'est un trouble de la parole portant sur le rythme ou le volume de la voix, et sur l'articulation.

La dysarthrie est liée à une lésion cérébrale ou à une atteinte des nerfs contrôlant la respiration, les lèvres, la langue et le palais. L'articulation des consonnes est toujours plus perturbée que l'émission des voyelles.

La dysarthrie peut s'accompagner d'une difficulté mécanique à boire et à manger. Elle peut être observée dans les maladies de Parkinson, mais également dans l'hystérie, ainsi qu'au cours des ivresses alcooliques ou aux barbituriques.

L'APHASIE

C'est une altération du langage, qui correspond à une impossibilité de traduire la pensée par les mots. Se souvenir des mots, même pour les objets les plus courants, devient impossible : la personne voit une tasse de thé, mais elle a oublié le mot qui la désigne.

La capacité de comprendre un discours est parfois diminuée. La personne est capable de parler librement, mais les mots et les phrases semblent privés de sens parce qu'elle a perdu la capacité de vérifier son discours et de s'assurer qu'il a un sens.

L'aphasie est la conséquence d'une lésion cérébrale le plus souvent d'origine vasculaire (hémorragie), mais également infectieuse, traumatique ou tumorale. Elle peut parfois s'accompagner de la perte de l'usage de certains objets (apraxie).

Certaines aphasies sont transitoires et s'observent au décours des intoxications (oxyde de carbone, opium, chanvre...), du diabète, de l'épilepsie, plus rarement de la migraine.

L'aphasie concerne principalement le langage parlé, mais peut atteindre également le langage intérieur et donc compromettre les capacités d'efficience, notamment sur le plan professionnel. En revanche, la pensée concrète, qui appréhende la réalité des choses sans le secours de l'abstraction et du symbole, est peu atteinte dans cette maladie.

L'aphasique est le plus souvent conscient de son état et comprend douloureusement les réactions des autres, qui souvent l'ignorent (car la communication verbale très difficile donne parfois l'impression que l'aphasique ne peut plus rien comprendre). Il en résulte souvent

Favoriser le développement du langage chez l'enfant

☐ Les muscles de la parole sont ceux-là même utilisés pour manger (mâcher et avaler). Aussi, dès que l'âge de l'enfant le permet, donnez-lui des aliments solides (des morceaux de pomme, par exemple), qui favorisent la mastication, et encouragez-le à fermer la bouche quand il mange.

☐ Il est difficile de parler et de respirer par la bouche en même temps; aussi, assurez-vous que son nez est bien dégagé et qu'il peut respirer normalement lorsque sa bouche est fermée. Apprenez-lui à se moucher !

☐ Lorsque l'enfant essaie de demander quelque chose, n'allez pas au-devant de ses besoins sans qu'il ait pu les exprimer par lui-même. Sinon, il ne sera pas incité à parler.

☐ Parlez à votre enfant, racontez-lui des histoires, chantez-lui des berceuses et des chansons, et faites-les-lui répéter. Jouez en chuchotant pour que parler devienne aussi un jeu. Quand vous habillez ou donnez à manger à votre enfant, dites-lui ce que vous êtes en train de faire : vous donnerez à votre enfant le goût et le plaisir de la parole.

☐ Montrez par des sourires et des mots d'encouragement que vous êtes content de l'entendre parler. Soyez patient quand « parler » implique d'imiter un train toute une après-midi.

☐ Fermez de temps en temps la radio et la télévision pour qu'il puisse entendre votre voix et la sienne sans un bruit de fond constant.

☐ S'il y a d'autres enfants dans la famille, veillez à ce qu'il puisse parler sans être toujours interrompu.

☐ S'il fait une erreur, corrigez-la avec discrétion et bienveillance : « Papa vait travail en tomobile. » « Oui, c'est bien, papa va travailler en automobile. »

☐ N'associez jamais la parole ou l'absence de parole à la punition; ne dites jamais : « Je ne te parle plus si tu fais ça. »

☐ Multipliez les sorties au parc, au marché, chez vos amis, pour que votre enfant acquière des expériences et des mots nouveaux.

☐ Encouragez des jeux d'imagination, comme les déguisements. En portant vos vieux vêtements, votre enfant imitera, par jeu, la façon dont les adultes s'expriment.

☐ Ne parlez pas « bébé ». Parlez normalement à votre enfant, qui vous comprendra plus facilement qu'il n'y paraît. Le niveau de compréhension du langage est supérieur chez l'enfant à ses possibilités d'expression; par exemple, à vingt et un mois, un enfant peut en moyenne dire cinquante mots différents, mais il peut en comprendre plusieurs centaines.

une hyperémotivité et des tendances dépressives.

Le traitement de l'aphasie commence d'abord par le traitement de la cause, quand c'est possible (par exemple, l'exérèse d'une tumeur). Il faudra le compléter par des procédés de rééducation adaptés à chaque cas : il faut aider le malade à retrouver le code du langage qu'il a perdu. Les méthodes utilisées sont nombreuses : exercices articulatoires et respiratoires, utilisation de dessins, associations d'objets avec leurs mots correspondants, constitution de répertoires...

Le degré de récupération dépend de l'ampleur de la lésion initiale, de la personnalité du patient et de la durée de la rééducation. Les résultats les plus rapides s'observent pendant les six premiers mois; ensuite les progrès sont plus lents, mais suffisants pour que nombre de patients continuent de s'améliorer réellement pendant des années.

LA FISSURE PALATINE

C'est la malformation la plus fréquente des maxillaires (une sur mille naissances). Elle correspond à une absence de fusion des deux côtés du palais, qui n'ont pas réussi à se souder avant la naissance.

Cette malformation entraîne une communication entre les cavités buccales et nasales qui aboutit à des troubles de l'élocution et de l'absorption des aliments.

Les techniques chirurgicales actuelles permettent d'obtenir de bons résultats aux plans fonctionnel (recouvrement d'une capacité d'articulation normale) et esthétique. Il faut souvent compléter la chirurgie par une rééducation du langage (orthophonie).

TROUBLES DES RÈGLES

Environ 3 pour 100 des visites auprès des médecins de famille sont faites par des femmes qui ont des problèmes de règles. La plupart de ces troubles sont sans gravité et peuvent être traités. L'aménorrhée (arrêt des règles) est le plus souvent en rapport avec une grossesse. La dysménorrhée (règles douloureuses) est très fréquente chez la jeune fille, la jeune femme, et rarement secondaire à une infection préoccupante. Il peut arriver que le rythme des règles soit perturbé (cycles raccourcis ou allongés) ou que les règles soient particulièrement abondantes (ménorragies).

Une cause rare des troubles des règles est le cancer, qui guérit lorsqu'il est traité précocement et auquel il faudra toujours penser devant tout saignement anormal, que ce soit entre les règles, pendant une grossesse ou après la ménopause.

AMÉNORRHÉE

Absence d'apparition des règles ou arrêt définitif. Elle est habituelle au cours de la grossesse ou de la ménopause.

Symptômes
- Absence ou arrêt des règles.
- Règles très peu abondantes.

Durée
- Elle dépend de la cause.
- S'il s'agit d'une affection comme l'ANOREXIE MENTALE ou une atteinte profonde de l'état général, les règles ne réapparaîtront que lorsque le poids sera redevenu normal et l'état général amélioré.
- Si la prise de pilule est en cause, les règles réapparaîtront à l'arrêt de celle-ci, mais il faudra quelquefois plusieurs mois pour qu'un cycle normal se reconstitue. *Voir* CONTRACEPTION.
- A la fin de la ménopause, les règles disparaissent, mais le processus peut s'étaler sur plusieurs années.

Causes
- La grossesse est la cause la plus fréquente. Les autres signes de grossesse apparaîtront dans les jours qui suivent.
- La ménopause apparaît habituellement entre quarante-cinq et cinquante ans, précédée par une période où les règles sont moins abondantes et moins fréquentes.
- La pilule peut provoquer une diminution du volume des règles, voire leur suppression.
- L'anorexie mentale.
- Certaines maladies chroniques comme l'ANÉMIE, le MYXŒDÈME ou la TUBERCULOSE.
- Des états d'anxiété extrême et de gros soucis.
- Si aucun saignement n'est apparu vers seize ou dix-sept ans, on peut craindre une anomalie congénitale des organes génitaux.

Complications
- Dans de rares cas, l'INFERTILITÉ.

Traitement à domicile
- Il n'y en a pas.

Quand consulter le médecin
- Quand les règles disparaissent sans raison.
- Quand une jeune fille n'est pas réglée à seize ans.
- En cas de suspicion de grossesse.

Rôle du médecin
- Pratiquer un examen général et un TOUCHER PELVIEN.
- Demander des tests de grossesse.
- Rechercher une éventuelle anémie.
- Il pourra prescrire un court traitement hormonal, surtout en cas de bouffées de chaleur lors de la ménopause.

Prévention
- Il n'en existe pas.

Pronostic
- Excepté lorsqu'il s'agit de la ménopause, les cycles menstruels réapparaissent quand les conditions locales et générales se sont améliorées.

IRRÉGULARITÉS MENSTRUELLES

C'est le nom donné habituellement aux modifications du rythme normal des menstruations, à l'apparition de règles abondantes dont la cause demeure bien souvent inexpliquée. Ce phénomène survient surtout chez les jeunes filles qui viennent de débuter leurs règles ou chez les femmes aux environs de la MÉNOPAUSE.

Symptômes
- Irrégularités d'apparition des règles.
- Augmentation des règles en volume ou en durée.
- Toute autre modification du cycle habituel.

Durée
- Cet état peut s'améliorer au bout de quelques mois ou persister plusieurs années.

Causes
- Une des causes est maintenant connue : une irrégularité de l'équilibre hormonal.

Complications
- État d'ANÉMIE.

Traitement à domicile
- Il n'y en a pas.

Quand consulter le médecin
- Quand ces modifications durent depuis trois mois.
- Si l'éventualité d'une grossesse ou la crainte d'une maladie sérieuse est évoquée, il est préférable de ne pas attendre ces trois mois et de consulter plus rapidement.

Rôle du médecin
- Pratiquer un examen complet, général et gynécologique, à la recherche d'une cause puis d'un traitement.
- Faire pratiquer des tests de dépistage de cancer, la recherche d'une éventuelle anémie.
- Envisager une consultation auprès d'un gynécologue pour la poursuite des investigations.
- Tenter un traitement hormonal à titre d'épreuve si aucune cause n'est dépistée.

Prévention
- Il n'en existe pas.

Pronostic
- Ce problème rentre dans l'ordre sans traitement.

DYSMÉNORRHÉE

Règles douloureuses. La douleur siège dans le bas-ventre, généralement au début des règles. Cet état est fréquent chez les jeunes filles et les jeunes femmes; il tend à disparaître après la naissance du premier enfant.

Symptômes

- Douleurs abdominales basses, habituellement intermittentes, à type de coliques.
- Douleurs du bas du dos.
- Quelquefois, nausées ou vomissements.
- Sensation de malaise.

Durée

- La douleur dure un jour ou deux.

Causes

- Dans les premières années, chez la toute jeune femme, elle peut être due à l'étroitesse du col utérin. Chez les femmes plus âgées, elle peut être due à une ENDOMÉTRIOSE ou à une SALPINGITE chronique, voire un polype ou un FIBROME.
- La contraception par stérilet. *Voir* CONTRACEPTION.
- L'anxiété et l'état de tension nerveuse.

Complications

- Il n'y en a pas.

Traitement à domicile

- Il dépend du retentissement de la douleur sur l'activité quotidienne, mais également de facteurs personnels, qui varient d'une femme à l'autre. Certaines prennent sur elles, d'autres au contraire éprouvent le besoin de trouver un soulagement.

Les solutions sont les suivantes :

- Les analgésiques. *Voir* MÉDICAMENTS, n° 22.
- Le repos dans un fauteuil ou au lit.
- Un bain chaud, ou tout simplement une bouillotte chaude.
- Les parents, les amis, les enseignants devront être discrets et compréhensifs.

Quand consulter le médecin

- Si la douleur interfère avec la vie quotidienne.
- Si les douleurs s'accentuent d'un cycle sur l'autre ou si elles apparaissent alors que les premières années des règles n'étaient pas douloureuses.

Rôle du médecin

- Pratiquer un examen gynécologique complet.
- Prescrire des analgésiques, éventuellement un traitement hormonal, voire la pilule.
- Il existe aujourd'hui des produits dérivés des antiprostaglandines qui soulagent la douleur.
- Envisager une consultation auprès d'un gynécologue si une cause particulière est suspectée.

Prévention

- Un entretien avec les parents, avant l'apparition des premières règles chez une jeune fille, peut être très profitable et apaiser les craintes.

Pronostic

- Cet état disparaît habituellement après la naissance du premier enfant.

MÉNORRAGIES

Règles particulièrement abondantes. Si aucune cause particulière n'est dépistée, cet état est habituellement lié à un mauvais équilibre hormonal.

Symptômes

- Règles abondantes, prolongées, régulières.
- Règles brutalement plus abondantes.
- Asthénie (fatigue).

Durée

- Cet état peut durer deux ou trois mois s'il s'agit d'un déséquilibre hormonal. S'il est causé par un FIBROME ou un AVORTEMENT spontané, cet état persistera en l'absence de traitement.

Causes

- Déséquilibre hormonal.
- Fibrome utérin.
- Avortement spontané.
- Stérilet. *Voir* CONTRACEPTION.

Complications

- ANÉMIE.

Traitement à domicile

- Si le saignement est abondant, rester étendue.

Quand consulter le médecin

- Si les règles deviennent beaucoup plus abondantes et que cet état persiste plus de trois mois.
- Si apparaissent des signes d'anémie.

Rôle du médecin

- Pratiquer un examen gynécologique complet et un examen général.
- Pratiquer des frottis de dépistage et rechercher un éventuel état d'anémie.
- Le médecin de famille n'hésitera pas à recourir à la consultation gynécologique.
- Il peut essayer l'effet d'un traitement hormonal si aucune cause n'est trouvée (*voir* MÉDICAMENTS, n° 33).

Pronostic

- Il dépend de la cause sous-jacente.

SAIGNEMENTS POSTMÉNOPAUSIQUES

Les saignements réguliers, ou menstruations, disparaissent avec la ménopause. Cette dernière peut débuter tôt chez certaines femmes, vers quarante-cinq ans, d'une manière brutale ou progressive après une période d'irrégularités menstruelles. Il n'est pas toujours facile de dire si la ménopause est vraiment terminée. Devant l'apparition du moindre saignement après cette période, ne pas hésiter à consulter un médecin plutôt que de dire qu'il s'agit du retour physiologique des règles. C'est ainsi qu'une lésion plus ou moins grave peut être dépistée en temps voulu.

Voir ORGANES GÉNITAUX FÉMININS, *page 48*

TROUBLES DE LA VISION

La réfraction est le processus grâce auquel la lumière extérieure à l'œil est focalisée sur la rétine (écran de cellules nerveuses à l'intérieur de l'œil). L'image formée sur ces cellules nerveuses est véhiculée jusqu'au cerveau par le nerf optique, et là est intégrée par le cerveau comme une sensation que nous dénommons vision.

Symptômes

- La difficulté de focaliser nettement entraîne une vision brouillée.
- Les erreurs de réfraction peuvent entraîner des douleurs oculaires et aussi, parfois, des maux de tête.

Causes

Il y a quatre types principaux d'anomalies de la vision :

- *La myopie* : les myopes ont une difficulté à voir les objets à distance, mais voient convenablement de près. Un enfant myope, par exemple, lira difficilement au tableau s'il est assis au fond de la classe, mais il lira très facilement un livre.
- *L'hypermétropie* : les personnes hypermétropes ont du mal à voir nets les objets rapprochés. Les objets à distance peuvent être vus nettement par les hypermétropes jeunes et quand l'hypermétropie est relativement légère.
- *La presbytie* (forme d'hypermétropie qui survient à l'âge moyen de la vie) : après l'âge de quarante ou quarante-cinq ans, le cristallin, « lentille de l'œil », devient moins souple. La lecture des petits caractères devient de plus en plus difficile, et il est nécessaire d'éloigner livres et journaux pour voir net.
- *L'astigmatisme* : c'est un défaut assez fréquent quand la courbure de la cornée (partie antérieure de l'œil) ne présente pas des diamètres normaux dans des axes perpendiculaires. Il s'ensuit des anomalies de vision, surtout si cette anomalie de courbure est importante.

Traitement à domicile

- Les défauts minimes peuvent parfois être compensés en effectuant des efforts visuels de près, en particulier la lecture sous un bon éclairage, avec de préférence une source lumineuse située au-dessus de l'épaule gauche.
- Si vous avez quarante ou quarante-cinq ans, il est sage de faire un bilan oculaire régulier. Il permettra de détecter précocement certaines maladies oculaires — telles que le GLAUCOME, la DÉGÉNÉRESCENCE MACULAIRE, la CATARACTE, etc., qui, méconnues, pourraient entraîner d'importantes conséquences visuelles.

Quand consulter le médecin

• Un ophtalmologiste doit être consulté sans hésitation si l'on a des difficultés à voir net. Il en est de même en cas de douleurs oculaires, de maux de tête, de pertes de vision.

Rôle du médecin

• Le médecin ophtalmologiste appréciera la vision de chaque œil avec des caractères de taille variable. Un ensemble de tests permettra d'évaluer le ou les défauts optiques, et de prescrire les lunettes convenables.

Exemples de troubles visuels

Les personnes qui souffrent de maladies oculaires, telles que la vision tubulaire ou la cataracte, ont des problèmes de lecture. Ces huit exemples illustrent leurs défauts de vision. Les zones noires indiquent que le patient a des problèmes pour voir à cet endroit, sans voir obligatoirement noir à cet endroit.

En cas de presbytie ou myopie, il n'y a pas de problèmes pour lire la page, tant qu'elle est tenue à une distance correcte de l'œil, ou si l'on porte des verres correcteurs.

PRESBYTIE

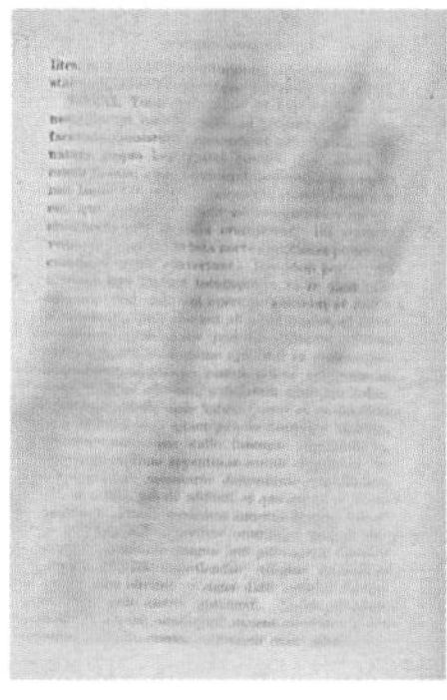

DYSTROPHIE CORNÉENNE

DÉCOLLEMENT DE RÉTINE

HÉMIANOPSIE

CATARACTE

DÉGÉNÉRESCENCE MACULAIRE

VISION TUBULAIRE

RÉTINOPATHIE DIABÉTIQUE

• Pour l'hypermétrope ou le presbyte, les verres convenables sont convexes, alors que le myope a besoin de verres concaves. Si un astigmatisme est présent, un verre cylindrique peut être inclus dans la correction.

Prévention

• Dans la mesure où les troubles de la vision sont dus à des anomalies héréditaires concernant la taille de l'œil, l'évolution de la lentille cristallinienne et de la cornée, rien ne peut les éviter.

• Les yeux ne seront pas renforcés par le port de lunettes, mais ils recevront une aide pour voir plus confortablement. Il ne faut jamais porter les lunettes d'une autre personne.

Pronostic

• La plupart des troubles de la vision peuvent être corrigés.

• Les lentilles de contact peuvent être utilisées à la place des lunettes dans de nombreux cas.

Voir L'ŒIL, *page 36*

TUBERCULOSE

Maladie infectieuse au cours de laquelle des nodules (tubercules) se forment dans les tissus de l'organisme qu'ils détruisent. La tuberculose est maintenant rare au Canada et dans les pays développés, mais reste fréquente dans le tiers monde, la pauvreté et la surpopulation étant d'importants facteurs de dissémination de la maladie.

N'importe quelle région du corps peut être affectée. Après les poumons, les plus souvent touchés, viennent les ganglions lymphatiques et les membranes entourant le cerveau (méningite tuberculeuse). Dans certains cas, la tuberculose peut s'étendre à tout l'organisme avec dissémination de nombreux petits tubercules (miliaire tuberculeuse).

Chaque individu doit développer une immunité contre la tuberculose, ce qui est réalisé par la vaccination. L'immunité peut se déprimer à cause de la malnutrition, de l'alcoolisme, du surmenage ou d'une contamination importante à la suite d'un contact intime avec une personne malade.

Dans certains cas où aucune immunité naturelle n'existe, la maladie prend une forme sévère, pouvant même être mortelle.

Certains symptômes sont communs à toutes les formes de tuberculose; d'autres varient selon l'organe atteint.

d'intensité croissante.

Symptômes génitaux

- Chez la femme, l'infection peut engendrer une STÉRILITÉ, sans autre signe apparent.
- Chez les hommes, il y a une tuméfaction persistante et indolore d'un ou des deux testicules.

Formes graves

Elles incluent la tuberculose miliaire généralisée et la méningite tuberculeuse. Elles se voient chez des sujets qui ont peu ou pas d'immunité (absence de vaccination), particulièrement les bébés et les transplantés.

- Altération sévère de l'état général, de progression rapide, avec fièvre importante, asthénie, céphalée ou torpeur, et même coma. Le taux de mortalité est élevé.

Durée

- Dépend du degré d'immunité de l'individu, du territoire infecté et de la précocité du traitement. Certains patients guériront sans séquelles, d'autres resteront handicapés pendant des années.

Causes

- Infection par une bactérie appelée bacille de Koch ou *Mycobacterium tuberculosis*. Il existe deux souches de bacille tuberculeux : humaine et bovine (présente chez le bétail). La souche humaine se transmet par l'inhalation de gouttelettes de salive infectée, projetées par la parole, la toux ou l'éternuement. Elle provoque habituellement une tuberculose pulmonaire. La souche bovine se propage par le lait de vaches dont la mamelle est infectée. Ce type de tuberculose est en voie de disparition grâce à l'élimination du bétail infecté, la pasteurisation du lait et l'amélioration de l'hygiène publique.

Complications

- A partir de son point de départ, la tuberculose peut essaimer dans d'autres tissus. Par exemple, la tuberculose pulmonaire peut conduire à l'atteinte des ganglions lymphatiques, à la méningite tuberculeuse ou à une miliaire tuberculeuse.
- Un traitement tardif peut laisser des séquelles après la guérison, comme une stérilité ou d'autres lésions résiduelles.

Traitement à domicile

- Repos et alimentation équilibrée.

Quand consulter le médecin

- Dès que la tuberculose est suspectée, surtout s'il existe une notion de contact avec un sujet infecté.

Rôle du médecin

- Faire pratiquer des prélèvements (urines, crachats, etc.) et leur analyse en laboratoire.
- Rechercher les sources possibles d'infection parmi la famille, les amis ou le milieu scolaire ou professionnel.
- Adresser le patient à un service de radiologie pour l'examen des poumons, des reins ou des os.
- Le spécialiste prescrira des médicaments actifs contre le bacille tuberculeux. Le traitement sera poursuivi chaque jour pendant six à vingt-quatre mois selon le type de tuberculose et sa réponse aux médications. L'hospitalisation en service spécialisé ou/et en sanatorium garde son utilité dans de nombreux cas : tuberculose pulmonaire susceptible de contaminer l'entourage au début du traitement; malades diabétiques ou alcooliques qui nécessitent une surveillance particulière; malades indisciplinés ou incapables de coopérer (transplantés); malades mal logés ou dont les conditions de vie ne permettent pas un repos suffisant pendant les premières semaines du traitement. Le séjour hospitalier et sanatorial sera court, afin de favoriser la reprise rapide de la vie professionnelle normale.
- Si une tuberculose est déclarée, tous les sujets en contact avec le malade devront être rapidement examinés.

Prévention

- Immunisation par le B.C.G. (bacille de Calmette et Guérin), bacille dont la virulence est atténuée et qui confère l'immunité.
- Dépistage de masse par des examens radiographiques systématiques.
- Mesures générales de santé publique. Elles incluent le contrôle de la malnutrition et de l'hygiène publique, et le traitement des sujets malades.

Pronostic

- Très bon si la maladie est détectée précocement. Les traitements modernes enrayent la maladie et évitent les dommages graves.

Voir MALADIES INFECTIEUSES, *page 32*

TULARÉMIE

Maladie infectieuse des animaux sauvages (principalement les lièvres) due à une bactérie appelée *Francisella tularensis*. L'infection se transmet aux hommes soit par contact direct avec un animal infecté (c'est le cas le plus habituel), soit par une piqûre de tique ou autre insecte vecteur de la maladie. Les symptômes apparaissent après une période d'incubation de quelques jours : fièvre élevée, gonflement douloureux d'un ganglion lymphatique dans la zone de l'infection, petite tuméfaction prurigineuse au site de l'inoculation du germe, qui se transforme en une ulcération. La maladie est diagnostiquée par une intradermoréaction ou par une analyse sanguine. Elle touche principalement les chasseurs et les paysans, parfois les bouchers. Son traitement se fait par des antibiotiques, comme la streptomycine ou les tétracyclines.

Voir MALADIES INFECTIEUSES, *page 32*

TUMEURS

Excroissances anormales de tissus, pouvant être bénignes ou malignes (*voir* CANCER). La tumeur bénigne est par définition non cancéreuse, se développe sans envahir les tissus adjacents et n'a pas tendance à essaimer par des métastases dans le reste du corps. Le MYOME UTÉRIN et le PAPILLOME du nez sont des exemples de tumeurs bénignes.

TUMEURS CÉRÉBRALES

Le cerveau étant contenu dans la boîte crânienne, qui est inextensible, toute tumeur cérébrale provoque une hypertension intracrânienne. Les symptômes dépendent du siège de la tumeur et traduisent une atteinte directe des structures nerveuses ou une hypertension intracrânienne. Contrairement aux autres cancers, les tumeurs cérébrales n'ont pas tendance à produire des métastases dans d'autres organes.

Symptômes

• Crise d'épilepsie chez un sujet de plus de trente ans.
• Faiblesse musculaire ou incoordination motrice.
• Troubles du caractère.
• Somnolence.
• Perte d'une partie du champ visuel.
• Maux de tête et vomissements traduisant une hypertension intracrânienne. Les céphalées, majorées par la toux et la position allongée, peuvent être très vives le matin.
• Chez l'enfant, les tumeurs cérébrales atteignent volontier le cervelet, siège du contrôle de la coordination motrice. L'enfant a des clignements de paupières et ne tient pas très bien sur ses pieds. Mais les céphalées sont plus tardives, car le crâne de l'enfant se distend plus facilement.

Durée

• Extrêmement variable : généralement de quelques mois à quelques années. Le diagnostic est tardif.

Causes

• Les gliomes se développent à partir des structures cérébrales elles-mêmes.
• Les méningiomes se développent à partir des méninges, enveloppes séparant le cerveau du crâne, ou la moelle épinière de la colonne vertébrale.
• Les tumeurs secondaires sont des métastases d'autres cancers (poumons, seins, ovaire ou côlon).

Complications

• Lésions cérébrales définitives.

Traitement à domicile

• Aucun.

Quand consulter le médecin

• Devant l'un des symptômes précédents ou des céphalées rebelles.

Rôle du médecin

• Examen neurologique (réflexes, force et tonus musculaires).
• Examen du fond d'œil, important en cas d'hypertension intracrânienne.
• Demander des radios du crâne et du thorax.
• Examens plus sophistiqués : électroencéphalogramme, et surtout scanner cérébral en cas de fortes suspicions.
• Certaines tumeurs peuvent être opérées. Quant aux tumeurs secondaires, elles peuvent être améliorées par le traitement de la tumeur primitive.

Pronostic

• Le pronostic dépend de la nature de la tumeur : si certaines peuvent être opérées sans séquelles, d'autres, plus graves, évoluent vers une rapide détérioration.
• Seuls le diagnostic précoce et la chirurgie, si elle est possible, peuvent préserver l'avenir neurologique.

Voir SYSTÈME NERVEUX, *page 34*

TUMEUR DU LARYNX

Les tumeurs du larynx ou du pharynx nécessitent un diagnostic médical précoce. Elles atteignent les sujets après la trentaine, essentiellement gros fumeurs, et d'autant plus s'ils sont alcooliques.

Symptômes

• Enrouement persistant quelques semaines.
• Difficultés à déglutir les aliments solides.
• Amaigrissement, crachats sanglants, douleurs dans la gorge ou dans une oreille.
• Apparition de volumineux ganglions dans le cou.

Causes

• Tabagisme et/ou alcoolisme.

Quand consulter le médecin

• En cas d'enrouement persistant plus de trois semaines.
• En cas de difficulté à la déglutition de solides, en dehors de toute affection de la gorge et de l'oreille.
• Devant l'apparition de gros ganglions cervicaux.

Rôle du médecin

• Adresser le malade chez un spécialiste oto-rhino-laryngologiste.
• Le traitement repose sur la chirurgie et/ou la radiothérapie. L'intervention est l'ablation du larynx. Pour récupérer l'usage de la parole, en phase postopératoire, le patient aura le choix entre une rééducation chez un orthophoniste (acquisition de la voix œsophagienne) ou l'utilisation d'un oscillateur, ou micro mécanique, placé devant la gorge.

TUMEUR DU PHARYNX

Toute tumeur du pharynx ou de la gorge nécessite un diagnostic médical précoce. Elle touche généralement les sujets au-delà de la trentaine.

Voir SYSTÈME RESPIRATOIRE, *page 42*

TUMEURS DES ORGANES GÉNITAUX MASCULINS

La prostate, les testicules et le pénis peuvent être le siège de tumeurs. On en distingue deux types : les tumeurs bénignes (ou non cancéreuses), qui restent localisées, et les tumeurs malignes, qui ont tendance à se propager parfois de façon incontrôlable. Facilement diagnostiquées, les tumeurs malignes de l'appareil génital masculin sont souvent traitées à un stade précoce où la guérison est possible.

TUMEUR BÉNIGNE DE LA PROSTATE

La prostate est la glande productrice d'un liquide composant le sperme. Elle siège sous la vessie. Lorsqu'une tumeur s'y développe, cette glande grossit et peut gêner le passage de l'urine depuis la vessie. La tumeur bénigne de la prostate, nommée ADÉNOME PROSTATIQUE, est la plus fréquente des tumeurs bénignes des organes génitaux masculins. C'est aux alentours de la soixantaine que beaucoup d'hommes en sont atteints, mais elle ne provoque souvent qu'une gêne minime.

Symptômes

• Besoin d'uriner plus fréquemment, obligeant même à se lever la nuit.
• Diminution de la puissance du jet d'urine.
• Difficulté à entamer et à finir la miction.
• Rarement, impossibilité complète d'uriner, sang dans les urines ou douleurs à la miction.

Durée

• Indéfinie jusqu'à l'ablation de la tumeur.

Causes

• Inconnues.

Traitement à domicile

• L'écoulement goutte à goutte d'urine du pénis après la miction peut souiller les sous-vêtements, source d'un fâcheux problème social. On peut, sinon éviter, du moins réduire cet écoulement en massant l'urètre fermement par un va-et-vient à partir d'un point situé à 6 ou 7 centimètres sous le gland; ainsi les dernières gouttes d'urine sont-elles extraites du pénis.

Quand consulter le médecin

• Dès le début des symptômes. L'impossibilité d'uriner, la présence de sang dans l'urine, la douleur à la miction nécessitent un traitement médical rapide.

Rôle du médecin

• Pratiquer un toucher rectal.
• Prescrire des examens de sang, d'urines et des radiographies.
• Enfin, en cas d'adénome obstructif, adresser le malade à un urologue pour décider d'une opération.

Prévention

• Aucune.

Pronostic

• La chirurgie qui laisse le choix entre l'intervention classique ou une résection endoscopique (par les voies naturelles) donne d'excellents résultats.

TUMEUR MALIGNE DU TESTICULE, OU CANCER DU TESTICULE

Cette tumeur, de potentiel évolutif très variable, peut survenir à tout âge de la vie mais particulièrement chez l'homme jeune en période d'activité sexuelle, voire chez l'enfant. Le risque est accru sur les testicules non descendus dans les bourses.

Symptômes

• Gonflement indolore du testicule.

Causes

• Inconnues.

Quand consulter le médecin

• Dès qu'une grosseur du testicule apparaît, car le pronostic dépend de la précocité du traitement.

Rôle du médecin

• En cas de suspicion de tumeur, adresser le malade à un urologue.

• Si le diagnostic est confirmé, le traitement repose sur la radiothérapie, seule ou associée à la chirurgie (ablation du testicule).

Prévention

• Aucune, mais l'autopalpation des testicules permet la détection précoce de toute tumeur.

Pronostic

• Variable selon l'âge, le type de la tumeur et la précocité du diagnostic.

• L'ablation du testicule n'a pas de retentissement sur les érections ni sur la fertilité.

TUMEUR MALIGNE DU PÉNIS, OU CANCER DU PÉNIS

Tumeur rare atteignant le gland; elle est moins fréquente chez les hommes circoncis.

Symptômes

• Tumeur non douloureuse du prépuce ou du gland.

• Plus tardivement, la tumeur peut s'infecter, laissant sourdre du pus, voire saigner ou être douloureuse.

Causes

• Inconnues.

Traitement à domicile

• Impossible.

Quand consulter le médecin

• Devant toute anomalie du pénis.

Rôle du médecin

• A un stade précoce, traitement chirurgical ou radiothérapique, ou traitement par radium.

Prévention

• Hygiène du pénis, particulièrement chez les hommes non circoncis.

TUMEUR MALIGNE DE LA PROSTATE, OU CANCER DE LA PROSTATE

La prostate, qui contribue à la formation du sperme, siège sous la vessie, ce qui explique que toute tumeur vient gêner le passage de l'urine. Rare avant cinquante ans, le cancer est fréquent au-delà mais est facilement contrôlé par les médicaments.

Symptômes

• Identiques à ceux d'une tumeur bénigne de la prostate.

• Rarement amaigrissement, altération de l'état général.

Causes

• Inconnues.

Traitement à domicile

• Impossible.

Quand consulter le médecin

• Dès l'apparition des symptômes.

Rôle du médecin

• Prescrire des examens de sang.

• Pratiquer une biopsie.

• Le traitement est à base d'hormones sexuelles féminines, qui peuvent provoquer un développement des seins.

Prévention

• Il n'y en a pas de connue.

Pronostic

• Souvent excellent : il s'agit d'un des rares cancers aisément contrôlés par l'usage exclusif de médicaments.

Voir ORGANES GÉNITAUX MASCULINS, *page 50*

TYMPAN (PERFORATION DU)

C'est une ouverture formée dans le tympan, à la suite d'un traumatisme ou d'une infection de l'oreille.

Symptômes

• Surdité de l'oreille atteinte après une OTITE moyenne ou une lésion de l'OREILLE.

• Brusque diminution de la douleur dans une otite moyenne aiguë.

• Tintement d'oreilles (ACOUPHÈNES) lors du traumatisme.

• Écoulement de pus à travers l'ouverture, à partir de l'oreille moyenne vers l'oreille externe, ce qui diminue la pression et atténue la douleur.

Durée

• Chez les enfants, la guérison est généralement complète en deux semaines. Chez les adultes, elle peut prendre des semaines, même en cas de petite perforation.

Causes

• Otite moyenne aiguë sévère ou non traitée.

• Traumatisme de l'oreille, comme un bruit violent ou un choc, ce qui produit une différence importante de pression au niveau du tympan.

• Excès de plongée sous-marine.

Traitement à domicile

• Se protéger les oreilles avec un coton enduit de vaseline lors d'un bain, d'une douche ou d'un shampooing.

Rôle du médecin

• Traiter l'infection par des antibiotiques.

• Évacuer l'écoulement.

• Si la perforation est importante, on peut l'obturer par une plaque posée chirurgicalement sous anesthésie générale.

• Interdire la natation jusqu'à guérison complète.

Prévention

• Protéger les oreilles contre les bruits importants, lors de l'utilisation d'armes ou d'explosifs par exemple.

• S'assurer de la guérison complète d'une otite moyenne aiguë.

• Ne pas effectuer de plongée sans entraînement ni équipement adéquat.

Pronostic

• Excellent si le traumatisme ou l'infection est correctement traité. Cependant, si le traitement est incomplet, l'évolution vers une otite chronique suppurée est possible.

Voir L'OREILLE, *page 38*

TYPHUS

C'est une infection aiguë grave, engendrée par une rickettsie, un micro-organisme intermédiaire entre la bactérie et le virus. Il existe différents types de typhus, la plupart étant transmis par les puces dans des conditions de pauvreté et de surpeuplement. Les puces, les tiques et la gale peuvent également propager certaines formes de la maladie. Les symptômes apparaissent après une incubation de sept à dix jours et sont caractérisés par des céphalées, fièvre et fatigue, suivies d'une éruption débutant aux aisselles. Le traitement par des antibiotiques tels que les tétracyclines et le chloramphénicol est très efficace.

La prévention consiste en une destruction des puces par des insecticides. Il existe un vaccin pour les populations à risque. Bien que sérieux, le typhus n'est plus aussi redouté qu'autrefois. A la fin de la Première Guerre mondiale, il se propagea à travers l'Europe de l'Est, atteignant 30 millions de personnes et faisant 3 millions de morts.

ULCÈRE

Lésion inflammatoire avec perte de substance de la peau ou d'une muqueuse (bouche, tube digestif, cornée, organes génitaux). La sévérité de l'ulcère varie en fonction de la cause. Les principaux ulcères sont traités ci-dessous.

ULCÈRE DE LA BOUCHE

Les ulcérations de la bouche sont très fréquentes et dues à des affections diverses. L'aspect et l'évolution des lésions varient selon la cause.

Symptômes

• Perte de substance superficielle ou creusante, de taille et de forme variables, unique ou multiple.
• Le fond est rouge, rosé ou jaunâtre, parfois sanguinolent. La base est souple, ou épaisse et indurée.
• La muqueuse buccale entourant les lésions peut être normale ou inflammatoire.

Causes

• Les APHTES sont la cause la plus fréquente.
• Un chancre syphilitique, une SYPHILIS secondaire peuvent donner des ulcérations de la bouche.
• Parfois, l'ulcération est due à une maladie sanguine, une TUBERCULOSE ou un cancer de la bouche (ÉPITHÉLIOMA).
• Une intoxication médicamenteuse. Un traumatisme local.

Durée

• Dépend de la cause.

Quand consulter le médecin

• Devant toute ulcération de la bouche qui ne guérit pas rapidement.

Voir APHTES, STOMATITES

ULCÈRE DE CORNÉE

Les ulcères de cornée (partie antérieure de l'œil) sont rares. Ils entraînent des douleurs aiguës et nécessitent le recours à un médecin sans délai, car ces ulcères non ou mal traités entraînent une baisse de la vision.

Symptômes

• Douleur aiguë, habituellement d'un seul œil, avec larmoiement, et spasme des paupières qui en entrave l'ouverture correcte.
• Lorsque l'ulcère est associé à un corps étranger dans l'œil, à une égratignure ou une brûlure chimique, l'apparition de la douleur est brutale.
• La plus rare, mais la plus grave, forme d'ulcère est causée par un virus, et l'installation des symptômes peut se faire progressivement.

Durée

• Avec un traitement approprié, l'ulcère cicatrisera généralement dans un délai de trois à quatre jours.

Causes

• Les ulcères de cornée peuvent être causés par une infection virale, par une blessure ou une égratignure de la surface de l'œil par un petit corps étranger ou un objet pointu.
• D'autres causes sont possibles : brûlure chimique ou brûlure par les ultraviolets.

Traitement à domicile

• Si un corps étranger a pénétré entre les paupières, il est parfois aisé de le retirer au niveau de la paupière inférieure avec un coton mouillé ou un coin de mouchoir. Si cela ne peut se faire aisément, il faut consulter un ophtalmologiste.
• Si un produit chimique (par exemple, de l'ammoniaque) atteint l'œil, il faut immédiatement procéder à un lavage abondant à grande eau; la tête du patient doit être placée sous un robinet ou plongée dans un seau d'eau sur-le-champ. Il peut être nécessaire d'ouvrir de force les paupières pour permettre un bon lavage.

Quand consulter le médecin

• Si vous ressentez une douleur aiguë et persistante d'un œil, que la cause soit évidente ou non, il faut consulter d'urgence un ophtalmologiste.

Rôle du médecin

• Le médecin interrogera le patient au sujet d'une blessure éventuelle et il examinera l'œil au microscope.
• Une fois le diagnostic d'ulcère cornéen posé, le médecin prescrira probablement des gouttes de collyre, et/ou une pommade ophtalmique, et le port d'un pansement oculaire pendant vingt-quatre heures pour aider à la cicatrisation.

Prévention

• Des lunettes protectrices doivent être portées sur les lieux de travail ou à la maison chaque fois qu'il y a un risque : utilisation d'une machine, de produits chimiques ou exposition aux ultraviolets.

Pronostic

• Quand le traitement est appliqué rapidement, la plupart des ulcères cicatrisent sans effet ultérieur.
• Les ulcères d'origine virale peuvent récidiver, mais après une première atteinte le patient alerté sera traité immédiatement.

Voir L'ŒIL, *page 36*

ULCÈRE DUODÉNAL

Le duodénum, qui fait suite à l'estomac, reçoit de celui-ci le suc gastrique qui est particulièrement acide. Aussi une ulcération peut-elle s'y développer, particulièrement chez les sujets jeunes, plus souvent les hommes. De plus, on retrouve fréquemment des antécédents familiaux d'ulcère.

Symptômes

• Douleurs à type de brûlures, sensation de faim douloureuse quelques heures après les repas. La douleur est calmée par l'alimentation, notamment le lait et les antiacides.

Durée

• Les crises douloureuses se reproduisent régulièrement après chaque repas durant quatre à six semaines, entre des intervalles libres de toute douleur de quelques mois ou de quelques années. Le lait ou les antiacides soulagent temporairement la douleur mais ne préviennent pas les récidives.

Causes

• Stress, ANXIÉTÉ, surmenage, tabac.
• Hyperacidité gastrique.

Complications

• HÉMORRAGIE ou perforation.
• PANCRÉATITE de voisinage.
• STÉNOSE DU PYLORE.

Traitement à domicile

• Éviter toute situation de stress.
• Suppression du tabac, de l'alcool et des épices.
• Médications antiacides et pansements protecteurs de la muqueuse.

Rôle du médecin

• Prescrire des antiacides et des protecteurs de la muqueuse. *Voir* MÉDICAMENTS, n° 1.
• Conseiller une fibroscopie œso-gastro-duodénale plutôt qu'un transit baryté. Cette endoscopie permet au médecin de voir une lésion au moyen d'un tube optique introduit par la bouche, ou par le nez, jusqu'au duodénum.

Pronostic

• Bon, mais quelquefois une intervention s'impose.

Voir SYSTÈME DIGESTIF, *page 44*

ULCÈRE GASTRIQUE

Ulcération de la muqueuse de l'estomac. L'ulcère gastrique atteint préférentiellement les hommes, souvent plus tard que l'ULCÈRE DUODÉNAL.

Symptômes

• Douleurs à type de brûlure, sensation de faim douloureuse une à deux heures après les repas.

Durée

• Les crises douloureuses se reproduisent après chaque repas durant six à huit semaines et sont entrecoupées d'intervalles libres de tout symptôme durant quelques mois ou années.

Causes

• L'ulcère survient sur une muqueuse gastrique fragile, comme dans la GASTRITE chronique.
• L'alcool, le tabac, l'anxiété, le stress, le surmenage, le déséquilibre alimentaire sont souvent les causes.
• Certains médicaments, comme l'aspirine, les corticostéroïdes, l'indométhacine et la phénylbutazone, peuvent favoriser l'apparition d'un ulcère chez des sujets prédisposés. *Voir* MÉDICAMENTS, n°s 22, 32, 37.

Complications

• L'érosion d'un gros vaisseau peut provoquer une HÉMORRAGIE brutale, avec des VOMISSEMENTS de sang rouge, ou marron s'il est digéré. Secondairement, les selles sont colorées en noir et très malodorantes.
• PÉRITONITE : les ulcères très profonds peuvent perforer toute la paroi gastrique, donnant issue au contenu gastrique acide dans la cavité abdominale, ce qui occasionne une douleur fulgurante.
• L'ulcère gastrique peut aussi dégénérer en CANCER, surtout s'il n'est pas traité ou s'il ne répond pas rapidement au traitement médical.

Traitement à domicile

• Petits repas lactés.
• Suppression de l'alcool, du tabac et des épices.
• Traitement par les antiacides.

Quand consulter le médecin

• En cas de douleurs se reproduisant après les repas.
• En cas de vomissements sanglants, de brûlure abdominale brutale ou de selles noirâtres.

Rôle du médecin

• Prescrire des médicaments antiacides, des protecteurs de la muqueuse gastrique et des cicatrisants. *Voir* MÉDICAMENTS, n° 1.
• Conseiller une fibroscopie œso-gastro-duodénale plutôt qu'un transit baryté. L'endoscopie permet de visualiser la lésion grâce à un tube optique introduit par la bouche jusqu'à l'estomac.
• Au cours de l'endoscopie, on pratique systématiquement des BIOPSIES afin de s'assurer du caractère bénin de l'ulcère.
• Si l'ulcère résiste au traitement médical, l'intervention devient indispensable, souvent une GASTRECTOMIE. Cette opération peut être source d'ANÉMIES.
• Régime alimentaire équilibré; mode de vie calme.

Prévention

• Éviter les substances irritant l'estomac : alcool, tabac, épices, certains médicaments comme l'aspirine, les corticostéroïdes et la phénylbutazone.
• Éviter les repas « sur le pouce » et une vie stressante.

Pronostic

• Les ulcères gastriques non cancéreux doivent normalement guérir en trois mois.
• Ils peuvent récidiver, ce qui impose alors l'intervention.

Voir SYSTÈME DIGESTIF, *page 44*

ULCÈRE DE JAMBE

Les ulcères qui se forment à la partie inférieure de la jambe et à la cheville sont très difficiles à soigner. Ils surviennent ordinairement après une blessure, sur une peau dont la circulation artérielle ou veineuse est déficiente (obstruction du vaisseau par un caillot sanguin, par exemple). Les plus fréquents sont ceux qui surviennent chez des sujets atteints de varices des membres inférieurs. On les appelle ulcères variqueux.

Symptômes

• L'ulcération, ou plaie ouverte, est habituellement indolore. Sa taille varie de 1 à 10 centimètres.
• Écoulement de sérosité à la surface de l'ulcère.
• Infection de l'ulcère qui devient alors douloureux.

Durée

• Sous traitement, la guérison est habituellement obtenue en plusieurs semaines. Laissé à lui-même, l'ulcère peut persister indéfiniment.

Causes

• Mauvais fonctionnement des veines des jambes, ce qui dévitalise la peau qui s'ulcère alors aisément.

Traitement à domicile

• Reposez la jambe malade en position surélevée.

Quand consulter le médecin

• S'il existe une modification de pigmentation de la peau ou une douleur de jambe.

Rôle du médecin

• Conseiller le repos, jambe surélevée, ou la marche modérée avec contention des veines par des bandes élastiques.
• Prescrire des soins locaux et traiter les varices.

Prévention

• Port de bas à varices.
• Éviter la station debout prolongée et les blessures des jambes. *Voir aussi* VARICES.

Pronostic

• La guérison est habituelle sous traitement, mais les récidives sont fréquentes.

Voir SYSTÈME CIRCULATOIRE, *page 40*

URÉTRITE

Inflammation de l'urètre, canal par lequel la vessie se vide de l'urine. On distingue l'urétrite aiguë, qui dure quelques jours, et l'urétrite chronique, qui persiste des mois ou des années. Les symptômes de ces deux formes de la maladie se ressemblent. Il existe de nombreuses causes d'urétrite, et il n'est pas facile pour le médecin de reconnaître le type d'infection.

URÉTRITE CHEZ L'HOMME

Chez l'homme, l'urétrite est due à un grand nombre d'infections. La plus fréquente est provoquée par le gonocoque, transmis lors des rapports sexuels. D'autres infections peuvent entraîner une inflammation des voies urinaires. Dans certains cas, l'infection provient d'une VAGINITE, due à une MYCOSE ou à un TRICHOMONAS, chez la partenaire. Il arrive souvent que les examens de laboratoire ne parviennent pas à identifier le germe en cause. Dans un certain nombre de cas, les urétrites sont favorisées par des rapports sexuels avec différents partenaires, mais elles peuvent aussi apparaître lors de rapports avec un seul partenaire atteint d'une infection non vénérienne. Les urétrites d'origine inconnue sont appelées « non spécifiques ».

Symptômes

• Écoulement de liquide peu abondant, visqueux, clair ou parfois purulent, par la verge.
• Sensation de brûlure, lors de l'émission d'urine, au niveau de la verge. Dans certains cas peut exister la sensation d'uriner des « lames de rasoir ».

Durée

• Non traitée, l'urétrite dure une à trois semaines.

Causes

• De nombreux germes peuvent être en cause, que le laboratoire n'arrive pas toujours à identifier.

Traitement à domicile
- Il est déconseillé de ne pas se faire traiter par un médecin.

Quand consulter le médecin
- Dès l'apparition des symptômes. Il ne faut pas retarder la consultation sous prétexte que les symptômes sont discrets.

Rôle du médecin
- Faire pratiquer un prélèvement de l'écoulement et des urines pour examen, et une prise de sang. Le partenaire sexuel doit aussi subir ces examens. Ces mesures ont pour but d'éliminer les maladies sexuellement transmissibles (BLENNORRAGIE, SYPHILIS) et d'identifier les germes en cause.
- Un traitement antibiotique est choisi selon le germe en cause. *Voir* MÉDICAMENTS, n° 25.

Prévention
- Les préservatifs évitent la contamination.
- Éviter les rapports sexuels avec différents partenaires.

Pronostic
- Le traitement est efficace s'il est bien suivi.

URÉTRITE AIGUË CHEZ LA FEMME

Il s'agit d'une maladie fréquente chez la femme. L'urètre de la femme, qui est court, peut être infecté à partir de la vessie ou du vagin.

Symptômes
- Brûlure lors du passage des urines. Envie d'uriner fréquente dans les vingt-quatre heures qui suivent un rapport sexuel.
- Douleur lors des rapports sexuels.
- Pertes vaginales blanches ou jaunes, souvent discrètes, et pouvant passer inaperçues.

Durée
- Dans la plupart des cas, la guérison est rapide (trois à dix jours) grâce au traitement.

Causes
- Les germes peuvent provenir de la vessie, du vagin ou de l'intestin. L'infection peut survenir spontanément ou lors d'un rapport sexuel.
- Des mycoses (champignons) et différentes bactéries ou virus peuvent être responsables.
- Traumatisme et intervention chirurgicale.
- La diminution des sécrétions d'hormones sexuelles féminines après la ménopause favorise les infections.

Traitement à domicile
- Boire abondamment.
- Prendre des médicaments contre les douleurs.

Quand consulter le médecin
- Quand les symptômes apparaissent, même s'ils sont discrets.

Rôle du médecin
- Faire pratiquer un examen d'urine et un prélèvement vaginal.
- Faire un examen gynécologique.
- Prescrire des antibiotiques.
- Traiter le partenaire si l'infection paraît liée aux rapports sexuels.

Prévention
- Traiter le partenaire.
- Ne pas avoir de rapports sexuels avant la guérison (sauf s'il l'on utilise un préservatif).

Pronostic
- Le traitement est efficace s'il est bien suivi. Des récidives sont possibles.

URÉTRITE CHRONIQUE CHEZ LA FEMME

Symptômes
- Comparables à ceux de l'urétrite aiguë, mais récidivant ou persistant longtemps.

Durée
- L'urétrite non traitée peut durer des années.

Causes
- Identiques à celles de l'urétrite aiguë. Le germe responsable n'est pas toujours retrouvé. Les maladies vénériennes sont rarement en cause.
- Certaines crèmes vaginales.

Traitement à domicile
- Boire abondamment.
- Porter des slips en coton, qui sont absorbants.
- Éviter les rapports sexuels s'ils sont douloureux.
- Uriner après les rapports sexuels.

Quand consulter le médecin
- Quand les symptômes apparaissent.

Rôle du médecin
- Faire pratiquer un examen d'urine et un prélèvement vaginal.
- Pratiquer un examen gynécologique.
- Prescrire un traitement antibiotique local ou par comprimés. *Voir* MÉDICAMENTS, n°s 25, 33.
- Adresser la patiente au spécialiste en cas de récidive.

Prévention
- Traitement correct des urétrites aiguës.
- Traitement des pertes vaginales.
- Hygiène vaginale.

Pronostic
- Le traitement est généralement efficace, à condition que les prescriptions du médecin soient bien suivies.
- Certaines urétrites sont difficiles à soigner et peuvent récidiver.

Voir SYSTÈME URINAIRE, *page 46*

URTICAIRE

Dans cette affection cutanée, du liquide sanguin sort des vaisseaux et s'accumule dans la peau ou le tissu sous-cutané. L'éruption qui en résulte ressemble à une piqûre d'ortie.

Symptômes
- Papules ou plaques gonflées, roses ou rouges, souvent plus pâles au centre qu'en périphérie. Elles peuvent siéger en n'importe quel point du tégument. Leur taille varie d'un petit bouton à une grande plaque de plusieurs centimètres de diamètre.
- Irritation intense (démangeaisons).
- Les papules urticariennes peuvent se former le long d'une strie de grattage ou de lignes de pression, de telle sorte que des dessins peuvent être tracés sur les peaux sensibles.

Durée
- Chaque lésion ne dure elle-même que quelques heures, mais d'autres peuvent survenir ailleurs.
- Une poussée aiguë d'urticaire peut persister plusieurs jours, ou même deux ou trois semaines, après que la cause a été écartée.
- Parfois, en l'absence d'une origine retrouvée, l'urticaire peut devenir chronique, avec des éruptions récidivant pendant des mois ou des années.

Causes
- Une réaction allergique à certains aliments, par exemple œufs, noix, chocolat, fromage, poissons, ou à des médicaments comme l'aspirine, la pénicilline ou d'autres antibiotiques. Ces allergies peuvent apparaître à n'importe quel âge, sans raison apparente, alors que le produit incriminé était jusque-là bien toléré.
- Certains aliments comme les crustacés, les fraises, et certains médicaments comme l'aspirine ou la codéine peuvent entraîner une urticaire par action directe sur la peau et non par mécanisme allergique.
- Dans de nombreux cas, aucune cause n'est retrouvée.
- Il n'y a pas de lien très clair entre l'urticaire et les causes nerveuses (stress).
- Chez certaines personnes, une pression prolongée de la peau peut provoquer une urticaire qui survient deux à quatre heures après la cause et peut durer vingt-quatre heures.

Complications
- Gonflement de la bouche, de la langue ou de la gorge, qui peut gêner la respiration.
- L'œdème de QUINCKE est une forme d'urticaire

sévère qui se traduit par un gonflement de la face et parfois des mains et des pieds.

Traitement à domicile

- Aucun. Les applications locales sont inefficaces.
- Notez les substances ingérées avant une poussée. Cela pourra aider à retrouver la cause en cas de récidive.

Quand consulter le médecin

- Si la gêne est très pénible ou si les gonflements sont importants.
- S'il existe un gonflement des lèvres ou de la langue, ou un malaise, des douleurs thoraciques.

Rôle du médecin

- Prescrire des comprimés d'antihistaminiques. Différentes variétés sont disponibles, et il faudra parfois en essayer plusieurs avant de trouver celui qui convient le mieux. *Voir* MÉDICAMENTS, n° 14.
- Pratiquer une injection d'adrénaline en cas de difficulté à la respiration ou d'autres signes de gravité.
- Prescrire aussi parfois des corticoïdes. *Voir* MÉDICAMENTS, n° 32.

Prévention

- Aucune, sinon l'éviction de la cause si elle est connue.

Pronostic

- L'affection récidive si le sujet est exposé à la même cause, et cette sensibilité peut persister toute la vie.
- Quand aucune cause n'est retrouvée, l'urticaire peut récidiver par intermittence pendant des années.

Voir LA PEAU, *page 52*
ÉRUPTION MÉDICAMENTEUSE OU IATROGÉNIQUE, PUÉRICULTURE

VACANCES ET VOYAGES

Trop souvent, les voyages de vacances et d'affaires sont perturbés par le manque de précautions prises pour éviter les problèmes de santé ou d'inconfort. Le voyage lui-même est cause de nombre de désagréments, dont le mal du voyage (mal de mer, mal de l'air ou de la route), et le déphasage consécutif au décalage horaire. Une fois arrivé sur place, les conditions particulières du mode de vie local sont source de différents maux, qui vont de la simple fatigue au risque d'attraper PALUDISME ou FIÈVRE JAUNE, par exemple.

Que l'on voyage pour le plaisir ou pour ses affaires, il y a certaines règles de base à respecter pour réduire les risques de maladie ou éviter les inconvénients des longs déplacements.

AVANT TOUT, PRÉPARER SON VOYAGE

Renseignez-vous bien sur votre lieu de destination. Vous devez tout savoir sur le climat, la nourriture, les maladies susceptibles d'y être contractées et les moyens de s'en immuniser, les possibilités et le coût des traitements médicaux. Vous disposerez des meilleures informations dans une agence de voyages, auprès d'une compagnie aérienne, si vous prenez l'avion, et de l'ambassade ou de l'office du tourisme du pays que vous allez visiter.

Si vous voyagez à l'étranger, contractez une assurance vous couvrant en cas de maladie ou d'accident. Votre régime d'assurance santé provincial ne couvre pas toujours la totalité des frais médicaux engagés, dont le coût peut être élevé, notamment aux États-Unis. Il est très vivement conseillé de souscrire une assurance supplémentaire avant le départ. Pour choisir la formule la mieux adaptée à votre cas et à vos exigences, il faut se renseigner sur les plans d'assurance couvrant tous les cas de maladie, l'hospitalisation et même le décès pendant le séjour hors du pays. N'oubliez pas que vous devez avancer la totalité des frais d'abord, et en réclamer le remboursement partiel après. Des formulaires sont disponibles dans les bureaux des organismes officiels d'assurance de santé et dans les agences de voyage. Procurez-vous ces documents, vous y trouverez tous les details administratifs et pratiques souhaités.

LE CHOIX DES VÊTEMENTS

Que vous voyagiez à l'intérieur ou à l'extérieur de vos frontières, l'attention portée au choix de vos vêtements contribuera à rendre plus confortable votre voyage. Vous devez avoir chaud, sans être trop couvert. Emportez un manteau, un anorak, des gants, une tuque ou un chapeau si vous devez vous arrêter au cours de votre voyage dans un endroit froid, humide et venteux. Souvenez-vous que c'est à vous d'être prévoyant et de vous protéger contre de rudes conditions climatiques.

En voyage, évitez de porter des étoffes non absorbantes en contact avec la peau, particulièrement nylon et polyester. Comme elles n'absorbent pas la transpiration, vous vous y sentez vite moite et mal à l'aise. Les sous-vêtements et chaussettes de coton se supportent mieux. Par-dessus, portez des vêtements assez lâches et légers. Là encore, les fibres naturelles sont préférables aux fibres synthétiques, mais elles se froissent plus facilement. La bonne solution serait un mélange de polyester et de coton, ou de laine, par exemple, qui s'avérera moins fragile.

Vos chaussures doivent être déjà faites à votre pied et pas trop étroites, car chez certaines personnes le pied a tendance à gonfler légèrement quand elles restent assises trop longtemps en train, en autobus ou en avion. Évitez les sous-vêtements étroits, les ceintures et les cravates qui entravent la circulation du sang et empêchent le corps de respirer librement. Les voyageurs avertis desserrent cravates et ceintures et quand c'est possible enlèvent veste et chaussures pour rester en chemise, chandail et en chaussons.

Si vous partez pour une région chaude, vos vêtements seront légers, de couleur claire (les couleurs foncées retiennent la chaleur, les couleurs claires la réverbèrent), d'un tissu qui absorbe la transpiration. Si les vêtements en contact avec la peau ne permettent pas à la sueur de s'évaporer, vous pourriez attraper une BOURBOUILLE, ou même un PIED D'ATHLÈTE.

Il est conseillé dans les régions chaudes et sèches de porter un chapeau léger, de couleur claire, qui, au soleil, protège des insolations. Mais si le climat est chaud et humide, le chapeau n'est pas, en général, nécessaire et gêne l'évaporation de la transpiration du cou et du cuir chevelu.

Pour les climats froids, emportez des vêtements d'intérieur ordinaires (qui conviennent tout à fait si vous passez la plupart de votre temps dans des bâtiments bien chauffés), et un manteau ou anorak à porter à l'extérieur. Il suffit souvent de quelques minutes pour attraper froid. Vous prévoirez par conséquent un manteau chaud et assez couvrant, des gants, une écharpe, un chapeau qui recouvre les oreilles et préserve des engelures.

Munissez-vous d'une paire de chaussures ou de bottes solides pour marcher sur la glace et dans la neige. Les semelles épaisses, moulées et crantées ont la meilleure prise. Les hommes d'affaires pourront utiliser des caoutchoucs ou des claques pour, au besoin, protéger leurs chaussures de ville. Une paire de fines chaussettes de laine, glissées sur vos chaussettes ou vos collants, un collant de soie sous un pantalon lorsque vous sortez, feront une protection supplémentaire contre le froid.

LES COUPS DE SOLEIL

Les coups de soleil représentent, dans les pays chauds, l'un des principaux inconvénients. Même lorsque le ciel est couvert, le soleil tropical brûle avec une férocité inconnue sous les climats tempérés. La réverbération de la mer et du sable peut aussi être intense. Votre meilleure garantie contre eux est une exposition graduelle lors des bains de soleil. Sous les climats tropicaux il suffit d'un quart d'heure d'exposition le premier jour, une demi-heure le deuxième jour, une heure le troisième, et ainsi de suite. S'il apparaît des rougeurs ou des cloques sur la peau, cessez l'exposition.

Des crèmes solaires de bonne qualité, qui filtrent les rayons ultraviolets, peuvent être largement appliquées sur la peau avant le bain de soleil, et n'oubliez pas, quand vous vous baignez, que l'eau a tendance à les diluer, aussi recommencez l'application en sortant du bain. Il est également possible de suivre un traitement d'héliothérapie dans un solarium, deux ou trois semaines avant votre départ en vacances.

Si des coups de soleil apparaissent, appliquez une lotion à la calamine et évitez de vous exposer davantage.

LE PALUDISME

Chaque année, de nombreux cas de paludisme sont signalés chez les touristes, au retour de certaines contrées, qui n'avaient pas pris les précautions contre cette maladie. Quelques cas ont une issue fatale.

Bien que le paludisme ait été éliminé de tous les pays d'Amérique du Nord, il est encore très répandu dans les contrées tropicales et subtropicales. Il faut y inclure des pays de tourisme d'Afrique du Nord, la côte ouest de l'Afrique et toute l'Afrique centrale, le Moyen-Orient, le Pakistan, l'Inde, la Birmanie, la Thaïlande, la Malaisie, l'Indonésie, l'Amérique centrale — le Mexique et les îles Caraïbes exceptés, sauf la république Dominicaine et Haïti — ainsi que l'Amérique du Sud.

La protection la plus efficace contre cette maladie est une dose quotidienne de comprimés antimalariques à prendre dès le premier jour du départ. Dans plusieurs parties du Sud-Est asiatique où le paludisme résiste à certains médicaments, il faut y ajouter un autre médicament spécifique. La première prise hebdomadaire doit commencer sept jours avant d'entrer dans la zone contagieuse.

Le traitement doit se poursuivre impérativement durant 28 jours après le retour. S'il se manifestait des symptômes tels que forte fièvre, maux de tête, consultez immédiatement votre médecin en lui précisant que vous revenez d'une région à paludisme.

L'agent porteur du paludisme est un moustique (l'anophèle femelle) qui ne pique qu'entre crépuscule et aube. Aussi, pour éviter d'être piqué, restez bien couvert dès que la nuit tombe. Portez robes et chemises à manches longues, glissez votre pantalon dans vos bottes ou vos chaussettes. Appliquez des crèmes contre les piqûres de moustique sur les parties du corps exposées — visage, cou et mains. L'air conditionné chasse les moustiques.

S'il n'y en a pas, garnir portes et fenêtres de moustiquaires, en installer une autour du lit lui-même. Il est aussi conseillé de répandre un insecticide dans la chambre.

DIARRHÉES ET DYSENTERIE

Une des maladies les plus communément répandues dans les contrées tropicales et subtropicales est la DIARRHÉE du voyageur. Les crises durent en général de un à trois jours, mais elles peuvent provoquer une grande sensation d'inconfort et de malaise. Le mal est appelé de différents noms selon les parties du monde où il se manifeste.

La bactérie responsable de ces accès de diarrhée se rencontre dans l'eau, le lait et toute nourriture contaminée. Pour éviter la contamination, faire bouillir le lait, l'eau, même celle utilisée pour vous laver les dents. Quand ce n'est pas possible, désinfectez l'eau suspecte avec des comprimés spéciaux que vous pouvez acheter sur place, en pharmacie ou, parfois, dans les épiceries. En cas d'urgence, versez quelques gouttes de teinture d'iode dans un verre d'eau; c'est une méthode efficace de stérilisation.

Certaines personnes, après avoir pris toutes les précautions pour stériliser leur eau de consommation, commettent l'erreur d'utiliser des glaçons dans leurs boissons, alors que l'eau de ces glaçons n'a pas été préalablement bouillie. En cas de doute, mieux vaut boire des alcools purs ou se fier aux marques connues d'eaux minérales.

Plus grave que la diarrhée, la dysenterie se présente sous deux formes : bacillaire et amibienne.

La dysenterie bacillaire provoque de violents désordres intestinaux et s'accompagne d'une douleur abdominale, de vomissements et de fièvre. Il se produit aussi une extrême déshydratation, et une rapide perte de poids. Les symptômes apparaissent de six à quarante-huit heures après l'ingestion de nourriture contaminée.

La dysenterie amibienne, par contre, se développe plus lentement, mais elle est plus grave et plus difficile à soigner. Les symptômes en sont : selles liquides, fièvre, douleur, et un affaiblissement général. Parmi les complications possibles, les abcès du foie et du cerveau peuvent avoir une issue fatale.

Pour rester en bonne santé dans les régions tropicales ou subtropicales, il est conseillé de faire attention à l'eau, au lait, à la glace et à certaines nourritures à haut risque. Parmi celles-ci, les crustacés, la viande crue ou saignante, les fruits de mer crus, les produits à base d'œufs, crème, mayonnaise. Se méfier des fruits et légumes crus, des desserts et crèmes glacées, et ne jamais les acheter à des vendeurs de rue.

Souvent les restaurants exhibent des plats préparés sur des étalages extérieurs couverts de mouches vecteurs de parasites. Si le restaurant lui-même est infesté de mouches, soyez sûr que les cuisines le seront d'autant plus.

Toujours se souvenir que la nourriture doit être bien et récemment cuite; ne jamais manger de nourriture réchauffée. Éviter autant que possible les fruits et les légumes non cuits.

En plus de ces précautions de base, se munir de comprimés prophylactiques contre les dérangements intestinaux. Votre médecin peut vous les prescrire. Il faut prendre un comprimé deux fois par jour durant le voyage à l'étranger.

FUSEAUX HORAIRES ET RYTHME BIOLOGIQUE

Le monde est divisé en vingt-quatre fuseaux horaires. Passer de l'un à l'autre en voyageant d'est en ouest ou d'ouest en est peut bouleverser votre rythme biologique naturel, appelé rythme circadien — du latin *circa*, « autour », et *dies*, « jour ». Un avion à réaction peut traverser plus de huit fuseaux horaires en vingt-quatre heures. Un déplacement trop rapide d'une zone horaire à l'autre, quand l'écart est important, peut être cause d'une perturbation sérieuse de votre rythme biologique et provoquer un « déphasage physique ». C'est sur le sommeil que cette perturbation a l'effet le plus évident.

Enfin, la capacité de jugement, la mémoire récente, l'aptitude à faire de simples opérations arithmétiques peuvent en être affectées. Ce qui, ajouté à la perte de sommeil, peut influer négativement sur des décisions importantes que vous auriez à prendre. Si vous devez résoudre des problèmes d'affaires, il est sage d'attendre au moins vingt-quatre heures avant de vous mettre au travail.

Il peut falloir jusqu'à neuf jours à votre rythme biologique pour s'adapter au décalage horaire et au cycle jour-nuit de votre pays de destination. Cependant, les voyages en avion nord-sud et sud-nord ne dérangent pas votre rythme circadien puisque l'heure ne change pas. Vous aurez seulement à lutter contre la fatigue normale du voyage.

La meilleure solution pour éviter ce déphasage est de prévoir une arrivée dans votre nouvel environnement en soirée (heure locale). Mettez-vous au lit de bonne heure avec un sédatif doux ou un somnifère et ne prenez aucun alcool. Il ne faut jamais mélanger alcool et narcotiques. Durant les premières nuits, votre temps de sommeil sera écourté; ne reprenez pas de somnifères, et, après une dizaine de jours, votre rythme biologique sera adapté à votre nouveau cycle horaire; les symptômes du déphasage auront disparu.

REPAS ET BOISSONS EN VOL

Les compagnies aériennes ont tendance à être prodigues dans leur hospitalité, et les voyageurs inconscients se laissent servir des repas plus riches qu'il n'est utile ou qu'ils ne le désirent. Manger trop par ennui ou anxiété peut avoir des résultats désastreux sur la digestion — qui s'achève entre 2 et 4 heures de votre matin *à vous*.

Prendre des repas copieux durant ce qui est normalement votre nuit — même s'il est l'heure de dîner dans la zone horaire où vous arrivez — est cause de troubles. Le mieux est de manger parcimonieusement à ce moment-là, ou encore de rester à jeun jusqu'à l'heure de votre propre repas et non celle du voisin juste arrivé, qui s'installe à côté de vous.

Rappelez-vous que dans les appareils aériens, l'air est très sec à haute altitude — plus l'avion vole haut, plus l'air est sec. Les ongles et les cheveux deviennent secs et cassants; la quantité d'urine émise diminue, les muqueuses du nez, de la gorge, de la bouche et des voies respiratoires s'assèchent, provoquant une certaine somme de désagréments.

Pour combattre la déshydratation, il est nécessaire de boire de 2,2 à 2,8 litres de liquide par jour de vol. Les boissons alcooliques — particulièrement les liqueurs —, le café fort et le thé accentuent ce processus de déshydratation. Les alcools attirent les liquides vers l'intestin, le thé et le café stimulent les reins à éliminer davantage. On doit en consommer le moins possible — ou les proscrire totalement. L'eau et les jus de fruits sont les boissons les mieux adaptées à cette circonstance; les boissons gazeuses sont également à éviter car elles produisent flatulences et embarras gastriques.

ADAPTATION AU CLIMAT

Les voyages en avion peuvent en quelques heures vous faire passer d'un climat froid à un climat tropical ou subtropical. Le corps fait face à un soudain accroissement de la température et y répond par une production accrue de sueur. L'évaporation de la sueur rafraîchit ainsi la peau.

Pour favoriser ce processus, vous devriez boire 2 litres d'eau par jour, plus 1 litre d'eau par 10 degrés d'augmentation de la température — celle-ci est mesurée en centigrades. C'est-à-dire que pour une température augmentant de 20 degrés vous boirez 4 litres d'eau quotidiennement; pour 30 degrés, 5 litres d'eau, etc.

L'inconvénient de cette sudation excessive, c'est qu'elle réduit le taux de sel dans le sang. Pour un climat tempéré, la quantité de sel nécessaire par jour pour un individu est de 15 grammes; sous un climat tropical elle est de 15 à 25 grammes. La meilleure façon de maintenir ce taux est d'ajouter davantage de sel à votre nourriture. Les pilules de sel solubles peuvent occasionner des nausées, et celles qui se dissolvent directement dans l'intestin risquent d'être rejetées si vous avez la diarrhée.

L'adaptation au changement de température se fait le plus souvent dès la première semaine, et à la fin de la seconde semaine elle est à 80 ou 90 pour 100 complète. Les derniers 10 ou 20 pour 100 demandent environ six semaines. Le changement d'altitude en voyage peut aussi donner lieu à des nausées; il demande également plusieurs jours d'adaptation, pendant lesquels on évitera de trop grands efforts physiques.

SUR LA ROUTE

Bien que ce ne soit pas toujours possible, les longs voyages par la route devraient commencer tôt le matin, après une bonne nuit de sommeil.

Une fois sur la route, les périodes de pointe de vitesse ne devraient pas dépasser deux heures. Il est recommandé de s'arrêter régulièrement pour se restaurer : boissons non alcoolisées, casse-croûte légers, et pour prendre un peu d'exercice. Rester sans nourriture durant de longues périodes de temps fait baisser le taux de sucre dans le sang, ce qui affaiblit notre capacité de jugement, provoque une certaine confusion et même parfois une perte de conscience. Une nourriture riche en hydrates de carbone — comme le chocolat — fait remonter le niveau de votre taux de sucre et vous aide à vous concentrer.

LES VACCINATIONS

Avant tout départ pour un pays étranger, vérifiez si vous ne devez pas vous faire vacciner contre certaines maladies. La situation dans ce domaine est en constant changement et chaque semaine l'Organisation mondiale de la santé dresse une carte des vaccinations nécessaires selon les pays, contre fièvre jaune, choléra, typhoïde, paludisme, etc.

Cette carte est à consulter dans les bureaux des départements de santé communautaire et dans la clinique de vaccination la plus proche de votre domicile. Votre médecin en a peut-être un exemplaire.

Fièvre jaune. La vaccination contre la fièvre jaune est obligatoire dans les régions équatoriales d'Afrique et d'Amérique du Sud. Elle se fait dans des centres spécialisés, dont vous trouverez la liste auprès de Santé et Bien-Être Social, de votre agence de voyages, des compagnies aériennes et des ambassades. Avant l'injection, avertissez le médecin des réactions que vous pourriez développer contre le vaccin, de façon à faire les tests préliminaires adéquats. Cela s'applique particulièrement aux personnes allergiques aux œufs, car le vaccin contre la fièvre jaune est à base d'œufs.

Choléra. La vaccination peut être faite par n'importe quel médecin, il s'agit de deux piqûres, éloignées de sept à quatorze jours l'une de l'autre. Elle vous assure une protection à 60 pour 100, si vous y ajoutez les précautions hygiéniques utiles dans le pays de votre destination. Le choléra est véhiculé par l'eau, le lait, les légumes et les fruits crus.

Typhoïde. La vaccination n'est pas obligatoire selon les règles internationales de santé, mais elle est recommandée en plusieurs parties du monde, y compris certains pays européens. Demandez un conseil à votre médecin.

Tétanos. Le vaccin antitétanique est désormais inoculé séparément, et il est conseillé si vous voyagez dans les régions agricoles de certains pays. Le vaccin est administré en trois injections, un rappel tous les dix ans est nécessaire à une protection continue.

Hépatite. Des épidémies éclatent périodiquement dans certaines parties du monde — notamment Inde, Népal, Cachemire et Sud-Est asiatique —, et il est conseillé de se prémunir contre elles. La vaccination assure une protection très faible pendant quatre à six mois. Pour un séjour prolongé dans les régions d'épidémie, elle sera répétée tous les six mois.

Poliomyélite. Elle sévit toujours de manière endémique dans plusieurs régions du Proche- et du Moyen-Orient. La vaccination contre la poliomyélite peut être faite par votre médecin. Elle vous assure une protection pendant quatre à six mois. Après quoi, un rappel est nécessaire dans les zones à haut risque.

Typhus. Il est transmis par les poux du corps. Il sévit toujours en Inde, au Pakistan, dans le Sud-Est asiatique — particulièrement après des désastres naturels ou durant les guerres. L'immunisation est effective dix jours après l'injection et le reste pendant un an.

Rage. Il y a encore des risques possibles en Amérique du Nord, en Europe et dans d'autres parties du monde. Elle s'attrape par morsure ou griffure d'un animal enragé, souvent chat ou chien. Le vaccin antirabique — qui n'a pas d'effets parallèles — protège à 90 pour 100 pendant un an. Après quoi, dans une région à haut risque, comme le Moyen-Orient, l'Inde, le Pakistan, l'Extrême-Orient, il faut faire un rappel. Si vous êtes mordu par un animal dans un pays étranger, demandez aux autorités médicales locales s'il y a des risques de rage. N'attendez pas votre retour chez vous, sous prétexte que les connaissances des experts régionaux ne sont pas sûres.

Variole (ou petite vérole). Elle a été déclarée éradiquée par l'Organisation mondiale de la santé, mais un ou deux pays continuent à préconiser la vaccination. Votre médecin pourra vous renseigner sur ce sujet.

VACCINS ET VACCINATIONS

Les différentes vaccinations obligatoires ou recommandées sont traitées à PUÉRICULTURE pour ce qui concerne les enfants, et à VACANCES ET VOYAGES pour ce qui concerne les vaccinations exigées par les pays visités.

VAGINISME

Contraction douloureuse du vagin, rendant les rapports sexuels difficiles ou impossibles. La cause en est le plus souvent psychologique — peur d'une grossesse, peur des rapports ou aversion pour le partenaire. Dans certains cas existe pourtant une cause physique comme une VAGINITE, un PROLAPSUS UTÉRIN, une sécheresse vaginale importante consécutive à la ménopause.

VAGINITE ET VULVITE

L'inflammation du vagin et de la vulve entraîne habituellement des écoulements, un prurit, une gêne au niveau du périnée, qui peuvent survenir pour de nombreuses raisons. A côté des vaginites secondaires à certaines modifications des conditions générales, il faut distinguer trois grands types de causes : la candidose, la trichomonase et l'atrophie vaginale.

Symptômes
- Prurit, surtout la nuit.
- Douleurs du périnée.
- Leucorrhée : écoulement qui peut être des plus variables dans sa couleur — blanc, jaune, vert — et dans sa quantité, en fonction de l'agent causal.

Durée
- Non traitée, l'inflammation peut persister indéfiniment.

Causes
- Simple irritation cutanée en rapport avec une transpiration excessive, lésion de grattage, sensibilité particulière aux déodorants, aux parfums, aux savons, à la poudre ou aux objets sanitaires utilisés.
- De nombreuses maladies, parmi lesquelles la candidose, l'infestation à trichomonas, l'atrophie vaginale et les infections microbiennes.
- Oubli d'un tampon périodique. *Voir* CHOC TOXIQUE.
- Rarement, DIABÈTE.
- La persistance du prurit et des lésions de grattage qui en résultent peut conduire à un épaississement des tissus de la vulve, appelé leucoplasie.
- L'ulcération de la vulve est habituellement causée par la simple inflammation; beaucoup plus exceptionnellement par un CANCER.

Traitement à domicile
- Poursuite d'une hygiène normale.

Quand consulter le médecin
- Si les symptômes se développent.

Rôle du médecin
- Examiner et pratiquer des prélèvements en vue d'identifier la cause.
- Vérifier que la vaginite n'a pas une cause plus rare : MALADIE VÉNÉRIENNE, CANCER DE L'UTÉRUS ou CANCER DU COL DE L'UTÉRUS.
- Le médecin adaptera le traitement à la cause.

Pronostic
- Il dépend de la cause trouvée.

CANDIDOSE

C'est une mycose vaginale très répandue qui peut survenir aux âges les plus variés. Elle est aussi connue sous le nom de moniliase vaginale.

Symptômes
- Écoulement vaginal, généralement plus abondant que les pertes habituelles qui peuvent survenir de temps à autre chez la femme normale, particulièrement chez celle qui utilise une contraception orale.
- Ces pertes sont habituellement blanches, épaisses, rappelant le lait caillé.
- Un prurit est ressenti au niveau du vagin et de la vulve.
- Le partenaire peut se plaindre de prurit au niveau de la verge.

Durée
- Cet état dure habituellement quelques jours.

Causes
- Un champignon provenant de l'intestin, qui pénètre la cavité vaginale. Cela apparaît souvent chez une femme qui porte des culottes très serrées ou des pantalons très étroits.
- La contraception orale.
- Certains antibiotiques.
- Le DIABÈTE.
- La grossesse.
- Infection chez le partenaire.
- Déodorants vaginaux.

Traitement à domicile
- Éviter de porter des vêtements trop serrés.
- S'assurer de l'existence ou de l'absence d'infection chez le partenaire habituel.
- Répéter les toilettes vaginales.

Quand consulter le médecin
- Dès que les symptômes décrits apparaissent.

Rôle du médecin
- Pratiquer un examen gynécologique complet.
- Faire un prélèvement des pertes, en vue d'examens de laboratoire.
- Prescrire des ovules antifongiques, qui seront placés dans le vagin pour combattre l'infection. *Voir* MÉDICAMENTS, n° 26.
- Rechercher le sucre dans les urines de la patiente en vue de dépister un éventuel diabète.
- Examiner et traiter, si nécessaire, le partenaire sexuel.

Prévention
- Éviter les vêtements trop serrés et les déodorants vaginaux.
- Après la selle, ne pas s'essuyer d'arrière en avant.
- Essayer de vérifier que le ou les partenaires sexuels ne sont pas infectés.

Pronostic
- Ces infections guérissent habituellement grâce au traitement, mais des récidives peuvent survenir.

TRICHOMONASE

C'est une infection vaginale plus rare que la candidose.

Symptômes
- Pertes jaunes ou vertes qui, dans certains cas, peuvent s'apparenter à de la mousse.
- Douleur vulvaire.

Durée
- Comme pour la candidose.

Causes
- Infection par un parasite.

Traitement à domicile
- Comme pour la candidose.

Quand consulter le médecin
- Comme pour la candidose.

Rôle du médecin
- Pratiquer un examen gynécologique complet.
- Faire un prélèvement des pertes en vue d'examens de laboratoire.

- Prescrire des médicaments antiparasitaires. *Voir* MÉDICAMENTS, n° 28.
- Rechercher le sucre dans les urines de la patiente en vue de dépister un éventuel diabète.
- Examiner et traiter éventuellement les partenaires sexuels.

Prévention
- Comme pour la candidose.

Pronostic
- Comme pour la candidose.

ATROPHIE VAGINALE

Rétrécissement et sécheresse de la vulve et du vagin chez les femmes d'un certain âge.

Symptômes
- Leucorrhée vaginale.
- Douleur vulvaire et vaginale.
- Douleurs au moment des rapports.
- Ces symptômes apparaissent habituellement chez les femmes âgées, mais peu d'entre elles s'en plaignent habituellement.

Durée
- Indéfinie tant que l'état d'atrophie n'est pas traité.

Causes
- La baisse de la sécrétion des œstrogènes après la ménopause.

Traitement à domicile
- Toilette intime régulière.

Quand consulter le médecin
- Lorsque apparaissent les symptômes décrits.

Rôle du médecin
- Pratiquer un examen gynécologique complet.
- Prescrire une crème vaginale ou une petite cure d'œstrogènes. *Voir* MÉDICAMENTS, n° 33.

Prévention
- Quand la ménopause n'est pas traitée dans son ensemble, il n'y a pas de moyen de prévention.

Pronostic
- Le traitement est habituellement très efficace en quelques semaines, mais il est souvent nécessaire de poursuivre l'utilisation de la crème vaginale et du traitement pendant au moins une année.

Voir ORGANES GÉNITAUX FÉMININS, *page 48*

VARICELLE

C'est une maladie contagieuse banale, due au virus *Varicella zoster*, responsable également du ZONA (herpès zoster). La varicelle est une maladie de l'enfance, atteignant parfois l'adulte. Tous les deux à trois ans surviennent des épidémies qui se propagent rapidement dans les écoles par contact direct d'enfant à enfant. La maladie confère une immunité (on ne peut la contracter qu'une fois), mais le virus peut rester dans l'organisme et être tardivement la cause de zona. La plupart des enfants contractent la varicelle, mais certains acquièrent une immunité par simple contact, sans présenter les symptômes caractéristiques de l'infection.

Symptômes
- Une éruption prurigineuse qui débute sur le corps et s'étend aux bras, aux jambes, au visage puis à la tête. Il s'agit d'abord de fines taches roses qui se transforment rapidement en vésicules. Puis celles-ci se dessèchent et sont remplacées par une croûte jaunâtre.
- Tous les stades de l'éruption peuvent être présents sur le corps en même temps.
- Discrète hyperthermie.
- L'adulte peut se sentir malade pendant un jour ou deux.

Période d'incubation
- Douze à quatorze jours.

Durée
- La croûte qui a remplacé la vésicule dure environ cinq jours et disparaît progressivement en quinze jours.
- Le patient est contagieux quatre jours avant l'éruption, puis jusqu'à la phase de dessiccation complète.

Causes
- Un virus qui se propage par contact direct avec une personne infectée.

Complications
- Surinfection des vésicules avec inflammation et élimination de pus.
- Complications pulmonaires, surtout chez l'adulte.

Traitement à domicile
- La plupart des varicelles ne requièrent pas de traitement médical et peuvent être soignées à domicile.
- Maintenir l'éruption propre et sèche.
- Prendre quotidiennement une douche et se sécher par tapotage.
- Application de lotion calmante, deux fois par jour, pour calmer l'éruption et les démangeaisons.
- Ne pas gratter les lésions sous peine de cicatrice.
- Boire abondamment, ne pas s'inquiéter si le patient ne mange pas durant la phase aiguë de la maladie.
- Repos.
- Prendre des analgésiques pour réduire fièvre et malaise.
- En général, il n'est pas nécessaire d'isoler l'enfant atteint des autres enfants. Ils auront généralement contracté la maladie pendant la période d'incubation, avant qu'apparaisse l'éruption, et il est de toute façon souhaitable d'être atteint dans l'enfance plutôt qu'à l'âge adulte. Il faut, par contre, éviter l'atteinte des nourrissons avant six mois et des femmes en fin de grossesse. L'atteinte d'une mère quelques jours avant l'accouchement peut entraîner une varicelle de nouveau-né, beaucoup plus grave.
- La varicelle contractée pendant la grossesse n'affecte pas le fœtus.
- Les personnes âgées doivent éviter le contact, car il pourrait favoriser la survenue d'un zona.

Quand consulter le médecin
- Lorsque l'enfant a une forte fièvre, vomit ou présente une toux excessive.
- En cas d'atteinte oculaire.
- En cas de surinfection des vésicules.

Rôle du médecin
- Prescrire des antibiotiques en cas de surinfection cutanée, pulmonaire ou oculaire.

Prévention
- Il n'y a pas de vaccin contre la varicelle. La meilleure protection est d'éviter le contact avec une personne atteinte, mais il est préférable de laisser un enfant la contracter.
- Chez une personne traitée par des immunosuppresseurs (tels que les corticoïdes) et ayant été en contact avec la maladie, on peut pratiquer une injection d'anticorps pour renforcer ses défenses immunitaires.

Pronostic
- La guérison de la varicelle est totale. Les vésicules ne laissent pas de cicatrice, sauf en cas de grattage ou de surinfection.

Voir MALADIES INFECTIEUSES, *page 32*

VARICES

Dilatation excessive des veines des membres inférieurs. Les varices atteignent une partie de la jambe, ou le membre inférieur dans sa totalité.

Symptômes
- Dilatation noueuse des veines superficielles des jambes.
- Fatigue à la marche, pesanteur des jambes.
- Œdème des chevilles.

Durée
- Les varices apparues lors de la grossesse peuvent disparaître après l'accouchement. Dans les autres cas, elles persistent à vie.

Causes
• Incompétence des valvules des veines qui normalement préviennent le reflux du sang et la distension veineuse.

Que faire devant les varices

☐ En cas de profession sédentaire, organiser chaque jour une petite promenade et se ménager durant les pauses quelques minutes pour des exercices des muscles des mollets.

☐ S'allonger en gardant les pieds surélevés au-dessus du niveau du cœur.

☐ Porter des bas à varices (particulièrement durant la grossesse).

☐ Ne pas rester trop longtemps immobile dans une position fixe debout ou assise.

☐ Éviter toute obésité.

☐ Éviter la prise de contraceptifs oraux.

• Le plus souvent, on retrouve des antécédents familiaux de varices, ou un facteur déclenchant ou aggravant : grossesse, prise de contraceptifs oraux, profession exposée (station debout prolongée).
Complications
• Les veines se développent peu à peu avec les années, jusqu'à devenir monstrueuses.
• Une inflammation locale peut occasionner une THROMBOPHLÉBITE.
• Enfin, elles peuvent s'ulcérer. *Voir* ULCÈRE DE JAMBE.
Traitement à domicile
• Éviter si possible les stations debout.
• Surélever les jambes dès que l'occasion s'en présente.
Quand consulter le médecin
• Devant des varices gênantes.
Rôle du médecin
• Prescrire des bas à varices et des médicaments toniques veineux.
• Au début, possibilité de scléroser les varices.
• Conseiller ensuite un « stripping », ou ablation chirurgicale des varices.
Prévention
• Éviter la station debout prolongée.
• Port de bas à varices durant la grossesse.
• Éviter les contraceptifs oraux chez les femmes prédisposées aux varices.
Pronostic
• Excellent après le traitement chirurgical, qui s'impose en cas de varices volumineuses.

Voir SYSTÈME CIRCULATOIRE, *page 40*

VARICES ŒSOPHAGIENNES

Affection dans laquelle le réseau veineux du bas de l'œsophage devient variqueux, c'est-à-dire gonflé et sinueux. Cette maladie est due à une élévation de la pression sanguine dans ces veines, au cours de la CIRRHOSE DU FOIE par exemple. En raison de l'amincissement de leurs parois, ces veines risquent alors de saigner facilement, entraînant des hémorragies graves.

VARICOCÈLE

Gonflement sans danger des veines du cordon spermatique qui relie le testicule à l'abdomen. Le cordon gauche est le plus souvent touché. La varicocèle est parfois associée à une diminution de la production de sperme.
Symptômes
• Gonflement indolore, irrégulier et mou au niveau du scrotum, habituellement du côté gauche.
• Ce gonflement entraîne parfois une gêne après une longue station debout.
• Le scrotum pend plus bas que normalement.
Durée
• A moins d'un traitement, l'affection est permanente.
Causes
• Inconnues.
Traitement à domicile
• Aucun n'est nécessaire.
Quand consulter le médecin
• Dès qu'un gonflement apparaît dans le scrotum.
Rôle du médecin
• Très souvent, aucun traitement n'est nécessaire.
• La chirurgie n'est envisageable qu'en cas de gêne ou de diminution de la production du sperme.
Prévention
• Il n'y a aucun moyen de prévenir l'affection.
Pronostic
• La varicocèle ne présente pas de risques pour la santé. Les résultats de la chirurgie sont excellents.

Voir ORGANES GÉNITAUX MASCULINS, *page 50*

VARIOLE

Durant des siècles, la variole fut l'une des maladies les plus redoutables de l'humanité. Mais elle a officiellement été déclarée éradiquée en octobre 1979, soit deux ans après l'enregistrement du dernier cas spontanément apparu en Somalie.

Le virus responsable de la variole est encore conservé dans quelques laboratoires dans le monde et, en 1978, une femme travaillant dans un laboratoire à Birmingham, en Angleterre, est morte de variole. On n'a pas enregistré de nouveaux cas depuis, mais l'Organisation mondiale de la santé (O.M.S.) conserve un stock de 200 millions d'injections de vaccin contre une réapparition toujours possible de la maladie.

Sa principale caractéristique est une éruption, qui laisse chez les survivants des cicatrices très creusantes sur la peau. Il n'y a pas de traitement spécifique, mais la vaccination confère l'immunité.

Voir MALADIES INFECTIEUSES, *page 32*

VARUS ÉQUIN (PIED EN)

Anomalie permanente de position du pied : dans la forme la plus commune, l'ensemble du pied, avec la plante, est tourné vers le dedans et tombe au-dessous de la cheville, obligeant le malade à marcher sur le bord externe du pied. Chez le jeune enfant, l'anomalie peut être due à une grossesse qui s'est déroulée en position anormale dans l'utérus, mais très souvent, la cause reste inconnue. Survenant chez l'adulte, le pied en varus équin est dû en général à une atteinte paralytique du système nerveux.

Le traitement chez l'enfant doit être confié à un

service d'orthopédie infantile : mise en place d'un plâtre, et parfois, ultérieurement, chirurgie. Chez l'adulte, c'est surtout un problème de rééducation musculaire active.

VASECTOMIE

Intervention consistant à stériliser un homme en sectionnant ou en obstruant les conduits qui véhiculent le sperme des testicules au pénis.

Voir CONTRACEPTION

VÉGÉTATIONS ADÉNOÏDES (HYPERTROPHIE DES)

Les végétations appartiennent au tissu lymphoïde chargé de protéger l'organisme des agressions infectieuses. Elles siègent derrière le nez, à un point où se réunissent les fosses nasales et la cavité buccale. Petites à la naissance, elles augmentent de volume à partir de l'âge de trois ans; elles atteignent leur taille maximale à huit ans et ne causent plus d'obstruction après la puberté. Leur développement inflammatoire peut bloquer l'ouverture de la trompe d'Eustache (le canal qui relie l'oreille moyenne à la gorge), provoquant ainsi une OTITE MOYENNE. Les végétations peuvent également entraver le passage de l'air depuis le nez jusqu'à la gorge, obligeant ainsi l'enfant à respirer par la bouche. La respiration par la bouche provoque aussi une hypertrophie des amygdales.

Symptômes
- Respiration par la bouche.
- Ronflement.
- Sifflement du nez (quand le nez est bouché).
- Surdité.
- Otite moyenne à répétition.

Durée
- Les troubles respiratoires (nez bouché, respiration par la bouche) peuvent s'étaler sur de longs mois.
- Les infections répétées de l'oreille peuvent en quelques mois ou années aboutir à une surdité définitive.

Causes
- Infections répétées ou prolongées des végétations.

Complications
- Infections à répétition de l'oreille, et surdité.

Traitement à domicile
- Il n'y a pas de traitement possible à domicile.

Quand consulter le médecin
- En cas de douleurs de l'oreille ou de surdité uni- ou bilatérale.
- En cas de nez bouché pendant plus d'un mois, ou si l'enfant ne réussit pas à respirer en gardant la bouche fermée.

Rôle du médecin
- Examiner la gorge et les oreilles.
- Tester l'audition de l'enfant.
- Le spécialiste O.R.L. (oto-rhino-laryngologiste) posera l'indication éventuelle d'une intervention chirurgicale, ou adénoïdectomie. Bien souvent, on a tendance à faire l'exérèse simultanée des amygdales. La guérison est habituellement rapide.

Pronostic
- Dès l'âge de huit ans, les végétations diminuent de taille et les symptômes disparaissent. De même, les risques de complications deviennent très faibles. L'indication opératoire sera donc pesée en fonction de l'âge et des symptômes.

Voir SYSTÈME RESPIRATOIRE, *page 42*

VER SOLITAIRE

C'est un ver parasite, atteignant 10 mètres de long, qui vit dans l'intestin de l'homme où il se nourrit, se développe et pond des œufs qui seront excrétés dans les selles. Il existe différentes sortes de vers solitaires : le tænia du porc (*Tænia solium*), le tænia du bœuf (*Tænia saginata*), et le tænia du poisson (*Diphyllobothrium latum*). Les œufs de la plupart des tænias ne sont infectants pour l'homme que lorsqu'ils se sont développés sous forme de larve cysticerque. Ce développement se réalise dans un hôte intermédiaire qui est soit le bœuf, soit le porc, soit le poisson.

Lorsque la viande est très bien cuite, toutes les larves sont détruites. Par contre, elles survivent dans la viande peu ou pas cuite, ce qui permet à l'infection de se propager.

Pour beaucoup de gens, l'infection est asymptomatique, mais d'autres présentent, par exemple, des douleurs abdominales, une diarrhée, une anémie ou une perte de poids.

L'homme peut servir d'hôte intermédiaire pour le tænia du porc. Si l'homme ingère les œufs émis dans ses selles, les larves cysticerques peuvent se développer dans les muscles, les yeux et le cerveau.

L'atteinte peut ressembler à une tumeur cérébrale ou à une crise d'épilepsie. L'infection est sensible à certains médicaments, et la prévention réside en une hygiène convenable et une cuisson correcte de la viande.

VERGETURES

Secondaires à une distension cutanée, elles se caractérisent par des lignes où la couleur de la peau est modifiée. Les vergetures, qui ne sont pas douloureuses, se forment à la puberté chez deux filles sur trois et chez un garçon sur trois. Elles apparaissent chez la femme surtout au cours de la grossesse.

Symptômes
- Lignes pourpres, lisses, peu profondes, qui siègent habituellement sur la peau du ventre, des cuisses, des fesses, et à la partie supérieure des bras et des seins. Les vergetures peuvent entraîner un léger prurit.

Durée
- Les vergetures s'effacent progressivement et peuvent même disparaître au bout de plusieurs années.

Causes
- La plupart des vergetures semblent liées à des modifications de l'équilibre hormonal qui ont lieu au cours de la puberté ou de la grossesse.
- Les vergetures peuvent être produites par la prise de cortisone, comme c'est fréquemment le cas dans les traitements contre l'inflammation ou pour rétablir l'équilibre du métabolisme du sel et de l'eau.

Traitement à domicile
- Il n'y a pas de traitement possible.

Quand consulter le médecin
- Quand il existe un problème esthétique.

Prévention
- Difficilement possible.

Pronostic
- Chez la plupart des personnes jeunes, les vergetures s'effacent progressivement et finissent par disparaître.
- Après une grossesse, elles peuvent persister, mais sont presque invisibles du fait de leur décoloration.

Voir LA PEAU, *page 52*

VERRUES

Ce sont de petites tumeurs bénignes de la peau dues à des virus. Il en existe cinq types qui diffèrent par leur aspect et leur localisation. Les verrues sont légèrement contagieuses. Elles ne se transforment pas en cancer.

VERRUES VULGAIRES
Ce sont des grosseurs grisâtres ou couleur de la peau normale, fermes, à surface rugueuse et cornée. Leur taille varie de quelques millimètres à 1 centimètre ou plus de diamètre. Elles sont parfois confluentes. Elles peuvent s'observer à n'importe quel âge, mais principalement chez les enfants, et siègent surtout aux mains. Elles sont indolores, sauf si elles sont situées sous l'ongle ou à son pourtour. Laissées à elles-mêmes, elles disparaissent fréquemment, persistant très rarement au-delà de dix ans.

VERRUES PLANES
Ce sont de très petites papules lisses, couleur chair ou brun clair, habituellement groupées sur le visage ou le dos des mains et des avant-bras, et souvent le long d'une strie de grattage. Elles touchent ordinairement les enfants. Elles peuvent disparaître spontanément.

VERRUES PLANTAIRES
Lésions arrondies, fermes, à surface rugueuse, dont la base est enchâssée dans la plante du pied ou dans l'orteil. Elles sont uniques ou multiples, et souvent douloureuses. Quand la surface est décapée, de petits points sombres peuvent être visibles. Ils correspondent aux vaisseaux sanguins qui irriguent la verrue et sont absents des cors ou des durillons. Les verrues plantaires peuvent disparaître spontanément en quelques mois, ou parfois persister des années.

VERRUES FILIFORMES
Ce sont de fines bandes de peau (filaments) de quelques millimètres de long, indurées à leur bout. Elles sont solitaires ou groupées sur le visage, paupières, menton et cou. Elles peuvent également disparaître spontanément mais requièrent habituellement un traitement du fait de leur localisation.

VERRUES ANO-GÉNITALES,
OU CRÊTES-DE-COQ
Ce sont de petites tuméfactions en forme de chou-fleur, souvent multiples, sur la vulve, le pénis et la peau péri-anale. Elles sont habituellement transmises par rapports sexuels. Les guérisons spontanées sont possibles, mais les récidives sont fréquentes.

Durée
• Sans traitement, certaines verrues persistent ou s'étendent. D'autres disparaissent spontanément.

Traitement à domicile
• Une thérapie par suggestion est souvent efficace, sauf pour les verrues planes et ano-génitales.
• Des badigeons ou des pâtes spéciales peuvent être achetés en pharmacie. Leur application doit être quotidienne. Les pâtes seront recouvertes d'un pansement. *Voir* MÉDICAMENTS, n° 43.
• Il faut toujours suivre les indications de la notice et veiller à ne pas appliquer de produit sur la peau saine qui entoure la verrue. Lors de l'utilisation de pâtes, la peau environnante devra être soigneusement protégée par du vernis à ongle ou un pansement adhésif pour cors.
• Arrêtez le traitement si la verrue devient douloureuse.
• A l'aide d'une pierre ponce, enlevez la peau morte de surface à mesure que le traitement progresse. N'utilisez pas de lame tranchante chez les sujets âgés ou diabétiques.
Quand consulter le médecin
• Si votre traitement n'a pas donné de résultats, ou si vous avez des verrues ano-génitales ou planes.
Rôle du médecin
• Geler la verrue par de l'azote liquide, ou parfois la brûler par électrocoagulation.
• Prescrire une préparation spéciale pour les verrues ano-génitales.
Prévention
• Veillez à ne pas marcher pieds nus dans les gymnases, les vestiaires, les douches collectives et les piscines.
• Évitez les contacts physiques avec des personnes atteintes de verrues.
• Ne grattez pas les verrues, car cela favorise leur dissémination.
Pronostic
• Les verrues finissent par guérir sous traitement, mais parfois après un temps relativement long.

VERRUES SÉBORRHÉIQUES

Contrairement aux autres verrues, elles ne sont pas dues à un virus et ne sont pas contagieuses. Elles sont très communes chez les sujets de plus de quarante ans. Elles réalisent de petits épaississements cutanés de quelques millimètres à 1 centimètre ou plus qui semblent posés sur la peau. Elles sont brunes ou noires, avec une surface d'aspect graisseux et rugueux. Elles peuvent siéger n'importe où sur le corps, sauf aux paumes et aux plantes, et augmentent progressivement de taille et de nombre avec l'âge. Leur cause est inconnue. Elles ne sont jamais douloureuses (sauf après un traumatisme) ni cancéreuses. Elles peuvent être enlevées par une intervention très simple, sous anesthésie locale.

Voir LA PEAU, *page 52*

VERTIGE

Fausse sensation d'avoir la « tête qui tourne » alors qu'elle est immobile, produisant une impression désagréable simulant l'ivresse.
On distingue le vrai vertige, où la tête semble tourner toujours dans le même sens, du faux vertige, où le sens peut changer.
Symptômes
• Sensation d'avoir la « tête qui tourne », et même le corps tout entier.
• Surdité.
• Nystagmus, ou battement clignotant latéral des yeux, pouvant persister alors même que le vertige à proprement parler a disparu.
Durée
• Les crises peuvent être très brèves (quelques secondes) ou durer des heures. Elles peuvent être quasi quotidiennes ou très espacées (une à deux fois par an).
Causes
• Traumatisme crânien.
• VERTIGE DE MÉNIÈRE ou LABYRINTHITE qui atteignent l'oreille interne, donc perturbent l'AUDITION et l'équilibration.
• HYPERTENSION ARTÉRIELLE.
• Affections vasculaires cérébrales. INSUFFISANCE VERTÉBRO-BASILAIRE.
• MAL DES TRANSPORTS, MAL DE MER, mal de l'air.
Traitement à domicile
• Durant la crise, rester tranquillement allongé.
Quand consulter le médecin
• En cas de crise récidivante.
• En cas de VOMISSEMENTS importants associés.
• Lors de l'apparition d'une surdité.
Rôle du médecin
• Examen ophtalmologique (yeux), oto-rhino-laryngologique (gorge, oreilles, nez) et cervical (cou).
• Prise de la TENSION ARTÉRIELLE.
• Recherche d'un nystagmus.
• Prescription d'un traitement médical symptomatique.

Prévention
- Aucune.

Pronostic
- En l'absence même de tout traitement, la plupart des malades guérissent spontanément au bout de quelques mois. Mais les personnes âgées peuvent continuer à souffrir de vertige sans cause parfaitement identifiée.
- Quant au vertige positionnel, ressenti lors de certaines positions de la tête, il peut être récidivant.

Voir SYSTÈME NERVEUX, *page 34*

VERTIGE DE MÉNIÈRE

Atteinte pathologique des mécanismes d'équilibration corporelle situés dans l'oreille interne. Cette affection est le plus souvent unilatérale, mais peut être bilatérale dans 15 pour 100 des cas environ. Les troubles débutent brutalement et peuvent se poursuivre quelques heures sur un mode assez sévère, obligeant le patient, considérablement affaibli, à garder le lit. Le vertige de Ménière n'atteint jamais l'enfant.

Symptômes
- Vertige d'apparition brutale (étourdissement), ou impression de voir la pièce tourner autour de soi dans le même sens.
- Vomissements.
- Surdité ou bourdonnement d'oreille (acouphènes) du côté malade, se reproduisant lors de chaque crise et pouvant s'aggraver. La surdité unilatérale précède d'ailleurs souvent les crises.
- Parfois, battement rythmé latéral des yeux, ou nystagmus.

Durée
- La crise dépasse rarement une journée, mais les premières heures sont les plus pénibles.
- Les crises se succèdent à intervalles variables mais peuvent s'enchaîner sans répit lorsque l'évolution est prolongée.

Causes
- Inconnues.

Traitement à domicile
- Garder la chambre et rester tranquillement allongé.

Quand consulter le médecin
- Si les signes persistent avec la même intensité en position allongée et au repos.

Rôle du médecin
- Examen ophtalmologique (yeux) et oto-rhino-laryngologique (oreilles); étude de l'audition.
- En urgence, traitement médical symptomatique par injections intramusculaires ou intraveineuses.
- Prescription de médicaments (comprimés ou suppositoires) pour d'éventuelles crises ultérieures.

Voir MÉDICAMENTS, n° 21.

Prévention
- Aucune.

Pronostic
- Les crises peuvent devenir très fréquentes, ou au contraire cesser brutalement et de façon imprévisible. Le degré de surdité de l'oreille atteinte s'aggrave progressivement avec les crises. Elle peut être complète et définitive.
- Le traitement peut réduire l'intensité du vertige mais en aucun cas le guérir.

Voir L'OREILLE, *page 38*

L'oreille interne — centre de l'audition et de l'équilibration

De minuscules pièces osseuses articulées entre elles transmettent les vibrations sonores depuis la caisse du tympan jusqu'à une membrane de l'oreille interne qui contient un liquide particulier. De très petits cils qui flottent dans ce liquide transforment alors ces vibrations en impulsions électriques spécifiques, qui sont ensuite directement transmises au cerveau.

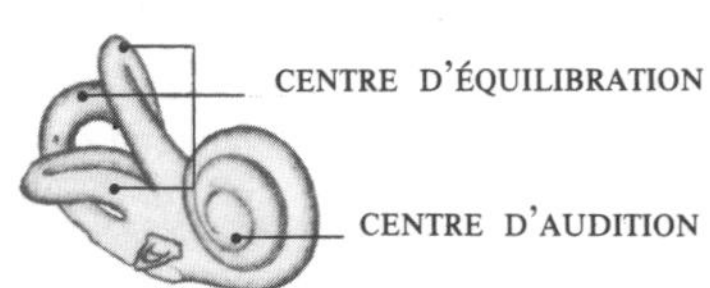

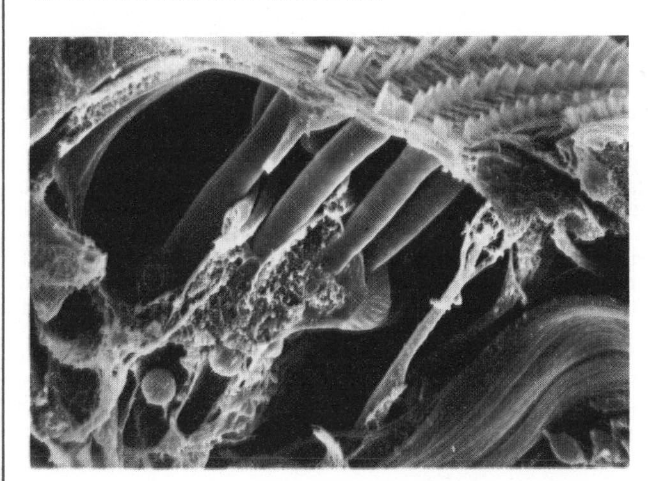

COMMENT ENTENDONS-NOUS ? *Cette coupe de la membrane montre bien comment les cils sensibles aux varations de pression du liquide en surface et en profondeur peuvent réagir aux impulsions sonores.*

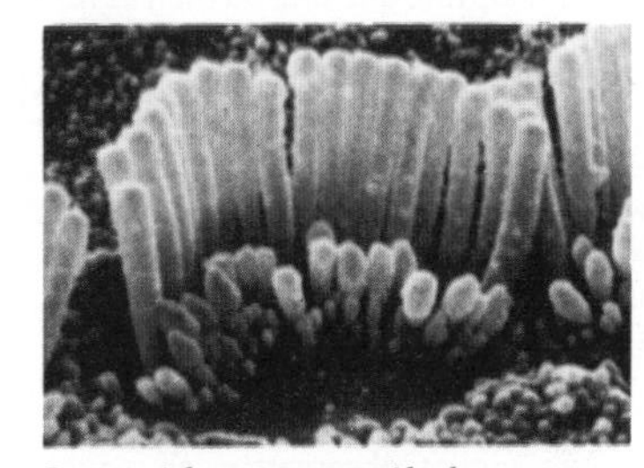

Jouant à leur tour un rôle de transformateur, les cils convertissent les sons en impulsions électriques.

VIEILLISSEMENT

La famille joue un rôle vital dans l'assistance des personnes âgées, et les parents réussissent en général à faire face à la plupart des problèmes du vieillissement. Bien que de fréquentes critiques accusent la famille moderne de négliger les grands-parents âgés, l'assistance des personnes âgées par leur famille est probablement meilleure que jamais auparavant.

Les maladies dont souffrent les personnes âgées sont approximativement les mêmes que celles qui atteignent les gens plus jeunes, mais l'attitude des personnes âgées envers celles-ci est différente. Elles pensent souvent que leurs défaillances de santé sont une conséquence naturelle de leur âge, et par conséquent qu'il n'est pas utile de s'en préoccuper. Elles acceptent les détériorations de l'ouïe, de la vision, l'incontinence, l'immobilisation et bien d'autres maux comme s'ils étaient inévitables, même quand ils peuvent être soignés et diminués.

Certaines personnes encore voient dans la maladie la manifestation de la volonté divine : si Dieu envoie le mal, il enverra éventuellement la guérison.

Quand une personne âgée consulte un médecin, elle peut être réticente à suivre le traitement qu'il lui prescrit, sous prétexte que c'est une perte de temps. On devrait insister auprès d'elles sur le fait que leurs problèmes ne sont pas nécessairement inévitables, et qu'un médecin pourrait les soigner.

LES CAUSES DU VIEILLISSEMENT

Le vieillissement est un processus biologique normal, mais médecins et scientifiques ne comprennent pas entièrement ses causes. Certains pensent qu'il résulte d'une accumulation progressive de cellules anormales dans le corps. Les millions de cellules qui constituent notre organisme se divisent constamment et viennent remplacer celles qui meurent. Une théorie veut que ces nouvelles cellules produites ne fonctionnent pas de la même manière que celles qu'elles remplacent. Quand ces cellules anormales se divisent à leur tour, elles produisent d'autres cellules anormales.

Parmi les anomalies résultant de ce processus, toutes n'affectent pas la santé : par exemple, les cellules fabriquant la protéine des cheveux se transforment, et les cheveux deviennent blancs. Mais l'accroissement de cellules anormales dans des tissus plus vitaux peut avoir de plus sérieuses conséquences. Ainsi, le développement de cellules anormales du foie peut avoir pour résultat une sensibilisation plus grande des personnes âgées à l'effet de certains médicaments.

Il y a beaucoup d'autres théories sur le vieillissement, mais les experts s'accordent à penser que, quelle qu'en soit la cause, il n'y a aucun moyen d'en arrêter ou d'en ralentir le cours. Cependant, bien des transformations de l'âge mûr sont dues à la maladie, à la détresse physique, et aux conséquences sociales et économiques du vieillissement. Toutes choses auxquelles on peut remédier, de sorte que bien des problèmes du troisième âge peuvent être soulagés.

Très peu de gens meurent réellement de vieillesse. En fait, la plupart des maladies n'ont pas de relation avec le vieillissement lui-même. La défaillance cardiaque, par exemple, très courante chez les personnes âgées, n'est pas due au vieillissement du muscle cardiaque. Ce peut être l'évolution et la conséquence d'une attaque de RHUMATISME ARTICULAIRE AIGU qui a eu lieu quarante ou cinquante ans plus tôt, ou de l'ATHÉROME, maladie que certains régimes aggravent. De même, les atteintes pulmonaires comme la BRONCHITE et l'EMPHYSÈME ne sont pas à mettre sur le compte d'un vieillissement du tissu pulmonaire, mais bien sur celui de la pollution atmosphérique et du TABAC.

LES ANGOISSES DES PERSONNES AGÉES

Les personnes âgées sont habituellement moins effrayées par la mort que les jeunes, mais elles ont bien d'autres angoisses. Une des principales est d'être mises en maison de retraite, ce qui peut conduire les vieilles gens à refuser d'admettre que quelque chose ne va pas. La peur de tomber et de ne pas être capable de se relever les rend souvent réticentes à quitter leur fauteuil. La peur de devenir aveugle est très fréquente, surtout chez celles qui ont des problèmes de vision. La peur d'une détérioration de leur capacités mentales est souvent cause d'anxiété et de dépression.

La crainte de la solitude et de l'isolement peut contrecarrer la motivation des personnes âgées à guérir et à devenir autonomes. Tant qu'elles sont handicapées et dépendantes, elles reçoivent des visites : celles de l'infirmière, de l'aide ménagère; elles craignent de les perdre si elles surmontent leurs difficultés.

Il est essentiel de découvrir si l'une ou l'autre de ces peurs existe et, si c'est le cas, de rassurer la personne âgée autant qu'il est possible.

Les visites régulières de la famille ont une influence considérable dans ce sens, que le vieillard ait besoin d'aide ou pas. S'il ne reçoit de visites que lorsqu'il est en difficulté, une escalade de ses problèmes peut s'ensuivre.

Il serait bon que la personne âgée puisse être rassurée sur ses angoisses par quelqu'un dont elle respecte l'opinion. Qu'importe si ses peurs paraissent futiles, elle a besoin de pouvoir en parler, avec son docteur par exemple.

Les personnes âgées sont plus pessimistes que les jeunes. C'est en partie parce qu'elles supposent que leurs problèmes sont dus à leur grand âge, et qu'ils sont irréversibles. C'est aussi souvent dû au fait qu'elles sont conscientes de leurs faiblesses et qu'elles ont perdu confiance en elles-mêmes, en leur capacité d'assumer des choses nouvelles.

Très souvent, une personne âgée visiblement en difficulté affirme que tout va bien et repousse les offres d'aide, ou refuse d'admettre qu'elle a un problème. Cette attitude peut être sa seule manière de faire face à sa dépression, ses peurs, son anxiété, ses sentiments de désespoir. Mais lorsqu'elle cache ainsi l'existence d'un problème, ses parents et ses amis souffrent de leur incapacité à l'assister. Cette attitude est difficile à infléchir, et l'intervention d'un prêtre ou d'un médecin est parfois utile.

Les gens âgés sont fréquemment sujets à la dépression. La plupart du temps, ils ne s'en plaignent pas, mais un parent observateur en voit les signes. Ces personnes peuvent commencer à se négliger ou à négliger leur intérieur. Elles perdent du poids ou ne se donnent plus la peine de prendre les médicaments qui leur sont prescrits. Les proches devraient d'abord essayer de résoudre leurs problèmes, puis leur témoigner affection et soutien autant qu'il est possible.

Beaucoup de gens âgés ne sont pas effrayés par la mort. Quelques-uns disent même qu'ils la souhaitent, mais s'ils pensent au suicide et le disent, on appellera immédiatement à l'aide un médecin ou une assistante sociale.

CONFUSION MENTALE ET DÉMENCE SÉNILE

Le terme de CONFUSION MENTALE est utilisé pour décrire l'état d'une personne âgée qui commence à perdre la mémoire et qui devient de surcroît incapable de suite dans les idées. Jusqu'à un certain stade, la défaillance de la mémoire est normale au troisième âge, et bien qu'elle puisse être cause de nombreuses angoisses chez les personnes âgées, elle n'entraîne pas forcément de problèmes réels. Cette défaillance de la mémoire est surtout marquée quand il s'agit de se souvenir d'événements récents. La personne peut avoir oublié quel jour on est, qui vient de lui téléphoner, mais être très capable d'évoquer clairement ses années d'école. Toutes sortes d'activités mentales : bridge, mots croisés, puzzles, selon son éducation, aideront à repousser ce déclin.

Mais une faiblesse de la mémoire plus sérieuse, occasionnée par la maladie, peut engendrer des problèmes plus graves pour elle-même et son entourage. Elle peut être amenée à des comportements perturbants pour autrui. Se perdre, par exemple, ou demander un service à son voisin à 3 heures du matin. Elle peut même ne pas remarquer que la bouilloire dont elle veut se servir est débranchée.

Un état confusionnel qui s'installe rapidement, en moins d'un mois ou même, très brutalement, en vingt-quatre heures, est presque toujours secondaire à une maladie : infection pulmonaire, accident vasculaire cérébral. Le médecin de famille doit être contacté aussi vite que possible.

Si la confusion met plusieurs mois ou plusieurs années à s'installer, il s'agit en général de DÉMENCE sénile ou maladie d'Alzheimer, nom donné à des phénomènes morbides provenant de la destruction des cellules du cerveau. Cela arrive rarement avant l'âge de quatre-vingts ans et, même à cet âge, seulement à une petite proportion de personnes.

Cependant, un état confusionnel qui s'installe lentement n'est pas toujours la conséquence de la démence sénile. Il peut être causé par un isolement, des tensions familiales, un affaiblissement de la vue, de l'ouïe, de la parole, ou par une maladie quelconque, de la thyroïde par exemple, ou par une grave ANÉMIE.

Cet état de confusion mentale peut aussi résulter d'erreurs commises dans la prise des médicaments ou être l'effet de l'alcool.

ILLUSIONS ET HALLUCINATIONS
La confusion mentale peut entraîner l'apparition d'illusions ou d'hallucinations, particulièrement si elle résulte d'une infection. Mais ces phénomènes peuvent être sans lien avec la confusion mentale.

Une illusion est une croyance erronée. Une personne âgée peut se mettre à croire qu'un ami mort est toujours vivant ou que ses voisins conspirent contre elle. Une hallucination est une perception fausse. La personne voit, entend, parle avec l'ami mort, ou entend les voisins parler d'elle derrière son dos.

Chez les personnes qui ne souffrent pas de confusion mentale, illusions et hallucinations peuvent provenir des sentiments de rejet, d'hostilité causés par l'isolement, la surdité ou un deuil soudain. La famille devrait lutter contre ce sentiment d'isolement par de fréquentes visites.

AIDE AUX PERSONNES QUI ASSISTENT UN VIEILLARD
Il faut encourager les personnes âgées à acquérir autant d'indépendance qu'il est possible, par exemple en s'assurant qu'une personne âgée qui souffre d'incontinence a demandé les soins d'un médecin. Mais même quand une personne âgée va aussi bien qu'il est possible, la tâche et la responsabilité liées aux soins peuvent être épuisantes.

Les personnes qui s'occupent de gens âgés peuvent être soulagées de différentes façons, en particulier en leur donnant l'occasion de parler.

AIDES UTILES
1. Aide ménagère, repas chauds apportés à la maison, popottes roulantes, infirmières, voisins amicaux peuvent apporter le soutien vital et quotidien qui permettra à une personne âgée de demeurer chez elle.
2. Un centre d'accueil offrant gîte, nourriture, services médicaux et infirmiers.
3. Une personne âgée peut avoir recours aux services de centres de jour dispensés par plusieurs centres d'accueil. Elle peut ainsi vivre chez elle.
4. Beaucoup d'organisations prévoient chaque année un certain nombre de séjours de vacances pour personnes âgées valides. Quand elles sont invalides, s'adresser aux organisations de vacances pour handicapés. Renseignez-vous dès le début de l'année.
5. Un vieux couple, ou une personne seule, peut être installé dans un appartement « protégé » où, sous surveillance, on l'aide à garder son indépendance.
6. Le parent qui s'en occupe peut se voir allouer une aide financière.

Les facilités prévues pour le soin des personnes âgées varient d'un endroit à l'autre. Votre médecin, la commune, les services sociaux ou organisations locales peuvent vous fournir de plus amples informations.

LES MAISONS DE RETRAITE
Avant d'envoyer une personne âgée en maison de retraite, il est très important de s'assurer que rien d'autre ne peut être tenté pour lui permettre de rester chez elle. Parlez-en au préalable avec son médecin pour faire l'inventaire des possibilités. S'il s'avère qu'un placement dans une maison de retraite est inévitable, les services sociaux vous fourniront une liste officielle des différents établissements publics et privés.

IMPORTANCE D'UNE BONNE FORME PHYSIQUE CHEZ LES PERSONNES AGÉES
En vieillissant, on commence à perdre plus facilement ses capacités, et à trouver plus difficile de les regagner que lorsqu'on était plus jeune. Par conséquent, les personnes âgées auraient tout intérêt à faire des exercices réguliers chaque jour. Outre le bénéfice physique qu'ils procurent, la plupart des personnes ressentent une nette amélioration de leur moral et de leur humeur dès qu'elles ont commencé des exercices réguliers. Tout exercice est bénéfique, y compris le ménage et le jardinage. Une personne âgée devrait commencer sa journée par quelques exercices de respiration, et poursuivre avec une activité énergique, telle qu'un vigoureux nettoyage des carreaux ou le ratissage d'une pelouse. Les parents devraient également encourager une personne âgée à avoir autant d'activités qu'il lui est possible à l'intérieur, ou autour de sa maison, pour garder une bonne forme.

La plupart des services municipaux offrent un large champ d'activités permettant l'entretien de la forme physique (gymnastique rythmique, yoga...) et aidant les personnes âgées à garder une vie sociale.

Les personnes âgées affligées d'une maladie chronique ou d'un handicap ont un besoin particulier d'activités de groupe et d'un entretien physique, car leur infirmité peut les rendre très vite invalides. Elles devraient demander l'avis de leur médecin sur les activités appropriées à leur état.

Voir LES HANDICAPÉS, SOINS INFIRMIERS A DOMICILE

VIRILISME

Apparition chez une femme de caractères sexuels secondaires de type masculin, tels qu'une pilosité excessive sur le visage et sur le corps, une calvitie, une augmentation de la musculature, une voix masculine. Les règles peuvent s'interrompre, les organes sexuels se modifier, les seins perdre du volume.

Il s'agit, le plus souvent, d'une production excessive d'hormones mâles (sécrétées en faible quantité chez la femme) par les ovaires ou les glandes surrénales. Cette anomalie peut être due à une tumeur (habituellement non cancéreuse) ou à une augmentation de la productivité des glandes. Parfois, le virilisme est provoqué par des médicaments ayant une activité comparable aux hormones mâles. L'excès isolé de pilosité est appelé HIRSUTISME et peut avoir d'autres causes que celles qui provoquent le virilisme.

VISION DES COULEURS

La difficulté de distinguer entre les couleurs, en particulier entre le rouge et le vert, est un défaut héréditaire. Il atteint plus souvent les hommes (8 pour 100 des hommes sont touchés, contre seulement 0,4 pour 100 des femmes).

Le daltonisme, qui peut avoir plusieurs degrés, pose rarement de grands problèmes. Chaque enfant qui apprend que l'herbe est verte et que la voiture des pompiers est rouge est alors capable de différencier ces couleurs. En tant que conducteur de véhicule, il saura que le rouge est en haut dans la colonne des feux de signalisation, le vert en bas.

Les problèmes apparaîtront seulement si une personne désire occuper un emploi qui exige une vision colorée parfaite : piloter un avion, être opérateur dans les communications navales, ou électricien, etc. Pour ces professions ou d'autres s'en rapprochant, un examen médical testera la vision colorée.

Pour la plupart des gens, il n'y a pas de difficulté majeure à vivre avec une anomalie de la vision colorée. Cela n'empêche pas de conduire un poids-lourd ou un autobus. Mais ce défaut est étudié régulièrement et signalé au conducteur.

Il n'a pas été établi de lien entre la mauvaise vision colorée et les accidents de la circulation.

Voir Tests de la vision colorée, *page suivante*

TESTEZ VOTRE VISION COLORÉE

Les chiffres que vous lisez vous renseignent sur votre vision des couleurs

Ce test doit être pratiqué dans une pièce éclairée par la lumière du jour. Examinées à la lumière électrique ou avec une lumière du jour indirecte, certaines nuances des couleurs utilisées dans ces points peuvent varier, entraînant des divergences dans les résultats. Les planches doivent être regardées à une distance de 75 centimètres, le regard perpendiculaire à la planche. On doit répondre en trois secondes. La réponse correcte pour chaque planche est indiquée en dessous. La lecture correcte des planches 1 à 6 indique une vision colorée normale. Si vous lisez mal l'une des planches, mieux vaut consulter un ophtalmologiste pour un test complet de votre vision colorée. Les planches 7 et 8 sont utilisées pour ceux qui, comme les jeunes enfants, ne savent pas lire.

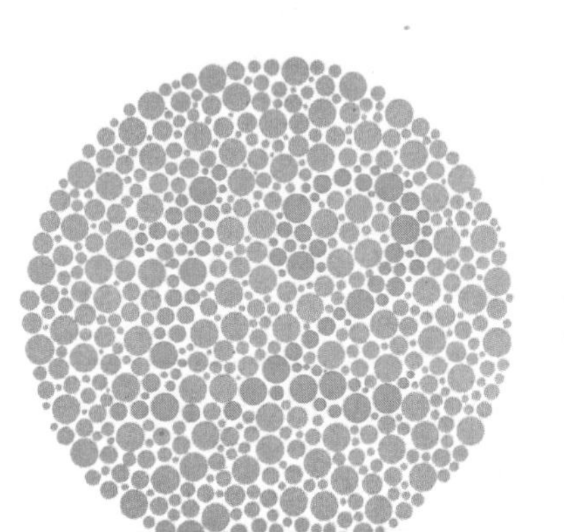

1. Toutes les personnes, qu'elles aient ou non une anomalie de la vision des couleurs, voient le chiffre I2.

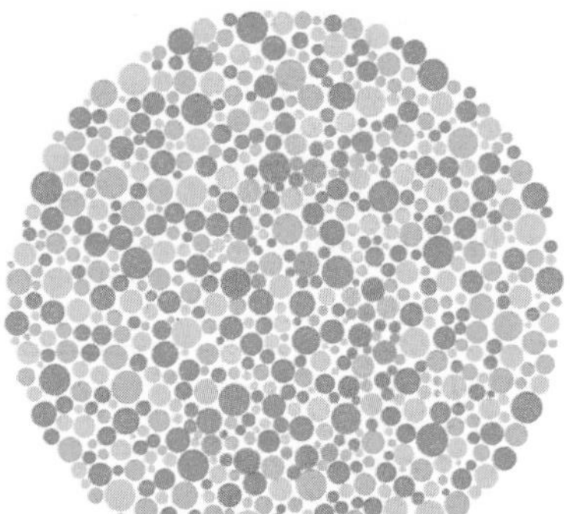

3. Les sujets normaux voient 5. Ceux qui ont un daltonisme voient 2. Ceux qui ont une cécité totale aux couleurs ne voient pas de chiffre.

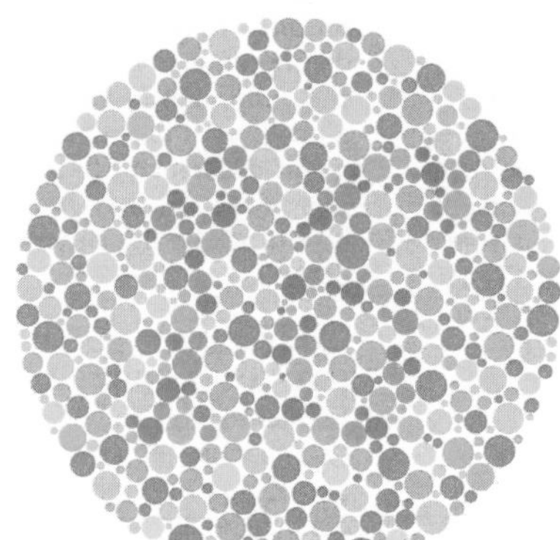

5. Les sujets normaux voient 16. Ceux qui ont une anomalie de la vision colorée voient un numéro erroné ou aucun numéro.

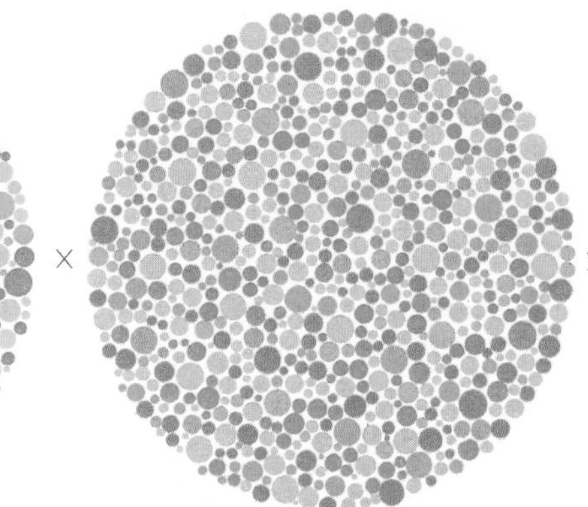

7. Le but est de relier les deux X par une ligne sinueuse. La ligne normale est orange. Ceux qui voient mal les couleurs ne la distinguent pas.

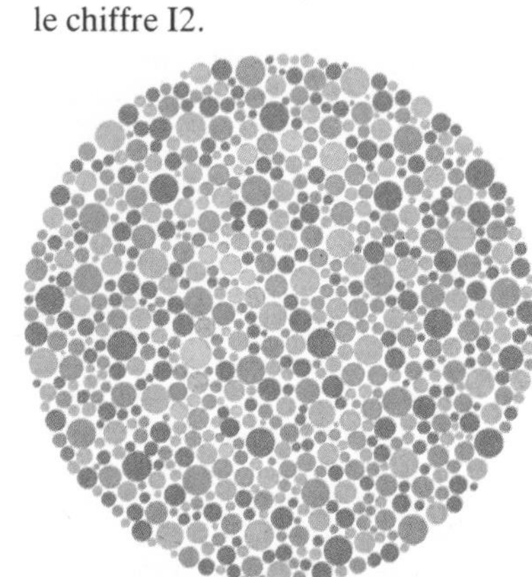

2. Les sujets normaux voient 8. Ceux qui ont un daltonisme voient 3. Ceux qui ont une cécité totale aux couleurs ne voient aucun chiffre.

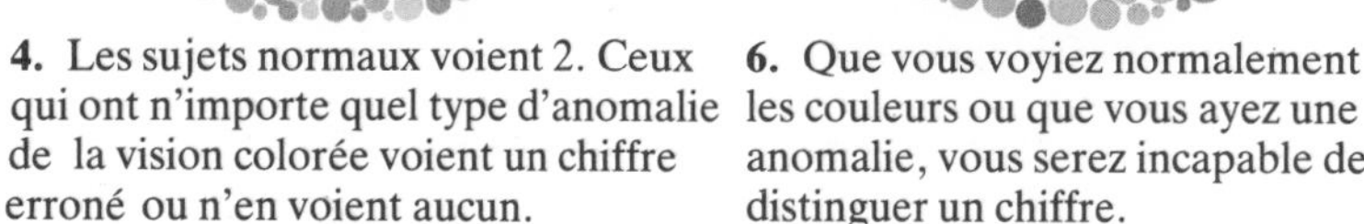

4. Les sujets normaux voient 2. Ceux qui ont n'importe quel type d'anomalie de la vision colorée voient un chiffre erroné ou n'en voient aucun.

6. Que vous voyiez normalement les couleurs ou que vous ayez une anomalie, vous serez incapable de distinguer un chiffre.

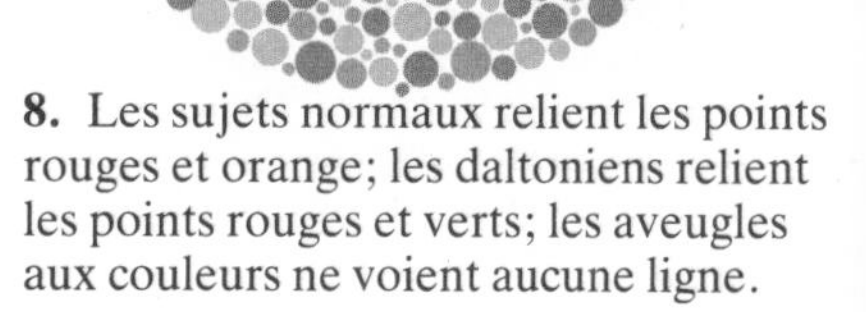

8. Les sujets normaux relient les points rouges et orange; les daltoniens relient les points rouges et verts; les aveugles aux couleurs ne voient aucune ligne.

VITAMINOTHÉRAPIE

L'administration de vitamines en quantité raisonnable fait souvent partie des prescriptions du médecin. Depuis les années 60, on a proposé une méthode de traitement qui consiste à administrer des doses massives de vitamines pour combattre certaines maladies. Ainsi, on a proposé d'administrer de très fortes doses de vitamine C (présente dans les fruits et les légumes) pour protéger contre la grippe et d'autres infections virales. Rien ne permet d'affirmer que cela serve à quelque chose, mais il n'y a pas d'argument pour penser que cela puisse être toxique.

Par contre, l'administration de doses massives de vitamine A, parfois proposée pour certains troubles de la peau et mentaux, peut être toxique, de même que celle de vitamine D. Ces deux vitamines peuvent entraîner des intoxications parfois sévères. Elles doivent donc être employées avec précaution.

Il n'y a aucune preuve qui permette d'affirmer que des doses massives de vitamine B ou C sont capables de traiter l'alcoolisme, la schizophrénie ou d'autres maladies mentales. De même, on ne peut pas dire avec certitude que la vitamine E ait un intérêt évident dans le traitement des maladies de peau ou des crampes musculaires. Les médecins ne croient pas davantage aux vertus de la vitamine E sur les performances sexuelles.

Voir ALIMENTATION SAINE
MÉDICAMENTS, n° 36

VITILIGO

Plaques blanches de la peau, dues à la disparition du pigment cutané. Cette affection est fréquente, touchant environ 1 pour 100 de la population. Elle apparaît à tout âge mais, dans la moitié des cas, avant vingt ans. Il n'y a pas de douleur, mais le préjudice esthétique peut être important si le vitiligo siège au visage, particulièrement chez les sujets à peau sombre ou noire.

Symptômes
- Taches blanches, bien limitées, arrondies, ovalaires ou irrégulières, qui se forment sur une peau par ailleurs normale. Les taches peuvent rester stables ou bien s'étendre lentement et confluer en larges placards.
- Elles peuvent siéger en n'importe quel point du corps, habituellement de façon bilatérale.
- Les poils de la zone atteinte peuvent devenir blancs.
- Les plaques brûlent facilement au soleil.

Durée
- Après quelques mois ou années, les plaques régressent parfois un peu mais disparaissent rarement complètement. Dans d'autres cas, elles sont stables ou extensives.

Causes
- Inconnues.

Traitement à domicile
- Les plaques gênantes peuvent être recouvertes d'un fond de teint épais, appelé « covermark ».

Quand consulter le médecin
- Si l'affection est invalidante psychologiquement.

Rôle du médecin
- Tenter de stimuler les cellules pigmentaires de la peau avec des rayons ultraviolets associés à un médicament.
- Si la surface dépigmentée est supérieure à celle de la peau normale, il peut être préférable de dépigmenter la peau saine.

Pronostic
- La guérison est improbable, mais l'association des produits cosmétiques et du traitement permet habituellement une vie sociale normale.

Voir LA PEAU, *page 52*

VOMISSEMENTS

Symptôme assez fréquent chez les adultes comme chez les enfants, pouvant correspondre à de très nombreuses causes, certaines banales, d'autres beaucoup plus sévères.

Voir LISTE DES SYMPTOMES (VOMISSEMENTS)
PUÉRICULTURE (MALADIES INFANTILES)

YOGA
voir page 526

ZONA

Maladie virale, à localisation nerveuse et cutanée, donnant une éruption bulleuse localisée à la zone de peau innervée par le nerf atteint. Le zona est fréquent chez les sujets âgés, mais il peut s'observer à tout âge.

Symptômes
- Douleurs sévères, habituellement unilatérales, suivies deux ou quatre jours plus tard par l'apparition de bulles sur la zone douloureuse.
- Légère fièvre et malaise général.
- L'éruption touche le thorax dans la moitié des cas.

Durée
- Des croûtes se forment au bout d'une semaine, et l'éruption disparaît en deux ou trois semaines en laissant des cicatrices.
- La douleur peut disparaître rapidement ou persister des mois après la guérison de l'éruption.

Causes
- Le virus de la varicelle, qui reste vivant dans les cellules nerveuses. Seuls les sujets qui ont déjà eu la varicelle peuvent présenter un zona, même si la varicelle est passée inaperçue.
- Une maladie générale, de même que l'âge, peuvent réactiver le virus.
- A l'école, une éruption de varicelle peut être transmise par un professeur atteint de zona. A l'inverse, un zona peut être déclenché par le contact avec un enfant atteint de varicelle.

Traitement à domicile
- Portez des vêtements amples pour éviter la pression ou le frottement sur la zone affectée.
- Des analgésiques peuvent être nécessaires.
- Des bains frais peuvent apporter un soulagement.
- Les poudres et talcs sont irritants.
- Éloignez-vous des enfants ou des femmes enceintes qui n'ont pas eu la varicelle.

Quand consulter le médecin
- Pour confirmer le diagnostic et obtenir des analgésiques puissants.
- Pour une éruption proche de l'œil, car la vue pourrait être endommagée sans traitement précoce.
- Une ENCÉPHALITE est une complication très rare, mais toute altération de l'état général, comme des céphalées, une perte de la vigilance, doit être signalée.

Rôle du médecin
- Prescrire une médication antivirale dans certains cas graves. *Voir* MÉDICAMENTS, n° 27.

Prévention
- Inconnue.

Pronostic
- Les lésions de la peau cicatrisent spontanément, et les complications oculaires peuvent être prévenues.
- La peau peut rester engourdie au site de l'infection.

Voir LA PEAU, *page 52*

Yoga

UN PROGRAMME POUR AMÉLIORER VOTRE BIEN-ÊTRE PHYSIQUE ET POUR DÉTENDRE VOTRE CORPS ET VOTRE ESPRIT

Beaucoup de gens en Occident considèrent le yoga comme une simple forme de relaxation et comme un moyen de garder sa souplesse physique, mais en Inde — où les principes du yoga ont été établis il y a quelque 2 000 ans — ses disciples le tiennent pour une philosophie complète de l'existence. Des praticiens expérimentés, appelés yogis, pensent que le yoga peut améliorer la santé physique et mentale des gens en les aidant à se mettre « en accord » avec l'Univers. Cette méthode, proclament les yogis, aidera tous ceux qui sont nerveux et qui souffrent d'un manque de concentration.

A faire et à ne pas faire en matière de yoga

☐ Apprenez le hatha-yoga auprès d'un professeur qualifié.

☐ Assurez-vous que vos intestins et votre vessie sont vides.

☐ Planifiez vos heures de repas afin de toujours manger après avoir accompli les exercices. Si ce n'est pas possible, attendez au moins trois heures après un repas copieux pour faire du yoga.

☐ Prenez une douche ou un bain avant et après avoir fait du yoga. Cela vous rafraîchira le corps et vous stimulera l'esprit.

☐ Ne commencez pas les exercices si vous avez des problèmes de santé. Discutez-en l'opportunité avec votre médecin.

☐ Ne vous tendez pas trop pendant les postures de yoga.

☐ Ne faites pas de hatha-yoga après une longue exposition au soleil, sinon vous risquez de vous sentir mal ou d'avoir un étourdissement.

☐ Ne considérez pas le hatha-yoga comme pouvant remplacer des soins médicaux.

OBJECTIF : SANTÉ

Différentes formes de yoga ont été élaborées à travers les siècles. La plus largement pratiquée en Occident, et celle qui met davantage l'accent sur le maintien de la santé, est le hatha-yoga. Le mot yoga signifie « union », et hatha fait référence à la discipline du corps utilisée pour réaliser les différentes postures.

Les yogis insistent sur le fait qu'aucune posture n'a de valeur si elle demande une tension physique excessive.

La pratique du hatha-yoga ne demande pas plus de dix à quinze minutes une ou deux fois par jour. Il peut être pratiqué en toute sécurité à partir de l'âge de dix ans, pourvu que la santé soit bonne.

Si vous souffrez d'un quelconque trouble physique, il faut faire le point avec votre médecin avant de vous mettre au hatha-yoga.

Bien que vous puissiez faire du hatha-yoga tout seul, il est préférable de débuter avec un maître très entraîné qui établisse avec vous des relations personnalisées et qui observe et aide chacun de ses élèves.

Se préparer au hatha-yoga

Les neuf postures indiquées sur les pages suivantes conviennent à un débutant, mais ne vous attendez pas à les faire parfaitement dès la première séance. Cela peut demander des semaines. Suivez les instructions sans forcer.

Il ne faut pas obligatoirement faire tous les mouvements tous les jours. Vous pouvez en exécuter un ou deux, une ou deux fois par jour. Si vous avez davantage de temps, vous pourrez accomplir toute la série. Le hatha-yoga devra être pratiqué dans une chambre tranquille, tiède, bien aérée, dans laquelle vous aurez suffisamment d'espace pour vous étirer. Le froid gêne la relaxation, travaillez donc au sol sur un tapis ou une couverture.

Vos vêtements devront être larges. Mettez-vous nu-pieds.

Prière

PÈRE,

toi qui as largement ouvert le coeur
de Marguerite d'Youville
à tous ses frères et soeurs en humanité :
elle a accueilli le vieillard,
la mère célibataire, l'enfant abandonné
avec générosité, tendresse et sollicitude ;
elle a servi les pauvres comme des seigneurs,
avec une indéfectible confiance en la Providence ;
elle a assumé les plus dures épreuves
comme des appels à l'Amour ;
donne-nous
l'élan de sa foi,
le courage de son espérance
et le feu de sa charité.
Nous te le demandons
par Jésus, ton Fils, notre Seigneur.

AMEN

Yvon Poitras, F.I.C.

sation de Mgr Paul Grégoire,
êque de Montréal, "N.P. 9 - 1987"

---

nctuaire de Mère d'Youville
, rue Sainte-Anne, C.P. 46
Varennes, Qué., Canada
J0L 2P0

Centre Marguerite d'Youville
1185, rue Saint-Mathieu
Montréal, Qué., Canada
H3H 2H6

Sainte

Marguerite d'Youville

La posture du diamant (Vajrasana)

EXERCICE 1

Certains débutants pourront aller sans peine jusqu'au bout de cette posture; d'autres, aux genoux plus fragiles, ne pourront s'agenouiller ni s'asseoir directement sur le sol. Pour certains, les pieds s'écarteront en dehors tandis que les gros orteils se tourneront légèrement en dedans. Il sera utile d'utiliser une couverture roulée pour soutenir la cambrure des pieds, et une pile de revues ou de couvertures pliées pour s'asseoir.

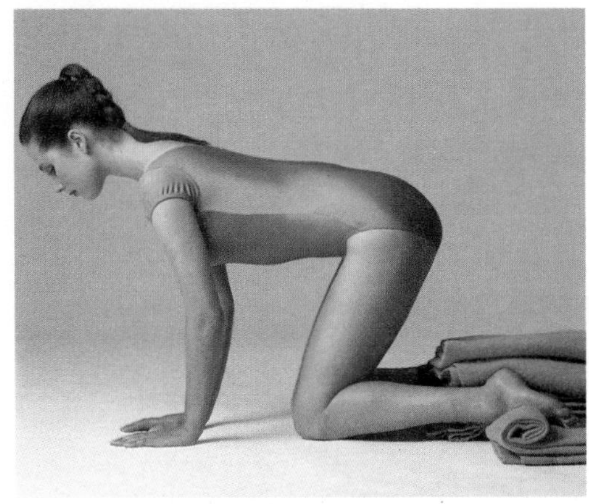

1. *Agenouillez-vous sur le sol, de préférence sur un tapis épais ou du linoléum, et appuyez-vous sur vos mains. Gardez vos genoux l'un contre l'autre et écartez vos pieds d'environ 50 centimètres.*

2. *Posez vos fesses sur la couverture et vos mains sur les cuisses. Ne pesez pas sur vos membres inférieurs. Essayez de garder cette posture pendant deux à cinq minutes, en respirant aussi naturellement que possible. Abaissez votre menton. Abaissez vos paupières et regardez le sol à 1 mètre devant vous. Gardez vos épaules abaissées et votre colonne droite. Vous serez peut-être capable de garder cette posture sans couverture.*

La posture de la foudre (Supta-vajrasana)

EXERCICE 2

Quand vous aurez maîtrisé la posture du diamant, vous pourrez essayer la posture de la foudre. Avant de commencer cet exercice, placez la ou les couvertures pliées de manière à soutenir le haut de votre dos (photos **1** et **2**). Si vos cuisses s'élèvent trop durant l'exercice, vous pourrez mettre davantage de couvertures ou de coussins (fermes) sous votre dos et votre tête, et séparer vos genoux. Les yogis disent que cette posture soulage les jambes douloureuses et qu'elle est particulièrement utile aux gens qui ont à se tenir debout ou à marcher pendant des heures. Elle est également recommandée aux athlètes par les yogis et peut être brièvement accomplie avant d'aller au lit, pour faciliter la récupération nocturne des jambes fatiguées (photo **3**).
Certaines personnes peuvent éprouver un mal de dos durant cet exercice. Pour y mettre fin, rasseyez-vous et écartez vos genoux autant que possible en tenant vos pieds sur le côté avec vos mains, de telle sorte que les deux gros orteils se touchent, ainsi que les deux plantes. Tendez les bras et le buste, et abaissez-les vers le sol en gardant vos talons aussi près que possible de vos fesses. Ensuite, détendez doucement vos jambes et levez-vous.

1. *Cette posture succède naturellement à la posture du diamant : mettez-vous à genoux sur le sol dans la posture précédente et inspirez.*

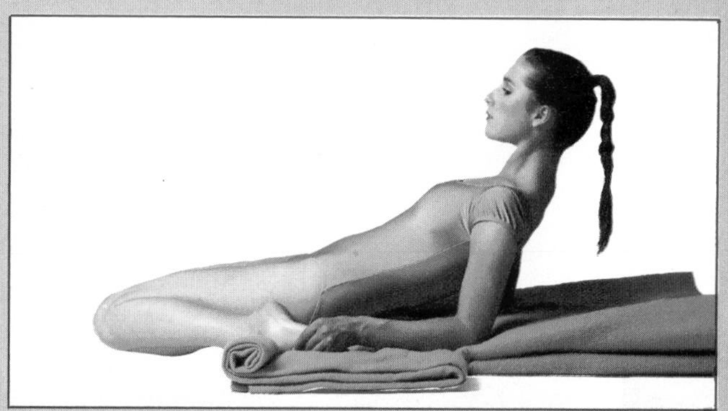

2. *Pendant que vous expirez, penchez-vous en arrière et posez vos coudes l'un après l'autre sur la couverture. Continuez à respirer tranquillement.*

3. *Faites glisser vos mains vers le bas de votre corps, l'une après l'autre, et tendez vos bras. Abaissez progressivement votre dos, puis votre nuque, sur la couverture. Votre dos devra être bien plat. Si vos cuisses se soulèvent trop, corrigez en écartant vos genoux. Il est conseillé de ne pas garder la posture plus de trois minutes. Pour vous lever, détendez les jambes doucement.*

1. *Mains étendues sur le sol, faites pression sur les pouces, placés à 15 centimètres l'un de l'autre en direction du mur, les doigts à son contact.*

2. *Commencez à vous dresser lentement. Vos bras doivent s'aligner sur le côté de vos épaules et vos pieds sur vos hanches. Tournez légèrement vos orteils en dedans.*

3. *Pour bien élever votre corps, gardez vos bras bien droits tout en fléchissant l'intérieur de vos coudes, dressez-vous en rentrant vos omoplates.*

La posture du guetteur (Purvottanasana)

EXERCICE 3

Cette posture imite celle d'un chien s'étirant, tête et pattes antérieures tendues vers le bas, pattes postérieures dressées. Il sera plus facile de l'exécuter face à un mur.
Au début, gardez la posture pendant une minute. Quand vous serez plus expérimentée, gardez-la jusqu'à cinq minutes.
On peut corser l'exercice en accomplissant les quatre étapes de la posture à l'envers — en tournant le dos vers le mur et en plaçant les paumes des mains, doigts étendus, là où étaient les pieds.

4. *Poussez vos talons en douceur vers le sol. Quand vos tendons d'Achille s'étirent, vos talons peuvent atteindre le sol. Gardez vos orteils tournés vers l'intérieur et tendez l'arrière de vos genoux jusqu'à sentir une traction.*

1. *Placez-vous le dos contre un mur, jambes tendues, écartées d'environ 90 centimètres l'une de l'autre. Tendez les bras à l'horizontale des épaules, les paumes vers le sol. Épaules, hanches, petits doigts et colonne doivent toucher le mur. Tournez le pied droit à 90° vers la droite, et le pied gauche à 45° dans la même direction.*

2. *Pendant que vous expirez, tendez le bras droit et le tronc vers la droite.*

La posture du triangle étiré (Uttitha-trikonasana)

EXERCICE 4

Exécutez les trois poses de cette posture d'un côté du corps puis de l'autre. Vous la trouverez probablement plus difficile à travailler d'un côté. Cela s'équilibrera si vous travaillez davantage du côté « difficile ».
Attention au vertige lorsque vous défaites la posture. Remontez lentement en expirant. A la fin de l'exercice, mettez-vous à genoux, le front sur le sol et les bras de chaque côté du corps. Relâchez tous les muscles.

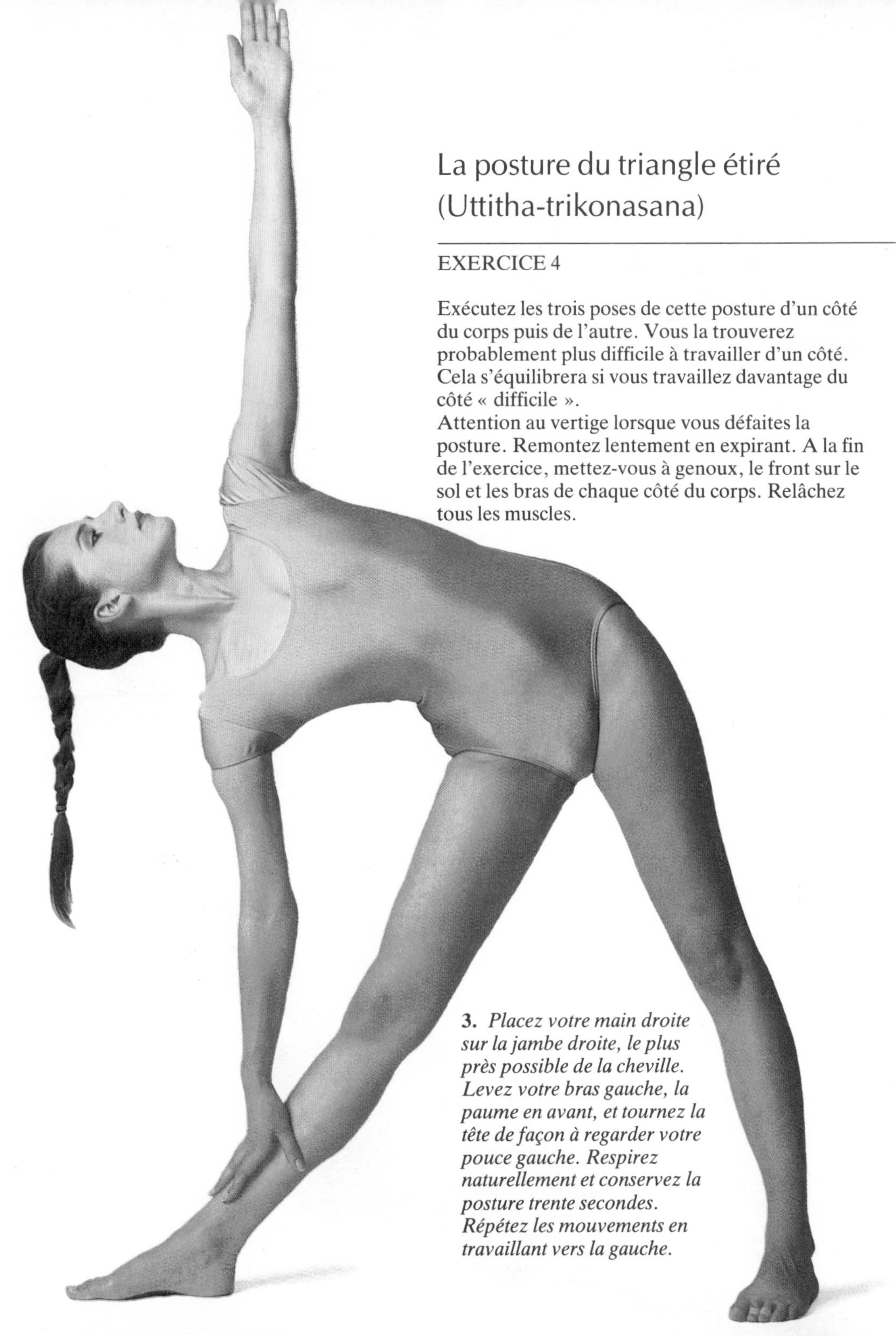

3. *Placez votre main droite sur la jambe droite, le plus près possible de la cheville. Levez votre bras gauche, la paume en avant, et tournez la tête de façon à regarder votre pouce gauche. Respirez naturellement et conservez la posture trente secondes. Répétez les mouvements en travaillant vers la gauche.*

1. *Asseyez-vous sur une couverture pliée, genoux joints et fléchis, pieds pointant vers la gauche. Placez votre main gauche sur votre cuisse droite juste au-dessus de votre genou. En tournant le buste, placez votre main droite en alignement avec votre colonne et touchez le sol du bout des doigts.*

2. *Tenez votre genou droit avec la main gauche; en même temps, poussez sur le sol avec le bout des doigts de la main droite. Faites pivoter les hanches jusqu'à ce que votre buste soit aligné sur votre jambe avant. Faites attention à respirer de manière égale et tranquille.*

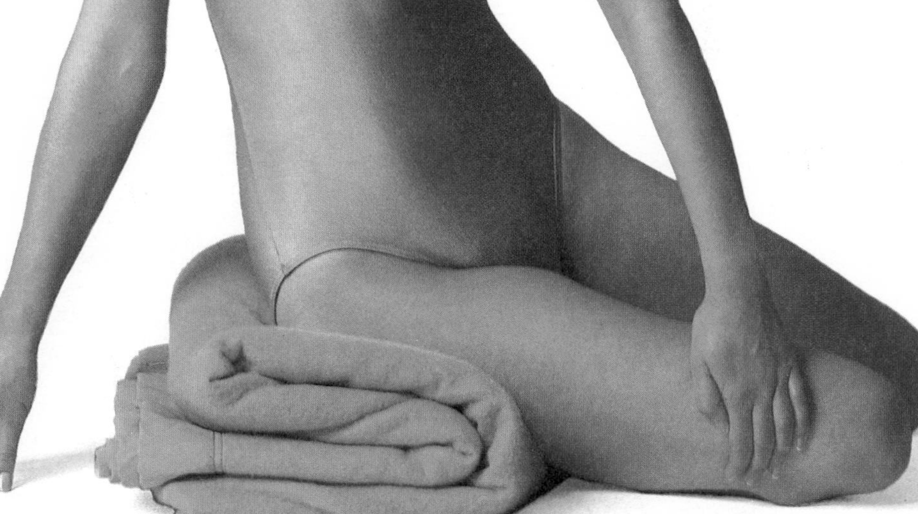

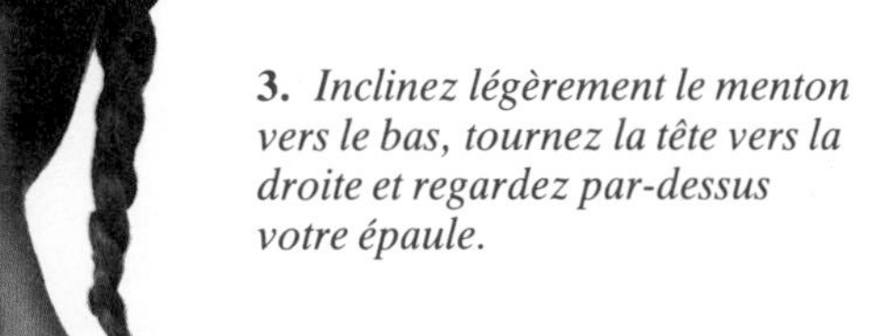

3. *Inclinez légèrement le menton vers le bas, tournez la tête vers la droite et regardez par-dessus votre épaule.*

La posture assise, colonne en torsion (Vakrasana)

EXERCICE 5

Les débutants peuvent trouver cette posture plus facile en s'asseyant de côté sur une chaise et en utilisant le dos de la chaise pour pivoter. Quand vous aurez réussi la posture dans une direction, changez la position et travaillez de l'autre côté.
Gardez la posture pendant deux minutes.

Variante de la posture du pont (Urdhia-dhanurasana)

EXERCICE 6

Deux couvertures pliées et un support en bois d'environ 30 centimètres de hauteur sont nécessaires pour réaliser cette posture. Vous pouvez utiliser comme support un tabouret large ou une solide table basse, en vous assurant qu'ils ne glisseront pas sur le plancher. S'ils sont trop hauts pour exécuter la posture, vous pouvez placer des coussins, d'autres couvertures, des magazines, des livres, là où vous poserez votre tête. Avec de l'entraînement, vous deviendrez capable de tenir la posture pendant deux à quatre minutes et, peu à peu, vous parviendrez à dix minutes. N'essayez pas de vous asseoir directement après la posture. Glissez vers l'arrière pour quitter le support et restez un moment le dos au sol, jambes fléchies. Ramenez les genoux sur la poitrine. Puis roulez doucement sur le côté et levez-vous.

1. *Placez une des couvertures sur le sol et l'autre à l'extrémité du support. Asseyez-vous sur la couverture du support, les genoux pliés.*

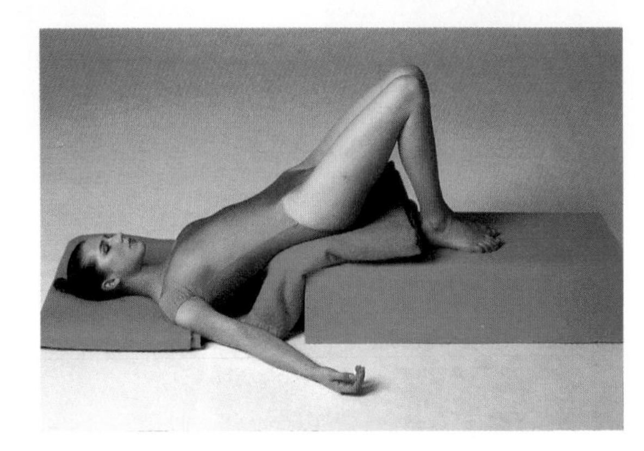

2. *Abaissez le haut du corps vers le sol, en gardant le bas du dos appuyé sur la couverture du support. Si vous ne pouvez pas atteindre le sol, posez-y davantage de couvertures, jusqu'à ce que vos épaules y soient soutenues.*

3. *Étirez vos bras derrière votre tête, sur le plancher. Si, au début, vos épaules sont raides, vos bras ne parviendront pas à toucher le sol.*

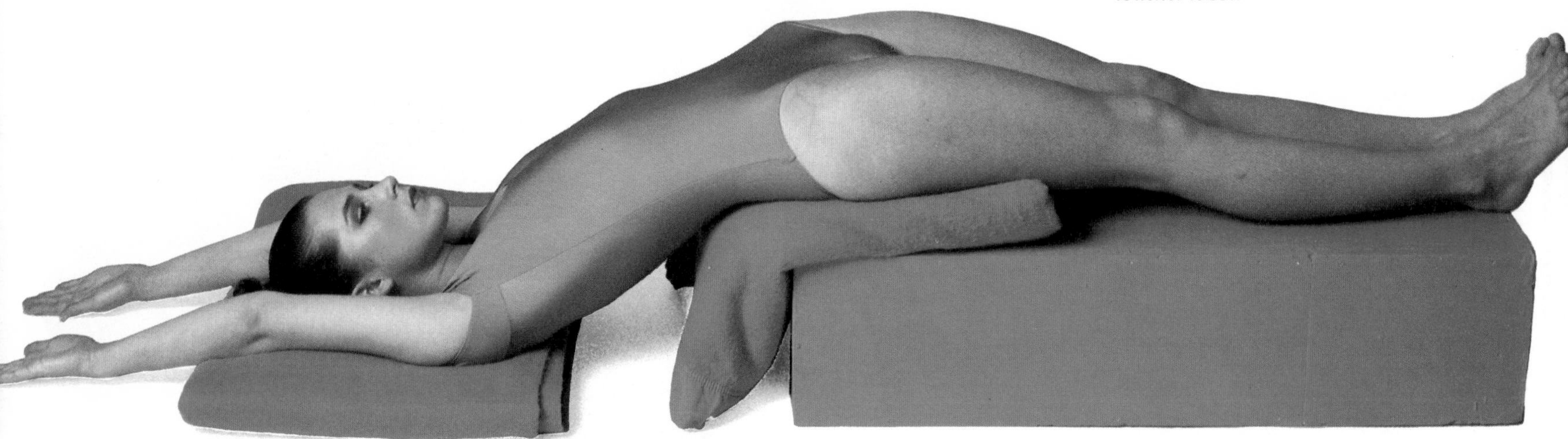

La posture de la charrue (Halasana)

EXERCICE 7

Dans cette posture, les débutants devront utiliser une chaise. Quand vous êtes allongé au sol, la chaise doit se trouver à 60 centimètres de votre tête.
Utilisez au moins une ou deux couvertures pliées comme support où poser votre cou, vos épaules et vos coudes. Ne pas les placer sous votre tête, sinon votre menton touchera votre sternum et gênera votre respiration.
Avec de l'entraînement, vous deviendrez capable, et sans chaise, de maintenir la posture pendant trois minutes puis cinq minutes.

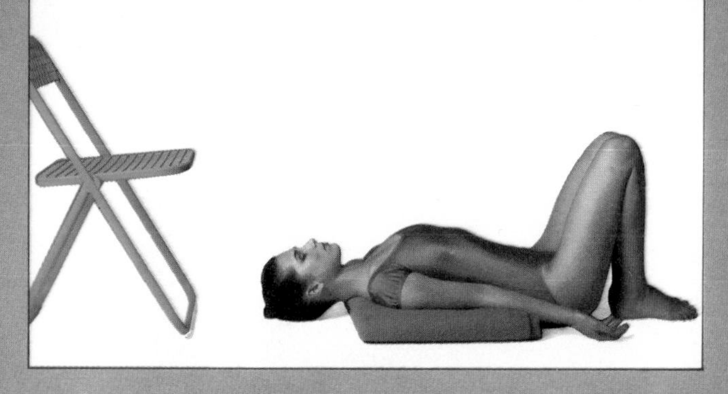

1. *Couchez-vous sur le dos, l'arrière de la tête à même le sol, le cou et les épaules sur la couverture. Placez vos bras sur les côtés, les paumes tournées vers le haut.*

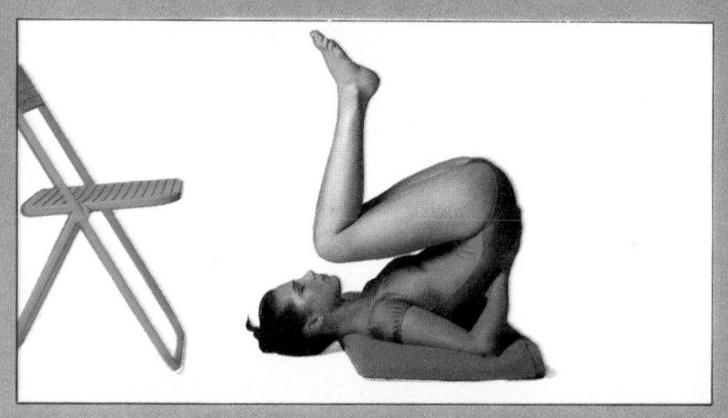

2. *Pliez vos genoux et amenez-les aussi près que possible de votre poitrine. Tout en expirant, détachez vos fesses et votre dos du sol, et placez immédiatement vos mains à l'arrière de votre taille. Ce n'est pas difficile à faire avec de l'entraînement. Sinon, vous placez vos pieds sur les épaules d'un aide et vous vous soulevez.*

3. *Posez vos orteils sur la chaise. Si vous trouvez cette position inconfortable, demandez à votre aide de déplacer la chaise vers l'avant jusqu'à ce que vos cuisses s'appuient directement sur elle.*

La posture de la chandelle (Sarvangasana)

EXERCICE 8

La posture de la chandelle succède naturellement à la posture de la charrue. Lorsque vous serez dans la position verticale, vous ne regarderez pas vos pieds. Gardez vos yeux fixés sur un point situé à environ 10 centimètres au-dessus de votre nombril. Si votre respiration n'est pas calme et aisée, abandonnez la position.
Pour y parvenir, pliez vos genoux et abaissez votre dos vers le sol, vertèbre après vertèbre, en même temps que vous retirez vos mains de votre dos. Avec de l'entraînement, vous deviendrez capable de tenir la posture pendant trois minutes.
A la fin de l'exercice, détendez-vous sur le sol en respirant naturellement, et préparez-vous à accomplir la dernière posture.

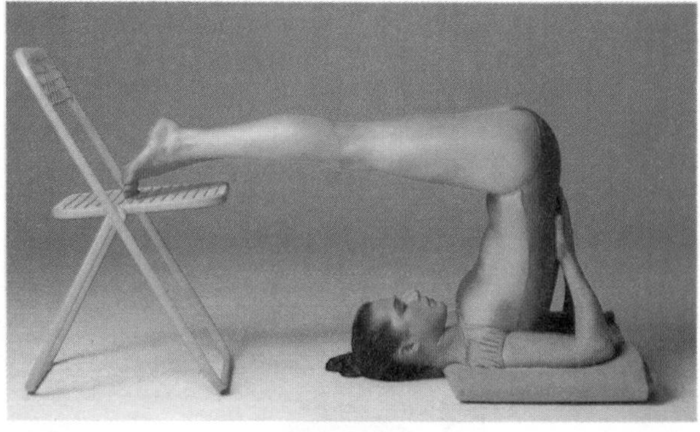

1. *Partant de la position de la charrue, placez fermement vos mains sur vos dernières côtes, avec vos coudes bien repliés.*

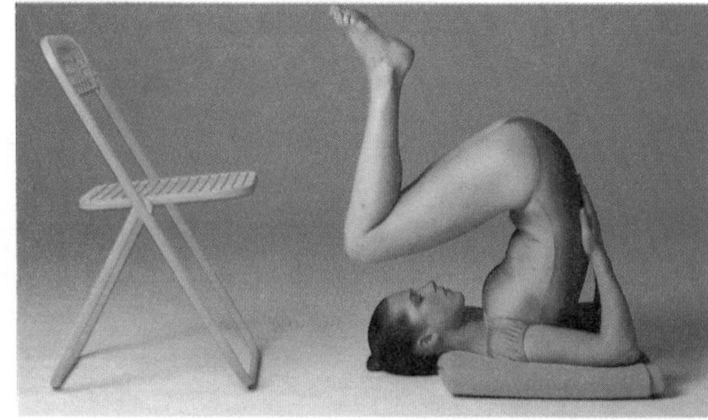

2. *Détachez vos pieds de la chaise et ramenez vos genoux près de votre front. Continuez de soutenir votre dos et gardez vos coudes en place.*

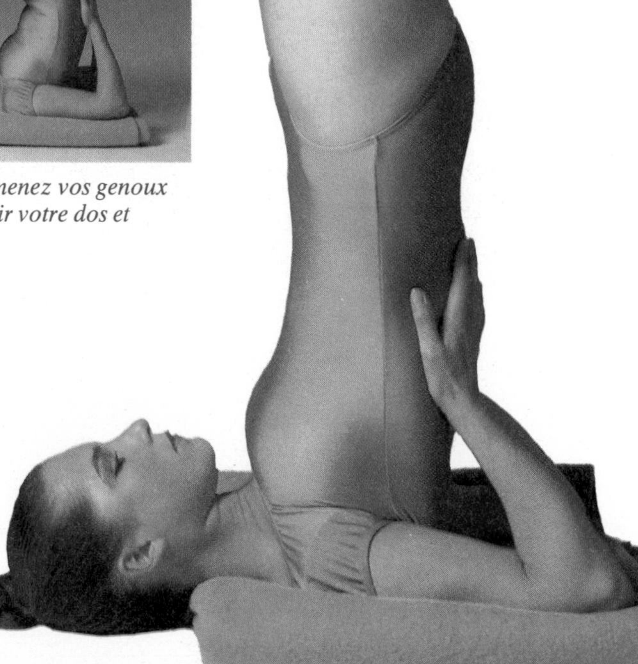

3. *Allongez vos jambes vers le haut. Gardez vos mains en place et approchez votre buste de votre visage. Placez vos gros orteils au contact l'un de l'autre. Poussez vos plantes de pieds aussi loin que possible en direction du plafond.*

La posture du cadavre (Sharasana)

EXERCICE 9

Le but de cette dernière posture est de relaxer complètement votre corps et votre esprit. Placez une couverture pliée sous la tête — *pas* le cou. Cela abaissera votre menton.
En exécutant cet exercice, vous pourrez trouver que votre dos vous fait mal. S'il en est ainsi, placez un coussin ferme sous le creux de votre dos. Cette posture forme la base de nombreuses techniques de relaxation utilisées de nos jours. Elle devrait être maintenue pendant environ quinze minutes, sans vous endormir.
Pour compléter la posture, soulevez vos paupières et regardez le plafond, tout en respirant profondément. Ramenez vos genoux vers votre poitrine et roulez en douceur vers la droite. Faites pivoter votre bras gauche au-dessus de vous et dégagez votre bras droit d'en dessous de vous, vers l'avant. Vous vous retrouverez sur le dos. Votre main droite touche le sol. Ramenez votre bras gauche le long du corps. Vous allez vous sentir complètement relaxée et en paix avec vous-même. Quand vous serez prête, levez votre tête et asseyez-vous en douceur.

1. *Étendez-vous à plat avec une couverture pliée sous votre tête. Gardez vos pieds joints, avec vos orteils pointant vers le haut. Dressez votre tête et regardez votre corps tout du long pour vérifier qu'il est bien droit.*

2. *Écartez vos bras d'environ 50 centimètres de votre corps, les paumes vers le haut. Roulez vos épaules en arrière et détachez très légèrement les omoplates du plancher. Fermez doucement les yeux. Poussez bien vos pieds vers l'extérieur pour étirer votre colonne.*

3. *Laissez aller vos pieds sur le côté. Ouvrez légèrement votre bouche, puis fermez vos lèvres et respirez par le nez. Faites attention à ce que votre langue soit relâchée et repose sur votre mâchoire inférieure. Relâchez vos muscles de la face et votre front. Écoutez-vous respirer.*

4e PARTIE LES URGENCES

Pour apprendre les gestes qui sauvent et donner les premiers soins

Accidents par les gaz

Depuis des années, le gaz qui vous est délivré à domicile par les canalisations ou celui que vous achetez en bouteille n'est pas toxique; cela a réduit les accidents. Ceux qui pensent se suicider en ouvrant leur robinet à gaz risquent de provoquer une explosion dans tout l'immeuble, pouvant faire de nombreux blessés, voire des morts.

Si vous sentez l'odeur de gaz, elle est due à une substance odorante que l'on ajoute au gaz naturel pour que, précisément, l'alerte soit donnée rapidement à la compagnie du gaz et aux pompiers. Dans ce cas, NE PROVOQUEZ AUCUNE FLAMME NI ÉTINCELLE (ne sonnez pas à la porte, n'allumez pas la lumière), vous risquez de tout faire sauter. Aérez et attendez l'avis des spécialistes.

Le monoxyde de carbone (CO) est par contre un gaz toxique. Il n'a aucune odeur et se dégage lors de toute combustion incomplète.

Tout appareil à gaz (chauffe-eau usagé, radiateur d'appoint endommagé), à pétrole, à charbon, tout moteur à explosion dégage du monoxyde de carbone.

Les appareils installés et vérifiés par les spécialistes sont sans danger, mais méfiez-vous de toute installation non conforme. N'obstruez pas les aérations prévues pour éviter les accidents.

Dans un garage, tunnel ou lieu fermé où fonctionne un moteur à explosion ou une voiture au ralenti, il y a dégagement de monoxyde de carbone. Ne laissez pas tourner un moteur au ralenti dans les souterrains !

Les signes d'un début d'intoxication par ce gaz inodore sont trompeurs : fatigue intense, maux de tête, vomissements. En cas de doute, il faut exiger une analyse du gaz suspect, ainsi qu'un examen médical, car si le sujet n'est pas rapidement soustrait à ce gaz et traité par des inhalations d'oxygène pur, il risque d'entrer dans un coma grave avec de nombreuses lésions des organes.

Les gaz, vapeurs et fumées « qui font tousser », comme le chlore qui se dégage lorsque l'on jette de l'eau de Javel dans des w.-c. où il y avait déjà des cristaux de soude, ainsi que les gaz utilisés par la police lors des manifestations, sont plus impressionnants que dangereux. Cependant, ils peuvent provoquer un étouffement annoncé par un changement de voix, une expectoration de crachats sanglants.

Même si l'état du sujet s'améliore, il est prudent de lui faire subir un examen médical et radiologique.

Bandages de fortune

Pour arrêter le saignement d'une grosse plaie, il suffit de comprimer celle-ci avec des compresses. Si une zone de la plaie est incompressible à cause de la présence d'un corps étranger ou de l'os qui fait saillie, faites un « pansement anneau » autour de cette zone (voir illustrations page suivante).

A l'aide d'une bande élastique, comprimez la zone de la plaie en effectuant plusieurs tours superposés.

Aujourd'hui, il existe dans les hôpitaux ou les pharmacies des bandages compressifs prêts à être utilisés. Si vous ne possédez pas ces bandages, vous pouvez utiliser une bande de tissu découpée dans un vêtement en coton de 10 centimètres de large et de 1 mètre de long environ. Pour maintenir le bandage, on fend l'une des extrémités en deux brins, ce qui permet de faire un nœud.

Un bandage ne doit pas être un garrot. Un garrot pratiqué avec un élastique fait saigner les plaies encore plus puisqu'il empêche le retour veineux. Un garrot serré qui comprime l'artère est très douloureux, menace l'artère là où il la comprime s'il est fait avec un lien trop fin, et menace de toute façon le membre sous-jacent de gangrène. Donc, jamais de garrot ! Faites des pansements compressifs.

CONFECTION D'UN BANDAGE

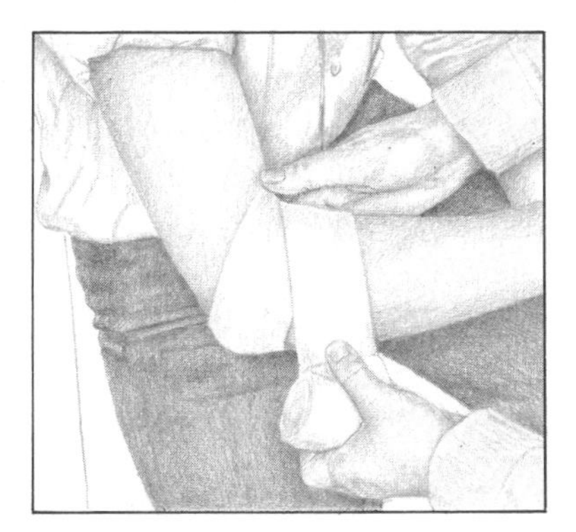

1

Pour effectuer un bandage correctement, il vous faut d'abord poser un lit de compresses sur la plaie, puis commencer à enrouler la bande autour des compresses.

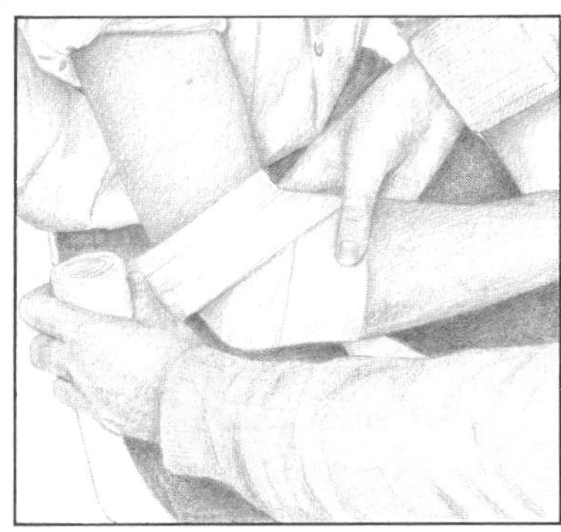

2

Gardez la bande enroulée dans une main et passez-la à l'autre main, sans trop la dérouler. Tendez la bande sans exagération et couvrez à chaque tour une partie du tour précédent.

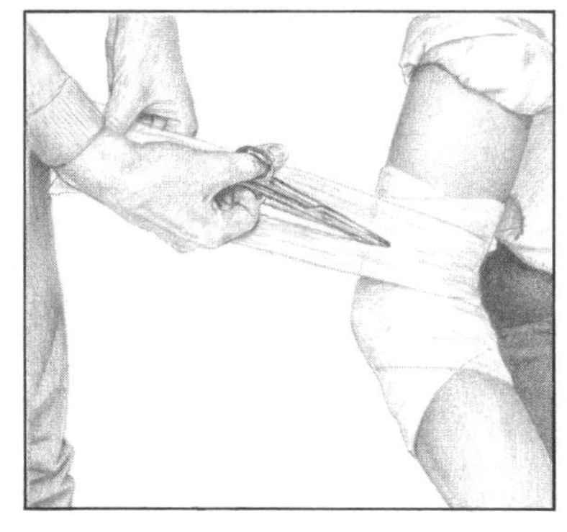

3

A la fin, pour fixer la bande, vous pouvez utiliser une épingle de nourrice ou des attaches spéciales, ou bien fendre l'extrémité de la bande en deux brins.

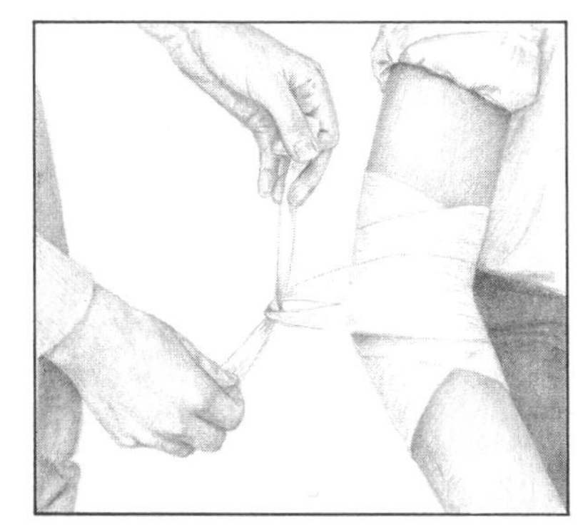

4

Faites un premier nœud avec ces deux brins pour que le tissu ne continue pas à se déchirer.

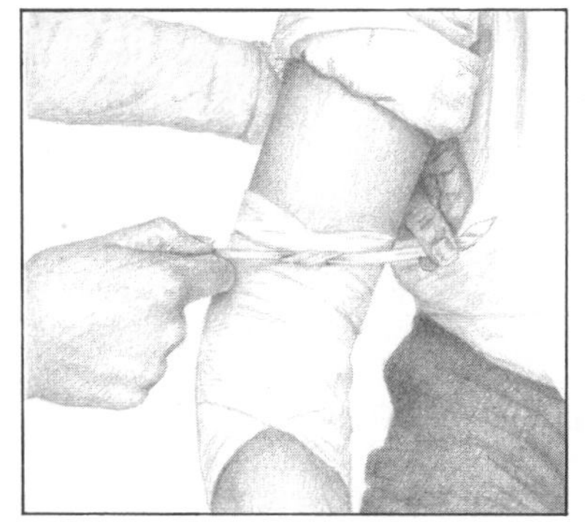

5

Faites le tour du membre une ou deux fois, puis fixez définitivement le pansement par un deuxième nœud.

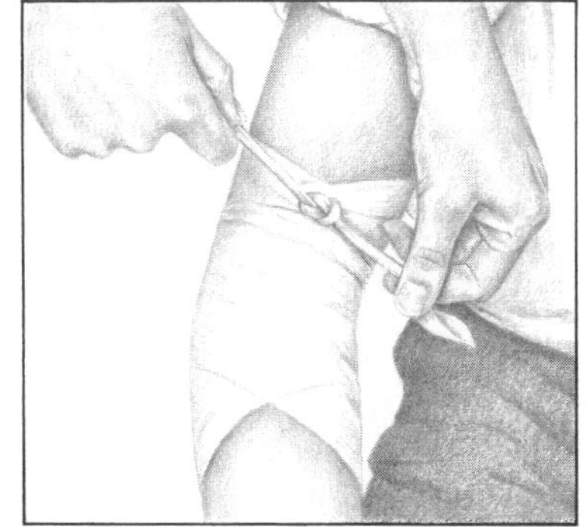

6

Une fois le deuxième nœud terminé, vérifiez que le pansement n'est pas trop serré ou imprégné de sang.

CONFECTION D'UN « PANSEMENT ANNEAU »

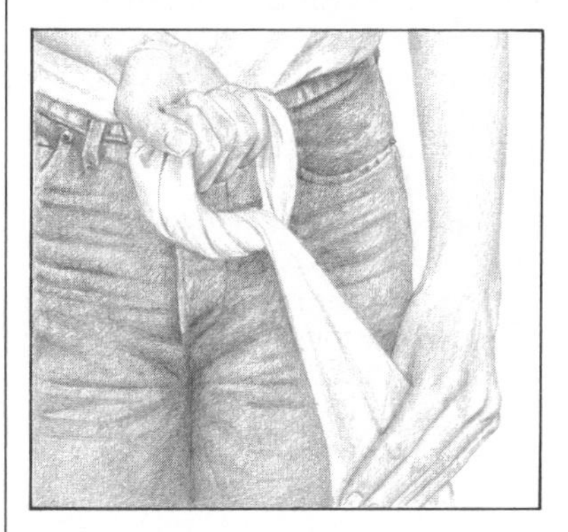

1

Si la plaie contient un corps étranger ou si un os fait saillie, fabriquez un pansement compressif en forme d'anneau, de façon à ne pas léser la partie blessée.

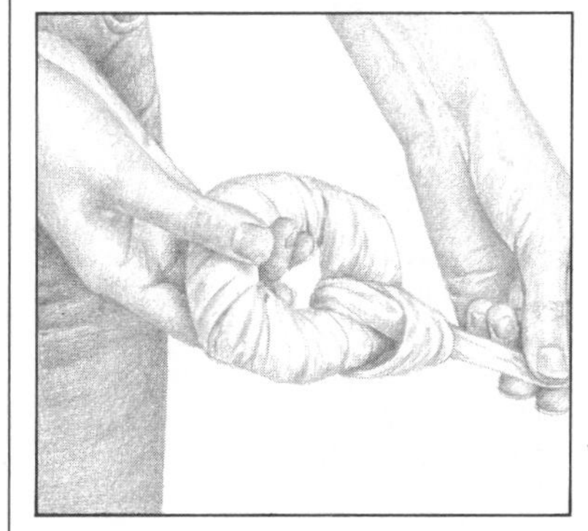

2

L'anneau est effectué à l'aide d'une bande de tissu enroulée en cercle sur elle-même.

Brûlures

Leur gravité dépend de leur étendue et les causes sont variées : feu, liquide bouillant, produits chimiques, électricité, coup de soleil, etc.

CE QU'IL FAUT FAIRE

- Soustraire la victime à la cause.
- Si les vêtements sont en flammes, rouler la victime sur le sol et l'envelopper complètement dans une couverture.
- Couper le courant en cas de contact avec un fil électrique.
- Calmer et rassurer la victime.
- Repérer les endroits brûlés pour pouvoir les signaler par téléphone au médecin que vous appellerez. Ils peuvent être rouges ou blanchâtres, avoir l'aspect du carton, avec quelquefois de grosses ampoules, ou noirâtres, carbonisés. Ils peuvent être indolores (c'est plus grave).
- Préserver au maximum la propreté des brûlures en les enveloppant complètement dans des linges parfaitement propres (draps, serviettes, etc., jamais de coton hydrophile).
- Contacter son médecin ou le service d'aide médicale d'urgence de sa région.
- Selon l'importance de la brûlure, on vous conseillera de transporter le blessé chez un médecin, ou à l'hôpital, ou d'appeler une ambulance spécialisée.

CE QU'IL NE FAUT PAS FAIRE

- Tenter d'enlever des vêtements collés à la peau. Il faut les laisser.
- Faire boire ou manger la victime même si elle le demande.

Si la brûlure est superficielle, passez-la sous l'eau froide, sauf si le blessé est encore en contact avec une source électrique.

- Appliquer un produit quelconque sur les brûlures. Il suffit de rincer dans les secondes qui suivent des brûlures localisées en les plaçant sous l'eau froide du robinet, avant de les envelopper dans un linge propre.

Cas particuliers

Brûlures par produits chimiques : laver à très grande eau (douche) le brûlé pendant dix minutes avant de l'envelopper dans un linge propre.

Brûlures oculaires par produits chimiques : placer l'œil directement sous l'eau froide du robinet pendant dix minutes, puis faire rapidement examiner l'œil par un spécialiste.

Brûlures provoquées par l'électricité : se méfier, car contrairement aux autres brûlures, une petite surface atteinte peut correspondre à une lésion grave en profondeur.

Convulsions

Les convulsions sont des contractions involontaires et saccadées, dues à une augmentation de l'activité musculaire et déterminant des mouvements localisés à un ou à plusieurs groupes musculaires, ou généralisés à tout le corps. Elles peuvent survenir chez l'adulte et chez l'enfant.

L'ÉPILEPSIE

La **crise** survient à l'improviste : chute brutale, raideur de quelques secondes, mouvements convulsifs, coma final avec respiration bruyante. Pendant la **crise**, le sujet urine involontairement et se mord la langue. Au réveil, il ne se souvient pas de la crise.

La seule aide que vous puissiez apporter est d'écarter tout ce qui présente un danger pour le malade (coins de meubles, chaises, etc.).

A la fin de la crise, car il peut perdre connaissance, étendre le malade en position de sécurité (*voir page 548*), desserrer ses vêtements, nettoyer sa bouche pour libérer les voies aériennes supérieures (salive, sang, vomissement).

Appeler le médecin, il est seul à pouvoir déterminer la cause de la crise. Il peut s'agir d'un épileptique chronique ou d'un malade atteint d'une lésion cérébrale (abcès, tumeur, angiome, contusion, hypoglycémie...).

LES CONVULSIONS DE L'ENFANT

Elles doivent toujours être prises au sérieux et surviennent plutôt chez l'enfant de moins de un an.

La crise se traduit par des mouvements désordonnés des membres, un rejet de la tête en arrière, des yeux révulsés.

Il faut appeler le médecin d'urgence ou conduire l'enfant à l'hôpital. Cela dit, la convulsion survient le plus souvent en cas de fièvre très élevée et/ou de déshydratation aiguë : diarrhées, vomissements, coup de chaleur. Les autres causes sont plus rares (intoxication, infection, méningite, traumatisme crânien).

En cas de crise, il convient donc de prendre toutes dispositions pour faire baisser la fièvre si la température est supérieure à 39° et faire boire l'enfant s'il peut avaler. Le meilleur traitement reste la prévention, c'est-à-dire éviter que fièvre et déshydratation ne s'installent.

Rappel des précautions à prendre en cas de fièvre élevée en attendant l'arrivée du médecin :

- Déshabiller l'enfant, retirer les couvertures.
- Ne pas surchauffer la pièce.
- Donner à boire abondamment.
- Si la fièvre est supérieure à 39°, baigner l'enfant pendant dix minutes dans une eau d'une température inférieure de 1 à 2° à la sienne (si l'enfant a 39°, le bain sera à 37-38°).

La convulsion chez un enfant, surtout s'il a moins de un an et qu'elle se prolonge, risque d'entraîner des conséquences sérieuses. Les parents doivent être très attentifs lorsqu'il y a fièvre et/ou déshydratation.

Déplacement d'un blessé

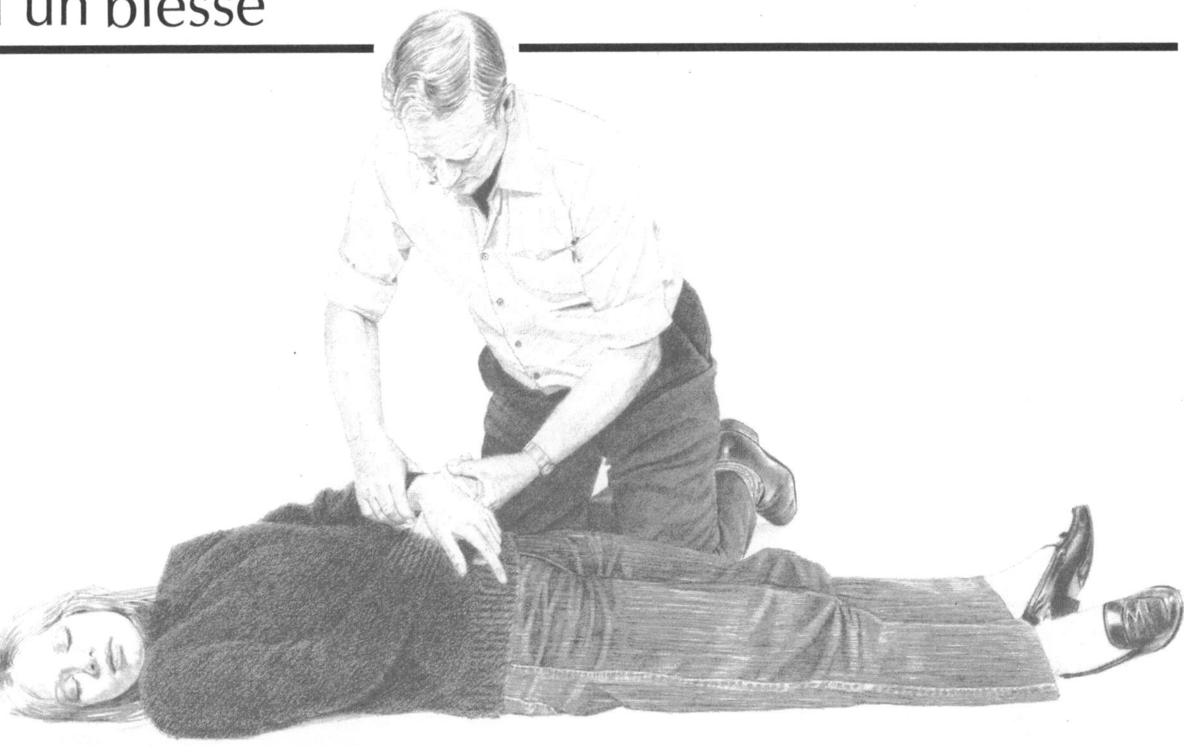

En règle générale, il ne faut pas déplacer un blessé : on risque d'aggraver son état. Manipuler sans précaution une victime qui présente une fracture des vertèbres peut entraîner une paralysie irréversible.

Mais il est des cas où le déplacement du blessé s'impose, car sa vie même est en danger sur les lieux de l'accident (explosion, flammes...) :

- Éviter les gestes brusques.
- Dégager la victime avec précaution, sans modifier sa position.

Si la victime est inconsciente (personne intoxiquée dans un local enfumé) :

- En premier lieu, assurer la liberté des voies aériennes supérieures : nettoyer la bouche d'éventuels corps étrangers gênant la respiration (sang, vomissements, dentier). *Voir* page 547.
- Inutile de commencer une respiration artificielle dans une atmosphère confinée : il faut d'abord amener la victime à l'air libre.

Cas particulier. La technique illustrée représente un cas de dégagement d'une victime dans un passage étroit et bas.

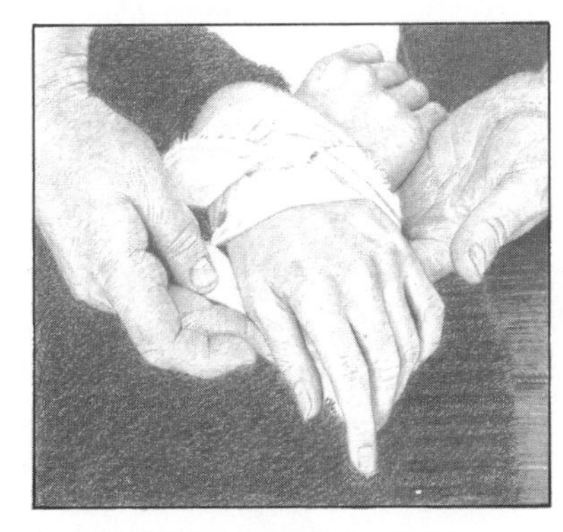

Croisez les poignets de la victime en les attachant avec un mouchoir, une ceinture ou une cravate. Serrez sans entraver la circulation du sang.

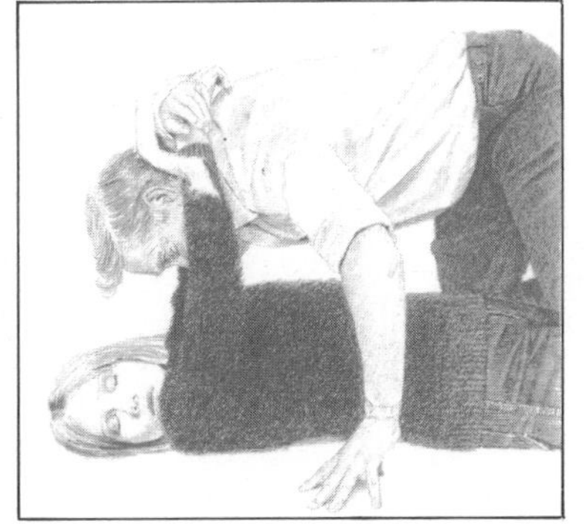

Placez-vous à genoux au-dessus de la victime, engagez votre tête sous les poignets réunis placés à la base de votre cou.

Avancez avec précaution, en position accroupie, en soulevant la tête et le thorax de la victime, vos bras soutenant son poids.

Électrocution

Les accidents provoqués par l'électricité sont plus fréquents à la maison que sur les lieux de travail. La plupart sont dus à des négligences graves : non-conformité des installations aux normes de sécurité, accès des enfants aux sources électriques non protégées, comme les prises murales dans lesquelles ils mettent leurs doigts ou les prises femelles de prolongateurs qu'ils portent à la bouche.

Ces deux derniers accidents provoquent des brûlures locales très douloureuses qui laissent des séquelles et nécessitent des interventions chirurgicales quelquefois multiples.

Si l'électricité passe à travers le corps, elle peut provoquer des brûlures profondes tout le long du trajet. La douleur est telle que le brûlé doit être transporté vers un centre hospitalier.

En cas de perte de connaissance brève, et à plus forte raison de coma (le sujet ne réagit plus aux stimulations, mais respire), il faut mettre l'électrocuté en position de sécurité (*voir page 548*).

L'arrêt respiratoire, la syncope, même passagers, nécessitent également l'alerte des secours médicaux.

Si le sujet ne réagit plus du tout, ne respire plus et n'a plus de pouls, c'est l'arrêt cardiaque, nécessitant l'intervention immédiate d'une équipe médicale de secours qui exécutera les gestes de réanimation.

Un sujet qui a subi une violente décharge électrique et qui ne se sent pas bien doit être vu d'urgence par l'équipe de secours médicale, même s'il est conscient et se lève.

Un électrocuté doit être immédiatement isolé de la source électrique. Pour ne pas s'électrocuter soi-même, utiliser un manche à balai en bois ou en plastique. Attention à l'humidité du sol et à celle des chaussures. Couper le courant est la meilleure solution.

Empoisonnements

Les empoisonnements à la maison sont le plus souvent dus à des imprudences graves mettant à la portée des enfants des produits ménagers caustiques ou toxiques (eau de Javel, soude, solvants, antirouille, insecticides, etc.), ou des médicaments.

Si un enfant vient d'avaler un liquide quelconque, s'assurer qu'il ne s'agit pas d'un caustique, qui pourrait lui provoquer une brûlure buccale et digestive. Lui laver la bouche (sans qu'il avale l'eau) pendant dix minutes, vérifier qu'il respire normalement et alerter le service d'aide médicale d'urgence pour connaître la meilleure conduite à suivre.

Si un enfant vient d'avaler des comprimés, il faut, dans le calme, le faire vomir en introduisant un doigt dans sa bouche et en le penchant en avant. Recueillir ses vomissements pour les confier au médecin en vue d'analyses.

Si un sujet qui a pris des produits toxiques ne réagit plus au pincement, il faut le coucher en position de sécurité (*voir page 548*) et demander une aide médicale d'urgence. Il n'existe pas d'antidote pour les poisons habituels. Il ne faut donc rien donner à boire, surtout en cas de coma débutant ou installé.

Si quelqu'un est déprimé au point de ne pas pouvoir dormir, éviter de le laisser seul, surtout s'il garde « des médicaments » à portée de la main…

Le surdosage de drogues tue par arrêt de la respiration. Une ventilation artificielle est alors nécessaire (*voir page 548*), ainsi que la position de sécurité (*voir page 548*), qui évite la noyade des bronches par d'éventuels vomissements.

Étouffement

Un corps étranger avalé de travers (bloqué dans la trachée) peut provoquer un étouffement : l'air ne passe plus. Après avoir essayé de lever l'obstacle en donnant deux ou trois coups de poing fermes entre les deux omoplates, on doit pratiquer la manœuvre d'expulsion : comprimer brusquement à l'aide des deux poings en boule le creux de l'estomac en appuyant vers le haut (voir illustration).

Quelqu'un qui étouffe et qui fait un bruit de hennissement à chaque inspiration est suspect d'avoir une obstruction partielle du larynx. Ce peut être un corps étranger, une lésion locale caustique, une réaction à un médicament ou à une piqûre de guêpe. Dès qu'un sujet respire mal, dès que sa voix change, il faut appeler le médecin d'urgence.

Quelqu'un qui étouffe et qui crache un liquide spumeux est en train de débuter un œdème aigu du poumon. Il nécessite un traitement médical urgent. Un insuffisant respiratoire chronique qui n'arrive plus à parler, à tousser, à cracher, qui s'endort continuellement va sombrer dans le coma; il faut l'hospitaliser en service de réanimation. Faire intervenir une ambulance de réanimation.

Un sujet inconscient peut étouffer sans avoir un comportement alarmant puisqu'il ne réagit pas. Les deux signes importants sont le ronflement (sa langue obstrue son gosier) et le gargouillement (du liquide stagne dans son gosier et risque de noyer les poumons). Il faut libérer les voies aériennes, coucher le sujet sur le côté (*voir page 548*) et demander l'aide médicale d'urgence.

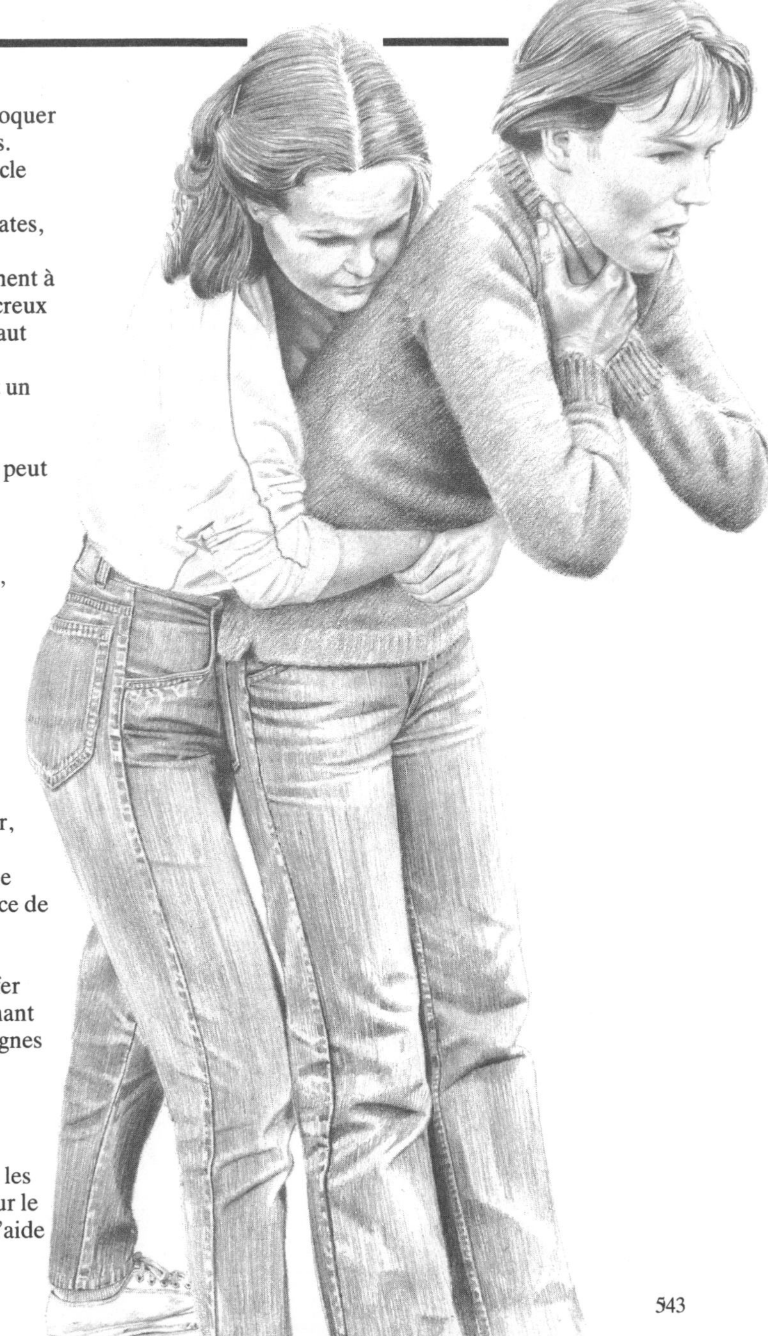

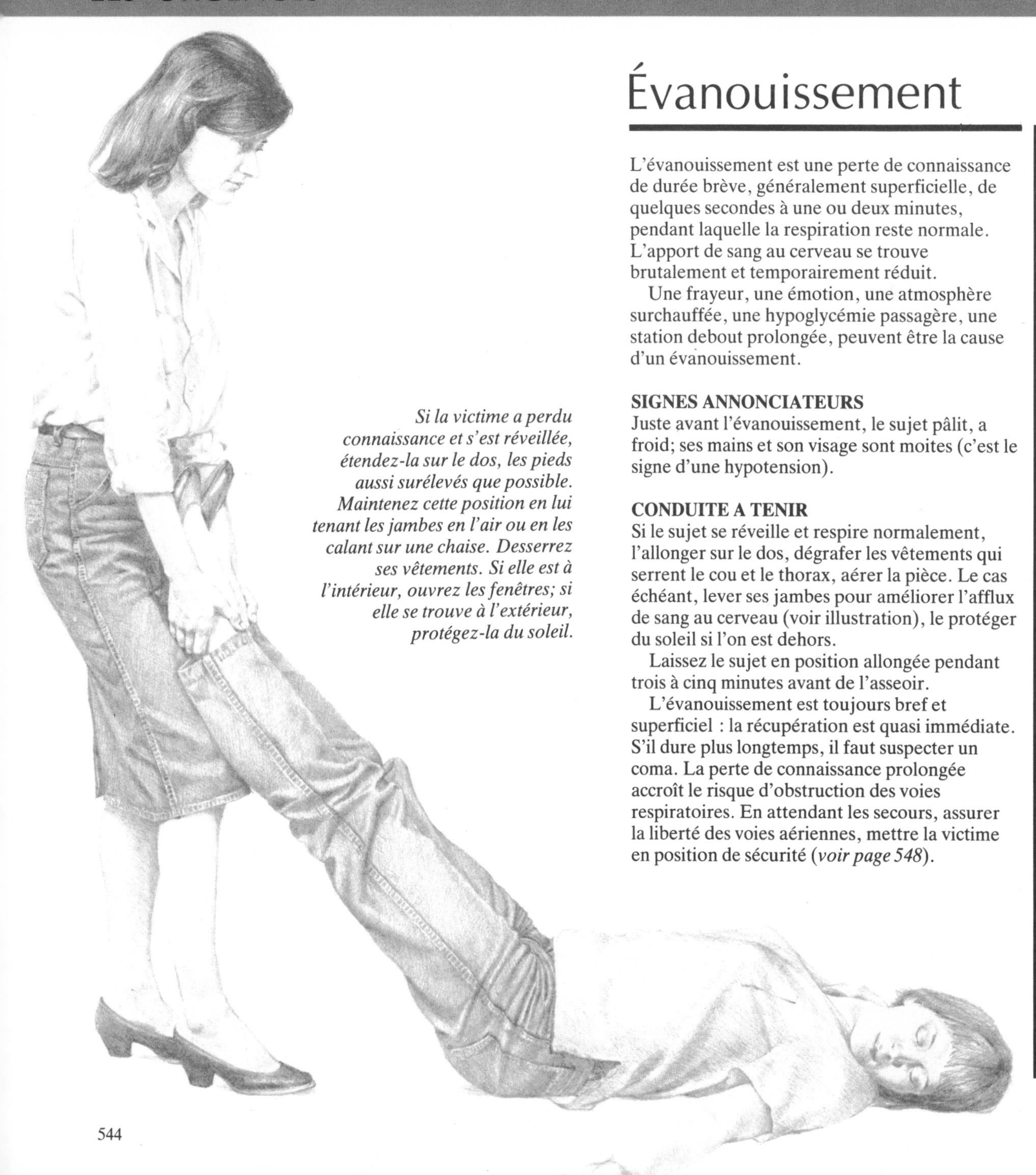

Si la victime a perdu connaissance et s'est réveillée, étendez-la sur le dos, les pieds aussi surélevés que possible. Maintenez cette position en lui tenant les jambes en l'air ou en les calant sur une chaise. Desserrez ses vêtements. Si elle est à l'intérieur, ouvrez les fenêtres; si elle se trouve à l'extérieur, protégez-la du soleil.

Évanouissement

L'évanouissement est une perte de connaissance de durée brève, généralement superficielle, de quelques secondes à une ou deux minutes, pendant laquelle la respiration reste normale. L'apport de sang au cerveau se trouve brutalement et temporairement réduit.

Une frayeur, une émotion, une atmosphère surchauffée, une hypoglycémie passagère, une station debout prolongée, peuvent être la cause d'un évanouissement.

SIGNES ANNONCIATEURS

Juste avant l'évanouissement, le sujet pâlit, a froid; ses mains et son visage sont moites (c'est le signe d'une hypotension).

CONDUITE A TENIR

Si le sujet se réveille et respire normalement, l'allonger sur le dos, dégrafer les vêtements qui serrent le cou et le thorax, aérer la pièce. Le cas échéant, lever ses jambes pour améliorer l'afflux de sang au cerveau (voir illustration), le protéger du soleil si l'on est dehors.

Laissez le sujet en position allongée pendant trois à cinq minutes avant de l'asseoir.

L'évanouissement est toujours bref et superficiel : la récupération est quasi immédiate. S'il dure plus longtemps, il faut suspecter un coma. La perte de connaissance prolongée accroît le risque d'obstruction des voies respiratoires. En attendant les secours, assurer la liberté des voies aériennes, mettre la victime en position de sécurité (*voir page 548*).

Fractures

La fracture d'un os est tellement douloureuse dès qu'on la mobilise que l'on en fait, généralement, le diagnostic immédiatement.

Aux membres inférieurs, on peut penser à une fracture lorsque le sujet couché n'arrive pas (à cause de la douleur) à soulever le talon du sol.

Aux membres supérieurs, une fracture est immobilisée par le sujet lui-même en position la moins inconfortable possible.

Au niveau de la cuisse, une fracture peut provoquer une véritable hémorragie interne. Il ne faut pas hésiter à faire intervenir le service d'aide médicale d'urgence sur place.

Au niveau de la jambe, l'os étant immédiatement sur la peau, il y a facilement une fracture « ouverte ». Certes, une fracture ouverte est plus urgente et grave qu'une fracture fermée, mais elle ne présente qu'un problème infectieux à résoudre avant la sixième heure. Inutile donc de se précipiter devant un sujet présentant une fracture, même ouverte. Il suffit de l'immobiliser dans la position la plus proche de l'axe de son corps, de manière à pouvoir brancarder le blessé à travers les passages étroits sans risquer de devoir mobiliser à chaque fois son foyer de fracture. La mobilisation d'un foyer de fracture est un facteur d'aggravation de l'état de choc traumatique à cause de la douleur qu'elle provoque.

Au niveau du thorax, le signe d'une fracture de côte est l'impossibilité de tousser à cause de la douleur locale. C'est dans la plupart des cas une fracture bénigne.

Au niveau du crâne, il n'y a pas d'autre signe que la douleur locale, due au traumatisme. Le seul signe sûr d'une fracture « ouverte » atteignant les méninges est l'écoulement de liquide (clair) céphalo-rachidien par le nez ou l'oreille (le sang n'est pas un signe certain).

Au niveau de la nuque et de la colonne vertébrale, tout sujet tombé brutalement doit être considéré comme ayant pu subir une fracture des vertèbres du cou jusqu'à preuve radiologique du contraire, surtout si par surcroît il a le moindre « torticolis ». Immobiliser le cou et la tête avec les mains, ou tout simplement coucher le sujet « à plat dos » (et sans oreiller !) sur un plan dur. On peut alors immobiliser la tête dans l'axe du corps.

Hémorragies

Source d'affolement général, les saignements s'arrêtent spontanément et sont le plus souvent sans conséquence.

Quand on voit le sang, il s'agit d'une hémorragie externe.

Quand on ne le voit pas, c'est une hémorragie interne, en général plus grave.

HÉMORRAGIE EXTERNE

On voit le sang et on voit d'où il vient. Il faut arrêter le saignement avec un seul geste : la compression locale. On exerce une pression continue et suffisamment forte sur l'endroit qui saigne jusqu'à l'arrêt du saignement.

On peut s'aider de compresses ou de linges propres (jamais de coton hydrophile), sinon la main nue suffit. Si les compresses ou les linges se remplissent de sang, ne pas les enlever, mais en rajouter d'autres et continuer la pression (voir illustrations).

Cas particuliers

- Saignement de nez : appuyer avec un doigt sur la narine du côté qui saigne pour la presser contre l'os du nez jusqu'à l'arrêt du saignement. Rester assis *penché en avant*. Faire examiner par un médecin.
- Saignement par un orifice naturel autre que le nez (par exemple, vomissement de sang) : seul un médecin pourra faire le nécessaire, mais ce n'est pas forcément grave.
- Saignement d'une varice du mollet : l'hémorragie peut être très importante; il faut la comprimer très vite et très fort.

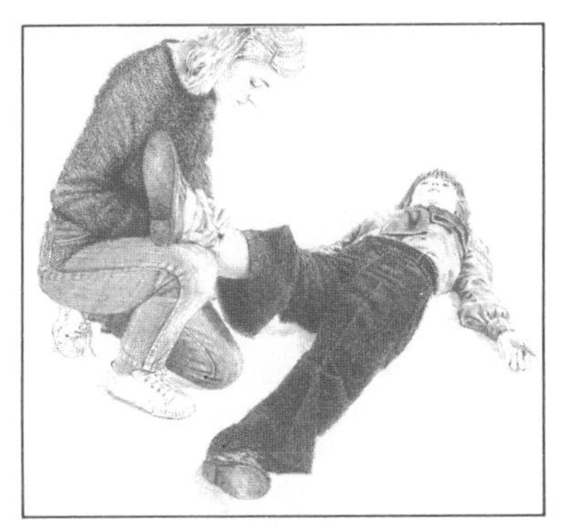

Le membre blessé est surélevé au-dessus du niveau du cœur pour diminuer le saignement.

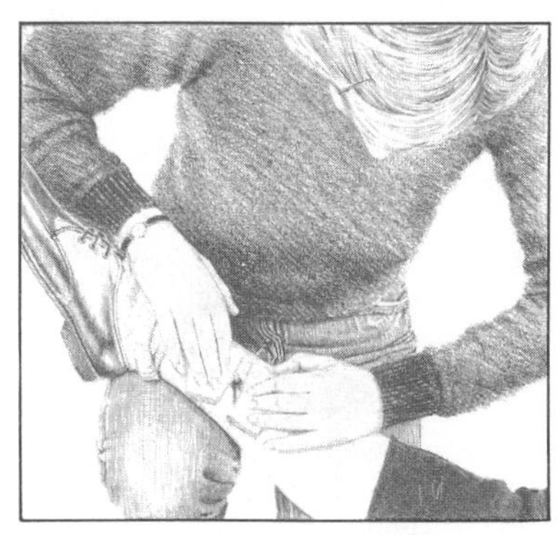

Continuer la compression de la plaie jusqu'à l'arrêt total de l'hémorragie.

HÉMORRAGIE INTERNE

On ne voit pas le sang, qui s'accumule à l'intérieur du corps, et c'est généralement plus grave. On ne peut le suspecter que par le retentissement sur l'état général : c'est l'état de choc hémorragique qui est la conséquence d'un saignement important :

Saignement extériorisé : il est rare que l'hémorragie interne soit si abondante qu'elle devienne externe, mais cela arrive.

Saignement interne : c'est le cas le plus fréquent.

On constate que le sujet est :

- Livide.
- Couvert de sueur, bien qu'il ait froid.
- Agité ou inconscient.
- Ses extrémités sont froides, quelquefois bleues.
- Son pouls est très rapide, quand on arrive à le prendre.
- Il a soif; il respire rapidement.

Ce qu'il faut faire

- Allonger le patient avec les jambes légèrement surélevées. S'il n'est pas en état de répondre à des questions simples, l'allonger en position de sécurité (*voir page 548*).
- Le couvrir, le rassurer, le calmer.

Ce qu'il ne faut pas faire

- Il ne faut jamais faire boire ou manger quelqu'un qui saigne, surtout s'il est en état de choc hémorragique, même s'il a très soif.

Dans tous les cas, contacter un médecin ou le service d'aide médicale d'urgence qui enverra l'ambulance et le personnel compétent pour transporter ce patient à l'hôpital.

Hypoglycémie

La cellule cérébrale peut souffrir en cas de manque d'oxygène, de température au-delà de 40° et de manque de sucre dans le sang (hypoglycémie).

L'hypoglycémie survient chez tous les jeûneurs. Elle s'annonce par une sensation de faim, des étourdissements, des crampes d'estomac. Il faut que le sujet absorbe du sucre ou une boisson sucrée, ce qui améliore rapidement son état; sinon, il peut éprouver une série de symptômes plus ou moins graves :

- Perte de connaissance brève (moins de dix minutes), et même coma (plus de dix minutes).
- Convulsions épileptiques.
- Crises d'ébriété et d'agitation, ou même crise de « folie aiguë ».

Pour arrêter ces signes graves, il suffit de faire une perfusion intraveineuse de sucre (donner à boire de l'eau sucrée à un comateux serait risquer la « noyade » de ses poumons).

Les candidats à l'hypoglycémie risquent en outre des accidents s'ils sont en voiture ou à moto.

Ces candidats à l'hypoglycémie sont ceux qui ont « sauté » au moins le dernier repas, surtout le petit déjeuner, et particulièrement :

- Les diabétiques traités par les produits abaissant le sucre dans le sang (insuline ou autres).
- Les personnes obèses ou très maigres, surtout si elles prennent certains médicaments et si elles suivent des régimes non surveillés.
- Les sujets ayant une pathologie gastro-duodéno-pancréatique.

Sachons aussi que l'alcoolisme aigu, qui est déjà une intoxication dangereuse en soi, s'accompagne quelquefois d'hypoglycémie.

Enfin, n'oublions pas tous ceux qui ne se nourrissent pas pour des raisons économiques ou sociales. Ils peuvent être atteints d'hypoglycémie et il faut alors alerter le service d'aide médicale d'urgence.

Noyade

La noyade représente de loin la cause la plus importante de mortalité par accident chez l'enfant, et notamment dans les quatre premières années de la vie.

La noyade peut survenir aussi bien chez le nageur expérimenté, mais épuisé, que chez le novice, lors d'une chute accidentelle dans l'eau.

A domicile, cet accident peut se produire quand un petit enfant ou un handicapé sont laissés sans surveillance dans une baignoire.

Une autre cause de noyade est l'hydrocution (syncope : perte de connaissance subite d'origine circulatoire). Elle peut se produire brutalement, sans avertissement, ou après une courte alarme : maux de tête, crampes, sensation d'angoisse. C'est l'écart entre la température de la peau et celle de l'eau qui est responsable de la syncope. Les longues expositions au soleil avant le bain, les plongeons pour se rafraîchir, la baignade pendant la période digestive sont à éviter.

En plongée, un accident (décompression, syncope) peut déclencher la perte de contrôle du nageur et entraîner sa noyade.

Conduite à tenir

En attendant les secours, sur toute victime inanimée il est urgent de pratiquer la respiration artificielle (*voir page 548*).

- Commencer par libérer les voies aériennes : desserrer les vêtements le cas échéant, basculer la tête en arrière, en abaissant le menton, dégager à l'aide de deux doigts la bouche et l'arrière-gorge des corps étrangers (sang, vomissements, dentier).
- Si cette manœuvre fait vomir la victime, la tourner sur le côté pour éviter le passage des vomissements dans les voies respiratoires.
- Pratiquer le bouche-à-bouche s'il ne respire plus.

Trois gestes qui sauvent

Liberté des voies aériennes

Mettez votre oreille contre la bouche du sujet pour entendre son type de respiration.

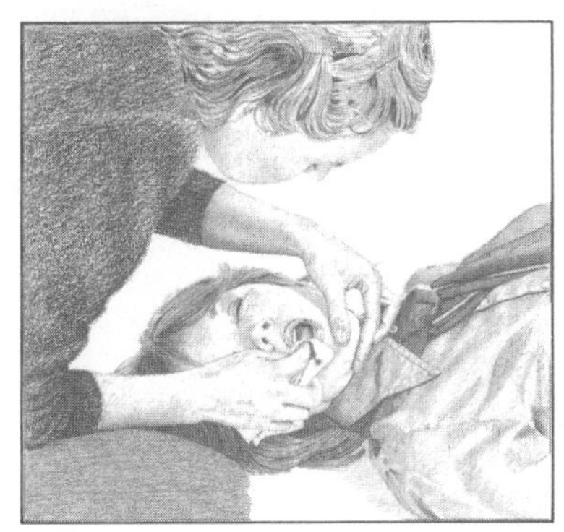

Nettoyez la bouche et enlevez tout corps étranger en introduisant un ou deux doigts.

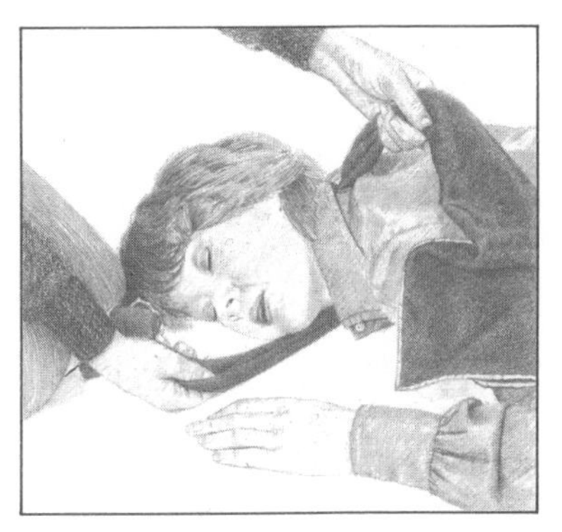

Maintenez la tête de la victime sur le côté de façon à évacuer tout liquide.

Les voies aériennes doivent être parfaitement dégagées pour que les poumons soient bien ventilés.

Un sujet qui a les voies aériennes obstruées lutte, car il étouffe.

Lorsque ces voies sont complètement bouchées par un corps étranger ou un spasme, on n'entend plus du tout l'air passer au niveau de la bouche malgré les efforts désespérés de la victime (*voir* ÉTOUFFEMENT, *page 543*).

Lorsque les voies aériennes sont incomplètement bouchées, l'air arrive à entrer difficilement à chaque effort d'inspiration. Si le larynx est obstrué, le bruit caractéristique est celui d'un cheval qui hennit; on dit que le sujet « corne ».

Lorsqu'un sujet a perdu sa vigilance (connaissance) mais qu'il ventile (respire) encore, il peut également étouffer par obstruction du gosier s'il est laissé couché sur le dos. Les raisons en sont les suivantes :

- La langue tombe sur le fond de la gorge; le bruit qui doit alors alarmer est un ronflement.
- Les liquides accumulés au fond de la gorge par perte des réactions de crachement ou de déglutition provoquent un bruit de gargouillement. Ces liquides menacent à tout instant d'aller noyer les poumons.

Un sujet dans cet état peut également avoir un corps étranger dans la bouche (bonbon, dentier, etc.).

COMMENT RÉALISER LA LIBERTÉ DES VOIES AÉRIENNES ?

Cette manœuvre est vitale; il faut donc l'exécuter très rapidement. Desserrer cravate, col, ceinture.

- Entreprendre la manœuvre de dégagement de la bouche et de l'arrière-gorge : basculer doucement la tête en arrière, une main posée sur la nuque, l'autre sur le front (cette manœuvre suffit quelquefois à ramener la langue en avant). Puis appuyer sur le menton d'une main, l'autre main sur le front, pour ouvrir la bouche.

Retirer, à l'aide de deux doigts, corps étrangers, appareil dentaire. Si les éléments liquides (crachats, vomissements, sang) sont abondants, nettoyer à l'aide d'un linge.

- Cette manœuvre de désobstruction peut déclencher un vomissement. Dans ce cas, maintenir la tête de la victime tournée sur le côté de façon à évacuer le liquide vers l'extérieur, sinon il risquerait d'être inhalé (passage du vomissement dans les voies respiratoires).
- Après cette manœuvre, la respiration peut redevenir spontanément normale; sinon, on peut commencer la respiration artificielle (*voir page 548*).

Respiration artificielle

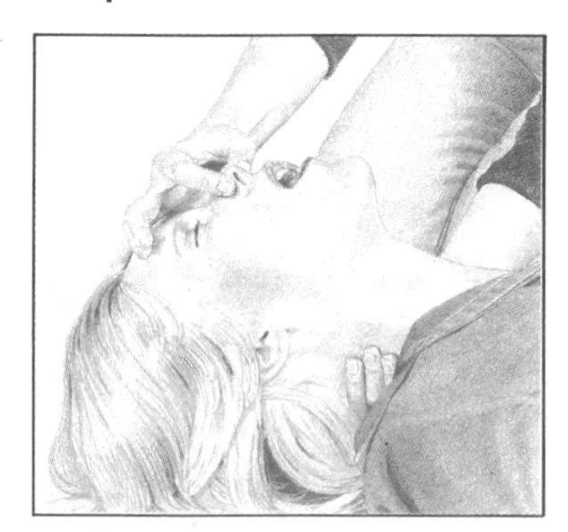

Pour qu'il n'y ait pas d'air qui s'échappe, on doit fermer les orifices du nez de la victime en le pinçant ou en l'incluant dans la bouche.

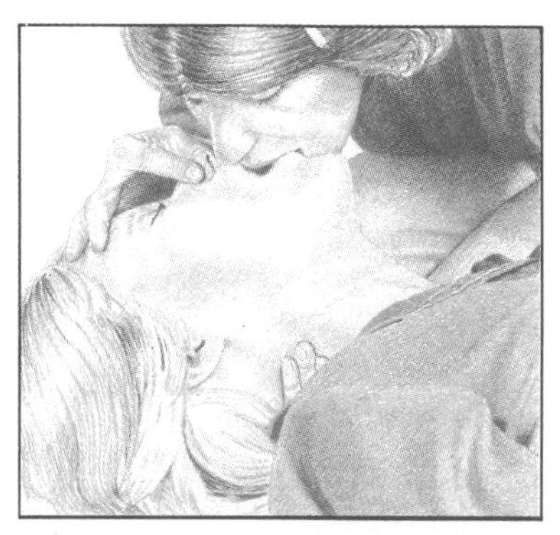

Pour insuffler, il suffit de souffler suffisamment pour faire gonfler légèrement la zone du creux de l'estomac.

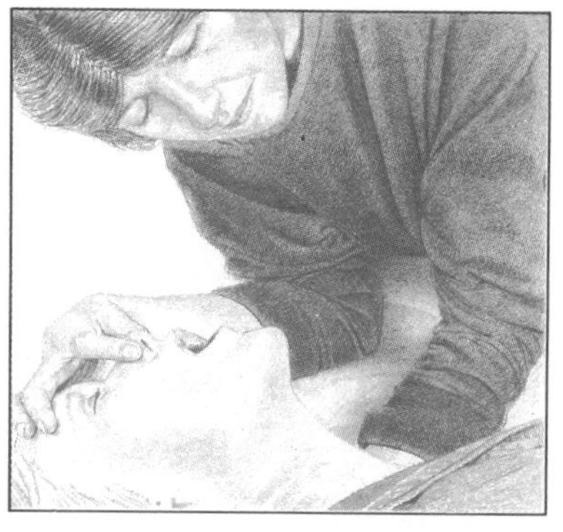

Entre chaque insufflation, le patient vide son air pulmonaire spontanément, et l'on voit le creux de l'estomac se dégonfler.

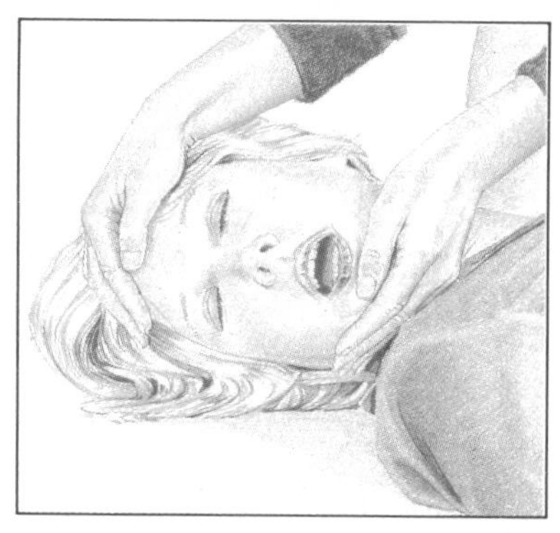

Si le patient vomit, lui mettre la tête sur le côté, en maintenant le menton pour dégager le cou, et appliquer la joue contre le sol.

Le don du souffle peut sauver. Il est facile. Il n'est pas dangereux si l'on prend la précaution de le faire en mettant bien la tête du patient en arrière pour éviter que l'air n'aille dans l'estomac au lieu d'aller dans les poumons.

Le bouche-à-bouche consiste, après avoir libéré les voies aériennes (*voir page 547*), à souffler suffisamment d'air (sans fuites) dans les bronches du sujet, de manière à lui abaisser le diaphragme. Cela est visible entre chaque insufflation au niveau du creux de l'estomac.

La respiration artificielle par don du souffle ne peut sauver que ceux *qui viennent de s'arrêter de respirer mais qui ont encore une fonction cardiaque* (on sent encore leur pouls).

La respiration artificielle seule ne peut pas faire repartir un cœur arrêté. Il faudrait ajouter des gestes de réanimation cardiaque comme le massage cardiaque. Mais ce massage, effectué par des mains inexpertes, peut être dangereux et ne sert à rien s'il n'est pas suivi aussitôt par l'action médicale.

Pour faire le don du souffle (bouche-à-bouche), il faut d'abord dégager les voies aériennes et ouvrir la bouche du patient en abaissant son menton et en mettant sa tête en arrière.

Position de sécurité

Mettre immédiatement la victime inanimée dans une position de sécurité : à plat ventre. Si possible, la tête plus basse que les pieds, le visage tourné sur le côté. Cette position est une des positions de sécurité recommandées. Ce n'est pas la seule et elle peut varier d'un pays à un autre et d'un organisme de secourisme à un autre.

On évite la chute de la langue en arrière et l'inhalation (passage dans la trachée et les bronches de crachats, d'aliments, de vomissements ou de sang) en installant ainsi la victime.

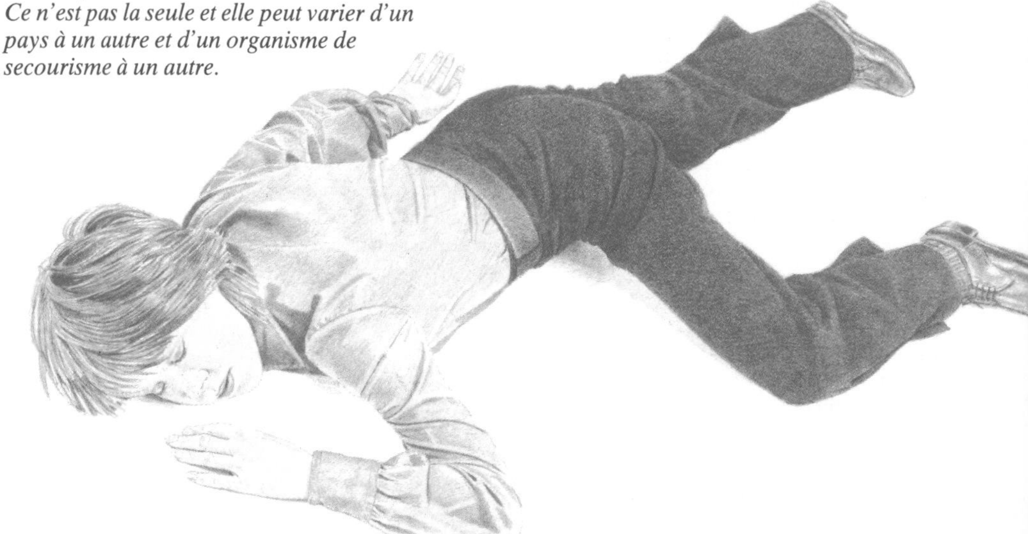

INDEX

La pagination en caractères gras renvoie à un sujet traité dans le livre.
La pagination en caractères maigres renvoie à un sujet dans lequel le terme est employé.
La pagination en caractères italiques renvoie à une illustration.

A

B

C

D

E

F

G

H

I

JK

L

M

N

QR

S

U

ILLUSTRATIONS

34 à **55** : Charles Raymond. **59** : Dr J.M. Stroumza. **60** à **65** : Jennifer Eachus. **98** : Ray Ruddick/The London Hospital, Whitechapel, Londres. **99** : David H. Trapnell/Queen Mary's Hospital, Roehampton, Londres. **101** : Howard Sochurek/John Hillelson Agency. **104-105** : Andrew Aloof. **114** : John Watney. **130** : Charles Pickard. **132-133** : Brookhaven National Laboratory and New York Medical Center, **132-133** (dessin en noir et blanc) : Andrew Aloof, **133** encadré : Niels A. Lassen, M.D., Bispebjerg Hospital, Danemark. **134** à **139** : Jennifer Eachus. **144-145** : Charles Pickard. **146** : Andrew Aloof, Medical Illustration Department, St Bartholomew's Hospital. **147** : Andrew Aloof, Ron Boardman, Alltek Hospital Supplies Limited. **160** : Howard Sochurek, John Hillelson Agency. **162** : Andrew Aloof, diapositives de William C. Nyberg et Alexander Tsiaras, *Discover Magazine,* mars 1981 © Time Inc./Colorific. **163** : Andrew Aloof. **164** à **167** : Jennifer Eachus. **168** : Gibbs Oral Hygiena Center C.N.R.I./Vision International. **169-170** : Jennifer Eachus. **171** : Diapositives fournies par le docteur Fontenelle. **174** : John Watney. **176-177** : Charles Pickard. **178-179** : Jennifer Eachus. **186** : Dr Mair, Northwick Park Hospital, Harrow, Middlesex, Grande-Bretagne. **187, 192** : Andrew Aloof. **201** à **205** : Charles Pickard. **214** à **227** : Clive Arrow Smith. **228-229** : Jennifer Eachus. **234** : Edward Williams. **235** : Atelier Fritz Aikele, encadré : Atelier Fritz Aikele, voiture électrique : Mobilité Inc. **236** : Edward Williams, monte-malade : Atelier Fritz Aikele. **237** : Atelier Fritz Aikele. **238** : Edward Williams. **239** : Bill Prosser, encadré : Edward Williams. **240** : Edward Williams. **241** : Bill Prosser, encadré : Atelier Fritz Aikele. **247** : E.H. Cook/Science Photo Library. **249** : Charles Pickard. **252** : A.R. Williams. **257** : Dr R. Dourmashkin/Science Photo Library. **258** : Dr D. McLaren/Science Photo Library, Dr C.F. Leedale/Biofotos. **259** : A.R. Brody/Science Photo Library, Dr A. Liepins/Science Photo Library. **260** : Petit Format/C. Edelmann, Petit Format/Guigoz. **261-262** : Petit Format/Guigoz. **272** : Dr Paul Moore/Institute for the Advanced Study of Communication Processes, université de Floride. **278** à **281** : Jennifer Eachus. **283** : C.N.R.I./Vision International. **334-335** : Andrew Aloof. **336** : Dr G. Leedale/Biofotos/Science Photo Library. **346** : Dr R.P. Clark et Mervyn Goff/Science Photo Library. **352** à **355** : Jennifer Eachus. **360** à **363** : Jennifer Eachus. **367** : Howard Sochurek/John Hillelson Agency. **370-371** : Keith Campbell, Howard Pemberton. **372** à **379** : Howard Pemberton. **380-381** : Keith Campbell, Howard Pemberton. **384** à **393** : Howard Pemberton. **394-395** : Keith Campbell, Howard Pemberton. **396** à **399** : Howard Pemberton. **400-401** : Keith Campbell, Howard Pemberton. **402** : Howard Pemberton. **404-405** : Keith Campbell, Howard Pemberton. **414-415** : Keith Campbell, Howard Pemberton. **415** à **423** : Howard Pemberton. **430-431** : Andrew Aloof. **443** : Emil Bernstein et Eila Kairinen, Gillette Research Institute/*Science Magazine,* 27 août 1971. **444-445** : Andrew Aloof. **456-462** : Bill Prosser. **463** : Loppé. **464** : Bill Prosser. **465** : Loppé. **466** à **468** : Bill Prosser. **469** : Loppé et Bill Prosser. **470** à **473** : Bill Prosser. **479** : Medtronic Inc. Minneapolis. **505** : Michael G. Gould, A.I.I.P., F.R.S.A., université de Warwick, Photographic Department et Miss J. Silver, Moorfields Eye Hospital, Londres. **521** : Dr G. Bredberg/Science Photo Library. **524** : Tests de vision, par le Dr Shinobu Ishihara, Kanehara Shuppan Co Ltd. **527** à **535** : Clive Arrow Smith. **539** : Gordon Lawson. **540** : Gordon Lawson. **541** : Andrew Aloof. **542** : Malcolm McGregor. **543** : Andrew Aloof. **544** : Malcolm McGregor. **545** à **548** : Andrew Aloof.

LE CONSEILLER MÉDICAL DE LA FAMILLE
publié par
Sélection du Reader's Digest

Composition : EUROCOMPOSITION • Paris
Photogravure : LA PHOTOCHROMIE • Paris
Impression et reliure : BREPOLS • Turnhout

PREMIÈRE ÉDITION

Achevé d'imprimer : décembre 1984
Dépôt légal en France : janvier 1985
Dépôt légal en Belgique : D 1984 0621 4

IMPRIMÉ EN BELGIQUE
Printed in Belgium